de Bibliotheek
Breda

D0411901

Elizabeth George

Een duister vermoeden

A.W. Bruna Uitgevers, Utrecht

Oorspronkelijke titel
Believing the Lie

Vertaling
Fanneke Cnossen
Omslagbeeld
Getty Images/Stone/Henrik Sorensen
Omslagontwerp
Mariska Cock

ISBN 978 94 005 0104 1
NUR 305

Dit boek is gedrukt op papier dat het keurmerk van de Forest Stewardship Council (FSC) mag dragen. Bij dit papier is het zeker dat de productie niet tot bosvernietiging heeft geleid. Een flink deel van de grondstof is afkomstig uit bossen en plantages die worden beheerd volgens de regels van FSC. Van het andere deel van de grondstof is vastgesteld dat hiervoor geen houtkap in de laatste resten waardevol bos heeft plaatsgevonden. Daarom mag dit papier het FSC Mixed Sources label dragen. Voor dit boek is het FSC-gecertificeerde Munkenprint gebruikt. Dit papier is 100% chloor- en zwavelvrij gebleekt en wordt geleverd door Arctic Paper Munkedals AB, Zweden.

In dierbare herinnering aan
Anthony Mott
briljant causeur
bewonderd metgezel
voor mij altijd Antonio

This life's five windows of the soul
Distorts the Heavens from pole to pole,
And leads you to believe a lie
When you see with, not thru, the eye.

William Blake

10 oktober

Fleet Street

Londen-City

Zed Benjamin was nooit eerder naar het kantoor van de redacteur geroepen en hij vond het zowel verontrustend als opwindend. Door het verontrustende idee stond het zweet in zijn oksels. Door de opwinding voelde hij om de een of andere reden zijn hartslag letterlijk in zijn duimtoppen. Maar vanaf het begin had hij het essentieel gevonden om Rodney Aronson als een gewone jongen van *The Source* te zien, en daarom schreef hij de zwetende oksels en kloppende duimen toe aan het feit dat hij te vroeg in het seizoen zijn zomerpak had verruild voor zijn winterkleren. Hij nam zich voor de volgende ochtend zijn zomerpak weer aan te trekken en hoopte maar dat zijn moeder het niet naar de stomerij had gebracht zodra ze zag dat hij zijn andere plunje had aangetrokken. Dat zou echt iets voor haar zijn, bedacht Zed. Zijn moeder was hulpvaardig en ijverig. Te hulpvaardig en overijverig.

Hij zocht naar wat afleiding, en in het kantoor van Rodney Aronson was dat niet moeilijk. Terwijl de krantenredacteur Zeds verhaal las, bekeek Zed de koppen van oude edities van het roddeltabloid, die ingelijst aan de muren hingen. Hij vond ze onsmakelijk en idioot, de artikelen speelden in op de laagste driften van de menselijke geest. HOMOHOER DOORBREEKT STILTE ging over een vrijage tussen een zestienjarige jongen en een parlementslid, in een auto in de buurt van King's Cross Station. Een onbeschaamd romantisch intermezzo dat ongelukkigerwijs werd verstoord door de komst van de zedenpolitie van het naburige politiebureau. PARLEMENTSLID IN SEKSDRIEHOEK MET TIENER was gepubliceerd voordat de schandknaap de stilte doorbrak en werd op de voet gevolgd door ZELFMOORDDRAMA VAN VROUW PARLEMENTSLID. *The Source* was er bij al deze verhalen als de kippen bij geweest, als eerste ter plaatse, kwam met de primeur, stond als eerste klaar met geld om informanten te betalen voor schunnige details voor een nog smeuïger verhaal, dat in elke geloofwaardige krant discreet zou zijn vermeld of diep in de doofpot zijn gestopt, of beide. Dit gold vooral voor pikante onderwerpen als PRINS VERWIKKELD IN SLAAPKAMERPERIKELEN, PALEIS GESCHOKT DOOR SEKSUELE ESCAPADES ADJUDANT, en ALWEER EEN

KONINKLIJKE SCHEIDING? die allemaal, zo wist Zed maar al te goed uit de kantineroddels, stuk voor stuk de oplagecijfers van *The Source* naar ruim honderdduizend exemplaren hadden getild. De krant stond bekend om dit soort verhalen. Iedereen op de redactie begreep dat je niet als onderzoeksjournalist voor *The Source* wilde werken als je je handen niet vuil wilde maken aan het wroeten in andermans vieze was.

En dat was, eerlijk gezegd, het geval bij Zedekiah Benjamin. Hij wilde helemaal niet als onderzoeksjournalist voor *The Source* werken. Hij zag zichzelf eerder als een columnist voor de *Financial Times*, iemand met een carrière die zoveel respect en erkenning afdwong dat hij zich zijn werkelijke liefde kon veroorloven: het schrijven van mooie poëzie. Maar banen voor respectabele columnisten lagen bepaald niet voor het oprapen en een mens moest toch wat om de schoorsteen te laten roken, want met schitterende gedichten schrijven lukte dat niet. Dus Zed wist dat hij zich voortdurend moest voordoen als iemand die zowel journalistieke als professionele voldoening haalde uit de jacht op sociale miskleunen van beroemdheden en slippertjes van leden van het Koninklijk Huis. Maar toch mocht hij graag geloven dat het zelfs voor een krant als *The Source* niet verkeerd was als die enigszins uit de spreekwoordelijke goot kon kruipen van waaruit, en zo was het toch zeker, niemand naar de sterren lag te staren.

Het stuk dat Rodney Aronson aan het lezen was, was daar een voorbeeld van. Volgens Zed hoefde een tabloidverhaal niet per se vol te zitten met wellustige details om de belangstelling van de lezer vast te houden. Verhalen konden verlichtend en bevrijdend zijn, zoals dit verhaal, en daarmee zou de krant ook heus wel verkopen. Toegegeven, dit soort artikelen haalde niet de voorpagina, maar het zondagsmagazine was ook goed, hoewel een spread over de twee middenpagina's van de dagelijkse editie ook mooi zou zijn, zolang er maar foto's bij geplaatst werden en het verhaal op de volgende pagina verderging. Zed had een eeuwigheid over dit stuk gedaan en het verdiende liters drukinkt, vond hij. Alles zat erin waar de lezers van *The Source* dol op waren, maar dan op een fijnzinnige manier. Het ging over de zonden van vaders en hun zonen, gebroken relaties werden uitgediept, er zat alcohol- en drugsgebruik in en uiteindelijk was de verlossing nabij. Het artikel repte van een mislukkeling die gevangenzat in een dodelijke wurggreep van een methamfetamineverslaving, die op het allerlaatste moment min of meer tot inkeer wist te komen en een nieuw leven begon, een wedergeboorte waarin hij een onverwachte toewijding voor het laagste uitschot van de maatschappij aan de dag legde. Dit was een verhaal over schurken en helden, met waardige tegenstanders en eeuwigdurende liefde.

Het speelde zich af op exotische plaatsen, ging over familiewaarden, ouderlijke liefde. En bovendien...

'Doodsaai.' Rodney Aronson gooide Zeds verhaal op het bureau en plukte aan zijn baard. Hij pulkte er een chocoladekruimel uit en ving die op in zijn mond. Tijdens het lezen had hij een chocoladereep verorberd en met een rusteloze blik zocht hij zijn bureau af naar een volgende lekkernij, waar hij best zonder kon, als je zijn buik bekeek waar het reusachtige safari-jasje dat hij op zijn werk graag droeg omheen spande.

'Wat?' Zed dacht dat hij het niet goed had verstaan en zocht zijn hersens af naar iets wat op 'doodsaai' rijmde, om zichzelf ervan te overtuigen dat zijn redacteur zijn stuk niet had veroordeeld tot de onderste hoek van bladzijde twintig of erger.

'Doodsaai,' zei Rodney. 'Zo doodsaai dat ik ervan in slaap val. Toen ik je daarheen stuurde, had je me een sappig achtergrondverhaal beloofd. Wat ik me ervan kan herinneren, heb je me een sappig achtergrondverhaal gegarandéérd. En dan te bedenken dat ik Joost mag weten hoeveel dagen in een hotel voor je heb betaald...'

'Vijf,' zei Zed. 'Want het was een ingewikkeld verhaal en er moesten mensen worden geïnterviewd, zodat het objectief bleef...'

'Oké. Vijf. En over dat hotel moet ik het trouwens nog met je hebben, want ik heb de rekening gezien en ik vraag me af of die kamer soms inclusief dansmeisjes was. Als iemand verdomme vijf dagen lang op kosten van de krant naar Cumbria wordt gestuurd en belooft met een spetterend verhaal thuis te komen...' Rodney pakte het stuk en zwaaide ermee. 'Wat heb je daar eigenlijk onderzocht? En waar gaat die titel in godsnaam over? "Het negende leven." Wat is dit, iets van je intellectuele literaire cursus? Creatief schrijven zeker, hè? Je verbeeldt je zeker dat je een romanschrijver bent, hè?'

Zed wist dat de hoofdredacteur geen universitaire opleiding had genoten. Ook daar werd in de kantine over gekletst. Zodra Zed bij *The Source* kwam werken, was hem in bedekte termen al snel het advies gegeven: in godsnaam, voor je eigen bestwil, jongen, roep niet Rods toorn over je af door hem eraan te herinneren dat je ook maar érgens een eerste of tweede graad in hebt die zelfs maar vagelijk met hoger onderwijs te maken heeft. Daar kan hij níét mee omgaan en dan denkt hij dat je 'm in de zeik neemt, dus heb het daar alsjeblieft niet over.

En zo manoeuvreerde Zed omzichtig met zijn antwoord op Rodneys vraag over de titel van het stuk. 'Ik dacht eigenlijk meer aan katten.'

'Je dacht aan katten.'

'Eh... met negen levens?'

'Ik snap 'm. Maar we schrijven niet over katten, of wel?'
'Nee. Natuurlijk niet. Maar...' Zed wist niet zo goed wat de redacteur wilde, dus hij veranderde van koers en putte zich verder uit in verklaringen. 'Ik wilde maar zeggen dat die kerel acht keer in een afkickkliniek heeft gezeten, in drie verschillende landen, en niets werkte, maar dan ook helemaal niets. O, misschien is hij zes of acht maanden clean geweest, of misschien een keer een jaar, maar na een tijdje zat ie weer aan de drugs en was het weer mis. Hij belandt in Utah waar hij een heel bijzondere vrouw ontmoet, en plotseling is hij een nieuw mens die zijn verleden achter zich laat.'
'Presto, turno, is dat alles? Gered door de macht van de liefde, hè?' Rodney zei het op minzame toon en Zed putte daar moed uit.
'Precies, Rodney. Daarom is het zo ongelooflijk. Hij is compleet genezen. Hij komt thuis, bepaald niet als de verloren zoon naar het gemeste kalf, maar...'
'Het gemeste wat?'
Zed schakelde snel terug. Bijbelse toespeling. Kon duidelijk niet. 'Stomme opmerking. Dus hij komt thuis en start een project voor de reddelozen.' Kon je dat zo zeggen? vroeg Zed zich af. 'En niet voor degenen die je zou verwachten: jonge meisjes en jongens met nog een heel leven voor zich. Maar de verworpenen der aarde. Oude kerels met een hard leven, het gespuis van de maatschappij...'
Rodney keek hem aan.
Zed haastte zich verder: 'Maatschappelijk uitschot dat zijn volgende maaltijd uit een vuilnisbak haalt en waarbij ze hun rotte tanden uitspugen. Hij redt ze. Hij denkt dat ze de moeite van het redden waard zijn. En het helpt. Zij genezen ook. Een leven lang drank, drugs, een hard bestaan, en ze zijn genezen.' Zed haalde adem. Hij wachtte op Rodneys reactie.
Die kwam gauw genoeg, maar zo te horen was hij bepaald niet enthousiast over de argumenten die Zed ter verdediging van zijn verslag aanvoerde. 'Ze herbouwen verdomme gewoon een toren, Zed. Niemand geneest ergens van en als de toren klaar is, wordt het hele zwikkie weer op straat gezet.'
'Dat geloof ik niet.'
'Waarom niet?'
'Omdat het een burchttoren is. En dat geeft het verhaal ballen. Het is een metafoor.' Zed wist dat hij zich met het begrip metafoor op glad ijs begaf, dus hij ging snel verder: 'Als je bedenkt waar de torens voor dienen, dan zie je hoe het in z'n werk gaat. Ze waren gebouwd als verdediging tegen grensplunderaars – die akelige kerels die vanuit Schotland binnenvielen, weet je wel? – en in dit geval staan de grensplunderaars

voor drugs, oké? Meth. Coke. Hasj. Smack. Blowen. Wat dan ook. De burchttoren zelf vertegenwoordigt verlossing en herstel, en elke verdieping van de toren heeft zijn eigen bestemming: op de begane grond huisden de dieren, de eerste verdieping was voor koken en huishoudelijke karweitjes en de tweede voor wonen en slapen, terwijl vanaf het dak de plunderaars werden teruggeslagen door ze met pijlen en, o, weet ik veel, met kokende olie of zoiets, te bestoken. Als je dat allemaal in ogenschouw neemt en bedenkt wat het zou móéten betekenen en zou kúnnen betekenen in het leven van iemand die zo'n... wat zal 't zijn?... vijftien jaar op straat heeft geleefd, dan...'

Rodney liet zijn hoofd op het bureau vallen. Hij wuifde Zed weg.

Zed wist niet zo goed wat hij daarmee aan moest. Het leek erop dat hij kon vertrekken, maar hij was niet van plan met z'n staart tussen de benen... God, alweer een metafoor, dacht hij. Hij denderde door en zei: 'Dat maakt dit een eersteklas stuk. Daarmee is dit verhaal perfect voor de zondageditie. Ik zie het al voor me in het magazine, vier pagina's met foto's: de toren, de kerels die hem herbouwen, wat ervóór gebeurde en wat erna kwam, dat soort dingen.'

''t Is doodsaai,' zei Rodney weer. 'Wat, trouwens, ook een metafoor is. Dat geldt ook voor seks, maar daar staat in dit verhaal niets over.'

'Seks,' herhaalde Zed. 'Nou die vrouw heeft wél sexappeal, maar ze wilde niet dat het verhaal over haar of over hun relatie ging. Ze zei dat hij degene is die...'

Rodney hief zijn hoofd. 'Ik bedoel niet letterlijk seks, sukkel. Ik bedoel seks zoals bij séxy.' Hij knipte met zijn vingers. 'Dat knetteren, die spanning, geef de verlangende lezer wat ie wil, de onrust, de haast, de groeiende opwinding, van dat maak-d'r-nat-maak-'m-hard, alleen weten ze niet eens dat ze zich zo voelen. Snap je me? Dat ontbreekt aan jouw verhaal.'

'Maar dat is de bedoeling ook niet. Het moet juist mensen een hart onder de riem steken, ze hoop geven.'

'We zitten hier niet om mensen een hart onder de riem te steken en we zitten al helemaal niet in de hoopbusiness. Onze business is kranten verkopen. En geloof me, met dit gelul lukt dat voor geen meter. We hebben het hier wel over een bepaald sóórt onderzoeksjournalistiek. Bij je sollicitatiegesprek zei je dat je wist wat ik daarmee bedoelde. Daarom ben je toch naar Cumbria gegaan? Wéés dan ook een onderzoeksjournalist. Doe onderzoek, verdomme.'

'Dat heb ik gedaan.'

'Gelul. Dit is een liefdesfeestje. Iemand heeft je daar uit de broek gekletst...'

'Dat is helemaal niet zo.'

'... en jij bent door de knieën gegaan.'

'Niet waar.'

'Dus dit...' Hij wapperde weer met het verhaal. '... moet voor het echte werk doorgaan, hè? Dit versta jij dus onder een lekker verhaal?'

'Nou ja, ik begrijp dat... Misschien niet echt. Maar ik bedoel maar, als je die vent eenmaal kent...'

'Zinkt de moed je in de schoenen. Een onderzoek van likmevestje.'

Zed vond dat heel oneerlijk. 'Dus eigenlijk zeg je dat een verhaal over drugsverslaving, een weggegooid leven, gekwelde ouders die alles geprobeerd hebben om hun kind te redden zodat hij zichzelf zou redden... die kerel die bijna stikte in de zilveren lepel, Rodney... geen onderzoeksverhaal is? Niet sexy? Niet sexy zoals jij het graag wilt?'

'De zoon van een of andere lord nietsnut verzuipt zich in de drugs.' Rodney gaapte theatraal. 'Is dat soms iets nieuws? Zal ik je nog een paar namen geven van tien andere waardeloze eikels die hetzelfde doen? Zo gebeurd, hoor.'

Zed voelde zich moedeloos worden. Al die verloren tijd, al die verspilde moeite, al die interviews, al die – moest hij toegeven – subtiele plannen om bij *The Source* een koerswijziging te bewerkstelligen en er een krant van te maken die tenminste nog een béétje de moeite waard was, en waarmee zijn naam ook in de schijnwerpers kwam te staan, want, laten we wel wezen, de *Financial Times* nam momenteel niemand aan. Alles voor niets. Het klopte niet. Zed woog zijn kansen en zei ten slotte: 'Oké. Ik snap je punt. Maar stel dat ik nog een poging waag? Stel dat ik daar weer naartoe ga en nog wat dieper graaf?'

'Waar naartoe, in godsnaam?'

Dat was absoluut de hamvraag. Zed dacht aan alle mensen met wie hij had gesproken: de bekeerde verslaafde, zijn vrouw, zijn moeder, zijn zussen, zijn vader, de arme drommels die hij aan het redden was. Had hij soms iets over het hoofd gezien? Nou, dat moest haast wel, om de simpele reden dat dat nu eenmaal altijd zo was. 'Dat weet ik eigenlijk niet,' zei Zed. 'Maar als ik nog wat rondneus... Iedereen heeft geheimen. Iedereen liegt weleens ergens over. En als je bedenkt hoeveel dit verhaal heeft gekost, dan is het niet zo erg als ik nog een poging waag.'

Rodney schoof zijn stoel naar achteren en leek Zeds voorstel in overweging te nemen. Hij drukte met een vinger op een knop van zijn telefoon en blafte naar zijn secretaresse: 'Wallace. Ben je daar?' en toen ze antwoordde: 'Haal nog een reep voor me. Hazelnoot deze keer.' En toen tegen Zed: 'Jouw tijd, jouw geld. Anders gaat 't niet door.'

Zed knipperde met zijn ogen. Dat zette de zaken in een heel ander licht. Hij zat bij *The Source* op de onderste sport van de ladder, en dat gold ook voor zijn loon. Hij berekende een treinkaartje, een huurauto, een hotel... misschien een B&B of bij een oude dame die kamers verhuurde in een achterafstraatje in... waar? Niet bij de Lakes. Dat was te duur, zelfs in deze tijd van het jaar. En werd hij eigenlijk wel doorbetaald als hij in Cumbria was? Dat betwijfelde hij. Hij zei: 'Mag ik er nog even over nadenken? Ik bedoel, je gooit het verhaal toch niet meteen weg? Ik moet even kijken hoe ik er financieel voorsta, als je begrijpt wat ik bedoel.'

'Kijk zoveel je wilt.' Rodney glimlachte. Zijn lippen waren niet gewend aan deze voor hem onnatuurlijke beweging, waaruit bleek dat dit zelden gebeurde. 'Zoals ik al zei: jouw tijd, jouw geld.'

'Bedankt, Rodney.' Zed wist eigenlijk niet waarom hij de man bedankte, dus hij knikte, stond op en liep naar de deur. Toen hij de deurkruk vastpakte, voegde Rodney er op vriendelijke toon aan toe: 'Mocht je besluiten toch te gaan, dan zou ik dat petje thuislaten als ik jou was.'

Zed aarzelde, maar voor hij iets kon zeggen, vervolgde Rodney: 'Het heeft niets met religie te maken, knul. Ik geef niet om jouw godsdienst of welke godsdienst dan ook. Neem een raad aan van iemand die al in het vak zat toen jij nog in de luiers lag. Doe het of niet, maar zoals ik het zie, wil je de mensen niet afleiden, je wilt ze juist het idee geven dat je hun biechtvader bent, hun beste vriend, een schouder om op uit te huilen, hun zielknijper, noem maar op. Dus als je door een of ander attribuut hun aandacht afleidt van het verhaal dat ze aan je kwijt willen – of liever gezegd, en in ons geval, níét aan je kwijt willen – dan heb je een probleem. En daarmee bedoel ik alles wat lijkt op tulbanden, zwaaiende rozenkransen om je nek, petten, met henna geverfde lange baarden, dolken aan je middel. Snappie? Een onderzoeksjournalist moet in de achtergrond opgaan. En met dat petje... Kijk, aan je lengte kun je niets doen, en ook niet aan je haar – tenzij je het verft, maar dat hoeft van mij niet – maar dat petje gaat echt te ver.'

In een reflex raakte Zed zijn keppeltje aan. 'Dat draag ik omdat...'

'Het kan me niet schelen waarom je 't draagt. Het kan me niet schelen dát je 't draagt. Neem het aan als een raad van een wijze man, meer niet. Jouw keus.'

Zed wist dat de hoofdredacteur dit laatste zei om een rechtszaak te voorkomen. Sterker nog, hij wist dat de hoofdredacteur alles wat hij over het keppeltje had gezegd om diezelfde reden zo had geformuleerd. *The Source* was bepaald niet een bastion van politieke correctheid, maar daar ging het niet om. Rodney Aronson wist precies hoe hij te werk moest gaan.

'Denk er gewoon over na,' zei Rodney tegen hem toen de deur van het kantoor openging en zijn secretaresse met een gezinsverpakking chocoladerepen binnenkwam.

'Doe ik,' zei Zed. 'Absoluut.'

St. John's Wood

Londen

Tijd was van levensbelang, dus hij vertrok meteen. Hij zou de metro nemen en overstappen op de bus naar Baker Street. Een taxi naar St. John's Wood zou beter zijn geweest, dan had hij in elk geval beenruimte, maar dat kon hij niet betalen. Dus liep hij helemaal naar station Blackfriars, wachtte eindeloos op de ringlijn, en toen die tjokvol arriveerde moest hij binnen pal voor de wagondeuren staan, waar hij alleen maar paste door zijn schouders in te trekken en als een boeteling zijn kin op zijn borst te laten rusten.

Met een verdraaide nek stapte hij in Barclay's uit waar hij voor de laatste etappe van zijn reis de bus pakte. Hij wilde zijn bankrekening bekijken, in de ijdele hoop dat hij zich misschien had misrekend toen hij de vorige keer zijn saldo had aangevuld. Hij had geen spaargeld, behalve dan wat er op die ene rekening stond. Toen hij dat bedrag zag, zonk de moed hem in de schoenen. Door dat reisje naar Cumbria zou hij failliet gaan en hij moest bedenken of het wel de moeite waard was. Het was per slot van rekening maar een verhaal. Als hij ervan afzag, zou hij gewoon weer een volgende opdracht krijgen. Maar je had verhalen en verhalen, en dit... Hij wist gewoon dat het iets bijzonders was.

Nog steeds besluiteloos kwam hij anderhalf uur eerder thuis dan normaal en daarom belde hij bij de ingang van het gebouw aan. Zo zou zijn moeder niet in paniek raken als ze een sleutel in het slot hoorde op een tijdstip van de dag dat ze niemand verwachtte. Hij zei: 'Ik ben het, mam,' en zij zei: 'Zedekíah! Geweldig!' wat hem nogal verbaasde, tot hij binnenkwam en zag waarom zijn moeder zo opgetogen was.

Susanna Benjamin was net een bescheiden theetafel aan het opruimen, maar ze was niet alleen. Een jonge vrouw zat in de beste stoel van de kamer, de stoel die Zeds moeder altijd voor gasten reserveerde. Ze bloosde bevallig en boog haar hoofd even toen Zeds moeder ze aan elkaar voorstelde. Ze heette Yaffa Shaw, zei Susanna Benjamin, en zat in dezelfde leesgroep als Zeds moeder, en ze riep uit dat dit wel héél toevallig was, wonderbaarlijk gewoon. Zed wachtte tot er meer kwam en werd niet teleurgesteld: 'Ik vertelde Yaffa net dat mijn Zedekiah áltijd met zijn neus in de boeken zit. En niet in eentje, maar wel in vier of vijf tegelijk. Vertel aan Yaffa wat je nu aan het lezen bent, Zed. Yaffa is aan de nieuwe Graham Swift begonnen. Nou ja, we gaan allemaal de nieuwe Graham Swift lezen. Voor de leesclub, Zed. Ga zitten, ga zitten, liefje. Neem een kop thee. O hemeltje, die is koud. Zal ik verse zetten?'

Voordat Zed kon reageren, was zijn moeder al weg. Hij hoorde haar in de keuken rommelen. En als klap op de vuurpijl zette ze ook nog de radio aan. Hij wist dat ze met opzet een kwartier over het theezetten zou doen, want zijn moeder en hij hadden dit wel vaker aan de hand gehad. De vorige keer was het een kassameisje van de Tesco geweest. De keer daarvoor een veel betere partij, de oudste nicht van hun rabbi, die in Londen was om een door een Amerikaanse universiteit georganiseerde zomercursus te volgen, al wist Zed niet meer welke. Na Yaffa, die hem gadesloeg en ongetwijfeld op een gesprekje hoopte, zouden er anderen volgen. Dit zou zo doorgaan tot hij met een van hen was getrouwd en dan zouden de toespelingen op kleinkinderen beginnen. Niet voor het eerst vervloekte Zed zijn oudere zus, en de loopbaan die ze had gekozen, en haar besluit om niet alleen geen kinderen te baren maar ook niet te trouwen. Zij had een wetenschappelijke carrière die hem eigenlijk was toebedeeld. Niet dat hij een wetenschappelijke carrière had gewild, maar als zij nou een beetje had meegewerkt en haar moeder een schoonzoon en kleinkinderen had geschonken, dan zou hij niet steeds als hij thuiskwam geconfronteerd worden met de zoveelste potentiële huwelijkskandidaat die met een of ander smoesje in het pand op de loer lag.

Hij zei tegen Yaffa: 'Jij en mam... jullie zitten in dezelfde leesclub, hè?'

Ze bloosde nog heviger. 'Eigenlijk niet,' biechtte ze op. 'Ik werk in de boekwinkel. Ik adviseer de club over boeken. Je moeder en ik... raakten aan de praat... ik bedoel, dat gebeurt wel vaker, je weet hoe dat gaat.'

O, en of hij dat wist. En ook hoe Susanna Benjamin precies te werk ging. Hij kon het gesprek zo uittekenen: de sluwe vragen en de vriendelijke antwoorden. Hij vroeg zich af hoe oud het arme meisje was en of zijn moeder haar vruchtbaarheid in haar calculatie had weten mee te nemen.

Hij zei: 'Ik durf te wedden dat je niet had verwacht dat ze een zoon had.'

'Dat heeft ze niet gezegd. Alleen liggen de zaken nu een beetje lastig, want...'

'Zed, liefje,' zong zijn moeder uit de keuken. 'Is Darjeeling goed? Koekje erbij? Wat dacht je van een scone, schat? Yaffa, wil jij nog meer thee? Jullie willen vast wat babbelen, dat weet ik zeker.'

En dat was nou precies wat Zed niet wilde. Hij wilde tijd om na te denken, en de voors en tegens afwegen of hij schulden zou maken om naar Cumbria te gaan, zodat hij zijn verhaal wat pikanter kon maken. En als hij inderdaad naar Cumbria ging, moest hij precies uitzoeken waar hij die pikante details dan vandaan moest halen: dat bruisende, de kick, wat het ook was waarvan de lezers van *The Source*, die hoogstwaarschijnlijk de collectieve intelligentie van een grafsteen bezaten, opgewonden raakten. Hoe kreeg je een grafsteen opgewonden? Door een lijk te regelen. Zed giechelde inwendig bij die doorgetrokken metafoor. Hij was alleen maar wat blij dat hij die niet bij Rodney Aronson had gebruikt.

'Zo, liefjes!' Susanna Benjamin voegde zich weer bij hen, ze droeg een dienblad met versgezette thee, scones, boter en jam. 'Wat een lang end is mijn Zedekiah, hè, Yaffa? Ik weet niet van wie hij dat heeft. Hoe komt dat eigenlijk, schatje?' Dit laatste was tegen Zed. Hij was twee meter lang en zijn moeder wist net zo goed als hij waar dat vandaan kwam: zijn grootvader van vaders kant was maar een kleine acht centimeter korter geweest. Toen hij geen antwoord gaf, ging ze opgewekt verder: 'En die voeten van hem. Kijk eens naar die voeten, Yaffa. En zijn handen zijn zo groot als een rugbybal. En je weet wat ze zeggen...' Ze knipoogde. 'Melk en suiker, Zedekiah? Allebei toch?' En tegen Yaffa: 'Heeft twee jaar in de kibboets gezeten, die zoon van me. Daarna twee jaar in het leger.'

'Mam,' zei Zed.

'O, doe niet zo verlegen.' Ze schonk meer thee in Yaffa's kopje. 'Het Israëlische leger, Yaffa. Wat vind je daarvan? Hij verstopt zich graag. Zo'n bescheiden jongen. Zo is hij altijd geweest. Yaffa is ook zo, Zedekiah. Je moet elk stukje informatie uit haar trekken. Geboren in Tel Aviv, haar vader een chirurg, twee broers die in het kankeronderzoek werken, moeder een modeontwerpster, mijn jongen. Modeontwerpster! Is dat niet geweldig? Natuurlijk kan ik me haar ontwerpen niet veroorloven, want haar kleren worden verkocht in... Hoe noemde je ze ook alweer, Yaffa, liefje?'

'Boetieks,' zei Yaffa hoewel ze nu zo rood was geworden dat Zed vreesde dat ze een beroerte of hartaanval zou krijgen.

'In Knightsbridge, Zed,' zei zijn moeder op plechtige toon. 'Denk je eens in. Ze ontwerpt helemaal in Israël kleding en die wordt híér verkocht.'

Zed zocht naar een manier om de woordenstroom te onderbreken, dus zei hij tegen Yaffa: 'Wat brengt jou naar Londen?'

'Studie!' antwoordde Susanna Benjamin. 'Ze gaat hier naar de universiteit. Natuurkunde, Zedekiah. Biologie.'

'Scheikunde,' zei Yaffa.

'Scheikunde, biologie, geologie... allemaal hetzelfde, want denk eens aan die hersens in dat lieve hoofdje van haar, Zed. En is ze niet mooi? Heb je ooit een mooier klein ding gezien dan onze Yaffa?'

'Niet recentelijk,' zei Zed met een betekenisvolle blik naar zijn moeder. Hij voegde eraan toe: 'Dat moet minstens zes weken geleden zijn geweest.' Door haar in verlegenheid te brengen hoopte hij dat ze wat zou inbinden, want haar bedoelingen lagen er wel heel dik bovenop.

Dat was ijdele hoop. Susanna zei: 'Hij lacht zijn moeder maar al te graag uit, Yaffa. Hij is een plaaggeest, mijn Zedekiah. Daar raak je wel aan gewend.'

Aan gewénd? Zeds blik schoot naar Yaffa, die ongemakkelijk in haar stoel heen en weer schoof. Daaruit maakte hij op dat er meer onthullingen op stapel stonden en dat zijn moeder daar ook onmiddellijk mee zou komen.

'Yaffa krijgt de oude slaapkamer van je zus,' zei Susanna tegen haar zoon. 'Ze is komen kijken en zei dat het precies is wat ze nodig heeft nu ze uit haar andere kamer weg moet. Is het niet enig dat er een jong gezicht in de flat bij komt? Ze trekt morgen bij ons in. Je moet me nog vertellen hoe je je ontbijt wilt, Yaffa. Je moet de dag met een stevige maaltijd beginnen zodat je goed kunt studeren. Dat was ook zo met Zedekiah, toch, Zed? Een eerste graad in de literatuur, die zoon van me. Heb ik je verteld dat hij gedichten schrijft, Yaffa? Hij gaat vast ook een gedicht over jou schrijven.'

Zed stond abrupt op. Hij was vergeten dat hij een theekopje vasthad en de Darjeeling klotste eruit. Goddank spatte het meeste ervan op zijn schoenen en niet op zijn moeders tapijt. Maar hij had het met alle liefde over haar keurig gekapte, grijze hoofd gegoten.

Hij nam ter plekke het besluit dat hij nodig had en zei: 'Ik vertrek naar Cumbria, mam.'

Ze knipperde met haar ogen. 'Cumbria? Maar was je daar niet...'

'Er zit meer aan het verhaal vast en daar moet ik achteraan. En het heeft haast, zo blijkt.'

'Maar wanneer ga je dan weg?'

'Zodra ik mijn koffer heb gepakt.'

Wat, zo besloot hij, niet langer hoefde te duren dan een minuut of vijf, of minder.

Onderweg naar Cumbria

Doordat hij zo haastig had willen en moeten vertrekken, voordat zijn moeder daar in de woonkamer de *choppe* zou voltrekken, was Zed gedwongen een trein te nemen die hem via een omweg naar Cumbria zou brengen. Daar was niets aan te doen. Zodra hij zijn koffer had gepakt en zijn laptop in de hoes had gestopt, had hij snel de aftocht geblazen. De bus, metro, station Euston, op het perron rondhangen tot het tijd was om in te stappen, met een creditcard zijn ticket, vier broodjes, een exemplaar van *The Economist, The Times* en de *The Guardian* betalen, terwijl hij zich afvroeg hoe lang hij erover zou doen om iets – wat dan ook – te ontdekken waarmee hij zijn verhaal pikanter kon maken, en zich nog meer afvroeg hoe lang het zou duren om zijn moeder zover te krijgen dat ze niet meer als een souteneur vrouwen van de straat plukte... Tegen de tijd dat hij op de trein kon stappen, kon hij eindelijk afleiding zoeken in zijn werk. Hij klapte zijn laptop open en toen de trein het station uit reed, nam hij de aantekeningen door die hij nauwgezet tijdens elk interview had gemaakt en die hij elke avond zorgvuldig op zijn laptop had ingevoerd. Hij had bovendien een stapeltje handgeschreven notities bij zich, die hij ook wilde controleren. Want er moest iets zijn en dat moest en zou hij ontdekken.

Hij keek eerst naar de hoofdpersoon van zijn verhaal: Nicholas Fairclough, tweeëndertig jaar, de ooit zo liederlijke zoon van Bernard Fairclough, baron van Ireleth uit de provincie Cumbria. Bevoorrecht en in weelde geboren als hij was – en hier kwam die zilveren lepel om de hoek kijken – joeg hij in zijn jeugd het fortuin erdoorheen dat hem door het lot was geschonken. De man was gezegend met een engelachtig gezicht, maar zijn gedrag was bepaald niet engelachtig. Vanaf zijn veertiende jaar had hij tegen zijn zin een hele serie afkickprogramma's afgewerkt. Het leek wel een reisverhaal, want zijn ouders kozen steeds exotischer en verder afgelegen oorden in een poging hem tot een gezonde levensstijl te verleiden. Wanneer hij weer in het zoveelste afkickoord zat, hield hij er van zijn vaders geld een levensstijl op na alsof het leven zelf hem een bestaan verschuldigd was dat hem linea recta terugbracht naar verslavingsland. Iedereen gooide bij die jongen de handdoek in de ring, nadat ze er hun in onschuld gewassen handen mee hadden afgedroogd. Vader, moeder, zussen, zelfs een neef annex broer had dat gedaan...

Dát was nog eens iets om over na te denken, besefte Zed. De neef-annex-broer-invalshoek. Hij had niet gedacht dat daar een verhaal in zat, en Nicholas had dat tijdens de interviews ook benadrukt, maar het was mogelijk dat Zed iets over het hoofd had gezien wat nu van pas kon komen... Hij bladerde eerst door zijn aantekenboekje en vond zijn naam: Ian Cresswell, in een uitermate verantwoordelijke functie werkzaam bij Fairclough Industries, eerste neef van Nicholas, acht jaar ouder, geboren in Kenia maar die later in zijn jeugd naar Engeland was gekomen om zijn intrek te nemen in huize Fairclough... Daar was op de een of andere manier toch zeker wel iets mee te doen?

Zed keek op en staarde nadenkend uit het raam. Buiten was het pikdonker, het enige wat hij zag was zijn eigen reflectie: een roodharige reus bij wie zich in het voorhoofd bezorgde rimpels groefden omdat zijn moeder hem wilde uithuwelijken aan de eerste de beste bereidwillige vrouw die ze kon vinden, en omdat zijn baas op het punt stond zijn goed geschreven stuk proza in de vuilnisbak te gooien terwijl hij alleen maar iets wilde schrijven wat enigszins de moeite waard was. En dus, wat stond er in zijn aantekeningen? vroeg hij zich af. Wat? Wát?

Zed viste een van de vier broodjes uit zijn tas en schrokte het naar binnen terwijl hij zijn papieren doorkeek. Hij zocht naar een aanwijzing, een manier waarop hij op zijn verhaal kon voortborduren, of ten minste een hint dat verder graven misschien die zindering zou opleveren die er volgens Rodney Aronson zo nodig in moest. De neef-annex-broer-invalshoek zóú kunnen. Maar tijdens het lezen merkte Zed dat er voortdurend vertellingen uit het Oude Testament door zijn hoofd speelden, waardoor hij het land van de literaire zinspelingen en metaforen betrad, en hij kon het zich niet veroorloven daar rond te dwalen. Maar eerlijk gezegd was het allemachtig lastig om alles wat tijdens zijn gesprekken met de hoofdrolspelers ter sprake was gekomen, te lezen zónder aan Kaïn en Abel te denken, mijn broeders hoeder, verbrande offerandes van de opbrengst van iemands werk, en die al dan niet een wit voetje wilde halen bij degene die in het verhaal de rol van God speelde, waarschijnlijk Bernard Fairclough, baron van Ireleth. Als je écht Bijbels uit de hoek wilde komen, kon de baron Isaak zijn, die te maken kreeg met Jakob en Esau die over hun eerstgeboorterecht bakkeleiden. Hoewel Zed in de verste verte niet kon geloven hoe het in vredesnaam mogelijk was dat iemand de vacht van een dood lam – of wat het ook was geweest – kon verwarren met een stel harige armen.

Maar door dat hele idee van het eerstgeboorterecht dook Zed dieper in zijn aantekeningen om te kijken of hij informatie had over wie nou eigenlijk wat zou erven, mocht de ongelukkige situatie zich voordoen dat er iets met lord Fairclough zou gebeuren; en ook wie Fairclough Industries zou gaan leiden als de baron voortijdig aan zijn eind zou komen.

Nou, dát zou nog eens een verhaal zijn, hè? Bernard Fairclough die op raadselachtige wijze... wat? Laten we zeggen sterft of verdwijnt. Hij valt van de trap, raakt gehandicapt, krijgt een beroerte, wat dan ook. Een beetje graven onthult het feit dat hij een paar dagen voor zijn ontijdige dood, of iets van gelijke strekking, bij zijn advocaat is geweest en... wat dan? Er blijkt een nieuw testament gemaakt te zijn, het is kristalhelder wat hij met de familiezaak voor ogen heeft, er worden zaken voor het leven geregeld, er wordt tekst aan het testament toegevoegd die – wat zou 't zijn? – op een erfenis duidt, een verklaring dat iemand wordt onterfd of een onthulling van... wat? De zoon blijkt niet zijn echte zoon te zijn. De neef is niet zijn echte neef. Er bestaat een tweede gezin op de Hebriden, sinds lange tijd wordt een krankzinnig en mismaakt ouder familielid in de kelder of op zolder van het botenhuis verborgen gehouden. Er staat iets op knappen. Iets gaat *kaboem*. Iets pikants.

Het probleem was natuurlijk dat als Zed écht eerlijk was, het enige nog enigszins sexy aspect aan zijn verhaal over Nicholas Faircloughs negende leven diens ronduit sexy echtgenote was. Op dat feit had hij tijdens zijn ontmoeting met Rodney Aronson niet erg de nadruk willen leggen, omdat hij redelijk zeker was van Rodneys reactie: die zou ongetwijfeld meteen zeggen dat ze een foto van haar tieten moesten plaatsen. Zed had eigenlijk amper van de vrouw gerept omdat zij op de achtergrond wilde blijven, maar nu vroeg hij zich af of hij niet meer onderzoek naar haar moest doen. Hij keek zijn aantekeningen over haar door en zag dat hij met woorden als *caramba* en *joehoe* zijn eerste reactie had neergepend zodra hij haar in het oog had gekregen. Hij had haar zelfs dwaas omschreven als de 'Zuid-Amerikaanse sirene', waarbij elke centimeter van haar v-r-o-u-w-zijn de aandacht opeiste van een m-a-n. Als Eva ook maar een beetje op Alatea Fairclough had geleken, zo had Zedekiah aan het eind van hun enige interview geconcludeerd, was het geen wonder dat Adam de appel had geplukt. De enige vraag was waarom hij niet de hele oogst met boom en al had verorberd. Dus... Was *zíj* het verhaal? De seks? De zindering? Ze was in alle opzichten verbluffend, maar hoe bracht je verbluffend over in een verhaal? 'Zij is de reden waarom ik vandaag de dag nog leef,' zegt de echtgenoot, maar wat zou dat? Als je haar voor het voetlicht zou brengen, zou elke vent met een functionerend klokkenspel snappen waarom Nicholas Fairclough zijn medicijn heeft genomen. Bovendien had ze niets anders te vertellen dan: 'Nick heeft het helemaal zelf gedaan. Ik ben zijn vrouw, maar in het echte verhaal doe ik er niet toe.'

Was dat een hint geweest? vroeg Zed zich af. Zijn échte verhaal. Waren er meer onthullingen? Hij dacht echt dat hij had gegraven, maar misschien was hij wel zozeer in zijn onderwerp opgegaan dat hij in dat soort zaken wílde geloven: verlossing, bekering, een compleet nieuw leven leiden, de ware liefde vinden...

Misschien moest hij die lijn volgen: die van de ware liefde. Had Nicholas Fairclough die echt gevonden? En zo ja, was iemand daar dan jaloers op? Misschien een van zijn zussen? Want een van hen was ongetrouwd en de ander gescheiden. En hoe voelden zíj zich trouwens, nu de verloren zoon was teruggekeerd?

Verder bladeren. Verder lezen. Nog een broodje. Een loopje door de trein om te kijken of er een restauratiewagen was – een belachelijk idee in een tijd waarin de winsten marginaal waren – want hij snakte naar een kop koffie. Toen weer terug naar zijn coupé waar hij het idee van een spook uiteindelijk maar helemaal opgaf, om vervolgens weer naar het spookidee terug te keren, want hij had het verhaal om te beginnen vanwege het familiehuis willen schrijven. Stel dat het spookte in het familiehuis en dat hij daardoor aan de drugs verslaafd was geraakt, wat weer geleid had tot de zoektocht naar genezing, en dat had weer geleid tot... Hij was weer terug bij die verdomde vrouw, de Zuid-Amerikaanse sirene, en de enige reden waarom hij daar weer terug was, was caramba en joehoe. Hij was beter af als hij naar huis terugkroop en deze hele verdomde zaak zou vergeten. Alleen, thuis zaten zijn moeder en Yaffa en degenen die na Yaffa Shaw zouden komen, in een niet-aflatende optocht van vrouwen met wie hij moest trouwen en kinderen krijgen.

Nee. Ergens zat hier een verhaal in, het soort verhaal dat zijn redacteur wilde. Als hij verder moest graven om iets pikants te vinden, dan moest hij zijn schop tevoorschijn halen en als het moest naar China graven. Al het andere was onaanvaardbaar. Mislukken was geen optie.

18 oktober

Bryanbarrow

Cumbria

Ian Cresswell dekte de tafel voor twee toen zijn partner thuiskwam. Hij was zelf vroeg van zijn werk weggegaan met het idee er een romantisch avondje van te maken. Hij had lamsbout gekocht, die met een geurig laagje gekruide broodkruimels in de oven goudbruin stond te braden. En hij had verse groenten en een salade klaargemaakt. Hij had in het verbouwde stookhuis een fles wijn opengemaakt, de glazen gepoetst en de oude eiken speeltafel uit een hoek van de kamer voor de open haard gezet, met twee stoelen. Het was nog niet zo koud dat de haard aan moest, hoewel het in het oude landhuis altijd wat aan de frisse kant was. Hij stak daarom een rij kaarsen aan en zette die op het gietijzeren rooster, en vervolgens zette hij twee brandende kaarsen op tafel. Intussen hoorde hij de keukendeur opengaan, gevolgd door het geluid van Kavs sleutels die in de geschilferde kamerpot in de nis voor het raam werden gegooid. Even later waren Kavs voetstappen op de flagstones in de keuken te horen en Ian moest glimlachen toen hij de ovendeur van het oude fornuis hoorde piepen. Vanavond was het eigenlijk Kavs beurt om te koken, niet die van hem, en Kav had zojuist de eerste verrassing ontdekt.

'Ian?' Nog meer voetstappen over de leigrijze flagstones en toen door de *hallan*. Ian had de deur van het stookhuis opengelaten en zei: 'Ik ben hier,' en wachtte.

Kav bleef in de deuropening staan. Zijn blik ging van Ian naar de tafel met de kaarsen, naar de open haard met de rij kaarsen en toen weer naar Ian. Daarna keek hij naar Ians gezicht, diens kleren en zijn blik bleef precies daar rusten waar Ian dat wilde. Maar na een moment vol spanning van het soort waardoor ze vroeger onmiddellijk met zijn tweeën naar de slaapkamer zouden zijn gerend, zei Kav: 'Ik moest vandaag met de jongens meewerken. We hadden mensen te weinig. Ik ben smerig. Ik moet me wassen en verkleden.' Toen liep hij zonder nog een woord te zeggen de kamer uit. Daardoor wist Ian dat zijn minnaar aan het tafereel had gezien wat hij van plan was. Daardoor wist Ian welke kant hun gesprek straks op zou gaan, zoals gewoonlijk. De onuitgesproken boodschap van Kaveh zou vroeger voor een kink in de kabel hebben gezorgd, maar Ian besloot dat dat vanavond niet ging gebeuren. Na drie jaar verstoppertje spelen en een jaar uit de kast had hij geleerd het leven waarvoor hij bestemd was op waarde te schatten.

Het duurde een halfuur voordat Kaveh zich bij hem voegde en hoewel het vlees al tien minuten uit de oven was en de groenten een eind op weg waren om een culinaire teleurstelling te worden, was Ian vastbesloten zich niet uit het veld te laten slaan omdat de andere man zo lang de tijd had genomen. Hij schonk de wijn in – een fles van veertig pond, niet dat dat ertoe deed als je bedacht wat er te vieren viel – en knikte naar de beide glazen. Hij pakte zijn glas en zei: 'Het is een mooie bordeaux,' en hij wachtte tot Kav met hem het glas zou heffen. Want het was Kaveh vast wel duidelijk, dacht Ian, dat Ian een toost wilde uitbrengen, waarom zou hij daar anders met opgeheven glas en een verwachtingsvolle glimlach op zijn gezicht staan?

Kav nam nogmaals de tafel in zich op. 'Tafel voor twee? Heeft ze je gebeld of zo?'

'Ik heb haar gebeld.' Ian liet zijn glas zakken.

'En?'

'Ik heb om nog een avond gevraagd.'

'En vond ze dat goed?'

'Deze keer wel. Wil je niet wat wijn, Kav? Ik heb 'm in Windermere gehaald. De slijter waar we laatst...'

'Ik heb ruzie gehad met die verdomde ouwe George.' Kav knikte in de richting van de weg. 'Hij hield me aan toen ik aan kwam rijden. Hij klaagt weer over de verwarming. Hij zei dat hij recht heeft op centrale verwarming. Récht, zei hij.'

'Hij heeft meer dan genoeg kolen. Waarom gebruikt hij die niet als het te koud is in de cottage?'

'Hij zegt dat hij geen kolenvuur wil. Hij wil centrale verwarming. Hij zegt dat als hij die niet krijgt, hij naar een andere regeling gaat omzien.'

'Toen hij hier woonde, had hij ook geen centrale verwarming, in godsnaam, zeg.'

'Toen had hij het hele huis. Ik denk dat hij dat als een goedmakertje beschouwde.'

'Nou, hij zal het ermee moeten doen, en als dat niet gaat, zal hij een andere boerderij moeten huren. Hoe dan ook, ik ga het niet de hele avond over George Cowleys grieven hebben. De boerderij was te koop. Wij hebben haar gekocht. Hij niet. Punt uit.'

'Jíj hebt haar gekocht.'

'Een technisch detail dat we binnenkort gaan regelen, mag ik hopen, en dan gaat het niet langer om mij. Geen mijn en dijn. Geen ik, geen jij. Alleen wij.' Ian pakte het tweede glas en bracht het naar Kav. Kav aarzelde even. Toen nam hij het aan. 'Jezus, god, wat verlang ik naar je,' zei Ian. En toen met een glimlach: 'Wil je voelen hoeveel?'

'Hmm. Nee. Laat het maar langzaam sterker worden.'

'Klootzak.'

'Ik dacht dat je dat juist fijn vond, Ian.'

'De eerste keer dat ik een glimlachje zie sinds je binnen bent komen lopen. Zware dag gehad?'

'Niet echt,' zei Kav. 'Alleen veel werk en niet genoeg mankracht. Jij?'

'Nee.' Ze namen beiden een slok en keken elkaar aan. Kav glimlachte nogmaals. Ian liep naar hem toe. Kav bewoog zich bij hem vandaan. Hij deed zijn best om te doen alsof zijn aandacht werd afgeleid door het glimmende bestek of de lage vaas met bloemen op de tafel, maar Ian liet zich niet bedotten. Toen moest hij denken aan wat elke man zou denken wanneer hij veertien jaar ouder is dan zijn minnaar en alles had opgegeven om bij hem te zijn.

Kaveh was achtentwintig en hij had genoeg redenen om te verklaren waarom hij er nog niet aan toe was om zich te settelen. Ian wilde daar echter niet van horen, want hij wist dat er slechts één ware reden was. En dat was een vorm van hypocrisie, dezelfde schijnheiligheid waar elke ruzie die ze in het afgelopen jaar hadden gehad over ging.

'Weet je wat voor dag het vandaag is?' vroeg Ian terwijl hij zijn glas weer hief.

Kav knikte, maar keek nors. 'De dag waarop we elkaar hebben ontmoet. Dat was ik vergeten. Er gebeurt te veel op Ireleth Hall, denk ik. Maar nu...' Hij wees naar de tafel. Ian wist dat hij niet alleen doelde op hoe die was gedekt, maar ook omdat hij zo zijn best op het eten had gedaan. 'Toen ik dit zag, schoot het me te binnen. En ik voel me een ongelofelijke hufter, Ian. Ik heb niks voor jou.'

'Ach, dat geeft niet,' zei Ian tegen hem. 'Wat ik wil is hier al en het is aan jou om me dat te geven.'

'Dat heb je toch al?'

'Je weet best wat ik bedoel.'

Kaveh liep naar het raam en schoof de zware, dikke gordijnen tot op een kier open alsof hij wilde zien waar het daglicht naartoe was gegaan, maar Ian wist dat hij nadacht over wat hij wilde zeggen. En bij het idee dat hij iets zou gaan zeggen wat Ian niet wilde horen, ging zijn hoofd bonzen en flitsten er heldere sterren voor zijn ogen. Hij knipperde er hevig mee toen hij het woord nam.

'We worden geen spat officiëler dan we al zijn als we bij de burgerlijke stand een document tekenen.'

'Dat is geklets,' zei Ian. 'Daardoor worden we officiëler dan officieel. Dan zijn we legaal. Het geeft ons aanzien in de maatschappij en, belangrijker nog, we laten de wereld weten...'

'We hebben geen aanzien nodig. Dat hebben we als individuen al.'

'... en belangrijker nog,' herhaalde Ian, 'we laten de wereld weten...'

'Nou, dat is het 'm nou juist,' zei Kaveh scherp. 'De wereld, Ian. Denk er eens over na. De wereld. En iedereen die daarop rondloopt.'

Ian zette zijn glas voorzichtig op tafel. Hij wist dat hij het vlees moest halen en aansnijden, de groente moest opdienen, gaan zitten, eten en de rest moest laten rusten. Daarna naar boven gaan en van elkaar genieten, zoals het hoorde. Maar uitgerekend op deze avond kon hij zich er niet toe brengen iets anders te zeggen dan wat hij zijn partner al meer dan tien keer had verteld, en waarvan hij had gezworen dat hij het vanavond niet zou zeggen: 'Jij hebt mij gevraagd om uit de kast te komen en dat heb ik gedaan. Voor jou. Niet voor mezelf, want mij maakte het niets uit, en ook al was dat wel zo geweest, dan waren er te veel mensen bij betrokken. En wat ik voor jou heb gedaan, was ongeveer hetzelfde als wanneer ik een mes door hun keel had gestoken. En dat vond ik best, want jij wilde het zo graag, en toen ik ten slotte besefte...'

'Dat wéét ik allemaal wel.'

'Drie jaar is lang genoeg om je te verstoppen, zei je. Je zei: vanavond moet je beslissen. Je hebt het gezegd waar ze bíj waren, Kav, en ik heb in hun bijzijn mijn besluit genomen. Toen ben ik weggelopen. Met jou. Heb je ook maar énig idee...'

'Natuurlijk wel. Denk je dat ik van steen ben? Ik heb er wel een idee van, Ian. Maar we hebben het niet alleen over samenwonen, wel? We hebben het over trouwen. En we hebben het over mijn ouders.'

'Mensen passen zich aan,' zei Ian. 'Dat heb jij tegen mij gezegd.'

'Mensen. Ja. Andere mensen. Die passen zich aan. Maar zij niet. We hebben het hier al eerder over gehad. In mijn cultuur... hún cultuur...'

'Je maakt nu deel uit van deze cultuur. Met huid en haar.'

'Zo werkt het niet. Je vlucht niet zomaar naar een vreemd land, neemt vervolgens op een avond een toverpil en als je de volgende ochtend wakker wordt, heb je compleet andere waarden en normen. Dat gebeurt gewoon niet. Waarom kun je niet gewoon gelukkig zijn met wat we hebben? Met hoe de situatie nu is?'

'Omdat dat een leugen is. Je bent geen kamerbewoner. Ik ben je huisbaas niet. Denk je nou werkelijk dat ze dat tot in de eeuwigheid zullen blijven geloven?'

'Ze geloven wat ik ze vertel,' zei hij. 'Ik woon hier. Zij wonen daar. Dit lukt en het blijft lukken. Al het andere begrijpen ze niet. Ze hoeven het niet te weten.'

'Zodat ze ermee door kunnen gaan? Voortdurend bij je komen aanzetten met geschikte Iraanse tienerhuwelijkskandidaten? Zo van de boot of uit het vliegtuig of wat dan ook, die je ouders dolgraag kleinkinderen willen geven?'

'Dat gebeurt niet.'

'Dat is al gaande. Hoeveel kandidaten hebben ze al niet voor je geregeld? Een stuk of tien? Meer? En wanneer zul je gewoon toegeven en trouwen omdat je de opgelegde druk niet meer aankunt en je het gevoel hebt dat het je plicht is? Wat heb je dán, denk je? Een leven hier en een ander leven in Manchester, terwijl zij – wie ze ook is – daar op baby's zit te wachten en ik hier zit en... Godverdomme, kijk me áán.' Ian wilde de tafel wel omver schoppen, zodat het serviesgoed eraf vloog en het bestek over de vloer tolde. Inwendig bouwde zich iets op en hij wist dat er een uitbarsting op de loer lag. Hij liep naar de deur, via de hallan naar de keuken en vandaar naar buiten.

Kaveh zei scherp: 'Waar ga je naartoe?'

'Naar buiten. Het meer. Maakt niet uit. Ik weet het niet. Ik moet gewoon naar buiten.'

'Kom op, Ian. Doe nou niet zo. Wat wij hebben...'

'We hebben niets.'

'Dat is niet waar. Kom terug, dan laat ik het je zien.'

Maar Ian wist waar 'dat laten zien' toe zou leiden, waar dat laten zien altijd toe leidde, maar dat bracht niet de verandering waar hij zo naar verlangde. Hij liep zonder achterom te kijken het huis uit.

Onderweg naar Bryanbarrow

Cumbria

Tim Cresswell liet zich op de achterbank van de Volvo vallen. Hij deed zijn best het gejammer van zijn kleine zusje niet te horen, die hun moeder opnieuw smeekte of ze niet bij haar mochten wonen. 'Alsjeblieft, alsjeblieft, heel erg alsjeblieft, mammie,' zo bracht ze het. Tim wist dat ze hun moeder ervan wilde overtuigen dat ze echt iets miste als ze haar kinderen niet voortdurend om zich heen had. Niet dat het ook maar iets zou uithalen wat Gracie zei, of de manier waarop ze het wellicht zei. Niamh Cresswell was niet van plan ze in Grange-over-Sands in huis te nemen. Ze had wel wat anders te doen en dat had niets te maken met welke verantwoordelijkheid dan ook die ze misschien voor haar kroost mocht voelen. Tim wilde dit aan Gracie vertellen, maar wat had dat voor zin? Ze was tien jaar en te jong om te begrijpen wat trots, minachting en wrok konden aanrichten.

'Ik heb een pésthekel aan papa's huis,' deed Gracie er nog een schepje bovenop. 'Er zitten óveral spinnen. Het is er donker en het kraakt er, het is tochtig en er zitten overal hoekjes waar spinnenwebben en dingen zitten. Ik wil bij jou wonen, mammie. Timmy ook.' Ze draaide zich op haar stoel om. 'Jij wilt toch ook bij mammie wonen, Timmy?'

Noem me geen Timmy, stomme trut, wilde Tim eigenlijk tegen zijn zusje zeggen, maar hij kon nooit kwaad worden op Gracie wanneer ze hem vol vertrouwen aankeek met die lieftallige blik van haar. Maar toen hij die zag, wilde hij tegen haar zeggen dat ze een beetje harder moest worden. De wereld was een schijthuis, en hij begreep niet waarom ze daar nog niet achter was.

Tim zag dat zijn moeder via de achteruitkijkspiegel naar hem keek, wachtte hoe hij op zijn zusje zou reageren. Hij vertrok zijn gezicht en draaide zich naar het raam, terwijl hij bedacht dat hij zijn vader het bijna niet kwalijk kon nemen dat hij de bom had laten barsten waardoor hun leven verwoest was. Zijn moeder was een akelig stuk vreten, en dat was ze.

Die trut viel zelfs nu niet uit haar rol, het was een en al huichelarij waarom ze naar de Bryan Beck-farm teruggingen. Wat ze niet wist, was dat hij de telefoon in de keuken had opgepakt op precies hetzelfde moment dat zij de telefoon in haar slaapkamer opnam, dus hij had alles gehoord. Zijn vader die vroeg of ze het erg vond om de kinderen nog een nachtje te houden en zijn moeder die daarmee had ingestemd. Deze keer er zelfs poeslief mee had ingestemd, waardoor zijn vader in de gaten had moeten hebben dat ze iets in haar schild voerde, want dat had Tim zeker door. Dus was hij niet verbaasd toen zijn moeder nog geen tien minuten later tiptop gekleed uit de slaapkamer tevoorschijn kwam en hem luchtigjes vertelde zijn spullen te pakken, want zijn vader had gebeld en Tim en Gracie moesten die avond vroeger dan anders naar de boerderij terug.

'Hij heeft iets leuks voor jullie bedacht,' zei ze. 'Hij zei niet wat. Dus pak je spullen. En een beetje snel.'

Ze ging haar autosleutels halen, die hij, zo besefte Tim, had moeten verstoppen. Niet voor zijn eigen bestwil, maar voor die van Gracie. Ze verdiende het verdomme om nog een nachtje bij hun moeder te blijven als ze dat zo graag wilde.

Gracie zei: 'Weet je, er is niet eens genoeg water om fatsoenlijk in bad te gaan, mama. Het druppelt uit de kraan en het is bruin en afschuwelijk. Niet zoals in jouw huis, waar we bubbels kunnen maken. Ik ben dol op bubbels. Mammie, waarom kunnen we niet bij jóú wonen?'

'Dat weet je heel goed,' zei Niamh Cresswell ten slotte.

'Nee, dat weet ik niet,' kaatste Gracie terug. 'De meeste kinderen wonen bij hun móéder als hun ouders zijn gescheiden. Ze wonen bij hun moeder en gaan op bezoek bij hun vader. En jij hebt toch slaapkamers voor ons.'

'Gracie, als je dan alles zo precies wilt weten, waarom vraag je dan niet aan je vader waarom het er bij jullie anders aan toe gaat?'

Ja hoor, dacht Tim. Alsof pap Gracie tot in de details gaat uitleggen waarom ze op een of andere vervallen farm woonden, in een creepy huis, aan de rand van een creepy dorp waar op zaterdagavond en zondagmiddag niets anders te doen was dan koeienstront op te snuiven, naar de schapen te luisteren of – en dat was pas écht een mazzel – in de beek aan de overkant van de landweg de dorpseenden uit hun stomme eendennesten en eendenkooien te jagen. Bryanbarrow was het einde van nergens, maar wel perfect voor het nieuwe leven van hun vader. En dat leven... zou Gracie niet begrijpen. En dat moest ook niet. Ze moest denken dat ze huurders in huis hadden, alleen was het er maar eentje, Gracie, en als jij in bed ligt, waar denk je dan dat die slaapt en in welk bed precies, en wat denk je dat ze daar doen als de deur dichtgaat?

Tim plukte aan de rug van zijn hand. Hij begroef zijn nagels erin tot de huid kapot ging en hij voelde hoe zich kleine bloedsikkeltjes vormden. Hij wist dat zijn gezicht onbewogen stond, want hij had die uitdrukking zo geperfectioneerd dat het leek alsof er niets in zijn hoofd omging. Daardoor, door de wondjes die hij in zijn handen kon maken en zijn houding in het algemeen, kon hij zijn waar hij wilde zijn: ver weg van andere mensen en ver weg van de rest. Daardoor was het hem zelfs gelukt om aan de dorpsschool te ontsnappen. Hij ging nu naar een speciale school vlak bij Ulverston, mijlenver van zijn vaders huis – des te beter, want dat was voor zijn vader een dagelijks terugkerend ongemak – en ook mijlenver van zijn moeders huis. En zo wilde hij het, want daar, in de buurt van Ulverston, wist niemand wat er werkelijk in zijn leven was gebeurd en dat moest ook.

Tim keek zwijgend naar het voorbijtrekkende landschap. De rit van Grange-over-Sands naar zijn vaders boerderij bracht hen in het wegstervende daglicht naar het noorden, door Lyth Valley. Daar leek het landschap wel een lappendeken: omheinde weides en grasland, zo groen als klaver en smaragd, glooiden naar de verte en kwamen uit bij de oprijzende hoogvlakten. Daar barstte de aarde uit in enorme rotspartijen van lei- en kalksteen, met daaronder een grijze puinhelling die naar omlaag uitwaaierde. Tussen de graslanden en de hoogvlakten stonden groepen bomen, elzen, geel van de herfst, en goud en rood gekleurde eiken en esdoorns. En hier en daar rezen gebouwen de lucht in die de farms markeerden: enorme, logge schuren en huizen met leien gevels, en schoorstenen waar rook van een houtvuur uit kringelde.

Na een paar kilometer werd de brede Lyth Valley smaller en veranderde het landschap. Bij die versmalling werd het landschap bosrijker en er lagen boombladeren aan weerskanten van de weg, die nu tussen de stapelmuren door kronkelde. Het was gaan regenen, maar wanneer regende het niet in dit deel van de wereld? Deze contreien stonden bekénd om regen, en om die reden waren de stenen muren met dik mos bedekt, varens persten zich uit de spleten omhoog en korstmos kroop aan de voet en langs het schors van de bomen.

'Het regent,' zei Gracie overbodig. 'Ik haat dat oude huis als het regent, mammie. Jij toch ook, Timmy? Het is daar afschuwelijk, helemaal donker en vochtig en griezelig en afschúwelijk.'

Niemand reageerde. Gracie boog haar hoofd. Hun moeder nam de bocht naar de landweg waarover ze naar Bryanbarrow zouden rijden, alsof Gracie helemaal niets had gezegd.

Het was een smal pad dat omhoogliep in een serie haarspeldbochten die door het beuken- en kastanjebos sneden. Ze passeerden de Lower Beck-boerderij en een braakliggend veld dat overwoekerd was met varens. Ze reden langs de Bryan Beck zelf, staken de beek twee keer over, klommen nog wat hoger en kwamen ten slotte bij het dorp, dat onder hen lag en slechts bestond uit een kruispunt met vier straten die op een dorpsplein uitkwamen. Daar stonden een café, een basisschool, een dorpshuis, en omdat er ook een anglicaanse kerk stond, was het een soort samenkomstplek. Maar alleen 's avonds en op zondagochtend, en degenen die zich dan in het dorp verzamelden, kwamen er om te drinken of te bidden.

Gracie begon te huilen toen ze stapvoets over de stenen brug reden. Ze zei: 'Mammie, ik háát het hier. Mammie, alsjeblieft.'

Maar haar moeder zei niets en Tim wist dat ze dat ook niet zou doen. Als het ging om waar Tim en Gracie zouden wonen, moest er weliswaar rekening worden gehouden met gevoelens, maar niet met die van Tim en Gracie Cresswell. Zo ging het nu eenmaal en zo zou het blijven gaan, althans totdat Niamh de geest gaf of het uiteindelijk gewoon maar opgaf, wat zich ook maar als eerste voordeed. En Tim dacht hierover na. Kennelijk kon iemand door haat sterven, hoewel, nu hij erover nadacht, hij was nog niet door haat gedood, dus misschien zou zijn moeder er ook niet aan doodgaan.

In tegenstelling tot veel boerderijen in Cumbria, die een eind van de dorpen en gehuchten af lagen, stond de Bryan Beck-farm aan de rand van het dorp. De farm bestond uit een oud elizabethaans landhuis, een even oude schuur en een zelfs nog oudere cottage. Daarachter strekten de weilanden van de boerderij zich uit, waar schapen graasden, hoewel die niet van Tims vader waren maar van een boer die het land van hem pachtte. Ze verleenden de boerderij een 'authentieke aanblik', placht Tims vader te zeggen, en ze pasten bij 'de tradities van de Lakes', wat dat ook mocht betekenen. Ian Cresswell was verdomme geen boer en voor zover het Tim betrof, waren die stomme schapen heel wat beter af als zijn vader op veilige afstand van ze bleef.

Toen Niamh met de Volvo het erf op reed, snikte Gracie het uit. Ze dacht misschien dat als ze maar hard genoeg huilde, hun moeder de auto zou keren en ze weer naar Grange-over-Sands zou terugbrengen in plaats van precies te doen wat ze van plan was: ze alleen om hun vader dwars te zitten daar uit te laden en vervolgens naar Milnthorpe te verdwijnen om dat arme vriendje van haar te neuken, in de keuken van zijn achterlijke Chinese afhaalrestaurant.

'Mammie! Mammie!' huilde Gracie. 'Zijn auto staat er niet eens. Ik durf niet naar binnen als zijn auto er niet staat, want dan is hij niet thuis en...'

'Gracie, hou daar onmiddellijk mee op,' snauwde Niamh. 'Je stelt je aan als een kind van twee. Hij is gewoon boodschappen aan het doen, meer niet. De lichten in het huis zijn aan en de andere auto staat er ook. En je weet heus wel wat dat betekent.'

Ze sprak de naam natuurlijk niet uit. Ze had erbij kunnen zeggen: je vaders kámerbewoner is thuis, met die akelige nadruk op de eerste lettergreep. Maar daarmee zou ze Kaveh Mehrans bestaan erkennen, en dat was ze niet plan. Ze zei wel betekenisvol: 'Timothy,' terwijl ze naar het huis knikte. Dit betekende dat hij Gracie uit de auto moest sleuren en met haar door het tuinhek naar de deur moest marcheren, want daar had Niamh geen zin in.

Hij deed het portier open. Hij gooide zijn rugzak op de lage stenen muur en rukte toen het portier aan de andere kant open. Hij zei: 'Eruit,' en hij greep haar bij de arm.

Ze gilde. 'Nee!' en 'dat wil ik niet!' en ze begon te schoppen. Niamh maakte Gracies gordel los en zei: 'Hou op met een scène te trappen. Straks denkt het hele dorp dat ik je aan het vermoorden ben.'

'Kan me niet schelen! Kan me niet schelen!' snikte Gracie. 'Ik wil met jou mee, mammie!'

'O, in godsnaam.' Toen stapte Niamh ook uit de auto, maar niet om Tim met zijn zusje te helpen. In plaats daarvan griste ze Gracies rugzak weg, maakte hem open en gooide hem over de muur. Die landde – goddank – op Gracies trampoline, waar de inhoud verspreid in de regen neerviel. Daar zat onder andere ook Gracies lievelingspop in, niet zo'n afzichtelijk, misvormd fantasygeval met voeten die bedoeld waren voor achterlijk hoge hakken en van die priemende tieten zonder tepels, maar een babypop die zo beangstigend echt leek dat je aan kindermishandeling dacht als je ermee ging gooien en hij op zijn hoofd midden op een trampoline terechtkwam.

Nu begon Gracie te gillen. Tim keek zijn moeder boos aan. Niamh zei: 'Wat moest ik anders?' En toen tegen Gracie: 'Als je niet wilt dat hij naar de ratsmodee gaat, zou ik hem maar gaan pakken.'

Gracie schoot de auto uit. Ze rende door de tuin naar de trampoline en nam haar pop in haar armen. Ze huilde nog steeds, maar haar tranen waren nu vermengd met de regen. Tim zei tegen zijn moeder: 'Leuk, hoor.'

Ze zei: 'Praat er maar met je vader over.'

Met dat antwoord deed ze alles af. Praat maar met je vader, alsof Niamh Cresswell bij alle rotstreken die ze met hen uithaalde, zich achter hem kon verschuilen, door wie hij was en wat hij had gedaan.

Tim sloeg het portier dicht en draaide zich om. Hij liep de tuin in terwijl hij achter zich de Volvo hoorde wegrijden, en het kon hem niet schelen waar zijn moeder naartoe ging.

Vóór hem zat Gracie op de trampoline te jammeren. Als het niet had geregend, zou ze erbovenop zijn gesprongen en zichzelf hebben uitgeput, want dat deed ze elke dag steeds maar weer, net zoals hij steeds maar weer elke dag zijn dingen deed.

Hij raapte zijn rugzak op en keek even naar haar. Ze was een lastpak, maar ze verdiende het niet om zo behandeld te worden. Hij liep naar de trampoline en reikte naar haar rugzak. 'Gracie,' zei hij, 'kom mee naar binnen.'

'Nee,' zei ze. 'Dat doe ik niet, doe ik niet.' Ze klemde haar pop tegen haar borst, waardoor er in Tims borst iets verkrampte.

Hij wist niet meer hoe de pop heette. Hij zei: 'Moet je horen, ik controleer of er spinnen zijn, Gracie, en ik zal de spinnenwebben weghalen. Je kunt... hoe heet ze ook weer... in haar wiegje leggen...'

'Bella. Ze heet Bella,' snufte Gracie.

'Oké. Bella-ze-heet-Bella. Je kunt Bella-ze-heet-Bella in haar wieg leggen en dan... dan borstel ik je haar, goed? Dat vind je fijn. Dan doe ik je haar zoals jij het graag hebt.'

Gracie keek hem aan. Ze wreef met haar arm over haar ogen. Haar haar, waar ze verschrikkelijk trots op was, werd nat en zou algauw gaan kroezen, en dan kwam hij er niet meer doorheen. Ze prutste aan een lange, weelderige haarlok. Ze zei: 'Franse vlechtjes?' zo hoopvol dat hij het haar niet kon weigeren.

Hij zuchtte. 'Oké. Franse vlechtjes. Maar dan moet je nu meekomen, anders doe ik het niet.'

'Oké.' Ze schoof van de rand van de trampoline en gaf hem Bella-ze-heet-Bella. Hij stopte de pop met het hoofd omlaag in Gracies rugzak en liep naar het huis. Gracie schuifelde over het grindpad achter hem aan.

Maar alles werd anders toen ze binnenkwamen. Ze liepen aan de oostkant van het huis de keuken in, waar op het ouderwetse fornuis een soort braadstuk stond, waarvan het vet in de pan stolde. Naast die pan stond een pan koud geworden spruitjes en op het aanrecht een verlepte salade. Tim en Gracie hadden nog geen avondeten gehad, maar zo te zien hun vader ook niet.

'Ian?'

Tim voelde zich inwendig verharden toen hij de stem van Kaveh Mehran hoorde. Een beetje behoedzaam. Een beetje gespannen?

Tim zei ruw: 'Nee, wij zijn 't.'

Stilte. Toen: 'Timothy? Gracie?' alsof iemand anders zijn stem nadeed, dacht Tim. Er klonk geluid in het stookhuis, iets werd over de flagstones en daarna over het tapijt gesleept, een ingehouden: 'Wat een puinhoop' en Tim ervoer een heerlijk ogenblik. Ze hadden vast ruzie gehad, zijn vader en Kaveh waren elkaar naar de keel gevlogen, er lag overal bloed en wat zou dát een mooie verrassing zijn. Hij liep naar het stookhuis met Gracie achter zich aan.

Tot Tims teleurstelling was daar alles in orde. Geen omgegooide meubels, geen bloed, geen ingewanden. Het geluid was van de zware, oude speeltafel geweest, die Kaveh vanaf de open haard naar zijn plek in de hoek had geschoven. Maar hij zag er gedeprimeerd uit en dat was genoeg voor Gracie om te vergeten dat zij zelf een wandelend emotioneel wrak was. Ze rende meteen naar de man toe.

'O, Kaveh,' riep ze uit. 'Is er iets gebeurd?' waarna de lulhannes zich op de bank liet vallen, zijn hoofd schudde en zijn hoofd in zijn handen verborg.

Gracie ging naast Kaveh op de bank zitten en sloeg haar arm om zijn schouders. 'Wil je het me niet vertellen?' vroeg ze aan hem. 'Vertel het me alsjeblieft, Kaveh.'

Maar Kaveh zei niets.

Het was duidelijk, dacht Tim, dat hij ruzie met hun vader had gehad en dat zijn vader woedend was weggelopen. Mooi zo, besloot hij. Hij hoopte dat ze allebei leden. Als zijn vader van een klif af reed, zou hij dat helemaal prima vinden.

'Is er iets met je mama gebeurd?' vroeg Gracie aan Kaveh. Ze streek zelfs over het vettige haar van die vent. 'Is je vader iets overkomen? Heb je zin in een kopje thee, Kaveh? Heb je hoofdpijn? Of misschien pijn in je buik?'

Nou ja, dacht Tim, Gracie was weer oké. Ze was haar eigen zorgen vergeten en druk bezig de verpleegster uit te hangen. Hij liet haar rugzak bij de deuropening van het stookhuis vallen en liep naar de andere deur van de kamer waar vanuit een vierkant halletje een gammele trap naar de eerste verdieping van het huis leidde.

Zijn laptop stond op een wankel bureau onder het raam in zijn slaapkamer en het raam zag uit over de voortuin en het dorpsplein erachter. Het was nu bijna donker en de regen kwam met bakken naar beneden. Er stond een stevige wind, waardoor de esdoornbladeren in hopen onder de banken op het plein opwaaiden en ze kriskras de straat door werden geblazen. In een rij huizen aan de overkant van de straat brandde licht, en in de bouwvallige cottage waar George Cowley met zijn zoon woonde, zag Tim achter een dun gordijn iets bewegen. Hij keek er even naar – een man en zijn zoon die naar het hem toescheen met elkaar aan het praten waren, maar wat wist hij er nou eigenlijk van – en draaide zich toen om naar zijn computer.

Hij logde in. Het was een trage verbinding. Het leek alsof hij eeuwen moest wachten. Onder hem hoorde hij Gracies mompelende stem en even later werd de stereo aangezet. Ze dacht zeker dat ze Kaveh met muziek wat kon opvrolijken. Tim had geen idee waarom, want hij gaf niks om muziek.

Eindelijk. Hij opende zijn e-mailprogramma en keek of er berichten waren. Er was een speciaal mailtje waarop hij zat te wachten. Hij keek ongeduldig hoe de zaken zich ontwikkelden, want dit had hij met geen mogelijkheid op zijn moeders computer voor elkaar kunnen krijgen. Echt niet.

Toy4You had eindelijk het voorstel gedaan waar Tim naar had gevist. Hij las het door en dacht er een tijdje over na. Het was niet veel als je bedacht wat Tim ervoor terugvroeg, dus typte hij het bericht dat hij al die weken waarin hij het spel met Toy4You had meegespeeld al had willen typen.

Ja, maar als ik het doe, wil ik er wel wat voor terug.

Hij verzond het bericht en moest onwillekeurig glimlachen. Hij wist precies wat hij in ruil wilde voor de gunst die van hem werd gevraagd.

Lake Windermere

Cumbria
Ian Cresswells woede was al lang bekoeld toen hij bij het meer aankwam, want de rit ernaartoe duurde twintig minuten. Maar daarmee was alleen Ians allesoverheersende woede verdwenen. De achterliggende gevoelens waren niet veranderd, en verraad stond boven aan dat lijstje.

Met 'jij en ik zitten in een andere situatie' nam Ian geen genoegen meer. In het begin was dat prima geweest. Hij was zo stapelgek op Kaveh geweest dat het amper tot Ian was doorgedrongen dat de jongere man zelf niet deed wat hij wel van Ian had geëist. Het was voor hem genoeg geweest om in het gezelschap van Kaveh Mehran het huis uit te kunnen lopen. Hij had er genoegen mee genomen om zijn vrouw en kinderen te verlaten om – zo verklaarde hij het aan zichzelf, aan Kaveh, en aan hén, godbetert – eindelijk en openlijk uit te komen voor wie hij was. Niet meer wegglippen naar Lancaster, niet meer dat anonieme betasten en anoniem neuken en het kortstondige gevoel van ontlading. De daad was voor hem eindelijk geen ellendig karwéí meer. Zo was het jarenlang wel geweest, omdat hij geloofde dat hij daarmee anderen beschermde tegen iets wat hij te laat aan zichzelf had bekend om er nog iets aan te doen, en dat dat belangrijker was dan zichzelf te zijn zoals zou moeten. Kaveh had hem dat geleerd. Kaveh had gezegd: 'Het is zij of ik,' en had op de deur geklopt, was het huis in gelopen en had gezegd: 'Vertel jij het ze of moet ik het doen, Ian?' En in plaats van dat hij had gezegd: wie ben je verdomme en wat doe je hier?, had Ian zijn eigen verklaring gehoord en was weggelopen, terwijl hij het aan Niamh over had gelaten om het uit te leggen, als ze dat al wilde. En nu vroeg hij zich af wat hem in vredesnaam had bezield, wat voor waanzin over hem was gekomen, of hij niet eigenlijk aan een of andere geestesziekte had geleden.

Hij vroeg zich dit niet af omdat hij niet van Kaveh Mehran hield, hij wilde hem nog steeds, als een soort krankzinnige obsessie. Hij vroeg het zich af omdat hij erover was blijven nadenken wat dat moment met hen allemaal had gedaan. En hij vroeg het zich af omdat hij was blijven nadenken over wat het kon betekenen als Kaveh niet hetzelfde voor Ian deed als Ian wel voor hem had gedaan.

In Ians ogen was het voor Kaveh heel gemakkelijk om uit de kast te komen en het richtte lang niet zoveel schade aan als bij Ian. O, hij begreep dat Kavs ouders buitenlanders waren, maar alleen in cultureel en religieus opzicht. Ze woonden al ruim tien jaar in Manchester, dus je kon niet zeggen dat ze op een etnische zee op drift waren geraakt en er niets van begrepen. Ze woonden al langer dan een jaar samen – Kaveh en hij – en het werd tijd dat Kaveh eerlijk uitkwam voor wat hij en Ian Cresswell voor elkaar betekenden. Het feit dat Kaveh niet voor dat simpele feit uit kon komen en het aan zijn ouders kon vertellen... Het was allemaal zo oneerlijk dat Ian er opstandig van werd.

Maar hij wilde dat die opstandigheid uit zijn lijf verdween, want hij wist maar al te goed dat hij daar helemaal niets mee bereikte.

De hekken van Ireleth Hall stonden open toen hij daar aankwam, wat meestal betekende dat er iemand op bezoek was. Maar Ian wilde helemaal niemand zien, dus in plaats van door te rijden naar het middeleeuwse huis dat boven het meer opdoemde, nam hij een zijweg die rechtstreeks naar het water leidde en naar het stenen botenhuis aan de oever.

Daar lag zijn scull. Het was een gestroomlijnde roeiboot die laag op het water lag. Vanaf de stenen kade, die langs drie kanten van het schemerige botenhuis liep, was het lastig instappen, en er weer uit stappen was al even hachelijk. Het was nu des te lastiger omdat er in het botenhuis zelf geen licht was. Over het algemeen kwam er genoeg licht van de deuropening aan de waterzijde, maar het was om te beginnen een bewolkte dag geweest en nu werd het donker. Maar daar liet Ian zich niet door weerhouden, want hij moest het meer op, het water met de roeispanen bewerken, zijn snelheid opvoeren en zijn spieren voelen branden, tot het zweet van hem af gutste en er voor hem enkel en alleen nog de inspanning bestond.

Hij maakte de lijn van de scull los en hield de boot dicht langs de kaderand. Er waren drie stenen treden in het water, niet ver van de ingang aan de waterkant van het botenhuis, maar hij had gemerkt dat het riskant was om die te gebruiken. Gaandeweg waren de stenen in het water met algen begroeid geraakt en de treden waren in geen jaren schoongemaakt. Ian had dat best kunnen doen, maar hij dacht er alleen maar aan wanneer hij zijn scull gebruikte. En wanneer hij het water op ging, was dat meestal omdat hij per se weg móést en wel zo snel mogelijk.

Deze avond was het al net zo. Met de lijn in de ene hand en met de andere op het dolboord om de roeiboot stabiel te houden, liet hij zich voorzichtig in de scull zakken, terwijl hij zijn gewicht voorzichtig in evenwicht hield zodat het voertuig niet zou kantelen en hij in het water zou belanden. Hij zat. Hij rolde het touw op en legde het op de boeg. Hij zette zijn voeten op het voetenbord en duwde zich af van de kade. Hij lag naar buiten gericht, dus het was eenvoudig om de scull via de doorgang het meer op te sturen.

Tijdens zijn rit naar Ireleth Hall was het gaan regenen, maar nu was de regen hardnekkiger geworden. En als hij niet die spanning uit zijn lijf had willen kwijtraken, wist Ian dat hij op dat moment niet had doorgezet. Maar de regen deed er niet echt toe en het had weleens harder geregend. Bovendien was hij niet van plan erg lang weg te blijven. Slechts zolang het duurde om met de roeiboot noordwaarts in de richting van Windermere over het water te schieten. Wanneer hij genoeg zweet was kwijtgeraakt, zou hij naar het botenhuis terugkeren.

Hij bevestigde de lange roeispanen in hun rechthoekige vergrendeling. Hij paste de positie van de dollen aan. Hij bewoog zijn benen om er zeker van te zijn dat het roeibankje soepel over zijn glijders gleed en toen was hij klaar om te vertrekken. In minder dan tien seconden was hij al een eindje van het botenhuis vandaan en op weg naar het midden van het meer.

Van daaruit zag hij de contouren van Ireleth Hall, met zijn toren, puntgevels en de vele schoorstenen die het eeuwenoude verhaal vertelden over het ontstaan ervan. Licht scheen door de erkerramen van de salon en de slaapkamer van de bewoners op de eerste verdieping. Aan de zuidkant van het gebouw rezen de reusachtige, geometrische patronen van de in sculpturen gesnoeide tuin boven de omringende stenen muren uit en staken mistroostig af tegen de avondlucht. Een paar honderd meter ervandaan, verborgen voor Ireleth Hall zelf, brandde er op elke verdieping van een andere toren licht, een tweelingbroertje van het oudste gedeelte van Ireleth Hall. Dit was echter een *folly*, die leek op de grimmige en gedrongen torens van Cumbria, en waar de meest nutteloze vrouw woonde die Ian Cresswell ooit was tegengekomen.

Hij wendde zich af van het landhuis, de toren, de sculptuurtuin en het buitenverblijf van zijn oom, van wie hij hield, maar die hij niet begreep. 'Ik accepteer jou, dus jij moet mij accepteren,' had Bernard Fairclough tegen hem gezegd, 'want we moeten ons in het leven allemaal aanpassen.'

Ian had zich dat echter afgevraagd, net zoals hij zijn vragen had over schulden die betaald moesten worden en aan wie dan wel. Dat was ook iets wat hem vanavond bezighield. Dat was ook iets waardoor hij het water op moest.

Het meer was geen eenzame plek. Het was zo groot, de grootste watermassa in Cumbria, dat er met regelmatige tussenpozen kleine gehuchten en dorpjes op de oever opdoken. En op verspreid liggende plekken in de rest van het onontgonnen landschap stonden hier en daar huizen met leien voorgevels, of een landhuis dat lang geleden was omgebouwd tot een duur hotel of privébezit, waaruit meestal bleek dat er een rijkaard woonde met voldoende middelen om er meer dan één huis op na te houden. Want als de herfst moest wijken voor de winter, was het Lake District een onwelkome plek voor degenen die niet van stormachtige wind en sneeuw hielden.

Dus Ian voelde zich op het water niet eenzaam. Toegegeven, hij was de enige roeier op dat moment, maar het was een rustig idee dat er langs de oevers boten lagen van leden van een plaatselijke club, en boten, kajaks, kano's en sculls die eigendom waren van de bewoners van de huizen aan het water, die nog niet voor de winter uit het water waren gehaald.

Hij wist niet precies hoe lang hij had geroeid, maar het kon nog niet zo lang zijn geweest, dacht hij, want hij leek nog niet ver te zijn gekomen. Hij was nog niet eens ter hoogte van het Beech Hill-hotel, vanwaar hij duidelijk de kolos van het laag in het water liggende Belle Island kon zien liggen. Dat punt markeerde meestal dat hij halverwege zijn work-out was, maar hij besefte dat zijn ruzie met Kaveh hem meer had uitgeput dan hij dacht, want hij merkte dat zijn spieren vermoeid raakten, wat betekende dat het tijd was om terug te keren.

Even bleef hij roerloos zitten. Hij hoorde het verkeer op de A592, die ten oosten van het meer liep. Maar behalve dat en de regen die op het water en tegen zijn windjack tikte, hoorde hij niets. De vogels waren naar bed en ieder zinnig mens zat binnen.

Ian haalde diep adem. Er ging een huivering door hem heen; iemand liep over zijn graf, dacht hij spottend. Dat was het, of het lag aan het weer, wat veel waarschijnlijker was. Zelfs in de regen ving hij de geur op van rook uit een schoorsteen in de buurt en hij stelde zich een warm vuur voor, terwijl hij daar met uitgestrekte benen voor zat met Kaveh naast zich in net zo'n stoel, met eenzelfde glas wijn in de hand, terwijl ze een gesprek voerden dat van de hak op de tak ging, zoals talloze stellen in talloze huizen overal ter wereld aan het eind van de dag deden.

Dat, zo zei hij tegen zichzelf, was wat hij wilde. En ook de rust die ermee gepaard ging. Het leek niet zoveel gevraagd: een gewoon leven zoals ieder ander dat leidde.

Er verstreken een paar minuten: bijna geen geluid, Ian in rust, terwijl de scull zachtjes deinde op het ritme van het water. Als het niet had geregend, was hij misschien wel even weggedoezeld. Maar nu werd hij steeds natter en het werd tijd om naar het botenhuis terug te keren.

Hij dacht dat hij ruim een uur op het water was geweest, en toen hij uiteindelijk de oever naderde, was het helemaal donker. Inmiddels waren de bomen gedaanten op het land geworden: hoekige, stevige coniferen als rechtopstaande rotsen, spichtige berkenzomen die zich tegen de hemel aftekenden en ertussenin de esdoorns met palmachtige bladeren die trilden onder de roffelende regen. Tussen de bomen door liep een pad naar het botenhuis, dat ondanks het weer en het tijdstip vanaf het water gezien een mooi bouwwerk was, want het bestond uit een massa leien en kalkstenen kantelen, en de ingang aan de waterkant werd gevormd door een gotische boog die eerder paste bij een kerk dan bij een botenstalling.

Ian zag dat het licht boven de deuropening niet brandde. Dat had met de invallende duisternis aan moeten floepen, waardoor de buitenkant van het botenhuis werd verlicht, ook al bereikte het licht amper de binnenkant van het botenhuis. Maar waar een gele gloed bij beter weer motten had aangetrokken, was er nu helemaal niets. Net als de algen op de kadestenen, moest hij dit ook in orde maken.

Hij stuurde naar de doorgang en gleed naar binnen. Het botenhuis lag een eind uit de buurt van het hoofdgebouw en stond ook niet vlak bij de folly, dus er was niets, nog geen sprankje licht, dat door de duisternis priemde, en het was er dan ook aardedonker. Er lagen drie andere vaartuigen. Een veelgebruikte vissersboot, een speedboot en een kano van onzekere herkomst waarvan het nog onzekerder was of die wel veilig was, lagen willekeurig aan de rechterkade aangemeerd. Ian moest zich erlangs wurmen om terug te keren naar het uiteinde waar de scull had gelegen, en dat deed hij op de tast. Zijn hand kwam tussen de roeiboot en de scull terecht en hij vloekte toen zijn knokkels hardhandig bekneld raakten tussen het fiberglas van de scull en het hout van de andere roeiboot.

Hetzelfde gebeurde met de stenen kade, en deze keer voelde hij bloed. Hij zei: 'Godverdómme,' en drukte zijn knokkels even tegen zijn zij. Zijn hand deed verrekte pijn en hij wist dat wat hij nu ook deed, hij dat erg voorzichtig moest doen.

Er lag een zaklamp in zijn auto en hij had nog wel zoveel humor om zichzelf te feliciteren dat hij hem daar had achtergelaten waar hij er verdomme geen fluit aan had. Deze keer stak hij voorzichtiger zijn hand naar de kade uit, vond die en tastte naar de klamp om de scull aan vast te leggen. Licht of donker, regen of zon, zo dacht hij, een fatsoenlijke kikkersteek kon hij altijd leggen. Dat deed hij dan ook en hij haalde zijn voeten van het voetenbord. Daarna verplaatste hij zijn gewicht en wilde hij zich uit de scull op de kade omhoog hijsen.

En zoals deze dingen gaan, gebeurde het toen hij met zijn gewicht op een enkele steen op de kade balanceerde en zich uit de scull over het water naar achteren boog. De steen die zijn gewicht zou moeten dragen, en die nu klaarblijkelijk te lang op de kade had gelegen om dat ook daadwerkelijk te doen, schoot los. Hij viel voorover en de scull, die alleen aan de boeg vastlag, schoot naar achteren. En daar ging hij, het ijskoude water in.

Maar onderweg sloeg hij met zijn hoofd tegen de leistenen waar de kade lang geleden mee was gebouwd. Hij was bewusteloos toen hij in het water belandde en vijf minuten later was hij dood.

25 oktober

Wandsworth

Londen

Ze hadden nog steeds dezelfde afspraak als in het begin. Zij bracht de boodschap op de een of andere manier over en hij ging vervolgens naar haar toe. Soms was het een vaag glimlachje, slechts een opgetrokken mondhoek, zo vluchtig dat iemand die niet wist wat het betekende het niet eens opmerkte. Dan weer was het een murmelend 'vanavond?' in het voorbijgaan in de gang. Op een ander moment sprak ze het openlijk uit, als ze elkaar bijvoorbeeld op de trap tegenkwamen of in de eetzaal, of wellicht als ze elkaar 's ochtends in de ondergrondse parkeergarage toevallig tegen het lijf liepen. Hoe dan ook, hij wachtte tot zij het aangaf. Hij vond het maar niks zo, maar het was niet anders. Ze zou onder geen beding naar hem toe gaan, en ook al had ze dat best gewild, ze was zijn meerdere, dus ze was hem de baas. Andersom werkte dat niet.

Eén keer had hij gevraagd of zij naar hem wilde komen, in het begin van hun regeling. Hij had gedacht dat het misschien iets betekende als ze de nacht met hem in Belgravia zou doorbrengen, alsof hun relatie een soort nieuwe richting was ingeslagen, hoewel hij eigenlijk niet wist of hij het wel zo wilde. Ze had resoluut gezegd, op die onomwonden manier van haar waarin elke discussie uitgesloten was: 'Dat zal nooit gebeuren, Thomas.' En uit het feit dat ze hem Thomas noemde, en niet het intiemere Tommy zoals iedere vriend en collega hem noemde, sprak een grotere waarheid, waarvan hij wist dat ze die niet zou uitspreken: het huis in Eton Terrace deed nog te veel denken aan zijn vermoorde vrouw, en acht maanden nadat ze op de stoep om het leven was gekomen, had hij zich er niet toe kunnen brengen ook maar iets aan het huis te doen. Hij besefte inmiddels wel dat het niet erg waarschijnlijk was dat een vrouw met hem in bed zou duiken zolang Helens kleren nog in de kasten hingen, haar parfums nog op de toilettafel stonden en er nog steeds haren in haar borstel zaten. Zolang Helens aanwezigheid niet met wortel en tak uit het huis was weggesneden, hoefde hij er niet op te rekenen dat hij het ooit met iemand anders kon delen, zelfs niet voor een nacht. Dus hij zat in de val, en toen Isabelle dat woord zei – vanavond? – ging hij naar haar toe, gedreven door een aandrang die zowel voortkwam uit een lichamelijke behoefte als een vorm van vergetelheid, hoe kortstondig ook.

En dat deed hij deze avond ook. 's Middags hadden ze vergaderd met de voorzitter van de onafhankelijke klachtencommissie van de politie, over een klacht die afgelopen zomer door een advocaat ten behoeve van haar cliënt was ingediend: een paranoïde schizofreen was in een Londense straat het verkeer in gelopen terwijl hij op de vlucht was voor de hem achtervolgende politieagenten. De inwendige verwondingen en een gebroken schedel vroegen om een geldelijke genoegdoening en daar was de advocaat op uit. De klachtencommissie onderzocht de zaak en dat draaide uit op talloze vergaderingen, waarin alle betrokkenen hun versie van het verhaal konden vertellen, waar camerabeelden werden bekeken en ooggetuigen werden ondervraagd. Tegelijkertijd stortten de Londense tabloids zich likkebaardend op het verhaal en wilden het plaatsen zodra de klachtencommissie tot een conclusie was gekomen over schuld, onschuld, misdrijf, ongeluk, onvoorziene omstandigheden, of tot welke conclusie ook. Het was een zenuwslopende bijeenkomst geweest. Na afloop was hij net zo opgefokt geweest als Isabelle.

Toen ze door de gangen liepen op de weg terug naar hun kantoor in Victoria Block had ze gezegd: 'Ik zou het fijn vinden als je vanavond kwam, Thomas, als je de energie hebt. Eten en een wip. Een eerlijke steak, een mooie wijn, kraakheldere lakens. Geen Egyptisch katoen waar die van jou wel van gemaakt zullen zijn, maar evengoed fris.'

En daarna het glimlachje en iets in haar ogen wat hij nog niet had kunnen duiden in die drie maanden sinds ze voor het eerst in de zielloze slaapkamer in haar souterrain met elkaar naar bed waren geweest. Verdomme, wat verlangde hij naar haar, dacht hij. Het had te maken met een natuurlijke loop van de dingen waardoor hij kon geloven dat hij macht over haar had, terwijl het in de praktijk zij was die al snel de overhand over hem kreeg.

Het was een eenvoudige afspraak. Zij ging boodschappen doen en hij ging rechtstreeks naar de flat en liet zichzelf met zijn sleutel binnen. Of hij verzon een excuus en ging eerst naar zijn eigen huis om de tijd te doden tot hij op weg ging naar die troosteloze straat ergens halverwege de Wandsworth-gevangenis en een begraafplaats. Hij koos voor het laatste. Daarmee kon hij tenminste nog de schijn wekken dat hij zijn eigen leven leidde.

Om die illusie nog verder in stand te houden nam hij de tijd om zich voor te bereiden: hij las zijn post, nam een douche en schoor zich, beantwoordde een telefoontje van zijn moeder over de regengoten aan de westkant van het huis in Cornwall. Vond hij dat ze die moest vervangen of laten repareren? De winter staat voor de deur, liefje, en nu de regen heviger wordt... Het was een smoesje om hem te kunnen bellen. Ze wilde weten hoe het met hem ging, maar vroeg dat liever niet recht op de man af. Ze wist heel goed dat de regengoten gerepareerd moesten worden. Ze konden helemaal niet worden vervangen. Het huis stond per slot van rekening op de monumentenlijst. Waarschijnlijk zou het om hen heen tot een bouwval afbrokkelen voordat ze toestemming kregen om er ook maar iets aan te veranderen. Ze babbelden over de familie. Hoe ging het met zijn broer, vroeg hij, wat de gezinscode was voor: redt hij het nog zonder weer terug te vallen op cocaïne, heroïne of welke stof ook waarmee hij uit de werkelijkheid kon wegvluchten? Ze antwoordde met: uitstekend, liefje. Dat was de gezinscode voor: ik houd hem als altijd in de gaten, en je hoeft je geen zorgen te maken. En zijn zus? Wat betekende: heeft Judith eindelijk besloten niet meer de eeuwige weduwe uit te hangen, waarop het antwoord was: zij heeft het verschrikkelijk druk, wat als altijd de code was dat ze niet van plan was ooit nog in een vreselijk huwelijksbootje te stappen, heus. Dus zo ging het gesprek verder tot alle onderwerpen uitputtend besproken waren en zijn moeder zei: 'Ik hoop echt dat we je met de kerstdagen zullen zien, Tommy,' en hij haar ervan verzekerde dat dat zou gebeuren.

Daarna had hij geen reden meer om in Belgravia te blijven en ging hij op weg, de rivier over en van daaruit zuidwaarts naar Wandsworth Bridge. Hij was even over halfacht bij Isabelles huis. Parkeren was een hel in die wijk, maar hij had geluk toen dertig meter verderop een bestelbus van de stoeprand wegreed.

Bij Isabelles deur diepte hij zijn sleutel op. Hij stak die in het slot en wilde naar binnen gaan toen ze van binnenuit de deur opende en snel naar buiten stapte, op het stenen plaatsje onder aan de trap die vanaf de stoep boven hen naar beneden liep. Ze sloot de deur achter zich.

Ze zei: 'Het kan vanavond niet. Er is iets tussengekomen. Ik had je mobiel moeten bellen, maar dat kon niet.'

Hij was verbijsterd. Verdwaasd keek hij over haar schouder naar de dichte deur. Hij zei: 'Wie is er dan?' want dat er iemand was, was wel duidelijk. Een andere man, dacht hij, en daarin had hij gelijk, hoewel hij deze man niet had verwacht.

'Bob,' zei ze.

Haar ex-echtgenoot. Hij vroeg zich af waarom dit een probleem was. 'En?' informeerde hij vriendelijk.

'Thomas, het kom slecht uit. Sandra is er ook. En de jongens.'

Bobs vrouw. De tweelingzoons van Isabelle, de kinderen uit haar vijfjarige huwelijk. Ze waren acht jaar en Lynley had ze nog niet ontmoet. Voor zover hij wist waren ze nog niet eens bij haar in Londen geweest.

Hij zei: 'Dit is prima, Isabelle. Hij heeft ze dus naar jou toe gebracht?'

'Je begrijpt het niet,' zei ze. 'Ik verwachtte niet...'

'Nee, dat is wel duidelijk. Nou, ik maak kennis met ze, we gaan eten en dan ga ik weer.'

'Hij weet niets van jou.'

'Wie?'

'Bob. Ik heb het hem niet verteld. Dit kwam allemaal compleet als een verrassing. Hij en Sandra zijn in de stad voor een of ander diner. Een hele toestand. Ze zijn helemaal op hun paasbest. Ze hebben zelfs de jongens meegenomen en ze dachten dat zij en ik even samen konden zijn terwijl zij naar dat diner gaan.'

'En hebben ze je niet eerst gebeld? Stel dat je niet thuis was geweest? Wat had hij dan met ze gedaan? Ze in de auto laten wachten terwijl hij naar dat diner ging?'

Ze keek geërgerd. 'Weet je, daar gaat het niet echt om, Thomas. Feit is dat ik wel thuis ben en dat zij in Londen zijn. Ik heb de jongens in geen weken gezien, dit is de eerste keer dat ze me zelfs met ze alleen laten, en ik ben niet van plan...'

'Wat?' Hij keek haar met een effen blik aan. Ze had dat trekje om haar mond. Hij wist wat dat betekende. Ze wilde een borrel, en er nu eentje nemen was wel het laatste wat ze kon doen. 'Wat dacht je dat ik zou gaan doen, Isabelle? Ze besmetten met mijn verderfelijke manieren?'

'Doe niet zo moeilijk. Dit heeft niets met jou te maken.'

'Zeg dan dat ik een collega ben.'

'Een collega met de sleutel van mijn voordeur?'

'In godsnaam, als hij weet dat ik de sleutel van je deur heb...'

'Dat weet hij niet. En dat komt hij ook niet te weten. Ik heb hem gezegd dat ik dacht dat ik iemand hoorde kloppen en dat ik ging kijken of er iemand aan de deur was.'

'Dringt het tot je door dat je jezelf tegenspreekt?' Opnieuw keek hij over haar schouder naar de deur. Hij zei: 'Isabelle, is er soms iemand anders daarbinnen? Geen Bob? Niet zijn vrouw? Niet de jongens?'

Ze rechtte haar rug. Ze was een meter tachtig, bijna even lang als hij, en hij wist wat het betekende als ze daarmee ging schermen. 'Wat bedoel je daarmee?' vroeg ze dwingend. 'Dat ik een andere minnaar heb? In godsnaam, zeg. Niet te geloven dat je dit doet. Je weet wat dit voor me betekent. Dat zijn mijn kinderen. Je zult de kinderen, Bob, Sandra en Joost mag weten wie nog meer heus wel een keer ontmoeten, maar alleen als ik daar klaar voor ben en niet eerder. En nu moet ik weer naar binnen voordat hij komt kijken wat er aan de hand is. En jij moet gaan. We hebben het er morgen wel over.'

'En als ik toch naar binnen ga? Jij laat me hier staan en ik kom toch met de sleutel binnen? Wat dan?' Terwijl hij het zei wist hij niet wat hem overkwam. Zijn waardigheid leek dezelfde weg te zijn gegaan als zijn hersens, zijn geduld en zijn zelfbeheersing.

Ze wist het. Dát zag hij wel in haar ogen, wat ze verder ook nog voor hem verborgen wist te houden. 'Laten we maar vergeten dat je dat hebt gezegd.' Ze ging naar binnen, en liet hem achter met een gevoel dat begon te lijken op een ophanden zijnde woede-uitbarsting van een kleuter.

God, wat had hij wel niet gedacht? vroeg hij zich af. Thomas Lynley, inspecteur van New Scotland Yard, lid van de lage landadel, afgestudeerd in de hoogste graad aan de universiteit van Oxford, gedroeg zich als een dwaas.

28 oktober

Marylebone

Londen

Twee dagen lang lukte het hem om haar te ontlopen, hoewel hij zichzelf wijsmaakte dat hij haar helemaal niet probeerde te mijden, omdat hij gedurende die dagen in de Royal Court of Justice moest zijn. Hij moest daar getuigen in een slepende rechtszaak van een seriemoordenaar, met wie hij afgelopen februari in nauw en bijna fataal contact was gekomen. Maar na die twee dagen was hij niet meer nodig in rechtszaal nummer drie. Hij weigerde beleefd drie verzoeken van journalisten om een interview te geven, waarvan hij wist dat die toch uit zouden draaien op dat ene onderwerp waar hij het niet over kon hebben – de dood van zijn vrouw – en keerde naar New Scotland Yard terug. Het verbaasde hem niet dat Isabelle hem daarop vroeg of hij haar soms ontweek, aangezien hij de afdelingssecretaresse wel telefonisch op de hoogte had gebracht van zijn gedwongen afwezigheid en haar niet. Hij zei dat dat natuurlijk niet het geval was, waarom zou hij haar ontwijken? Hij was op de rechtbank geweest, evenals zijn aloude partner brigadier Barbara Havers. Isabelle dacht toch zeker niet dat brigadier Havers haar ook ontweek?

Dit laatste had hij niet moeten zeggen, want daarmee verraadde hij zich, namelijk hoe de vork werkelijk in de steel zat: dat hij natuurlijk bepaald niet stond te springen om met Isabelle te praten tot hij voor zichzelf had ontrafeld waarom hij bij de deur van haar flat zo had gereageerd. Isabelle zei dat ze eerlijk gezegd van brigadier Havers nou net wel verwachtte dat die haar wilde ontwijken, aangezien die daar een gewoonte van maakte. Waarop hij had geantwoord: dat mag dan wel zo zijn, maar ik doe dat niet.

Ze zei: 'Je bent boos en daar heb je alle recht toe, Tommy. Ik heb me schandelijk gedragen. Hij stond opeens met de kinderen voor m'n neus en ik was compleet van de kaart. Maar bekijk het alsjeblieft eens vanuit mijn standpunt. Bob is ertoe in staat om hier naar de hogere regionen te bellen en te melden: "Wist u dat hoofdinspecteur Ardery iets heeft met een ondergeschikte? Ik dacht dat u dat wel wilde weten." Daar is hij toe in staat, Tommy. Hij dóét het zelfs. En je weet wat er gebeurt als hij dat zou doen.'

Hij vond dat ze overdreven paranoïde reageerde, maar zei dat niet.

Daarmee zou hij alleen maar in een ruzie verzeild raken, misschien niet hier in haar kantoor waar ze hem bij zich had geroepen, maar dan toch ergens anders. Hij zei: 'Je hebt gelijk,' en toen ze zei: 'En...?' wist hij dat dat een andere manier was om te zeggen: vanavond dan maar? Zodat ze wat ze hadden moeten uitstellen alsnog konden nakomen. Steak, wijn en een vurige, verrukkelijke wip. En daar, zo besefte hij, zat hem nou net het venijn. In bed was Isabelle inventief en opwindend, en het was de enige plek waar ze hem toestond overwicht over haar te hebben.

Hij dacht over haar voorstel na toen Dorothea Harriman, de elegante en goed geklede afdelingssecretaresse in de deuropening verscheen omdat de deur openstond. Ze zei: 'Inspecteur Lynley?' en toen hij zich omdraaide: 'Ik werd net gebeld. Ik vrees dat u nodig bent.'

'Door wie, Dee?' Hij nam aan dat hij om de een of andere reden naar de Old Bailey moest terugkeren.

'Hemzelf.'

'Ah.' Niet de Old Bailey dus. Met hemzelf bedoelde ze commissaris sir David Hillier. Wanneer Hillier je bij zich riep, gaf je daaraan gehoor. 'Nu meteen?' vroeg hij.

'Inderdaad. En hij is niet hier. U moet onmiddellijk naar zijn club komen.'

'Wat doet hij op dit tijdstip in zijn club?'

Harriman haalde haar schouders op. 'Geen idee. Maar u moet daar zo snel mogelijk naartoe. Als het verkeer het toelaat, wil hij dat u er binnen een kwartier bent. Zijn secretaresse was daar heel duidelijk over.'

'Nou, dat is duidelijk, hè?' Hij draaide zich naar Isabelle toe en zei: 'Als u me wilt verontschuldigen, baas?' Toen ze kort knikte vertrok hij, terwijl er tussen hen nog niets was opgelost.

Sir David Hilliers club bevond zich vlak bij Portland Place en het was een belachelijk idee dat Lynley daar vanuit New Scotland Yard binnen een kwartier kon zijn. Maar er was een tijd genoemd, en dat duidde erop dat het haast had. Hij nam dus een taxi en zei tegen de chauffeur dat hij hem op zijn staart moest trappen en in godsnaam met een grote boog om Piccadilly Circus moest rijden, want daar stond het verkeer altijd vast. Daarmee was hij in tweeëntwintig minuten in de Twins, Hilliers club, wat je op dat tijdstip van de dag wel een record kon noemen.

Twins was gehuisvest in drie van de overgebleven herenhuizen in de buurt die niet het slachtoffer waren geworden van iemands negentiende-eeuwse opvatting over renovatie. Er was alleen een discreet, bronzen bordje rechts van de deurbel bevestigd en er hing een azuurblauwe vlag met daarop de naamgevers annex grondleggers – een tweeling – van de club. Ze stonden er samen op, althans, dat leek zo op de afbeelding op de vlag. Voor zover Lynley wist, had niemand zo diep in de ontstaansgeschiedenis van de plek gegraven om erachter te komen of dit een geloofwaardige weergave van ze was.

Hij werd niet door een portier binnengelaten maar door een oudere, in het zwart geklede vrouw met een gesteven schortje op haar borst gespeld. Ze kon zo uit een andere eeuw zijn weggelopen en hij zag dat ze zich ook zo bewoog. In een hal vol victoriaanse schilderijen van twijfelachtige kwaliteit die boven een marmeren zwart-wit betegelde vloer opdoemden, vertelde hij voor wie hij kwam. De vrouw knikte, draaide zich op haar hielen om en dirigeerde hem naar een deur rechts van een indrukwekkende trap die werd onderbroken door een entresol. Daar stond op een halve schelp een sculptuur van Venus tegen de achtergrond van een boograam dat uitkeek over het bovenste deel van een tuin, te zien aan de restanten van een boom die door klimop was overwoekerd.

De vrouw klopte aan, deed de deur open en liet hem binnen in een eetzaal met een donkere lambrisering, waarna ze de deur weer achter hem sloot. Op dit uur waren er geen eetgasten, maar aan een van de met linnen gedekte tafels zaten twee mannen. Tussen hen in stond een koffieservies. Er stonden drie kopjes.

Een van de mannen was de commissaris en de andere een man met een bril, wellicht te goed gekleed voor dit uur van de dag en deze omgeving, hoewel dat trouwens ook voor Hillier gold. Ze leken ongeveer even oud, maar in tegenstelling tot Hillier was de andere man enigszins kalend. Dit wilde hij eerder benadrukken dan verbergen, want hij had het resterende haar strak naar achteren gekamd waardoor het plat tegen zijn schedel lag, alsof hij zich niets aantrok van mode of schoonheid. Zijn haar was gelijkmatig van kleur – muisbruin was nog de beste omschrijving – en was dus waarschijnlijk geverfd. Eveneens om de mode te tarten was zijn bril groot en zwart, en in combinatie met een verbazingwekkend uitstekende bovenlip die niet op zijn onderlip paste, zag hij eruit als een karikatuur. Maar daardoor kwam hij Lynley bekend voor, hoewel hij niet op zijn naam kon komen.

Dat loste Hillier op. 'Bernard Fairclough,' zei hij. 'Baron van Ireleth, dit is inspecteur Lynley.'

Fairclough ging staan. Hij was veel kleiner dan Lynley en Hillier, misschien een meter tweeënzestig, en had een zekere uitstraling. Hij gaf een stevige handdruk en tijdens de daaropvolgende bijeenkomst werd wel duidelijk dat hij een wilskrachtig en zelfverzekerd man was.

'David heeft me over u verteld,' zei Fairclough. 'Ik hoop dat we goed kunnen samenwerken.' Zijn accent hoorde ergens in het noorden thuis en zo te horen had Fairclough halverwege zijn tienerjaren zijn opleiding afgebroken, wat Lynley verbaasde. Hij keek naar Hillier. Het was typisch iets voor de commissaris om het gezelschap van iemand met een titel op te zoeken. Maar het was daarentegen helemaal niets voor de commissaris om het gezelschap op te zoeken van iemand die zijn titel niet door geboorte had verkregen maar die, net als hijzelf, een koninklijk lintje had gekregen.

'Lord Fairclough en ik zijn op dezelfde dag geridderd,' zei Hillier, alsof hij wilde uitleggen wat zijn relatie met de man was. Hij voegde eraan toe: 'Fairclough Industries,' om aan te geven waar Faircloughs rijkdom – als hij die al had – vandaan kwam en het nu onmiddellijk helder was.

'Ah,' zei Lynley.

Fairclough glimlachte. 'De Fairplee,' zei hij bij wijze van uitleg.

En toen viel het kwartje natuurlijk. Bernard Fairclough had een lintje gekregen omdat hij een uiterst ongebruikelijk toilet had uitgevonden dat in grote aantallen door Fairclough Industries werd geproduceerd. De dankbare natie had Fairclough zijn plek aan het firmament der geridderden echter gegund omdat hij een liefdadigheidsinstelling had opgericht die zich bezighield met fondswerving voor onderzoek naar alvleesklierkanker. Maar Fairclough bleef onlosmakelijk met dat toilet verbonden, daar was geen ontsnappen aan, en de tabloids hadden hilarisch gereageerd op zijn lintje en de ermee gepaard gaande titel van baron: HET WAS EEN ROYAL FLUSH.

Hillier gebaarde naar de tafel. Of Lynley bij hen wilde komen zitten. Toen die plaatsnam en Fairclough weer op zijn stoel ging zitten, schonk Hillier zonder iets te vragen een kop koffie voor Lynley in en schoof het kopje samen met de melk en suiker naar hem toe.

'Bernard heeft gevraagd of we iets voor hem willen doen,' zei Hillier. 'Het is een strikt vertrouwelijke kwestie.'

En dat verklaarde waarom ze in de Twins hadden afgesproken, dacht Lynley. Dat verklaarde ook waarom hun ontmoeting op een tijdstip van de dag plaatsvond waarop de enige leden van de Twins waarschijnlijk in de bibliotheek boven hun krant zaten te doezelen of in de fitnessruimte in de kelder squash speelden. Lynley knikte maar zei niets. Hij keek naar Fairclough, die een witte zakdoek uit zijn zak haalde en er zijn voorhoofd mee bette. Er lag een lichte transpiratieglans op. Het was niet overdreven warm in de ruimte.

Hij zei: 'Mijn neef – hij heet Ian Cresswell, de zoon van mijn overleden zus – is tien dagen geleden verdronken. Aan de zuidkant van Lake Windermere, iets na zevenen 's avonds. Zijn lichaam werd pas de volgende middag gevonden. Door mijn vrouw.'

'Het spijt me dat te horen.' Bij zo'n bericht zei je dat natuurlijk automatisch. Faircloughs gezicht bleef er onbewogen bij.

'Valerie vist graag,' zei hij tegen Lynley, een opmerking die nergens op sloeg tot hij vervolgde met: 'Ze gaat er een paar keer per week met een kleine roeiboot op uit. Een merkwaardige hobby voor een vrouw, maar zo is het nou eenmaal. Ze vist al jaren. De boot ligt bij een paar andere vaartuigen in een botenhuis op ons landgoed, en daar lag Ians lichaam. Met zijn gezicht in het water, een open wond in zijn hoofd, hoewel er geen bloed was.'

'Wat is er volgens u gebeurd?'

'Hij verloor zijn evenwicht terwijl hij uit een scull stapte. Zo kwam hij aan zijn lichaamsbeweging, met die scull. Hij raakte uit balans, stootte zijn hoofd tegen de kade – die is van steen – en is in het water gevallen.'

'Kon hij niet zwemmen of was hij bewusteloos?'

'Volgens de lijkschouwer het laatste.'

'Denkt u er dan anders over?'

Fairclough draaide in zijn stoel. Hij leek naar een schilderij boven de haard aan de overkant van het vertrek te kijken. Dat stelde een circustafereel voor in de stijl van Hogarth: een deel van een optocht van schuinsmarcheerders, met allerlei rare snuiters in plaats van liederlijke lui. Nog een reden voor de aan elkaar gekoppelde tweeling op de vlag. De grondleggers van de Twins waren absoluut rijp geweest voor het circus. Fairclough bestudeerde het tafereel en zei toen: 'Hij viel omdat twee grote stenen op de kade waren verschoven. Ze lagen los.'

'Ik begrijp het.'

Hillier zei: 'Bernard denkt dat de stenen misschien wat hulp hebben gehad, Tommy. Het botenhuis staat er al ruim honderd jaar en het was zo gebouwd dat het de komende honderd jaar ook nog blijft staan. Dat gold ook voor de kade.'

'Maar als de lijkschouwer heeft bepaald dat het om een ongeluk gaat...'

'Het is niet zo dat ik hem niet geloof,' zei Fairclough snel. 'Maar...' Hij keek Hillier aan alsof hij vroeg of de commissaris de zin wilde afmaken.

Hillier was hem ter wille. 'Bernard wil zeker weten dat het een ongeluk was, dat zou iedereen willen weten. Er zijn familiekwesties mee gemoeid.'

'Wat voor familiekwesties?'

De twee mannen zwegen. Lynley keek van de een naar de ander. Hij zei: 'Ik kan geen uitsluitsel geven als ik nergens van weet, lord Fairclough.'

'Zeg maar Bernard,' zei Fairclough, hoewel Hilliers blik in zijn richting suggereerde dat hij zich altijd zo informeel gedroeg. 'In de familie word ik eigenlijk Bernie genoemd. Maar Bernard volstaat.' Fairclough reikte naar zijn koffiekopje. Hillier had dat volgeschonken, maar kennelijk wilde Fairclough het kopje alleen maar vasthouden om iets met zijn handen te doen te hebben, want hij dronk er niet van. Hij draaide ermee, bestudeerde het en zei ten slotte: 'Ik wil zeker weten dat mijn zoon Nicholas niet bij Ians dood betrokken was.'

Lynley liet een korte stilte vallen terwijl hij deze informatie verwerkte, en wat dit zei over de vader, de zoon en de gestorven neef. Hij zei: 'Heb je redenen om aan te nemen dat Nicholas erbij betrokken was?'

'Nee.'

'Dus?'

Opnieuw die blik naar Hillier, en de commissaris zei: 'Nicholas heeft een... laten we zeggen lastige jeugd gehad. Hij lijkt eroverheen te zijn, maar omdat dat wel vaker het geval leek, is Bernard bang dat de jongen...'

'Hij is nu een man,' onderbrak Fairclough hem. 'Hij is tweeëndertig. Bovendien getrouwd. Als ik naar hem kijk, lijken er dingen veranderd. Hij lijkt veranderd, maar hij gebruikte drugs, allerlei soorten, maar vooral methamfetamine en dat heeft jaren geduurd, zie je, sinds zijn dertiende ongeveer. Wat dat betreft mag hij van geluk spreken dat hij nog leeft, en hij zweert dat hij zich daarvan bewust is. Maar dat zei hij altijd, elke keer weer.'

Lynley hoorde dit alles aan, terwijl hij langzaam begon te begrijpen wat zijn rol hierin was. Hij had het met Hillier nooit over zijn broer gehad, maar de commissaris had in alle hoeken en gaten van de Londense politie spionnen. Dan was het dus niet onwaarschijnlijk dat er tussen al die bijeen vergaarde informatie ook iets zat over Peter Lynleys strijd tegen de drugsverslaving.

'Toen ontmoette hij een vrouw uit Argentinië,' vervolgde Bernard. 'Ze is echt een schoonheid, hij werd verliefd, maar ze hield hem af. Ze wilde niets met hem te maken hebben totdat hij voorgoed van de drugs af was.'

Voor Lynley leek dit des te meer reden om aan te nemen dat Nicholas Fairclough er niet bij betrokken was, maar hij wachtte tot er meer kwam en dat gebeurde met horten en stoten. Kennelijk was de overleden man opgegroeid in huize Fairclough en had hij de rol van oudere broer gespeeld, maar hij was zo superieur aan Nicholas dat de jongere man met geen mogelijkheid in zijn voetsporen kon treden. Ian Cresswell had de middelbare school op St. Bee's in Cumbria met goed gevolg doorlopen en had het op de universiteit ook uitstekend gedaan. Daardoor werd hij bij Fairclough Industries financieel directeur, terwijl hij tevens Bernard Faircloughs persoonlijke financiële zaken regelde. En die zaken, zo leek het, waren aanzienlijk.

'Er is nog geen besluit genomen over wie de dagelijkse leiding over het bedrijf krijgt wanneer ik er niet meer ben,' zei Fairclough. 'Maar het was wel duidelijk dat Ian hoog op de kandidatenlijst stond.'

'Wist Nicholas dat?'

'Dat wist iedereen.'

'Profiteert hij dan van Ians dood?'

'Zoals ik al zei, daar was, of is, nog geen besluit over genomen.'

Dus iedereen kende Ians positie, iedereen – wie iedereen dan ook mocht zijn – had een motief voor moord, dacht Lynley, als het inderdaad moord was. Maar als de lijkschouwer het als een ongeluk had beoordeeld, zou Fairclough opgelucht moeten zijn, maar dat was hij duidelijk niet. Lynley vroeg zich terloops af of Fairclough, ondanks wat hij zei, misschien juist wilde dat zijn zoon achter de dood van zijn eigen neef zat. Het was pervers, maar bij de Londense politie had Lynley zijn portie perversiteit wel gehad.

'Wie is iedereen eigenlijk precies?' informeerde Lynley. 'Ik neem aan dat er naast Nicholas nog andere mensen met belangen in Fairclough Industries zijn?'

Dat bleek inderdaad het geval: er waren twee oudere zussen en een ex-schoonzoon, maar hij maakte zich vooral zorgen over Nicholas. Lynley kon de anderen overslaan. Niemand van hen was een moordenaar. Zij hadden er de moed niet toe. Maar Nicholas kennelijk wel. En bovendien, met zijn geschiedenis... Dan wilde je heel zeker zijn dat hij er niets mee te maken had. Je wilde alleen maar zekerheid.

'Ik wil graag dat jij dit op je neemt,' zei Hillier tegen Lynley. 'Je gaat naar de Lakes en gaat uiterst discreet te werk.'

Uiterst discreet een politieonderzoek uitvoeren, dacht Lynley. Hij vroeg zich af hoe hij dat voor elkaar moest krijgen.

Hillier lichtte het toe. 'Niemand krijgt te horen dat je daarheen gaat. En de plaatselijke politie wordt ook niet op de hoogte gesteld. We willen niet de indruk wekken dat de klachtencommissie van de politie erbij wordt gehaald. Geen ophef, maar wel de onderste steen boven zien te krijgen. Jij weet wel hoe dat moet.'

Feit was dat hij dat niet wist. En er was nog iets waar hij ongemakkelijk van werd. Hij zei: 'Hoofdinspecteur Ardery wil vast...'

'Ik neem hoofdinspecteur Ardery wel voor mijn rekening. En de rest ook.'

'Dus ik werk daar helemaal in m'n eentje?'

'Niemand van de Yard mag erbij betrokken worden,' zei Hillier.

Met andere woorden: als Nicholas Fairclough inderdaad de moordenaar zou blijken te zijn, mocht Lynley er helemaal niets aan doen. Hij zou hem aan zijn vader moeten overdragen, aan God, of aan de wraakgodinnen. Alles bij elkaar opgeteld was dit een onderzoek waar Lynley eigenlijk niets mee te maken wilde hebben. Maar hij wist dat hem niet werd gevraagd om naar Cumbria af te reizen. Het werd hem opgedragen.

Fleet Street

Londen-City

Rodney Aronson had zich tot zijn huidige positie bij *The Source* opgewerkt met zowel eerlijke als smerige middelen, en onderdeel daarvan was dat hij een indrukwekkende verzameling spionnen had opgebouwd. Hij had bereikt wat hij zijn hele leven al wilde: de touwtjes volledig in handen hebben in een indrukwekkend, zij het wat chaotisch kantoor, maar daarmee was zijn wrok niet verdwenen. Hij had een bloedhekel aan arrogantie. Hij had een bloedhekel aan schijnheiligheid. Hij had een bloedhekel aan stommiteit. Maar het meest van al had hij een bloedhekel aan onkunde.

Een verhaal volgen was geen exacte wetenschap. Je hoefde voor een verhaal ook geen bank te beroven. Wanneer je achter een verhaal aan zat, waren er drie dingen nodig: onderzoek, volharding en schoenzolen. Voor een verhaal moest je bereid zijn je medemens te zien kronkelen en zo nodig verpletterd zien worden. En wat gaf het als de verslaggever daar zelf een gladjanus voor moest zijn? Het verhaal was het eindproduct en als het verhaal maar groot genoeg was, met een fatsoenlijke hoeveelheid sensatie, werd het goed verkocht. En wanneer er goed verkocht werd, trok dat meer adverteerders aan, wat zich weer vertaalde in meer inkomsten, en dat bracht vervolgens de directeur van *The Source*, de lijkbleke Peter Ogilvie, in gelukzalige vervoering. Ogilvie moest voortdurend tevreden gehouden worden met nieuws over de winstcijfers. Het maakte niet uit wiens hoofd of reputatie daarvoor moest rollen.

Het verslag van Nicholas Faircloughs zogenaamde verlossing uit de greep van de drugs was een extreem slap verhaal geweest. Het was zo slaapverwekkend geweest dat ze het wel in een operatiekamer als narcose hadden kunnen gebruiken. Maar nu was hij weer optimistisch. Het zag er nu naar uit dat Rodney toch niet de uitgaven van Zed Benjamins eerste tripje naar Cumbria voor het in elkaar zetten van dit verhaal hoefde te verdedigen, ook al waren de kosten die de verslaggever had gemaakt achterlijk hoog.

Maar daarmee kwam wel de hele kwestie van journalistieke stommiteit weer aan de orde. Rodney kon er niet bij dat die idioot van een Benjamin een twéédé keer een verhaal had verprutst terwijl hij verdomme wist dat er een luchtje zat aan die zaak. Nog eens vijf dagen rondsjokken in Cumbria had niets anders opgeleverd dan nog meer loftuitingen aan het adres van Nicholas Fairclough: zijn drugsverleden, zijn bekeerde heden en zijn ongetwijfeld heilige toekomst. Verder zat er niets in wat de typische *Source*-lezer ook maar een fluit interesseerde. Het was nihil, nada, een dubbele nul met niets.

Toen hij het nieuws van Benjamin hoorde, die met hangend hoofd vertelde dat hij helemaal niets toe te voegen had aan wat hij al had opgeschreven, wist Rodney dat hij de knaap bij de oren moest vatten en de laan uit moest sturen. Hij begreep zelf niet waarom hij dat niet had gedaan en verdacht zichzelf ervan dat hij soft begon te worden. Maar toen belde een van zijn spionnen hem met een verrukkelijke tip, en Rodney bedacht dat hij Benjamin misschien toch niet hoefde te ontslaan.

De informant had iets gezegd wat een leerzaam moment opleverde, en aangezien Rodney Aronson daar bijna net zo dol op was als op alles waar cacao in zat, liet hij de roodharige reus halen en genoot van een KitKat-reep die hij met een espresso uit zijn privémachine wegspoelde. Die laatste had hij cadeau gekregen van Boterbal Betsy, een vrouw die de kunst van het behagen verstond. Dat dat een kwestie van smaak was, kon hem niet schelen.

Rodney had zijn reep op en was net bezig een tweede espresso te maken toen Zed Benjamin de kamer in sjokte. Heeft ie verdomme dat keppeltje nog steeds op, verzuchtte Rodney inwendig. Die sukkel had natuurlijk met gebedskapje en al in Cumbria rondgestommeld, en was er uitstekend in geslaagd opnieuw iedereen af te schrikken. Rodney schudde berustend zijn hoofd. De idioterie die hij als hoofdredacteur van *The Source* te verduren kreeg, deed soms de mooie kanten ervan echt teniet. Hij besloot het niet nogmaals over het petje te hebben. Dat had hij één keer gedaan, en als Benjamin zijn raad niet wilde aannemen, zat er niets anders op dan hem aan zijn eigen absurde neigingen ten onder te laten gaan. Hij zou het leren of niet leren, en Rodney wist wat meer voor de hand lag. Einde verhaal.

'Doe de deur dicht,' zei hij tegen de verslaggever. 'Ga zitten. Wacht even.' Hij bewonderde zijn romige brouwsel en zette de machine uit. Met zijn koffie liep hij naar het bureau en ging zitten. 'Dood is seks,' zei hij. 'Ik dacht dat je dat zelf al had ontdekt, maar kennelijk lukt je dat niet. Het moet gezegd, Zedekiah, dat dit soort werk je misschien niet zo goed ligt.'

Zed keek hem aan. Hij keek naar de muur. Hij keek naar de vloer. Ten slotte zei hij: 'Dood is seks,' zo langzaam dat Rodney zich afvroeg of de hersens van de man de kant van zijn schoeisel op waren gegaan, want om de een of andere reden droeg hij geen fatsoenlijke schoenen maar een paar heel merkwaardig ogende sandalen met als zool een rupsbandprofiel, in combinatie met gestreepte sokken die zo te zien met de hand en van restjes draad waren gemaakt.

'Ik heb je al verteld dat het verhaal een pikant tintje nodig had. Je bent er opnieuw naartoe gegaan om dat te ontdekken. Ik kan min of meer wel begrijpen dat dat je niet is gelukt. Maar ik begrijp niet dat je niet hebt gezien dat de redding mogelijk nabij was. Je had hier als de bliksem binnen moeten komen zeilen met uitroepen als: eureka of jippiejee of Jezus zij geloofd, ik ben gered. Nou ja, dat laatste waarschijnlijk niet, als je alles bij elkaar optelt, maar het punt is dat er aanknopingspunten in dit verhaal waren – en daarmee had je het kunnen redden en de onkosten kunnen rechtvaardigen die we hadden toen we je ernaartoe stuurden – en die heb je gemist. Maar dan ook volkomen. Het baart me zorgen dat ik die zelf moest ontdekken, Zed. Echt waar.'

'Ze wil nog steeds niet met me praten, Rodney. Ik bedoel, ze praatte wel, maar ze zéí niets. Ze zegt dat zij er niet toe doet. Ze is zijn vrouw, ze hebben elkaar ontmoet, zijn verliefd geworden, getrouwd en naar Engeland teruggekeerd, en daarmee eindigt haar deel van het verhaal. Van wat ik eruit begrijp, heeft ze haar hele leven aan hem gewijd. Maar alles wat hij heeft gedaan, is op eigen kracht gebeurd. Ze zei wél tegen me dat het goed voor hem zou zijn – een aanmoediging, zo zei ze het – als het verhaal over zijn herstel ging en niet haar aandeel daarin. Ze zei zoiets als: "Je moet begrijpen dat het voor Nicholas heel belangrijk is dat iedereen weet dat hij dit helemaal op eigen kracht heeft gedaan." Dat hij clean is, dat bedoelde ze. Volgens mij heeft het iets te maken met de relatie met zijn vader, dat ze daarom wil dat hij die erkenning krijgt. Ik heb het verhaal die kant op geschreven, maar verder lijkt er niets te zijn...'

'Ik weet dat je niet volslagen idioot bent,' onderbrak Rodney hem, 'maar ik begin nu wel te geloven dat je doof bent. "Dood is seks," dat heb ik gezegd. Dat heb je toch wel gehoord, hè?'

'Ja, dat hoorde ik. En die vrouw is sexy. Je moet wel blind zijn als je niet...'

'Vergeet de vrouw. Zij is toch niet dood?'

'Dood? Nee. Ik bedoel, ik dacht dat je een metafoor gebruikte, Rodney.'

Rodney sloeg de rest van zijn espresso achterover, om te voorkomen dat hij de jonge man zou wurgen, want hij wilde niets liever. Ten slotte zei hij: 'Geloof me, als ik verdomme een metafoor gebruik, dan zul je 't weten ook. Besef je eigenlijk wel, in de verte, dat de neef van je held dood is? Sterker nog, recent is doodgegaan? Dat hij is omgekomen in een botenhuis waar hij in het water is gevallen en verdronken? Dat het botenhuis waar ik het over heb op het terrein van de vader van je held staat?'

'Verdronken terwijl ik daar was? Onmogelijk,' zei Zed. 'Je denkt misschien dat ik blind ben, Rod...'

'Dat zal ik niet ontkennen.'

'... maar dat kon ik toch zeker niet over het hoofd hebben gezien? Wanneer is hij doodgegaan en over welke neef hebben we 't?'

'Is er dan meer dan een?'

Zed verschoof in zijn stoel. 'Nou, niet dat ik weet. Is Ian Cresswell verdronken?'

'Zo is 't, sukkel,' zei Rodney.

'Vermoord?'

'Volgens het gerechtelijk onderzoek was het een ongeluk. Maar daar gaat het niet echt om, want het is een fijne, verdachte dood en met "verdacht" beleggen we onze boterham. Metafoor, trouwens, voor het geval je iets anders mocht denken. Het is ons doel om het vuurtje wat op te stoken – nog een metafoor, volgens mij ben ik behoorlijk op dreef – en te kijken welke ratten het schip verlaten.'

'Je haalt ze door elkaar,' mompelde Zed.

'Wat?'

'Laat maar. Dus wat moet ik doen? Ik moet suggereren dat er een vuil spelletje aan de gang is, met Nicholas Fairclough in de rol van de speler? Ik zie al hoe het bij elkaar komt: ex-drugsverslaafde valt toch weer terug in zijn oude gedrag, molt om de een of andere duistere reden zijn neef en was daar, beste lezers, zonder dit verhaal waarschijnlijk mee weggekomen.' Zed sloeg met zijn handen op zijn dijen alsof hij wilde opstaan en onmiddellijk Rodneys verzoek ten uitvoer wilde brengen. Maar in plaats daarvan zei hij: 'Ze zijn als broers opgegroeid, Rodney. Dat staat al in het oorspronkelijke verhaal. En ze hadden geen rothekel aan elkaar. Maar als je wilt, kan ik wel doen alsof we het hier over Kaïn en Abel hebben.'

'Sla niet zo'n toon tegen me aan,' zei Rodney.

'Welke toon?'

'Dat weet je donders goed. Ik zou je een trap onder je kont moeten geven, maar in plaats daarvan doe ik je een plezier. Ik zeg je drie woordjes en ik bid tot God dat je dan eindelijk je oren gaat spitsen. Luister je, Zed? Ik wil niet dat ze je ontgaan. Moet je horen: New Scotland Yard.'

Rodney zag tot zijn voldoening dat hij Zed hiermee te pakken had. De verslaggever fronste zijn wenkbrauwen. Hij dacht na. Ten slotte vroeg hij: 'Hoezo New Scotland Yard?'

'Die is erbij betrokken.'

'Bedoel je soms dat ze die verdrinkingsdood gaan onderzoeken?'

'Ik ga je nog wat mooiers vertellen. Ze sturen er een vent op bordeelsluipers naartoe, als je begrijpt wat ik bedoel. En het is niet iemand van de klachtencommissie.'

'Dus het is geen intern onderzoek? Wat is het dan wel?'

'Een speciale opdracht. Volslagen in 't geniep, mondje dicht, strikt vertrouwelijk. Kennelijk heeft hij de opdracht om het een en ander te inventariseren, dat te dubbelchecken en er na afloop over te rapporteren.'

'Waarom?'

'Dat is het verhaal, Zed. Dat is de seks achter de dood.' Rodney wilde erbij zeggen dat Zed daar zelf ook achter was gekomen als hij er evenveel moeite voor had gedaan als Rodney zou hebben gedaan wanneer zíjn verhaal door zijn hoofdredacteur was afgewezen, hij in dezelfde positie had gezeten en zíjn baan wellicht op de tocht had gestaan.

'Dus als ik het verhaal een pikant tintje wil geven, hoef ik niks uit m'n duim te zuigen,' zei Zed, om het te verduidelijken. 'Je zegt eigenlijk dat het er al in zit.'

'Bij *The Source*,' zei Rodney plechtig, 'zuigen we niets uit onze duim. We moeten alleen op de juiste plekken zoeken.'

Dit was zo'n moment waarop vaderlijk gezag op zijn plaats was en Rodney was dol op dat soort momenten. Hij stond op van zijn bureau, liep eromheen, tilde een lijvige dij op en liet die op de hoek aan de voorkant van het bureau rusten. Het was niet de meest comfortabele houding – zijn broek schuurde pijnlijk langs zijn huid – maar Rodney mocht graag denken dat hij daarmee een zekere journalistieke savoir-faire uitstraalde dat het belang onderstreepte van wat hij te zeggen had. 'Zedekiah, ik zat al als jongetje in de krantenbusiness. Ik heb op de stoel gezeten waar jij nu zit en ik heb het volgende geleerd: we zijn nergens zonder een netwerk van informanten, en dat van mij strekt zich uit van Edinburgh tot Londen en alle plekken daartussenin. Maar ik heb ze vooral in Londen, beste vriend. Ik heb informanten op plekken waar menigeen niet eens het bestaan van weet. Ik doe ze zeer regelmatig een plezier. En als het even kan, doen zij dat met mij.'

Zed leek gepast onder de indruk. Sterker nog, hij leek nederig. Hij was in het gezelschap van zijn journalistieke meerdere en dat had hij kennelijk eindelijk in de gaten.

Rodney genoot van het moment en vervolgde: 'Nicholas Faircloughs vader heeft connecties bij de Londense politie. Hij heeft om een onderzoek gevraagd. Wat zou dat volgens jou kunnen betekenen, Zed?'

'Hij denkt dat Ian Cresswells dood geen ongeval was. En als het geen ongeluk was, dan hebben we een verhaal. Feit is dat we sowieso een verhaal hebben omdat de Met daar gaat rondneuzen, want dat suggereert dat er iets aan de hand is, en meer hebben we voor een verhaal niet nodig.'

Chalk Farm

Londen

Brigadier Barbara Havers kwam in een onplezierige, niet nader te definiëren stemming thuis. Ze zou dankbaar moeten zijn dat ze niet al te ver van Eton Villas een parkeerplek had gevonden, maar het kon haar eigenlijk niet schelen dat ze niet een heel eind naar haar voordeur hoefde te lopen. Zoals altijd kuchte de Mini een paar keer nadat Barbara de motor uit had gezet, maar ze sloeg er nauwelijks acht op. Het begon op de voorruit te regenen, maar ook dat merkte ze amper op. In plaats daarvan bleven haar gedachten hangen bij wat haar tijdens de lange rit van de Met naar huis voortdurend, op een korte afleiding na, in beslag had genomen. In gedachten worstelde ze met een stemmetje dat zei dat ze kinderachtig was, maar dat maakte niet uit. Daarmee wist ze het niet het zwijgen op te leggen, hoewel ze dat op dit moment maar wat graag wilde.

Niemand had het gemerkt, dacht Barbara. Helemaal niemand, godbetert. Nou ja, oké, het was hoofdinspecteur Ardery wel opgevallen, maar zij telde niet mee, want zij had het bevel gegeven - hoewel, volgens haar was het alleen maar een voorstel geweest - en in de vier maanden waarin Barbara met Isabelle Ardery te maken had gehad, wist ze dat de hoofdinspecteur niets ontging. Ardery leek er een gewoonte van te maken alles op te merken. Sterker nog, ze leek die gewoonte tot een kunst te hebben verheven. Dus wanneer haar iets opviel, gaf het niet, tenzij het iets te maken had met iemands werkprestaties. Als het om iets anders ging, kon je gerust zeggen dat Isabelle Ardery gewoon verviel in haar ergerlijke gewoonte om iemand op zijn of haar uiterlijk te beoordelen. En de hoofdinspecteur hield Barbara Havers' persoonlijke voorkomen als uiterlijk nummer één in het vizier. Toen Barbara na haar laatste afspraak bij de tandarts weer op de Yard kwam, ging iedereen zonder iets te zeggen gewoon door waar hij mee bezig was, er werd zelfs geen wenkbrauw opgetrokken.

Barbara had zichzelf wijsgemaakt dat het haar niet kon schelen, en dat was ook zo, want het kon haar echt niet schelen of haar collega's het al of niet opmerkten. Maar van een van die mensen kon het haar wel schelen, die was heel belangrijk voor haar, en daar werd ze ongemakkelijk van. Dat mocht niet genegeerd worden, en er moest in elk geval iets aan worden gedaan in de vorm van een deeglekkernij.

Iets Frans zou lekker zijn, maar het was te laat om nog een chocoladecroissant te scoren, hoewel weer niet te laat om een heel taartje te bemachtigen, wat natuurlijk Oostenrijks moest zijn, maar wie maalde er op dit uur nu om zulke trivialiteiten als waar iets lekkers vandaan kwam? En toch wist Barbara dat als ze dat wel zou doen, ze zich dan zou bezondigen aan een verderfelijk koolhydratenfestijn, en het zou hoogstwaarschijnlijk weken duren voor ze dat te boven was. Dus in plaats van onderweg naar huis bij een bakker binnen te wippen, besloot ze naar Camden High Street te gaan voor een therapeutische winkelsessie. Daar kocht ze een sjaal en een blouse, en daarmee vierde ze het feit dat ze heel anders op teleurstelling, stress, frustratie of angst had gereageerd dan ze normaal deed. Maar nadat ze de Mini had geparkeerd, was die blijdschap weer verdwenen. Want toen was de gedachte aan haar laatste ontmoeting met Thomas Lynley boven komen drijven.

Nadat ze die dag in de Old Bailey hadden doorgebracht, hadden hun wegen zich gescheiden: Lynley ging naar de Yard terug en Barbara moest naar de tandarts. Ze hadden elkaar tot het einde van de dag niet gezien, maar liepen elkaar in de lift naar boven tegen het lijf. Barbara kwam van de ondergrondse parkeergarage en toen de lift bij de hal stopte, stapte Lynley in. Ze zag dat hij afwezig was. Dat was hij eerder die dag ook al geweest, bij rechtszaal nummer één, maar ze had gedacht dat dat iets te maken had met zijn getuigenis in verband met zijn bijna-aanvaring met de meedogenloze man met de zeis, achter in een Ford Transit die was ingericht als een mobiele plaats delict van een moord, acht maanden eerder. Maar deze verstrooidheid voelde anders, en toen hij vanuit de lift in het kantoor van hoofdinspecteur Ardery verdween, dacht Barbara te weten wat de oorzaak ervan was.

Lynley dacht dat ze niet in de gaten had wat er tussen Ardery en hem gaande was. Barbara begreep wel waarom. Niemand bij de Met had ook maar een flauw benul van het feit dat hij en de hoofdinspecteur twee of soms drie keer per week in elkaars onderbroek ronddansten, maar niemand bij de Met kende Lynley dan ook zo goed als Barbara. En terwijl ze zich niet kon voorstellen dat iemand werkelijk een nummertje met de hoofdinspecteur wilde maken – hemel, dat moest zoiets zijn als vrijen met een cobra – had ze zich in de afgelopen vier maanden van hun affaire wijsgemaakt dat Lynley er recht op had. Zijn vrouw was door een twaalfjarige knul op straat vermoord, hij had vijf maanden lang als een verdwaasde ellendeling langs de kust van Cornwall gedwaald, was naar

Londen teruggekeerd terwijl hij nauwelijks tot iets in staat was... Als hij de twijfelachtige afleiding zocht door 'm er bij Isabelle Ardery in te hangen, dan moest dat maar. Als iemand het ontdekte, konden ze allebei enorm in de problemen komen, maar niemand zou erachter komen omdat ze discreet waren en Barbara zou er met geen woord van reppen. Bovendien zou Lynley zich niet voor altijd aan iemand als Isabelle Ardery binden. De man had rekening te houden met zo'n driehonderd jaar familiegeschiedenis en hij wist als geen ander wat zijn plicht was, en die had weinig te maken met een tussentijdse periode waarin hij met een vrouw voosde op wie de titel van gravin van Asherton een loodzware druk zou leggen. Van zijn soort werd verwacht dat ze plichtsgetrouw nageslacht zouden verwekken om daarmee de toekomst van de familienaam veilig te stellen. Dat wist hij en die plicht zou hij vervullen.

Toch zat het Barbara niet lekker dat Lynley en de hoofdinspecteur minnaars waren. Die relatie stond tussen hen in bij elke ontmoeting en dat vond ze verschrikkelijk. Ze vond hém niet verschrikkelijk, en ook hun affaire niet, maar het feit dat hij er niet met haar over wilde praten. Niet dat ze dat van hem verwachtte. Niet dat ze dat echt wilde. Niet dat ze feitelijk ook maar iets zinnigs zou weten te zeggen als hij erop zou zinspelen. Maar ze waren partners, zij en Lynley, althans, dat waren ze vroeger geweest en... partners zijn betekende... wat eigenlijk? vroeg ze zich af. Maar op die vraag gaf ze liever geen antwoord.

Ze duwde haar autoportier open. Het regende zo hard dat een paraplu op zijn plaats was geweest, dus zette ze de kraag van haar jas op, pakte de tas met haar nieuwe aankopen en haastte zich naar huis.

Zoals gewoonlijk wierp ze een blik op het souterrain van het edwardiaanse huis waarachter haar kleine bungalow stond. Het begon te schemeren en de lichten brandden. Ze zag haar buurvrouw langs de openslaande deuren lopen.

Oké, dacht ze, ze kon het nu wel toegeven. Het moest toch in elk geval íémand opvallen, dat had ze gewoon nodig. Ze had uren in de tandartsstoel moeten doorstaan en haar beloning was een knikje van Isabelle Ardery geweest en haar opmerking: 'Nu je haar nog, brigadier,' en dat was dat. Dus in plaats van om het huis heen naar de achtertuin te lopen, waar onder een hoog oprijzende acacia haar bungalow stond, stak Barbara de flagstones van de buitenplaats over naar het souterrain en klopte op de deur van het appartement. Liever dat het door een negenjarige werd opgemerkt dan door niemand, besloot ze.

Hadiyyah deed open, hoewel Barbara de moeder van het meisje hoorde zeggen: 'Liefje, ik heb liever niet dat je dat doet, het kan iedereen zijn.'

'Ik ben het maar,' riep Barbara.

'Barbara, Barbara!' riep Hadiyyah uit. 'Mama, het is Barbara! Zullen we haar laten zien wat we hebben gedaan?'

'Natuurlijk, malle meid. Vraag haar maar binnen.'

Barbara stapte in de geur van verse verf en zag onmiddellijk wat moeder en dochter hadden gepresteerd. De woonkamer was opnieuw geschilderd. Angelina Upman had haar stempel erop gedrukt. Ze had bovendien decoratieve kussens op de bank gerangschikt en er stonden verse bloemen in twee verschillende vazen: op de salontafel een kunstzinnige biedermeier en op de schoorsteenmantel boven de elektrische kachel een ander boeket.

'Is het niet prachtig?' Hadiyyah keek haar moeder zo bewonderend aan dat Barbara een brok in haar keel kreeg. 'Mammie weet hoe je iets bijzonders moet maken en eigenlijk is het niet eens zo moeilijk. Toch, mammie?'

Angelina boog zich naar voren en drukte een kus op de kruin van haar dochter. Ze tilde de kin van het meisje op en zei tegen haar: 'Dankjewel, liefje van me, je bent mijn grootste bewonderaar. Maar er moet ook iemand objectief naar kijken.' Ze wierp Barbara een blik toe. 'Wat vind je ervan, Barbara? Hebben Hadiyyah en ik het hier mooi gemaakt?'

'Het is een verrassing,' voegde Hadiyyah eraan toe. 'Denk je eens in, Barbara. Pap weet er helemaal niets van.'

Ze hadden de voorheen groezelige, crèmekleurige muren geschilderd in het lichte groen van een vroege lente. De kleur paste goed bij Angelina en dat wist ze vast. Verstandige beslissing, dacht Barbara. Tegen die achtergrond zag ze er nog aantrekkelijker uit dan ze al was: blonde haren, blauwe ogen, delicaat, net een elf.

'Ik vind het mooi,' zei ze tegen Hadiyyah. 'Heb jij geholpen de kleur uit te kiezen?'

'Nou...' Hadiyyah schuifelde met haar voeten. Ze stond naast haar moeder en keek naar Angelina omhoog terwijl ze haar bovenlip naar binnen zoog.

'O ja,' loog Angelina zonder blikken of blozen. 'Zij had het laatste woord. Ik durf wel te zeggen dat haar toekomst als binnenhuisarchitecte verzekerd is, hoewel haar vader daar waarschijnlijk niet mee zal instemmen. Voor jou wordt het de wetenschap, lieve Hadiyyah.'

'Poeh,' zei Hadiyyah. 'Ik wil...' met een blik op haar moeder, 'jázzdanseres worden, dat is pas leuk.'

Dit was iets nieuws voor Barbara, maar het verbaasde haar niet. Naar verluidt had Angelina in de veertien maanden waarin ze uit haar dochters leven was verdwenen een poging op dat vlak gewaagd. Maar niemand had Hadiyyah verteld dat haar moeder niet in haar eentje van het toneel was verdwenen.

Angelina lachte. 'Een jazzdanseres, hè? Dat is dan ons geheimpje.' En tegen Barbara: 'Heb je zin in een kop thee, Barbara? Hadiyyah, zet jij maar water op. Na zo'n hele dag werk mogen we wel een beetje uitrusten.'

'Nee, nee, ik kan niet blijven,' zei Barbara. 'Ik kwam alleen langs om...'

Barbara besefte dat het hen ook niet was opgevallen. Uren en uren in die verdomde tandartsstoel en niemand... en dat betekende... Ze vermande zich. God, wat mankéérde haar? vroeg ze zich af.

Ze herinnerde zich de tas in haar hand met daarin de sjaal en de blouse. 'Ik heb iets in Camden gekocht. Ik bedacht dat ik Hadiyyahs goedkeuring nodig heb voordat ik het morgen kan dragen.'

'Ja, ja!' riep Hadiyyah uit. 'Laat zien, Barbara. Mammie, Barbara doet een make-over bij zichzelf. Ze koopt nieuwe kleren en zo. Eerst wilde ze naar Marks & Spencer, maar dat vond ik niet goed. Nou ja, we hebben er een rok gekocht, hè, Barbara, maar dat was ook álles, want ik zei tegen haar dat alleen oma's naar Marks & Spencer gaan...'

'Dat is niet helemaal waar, liefje,' zei Angelina.

'Nou, jíj hebt altijd gezegd...'

'Ik zeg zoveel malle dingen waar je niet op moet letten. Barbara, laat zien. Sterker nog, trek aan.'

'O ja, wil je het aantrekken?' zei Hadiyyah. 'Je móét het aantrekken. Je kunt mijn kamer gebruiken...'

'Waar het een chaotische bende is,' zei Angelina. 'Gebruik die van mij en Hari maar, Barbara. In de tussentijd zetten we thee.'

En zo belandde Barbara op de laatste plek waar ze wilde zijn: in de slaapkamer van Angelina Upman en Hadiyyahs vader Taymullah Azhar. Met een lichte zucht deed ze de deur achter zich dicht. Oké, zei ze tegen zichzelf, dit kon ze wel. Ze hoefde alleen maar de blouse uit de tas te halen, hem open te vouwen, de blouse die ze aanhad uit te trekken... Ze hoefde er heus niet rond te kijken.

Wat natuurlijk onmogelijk was, en ze wilde er in de verste verte niet aan denken hoe dat kwam. Ze zag wat ze verwachtte te zien: de bewijzen van een man en vrouw die elkaars partners waren, een specifiek soort partners die een kind kunnen verwekken. Niet dat ze nog een kind wilden, want Angelina's pil lag naast de wekkerradio op het nachtkastje. Maar het feit dat ze er lagen, maakte duidelijk wat het betekende.

Wat zou dat nou? vroeg Barbara zich af. Wat had ze in godsnaam anders verwacht en wat had zij er trouwens mee te maken? Taymullah Azhar en Angelina Upman deden het met elkaar. Beter gezegd, ze deden het wéér met elkaar, sinds Angelina plotseling in Azhars leven was teruggekeerd. Het feit dat ze hem voor een andere man in de steek had gelaten was nu kennelijk vergeten en vergeven, en dat was dat. En iedereen leefde nog lang en gelukkig en zo. Barbara zei tegen zichzelf dat zij dat ook hoorde te doen.

Ze knoopte de blouse dicht en probeerde de vouwen glad te strijken. Ze pakte de sjaal die ze erbij gekocht had en wikkelde die onhandig om haar nek. Ze liep naar een spiegel die aan de deur hing en staarde naar zichzelf. Ze kon wel kokhalzen. Ze had toch voor de taart moeten gaan, concludeerde ze. Dat was goedkoper geweest en ze had er oneindig meer plezier aan beleefd.

'Ben je klaar, Barbara?' vroeg Hadiyyah van achter de dichte deur. 'Mama wil weten of je hulp nodig hebt.'

'Nee. Het gaat wel,' riep Barbara. 'Ik kom eraan. Klaar? Heb je je zonnebril op? Pas op, het is oogverblindend.'

Ze werd begroet door stilte. Toen reageerden Hadiyyah en haar moeder tegelijk. 'Een treffende keus, Barbara,' zei Angelina, terwijl Hadiyyah uitriep: 'O nee! Je bent de kaak- en halslijn vergeten!' En ze voegde er bijna jammerend aan toe: 'Die moeten elkaar spiegelen, Barbara, dat ben je vergéten!'

Alweer een modemisser, dacht Barbara. Ze had dus niet voor niets de afgelopen vijftien jaar van haar leven rondgelopen in T-shirts met slogans en joggingbroeken.

Angelina haastte zich te zeggen: 'Hadiyyah, dat is niet zo.'

'Maar ze had een ronde hals moeten kiezen en nu...'

'Liefje, ze heeft alleen de sjaal op een bepaalde manier gedrapeerd, dat moet anders. Je kunt een ronding met de sjaal maken, waardoor je dat effect toch bereikt. Je wilt toch zeker niet altijd maar aan dezelfde halslijn vastzitten... Kom, Barbara, ik zal het je laten zien.'

'Maar mammie, de kleur...'

'Is prachtig en ik ben blij dat je dat hebt gezien,' zei Angelina resoluut. Ze haalde de sjaal weg en schikte die met een paar gekmakend handige bewegingen opnieuw om Barbara's hals. Daardoor stond ze heel dicht bij Barbara en Barbara ving haar geur op: ze rook naar een tropische bloem. Ze had ongeveer de volmaaktste huid die Barbara ooit had gezien. 'Zo,' zei Angelina. 'Kijk nu maar eens in de spiegel, Barbara. Zeg maar wat je ervan vindt. Het is heel gemakkelijk. Ik zal je laten zien hoe ik het doe.'

Barbara liep de slaapkamer weer binnen, kreeg de pillen weer in het oog, maar weigerde ernaar te kijken. Ze wilde dat ze een hekel had aan Angelina – de vrouw die haar dochter en haar dochters vader in de steek had gelaten voor een uit de hand gelopen uitspatting die haar echt vergéven is? – maar dat lukte haar niet. In zekere zin, vermoedde ze, had Azhar het haar waarschijnlijk om die reden vergeven.

Ze zag haar spiegelbeeld en moest het toegeven: die vrouw wist verdomme hoe je een sjaal moest strikken. En nu die fatsoenlijk zat, zag Barbara dat hij helemaal niet paste bij de blouse. Verdomme nog aan toe, dacht ze. Wanneer léér ik het nou een keer?

Ze wilde net de kamer uit lopen en Angelina vragen of zij en Hadiyyah met haar mee wilden op haar volgende avontuur in Camden High Street, want zoveel geld had ze nou ook weer niet dat ze dat aan de verkeerde kleren kon verspillen. Maar ze hoorde de deur van het appartement opengaan en klaarblijkelijk was Taymullah Azhar thuis. De laatste plek waar ze wilde worden aangetroffen was in de slaapkamer die hij met de moeder van zijn kind deelde, dus ze deed haastig de sjaal af, trok de blouse uit, schoof die weer in de tas en deed de trui aan waar ze de hele dag in had rondgelopen.

Toen ze zich weer bij hen voegde, was Azhar net de nieuwe verf op de muren aan het bewonderen, en uit de verbaasde blik op zijn gezicht maakte Barbara op dat Hadiyyah noch haar moeder had gezegd dat ze er was.

Hij zei: 'Barbara! Hallo. Wat vind je van hun huisvlijt?'

'Ik huur ze in om mijn kamers te doen,' zei Barbara, 'maar ik wil paars en oranje. Dat past wel bij me, hè, Hadiyyah?'

'Nee, nee, nee!' riep Hadiyyah uit.

Haar ouders lachten. Barbara glimlachte. Zijn we niet één gelukkige familie? dacht ze. Tijd om het toneel te verlaten. Ze zei: 'Ik laat jullie, het is bijna etenstijd,' en tegen Angelina in het bijzonder: 'Bedankt voor je hulp met de sjaal. Ik zag het verschil meteen. Als je me elke dag kunt aankleden, zit ik de rest van mijn leven gebakken.'

'Wanneer je maar wilt,' zei Angelina. 'Echt waar.'

En verdomd, ze meent het ook nog, dacht Barbara. Een vrouw om gek van te worden. Als ze gewoon had meegewerkt en onuitstaanbaar was geweest, zou dat veel gemakkelijker zijn geweest.

Ze wenste hen goedenavond en liep het appartement uit. Het verbaasde haar dat Azhar achter haar aan kwam, maar ze begreep het toen hij een sigaret opstak, wat hij binnen niet meer deed nu de niet-rokende Angelina weer terug was.

Hij zei: 'Gefeliciteerd, Barbara.'

Ze bleef staan, draaide zich om en zei: 'Waarmee?'

'Met je tanden. Ik zie dat je ze recht hebt laten zetten en het ziet er heel mooi uit. Mensen zeggen dat zeker de hele dag tegen je, dus daar schaar ik me dan maar onder.'

'O. Juist. Goed. De baas... zij zei dat ik het moest laten doen. Nou ja, ze heeft het me niet echt ópgedragen, want formeel gaat ze niet over zoiets persoonlijks als uiterlijk. Dus laten we zeggen dat ze het nadrukkelijk heeft voorgesteld. Ze wil nu dat ik m'n haar laat doen. Ik weet niet waarmee ze daarna komt aanzetten, maar ik heb zo'n gevoel dat het met liposuctie en ingrijpende cosmetische chirurgie te maken zal hebben. Als zij eenmaal met me klaar is, zal ik de mannen met een bezem van me af moeten slaan.'

'Je doet er maar luchtig over en dat zou je niet moeten doen,' zei Azhar tegen haar. 'Angelina en Hadiyyah hebben je natuurlijk al verteld...'

'Nee, dat hebben ze niet,' onderbrak Barbara hem. 'Maar bedankt voor het compliment, Azhar.'

Over ironie gesproken, dacht ze: een compliment van de allerlaatste man op aarde die haar tanden zou opmerken en de allerlaatste man van wie ze wilde dat het zou opvallen. Nou ja, hoe dan ook, het deed er niet toe, zei ze tegen zichzelf.

Met die leugens liep ze naar haar bungalow, nadat ze Taymullah Azhar goedenacht had gewenst.

30 oktober

Belgravia

Londen

Een gewaarschuwd man telt voor twee en Lynley had de twee dagen na zijn bijeenkomst met Hillier en Bernard Fairclough zo veel mogelijk onderzoek gedaan naar de man, zijn familie en zijn situatie. Hij wilde dit geheime onderzoek niet onvoorbereid ingaan en het bleek dat er aardig wat informatie over Fairclough beschikbaar was. Hij was niet als Bernard Fairclough geboren, maar als Bernie Dexter uit Barrow-in-Furness. Hij was thuis ter wereld gekomen, in een rijtjeshuis in Blake Street. Dit bevond zich op korte afstand van het treinspoor dat figuurlijk gesproken aan de verkeerde kant van huize Dexter lag.

De metamorfose die Bernie Dexter had ondergaan voordat hij Bernard Fairclough, baron van Ireleth, werd, was het soort verhaal waar de zondagskranten van smulden. Op zijn vijftiende zei Bernie Dexter elke vorm van onderwijs vaarwel en ging voor Fairclough Industries werken. Hij begon met een laag, geestdodend baantje dat bestond uit het inpakken van chromen badkamerkranen in scheepscontainers, elke dag, acht uur lang. Zo'n baantje zou iedere arbeider van alle bezieling, hoop en ambitie beroven, maar Bernie Dexter uit Blake Street was geen gewone arbeider. Hondsbrutaal, zo omschreef zijn vrouw hem in een interview nadat hij was geridderd, en zij kon het weten, want zij was Valerie Fairclough, het achterkleinkind van de grondlegger van het bedrijf. Ze ontmoette de vijftienjarige jongen toen zij achttien was en hij optrad in het kerstspel van het bedrijf. Zij was daar omdat ze moest, hij was er voor zijn plezier. Ze kwamen elkaar in de rij tegen: de eigenaars van Fairclough vervulden elk jaar min of meer hun adellijke plichten, en hun werknemers – onder wie Bernie – schuifelden in een rij naar de plek waar ze op z'n dickensiaans de kerstcadeautjes in ontvangst namen: met de nodige eerbied, neergeslagen ogen en '*aye* sir, dank u, sir'. Dat gold voor iedereen, behalve voor Bernie Dexter, die onomwonden en met een knipoog tegen Valerie Fairclough zei dat hij van plan was met haar te trouwen: 'Je bent een echte schoonheid, dus reken er maar op dat je de rest van je leven met me opgezadeld zit.' Dit laatste zei hij vol zelfvertrouwen, alsof Valerie Faircloughs leven niet al op een andere manier was voorbestemd.

Maar hij hield woord, want zonder enige scrupules ging hij naar Valeries vader toe en deelde hem mee: 'Ik kan iets beters van dit bedrijf maken, weet u, als u me maar half de kans geeft.' En dat had hij gedaan. Niet meteen, natuurlijk, maar langzamerhand, en in die tijd wist hij ook Valerie te imponeren doordat hij hardnekkig aan zijn toewijding voor haar vasthield. Bovendien maakte hij de jonge vrouw op haar vijfentwintigste zwanger, waarna hij haar schaakte. Kortom, hij nam haar familienaam aan, maakte Fairclough Industries efficiënter, paste de producten aan de moderne tijd aan: een complete lijn moderne toiletten, waarmee hij een indrukwekkend fortuin vergaarde.

Zijn zoon Nicholas was altijd de luis in de pels geweest van Bernies verder zo ideale leven. Lynley vond een massa informatie over die man. Want Nicholas Fairclough ging stelselmatig het slechte pad op en deed dat bepaald niet geruisloos. Openbare dronkenschap, knokpartijen, inbraak, voetbalvandalisme, dronken achter het stuur, autodiefstal, openbare zedeloosheid onder invloed... De man had een verleden als de verloren zoon op anabole steroïden. Hij etaleerde zijn verval ten overstaan van god en iedereen, en in het bijzonder ten overstaan van de plaatselijke pers van Cumbria. De verhalen over zijn wangedrag trokken de aandacht van de nationale roddelpers die voortdurend op jacht was naar sensatie die ze over hun eigen voorpagina's konden uitsmeren, vooral wanneer die sensatie werd veroorzaakt door de telg uit een vooraanstaande familie.

Iemand die zo leefde als Nicholas Fairclough werd meestal niet erg oud, maar in dit geval had de liefde ingegrepen, in de persoon van een jonge Argentijnse vrouw met de indrukwekkende naam Alatea Vásquez y del Torres. Nicholas had net de zoveelste afkickkliniek de rug toegekeerd – deze keer in Amerika, in de staat Utah – en was naar Park City gegaan, een voormalig mijnstadje, klaarblijkelijk in de overtuiging dat hij wel recht had op een welverdiende uitspatting, die zoals gewoonlijk werd bekostigd door zijn wanhopige vader. Het oude mijnstadje leende zich daar bij uitstek voor, want het lag ingeklemd in de Wasatch Mountains, en elk jaar, van eind november tot april kwamen daar vanuit de hele wereld enthousiaste skiërs naartoe, evenals grote aantallen jonge mannen en vrouwen die daar werk vonden in de dienstverlening.

Alatea Vásquez y del Torres hoorde bij die laatste groep, en volgens de adembenemende verslagen waar Lynley de hand op wist te leggen, was het liefde op het eerste gezicht in een van de vele eettenten van het skioord. De rest, zoals meestal wordt gezegd, is geschiedenis. Er volgde een stormachtige romance, ze trouwden voor de burgerlijke stand in Salt Lake City, Nicholas stortte zich nog een laatste keer in een van drugs vergeven, allesverterende vuurberg – een vreemde manier om je bruiloft te vieren, maar zo gaat dat blijkbaar, dacht Lynley – waaruit de man, die een verbazingwekkende gesteldheid had, als een feniks herrees. Deze herrijzenis had echter weinig te maken met Faircloughs vastbeslotenheid om met het hem kwellende beest af te rekenen, maar alles met het besluit van Alatea Vásquez y del Torres om hem nog geen twee maanden na hun huwelijk te verlaten.

'Ik zou alles voor haar hebben gedaan,' had Fairclough later verklaard. 'Ik zou mijn leven voor haar hebben gegeven. Het was kinderspel om van de drugs af te komen.'

Ze keerde bij hem terug, hij bleef clean en iedereen was gelukkig. Dat begreep Lynley althans uit de artikelen die hij bijeen had gesprokkeld tijdens de vierentwintig uur waarin hij onderzoek naar de familie deed. Dus als Nicholas Fairclough op de een of andere manier betrokken was geweest bij de dood van zijn neef, zou dat op dit moment van zijn leven nergens op slaan, want je kon het je amper voorstellen dat zijn vrouw loyaal zou blijven aan een moordenaar.

Lynley ging ook op zoek naar gegevens over de andere familieleden, zocht in elke bron die hij maar kon vinden. Over hen was echter alleen vage informatie te vinden, maar vergeleken met de zoon van lord Fairclough viel er ook niet veel te melden. Een zus was gescheiden, een andere was ongetrouwd gebleven, een neef – de dode man, vermoedde hij – was de baas van Faircloughs geld, de vrouw van die neef was huisvrouw en met hun twee kinderen was niets mis... De familie Fairclough was een bont gezelschap, maar op het oog leek er niet veel met ze aan de hand te zijn.

Aan het eind van zijn onderzoeksdag stond Lynley bij het raam van zijn bibliotheek in Eaton Terrace en keek de straat door, het was laat in de middag en de gaskachel achter hem brandde fel. Hij was bepaald niet blij met de situatie waarin hij zat, maar hij wist niet goed wat hij eraan moest doen. In zijn werk ging het erom dat je bewijs verzamelde om iemands schuld vast te stellen, niet zijn onschuld. Als de lijkschouwer had verklaard dat het een ongeluk was geweest, leek het weinig zin te hebben verder op de zaak in te gaan. Want lijkschouwers wisten wat ze deden, en er waren bewijzen en getuigenverklaringen waarmee ze hun bevindingen konden staven. Iedereen zou toch zeker tevreden moeten zijn nu de onderzoeksrechter tot de conclusie was gekomen dat Ian Cresswell bij een ongeval – onfortuinlijk en voortijdig, zoals dat met alle ongelukken het geval was, maar evengoed een ongeluk – om het leven was gekomen, hoe verdrietig het ook is wanneer een man plotseling uit zijn familie wordt weggerukt.

Maar het was interessant dat Bernard Fairclough daar geen genoegen mee nam, dacht Lynley. Ondanks de uitkomst van het gerechtelijk onderzoek duidden Faircloughs twijfels over de zaak erop dat hij wellicht heel wat meer wist dan hij tijdens hun bijeenkomst in de Twins had losgelaten. En dit duidde er weer op dat er meer met Ian Cresswells dood aan de hand was dan op het eerste gezicht leek.

Lynley wendde zich van het raam af en staarde naar zijn bureau, waarop zijn laptop stond en zijn aantekeningen en computeruitdraaien lagen uitgespreid. Hij bedacht dat er meer manieren waren om aan aanvullende informatie over Ian Cresswells dood te komen, als er tenminste aanvullende informatie was, en hij wilde net voor meer details een telefoontje plegen, toen de telefoon overging. Hij dacht erover om het maar door het antwoordapparaat te laten opknappen – daar had hij in de afgelopen maanden een gewoonte van gemaakt – maar hij besloot op te nemen en het bleek Isabelle te zijn. Ze zei: 'Wat ben je in hemelsnaam aan het doen, Tommy? Waarom ben je niet op je werk?'

Hij had ten onrechte gedacht dat Hillier dit detail zou regelen. Het was duidelijk dat hij zich had vergist.

Hij zei: 'Hillier heeft me gevraagd een akkefietje voor hem op te knappen. Ik dacht dat hij je wel had ingelicht.'

'Hillier? Wat voor akkefietje?' Isabelle klonk verbaasd, en terecht. Hij ging Hillier het liefst uit de weg, en als puntje bij paaltje kwam was Lynley wel de laatste van de Met die zich tot Hillier zou wenden.

'Dat is vertrouwelijk,' zei hij tegen haar. 'Ik mag er niet over...'

'Wat is er aan de hand?'

Hij gaf niet meteen antwoord. Hij probeerde te bedenken hoe hij haar moest vertellen wat hij aan het doen was zonder op de feiten in te gaan, maar klaarblijkelijk vatte ze zijn stilzwijgen op alsof hij een antwoord wilde ontwijken, want ze zei vinnig: 'Ah. Ik begrijp het al. Heeft dit iets te maken met wat er is gebeurd?'

'Wat? Wat is er dan gebeurd?'

'Alsjeblieft, zeg. Je weet best waar ik het over heb. Met Bob. Die avond. Het feit dat we niet meer samen zijn geweest sinds...'

'God nee. Daar heeft het niets mee te maken,' onderbrak hij haar, maar eigenlijk was hij daar nog niet zo zeker van.

'Als dat niet zo is, waarom ga je me dan uit de weg?'

'Ik ben me er niet van bewust dat ik dat heb gedaan.'

Er viel een stilte. Hij vroeg zich af waar ze was. Op dit tijdstip van de dag zou ze wellicht nog op de Yard kunnen zijn, misschien in haar kantoor. Hij zag haar in gedachten aan haar bureau zitten terwijl ze met gebogen hoofd in de telefoon praatte, met haar gladde, amberkleurige haar achter een oor zodat een eenvoudige, maar modieuze oorbel te zien was. Misschien had ze één schoen uitgetrokken en zou ze zich bukken om over haar kuit te wrijven terwijl ze bedacht wat ze nu tegen hem zou zeggen.

Ze verraste hem door te zeggen: 'Tommy, ik heb het Bob gisteren verteld. Niet met wie precies, want zoals ik al heb uitgelegd, zal hij dat zeker een keer tegen me gebruiken als ik volgens hem buiten mijn boekje ga. Maar wel het feit dát. Dat heb ik hem wel verteld.'

'Wat dat?'

'Dat ik iets met iemand heb. Dat jij aan de deur was toen hij en Sandra er waren, dat ik je heb weggestuurd omdat ik vond dat de jongens er nog niet aan toe waren om je te ontmoeten... Tenslotte waren ze voor het eerst in Londen om me te zien en ze moeten eraan wennen dat ik in Londen woon, aan het appartement en alles eromheen. Als er dan ook nog een man is... Ik heb hem gezegd dat ik het te vroeg vond en dat ik je gevraagd heb weg te gaan. Maar ik wilde wel dat hij weet dat je bestaat.'

'Och, Isabelle.' Lynley wist wat haar dat had gekost: dat ze haar exman over hem had verteld terwijl de man zo'n macht over haar leven uitoefende. En dat ze nu hém vertelde dat ze dat had gedaan, terwijl ze zo'n trotse vrouw was en jezus, dát wist hij als geen ander.

'Ik mis je, Tommy. Ik wil geen ruzie met je.'

'We hebben geen ruzie.'

'O nee?'

'Nee.'

Opnieuw een stilte. Misschien was ze toch thuis, dacht hij, en zat ze op de rand van het bed in die claustrofobische slaapkamer van haar, met dat enkele raam dat zo'n beetje dichtgeplakt zat, zodat niemand het helemaal open kon krijgen. En met dat smalle bed waar ze bepaald niet comfortabel met zijn tweeën een hele nacht in konden liggen. En daar ging het wel of niet om, besefte hij. En wat betekende het voor hem als ze dat zou toegeven?

'Het is nogal gecompliceerd,' zei hij. 'Dat is altijd zo, hè?'

'Wel als je op een bepaalde leeftijd bent gekomen. We zeulen te veel bagage met ons mee.' En toen ademde ze in en zei: 'Ik wil je vanavond zien, Tommy. Kun je naar me toe komen?' En toen tot zijn verbazing: 'Heb je daar tijd voor?'

Hij wilde zeggen dat het geen kwestie was van wel of geen tijd hebben. Het ging om hoe hij zich voelde en wie hij wilde zijn, maar dat was ook te ingewikkeld. Dus zei hij: 'Dat weet ik eigenlijk niet.'

'Zeker vanwege dat gedoe met Hillier. Ik hoopte dat het je was opgevallen dat ik niet heb doorgevraagd over wat er aan de hand is. En dat zal ik ook niet doen. Dat beloof ik je. Zelfs na afloop zal ik dat niet doen, en je weet wat dat betekent, want ik weet heus wel hoe je er na afloop aan toe bent. Soms denk ik dat ik daarna alles van je gedaan kan krijgen, dat weet je best.'

'Waarom doe je dat dan niet?'

'Nou ja, dat lijkt me een beetje oneerlijk, vind je niet? Bovendien mag ik graag denken dat ik niet zo'n vrouw ben. Ik konkel niet. Althans niet vaak.'

'Ben je nu aan het konkelen?'

'Alleen om je over te halen, en als ik dat toegeef, is het geen konkelen meer, toch?'

Daar moest hij om glimlachen. Het vertederde hem en hij wist dat hij dat gevoel dolgraag wilde vasthouden, ondanks het feit dat ze op een beroerd moment in hun leven een relatie waren begonnen en ze sowieso niet bij elkaar pasten. Dat zou nooit veranderen. Maar toch verlangde hij naar haar.

'Het kan wel laat worden,' zei hij.

'Dat maakt niet uit. Kom je naar mij toe, Tommy?'

'Ja,' zei hij tegen haar.

Chelsea

Londen

Hij moest echter eerst iets regelen. Dat had hij ook best telefonisch kunnen doen, maar hij besloot de persoonlijke weg te bewandelen, dan kon hij inschatten of het de mensen die hij een gunst wilde vragen wel of niet goed uitkwam. Want dat zouden ze nooit in zijn gezicht zeggen.

Hij was behoorlijk onthand door het feit dat dit geen formeel politieonderzoek was. Bovendien mocht er niets uitlekken, dus vergde het een creatieve aanpak.

Hij had tegen Hillier kunnen zeggen dat hij per se een andere agent mee wilde nemen, maar de enige agenten die daarvoor in aanmerking kwamen, waren niet geschikt om onopvallend in Cumbria rond te snuffelen. Met zijn een meter negentig en donkere huid zou brigadier Winston Nkata bepaald niet opgaan in het herfstachtige landschap van het Lake District. En wat brigadier Barbara Havers betrof, die ondanks al haar ergerlijke gewoonten onder andere omstandigheden Lynleys eerste keus zou zijn geweest: het idee dat Barbara kettingrokend en strijdlustig in Cumbria zou rondstruinen terwijl ze pretendeerde een wandelaar te zijn die een verkwikkende week op de hoogvlakten wilde doorbrengen... Dat was te belachelijk voor woorden. Ze was een briljante politievrouw, maar discretie was niet haar sterkste kant. Helen zou perfect voor de klus zijn geweest, als ze nog had geleefd. Ze zou er bovendien van genoten hebben. *Tommy, lieveling, we gaan incognito! God, wat verrukkelijk! Ik heb mijn hele leven gewoon gesmácht om een keer Hastings te spelen*. Maar Helen leefde niet meer, ze wás er niet meer. Alleen al door die gedachte wist hij niet hoe gauw hij de deur uit moest gaan.

Hij reed via King's Road naar Chelsea. Het was de kortste maar niet de snelste weg naar Cheyne Row, omdat de smalle weg door het trendy winkelgebied liep, met zijn modezaakjes, schoenwinkels, antiekmarkten, pubs en restaurants. Als altijd zag het er zwart van de mensen; daar werd hij, helemaal doordat ze zo jong waren, droefgeestig van en het vervulde hem met iets wat op spijt leek. Maar hij wist niet waar hij dan spijt van had. En dat wilde hij ook niet weten.

Hij parkeerde in Lawrence Street, vlak bij Lordship Place. Hij liep de weg terug die hij was gekomen, ging echter niet naar Cheyne Row, maar liep door het tuinhek van het hoge, bakstenen huis op de hoek.

De tuin was in herfstkleuren gehuld en bereidde zich voor op de winter. Het gazon vol met bladeren moest nodig aangeharkt worden, de winterharde planten in de borders bloeiden allang niet meer en de stelen ervan bogen zich hachelijk voorover, alsof ze door een onzichtbare hand naar de grond werden geduwd. Het rotan tuinameublement was in canvas hoezen ingepakt. Tussen de bakstenen groeide mos. Lynley liep over een geplaveid pad naar het huis. Daar was een trapje naar de keuken in het souterrain. Er brandde licht, want het begon al te schemeren. Achter het raam, dat beslagen was door de warmte binnen, zag hij iemand bewegen.

Hij klopte twee keer scherp op de deur en toen de hond als altijd ging blaffen, opende hij de deur en zei: 'Ik ben het, Joseph. Ik ben achterom gegaan.'

'Tommy?' zei een vrouwenstem, niet de stem die Lynley had verwacht, maar die van de dochter. 'Speel je soms een victoriaanse marskramer?'

Ze kwam van achter een hoek in de keuken tevoorschijn, in het kielzog van de hond, een langharige teckel die merkwaardig genoeg Peach heette. Peach blafte, sprong en begroette hem op haar gebruikelijke manier. Er viel zoals gewoonlijk geen land met haar te bezeilen, het levende bewijs van wat Deborah St. James vaak verklaarde: ze moest een hond hebben die ze kon optillen, want ze was hopeloos als ze zo'n beest iets moest bijbrengen.

'Hé daar,' zei Deborah tegen Lynley. 'Dat is nog eens een leuke verrassing.' Ze schoof de hond snel aan de kant, omhelsde hem en gaf hem een vluchtige kus op de wang. 'Je blijft natuurlijk eten,' kondigde ze aan. 'Om allerlei redenen, maar vooral omdat ik kook.'

'Goeie hemel, waar is je vader?'

'Southampton. Sterfdag. Hij wilde dit jaar niet dat ik meeging. Waarschijnlijk omdat het twintig jaar geleden is.'

'O.' Hij wist dat Deborah er verder niets meer over zou zeggen. Niet omdat ze het pijnlijk vond om het over haar moeders dood te hebben, die was tenslotte al overleden toen Deborah zeven was, maar vanwege Lynley en waar de dood hem aan zou herinneren.

'Hoe dan ook,' zei ze, 'hij is morgen weer terug. Maar intussen is de arme Simon overgeleverd aan mijn culinair geknoei. Wil je hem spreken, trouwens? Hij zit boven.'

'Ik wil jullie beiden spreken. Wat ben je aan het maken?'

'Shepherd's pie. De puree is uit een pakje. Aan iets anders wil ik me niet wagen en trouwens, aardappels zijn aardappels, waar of niet? Ik heb als groente broccoli à la méditerranée. Die zwemt in olijfolie en knoflook. Bovendien een salade, die zwemt ook in olijfolie en knoflook. Blijf je? Ja, hè? Als het niet te eten is, kun je liegen en tegen me zeggen dat alles goddelijk smaakt. Ik weet natuurlijk dat je jokt. Ik weet het altijd als je jokt, trouwens. Maar dat maakt niet uit, want als je zegt dat het verrukkelijk is, kan Simon niet achterblijven. O ja, en er is ook een toetje.'

'Nou, dat geeft de doorslag.'

'Ah. Zie je wel? Ik weet dat je liegt, maar ik speel wel mee, hoor. Het is een Frans taartje, trouwens.'

'Die uit zo'n springvorm springt?'

Ze lachte. 'Heel grappig, lord Asherton. Blijf je nou of niet? Appelperentaart, als je 't weten wilt.'

'Hoe kan ik weigeren?' Lynley keek naar de trap naar boven. 'Is hij...?'

'In de studeerkamer. Ga maar. Zodra ik een blik in de oven heb geworpen, kom ik ook.'

Hij liep naar boven en de gang door. Hij hoorde Simon St. James' stem in de studeerkamer aan de voorkant van het huis. Die was zo groot als een normale zitkamer, drie muren stonden van boven tot onder volgepakt met boeken en aan de vierde muur hingen Deborahs foto's. Toen Lynley de kamer binnenkwam, zat zijn vriend aan zijn bureau. Hij woelde met een hand door zijn haar terwijl hij geconcentreerd aan de telefoon zat te praten, waaruit Lynley opmaakte dat de andere man problemen in zijn leven had.

St. James zei: 'Dat dacht ik ook, David. Dat denk ik nog steeds. Wat mij betreft is dat het juiste antwoord op... Ja, ja. Ik begrijp het volkomen... Ik zal het er nogmaals met haar over hebben... Hoe lang, zeg je? Wanneer wil ze ons spreken? Ja, ik snap 't.' Toen keek hij op, zag Lynley en begroette hem met een knikje. Hij zei: 'Goed dan. Doe de groeten aan moeder en je gezin,' alvorens op te hangen. Uit die laatste opmerking begreep Lynley dat hij met zijn oudste broer David had gesproken.

St. James kwam onhandig overeind, schoof bij zijn bureau vandaan en greep de rand vast waardoor hij gemakkelijker overeind kon komen, ondanks een gehandicapt been dat al jaren niet meer zonder beugel kon functioneren. Hij begroette Lynley en liep naar het drankwagentje onder het raam. 'Dat vraagt om een whisky,' zei hij tegen Lynley. 'Een grotere dan anders en puur. Wat jij?'

'Schenk maar in,' zei Lynley. 'Problemen?'

'Mijn broer David is in Southampton een meisje op het spoor gekomen dat haar baby wil laten adopteren, een privéregeling via een advocaat.'

'Dat is schitterend nieuws, Simon,' zei Lynley. 'Na al die tijd zul je wel dolblij zijn.'

'Onder normale omstandigheden wel. Het is een geschenk uit de hemel.' Hij opende een fles Lagavulin en schonk voor ieder van hen drie vingers in. Lynley trok een wenkbrauw op toen St. James een glas aan hem gaf. 'We worden gegijzeld,' zei St. James. 'Ik althans, en ik denk dat jij dat ook vindt.' Hij gebaarde naar de leren fauteuils bij de kachel. Ze waren versleten en er zaten scheurtjes in, en je kon er heerlijk in wegzakken en gepast dronken worden.

'Wat zijn die omstandigheden dan?' vroeg Lynley.

St. James keek naar de deuropening, waarmee hij aangaf dat hij niet wilde dat Deborah dit gesprek hoorde. 'De moeder wil een open adoptie. Ze wil niet alleen zelf bij de baby betrokken blijven, maar de vader ook. Zij is zestien. Hij vijftien.'

'Ah. Ik begrijp 't.'

'Deborah zei dat ze haar kind niet wil delen.'

'Niet helemaal onredelijk, toch?'

'En ze wil al helemaal niet,' vervolgde St. James, 'haar kind met twee tieners delen. Ze zegt dat ze dan drie kinderen adopteert in plaats van een. Bovendien krijgen we te maken met aan beide kanten een uitgebreide familie die ook nog een rol wil spelen.' Hij nam een slok whisky.

'Eerlijk gezegd snap ik haar wel,' zei Lynley.

'Ik ook. De situatie is verre van ideaal. Maar aan de andere kant lijkt het... Nou ja, ze heeft die andere test ondergaan, Tommy. Het is definitief. Een baby zit er gewoon niet in.'

Dat wist Lynley al. Hij wist het al een jaar, maar kennelijk had Deborah haar man nu pas de waarheid verteld die ze in het afgelopen jaar in haar eentje, op Lynley na, met zich had meegedragen. *Gebalanceerde translocatie*, zo werd het genoemd. Als ze een kind wilden, zat er niets anders op dan naar alternatieven te zoeken.

Lynley zei niets. Beiden zaten met hun glas Lagavulin in de hand in gedachten verzonken. In de gang kondigde het getik van hondennagels de komst van Peach aan en als Peach eraan kwam, was haar bazin nooit ver uit de buurt. Lynley zei zachtjes: 'Deborah heeft gevraagd of ik bleef eten, maar ik kan wel een excuus verzinnen als het je vanavond niet goed uitkomt.'

St. James antwoordde: 'God nee. Juist liever wel. Je kent me toch. Ik doe alles om een lastig gesprek met de vrouw die ik liefheb te vermijden.'

'Ik heb een paar knabbeltjes meegenomen,' zei Deborah bij het binnenkomen. 'Kaassticks. Peach heeft ze al geproefd, dus ze zijn heerlijk, in elk geval voor een hond. Blijf maar zitten, Simon, ik schenk mijn sherry zelf wel in.' Ze zette een schaaltje kaassticks op een ottomane die tussen de twee stoelen stond, joeg de teckel weg en liep naar het drankwagentje. Ze zei tegen haar man: 'Tommy zei tegen me dat hij ons beiden wil spreken. Ik denk dat het zakelijk, een aankondiging of beide is, en dat het iets te maken heeft met de Healey Elliot. Ik stel voor dat we hem meteen kopen, Simon.'

'Zet dat idee maar uit je hoofd,' zei Lynley. 'Ik laat me nog in die auto begraven.'

'Verdomme.' St. James glimlachte.

'Ik heb 't geprobeerd,' zei zijn vrouw tegen hem. Ze ging op de armleuning van zijn stoel zitten en zei tegen Lynley: 'Waar gaat het dan om, Tommy?'

Hij dacht na over hoe hij de zaak zou aanpakken en zei: 'Wat zouden jullie ervan vinden om een herfstuitstapje naar de Lakes te maken?'

Chelsea

Londen

Voordat ze naar bed ging, borstelde ze altijd de klitten uit haar haren. Soms deed hij het voor haar en soms keek hij toe. Ze had lang, dik, krullend rood haar, meestal weerbarstig, en daarom was hij er zo dol op. Deze avond sloeg hij haar gade vanaf het bed, tegen de kussens geleund. Ze stond tegenover hem bij de ladekast. Daarboven hing een spiegel, zodat ze hem in de reflectie zag kijken.

'Weet je zeker dat je een poosje van je werk weg kunt, Simon?'

'Het is maar voor een paar dagen. De vraag is, kun jij dat en wat vind je ervan?'

'Moet ik doen alsof ik niet kan, bedoel je dat soms?' Ze legde haar borstel neer en liep naar het bed. Ze droeg een dunne, katoenen nachtpon, maar voordat ze naast hem ging liggen, trok ze die uit. Hij vond het heerlijk dat ze graag in haar blootje sliep. Hij vond het heerlijk om zich in zijn dromen naar haar toe te wenden en haar warme, zachte lichaam aan te raken. 'Dit was typisch iets voor Helen geweest, ze zou ervan genoten hebben,' merkte ze op. 'Ik vraag me af of Tommy daar niet aan heeft gedacht.'

'Misschien wel.'

'Hmm. Ja. Nou, ik wil hem graag helpen, als ik iets voor hem kan betekenen. Ik wil het verhaal achter Nicholas Fairclough, waar Tommy het over had, wel ontrafelen. Ik zou het zelfs als uitgangspunt kunnen gebruiken. "Ik heb over jou en je project gelezen, in dat tijdschriftartikel over de sculptuurtuin van je ouders..." Enzovoort, et cetera. En misschien is het voor iemand een reden om er een documentaire over te maken. Mocht dat niet zo zijn, dan zit ik er wel heel ver naast.'

'Het gerechtelijk onderzoeksmateriaal zal geen problemen opleveren. En de forensische gegevens evenmin. Maar wat de rest betreft, weet ik het zo net nog niet. Hoe je er ook naar kijkt, het is een rare toestand.' En nu we het toch over rare toestanden hebben, dacht hij, moest hij er met nog een afrekenen. Hij zei: 'David heeft gebeld. Ik was net met hem aan de lijn toen Tommy binnenkwam.'

Hij kon letterlijk haar stemmingswisseling voelen. Ze ademde anders, één keer langzaam in en daarna een heel lange stilte. Hij zei: 'Het meisje wil ons ontmoeten, Deborah. Haar ouders en de jongen zijn er ook bij. Dat heeft ze het liefst, en de advocaat wees ons erop...'

'Dat kan ik niet,' zei Deborah. 'Ik heb erover nagedacht, Simon. Ik heb het van alle kanten bekeken. Werkelijk. Je moet me geloven. Maar hoe ik het ook wend of keer, ik vind dat de voordelen niet tegen de nadelen opwegen.'

'Het komt inderdaad niet vaak voor, maar andere mensen weten er ook mee om te gaan.'

'Dat kan wel zijn, maar ik ben niet als andere mensen en ik kan ook niet doen alsof ik als andere mensen ben. Ons wordt gevraagd om niet alleen een baby te delen met zijn biologische moeder en vader, maar ook met zijn biologische grootouders en Joost mag weten wie nog meer. En ik weet wel dat dat trendy en modern is, maar ik wil het zo niet. En ik kan mezelf niet dwingen.'

'Misschien raken ze gaandeweg hun belangstelling voor het kind kwijt,' zei St. James. 'Ze zijn nog heel jong.'

Deborah keek hem aan. Ze zat nu rechtop in bed – niet ontspannen tegen het kussen geleund – draaide zich om en zei ongelovig: 'Hun belángstelling verliezen? Dit is een kind, geen puppy. Ze raken hun belangstelling niet kwijt. Zou dat bij jou ook zo gaan?'

'Nee, maar ik ben geen jongen van vijftien. En hoe dan ook, het wordt allemaal strikt geregeld. Dat doet de advocaat.'

'Nee,' zei ze. 'Vraag het me alsjeblieft niet nogmaals. Ik kán het gewoon niet.'

Hij zweeg. Ze had zich omgedraaid. Haar haar viel bijna tot haar middel over haar rug en hij raakte een lok aan, zag hoe die zich als vanzelf om zijn vingers wikkelde. Toen zei hij: 'Wil je er gewoon nog wat langer over nadenken voordat je een definitief besluit neemt? Zoals ik al zei, ze wil ons graag ontmoeten. Dat zouden we sowieso kunnen doen. Misschien mag je haar wel, en haar familie en de jongen ook. Weet je, het is niet slecht dat ze voeling met het kind wil houden, Deborah.'

'Hoe ziet dat er dan uit?' vroeg ze, nog steeds van hem afgewend.

'Het duidt op een zeker verantwoordelijkheidsgevoel. Ze wil er niet zomaar voor weglopen en verdergaan met haar leven alsof dit nooit is gebeurd. In zekere zin wil ze voor het kind zorgen, er zijn om antwoorden te geven als er vragen gesteld worden.'

'Wij kunnen vragen beantwoorden. Dat weet je heel goed. En als ze dan zo nodig voeling met het kind wil houden, waarom kiest ze dan in hemelsnaam voor een paar ouders uit Londen in plaats van een echtpaar uit Southampton? Dat slaat toch zeker nergens op. Ze komt toch uit Southampton?'

'Ja.'

'Dus je begrijpt...'

Hij vermoedde dat ze niet nog een teleurstelling aankon en dat kon hij haar niet kwalijk nemen. Maar als ze nu niet doorzetten, als ze niet de weg insloegen die zich voor hen had geopend, dan was het zomaar een gemiste kans. En als ze een kind wilden, écht een kind wilden...

En dat was natuurlijk de vraag waar alles om draaide. Maar als hij die vraag stelde, begaf hij zich in een mijnenveld, en hij was inmiddels lang genoeg met Deborah getrouwd om te weten dat je je op sommige terreinen maar beter niet kon wagen, omdat ze te gevaarlijk waren. 'Heb je dan een ander idee? Een andere mogelijkheid?'

Ze gaf niet meteen antwoord. Maar hij kreeg het gevoel dat ze aan iets anders dacht, iets wat ze niet gemakkelijk over haar lippen kreeg. Hij herhaalde de vraag. Ze antwoordde snel met: 'Draagmoederschap.'

Hij zei: 'Goeie hemel, Deborah, die route zit vol...'

'Geen donormoeder, Simon, maar een leenmoeder. Ons embryo, onze baby en iemand die surrogaatmoeder wil zijn. Het is niet van haar. Ze heeft er geen band mee. Althans, ze heeft er geen recht op om er een band mee te hebben.'

De moed zonk hem in de schoenen. Hij vroeg zich af hoe het verdomme kon dat het bij andere mensen zo natuurlijk ging en dat zij te maken kregen met een moeras van afspraken, artsen, specialisten, procedures, advocaten, vragen, antwoorden en nog meer vragen. En nu dit? Er zouden maanden en maanden overheen gaan met het zoeken naar een surrogaatmoeder, de gesprekken, de uitgebreide controles. Deborah zou intussen medicijnen die Joost mocht weten wat allemaal met haar deden, moeten slikken om maar eitjes te kunnen oogsten – god, wat een woord. En hij zou met een potje in een of andere badkamer verdwijnen om het passie- en liefdeloze kwakje te produceren, met als resultaat – misschien, als ze geluk hadden, als er niets misging – een kind dat biologisch van hen was. Het leek verschrikkelijk ingewikkeld, onmenselijk kunstmatig, en succes was verre van gegarandeerd.

Hij slaakte een zucht. Hij zei: 'Deborah,' en hij wist dat ze in zijn stem een soort aarzeling hoorde die ze niet wilde horen. Het kwam niet bij Deborah op dat dit te maken had met het feit dat hij haar wilde beschermen. En dat was maar goed ook, dacht hij. Want ze had er een pesthekel aan als hij haar tegen het leven beschermde, ook al was ze in zijn ogen soms te gevoelig voor het heftige leven.

Ze zei zachtjes: 'Ik weet wat je denkt. En nu zitten we in een impasse, hè?'

'We zien de zaken gewoon anders. We hebben beiden een verschillende invalshoek. Een van ons ziet een kans waar de ander een niet te bevatten probleem ziet.'

Daar dacht ze over na. Ze zei langzaam: 'Wat raar. Dan is er kennelijk dus niets aan te doen.'

Ze ging naast hem liggen, maar met haar rug naar hem toe. Hij deed het licht uit en legde zijn hand op haar heup. Ze reageerde er niet op.

Wandsworth

Londen
Lynley arriveerde vlak voor middernacht. Hij had het haar beloofd, al wist hij dat hij beter naar huis had kunnen gaan om te slapen, een slaap die vooral deze nacht ongetwijfeld onrustig zou zijn. Maar in plaats daarvan ging hij naar Isabelle en maakte met zijn sleutel de deur open.

Ze kwam hem bij de deur tegemoet. Hij had verwacht dat ze al lang in bed zou liggen, en kennelijk was dat eerder ook het geval geweest. Maar naast de bank in het zitgedeelte van haar flat brandde een lamp en hij zag daar een tijdschrift openliggen, dat ze duidelijk opzijgelegd had toen ze zijn sleutel in het slot hoorde. Ze had haar kamerjas ook op de bank laten liggen, waar ze niets onder aan gehad en dus kwam ze hem naakt tegemoet. Toen hij de deur achter zich sloot, liep ze in zijn armen en hief haar mond naar hem op.

Ze smaakte naar citroenen. Even vroeg hij zich af of dat erop duidde dat ze probeerde te verdoezelen dat ze weer had gedronken. Maar toen hij met zijn handen van haar heupen, via haar middel naar haar borsten reisde, kon het hem niet meer schelen.

Ze begon hem uit te kleden en murmelde: 'Dit is heel slecht, weet je.'

Hij fluisterde: 'Wat?'

'Dat ik de hele dag aan bijna niets anders heb gedacht.' Zijn colbertje viel op de vloer en ze maakte de knopen van zijn overhemd los. Hij boog zich naar voren, naar haar hals, haar borsten.

'Dat,' zei hij, 'is inderdaad in jouw soort werk heel slecht.'

'In dat van jou ook.'

'Aha, maar ik heb meer zelfbeheersing.'

'O, is dat zo?'

'Ja.'

'En als ik je daar aanraak, zo?' En dat deed ze. Hij glimlachte. 'Waar blijft je zelfbeheersing dan?'

'Ik durf wel te beweren dat hetzelfde met jouw zelfbeheersing gebeurt als ik je hier kus, als ik verder wil gaan, als ik mijn tong... zo gebruik.'

Ze ademde scherp in. Ze giechelde. 'Je bent een duivelse man, inspecteur. Maar ik ben heel goed in staat om kwaad met kwaad te vergelden.

Zo.' Ze trok zijn broek omlaag, tot hij net zo naakt was als zij. Nu ze beiden naakt waren, raakte hij in beroering.

Hij merkte dat zij even blakend en bereid was als hij. Hij zei: 'Slaapkamer?'

Ze zei: 'Vanavond niet, Tommy.'

'Hier dan maar?'

'O ja, hier.'

2 november

Bryanbarrow

Cumbria

Omdat het nog niet zo druk was, had Zed Benjamin in de Willow & Well een goed tafeltje weten te bemachtigen. Hij had daar vijftig minuten zitten wachten tot er buiten iets zou gaan gebeuren, aan de andere kant van het raam waarvan de kozijnen aan vervanging toe waren. De kou sijpelde langs hem heen als een gesel van de engel des doods, maar dat had weer het voordeel dat het niemand verbaasde dat Zed de gebreide skimuts ophield. De muts bedekte zijn vlammend rode haar helemaal en op die manier hoopte hij dat de mensen zich hem later niet meer zouden kunnen herinneren. Hij kon niets doen aan het feit dat hij extreem lang was, behalve dan door zijn rug te krommen wanneer hij eraan dacht.

En dat was nou precies wat hij aan zijn tafel in de pub aan het doen was. Eerst had hij over zijn bierpul gebogen gezeten, daarna was hij in zijn stoel onderuitgezakt met zijn benen languit naar voren tot zijn achterste zo gevoelloos was als het hart van een pooier. Maar in welke houding hij ook zat, van wat hij even buiten het raam van het dorp Bryanbarrow kon zien, duidde niets erop dat er enig licht zou komen in de duisternis.

Dit was zijn derde dag in Cumbria, de derde dag waarop hij op jacht was naar de pikanterie waardoor zijn verhaal over Nicholas Fairclough niet in Rodney Aronsons prullenbak zou verdwijnen. Maar tot dat moment was hij niet verder gekomen dan de eerste vijftien regels van een gedicht, en hij was niet van plan, god verhoede, daarover ook maar iets tegen Aronson te zeggen wanneer de weerzinwekkende redacteur van *The Source* zijn dagelijkse telefoontje pleegde, waarin hij dan veelbetekenend vroeg hoe de zaken ervoor stonden en Zed eraan herinnerde dat hij alle gemaakte kosten zelf moest betalen. Alsof hij dat niet wist, dacht Zed. Alsof hij niet de eenvoudigste kamer had gehuurd in de meest bescheiden B&B die hij in de hele streek had kunnen vinden: een zolderkamer in een van die talloze victoriaanse rijtjeshuizen die nagenoeg in alle straten in Windermere te vinden waren. Deze bevond zich in Broad Street, op loopafstand van de openbare bibliotheek. Hij moest bukken om door de deuropening zijn kamer in te komen en zich ongeveer opvouwen als hij binnen wilde rondlopen. De wc was een verdieping lager en hij kon de verwarming niet zelf regelen, daarvoor was hij afhankelijk van de rest van het huis. Maar daardoor was het zo extreem goedkoop dat hij de kamer onmiddellijk gehuurd had. En het leek erop dat de hospita alle ongemakken wilde compenseren met een uitgebreid ontbijt, dat bestond uit ongeveer alles van havermoutpap tot gedroogde pruimen. Met als gevolg dat Zed sinds hij daar verbleef niet had hoeven lunchen, wat maar goed was ook, want de tijd die hij anders in een café zou hebben doorgebracht om te eten, gebruikte hij nu om uit te zoeken wie zich, behalve hijzelf, met de dood van Ian Cresswell bezighield. Maar als Scotland Yard al in Cumbria aanwezig was, in de persoon van een inspecteur die een spoor volgde in verband met de onfortuinlijke verdrinkingsdood van Nicholas Faircloughs neef, dan had Zed hem nog niet gezien. En tot die tijd zou hij de titel van zijn verhaal 'Het negende leven', niet kunnen veranderen in 'Negen levens en een dode', zoals Rodney Aronson kennelijk wilde.

Natuurlijk wist Aronson wel wie de Scotland Yard-inspecteur was. Zed durfde daar een week van zijn karige loon onder te verwedden. En hij zou nog eens een weekloon zetten op het feit dat Aronson een groots plan had om Zed de laan uit te sturen als hij de inspecteur niet kon ontmaskeren en hij dus niet met een smeuïg verhaal thuis kon komen. En daar ging het allemaal om, want Rodney kon het niet uitstaan dat Zed én de opleiding én de aspiraties had.

Niet dat hij met zijn aspiraties erg ver kwam of er ver mee zou komen. O, tegenwoordig zou je het artistiek gezien misschien wel met poëzie kunnen overleven, maar daarmee had je nog geen dak boven je hoofd.

Door die gedachte: een dak boven je hoofd, moest Zed denken aan het dak dat hij in Londen boven zijn hoofd had. En hij dacht nog verder, aan de andere mensen die in dat huis woonden. En de bedoelingen van die mensen, vooral die van zijn moeder.

Daar hoefde hij zich nu tenminste geen zorgen over te maken, dacht Zed. Want op een ochtend nadat Yaffa Shaw in de gezinsflat was komen wonen – en dat was verbazingwekkend snel voor elkaar gekomen, zelfs voor zijn moeders doen – had de jonge vrouw Zed bij de badkamer met haar toilettas in de hand opgewacht en gemompeld: 'Maak je maar geen zorgen, Zed. Oké?' Hij had zijn hoofd bij zijn werk gehad en eerst gedacht dat ze doelde op wat hem te wachten stond: opnieuw een reisje naar Cumbria. Maar toen bedacht hij dat Yaffa het had over het feit dat ze daar woonde en dat zijn moeder hen tot elke prijs in elkaars armen wilde drijven. Ze zou net zolang volhouden tot hun weerstand was gebroken en ze zich aan een verloving, huwelijk en baby's zouden overgeven.

Zed zei: 'Huh?' terwijl hij ondertussen met de ceintuur van zijn kamerjas speelde. Die was te kort voor hem, evenals zijn pyjamabroek, en omdat hij nooit passende slippers kon vinden, droeg hij wat hij 's ochtends meestal droeg: sokken die niet bij elkaar pasten. Ineens voelde hij zich als de reus die door Sjaki boven aan de bonenstaak werd ontdekt. En helemaal in vergelijking met Yaffa, die er keurig verzorgd uitzag, alles paste bij elkaar en de kleuren lieten haar huid en haar ogen goed uitkomen.

Yaffa keek achterom naar de keuken waar zo te horen het ontbijt werd klaargemaakt. Ze zei zachtjes: 'Luister, Zed. Ik heb een vriendje, hij studeert medicijnen in Tel Aviv, dus wees maar niet ongerust.' Ze streek een haarlok naar achteren – donker, krullend en tot op haar schouders, heel mooi, hoewel ze het eerder in een paardenstaart had gedragen – en keek hem met een schalkse blik aan. Ze zei: 'Dat heb ik haar niet verteld. Weet je, dit...' en ze maakte een hoofdbeweging naar de deur van de slaapkamer waarin ze logeerde, 'bespaart me een hoop geld. Ik kan minder uren gaan werken en er een vak naast gaan volgen. En als ik dat elk semester doe, ben ik eerder klaar met mijn opleiding en als dát lukt, kan ik weer eerder naar huis teruggaan, naar Micah.'

'Aha,' zei hij.

'Toen ze ons, jou en mij, aan elkaar voorstelde, zag ik wat je moeder van plan was, dus heb ik niets over hem gezegd. Ik had de kamer nodig – ik héb de kamer nodig – en ik ben bereid het spelletje mee te spelen, als jij dat ook wilt.'

'Hoe dan?' Het drong tot hem door dat hij bij deze jonge vrouw enkel eenlettergrepige antwoorden kon uitbrengen en begreep niet hoe dat kwam.

Ze zei: 'We doen gewoon alsof.'

'Alsof?'

'We voelen ons tot elkaar aangetrokken. We spelen het spel, we "worden verliefd"' – ze maakte met haar vingers aanhalingstekens in de lucht – 'en vervolgens komt het goed uit dat ik je hart breek. Of jij breekt dat van mij. Het maakt niet uit, alleen voor je moeder, en dan kan ik maar beter jouw hart breken. We zullen waarschijnlijk een paar keer met elkaar uit moeten en als je weg bent min of meer verrukkelijke telefoongesprekken moeten voeren. Je kunt zo nu en dan kusgeluidjes maken en me aan de ontbijttafel smachtend aankijken. Zo kan ik geld besparen waardoor ik elk semester een extra vak kan volgen. En je moeder laat jou een tijdje met rust als het om het huwelijksbootje gaat.

Zo nu en dan moeten we wel wat tederheid naar elkaar tonen, maar je hoeft niet met me naar bed. Het zou toch zeker van weinig respect voor je moeder getuigen als we in haar huis vóór het huwelijk het bed in duiken. Wat denk je?'

Hij knikte. 'Ik begrijp het.' Hij was blij dat hij al tot drie woorden was gevorderd.

'En?' zei ze. 'Doe je mee?'

'Ja.' En toen overtrof hij zichzelf met: 'Wanneer beginnen we daarmee?'

'Tijdens het ontbijt.'

Dus toen Yaffa hem tijdens het ontbijt vroeg of hij iets wilde vertellen over het verhaal waaraan hij in Cumbria werkte, speelde hij het spel mee. Tot zijn verbazing merkte hij dat ze de juiste vragen stelde en zoveel belangstelling voor hem toonde dat zijn moeder hem veelbetekenend en stralend aankeek. Toen hij uit Londen vertrok omhelsde zijn moeder hem in vervoering, en haar woorden: 'Zie je wel, zíé je nou wel, jongen?' brandden in zijn hersens, evenals Yaffa's briefje in zijn zak: 'Wacht zesendertig uur, bel dan naar de flat en zeg tegen je moeder dat je met mij wilt praten. In haar bijzijn geef ik je mijn mobiele nummer. Goede jacht in Cumbria, vriend van me.' Hij had haar precies zesendertig uur later gebeld en tot zijn verbazing had hij opnieuw gemerkt dat hij werkelijk van het korte gesprekje met Yaffa Shaw had genoten. Hij vermoedde dat dat kwam omdat ze open kaart hadden gespeeld. Geen druk, dacht hij. En hij was altijd op zijn best als de druk op z'n laagst was.

Hij wilde alleen dat dat verdomme ook het geval was met dit verhaal. Hij kon niet bedenken hoe hij de Scotland Yard-inspecteur moest opsporen, behalve dan door in Bryanbarrow rond te hangen en te wachten tot er iemand op Ian Cresswells boerderij opdook om de ontijdige dood van de man te onderzoeken. Vanuit de Willow & Well had hij een onbelemmerd zicht op de plek. Want de Bryan Beck-farm bevond zich aan de overkant van het kleine, driehoekige dorpsplein dat het dorpscentrum vormde. Het landhuis was achter een lage muur te zien, evenals een vervallen cottage rechts ervan.

Nadat hij ruim een uur met zijn bier voor zich op tafel had zitten opletten, was er eindelijk een teken van leven op het terrein. Dat kwam echter niet uit het landhuis, maar uit de huurcottage. Een man en een jongen kwamen naar buiten. Ze liepen naast elkaar naar het plein, waar de man midden op het grasveld, tussen de gevallen bladeren van de eromheen staande eikenbomen, een keukentrapje plantte. Hij ging op het trapje zitten en gebaarde naar de jongen die een schoenendoos onder de arm had en iets droeg wat op een oud laken leek. Hij drapeerde het laken om de schouders van de oudere man en haalde een schaar, kam en handspiegel uit de doos. De oudere man deed de tweedpet die hij droeg af en maakte een hoofdbeweging naar de jongen: het teken dat hij kon beginnen. De jongen begon toen zijn haar te knippen.

Dit, wist Zed, moesten George Cowley en zijn zoon Daniel zijn. Dat kon niet anders. Hij wist dat de dode man, Ian Cresswell, een zoon had, maar aangezien Cresswell dood was achtte hij het onwaarschijnlijk dat de jongen bij de boerderij zou rondhangen, en hij vond het nog onwaarschijnlijker dat hij het haar van de huurder zou knippen. Waarom ze dit midden op het dorpsplein deden was hem een raadsel, maar zo had je tenminste geen last van de rommel, dacht Zed. George Cowley maakte zich er waarschijnlijk niet erg geliefd mee bij de andere inwoners van Bryanbarrow, van wie sommigen in een rijtjeshuisje aan een kant van het plein woonden.

Zed dronk zijn bier op, dat inmiddels al lang warm geworden en doodgeslagen was. Hij kuierde de pub uit en liep naar de kapper op het plein. Het was fris buiten, er stond een bries, en er hing een geur van houtrook en koeienmest in de lucht. Voorbij de Bryan Beck-farm waren schapen te horen en bij wijze van antwoord kwaakte een aantal eenden driftig in de Bryan, de beek die naar de westkant van het dorp uit Zeds gezichtsveld kabbelde.

'Goedemiddag.' Zed knikte naar de man en de jongen. 'U bent zeker meneer Cowley.' Dat was hij te weten gekomen nadat hij een uur met de cafébaas van de Willow & Well had zitten praten. De cafébaas wist niet beter of Zed was een van de talloze wandelaars die naar de Lakes kwamen om ofwel te ontdekken wat Wordsworth met zijn creatieve talenten zo lyrisch had beschreven ofwel om te kijken wat Peter Rabbit nog had weten te doen aan de menselijke neiging er afzichtelijke bouwwerken neer te zetten. Hij was meer dan bereid om Zed bij te praten over de 'echte Lakes', met mooie roddels over de mensen die daar woonden, onder wie vele 'ty-pi-sche Cumbriaanse figuren', van wie George Cowley uiteindelijk de kroon spande, wat Zed goed uitkwam. 'Een raar portret, die George,' had de caféhouder gezegd. 'Zo'n kerel die zijn ongenoegens niet onder stoelen of banken steekt. Dol op ruziemaken, je kent dat wel. Ik heb verschrikkelijk met die jongen van hem te doen, want het enige waar George van houdt, is ruziemaken en zijn verdomde hond.' Zijn verdomde hond was een bordercollie die tot aan de heg was meegelopen toen George Cowley en zijn zoon naar het plein overstaken. Eén woord van George en de hond was gehoorzaam op zijn buik gaan liggen. Terwijl Zed met zijn baasje praatte, hield hij de boel nauwlettend in de gaten.

Cowley keek Zed wantrouwig aan. Zijn zoon hield de schaar in de aanslag, maar was gestopt met knippen. George zei tegen hem: 'Ga door, Dan,' en wendde zijn blik van Zed af. Daar sta je dan met je poging tot een vriendelijk gesprekje, dacht Zed.

'U hebt een mooie boerderij,' zei Zed. 'Het komt niet vaak voor dat die deel uitmaakt van een dorp. Dat ben ik nog niet eerder tegengekomen.'

'Niet mijn boerderij,' merkte George bitter op.

'Maar u hebt dit toch opgebouwd? Is hij daardoor niet toch een beetje van u?'

George wierp hem een minachtende blik toe. 'Helemaal niet. En wat gaat jou dat trouwens aan?'

Zed keek naar de zoon van de man. Daniel bloosde. Zed zei: 'Eigenlijk niets. Het lijkt me alleen een interessante plek. Het grote huis en zo. Ik ben altijd benieuwd naar oude gebouwen. Het is een oud landhuis, hè? Dat grote gebouw?'

Cowley keek nors. 'Zou kunnen. Dan, ga je nog knippen of hoe zit het? Ik heb geen zin om hier de hele dag in de kou te zitten. We hebben nog meer te doen.'

Daniel zei zachtjes tegen Zed: 'Het is elizabethaans. Vroeger hebben wij er gewoond.'

'Dan!'

'Sorry.' Hij begon weer te knippen. Zo te zien deed hij dat al jaren, want hij kon goed met kam en schaar overweg.

Cowley zei tegen Zed: 'Wie ben jij dat je dat verdomme wilt weten en waarom?'

'Eh?'

'Het huis. De farm. Waarom vraag je daarnaar? Wat gaat jou dat aan? Heb je soms een zaak in het dorp?'

'O.' Zed dacht even na over hoe hij dit moest aanpakken, zodat hij zo veel mogelijk informatie kreeg zonder dat hij zelf te veel hoefde los te laten. 'Ik ben gewoon geïnteresseerd in de plekken waar ik kom. In de Willow & Well zei de barman dat het 't oudste gebouw van het dorp is, dat landhuis.'

'Dan heeft ie 't mis. De cottage is honderd jaar ouder.'

'O ja? Ik denk altijd dat het op zulk soort plekken spookt.'

'Ben je daarom hier? Op zoek naar spoken? Of...' scherp nu, '... naar iets anders?'

God, wat was die vent wantrouwig, dacht Zed. Hij vroeg zich even af of hij soms zilverwerk in de schoorsteen had verstopt, of iets wat erop leek, en Zed ervan verdacht de boel zogezegd te willen leeghalen. Vriendelijk zei hij tegen Cowley: 'Sorry. Ik ben hier alleen maar op bezoek. Ik wilde u niet bang maken.'

'Niet bang. Ik kan voor mezelf en Dan zorgen, geloof dat maar.'

'Oké. Juist. Dat zal wel, ja,' zei Zed joviaal. En toen: 'Er zullen wel niet veel mensen vragen over die farm stellen, hè? Eigenlijk zijn hier helemaal niet veel mensen, zeker niet in deze tijd van het jaar. Die vragen stellen of iets anders doen.' Hij kromp inwendig ineen. Hij moest aan een subtielere benadering gaan werken.

Cowley zei: 'Als je van verhalen houdt, dan kun je er eentje krijgen,' maar onder het laken dat zijn kleding tegen de haren moest beschermen sloeg hij zijn armen over elkaar, en aan zijn houding was te zien dat hij niet van plan was om ook maar iets te vertellen, ondanks wat hij eerder had gezegd.

Daniel zei: 'Pap,' op een toon die het midden hield tussen een wenk en een waarschuwing.

'Ik heb toch zeker niets gezegd,' zei Cowley.

'Alleen...'

'Knip verdomme dat haar nou maar.' Cowley keek een andere kant op, deze keer naar het landhuis achter de muur. Het was helemaal van steen, tot en met de top van de schoorstenen netjes witgepleisterd, en zo te zien was het dak onlangs vervangen. 'Dat,' zei hij, 'had van ons moeten zijn. Onder m'n reet vandaan verkocht, zonder dat er een haan naar kraaide, totdat het al was gebeurd. En kijk nou eens wat er is voorgevallen, wat wel móést gebeuren. Zo gaat dat. En dacht je dat me dat verbaasde? Echt niet. Uiteindelijk krijg je je verdiende loon, en zo is 't.'

Zed keek de man verbijsterd aan. Hij dacht dat hij met 'wat er is voorgevallen' de dood van Ian Cresswell bedoelde, die, zo wist hij, in het landhuis had gewoond. Maar: 'Verdiende loon?' vroeg hij, terwijl hij eigenlijk dacht: waar heeft die man het verdomme over?

'Der zonde,' zei Daniel met zachte stem. 'Het loon der zonde.'

'Zo is 't maar net,' zei George Cowley. 'Hij heeft dubbel en dwars het loon der zonden gekregen. Nou, hij is daar en wij zijn hier en wanneer de zaken geregeld zijn en de farm weer in de verkoop gaat, zijn we er als de kippen bij en deze keer maken we geen fouten. Bryan Beck-farm behoort ons toe, en we hebben niet ons hele leven elke cent omgedraaid om het nog een keer aan onze neus voorbij te laten gaan.'

Hieruit maakte Zed op dat Ian Cresswells zonde eruit bestond dat hij Bryan Beck-farm had gekocht voordat George Cowley er de hand op had weten te leggen. Wat betekende – en hier had hij wat aan! – dat Cowley een motief had om Cresswell te vermoorden. En dát betekende weer dat het slechts een kwestie van tijd was voordat New Scotland

Yard op de deur kwam kloppen, wat weer betekende dat hij alleen maar hoefde te wachten tot ze er waren. Bevestigen dat ze er zijn, met hun aanwezigheid zijn verhaal wat pikanter maken, en als de donder terug naar Londen waar hij zijn leven weer kon oppakken. Ja. De zaken kwamen er zonniger uit te zien.

Hij zei: 'U hebt het zeker over het feit dat meneer Cresswell de boerderij heeft gekocht.'

Cowley keek hem aan alsof hij gek geworden was. 'De aankoop van de farm?'

'U had het over het loon der zonden. Ik dacht dat u met de zonde de aankoop van de farm bedoelde.'

'Bah! Dat was zo fout als wat. Daardoor zitten wij waar we nu zitten, Dan en ik. Maar niemand krijgt z'n verdiende loon der zonde wegens onroerend goed.' Hij sprak de laatste twee woorden spottend uit, en hij leek aan te voelen dat Zed zo stom was dat hij meer uitleg nodig had. 'Onfatsoenlijk, dat was 't, hij en die Arabische huurder van 'm. En waarom zijn z'n kinderen hier nog steeds? Dat vraag ík me af, maar niemand geeft daar antwoord op, wel? Nou, dat is nog eens extra onfatsoenlijk. En ik zal je dit vertellen: er komt nog meer loon aan, en niet zo'n beetje ook. Geloof dat maar.'

Swarthmoor

Cumbria
Tim Cresswell had een bloedhekel aan de Margaret Fox-school, maar hij nam er genoegen mee omdat hij dan niet naar een basisschool hoefde waar van hem werd verwacht dat hij vrienden maakte, want dat was wel het laatste wat hij wilde. Hij had ooit vrienden gehad, maar hij had geleerd dat je van vrienden van die meesmuilende blikken te verduren kreeg wanneer ze ontdekten wat er in je leven aan de hand was. Bovendien moest je verdragen dat je vrienden gniffelend over je roddelden als je ze in een gang op weg naar de klas moest passeren. Feit was dat het hem niets kon schelen als hij nooit meer een vriend zou hebben, want de vrienden die hij had gehad, waren vriend af toen zijn vader het gezin in de steek liet om de kont van een of ander Iranees mietje te neuken. Dáárover gonsde het gauw genoeg van de geruchten, want Tims moeder was niet zo verstandig geweest om haar woede binnenskamers te houden, vooral niet omdat ze ervan overtuigd was dat zíj in de hele toestand het slachtoffer was. En dat was natuurlijk ook zo, niet dan? Het bleek dat zijn vader het al jaren met mannen deed, waardoor zij was blootgesteld aan ziekten, rampspoed, walging, disrespect en alle andere narigheden die je maar kon verzinnen. Wat Niamh als geen ander kon was dat bij iedereen die het maar horen wilde breed uitmeten. Ze zorgde er wel voor dat Tim er vanaf het allereerste begin van wist. Hij had toen op zijn beurt een paar dingen kapotgesmeten, het een en ander in de fik gestoken, een paar mensen pijn gedaan, lichaamsdelen van een jong katje geamputeerd – al was het arme ding al dood – en belandde uiteindelijk op de Margaret Fox-school, even buiten Ulverston, niet te ver van Swarthmoor Hall, waar de mevrouw Fox had gewoond naar wie de school was genoemd. Tim was van plan hier te blijven, en hij wist net genoeg mee te werken om niet weer te worden teruggeschopt in het systeem waar normale kinderen onderwijs genoten.

De meeste kinderen die intern waren op de Margaret Fox-school, waren te gestoord om nog thuis te kunnen wonen. Maar er waren ook dagpupillen, en Niamh Cresswell had ervoor gezorgd dat Tim in die groep werd geplaatst. Net goed, want nu moest zijn vader of Kaveh

Mehran hem elke ochtend van Bryanbarrow helemaal naar Ulverston brengen en hem 's middags weer ophalen. Dat was een eindeloos durende rit, waardoor hij en Kaveh minder tijd bij elkaar konden zijn, en Ian werd gestraft omdat hij zo'n reusachtige krater had geslagen in Niamhs trots. Tim ging overal in mee omdat hij daardoor ver uit de buurt bleef van iedereen die wist wat er met het huwelijk van zijn ouders was gebeurd, wat ongeveer heel Grange-over-Sands was.

Maar een van de dingen waaraan hij op de Margaret Fox-school een rothekel had, waren die stomme Kringen, die altijd met een hoofdletter werden gespeld. Naast de normale lessen moest je voor drie Kringen kiezen: academisch, creatief en fysiek. De gedachte erachter was dat de uitgebluste leerlingen van de Margaret Fox-school door de Kringen iets zouden aanleren wat op normaal gedrag leek, dat ze als het ware met een truc tot actie werden aangezet, alsof ze ook buiten de hoge muren die het instituut omringden konden functioneren. Tim verfoeide de Kringen omdat hij daardoor in contact moest komen met andere leerlingen. Maar hij had drie Kringen gevonden waarbij dat contact tot een minimum beperkt bleef. Hij had zich opgegeven voor de Wandelaars, Tekenaars en Postzegelverzamelaars, omdat hij die in zijn eentje kon doen, ook al waren er wel anderen bij. Hij hoefde met niemand te praten, hoefde enkel te luisteren naar de dienstdoende leerkracht die bij elke Kringles maar over het onderwerp doorzemelde en zei hoe belangrijk het wel niet was.

En dat was precies wat er nu tijdens de vaste Wandelsessie gebeurde. Quincy Arnold draaide aan het eind van hun middagwandeling zijn afgezaagde riedeltje af. Ze hadden een beetje geploeterd op het openbare wandelpad van Mansrigg naar Mansrigg Hall en vandaar naar Town Bank Road, waar de schoolbus ze weer oppikte. Maar zoals Q.A. erover doorzanikte, zou je denken dat ze zojuist de Matterhorn hadden beklommen. Het ging over het uitzicht vanaf Ben Cragg – een mooi woord voor verdomme de zoveelste kalkstenen berg, dacht Tim – maar het uiteindelijke doel van die hele middag rondzwerven was duidelijk: Q.A. noemde dat het Grote Avontuur op Scout Scar. Ze zouden dat avontuur pas in de lente gaan beleven, maar in de tussentijd trokken ze door de heuvels om zich op de aanstaande betovering voor te bereiden. Bla bla bla, wat dan ook. Q.A. kon wauwelen als geen ander en zonder meer lyrisch worden over kalkstenen hellingen en – je hart ging er sneller van kloppen – grillige gletsjers. Taxusbomen die door de wind werden gegeseld, gevaarlijke puinhellingen waar het cruciaal was dat je je voet op vaste grond neerzette, een vlucht leeuweriken, buizerds en koekoeken, narcissen die zich verstopten in hazelaarkreupelhout. Het klonk Tim even interessant in de oren als van een blinde man Chinees leren schrijven, maar hij wist dat het belangrijk was dat hij Q.A. tijdens diens kletspraatje aankeek. Hij hield echter zijn gezichtsuitdrukking tussen onverschilligheid en minachting in, altijd op zijn hoede voor het geval hij genezen werd verklaard.

Maar hij moest plassen. Hij wist dat hij dat langs de kant van de weg had moeten doen voordat ze aan het eind van de wandeling weer in de schoolbus stapten. Maar hij had er een pesthekel aan om in het openbaar zijn piemel tevoorschijn te halen, want je wist maar nooit hoe dat werd opgevat door dat zootje ongeregeld waarmee hij uit wandelen werd gestuurd. Dus hij kneep de aandrang af en onderging nu lijdzaam Q.A.'s samenvatting van hun eeuwig durende middagavontuur. Toen ze eindelijk op het schoolterrein werden vrijgelaten en het hek achter hen dicht ging, stoof hij naar de dichtstbijzijnde wc en liet het de vrije loop. Hij druppelde expres iets op de vloer en een beetje op zijn broekspijp. Toen hij klaar was, bekeek hij zichzelf in de spiegel en krabde aan een vlekje op zijn voorhoofd. Er kwam een beetje bloed uit – altijd prettig – en hij ging zijn mobiele telefoon halen.

Die waren natuurlijk niet toegestaan. Maar de dagleerlingen mochten ze wel hebben, zolang ze maar elke ochtend ingeleverd en afgevinkt werden op een lijst die in het kantoor van de hoofdmeester lag. Om ze 's middag weer op te halen, moesten ze naar de hoofdmeester om een toestemmingsbriefje te halen, en daarna naar het schoolwinkeltje waar in een rij vakjes achter de toonbank de mobieltjes veilig achter slot en grendel werden bewaard.

Vandaag ging Tim als laatste zijn telefoon ophalen. Zodra hij het terug had controleerde hij of er berichten waren. Die waren er niet en hij voelde dat zijn vingers gingen tintelen. Hij wilde de telefoon wel naar iemands hoofd gooien, maar in plaats daarvan liep hij naar de deur van het winkeltje en vandaar naar het centrale pad dat hem naar de plek voerde waar hij met de andere leerlingen zou wachten tot ze van school zouden worden opgehaald. Ze konden natuurlijk alleen met aangemelde chauffeurs meerijden. Tim had er drie, maar nu zijn vader dood was, nog maar twee, wat feitelijk maar één betekende, want hij hoefde er niet op te rekenen dat Niamh hem zou komen ophalen, dus bleef alleen Kaveh over. En tot dusverre had Kaveh dat ook gedaan, want hij had geen keus en hij had nog niet verzonnen hoe hij eronderuit kon komen.

Het kon Tim niet schelen. Het maakte hem niet uit wie hem kwam halen. Wat nu van belang was, was de deal die hij met Toy4You had gesloten en het feit dat hij nog geen antwoord had gekregen op zijn laatste bericht, dat hij die ochtend op weg naar school had verstuurd.

Hij nam nogmaals contact met hem op:
waar ben je
Een ogenblik verstreek en toen:
hier
waarom zei je niks
wanneer
we hadden afgesproken!
nee
heb je beloofd
kan niet
waarom niet
niet op mobiel
je zei beloofd
we moeten praten

Tim keek op van het scherm. Hij wilde niet praten. Hij wilde actie. Hij had zich aan zijn deel van de afspraak gehouden en dan was het alleen maar eerlijk als Toy4You precies hetzelfde deed. Uiteindelijk kwam het altijd hierop neer, dacht hij bitter. Mensen speelden met elkaar alsof het om een kaartspelletje ging, en hij werd er doodziek van. Maar had hij een keus? Hij kon weer helemaal opnieuw beginnen, maar dat wilde hij niet. Het had al lang genoeg geduurd voordat hij Toy4You had gevonden.

Hij toetste zijn antwoord in.
waar
je weet wel
vandaag
vanavond
ok

Hij klapte zijn telefoon dicht en schoof hem in zijn zak. Een dik meisje, wier naam hij niet kende, sloeg hem vanaf een bank gade. Zijn blik ontmoette die van haar en ze deed haar schoolrok omhoog. Ze deed haar benen wijd. Ze had geen onderbroek aan. Hij kon het hele pad wel onder spugen, maar in plaats daarvan liep hij naar een bankje verderop en ging zitten wachten tot zijn lift naar Bryanbarrow kwam. Hij dacht na over hoe hij Kaveh op de lange rit naar huis kon kwellen, en hij was blij dat hij op zijn broek had gepist. Daar zou de oude Kaveh zijn neus wel voor optrekken, en niet zo'n beetje ook, dacht hij inwendig grinnikend. En Kaveh zou hem komen ophalen, want hij wist zeker dat zijn moeder dat niet zou doen.

Arnside

Cumbria

Alatea Fairclough was helemaal in de ban van Morecambe Bay. Ze had nog nooit zoiets gezien. Het was eb en daardoor was het strand een uitgestrekte vlakte van honderdtachtig vierkante meter zand. Maar die zandvlakte was zo gevaarlijk dat alleen onoplettende mensen, doorgewinterde vissers uit de streek, of de allerbeste gidsen zich erop waagden. Als iemand anders over de lege vlakte dwaalde – en mensen deden dat aan de lopende band – liepen ze het risico dat ze het einde van de dag niet haalden, omdat ze op drijfzand konden stuiten dat de gemiddelde toeschouwer niet van vaste grond kon onderscheiden. Of ze bleven een stukje verder in de baai te lang op een veilig ogend zandheuveltje staan, een soort eilandje, waarna ze merkten dat ze door de vloed van de kust waren afgesneden om er vervolgens op hun weg terug door te worden overspoeld. En wanneer het niet gewoon vloed was maar springtij, dan kolkte het water met de snelheid van een galopperend paard in de baai terug en volgde alles elkaar in een duizelingwekkend tempo op, en verzwolg de reusachtige vloedgolf alles op zijn pad. En daarom was Alatea zo in de ban van het springtij. De watervloed leek uit het niets te komen en kwam zo snel op dat het leek alsof hij door een oncontroleerbare kracht werd aangedreven. Meestal voelde ze echter een innerlijke vrede bij die gedachte: dat er inderdaad een macht bestónd die groter was dan de mens en dat ze zich tot die macht kon wenden om de troost te krijgen wanneer ze die het hardst nodig had.

Ze vond het heerlijk dat het huis – een geschenk van haar schoonvader vanwege haar huwelijk met zijn enige zoon – vlak boven het Kentkanaal stond, dat zelf deel uitmaakte van de grotere Morecambe Bay. Langs de rand van het terrein liep een stenen muur, waar een openbaar voetpad langs het kanaal liep dat uiteindelijk op de wilde, open heuveltop van Arnside Knot uitkwam. Daar kon ze in een dikke sjaal gewikkeld staan kijken naar de terugkeer van het zoute water. Ze kon doen alsof ze de draaikolken die daarbij ontstonden kon duiden.

Daar stond ze nu ook, op deze middag in november. Het werd steeds vroeger donker en dat zou tot eind december duren, en het werd ook al snel kouder. Aan de overkant van het kanaal, boven de heuvel van Humphrey Head Point, duidde een wolkenfront in het westen erop dat het vannacht zou gaan regenen, maar dat hinderde haar niet. In tegenstelling tot veel andere mensen in dit land dat haar had geadopteerd, verwelkomde ze de regen altijd, want die beloofde zowel groei als vernieuwing. Maar toch voelde ze zich slecht op haar gemak. En dat kwam door haar man.

Ze had niets van hem gehoord. Ze had hem de hele middag op zijn mobiele telefoon gebeld, nadat ze Fairclough Industries had gebeld en had vernomen dat Nicholas die dag niet naar zijn werk was gegaan. Dat telefoontje was rond elven geweest, toen hij daar nog had moeten zijn, voordat hij naar het burchttorenproject in Middlebarrow zou vertrekken waar hij tegenwoordig halve dagen werkte. Ze had eerst verondersteld dat hij vroeger dan anders naar het project was gegaan en had hem mobiel gebeld. Maar daarop hoorde ze alleen die mechanische stem die haar vertelde dat ze een boodschap moest achterlaten. Dat had ze gedaan, drie keer al. Het maakte haar ongerust dat Nicholas nog niet had geantwoord.

De plotselinge dood van zijn neef doemde als een torenhoge schaduw boven hen uit. Alatea wilde er niet aan denken. Ze raakte sowieso al van streek door de dood, maar door zijn dood en de omstandigheden waaronder hij was gestorven was ze zo bang geworden dat ze totaal niet meer in staat was om weg te vluchten en onder te duiken. De dood van Ian was in de familie hard aangekomen, maar in het bijzonder voor Nicholas' vader. De man was gebroken van verdriet. Bernard was in het begin zo overstuur geweest dat Alatea zich had afgevraagd hoe zijn relatie met Ian eigenlijk in elkaar stak. Maar toen Bernard afstand van Nicholas was gaan nemen, had Alatea een onderstroom onder het verdriet van de oudere man bespeurd.

Nicholas had niets te maken met de verdrinkingsdood van Ian. Dat wist Alatea zeker, en wel om honderd en één redenen, maar ze wist het vooral omdat ze haar man kende. Mensen dachten dat hij zwak was vanwege zijn verleden, maar dat was hij niet. Hij was de rots in de branding van haar leven, en als hij maar de kans kreeg kon hij voor vele anderen hetzelfde betekenen. En die kans kreeg hij in het burchttorenproject in Middlebarrow.

Vandaag was hij daar echter niet verschenen en evenmin bij Fairclough Industries. Als hij daar wel was geweest, dan had hij zijn telefoon aangezet. Hij wist dat het voor haar belangrijk was dat ze hem zo nu en dan kon bereiken en dat vond hij nooit een probleem. In het begin had hij gezegd: 'Vertrouw je me soms niet, Allie? Ik bedoel, als ik weer ga gebruiken, dan ga ik weer gebruiken. Dat kun je niet met een telefoontje tegenhouden, dat weet je.' Maar dat was niet de reden waarom ze nauw contact met hem wilde houden, en door middel van halve waarheden had ze hem er uiteindelijk van weten te overtuigen dat haar verlangen niets te maken had met het verlangen dat hij uiteindelijk zelf had weten te overwinnen.

Als hij niet bij haar was, maakte ze zich zorgen over wat hem kon overkomen, maar dat had niets met zijn verslavingen te maken. Een auto-ongeluk, een uit de oude burchttoren omlaagvallende steen, een stom ongeluk... Precies zoiets als wat Ian was overkomen. Ze wilde niet aan Ian denken, zei ze tegen zichzelf. Ze had te veel andere dingen aan haar hoofd.

Ze wendde zich af van de opkomende vloed die het Kent-kanaal in kolkte. Vóór haar strekte de helling met het grasveld van Arnside House zich uit. Ze genoot er even van toen ze naar het gebouw omhoogkeek. Door het huis kon ze haar energie richting geven, en ze vroeg zich af of Bernard dat had geweten toen hij het aan hen liet zien nadat ze naar Engeland waren teruggekeerd.

'Na de oorlog is het in gebruik geweest als herstellingsoord voor soldaten,' had hij tijdens de rondleiding gezegd, 'en vervolgens heeft er zo'n dertig jaar een meisjesschool in gezeten. Toen zijn er twee andere eigenaren geweest, die er iets aan hebben gedaan om het in de oude staat terug te brengen. Maar daarna heeft het een tijdje leeggestaan, ben ik bang. Toch heeft het iets heel bijzonders, liefje. Volgens mij verdient het de gezellige drukte van een gezin. Sterker nog, het verdient iemand als jij die er een stempel op kan drukken.' Hij hield zijn hand op haar onderrug terwijl hij haar door het huis leidde. Hij keek haar op een bepaalde manier aan, waardoor ze enigszins van haar stuk raakte. Zijn blik gleed dan van Nicholas naar haar en weer terug, alsof hij niet begreep wat ze samen hadden: hoe het om te beginnen zo gekomen was of hoe het zich zou ontwikkelen.

Maar dat maakte Alatea niet uit. Wat er wel toe deed was of Bernard haar accepteerde, en dat had hij gedaan. Ze merkte dat hij geloofde dat ze een soort magische kracht bezat die Nicholas beschermde, misschien een soort tovenarij. Ze zag aan Bernards onderzoekende blikken, aan hoe hij haar van top tot teen opnam, dat hij wel wist waar die tovenarij uit bestond.

Ze liep over het glooiende grasveld naar het huis. Via een stenen trap liep ze omhoog naar een terras, zich voorzichtig een weg zoekend over het vochtige mos dat erop groeide. Daarna liep ze naar een deur aan de zijkant van het pand. Ze ging naar binnen en door de lichtgele wanden van de zitkamer leek het alsof zelfs op de somberste dagen de zon scheen.

Deze kamer hadden Nicholas en zij als eerste opgeknapt. Hij keek uit over het terras, het grasveld en het kanaal. Vanuit de erkers kon je zelfs aan de overkant van het water Grange-over-Sands zien liggen, dat 's avonds een waaier van lichtjes op de helling vormde. Dan zaten Nicholas en zij daar, terwijl er een vuur in de open haard brandde en de schaduwen op de vloer langer werden.

Het was nog te vroeg om de haard aan te steken, maar ze deed het toch, zodat het er behaaglijk en warm werd. Daarna keek ze of er telefonische berichten waren van haar man en toen er geen lichtje brandde op het apparaat, besloot ze hem nogmaals te bellen. Ze toetste de nummers langzaam in, zoals iemand doet die hoopt dat een lijn die eerder in gesprek was dat nu niet meer is. Maar voordat ze klaar was, hoorde ze eindelijk zijn voetstappen over de houten vloer van de gang naderen.

Ze had zijn auto niet gehoord, en ook niet dat hij het huis in was gekomen. Maar ze wist dat het Nicholas was, en aan zijn lichte tred kon ze horen in welke stemming hij was. Ze stopte de telefoon in haar zak. Nicholas riep haar en ze zei: 'Ik ben hier, lieveling,' en een ogenblik later was hij daar.

Hij bleef in de deuropening staan. In het diffuse licht zag hij er engelachtig uit, als een te groot kinderfiguurtje op een schilderij uit de renaissance, een rond gezicht met glanzende krullen die over zijn voorhoofd vielen. Hij zei: 'Je bent een ongelofelijke, adembenemende vrouw. Ben ik hier op het juiste adres?' en hij liep door de kamer naar haar toe. Deze keer droeg ze geen hoge hakken, dus ze waren even lang: beiden bijna een meter tachtig. Zo kon hij haar gemakkelijker kussen en dat deed hij dan ook hartstochtelijk. Hij legde zijn handen op haar billen, spreidde zijn vingers en trok haar dicht naar zich toe. Ten slotte zei hij met een innemende lach: 'Ik knal zowat uit elkaar, Allie, je wilt 't niet geloven.' Een verschrikkelijk moment dacht ze dat hij stoned was. Maar toen verwijderde hij de haarspelden en kammetjes die haar haar in toom hielden, zodat het om haar gezicht en op haar schouders viel. Daarna knoopte hij haar blouse open en mompelde: 'Miljoenen kikkervisjes, in perfecte conditie en ik zal je vertellen dat ze hun werk perfect zullen doen. Wanneer word je weer ongesteld?' en hij bracht zijn mond naar haar hals terwijl hij handig haar beha losmaakte en murmelde: 'Laat maar zitten. Het kan me niet schelen ook.'

Ze reageerde met haar lichaam en gaf zich ook in gedachten aan hem over. Ze liet zich op het kleed voor het haardvuur zakken, trok Nicholas met zich mee en kleedde hem uit. Hij was geen geruisloze minnaar. Sterker nog, het was: 'Christus, je alleen al te voelen,' en 'Mijn god, Allie,' en 'O ja, zo moet het,' waardoor ze alle stadia van zijn opwinding kon volgen.

Die liepen synchroon met die van haar. In het begin dwaalden haar gedachten weleens af naar een andere plek, naar een andere tijd, met een andere man, maar ze cirkelden uiteindelijk altijd om deze man hier. Hun lichamen smolten als vanzelf samen en samen zorgden ze ervoor dat ze beiden tot zo'n genotvol orgasme kwamen dat al het andere er niet meer toe deed.

Dit was voor haar genoeg. Nee. Het was meer dan genoeg. De liefde en bescherming die Nicholas haar bood waren genoeg. En bovendien had ze een man gevonden met wiens lichaam ze zo kon versmelten dat de herinneringen en angsten werden verdreven... Dit had ze nooit verwacht op die dag achter de kassa van het café op een berg in Utah, waar ze opkeek en het geld voor zijn kom chili aanpakte, en hem verbaasd hoorde zeggen: 'Goeie hemel, dat moet wel lastig voor je zijn, hè?'

Ze had gezegd: 'Wat?'

'Dat je zo mooi bent. Is het niet eerder een vloek?' En toen had hij gegrijnsd, zijn dienblad opgepakt en gezegd: 'Allejezus. Laat maar zitten. Wat zeg ik nou weer. Sorry. Zo wilde ik niet overkomen,' en weg was hij. Maar de volgende dag kwam hij terug en de dag daarna ook. Na de vierde keer vroeg hij of ze die middag na haar werk met hem wilde koffiedrinken. Hij zei tegen haar dat hij geen alcohol dronk, dat hij aan het afkicken was van een methamfetamineverslaving, dat hij uit Engeland kwam, dat hij weer naar Engeland terug zou keren, dat hij aan zijn vader en moeder wilde bewijzen dat hij eindelijk klaar was met de demonen die hem zo veel jaren hadden gekweld... Achter hem had zich een rij gevormd, maar dat merkte hij niet. Zij echter wel, dus ze rekende met hem af en zei: 'Ja, laten we afspreken. In de stad is een plek, aan de overkant van de stadslift...' En ze kon zich de naam niet meer herinneren. Ze staarde hem in de war aan. Hij staarde net zo naar haar terug. Hij had gezegd: 'Weet je, ik vind het wel,' en dat was ook zo.

Nu lagen ze naast elkaar op het kleed voor het haardvuur. 'Je moet je heupen optillen, Allie. Het zijn briljante zwemmers, maar het gaat ze gemakkelijker af wanneer ze heuvelafwaarts gaan.' Hij leunde op een elleboog en sloeg haar gade. 'Ik ben in Lancaster geweest,' zei hij eerlijk. 'Heb je me gebeld? Ik heb m'n telefoon uitgezet omdat ik wist dat ik niet tegen je kon liegen.'

'Nicky...' Ze hoorde de teleurstelling in haar eigen stem. Ze wilde dat ze die had kunnen verdoezelen, maar dit was minder erg dan de plotselinge steek van angst toe te moeten geven.

'Nee, luister, liefje. Ik moest het laten controleren, voor de zekerheid. Ik heb mijn lichaam al die jaren zo toegetakeld, dan is het toch logisch dat ik het wil weten... Ik bedoel, zou jij het niet willen weten? In mijn positie? Nu er nog steeds niets is gebeurd?'

Ze draaide zich naar hem toe, legde haar arm langs haar hoofd en liet dat erop rusten. Ze keek niet naar hem maar over zijn schouder. Het was gaan regenen. Ze zag de strepen op de erkerramen. Ze zei: 'Ik ben geen machine die baby's produceert, Nicky, hoe noemen jullie zoiets? Het ding waarin ze groeien?'

'Broedmachine,' zei hij. 'Ik weet wel dat je dat niet bent. Maar het is alleen maar natuurlijk... Ik bedoel, we zijn al twee jaar bezig... We willen het allebei heel graag... Je weet wel.' Hij stak een hand uit en raakte haar haren aan. Ze had niet het soort haar waar een man met zijn vingers doorheen kon woelen. Het was kroezig en zat in de war, een geschenk van haar voorouders en alleen God wist welke, want het duidde op zo'n uiteenlopende mengeling van rassen en etniciteit dat je niet logisch kon verklaren hoe het één het ander had voortgebracht.

Ze zei: 'Dat ís het hem nou juist, Nicky. Dat heel graag willen. In mijn tijdschrift staat dat het voor vrouwen juist zo moeilijk is omdat ze het zo graag willen.'

'Dat begrijp ik wel. Echt waar, liefje. Maar het kan ook iets anders zijn en het wordt tijd dat we dat gaan uitzoeken, vind je ook niet? Daarom ben ik erheen gegaan en daarom kun jij...'

'Nee.' Ze schudde zijn hand van haar haar en ging rechtop zitten.

'Ga nou niet zitten! Dan...'

Ze keek hem even scherp aan. 'In mijn land,' zei ze, 'wordt vrouwen dat gevoel niet aangepraat: dat ze maar voor één ding goed zijn.'

'Dat vind ik ook niet.'

'Dit soort dingen kost tijd. Waar ik vandaan kom, weten we dat. En een baby is iets om te koesteren. Een baby is niet...' Ze aarzelde, wendde haar blik van hem af. Ze wist dat de waarheid veel verderging dan wat haar lichaam wel en niet deed. Die waarheid moest tussen hen worden uitgesproken, dus ten slotte zei ze: 'Een baby is niet de manier om de goedkeuring van je vader te krijgen, Nicky.'

Een andere man zou woedend of ontkennend hebben gereageerd, maar zo zat Nicholas niet in elkaar. Een van de redenen waarom ze van hem hield was omdat hij volkomen eerlijk was, zo merkwaardig voor een man die jarenlang alleen voor drugs had geleefd. Hij zei: 'Je hebt natuurlijk gelijk. Dat is inderdaad de reden. Ik heb hem zo veel aangedaan dat ik hem dat verschuldigd ben. Hij wil dolgraag een kleinkind en daar kan ik voor zorgen, mijn zussen hebben er immers niet voor gezorgd. Wíj kunnen daarvoor zorgen.'

'Dus je begrijpt...'

'Maar dat is niet de enige reden, Allie. Ik wil dit met jou. Vanwége jou en omdat er een wíj is.'

'En als ik die tests onderga? Stel dat de uitkomst is dat ik geen...' Ze zweeg en in die stilte voelde ze – dat durfde ze te zweren – hoe zijn spieren verstrakten. Ze wist niet wat dat betekende, en daardoor werd het bloed uit haar armen naar haar vingers gepompt, zodat ze zich wel moest bewegen. Ze stond op.

Hij volgde haar voorbeeld en zei: 'Denk je dat echt?'

'Wat moet ik er anders van denken als dit...' ze gebaarde naar het kleed voor de haard waar ze hadden gelegen, wat ze hadden gedaan, '... alleen maar om een baby gaat. Om je kleine kikkervisjes, zoals jij ze noemt, en welke vorm ze hebben en hoe ze zich bewegen; en in welke houding ik na afloop moet gaan liggen om ervoor te zorgen dat jij op je wenken bediend wordt. Hoe moet ik me daarbij voelen, terwijl jij er bij mij op aandringt dat ik naar de dokter ga, mijn benen wijd doe, ze instrumenten in me stoppen en god mag weten wat nog meer?'

Ze sprak nu met stemverheffing. Ze bukte zich, pakte haar kleren van de vloer en begon zich aan te kleden. 'Deze hele dag,' zei ze, 'heb ik je zo gemist. Ik ben ongerust als ik je bel en jij niet opneemt. Ik verlang naar je omdat jíj het bent, terwijl...'

'Dat geldt ook voor mij. Dat weet je wel.'

'Ik weet helemaal niets.'

Ze liet hem alleen. De keuken was aan de andere kant van het huis, door de lange, gelambriseerde gang, door de grote hal en eetkamer. Daar ging ze naartoe en ze begon het eten voor te bereiden. Daarvoor was het nog veel te vroeg, maar ze wilde iets omhanden hebben. Ze was gedachteloos uien aan het snijden toen Nicholas de keuken in kwam. Hij had zich ook aangekleed, maar had de knopen van zijn overhemd verkeerd dichtgedaan, zodat het scheef over zijn schouders hing, en daardoor ontdooide ze een beetje. Zonder haar, zo wist ze, was hij verloren, en dat gold andersom ook.

'Sorry,' zei hij. 'Het laatste wat ik wil is dat je je een broedmachine voelt. Of hoe je dat ook noemt.'

'Ik doe m'n best,' zei ze. 'Met vitaminen. Al die pillen. Mijn temperatuur. Mijn eetgewoonten. Alles om het maar gemakkelijker te maken...' Ze kon niet verder praten omdat ze moest huilen. Met haar arm veegde ze de tranen van haar gezicht.

'Allie...' Hij liep naar haar toe en draaide haar naar zich toe.

Zo bleven ze in elkaars armen staan. Een minuut, twee. Ten slotte zei hij: 'Alleen al door je zo vast te houden, krijg ik een majestueus gevoel. Weet je niet hoe gelukkig ik ben? Ik weet het wel, Allie.'

Ze knikte en hij liet haar los. Hij omvatte met zijn handen haar gezicht en bekeek dat zo nauwlettend dat ze als altijd het gevoel kreeg dat alles wat ze voor hem verborgen hield, open en bloot voor hem te zien was. Maar daar zei hij niets over, hij zei alleen: 'Is het nu weer goed?'

'Natuurlijk. En ik zal doen wat je vraagt. Maar nu nog niet. Alsjeblieft, Nicky. Laten we nog een paar maanden wachten.'

Hij knikte. Toen grijnsde hij en zei: 'Intussen kunnen de kikkervisjes fijn oefenen, oké? Om hun richtingsgevoel wat aan te scherpen?'

Ze glimlachte terug. 'Lijkt me een goed idee.'

'Mooi zo. Dan moet je me nu vertellen waarom je een berg uien aan het snijden bent, want mijn ogen prikken als de hel. Wat ga je maken?'

Ze keek naar de berg uien. 'Ik heb geen idee.'

Hij grinnikte. 'Gek mens.' Hij liep naar het stapeltje post van die dag dat netjes naast de keukentelefoon lag. Hij zei: 'Heb je met die man gesproken over de reparatie van het gebrandschilderde glas?'

Ze zei hem dat ze hem inderdaad had gesproken. Hij dacht wel dat hij aan glas kon komen dat bij het andere raam in de grote hal paste, maar dat het even kon duren. Hij kon het originele raam een poosje meenemen of hij kon het glas ter plekke monteren, maar in beide gevallen zou het een dure grap worden. Wilde Nicky...?

Het gesprek nam weer zijn normale loop: ze hadden een compromis bereikt en de spanning was uit de lucht. Ze bespraken andere zaken die hen bezighielden totdat Nicholas het telefoonbericht vond dat Alatea hem was vergeten door te geven, zo gespannen was ze geweest om het onderwerp af te leiden van baby's, artsen in Lancaster en wat Nicholas van haar wilde en verwachtte.

'Wat is dit?' vroeg hij terwijl hij het papiertje omhooghield dat ze eerder die dag van de blocnote had gescheurd.

'O ja. Er heeft iemand voor je gebeld. Ze gaan een televisiefilm maken, daar belde een vrouw over. Ze wilde je daar graag over spreken. Ze doet... ik geloof dat ze het een verkennend onderzoek noemde, zoiets.'

Hij fronste zijn wenkbrauwen. 'Wat voor soort film?'

'Alternatieve behandelingen voor drugsverslaafden. Het is een documentaire, zei ze. Gesprekken met verslaafden, artsen en sociaal werkers. Er is een filmcrew en iemand – een beroemdheid? presentator? dat weet ik niet – die de vragen stelt. Ik zei tegen haar dat je waarschijnlijk niet geïnteresseerd was, maar...'

'Waarom?'

'Wat?'

'Waarom heb je dat tegen haar gezegd?'

Ze pakte een van haar kookboeken. Nicholas had er boven het aanrecht een nis voor gemaakt en ze plukte er willekeurig een tussenuit, omdat ze geen idee had wat ze met drie gesneden uien zou kunnen doen. Ze zei: 'Dit soort dingen... prikkelt het ego, Nicky. Daar hebben we het al over gehad. Dat kan niet goed zijn, je weet waar dat toe leidt. Je weet dat je ertegen beschermd moet worden.'

'Oké. Oké. Maar dit gaat niet om mij, Allie.' Hij keek weer naar het papiertje in zijn hand. 'Waar komt ze vandaan? Waar komen de filmmakers vandaan?'

'Dat heb ik niet gevraagd. Ik dacht niet...' Ze keek naar het omslag van het kookboek in haar handen. Ze ordende haar gedachten en dacht na over hoe ze dit zou aanpakken. Ze zei: 'Nicky, met dit soort dingen moet je voorzichtig zijn. Je hebt altijd gezegd dat je een rol op de achtergrond vervult. Achter de schermen. Dat is het beste.'

'Geld bijeenbrengen om het project in stand te houden, dat is het beste,' kaatste hij terug. 'Misschien is dit er wel voor nodig.'

'En zo niet?'

'Waarom zeg je dat nou?'

'Dat andere... die krantenman die hier zo vaak is geweest... wat is daarvan terechtgekomen? Niets. En al die tijd die je aan hem hebt besteed, de rondleidingen, het werken met hem aan de burchttoren, en dan? Nog meer niets. Hij beloofde een verhaal en wat heeft hij daarvan waargemaakt? Niets. Ik wil niet dat je teleurgesteld wordt,' zei ze tegen hem. Want misschien leidde dat tot iets wat hij er zelf in zijn hoofd van zou maken. Maar daar was niets aan te doen.

Zijn gezichtsuitdrukking veranderde, maar verhardde niet. Hij leek eerder een glans af te stralen, een gloed die voortkwam uit zijn liefde. Hij zei: 'Lieve Allie, maak je nou maar geen zorgen. Ik weet elke dag wat er voor me op het spel staat.' Hij pakte de telefoon op, maar toetste het nummer niet in. 'Dit gaat niet over ego's. Dit gaat over levens redden, zoals het mijne is gered.'

'Je hebt altijd beweerd dat ik je leven heb gered.'

'Nee,' antwoordde hij. 'Jij hebt het leven de moeite waard gemaakt. Ik wil weten waar dit over gaat...' Hij maakte een gebaar met de telefoon, 'maar jij moet het er wel mee eens zijn.'

Ze zag geen uitweg meer. Hij vroeg zo weinig. Na alles wat hij haar had gegeven, zat er niets anders op dan te zeggen: 'Oké dan, Nicky. Als je maar voorzichtig bent.'

'Schitterend,' antwoordde hij. Hij keek naar het papiertje en toetste het nummer in. Toen vroeg hij aan Alatea: 'Wat is haar achternaam, Allie? Ik kan je handschrift niet lezen.'

Ze keek over zijn schouder om te zien wat ze had opgeschreven. 'St. James,' zei ze.

Great Urswick

Cumbria

Toen de poorten van de Margaret Fox-school opengingen, slaakte Manette Fairclough McGhie een zucht van verlichting. Ze had gedacht dat de kans groot was dat Niamh Cresswell de school niet had gebeld om door te geven dat haar zoon deze dag door iemand zou worden opgehaald die niet op de lijst stond. Dat was echt iets voor Niamh. Niamh wist dat Manette een goede band met Ian had gehad, en daardoor was Manette na de scheiding in Niamhs ogen een vijand geworden. Maar kennelijk was Ians ex-vrouw tot de conclusie gekomen dat het feit dat er iemand was die haar zoon wilde ophalen, opwoog tegen de aanvechting om wraak te nemen vanwege alle vermeende grieven die haar waren aangedaan. Ze had gezegd: 'Ik zal het tegen Gracie zeggen. Ze is vast ongerust als Tim niet op de normale tijd wordt thuisgebracht,' waardoor Manette het gevoel kreeg dat ze behalve Tim ook Gracie moest ophalen. Maar vandaag wilde ze Tim spreken, want 's nachts zag Manette voor zich hoe hij tijdens zijn vaders begrafenis had gekeken. Dit zou haar tiende poging worden om tot de zoon van haar neef Ian door te dringen. Ze had het op de receptie geprobeerd, vlak na de begrafenis. Ze had het met telefoontjes geprobeerd. Via e-mail. En nu ging ze voor de rechtstreekse benadering. Als Tim bij haar in de auto zat, kon hij niet aan haar ontsnappen.

Ze was vroeg van haar werk weggegaan, was eerst even bij Freddie langsgewipt om hem te zeggen dat ze hem thuis wel zou zien. 'Ik ga Tim ophalen,' zei ze. 'Misschien wil hij vanavond wel bij ons komen. Avondeten en een dvd. Je weet wel. Misschien een nachtje logeren?' Freddies antwoord had haar enigszins verbaasd. In plaats van een afwezig: 'O, oké, Manette,' had haar ex-levenspartner zo diep gebloosd dat het leek of hij een akelige zonnebrand had opgelopen. Hij had gezegd: 'O, ja. Eigenlijk...' en na enig gehakkel en gestotter, wat niets voor hem was, was het eruit gekomen: 'Ik heb een afspraakje met iemand, Manette.'

Ze had gezegd: 'O,' en haar best gedaan haar verbazing te verbergen.

Daarna had hij haastig vervolgd: 'Ik vond het weleens tijd worden. Ik had het je misschien eerder moeten vertellen, maar ik wist niet zo goed hoe ik het moest zeggen.'

Manette vond het maar niks, maar ze forceerde een glimlach en zei: 'O. Leuk, Freddie. Ken ik haar?'

'Nee, nee. Natuurlijk niet. Gewoon iemand...'

'Hoe heb je haar ontmoet?'

Hij schoof bij zijn bureau vandaan. Op de monitor achter hem zag ze een grafiek en ze vroeg zich af waar hij aan werkte. Waarschijnlijk winst en verlies. Hij moest ook de salarissen en de opbrengsten analyseren. En het was geen sinecure om na de dood van Ian volgens de regels de boeken door te nemen. Wanneer had Freddie in godsnaam tijd gehad om iemand te ontmoeten? vroeg ze zich af. Hij zei: 'Ik wil er liever niet over praten. Het voelt een beetje ongemakkelijk.'

'O. Oké.' Manette knikte. Hij observeerde haar om haar reactie te peilen, dus ze zorgde ervoor dat het opgewekt klonk: 'Misschien kun je haar eens meenemen. Of ze mijn goedkeuring kan wegdragen. Je wilt je niet nog een keer vergissen.'

'Jij was geen vergissing,' zei hij.

'Ach, dankjewel.' Ze viste haar autosleutels uit haar tas. Toen zei ze monter: 'Nog steeds beste maatjes?'

'Voor nu en altijd,' antwoordde hij.

Wat hij niet zei, maar wat ze wel wist, was dat ze zo niet eeuwig konden doorgaan: gescheiden zijn maar wel huisgenoten blijven, alles in hun leven was hetzelfde gebleven, behalve de plek waar ze sliepen en met wie ze vrijden. Maar hun hechte vriendschap bestond nog steeds, die was er altijd tussen hen geweest, en die was uiteindelijk de oorzaak van hun probleem. Sinds ze met wederzijds goedvinden waren gescheiden, had ze er vaak aan gedacht dat de zaken misschien anders waren gelopen als ze samen kinderen hadden kunnen krijgen, dat hun relatie dan niet was afgegleden tot gesprekken tijdens het eten over de voordelen van zelfreinigende en zelfgeurende toiletten en hoe je die op de markt kon brengen. Zo kon je niet eeuwig doorgaan zonder op een ochtend wakker te worden en je af te vragen waar de magie gebleven was. Een vriendelijke echtscheiding leek de beste oplossing.

Nou ja, ze had wel geweten dat Freddie uiteindelijk iemand anders zou vinden. Dat was immers haar bedoeling ook. Ze had alleen niet gedacht dat het zo snel zou zijn. Nu vroeg ze zich af of ze eigenlijk niet heimelijk had gedacht dat het nooit zou gebeuren.

Ze reed met haar auto door de hekken van de Margaret Fox-school. Ze was daar nooit eerder geweest, maar Niamh had haar verteld waar Tim stond te wachten. Vlak bij het kantoorgebouw van de school was een plek waar ze onder toezicht konden wachten, had Tims moeder gezegd. Manettes naam zou op Tims lijst staan. Ze moest haar identiteitsbewijs meenemen. Een paspoort was het beste. Daar kreeg je geen gezeur mee.

Ze vond Tim meteen, want de weg naar de school leidde rechtstreeks naar het kantoorgebouw, waarachter zich in een vierkant de klaslokalen en slaapverblijven bevonden. De zoon van haar neef zat ineengedoken op een bank met een rugzak aan zijn voeten. Hij zat te doen wat, naar Manettes idee, de meeste tieners tegenwoordig in hun vrije tijd deden. Hij was aan het sms'en.

Ze reed naar de stoeprand, maar hij keek niet op, hij ging helemaal op in wat hij aan het doen was. Daardoor kreeg ze de kans om hem te observeren, en dat deed ze dan ook, terwijl ze niet voor het eerst bedacht dat Tim extreem ver ging om vooral niet op zijn vader te lijken. Net als Ian was hij pas laat gaan puberen en had hij nog steeds geen groeispurt gehad. Dus hij was klein voor zijn leeftijd en zonder schooluniform zou hij zelfs nog kleiner ogen. Want normaal gesproken droeg hij zulke slobberkleren dat ze om hem heen hingen, zelfs de baseballpetten die hij zo graag droeg waren hem te groot. Die plantte hij op zijn haar, dat in zijn ogen hing omdat hij het in geen eeuwigheid had laten knippen. Uiteraard wilde hij vooral die ogen verstoppen. Want die had hij van zijn vader: groot, bruin en kristalhelder, en ze fungeerden uitstekend als de spreekwoordelijke vensters van de ziel.

Manette zag dat hij nors keek. Iets deugde niet aan de sms die Tim van Joost mocht weten wie terugkreeg. Terwijl ze hem gadesloeg, stak hij zijn hand op en trok met zijn tanden aan zijn vingers. Hij beet zo hard door dat ze bij de aanblik ervan ineenkromp. Ze stapte snel de auto uit en riep hem. Hij keek op. Even keek hij verbaasd – Manette had het wel blij verrast willen noemen, maar zover durfde ze toch niet te gaan – maar al snel was de norse blik weer terug. Hij bleef op de bank zitten.

Ze zei: 'Hé, kerel, kom op. Ik ben je lift van vandaag. Ik heb hulp nodig en niemand kan dat beter dan jij.'

Hij zei nukkig: 'Ik moet ergens naartoe,' en ging door met sms'en, of deed misschien alsof.

Ze antwoordde: 'Nou, ik zou niet weten hoe je daar moet komen, want ik ben het enige voertuig op wielen dat je vandaag komt ophalen.'

'Waar is die klote Kaveh dan?'

'Wat heeft Kaveh hiermee te maken?'

Tim keek op van zijn mobieltje. Manette zag dat hij een theatrale zucht slaakte. Het was een spottende zucht waarmee hij niet onder stoelen of banken stak hoe hij over haar dacht. Zonder het uit te spreken schold hij haar uit voor 'stom wijf'. Veertienjarige jongens waren ook zo'n open boek.

'Kom op, Tim,' zei ze. 'We gaan. Je mag vandaag door niemand anders van school opgehaald worden omdat je moeder heeft gebeld.'

Hij kende de regels. Het had geen zin er nog langer tegenin te gaan. Hij mopperde, kwam met tegenzin overeind en sjokte naar de auto met zijn rugzak achter zich aan slepend. Hij gooide zichzelf met zo'n geweld op de passagiersstoel dat de auto op zijn wielen schudde. Ze zei: 'Rustig aan,' en toen: 'Gordel om,' waarna ze wachtte tot hij zou doen wat ze zei.

Ze had met Tim te doen. Hij had te veel klappen gehad op zijn leeftijd. Zijn vader had geen slechter tijdstip kunnen kiezen om ervandoor te gaan, om welke reden dan ook. Maar nadat zijn vader het gezin voor een man in de steek had gelaten, was Tims hele wereld ondersteboven gegooid. Wat werd er van hem verwacht en hoe kon hij in zo'n situatie met zijn eigen ontluikende seksualiteit omgaan? Manette vond het geen wonder dat Tims gedrag als een blad aan een boom was veranderd, waardoor hij binnen de kortste keren van zijn eigen basisschool op de afgezonderde, veilige school voor gestoorde kinderen terecht was gekomen. Hij wás ook gestoord. Wie zou dat in zijn situatie niet zijn geweest?

Buiten de schoolpoorten draaide ze voorzichtig de weg op en zei tegen Tim: 'Cd's in het handschoenenkastje. Zoek jij er een voor ons uit?'

'Er zit toch niks bij wat ik mooi vind.' Hij draaide een schouder naar haar toe en staarde uit het raam.

'Wedden van wel? Kijk maar eens, kerel.'

'Ik heb met iemand afgesproken,' zei hij tegen haar. 'Dat heb ik al gezegd.'

'Met wie dan?'

'Iemand.'

'Weet je moeder ervan?'

Opnieuw die spottende zucht. Hij mompelde iets en toen ze hem vroeg dat te herhalen, zei hij: 'Niks. Laat maar,' en hij keek naar het landschap.

Daar was niet veel van te zien en in dit deel van de provincie al helemaal niets boeiends. Want buiten Ulverston reden ze naar het zuiden, naar Great Urswick, en daar was het landschap open en glooiend, boerenland dat van de weg werd gescheiden door heggen en kalkstenen muren, weilanden waarop de alomtegenwoordige schapen graasden en zo nu en afgewisseld met bossen van elzen en papierberken.

De rit duurde niet lang. Manette woonde in Great Urswick, dat dichter bij de Margaret Fox-school was dan waar Tims andere familieleden woonden. Ze bedacht niet voor het eerst dat het voor de hand lag dat Tim tijdens de schoolperioden bij haar kwam wonen. Ze had het er met zowel Ian als Niamh over gehad, kort nadat ze de jongen op de school hadden gedaan. Maar Niamh wilde er niets van weten. Ze moest ook aan Gracie denken. Ze zou volkomen overstuur raken als haar broer er na schooltijd niet was. Manette had bedacht dat er meer aan de hand was dan het feit dat Gracie overstuur zou zijn, maar ze had verder niet aangedrongen. Ze had besloten dat ze de jongen zou opzoeken wanneer ze maar kon.

Great Urswick was een gehucht, een verzameling cottages die rondom het kruispunt van verschillende provinciewegen waren ontstaan, een stuk verder landinwaarts ten opzichte van Bardsea en Morecambe Bay. Er waren een pub, een restaurant, twee kerken en een basisschool, maar het had het voordeel dat het aan de oever van een redelijk grote plas lag. De dure buurt, zoals Manette en Freddie het graag noemden, bestond uit huizen die langs de oevers van die plas waren gebouwd. De huizen zelf stonden aan de weg, maar de grote achtertuinen met hun gazons kwamen uit op de plas. Hier en daar vormden rietkragen een natuurlijke afscheiding tussen de tuinen en het water, en waar geen rietkragen stonden, waren steigertjes waar de bewoners een roeiboot hadden liggen of waarop ze aan de waterkant naar de eenden konden zitten kijken, en naar de twee huiszwanen die daar het hele jaar door bivakkeerden.

Manettes en Freddies huis was daar een van. Manette zette de auto op de oprit – ze liet de garage vrij voor Freddie – en zei tegen Tim: 'Kom even kijken. Ik zal je laten zien waar ik je hulp bij nodig heb. Aan de achterkant.'

'Kan Freddie je niet helpen?' vroeg Tim kortaf. Hij maakte geen aanstalten om zijn gordel los te maken.

'Freddie?' Ze lachte. 'Vergeet dat maar. Dan moet hij eerst de gebruiksaanwijzing lezen, en denk maar niet dat hij daaraan begint. Ik had bedacht dat ik het oplees en jij zet de boel op. En daarna maken we burgers en frites.'

'Opzetten? Wat dan? Ik kan niks opzetten.'

'O, jawel hoor. Wacht maar,' zei ze. 'Het is aan de achterkant. Kom mee.' Ze sloeg de hoek van het huis om zonder te kijken of hij meeging.

Het ging om een tent. Natuurlijk kon ze hem best zelf opzetten, met of zonder hulp. Maar dat was het punt niet. Het punt was dat ze Tim bezig wilde houden en hem aan het praten wilde krijgen, of ervoor zorgen dat hij zodanig op zijn gemak raakte dat ze misschien iets kon begrijpen van de lijdensweg waarop hij was beland.

Ze pakte de tent en spreidde hem op het gras uit. Het was een groot geval, eerder bedoeld voor een gezin van vier dan voor wat zij in gedachten had, maar het was buiten het seizoen en ze had het moeten doen met wat er in voorraad was. Ze zei: 'Mooi zo. Daar ben je dus. Wil je eerst nog iets eten?'

Hij schudde zijn hoofd. Hij keek van het uitgespreide canvas naar het water. Hij zei: 'Waarom ga je hem eigenlijk opzetten?'

'O, zodat we een beetje kunnen oefenen,' zei ze tegen hem. 'Als we weten hoe het moet, nemen we hem mee naar Scout Scar.'

'Waarom?'

'Om te kamperen, gekkie. Waarom anders? Je moeder heeft me verteld dat je nu wandelingen over de hoogvlakten maakt en aangezien ik dat ook doe, kunnen we samen gaan, zodra je daar klaar voor bent.'

'Jij wandelt heus niet over de hoogvlakten.'

'Heel vaak, hoor. Ik doe heel veel aan beweging. Bovendien heeft Freddie liever niet meer dat ik op de weg hardloop. Hij denkt dat ik dan door een auto word geschept. Nou, kom op. Waar wacht je nog op? Weet je zeker dat je niks lekkers wilt? Custard? Sinaasappelcake? Banaan? Toast met marmite?'

'Ik zei toch nee!' Hij zei het op felle toon. 'Moet je horen. Ik heb net al gezegd dat ik met iemand heb afgesproken.'

'Waar dan?'

'Het is belangrijk. Ik heb gezegd dat ik er zou zijn.'

'Waar?'

'Windermere.'

'Windermere? Met wie heb je in hemelsnaam in Windermere afgesproken? Weet je moeder daarvan?' Ze had op haar knieën tussen de tentonderdelen rondgekropen, maar kwam nu overeind. Ze zei: 'Luister eens even, Tim. Wat voer je in je schild? Ben je met iets bezig wat niet door de beugel kan?'

'Wat bedoel je daar nou weer mee?'

'Dat weet je heel goed. Drugs, drank, kwajongensstreken die...'

'Nee. Luister, ik moet daarheen. Ik móét weg.'

Ze hoorde zijn wanhoop, maar begreep niet waar dat mee te maken had en waarom hij zo was. Ze had hier helemaal geen goed gevoel over. Maar er zat iets in zijn blik die hij op haar afvuurde, een soort pijn waarmee hij haar aankeek en om hulp smeekte. Ze zei: 'Ik kan je er niet naartoe brengen zonder eerst met je moeder te overleggen,' en ze liep naar het huis terwijl ze tegelijk zei: 'Ik bel haar even, voor de zekerheid...'

'Nee!'

'Waarom niet? Tim, wat is er aan de hand?'

'Het kan haar niet schelen. Ze weet het niet. Het doet er niet toe. Als je haar belt... o, fuck, fuck, fúck.' En hij beende over de tent naar de kleine houten steiger die zich in de plas uitstrekte. Daar lag een roeiboot aangemeerd, maar hij stapte er niet in. In plaats daarvan liet hij zich zwaar op de steiger vallen en verborg zijn hoofd in zijn handen.

Manette zag dat hij huilde. Haar hart brak. Ze stak het grasveld over, ging naast hem zitten maar raakte hem niet aan. Ze zei: 'Hé, makker, dit is een rottijd voor je. Dit is het ergste wat je kan overkomen. Maar het gaat voorbij. Dat beloof ik je. Het gaat écht voorbij, want...'

'Jij weet er helemaal niks van!' Hij draaide zich met een ruk om en gaf haar een duw. Ze viel op haar zij. 'Je weet er geen reet van!' Hij schopte haar en ze voelde de trap vlak bij haar nieren hard aankomen. Ze probeerde zijn naam te roepen, maar die kreeg ze niet over haar lippen toen hij haar opnieuw een trap gaf.

3 november

Lake Windermere

Cumbria

Lynley arriveerde 's middags op Ireleth Hall. Hij had de keuze gehad tussen vliegen, rijden of met de trein, maar hij had voor de auto gekozen, ook al was het een lange rit. Hij was voor dag en dauw uit Londen vertrokken, was onderweg twee keer gestopt en gedurende de reis in de Healey Elliot diep in gedachten verzonken geweest.

De avond ervoor was hij niet naar Isabelle gegaan. Ze had het hem gevraagd en hij had ook wel gewild, maar hij dacht dat het voor hen beiden beter was als hij uit de buurt bleef. Ook al had ze het tegendeel beweerd, hij wist dat ze tot op de bodem wilde uitzoeken waar hij naartoe ging en waarom, en hij had zich voorgenomen haar niets wijzer te maken. Ze zouden er ongetwijfeld ruzie over krijgen en die wilde hij tegen elke prijs vermijden. In de maanden waarin ze samen waren geweest, was Isabelle drastisch minder gaan drinken, en hij wilde niet dat ze ergens door – zoals een ruzie met hem – weer naar de fles zou grijpen. Ze moest droog blijven, hij mocht haar graag als ze nuchter was, en als hij ervoor kon zorgen dat ze dat bleef door een conflict uit de weg te gaan, dan wilde hij niets liever dan alles vermijden wat ook maar tot een conflict kon leiden.

Liefje, ik had er geen idee van dat je bij vrouwen zo laf bent geworden, zou Helen hierover hebben gezegd. Maar wat hem betrof had het niets met lafheid te maken. Het was een verstandig besluit en hij was van plan zich eraan te houden. Maar gedurende het grootste deel van de rit naar Cumbria dacht hij na, over Isabelle en over zichzelf. Hij piekerde erover of ze wel bij elkaar pasten.

Toen hij bij Ireleth Hall aankwam, stonden de grote ijzeren hekken open, omdat hij werd verwacht. Hij reed onder het bladerdak van oude eiken door, slingerde in de richting van Lake Windermere en kwam uiteindelijk uit bij een indrukwekkend, met grijs korstmos gevlekt stenen bouwwerk vol puntgevels, waarvan de centrale, vierkante, reusachtige burchttoren aankondigde hoe oud dat gedeelte van het gebouw was. Dertiende eeuw, dacht Lynley. Het was ruim vierhonderd jaar ouder dan zijn huis in Cornwall.

Door de eeuwen heen waren er vanaf de burchttoren verschillende gebouwen aangebouwd. Maar gelukkig was dat zo gedaan dat er een harmonieuze mengeling van architectuurperioden was ontstaan, met aan weerskanten glooiende gazons met hier en daar een paar van de indrukwekkendste eiken die Lynley ooit had gezien. Ook stonden er al even indrukwekkende platanen en op het braakliggende terrein eronder waren reeën kalm aan het grazen.

Hij stapte uit de auto en ademde diep de frisse lucht in van een pasgevallen regenbui. Vanaf de plek waar hij stond was het meer niet te zien, maar hij vermoedde dat je binnen, vanaf de westelijke kant van het huis, een indrukwekkend uitzicht had over het water en de tegenoverliggende oever.

'Daar ben je dus.'

Bij het horen van Bernard Faircloughs stem draaide Lynley zich om. De man kwam hem uit een ommuurde tuin aan de noordkant van het huis tegemoet. Hij ging bij Lynley naast de Healey Elliot staan. Hij bewonderde de oude wagen, streek met zijn hand langs de gestroomlijnde vleugel en stelde de gebruikelijke beleefde vragen over het voertuig: hoe oud het was, hoe hij reed en hoe Lynleys rit vanuit Londen was geweest. Na die beleefdheden leidde hij hem het huis in via een deur die rechtstreeks uitkwam op een grote hal met een eikenhouten lambrisering en vol met glanzende borstharnassen. Er brandde een vuur in de open haard, waar twee banken naartoe gekeerd stonden. Afgezien van het knapperende hout in de haard en het tikken van een staande klok leek het erbinnen doodstil.

Fairclough sprak zachtjes, alsof hij een kerkdienst bijwoonde of bang was dat iemand hem kon horen, hoewel ze voor zover Lynley wist alleen waren. 'Ik heb Valerie moeten vertellen waarom je hier bent,' zei hij. 'We hebben geen geheimen voor elkaar – dat is trouwens onmogelijk als je veertig jaar samen bent – dus zij weet er nu ook van. Ze werkt mee. Ze is er niet heel gelukkig mee dat ik deze kwestie doorzet, maar ze begrijpt het wel... een moeder begrijpt het als er zorgen om haar kinderen zijn.' Fairclough duwde het zware montuur van zijn bril over zijn neus omhoog terwijl hij zijn woorden herkauwde. 'Maar zij is de enige. Dus voor ieder ander ben je een lid van de Twins die hier op bezoek is. Sommigen weten het ook van je vrouw. Daardoor... Nou ja, daardoor wordt het geloofwaardiger. Dat vind je toch niet erg, hoop ik?'

Hij klonk nerveus. Lynley vroeg zich af waarom hij zo zenuwachtig was: dat Lynley er was, dat hij een politieman was, of dat hij misschien tijdens het rondstruinen over zijn terrein op iets onverkwikkelijks zou stuiten. Hij vermoedde dat dat allemaal tot de mogelijkheden behoorde, maar omdat hij zo nerveus deed, werd zijn nieuwsgierigheid naar Fairclough gewekt. 'De dood van Helen stond in de kranten,' antwoordde hij. 'Het is algemeen bekend, dus daar kan ik moeilijk iets van zeggen.'

'Mooi zo. Mooi zo.' Fairclough wreef in zijn handen in een laten-we-aan-het-werk-gaan-gebaar. Hij wierp Lynley een glimlach toe. 'Ik zal je je kamer laten zien en dan geef ik je een rondleiding. Ik vond dat we vanavond maar rustig moesten dineren, alleen wij vieren, en dan kun je morgen misschien... Nou ja, doen wat je moet doen, je weet wel.'

'Met zijn vieren?'

'Onze dochter Mignon eet ook met ons mee. Ze woont hier op het terrein. Niet in het huis, want ze is inmiddels zo oud dat ze liever op zichzelf woont. Maar ze woont niet ver, ze is ongetrouwd en jij bent weduwnaar, en misschien...' Lynley merkte op dat Fairclough wel zo fatsoenlijk was om daar ongemakkelijk bij te kijken. 'Nog een reden voor jou om hier te zijn. Ik heb er tegen Mignon niets over gezegd, maar met in het achterhoofd dat ze niet getrouwd is... Ik heb zo'n gevoel dat ze bij jou openhartiger is als je... misschien wat belangstelling voor haar zou tonen.'

'Denk je dan dat ze iets verbergt?' vroeg Lynley.

'Ze is zo gesloten als een oester,' antwoordde Fairclough. 'Ik heb nooit tot haar door kunnen dringen. Ik hoop dat jou dat wel lukt. Kom mee. Deze kant op.'

De trap maakte deel uit van het fundament van de burchttoren en liep langs een verzameling landschappen in aquarel omhoog naar een gang met dezelfde eiken lambrisering als in de hal, maar in tegenstelling tot de hal waren hier geen grote ramen om het halfduister wat bij te lichten. Op deze gang kwamen verscheidene deuren uit en Fairclough leidde Lynley naar eentje aan de noordkant, waar door een glas-in-loodraam een doffe lichtstraal scheen, waarin stofdeeltjes opdwarrelden alsof die in de Perzische tapijten gevangen hadden gezeten en net waren bevrijd.

Ze betraden een grote kamer, waar een paar ramen in een erker in het oog sprongen, met een grote vensterbank waar een zitplaats was gecreeerd. Fairclough liep er met Lynley naartoe. 'Windermere,' zei hij overbodig.

Zoals Lynley al had vermoed, keek de westkant van het huis over het meer uit. Er liepen drie terrassen naartoe: twee grasvelden en een derde was met kiezels bedekt, waarop verweerde tafels, stoelen en chaises longues stonden. Het meer strekte zich achter dit laatste terras uit en verdween rond een landtong die naar het noorden wees en, zoals Fairclough zei, Rawlinson Nab heette. Dichterbij leek het met essenbossen bedekte eilandje Grass Holme op het water te drijven, en Grubbins Point was net een in het meer uitgestoken knokkel.

Lynley zei tegen Fairclough: 'Het moet heerlijk zijn om hier te wonen. Althans het grootste deel van het jaar, want 's zomers worden jullie zeker onder de voet gelopen.' Hij doelde op de toeristen. In Cumbria, en rond de Lakes in het bijzonder, was het van juni tot en met september overvol. Met mooi en slecht weer – en god wist dat het er meestal regende – wandelde, klom en kampeerde men waar maar een plekje was.

'Eerlijk gezegd wilde ik dat ik daar meer tijd voor had, hier wonen, bedoel ik,' zei Fairclough. 'Tussen de fabriek in Barrow, de stichting, mijn advocaten in Londen en het ministerie van Defensie mag ik van geluk spreken als ik hier één keer per maand ben.'

'Ministerie van Defensie?'

Fairclough grimaste. 'Mijn leven wordt beheerst door een volslagen gebrek aan romantiek. Ik produceer composttoiletten en daar hebben ze belangstelling voor. We voeren al maanden besprekingen.'

'En de advocaten? Is er een probleem waar ik van moet weten? Iets met de familie? Met Ian Cresswell?'

'Nee, nee,' zei Fairclough. 'Het gaat om patenten, en advocaten in verband met de stichting. Daar heb ik het behoorlijk druk mee. Ik laat het aan Valerie over om de zaken hier te regelen. Het is haar ouderlijk huis, dus dat doet ze graag.'

'Zo te horen zien jullie elkaar niet vaak.'

Fairclough glimlachte. 'Het geheim van een lang en gelukkig huwelijk. Een beetje ongebruikelijk, maar het heeft al die jaren gewerkt. Aha, daar is Valerie.'

Lynleys blik gleed van Fairclough naar de drie terrassen, en hij nam aan dat de echtgenote ergens op het terrein in beeld kwam. Maar hij wees naar een roeiboot op het meer. Een gedaante had net een paar roeispanen in het water gestoken en was bezig naar de oever te roeien. Op deze afstand was niet te zien of de roeier een man of een vrouw was, maar Fairclough zei: 'Ze gaat naar het botenhuis. Ik breng je er wel naartoe. Dan zie je ook waar Ian... Nou ja, je weet wel.'

Buiten merkte Lynley op dat het botenhuis vanaf het hoofdgebouw niet te zien was. Om er te komen leidde Fairclough hem naar de zuidelijke vleugel van Ireleth Hall, waar ze via een prieelvormig struikgewas, dat bestond uit het herfstrode gebladerte van een één meter tachtig hoge, weelderige spirea, op een pad uitkwamen. Dat kronkelde door een tuin, waar het wemelde van de hulstbomen die daar zo te zien al honderd jaar stonden. Het pad boog neerwaarts af door een klein groepje populieren en eindigde op een waaierachtig platform. Daar stond het botenhuis: een bizar gebouw met een gevel van het dakpansgewijs gelegde leisteen uit de streek, en met een steil puntdak en een enkele deur. Er zaten geen ramen in.

De deur stond open en Fairclough ging als eerste naar binnen. Daar stonden ze op een smalle stenen kade, die langs drie zijden van het gebouw liep en waar het water uit het meer tegenaan klotste. Aan deze kade lagen een motorboot en scull aangemeerd, evenals een oude kano. Volgens Fairclough was de scull van Ian Cresswell geweest. Valerie Fairclough was nog niet bij het botenhuis aangekomen, maar ze konden haar vanuit de deuropening zien en ze zou er binnen tien minuten zijn.

'Ian kapseisde met de scull toen hij viel,' zei Fairclough. 'Hier. Je ziet waar de stenen ontbreken. Er lagen er twee, naast elkaar, en kennelijk greep hij er een vast en raakte uit zijn evenwicht toen die loskwam. Hij viel en toen ging de andere steen ook mee.'

'Waar zijn ze nu?' Lynley liep naar de plek en ging op zijn hurken zitten om die beter te bekijken. Er was weinig licht in het botenhuis. De volgende keer zou hij een zaklantaarn mee moeten nemen.

'Wat?'

'De losgeraakte stenen. Waar zijn die? Ik wil ze bekijken.'

'Voor zover ik weet liggen die nog steeds in het water.'

Lynley keek op. 'Zijn ze niet naar boven gehaald om onderzocht te worden?' Dat was vreemd. Een onverwachte dood riep allerlei vragen op en je wilde toch een antwoord op de vraag hoe een steen op een kade – hoe oud die kade ook was – was losgeraakt. Natuurlijk had het door slijtage kunnen komen. Maar ook door een beitel.

'De lijkschouwer oordeelde dat het een ongeluk was, dat heb ik je al verteld. De politieman die ter plaatse is geweest vond dat ook. Hij belde een rechercheur die ook kwam kijken en tot dezelfde conclusie kwam.'

'Waar was jij toen het gebeurde?'

'In Londen.'

'Was je vrouw alleen toen ze het lichaam vond?'

'Inderdaad.' En met een blik naar het meer: 'Ze is nu hier.'

Lynley stond op. De roeiboot kwam snel naderbij, de roeier maakte machtige slagen. Toen ze zo dichtbij was dat de boot verder vanzelf het botenhuis in gleed, haalde Valerie Fairclough de spanen uit hun dollen, legde ze op de bodem van de boot en liet de boot naar binnen drijven.

Ze droeg regenkleding: een gele oliejas en waterdichte broek, handschoenen en laarzen. Maar ze had niets op haar hoofd en haar grijze haar zat nog perfect, ondanks het feit dat ze op het water was geweest.

'Iets gevangen?' vroeg Fairclough.

Ze keek over haar schouder maar leek niet geschrokken. Ze zei:

'O, daar ben je. Een vangst van niks, ben ik bang. Ik ben daar drie uur geweest en het enige wat ik omhoog heb weten te halen waren twee zielige visjes die me zo pathetisch aankeken dat ik ze terug heb moeten gooien. Jij moet Thomas Lynley zijn,' zei ze tegen Lynley. 'Welkom in Cumbria.'

'Zeg maar Tommy.' Hij stak zijn hand naar haar uit. In plaats van die vast te grijpen gooide ze hem een touwtje toe.

'Die moet om de kikker,' zei ze. 'Of is dat Grieks voor je?'

'Voor mij niet.'

'Beste man.' Ze gaf haar visspullen aan haar man: een viskist, een hengel en een emmer krioelend aas dat Lynley herkende als maden. Deze vrouw was geen doetje.

Ze klom uit de roeiboot terwijl Lynley die vastmaakte. Ze was buitengewoon lenig, voor haar leeftijd indrukwekkend lenig, want Lynley wist dat ze zevenenzestig jaar was. Eenmaal op de kade schudde ze hem de hand. 'Nogmaals welkom,' zei ze. 'Heeft Bernie je al een rondleiding gegeven?' Ze trok haar oliejas en regenbroek uit. Die hing ze aan een paar haken aan de muur van het botenhuis terwijl haar man haar visspullen onder een houten werkbank zette. Toen hij zich naar haar toe draaide, bood ze hem haar wang aan voor een kus. Ze zei bij wijze van begroeting: 'Lieveling,' en voegde eraan toe: 'Wanneer ben je thuisgekomen?' Waarop hij zei: 'Vanmiddag,' waarop zij zei: 'Je had een vuurpijl af moeten steken.' En ze vervolgde: 'Mignon?' Hij zei: 'Nog niet. Is ze oké?' waarop zij antwoordde: 'Langzaam aan, maar beter.' Dit was, zo wist Lynley, de stenotaal waarmee alle echtparen die al zo lang bij elkaar waren met elkaar communiceerden.

Valerie zei tegen hem met een hoofdbeweging naar de scull: 'Je hebt zeker de plek bekeken waar Ian is verdronken, hè? Bernie en ik denken daar verschillend over, maar ik neem aan dat hij je dat al heeft verteld.'

'Hij zei dat jij het lichaam hebt gevonden. Dat moet een hele schok zijn geweest.'

'Ik wist niet eens dat hij was gaan roeien. Ik wist niet eens dat hij op het terrein was, want hij had zijn auto niet bij het huis neergezet. Toen ik bij hem kwam, had hij al vierentwintig uur in het water gelegen, dus je kunt je wel voorstellen hoe hij er toen uitzag. Maar ik ben toch blij dat ik hem heb gevonden en Mignon niet. Of Kaveh. Ik kan me alleen maar een voorstelling maken van wat er dan gebeurd kon zijn.'

'Kaveh?' vroeg Lynley.

'Ians partner. Hij werkt voor me op het terrein. Er komt hier een kinderspeeltuin en hij heeft die ontworpen. Hij begeleidt bovendien de werkzaamheden.'

'Is hij hier elke dag?'

'Drie keer per week, misschien? Hij meldt zich niet bij me en ik hou het niet bij.' Ze keek Lynley aan alsof ze wilde peilen wat er in zijn hoofd omging. Ze zei: 'Zoals de Amerikanen het uitdrukken in hun televisieprogramma's: is hij de hoofdverdachte?'

Lynley glimlachte even. 'Het kan ook heel goed zo zijn dat de lijkschouwer gelijk heeft.'

'Ik ben er eigenlijk van overtuigd dat dat zo is.' Ze keek van Lynley naar haar man. Lynley zag dat Fairclough intens door de opening aan de waterkant van het botenhuis over het meer uitkeek. Ze zei: 'Het is verschrikkelijk dat dit is gebeurd. We waren erg dol op Ian, Bernie en ik. We hadden de kade beter in de gaten moeten houden. Hij is behoorlijk oud, ruim honderd jaar, en al die tijd gebruikt. Stenen raken los. Kijk maar. Daar ligt er nog een.'

Ze duwde met haar teen tegen een steen naast de plek waar de andere in het water waren gevallen. Die lag inderdaad ook los, maar dat kon natuurlijk ook doordat iemand hem met opzet had losgemaakt, dacht Lynley.

'Als er een ongeluk gebeurt, willen we daar iemand de schuld van geven,' zei Valerie. 'En het is des te akeliger omdat daardoor twee arme kinderen overgeleverd zijn aan een ouder bij wie een steekje los zit zonder dat ze op de vingers getikt wordt. Maar als iemand hier de schuld heeft, dan ben ik dat, ben ik bang.'

'Valerie,' zei haar man.

'Ik heb de leiding over Ireleth Hall en het terrein, Bernie. Ik heb dit veronachtzaamd en daardoor is je neef gestorven.'

'Ik geef jou niet de schuld,' antwoordde haar man.

'Misschien moest je daar maar eens mee beginnen.'

Ze wisselden een blik met elkaar en Bernard wendde als eerste zijn ogen af. Die blik zei meer dan hun woorden hadden gedaan. Lynley bedacht dat hier wateren waren waarvan de gronden veel dieper gingen dan de bodem van het meer.

4 november

Milnthorpe & Arnside

Cumbria

Toen ze plannen maakten om Tommy een paar dagen in Cumbria te helpen, had Deborah St. James voor ogen gehad dat Simon en zij in een hotel zouden verblijven dat over een van de Lakes uitkeek en dat schuilging onder een verbijsterend tafereel van virginiaklimop in volle herfstglorie. Ze ging zelfs zover dat ze zich een waterval voorstelde, want daar leken er in de provincie heel veel van te zijn. Maar ze belandde in de praktijk in een oude herberg die de Crow & Eagle heette, precies op de plek waar je zo'n herberg zou verwachten: op een kruispunt van twee wegen waar dag en nacht vrachtwagens overheen denderden. Het kruispunt bevond zich midden in het marktplaatsje Milnthorpe, zo ver ten zuiden van de Lakes dat het helemaal geen onderdeel vormde van het Lake District, en het enige water waar het zich op kon beroemen was de rivier de Bela – nergens te bekennen – een van de talloze zijrivieren die in Morecambe Bay uitkwamen.

Simon had haar gezicht gezien toen ze de eerste glimp van de plek opving. Hij had gezegd: 'Ach,' en: 'Nou ja, we zijn hier niet met vakantie, liefje, maar dat gaan we na afloop een dag of twee doen.' Hij had haar speels verlekkerd aangekeken.

Ze had naar hem gekeken en gezegd: 'Daar hou ik je aan, Simon.'

'Ik zou niet anders willen.'

Op de avond van hun aankomst was het telefoontje gekomen waarop ze had zitten wachten. Ze nam op, zoals ze in de afgelopen vierentwintig uur elk mobiel telefoontje had aangenomen, al was het maar om te oefenen. Ze had gezegd: 'Deborah St. James Fotografie,' en naar Simon geknikt toen de beller zich bekendmaakte als Nicholas Fairclough. De afspraak was snel gemaakt: hij wilde haar ontmoeten en over het project praten waarover ze had gebeld. Hij had gezegd: 'Maar die documentaire... die gaat toch niet over mij, wel? Althans niet over mijn privéleven?' Ze had hem ervan verzekerd dat het louter en alleen ging om het door hem ontwikkelde project voor het afkicken van verslaafden. Het was een inleidend gesprek, zei ze tegen hem. Ze zou verslag doen bij een filmmaker van Query Productions, die uiteindelijk de beslissing zou nemen of het project in de documentaire zou worden opgenomen. 'Dit is puur ter oriëntatie,' zei ze. Ze hield er wel van om vaktaal te gebruiken. Ze deed alles om geloofwaardig op de man over te komen. 'Ik heb geen idee of u uiteindelijk ook echt in de film komt, dat moet u wel begrijpen.' Daarover leek hij opgelucht. Hij klonk behoorlijk opgewekt toen hij zei: 'Oké. Wanneer zullen we afspreken?'

Op dit moment bereidde ze zich op de afspraak voor. Simon zat aan de telefoon met de lijkschouwer en diste zijn eigen verhaaltje op over een lezing die hij tijdens een college aan de Londense universiteit zou geven. Hij was, merkte ze, verbaal veel beter dan zij. Dat verbaasde haar, want hoewel hij altijd uitermate veel zelfvertrouwen had en hij zulke indrukwekkende geloofsbrieven had dat hij daar alle recht toe had, leek hij dat zelfvertrouwen altijd te ontlenen aan zijn relatie met de waarheid. Ze stond even stil bij het feit dat hij zo goed kon toneelspelen. Je hoefde niet zo nodig te weten dat je man gemakkelijk leugens opdiste als het hem van pas kwam.

Haar eigen mobieltje ging over terwijl ze haar spullen bij elkaar zocht. Ze keek naar het nummer en herkende het. Nu hoefde ze niet op te nemen met Deborah St. James Fotografie. Het was Simons broer David.

Ze wist meteen waarom David haar belde. Ze was min of meer op het telefoontje voorbereid.

'Ik dacht dat je misschien nog vragen had die ik zou kunnen beantwoorden,' zo begon David het gesprek. Er zat een bemoedigende ondertoon in zijn stem, terwijl hij op haar inpraatte. 'Het meisje wil je heel graag ontmoeten, Deborah. Ze heeft je website bekeken: de foto's en zo. Simon zei dat je je zorgen maakt over de verhuizing van het kind naar Londen terwijl zij in Southampton woont. Volgens mij heeft ze daar helemaal niet aan had gedacht, maar ze weet dat Simon mijn broer is en haar vader heeft ruim twintig jaar voor het bedrijf hier gewerkt. Een functie op de accountingafdeling,' voegde hij er haastig aan toe. Wat gelijk stond aan: ze komt uit een goede familie, alsof hij het gevoel had dat als de vader van het meisje een dokwerker was geweest, er sprake was van besmet bloed.

Ze wilden dat ze een besluit nam. Dat begreep Deborah wel. Zowel David als Simon vond deze situatie de perfecte oplossing voor een probleem dat al jaren speelde. Beiden waren het soort man dat elke moeilijkheid in het leven neemt zoals die komt en het zo snel en efficiënt mogelijk wil oplossen. Geen van hen was zoals zij, die verder vooruitkeek en zag hoe gecompliceerd en mogelijk hartverscheurend het scenario was dat ze in gedachten hadden.

Ze zei: 'David, ik weet het gewoon niet. Ik denk niet dat het gaat lukken. Ik zie niet hoe...'

'Zeg je er soms nee tegen?'

Dat was nog zo'n probleem. Als ze nee zei, was dat een definitief nee. Meer tijd vragen betekende dat ze geen beslissing nam. Deborah vroeg zich af waarom ze in deze kwestie de knoop niet kon doorhakken. Haar laatste en enige kans, daar leek hier sprake van te zijn, maar ze was nog altijd als verlamd en kon niets zeggen.

Ze zei dat ze hem zou terugbellen. Ze moest nu naar Arnside. Hij slaakte een diepe zucht en zei tegen haar dat hij hier niet gelukkig mee was, toen hing hij op. Simon zei niets, hoewel hij duidelijk haar kant van het telefoongesprek had gehoord omdat hij klaar was met zijn gesprek. Ze namen afscheid bij hun beider huurauto's en wensten elkaar succes.

Deborahs ritje was het kortst. Nicholas Fairclough woonde aan de rand van het dorpje Arnside, en Arnside lag ten zuidwesten van Milnthorpe, een kort stukje langs de grens van een modderige zandvlakte die in het Kent-kanaal uitkwam. Daar zaten mensen langs de weg en aan de oever te vissen, hoewel Deborah niet goed kon zien waar ze precies aan het vissen waren. Vanuit de auto leek het alsof er helemaal geen water was op de modderige vlakte. Maar ze zag waar het wisselende getijde van Morecambe Bay geulen in het zand had uitgesleten, waardoor zandbanken en kuilen waren ontstaan die er gevaarlijk uitzagen.

Het landgoed van Nicholas Fairclough heette Arnside House. Het bevond zich aan het einde van de promenade met indrukwekkende, victoriaanse landhuizen die ongetwijfeld ooit hadden gediend als de zomerverblijven van de industriebonzen uit Manchester, Liverpool en Lancaster. De meeste ervan waren nu statig ogende appartementengebouwen: flats met ongehinderd uitzicht over het kanaal, op het spoorwegviaduct dat zich over het water naar Grange-over-Sands uitstrekte en op Grange-over-Sands zelf, dat vandaag in een lichte herfstmist gehuld lag.

In tegenstelling tot de eerdere landhuizen was Arnside House een onopgesmukt bouwwerk met een heel sober en witgepleisterd, ruw oppervlak dat de enige afgewerkte laag vormde op ongetwijfeld steen of baksteen. De ramen waren in ongeverfde zandsteen gezet en de vele puntgevels rondom de schoorsteen waren net zo witgepleisterd als de rest van het pand. Alleen de regenafvoeren waren niet zo strak als de rest, ze waren ontworpen in een stijl die Deborah herkende als Arts&Crafts. Een vleugje Charles Rennie Mackintosh, dacht ze. Maar eenmaal binnen ontdekte ze een eigenaardige mix van van alles en nog wat, van de middeleeuwen tot aan de moderne tijd.

Nicholas Fairclough deed de deur open. Hij liet haar binnen in een eikenhouten, gelambriseerde hal waarvan de marmeren vloer in een minutieus patroon van ruiten, cirkels en vierkanten was gelegd. Hij nam haar jas aan, leidde haar door een ongestoffeerde gang en langs een grote kamer die eruitzag als een middeleeuwse eetzaal, met zelfs een plekje voor de minstreel in een hoekje bij de open haard. Hier was het min of meer een puinhoop, voor zover Deborah kon zien, en Nicholas Fairclough verklaarde: 'We restaureren het huis stukje bij beetje. Ik ben bang dat deze ruimte het laatst aan de beurt komt, aangezien we iemand moeten zien te vinden die weet wat hij met dat verbijsterende behang aan moet. Pauwen en petunia's, noem ik het. Dat van die pauwen klopt wel, maar van de petunia's ben ik niet zeker. Hier, we kunnen in de zitkamer praten.'

Dit vertrek was zo geel als het schijnsel van de zon, met wit pleisterwerk van meidoornbessen, vogels, bladeren, rozen en eikels. In elke andere kamer zou deze rijke versiering alle aandacht naar zich toe trekken, maar de schoorsteenmantel van de zitkamer fungeerde als opmerkelijke blikvanger, met de glanzende turkooizen tegels en een haard waarin de ruiten, cirkels en vierkanten van de entree werden herhaald. Daar brandde een vuur en hoewel de open haard, evenals die in de grote hal, deel uitmaakte van een hoek met vaste banken, boekenkasten en gebrandschilderde ramen, dirigeerde Nicholas Deborah naar een van de twee lage ligstoelen in een erker vanwaar ze uitzicht over de baai hadden. Tussen de stoelen in stond een tafel met daarop een koffieservies en drie kopjes, en er lagen tijdschriften in de vorm van een waaier.

'Ik wilde eerst even alleen met u praten voordat ik mijn vrouw erbij roep,' zei Nicholas. 'Ik moet u wel zeggen dat ik volledig zal meewerken door met u te praten en te zorgen dat het project wordt meegenomen, mocht er een film komen. Maar Allie is nog niet helemaal overtuigd. Ik wilde u maar even waarschuwen.'

'Ik begrijp het. Kunt u me een idee geven...?'

'Ze is nogal op zichzelf,' zei hij. 'Ze komt uit Argentinië en heeft het idee dat haar Engels niet goed genoeg is. Eerlijk gezegd vind ik dat ze het perfect spreekt, maar zo is het nu eenmaal. Daarbij...' Hij zette zijn vingertoppen onder zijn kin en keek even bedachtzaam alvorens te zeggen: '... wil ze me beschermen. Zo, nu is het gezegd.'

Deborah glimlachte. 'Het is niet de bedoeling in deze film onthullingen te doen, meneer Fairclough. Hoewel, eerlijk gezegd kan dat er wel van komen als u afgekickte verslaafden voor uw eigen doeleinden misbruikt. Moet ik u soms vragen of u om de een of andere reden inderdaad bescherming nodig hebt?'

Ze had het luchtig bedoeld, maar onwillekeurig merkte ze dat hij die vraag serieus opvatte. Hij leek een paar mogelijkheden te overwegen en dat vond ze een behoorlijk veelzeggend detail. Ten slotte zei hij: 'Volgens mij zit het zo. Ze is bang dat ik op de een of andere manier teleurgesteld word. En ze is bang voor wat ik in dat geval zou kunnen gaan doen. Dat zegt ze niet met zoveel woorden, maar zoiets merk je gewoon aan je vrouw. Als je een tijdje samen bent. Als u begrijpt wat ik bedoel.'

'Hoe lang bent u getrouwd?'

'Afgelopen maart twee jaar.'

'Dan bent u behoorlijk close.'

'Dan zijn we inderdaad, en daar ben ik blij om. Ik zal haar halen, zodat u haar kunt ontmoeten... U ziet er namelijk helemaal niet angstaanjagend uit.'

Hij sprong op uit zijn stoel en liet haar achter in de zitkamer. Deborah keek om zich heen. Degene die hem had ingericht, had een artistieke smaak gehad die ze wel kon waarderen. Het meubilair was een afspiegeling van de periode waarin het huis was gebouwd, maar bleef ondergeschikt aan de specifieke kenmerken van de kamer. Naast de haard vielen vooral de zuilen op: slanke pilaren met ronde kapitelen waarin vogels, vruchten en bladeren waren uitgesneden. Ze stonden aan weerskanten van de erker, vormden het sluitstuk van de vaste banken in de hoek van de open haard en ondersteunden een richel die vlak onder het fries rondom de hele kamer liep. Deborah bedacht dat alleen al de restauratie van deze kamer een fortuin moest hebben gekost. Ze vroeg zich af waar een bekeerde drugsverslaafde zoveel geld vandaan had gehaald.

Ze verplaatste haar blik naar de erker. Daarna liet ze haar ogen langs de tafel en het wachtende koffieservies gaan. De tijdschriftenwaaier trok haar aandacht en ze bladerde er afwezig doorheen. Architectuur, interieurdesign, tuinieren. En toen kwam ze er een tegen waar haar hand abrupt boven bleef hangen. Het heette *Conceptie.*

Deborah had het vaak zien liggen, tijdens het eindeloos lange wachten in de spreekkamers van specialisten, voordat ze die sombere diagnose te horen had gekregen waardoor haar dromen waren vervlogen, maar had het nooit ingekeken. Voor haar gevoel was dat hetzelfde als het lot tarten. Maar nu pakte ze het op. Het was niet ondenkbaar, dacht ze, dat ze met de vrouw van Nicholas Fairclough een soort zusterschap kon creëren, en dat kon goed van pas komen.

Ze bladerde er snel doorheen. Ze trof het soort artikelen aan dat je van zo'n tijdschrift kon verwachten. De juiste voedingsgewoonten tijdens de zwangerschap, prenataal gebruik van vitaminen en supplementen, postnatale depressie en aanverwante problemen, vroedvrouwen, borstvoeding. Het stond er allemaal in. Maar achterin stuitte ze op iets merkwaardigs. Er waren bladzijden uit gescheurd.

In de gang klonken voetstappen en Deborah legde het tijdschrift weer op de tafel. Ze stond op en draaide zich om toen ze Nicholas Fairclough hoorde zeggen: 'Alatea Vásquez y del Torres Fairclough,' en hij voegde er met een aantrekkelijke, jongensachtige glimlach aan toe: 'Sorry. Ik vind het heerlijk om die naam uit te spreken. Allie, dit is Deborah St. James.'

Het was een heel exotische vrouw, vond Deborah: lichtbruine huid en donkere ogen, met jukbeenderen die haar gezicht een hoekige vorm gaven. Ze had weelderig, koffiekleurig haar dat zo weerspannig was dat het in een golvende massa omlaag tuimelde, en als ze zich bewoog, schitterden er reusachtige, gouden oorbellen doorheen. Ze was een verrassende partner voor Nicholas Fairclough, ex-drugsverslaafde en het zwarte schaap van de familie.

Alatea liep met uitgestoken hand door de kamer naar haar toe. Ze had grote handen, maar met lange vingers die even slank waren als de rest van haar. 'Nicky vertelde me dat u er ongevaarlijk uitzag,' zei ze met een glimlach. Ze sprak Engels met een zwaar accent. 'Hij heeft u vast verteld dat ik hier zo mijn bedenkingen bij heb.'

'Dat ik ongevaarlijk ben?' vroeg Deborah. 'Of bij het project?'

'Laten we gaan zitten en een beetje kletsen,' zei Nicholas, alsof hij bang was dat zijn vrouw Deborahs milde grapje niet zou snappen. 'Ik heb koffie gezet, Allie.'

Alatea schonk in. Ze droeg armbanden die bij haar oorbellen pasten en die langs haar arm omlaag schoven toen ze naar de koffiepot reikte. Haar blik leek op de tijdschriften te vallen en op dat moment aarzelde ze even. Ze keek Deborah vluchtig aan. Deborah glimlachte bemoedigend, althans dat hoopte ze.

Alatea zei: 'Die film van u verbaasde me, mevrouw St. James.'

'Zeg alsjeblieft Deborah.'

'Natuurlijk, als u dat wilt. Wat Nicholas doet, heeft niet zo heel veel om het lijf. Ik vroeg me af hoe u aan hem gekomen bent.'

Hier was Deborah op voorbereid. Tommy had zijn huiswerk over de Faircloughs gedaan. Hij had een logische ingang voor haar gevonden. 'Ik heb jullie niet zelf ontdekt,' zei ze. 'Ik word alleen maar gestuurd en doe het voorbereidende werk voor de filmmakers van Query Productions. Ik weet niet precies waarom zij hun oog op je hebben laten vallen...' met een knikje naar Nicholas, 'maar volgens mij had het te maken met een artikel over het huis van je ouders.'

Nicholas zei tegen zijn vrouw: 'Dat ging weer over dat verhaal in een verhaal, liefje.' En tegen Deborah: 'Er is een stuk geschreven over Ireleth Hall, het huis van mijn ouders. Het is een historisch, oud bouwwerk aan Lake Windermere, met een sculptuurtuin van zo'n tweehonderd jaar oud die mijn moeder weer in oude staat heeft teruggebracht. Ze had het er met die verslaggever over – over ons huis – tijdens een gesprek over architectuur, waarna hij een kijkje kwam nemen. Ik weet niet precies waarom. Misschien had het te maken met het feit dat het de Faircloughs nu eenmaal in het bloed zit om historische restauraties te verrichten. Dit huis hebben we van mijn vader gekregen en ik wilde het liever aannemen dan een gegeven paard in de bek kijken. Maar eigenlijk hadden Allie en ik liever iets moderns gewild, van alle gemakken voorzien. Zo is het toch, liefje?'

'Het is een prachtig huis,' antwoordde Alatea. 'Ik voel me bevoorrecht hier te mogen wonen.'

'Dat komt omdat jij altijd vindt dat een glas halfvol is,' zei Nicholas tegen haar, 'en ik vermoed dat ik me daarmee gelukkig mag prijzen.'

'Een van de filmproducers,' zei Deborah tegen Alatea, 'bracht het Middlebarrow Burchttorenproject ter sprake tijdens een vroege vergadering in Londen, toen we alle mogelijkheden onder de loep namen. Eerlijk gezegd wist niemand wat een burchttoren was, maar een paar mensen hadden van je man gehoord. Wie hij is, bedoel ik. Evenals een paar andere dingen.' Ze ging daar verder niet op in. Het was wel duidelijk waar ze op doelde.

'Dus deze film,' zei Alatea. 'Daar hoef ik toch niet in? Ik bedoel, mijn Engels...'

Dat niet alleen uitstekend was, maar ook nog eens charmant klonk, dacht Deborah.

'... en het feit dat Nicky dit allemaal helemaal alleen heeft gedaan.'

'Zonder jou in mijn leven had ik het nooit gedaan,' bracht Nicholas in.

'Maar dat is een heel andere zaak.' Ze draaide zich tijdens het praten om en haar haar danste mee, het golfde omdat het zo weerspannig was. 'Het burchttorenproject... dat gaat over jou, wat je hebt gedaan en wat je op eigen houtje hebt bereikt. Ik steun je alleen maar, Nicky.'

'Alsof dat er niet toe doet,' zei hij en hij sloeg zijn ogen naar Deborah ten hemel alsof hij wilde zeggen: zie je nou waar ik mee te maken heb?

'Niettemin heb ik geen echt aandeel gehad en dat wil ik ook niet.'

'Maak je daar maar geen zorgen over,' stelde Deborah haar gerust. Alles om haar over de streep te trekken, dacht ze. 'En echt, ik kan niet genoeg benadrukken dat het misschien helemaal niet zover komt. Ik neem de beslissingen niet. Ik doe alleen maar onderzoek. Ik maak een verslag, doe er foto's bij en dan gaat alles naar Londen. De mensen van de productiemaatschappij beslissen wat er wel en niet in de film komt.'

'Zie je wel?' zei Nicholas tegen zijn vrouw. 'Wees nou maar niet bang.'

Alatea knikte, al leek ze niet overtuigd. Maar ze gaf toch haar zegen, want ze zei: 'Misschien moet je Deborah het project laten zien, Nicky. Dat lijkt me een goede plek om te beginnen.'

Arnside

Cumbria

Toen haar man met de roodharige vrouw was vertrokken, zat Alatea even naar de tijdschriften te kijken die op de tafel in de erker lagen uitgewaaierd. Er was doorheen gebladerd. Eigenlijk was dat niet zo gek, de vrouw had immers zitten wachten tot Nicholas haar had gehaald om hen aan elkaar voor te stellen. Dan was het heel gewoon om intussen een beetje door de tijdschriften te bladeren, maar niettemin was er tegenwoordig maar heel weinig waar Alatea niet zenuwachtig van werd. Ze hield zichzelf voor dat het helemaal niets betekende dat *Conceptie* nu boven op de stapel lag. Misschien was het wat gênant dat een vreemde misschien in de gaten had dat Alatea zo met het onderwerp in kwestie bezig was, maar daaruit hoefde je nog geen conclusies te trekken. Deze vrouw uit Londen was niet hier om met haar te praten of rond te kijken in de doolhof van haar persoonlijke geschiedenis. Ze was hier vanwege Nicholas' werk. En waarschijnlijk zou ze hier helemaal niet zijn geweest als Nicholas een doorsneeman was geweest die weer een nieuwe manier uitprobeerde om het leven van verslaafden te veranderen. Het feit dat hij geen doorsneeman was, het feit dat zijn wandaden uit zijn vergooide jeugd zo veel publiciteit hadden getrokken vanwege zijn vader... Daarom was het zo'n goed verhaal: de zoon van baron Fairclough van Ireleth, die zich had weten los te maken van de puinhoop die zijn leven was geweest.

Toen Alatea voor het eerst met Nicholas kennismaakte, had ze niet geweten dat hij iets van doen had met baron Fairclough van Ireleth, want anders was ze hard weggelopen. In plaats daarvan had ze alleen maar geweten dat zijn vader een fabrikant was van alles wat je je maar in een badkamer kon voorstellen, zoals Nicholas het luchthartig had afgedaan. Hij had het niet gehad over zijn vaders titel, zijn vaders bijdragen aan het onderzoek naar alvleesklierkanker en de vooraanstaande positie die zijn vader als gevolg daarvan innam. Dus had ze zich voorbereid op een ontmoeting met een vroeg oude man wiens zoon twintig jaar van zijn leven had weggegooid. Ze was niet voorbereid geweest op de vitale man die Bernard Fairclough was. Evenmin was ze ook maar in de verste verte voorbereid geweest op de manier waarop Nicholas' vader door zijn donker omrande bril naar haar keek. 'Noem me maar Bernard,' had hij gezegd, terwijl zijn blik van haar ogen naar haar boezem gleed en weer terug. 'Welkom in de familie, liefje.'

Ze was eraan gewend dat mannen naar haar borsten keken. Dat was niet het probleem geweest. Zo ging dat gewoon. Mannen waren mannen. Maar meestal namen mannen haar niet met zo'n speculatieve blik op. Wat doet iemand als jij met mijn zoon? Dat was de onuitgesproken vraag die Bernard Fairclough haar had gesteld.

Die blik was er elke keer geweest wanneer Nicholas haar aan een familielid had voorgesteld. Ze vonden allemaal dat zij en haar echtgenoot niet bij elkaar pasten, en hoewel ze het graag aan haar uiterlijk toeschreef dat ze geen geschikte vrouw was voor Nicholas Fairclough, vermoedde ze dat er meer achter zat. Ze dachten dat ze een gelukszoeker was. Ze kwam uit een ander land, ze wisten niets van haar, ze hadden verontrustend kort verkering gehad. Voor hen betekende dat dat ze ergens op uit was, ongetwijfeld het familiefortuin. Vooral Nicholas' neef Ian dacht dat, want hij was de man die over Bernard Faircloughs geld ging.

Het kwam niet in Nicholas' familie op dat ze misschien wel echt verliefd op hem was. Tot nu toe had ze haar uiterste best gedaan om ze daarvan te overtuigen. Ze had hun geen enkele reden gegeven om aan haar liefde voor Nicholas te twijfelen, en uiteindelijk was ze gaan geloven dat ze al hun zorgen had weten weg te nemen.

En er was geen reden waarom hun zorgen níét waren weggenomen, want ze hield inderdaad van haar man. Ze was hem toegewijd. Hemel, ze was toch zeker niet de eerste vrouw ter wereld die verliefd was geworden op een minder aantrekkelijk mens dan zij zelf was! Dat gebeurde aan de lopende band. Dus het feit dat iedereen haar met zo'n speculatieve blik bekeek... Daar moest een eind aan komen, maar ze wist niet hoe ze dat voor elkaar moest krijgen.

Alatea wist dat ze haar angsten hierover en over andere dingen op de een of andere manier moest zien te overwinnen. Ze moest ophouden te schrikken van elke schim. Het was geen misdaad om van het leven te genieten. Zij had er niet om gevraagd. Het was haar in de schoot geworpen. En dus zou ze dat pad moeten volgen.

Maar toch, het tijdschrift had tussen de andere op tafel gelegen en nu lag het bovenop. En de vrouw uit Londen had haar bovendien op een bepaalde manier aangekeken. Hoe konden ze weten wie deze vrouw in werkelijkheid was, wat ze hier deed en wat haar bedoelingen waren? Dat wisten ze niet. Dat moesten ze zien te ontdekken. Daar leek het althans op.

Alatea pakte het dienblad met het koffieservies op en bracht het naar de keuken. Naast de telefoon zag ze het papiertje liggen waarop ze de boodschap van Deborah St. James had geschreven. Toen ze het bericht had doorgekregen, had ze niet gelet op het bedrijf waarvoor Deborah St. James werkte, maar de vrouw had het er zelf over gehad, dus had Alatea goddank een startpunt.

Ze liep naar de eerste verdieping van het huis. In een gang waar ooit bedienden hadden geslapen, had ze naar eigen smaak een kleine slaapkamer ingericht, terwijl zij en Nicholas aan het huis werkten. Maar ze gebruikte de kamer ook als haar nest en haar laptop stond er.

Op deze plek duurde het een eeuwigheid om internetverbinding te krijgen, maar ze kreeg het voor elkaar. Voordat ze begon te typen, staarde ze even naar het scherm.

Bryanbarrow

Cumbria

Het was een makkie geweest om van school te spijbelen. Aangezien eigenlijk niemand met een beetje hersens hem helemaal naar Ulverston en nog verder zou willen brengen en aangezien Kaveh hersens had, was het een eenvoudige zaak geweest. In bed liggen, je buik vastgrijpen, zeggen dat nicht Manette hem de vorige avond iets verkeerds te eten had gegeven, beweren dat hij 's nachts al twee keer had overgegeven, en dankbaar reageren toen Gracie deed wat hij van haar verwachtte. Ze was naar Kavehs slaapkamer gevlogen en hij had haar horen roepen: 'Timmy is ziek! Timmy is niet in orde!' en hij voelde een steek van schuldgevoel, want hij hoorde aan Gracies stem dat ze bang was. Het domme schaap. Je hoefde geen genie te zijn om te weten dat ze bang was dat iemand anders uit haar familie er plotseling tussenuit zou knijpen.

Gracie moest zich maar eens leren beheersen. Mensen gingen aan de lopende band dood. Dat kon je niet voorkomen door in hun buurt te blijven en voor ze te ademen, te eten, te slapen en te kakken. Wat Tim betrof had Gracie nu bovendien grotere zorgen dan een mogelijk ander sterfgeval in haar leven. Ze zou zich zorgen moeten maken over wat er verdomme nu met haar ging gebeuren, nu haar vader dood was en hun moeder niet de minste aanstalten maakte om ze bij zich in huis te nemen.

Nou ja, zij waren tenminste niet de enigen die zich daar zorgen over maakten, dacht hij. Want het was slechts een kwestie van tijd voordat Kaveh te horen zou krijgen dat hij kon vertrekken en dan zou hij op straat komen te staan. Hij zou een nieuw onderkomen en een ander neukmaatje moeten zoeken. Kruip maar terug in het gat waarin je woonde voordat pap je vond, Kaveh, vriend van me.

Tim kon amper wachten tot het zover was. En hij was niet de enige, zo bleek.

Die ochtend had de oude George Cowley Kaveh opgewacht toen hij met Gracie in zijn kielzog naar de auto liep. Cowley zag er niet uit, zag Tim vanuit zijn slaapkamerraam, maar Cowley zag er nooit uit, dus het zei niet veel dat hij zijn bretels was vergeten en dat zijn gulp openstond, waar zijn overhemd als een Schotse, geruite vlag uit hing. Hij had Kaveh en Gracie zeker door het raam van zijn bouwval gezien en was naar ze toe gerend om die kerel eens flink de mantel uit te vegen.

Tim kon niet horen wat ze zeiden, maar hij dacht dat hij wel wist waar het over ging. Want Cowley trok zijn afgezakte broek op en nam een houding aan waaruit bleek dat hij klaar was voor de confrontatie. Als dat zo was, dan wilde hij Kaveh maar één ding voor de voeten gooien: Cowley wilde weten wanneer Kaveh van plan was van het terrein te vertrekken. Hij wilde weten wanneer de Bryan Beck-farm onder de hamer zou gaan.

Buiten stond Gracie met haar rugzak aan haar voeten te wachten tot Kaveh het autoportier voor haar zou opendoen. Haar blik ging voortdurend van Kaveh naar Cowley en terug en Tim zag aan haar gezichtsuitdrukking dat ze bang was. Als Gracie bang was, roerde zich iets in Tim, dan kreeg hij het gevoel dat hij naar buiten moest gaan en kijken of hij iets kon doen, of hij bij Cowley en Kaveh tussenbeide moest komen of ten minste Gracie bij ze weghalen. Maar als hij dat deed, zou dat Kavehs aandacht trekken, en die zou dan tegen hem zeggen dat hij best naar school kon en dat hij hem naar de Margaret Fox-school zou brengen, en dat was het laatste wat hij wilde, want hij had vandaag dingen te doen.

Tim wendde zich van het raam af, liep door de kamer en liet zich op zijn bed vallen. Hij wachtte tot hij het geluid van Kavehs auto hoorde, en dan zou hij de rest van de dag eindelijk alleen zijn. Zodra hij de motor gedempt hoorde brullen – Kaveh trapte het gaspedaal altijd te ver in, alsof de motor eerst moest verzuipen voordat hij de auto in zijn versnelling zette – pakte Tim zijn telefoon. Hij toetste een nummer in.

Gisteren was dus een verloren dag geweest. Bij nicht Manette was hij uit zijn dak gegaan, en dat was niet best. Het was een geluk bij een ongeluk dat hij haar niet heel ernstig had verwond. Hij was net op tijd bij zinnen gekomen, toen hij op het punt stond zich boven op haar te storten en haar verdomme met plezier te wurgen, omdat ze maar niet ophield zich zórgen over hem te maken. Het was hem zwart voor de ogen geworden, hij zag het stomme mens niet eens op de grond liggen. Hij had zich op zijn knieën laten vallen en het op de houten steiger afgereageerd, in plaats van op haar, als ze zich verdomme niet naar hem toe had gerold, hem tegen zich aan had getrokken en hem had willen troosten. Tim wist niet hoe de nicht van zijn vader erbij kwam om hem de andere wang toe te keren. Het feit dat ze kon vergeten en vergeven duidde er sterk op dat er bij haar meer dan één schroefje los zat op een plek waar helemaal geen schroefjes thuishoorden.

Hoe dan ook, er was geen sprake van dat hij naar Windermere kon. Tim had zijn rol gespeeld en even zitten huilen. Toen was hij weer gekalmeerd. Ze hadden nog een goed halfuur op die steiger gezeten terwijl nicht Manette hem vasthield, murmelde dat alles goed zou komen, en dat jij en ik samen op Scout Scar gingen kamperen; wacht maar en wie weet wat er gaat gebeuren. Misschien komt je vader wel weer tot leven, dat wilde iedereen immers zo graag, en misschien kreeg je moeder wel een andere persoonlijkheid wat net zo onwaarschijnlijk was. Kan mij wat bommen, dacht Tim. Wie kon het sowieso iets schelen. Het belangrijkste was dat hij 's nacht niet in Great Urswick hoefde te blijven, en dat was hem gelukt.

Waar ben je, toetste hij op zijn mobieltje in. *2day ok*, voegde hij eraan toe.

Geen antwoord.

Kon niet, was zijn tweede bericht. *Geen lift naar W*. Hij hoefde niets over Manette, de tent en de rest te melden. Het zou hem een eeuwigheid kosten om in te toetsen dat hij niet naar Windermere had kunnen komen toen hij eenmaal door Manette naar Great Urswick was gebracht.

Nog altijd geen antwoord. Tim wachtte. In zijn buik voelde het alsof hij inderdaad iets verkeerds had gegeten, zoals hij had beweerd, en hij slikte een brok van wanhoop weg. Nee, zei hij onmiddellijk tegen zichzelf, hij was niet wanhopig. Hij was helemaal niets.

Hij rolde van het bed af en gooide zijn telefoon op het nachtkastje. Hij liep naar zijn laptop en opende zijn mail. Geen bericht, zag hij.

Het werd tijd om er druk achter te zetten, besloot hij. Niemand liep verdomme weg van een deal die hij met Tim had gesloten. Hij had zijn aandeel geleverd, zoals beloofd, en het werd tijd dat de andere partij nu ook zijn aandeel leverde.

Lake Windermere

Cumbria

Lynley had een kleine zaklantaarn uit het handschoenenkastje van de Healey Elliot opgediept en liep net naar het botenhuis om de kade beter te bekijken, toen zijn telefoon ging. Het was Isabelle, zag hij. Het eerste wat ze tegen hem zei was: 'Tommy, ik heb je nodig in Londen.'

Hij dacht natuurlijk dat er iets was gebeurd, en dat vroeg hij dan ook.

Ze zei: 'Ik heb het niet over professionele hulp. Er zijn een paar dingen die ik niet door een ander teamlid wil laten doen.'

Hij moest glimlachen. 'Nou, dat is fijn om te horen. Ik zou je niet graag willen delen met brigadier Stewart.'

'Nou, pas maar op. Wanneer ben je terug?'

Hij keek uit over het meer. Hij had net de populieren achter zich gelaten en stond op het pad terwijl de ochtendzon op zijn schouders scheen. Het leek een mooie dag te worden. Het kwam even in hem op dat hij deze dag wel met Isabelle had willen doorbrengen. Hij zei: 'Dat weet ik eigenlijk niet. Ik ben nog maar net begonnen.'

'Wat denk je ervan om elkaar ergens even te ontmoeten? Ik mis je en dat staat me niet aan. Als ik je ga missen, ga je door mijn hoofd spoken. Dan kan ik m'n werk niet goed doen.'

'Zou een korte ontmoeting dat oplossen?'

'Ja. Ik kan er niets aan doen: ik vind je heerlijk in bed.'

'Je windt er tenminste geen doekjes om.'

'Dat zal ik ook nooit doen. Dus, heb je tijd? Ik kan vanmiddag naar je toe komen...' Ze zweeg even en hij stelde zich voor dat ze in haar agenda keek. Toen ze verderging, wist hij dat dat inderdaad zo was. 'Rond halfdrie,' voegde ze eraan toe. 'Kun je je dan vrij maken?'

'Ik ben niet in de buurt van Londen, ben ik bang.'

'O nee? Waar dan wel?'

'Isabelle...' Hij vroeg zich af of ze eropuit was om hem erin te luizen. Hem eerst seks in het vooruitzicht stellen om hem af te leiden, zodat hij per abuis zijn verblijfplaats zou prijsgeven. 'Je weet dat ik dat niet mag zeggen.'

'Ik weet dat je er van Hillier geen woord over mag zeggen. Ik had niet gedacht dat dat ook voor mij gold. Zou het voor je...' Ze hield zich in. Ze zei: 'Laat maar,' en daarmee wist hij dat ze bijna had gevraagd: zou dat voor je vrouw ook gegolden hebben? Maar dat zei ze niet. Ze hadden het nooit over Helen, want als Helens naam viel, liepen ze het risico dat hun puur seksuele relatie een kant op zou gaan die ze absoluut niet wilde, daar was ze heel duidelijk over geweest. 'Hoe dan ook, dit is belachelijk,' zei ze. 'Wat zou ik volgens Hillier dan wel niet met die informatie gaan doen?'

'Volgens mij is het niets persoonlijks,' zei hij. 'Het feit dat hij niet wil dat je het weet, bedoel ik. Hij wil dat niemand het weet. Eerlijk gezegd heb ik hem niet gevraagd waarom.'

'Dat is niets voor jou. Had je soms een reden om uit Londen weg te willen?' En toen vervolgde ze snel: 'Geeft niet. Dit is zo'n gesprek waardoor we in de problemen kunnen komen. Ik spreek je later wel, Tommy.'

Ze hing op. Hij bleef met zijn telefoon in de hand staan. Hij deed hem weer in zijn zak en liep door naar het botenhuis. Het was maar het beste zijn gedachten op het hier en nu te richten, bedacht hij. Isabelle had gelijk gehad, over gesprekken die de zaken tussen hen konden vertroebelen.

Hij merkte op dat het botenhuis niet op slot zat. Op dit moment van de dag was het binnen donkerder dan bij zijn vorige bezoek, hij was dan ook blij dat hij de zaklantaarn had meegenomen en die knipte hij aan. Door het water, de stenen en de tijd van het jaar was het er behoorlijk fris, en in de lucht zat een vleug vochtig hout en algen. Hij zocht zich een weg naar de plek waar Ian Cresswells scull lag afgemeerd.

Daar knielde hij neer. Hij scheen met het lantaarnlicht op de stenen langs de rand van het gat waaruit de andere twee stenen in het water waren gevallen. Veel zag hij niet. Specie was om te beginnen al ruw materiaal, en jaren van slijtage en gebruik hadden op verschillende plaatsen barsten, butsen en versplinterde randen achtergelaten. Maar hij zocht naar een aanwijzing dat het desintegratieproces met een werktuig een handje versneld was: misschien een beitel, een schroevendraaier of wig. Alles waarmee je zoiets zou kunnen doen. Alles wat een spoor zou achterlaten.

Hij zag niets. Hij besefte dat hij de zaak in het volle licht nader moest bestuderen, nogal lastig als hij moest doen alsof hij hier enkel te gast was. Hij besefte ook dat zijn eerdere conclusie over de ontbrekende stenen nu bevestigd was: ze moesten uit het water opgevist worden. Dat was geen aangenaam vooruitzicht. Het water was niet diep, maar wel steenkoud.

Hij deed de zaklantaarn uit en vertrok uit het botenhuis. Buiten bleef hij staan en keek uit over het meer. Daar was nu niemand en het oppervlak was zo glad als een spiegel, die de glanzende herfstbomen op de oever en de wolkeloze hemel daarboven reflecteerde. Hij draaide zich om en keek in de richting van het huis. Vanaf de plek waar hij stond was het niet te zien, maar iedereen die op het pad langs de populieren zou staan had er ongehinderd zicht op. Er was echter nog een plek vanwaar het botenhuis misschien te zien was: de bovenste verdieping van een vierkante toren die even ten zuiden van de populieren op een heuveltje stond. Dat was de folly waar Mignon Fairclough woonde. Ze was de avond ervoor niet voor het eten komen opdagen. Misschien vond ze het niet erg dat hij haar deze ochtend een bezoekje bracht.

De folly was een replica van de verdedigingsburchttorens in de streek. Het was het soort bouwwerk dat mensen op hun terrein lieten bouwen om er een beetje valse historie aan te verlenen, hoewel dat in het geval van Ireleth Hall niet echt nodig was. De folly was niettemin op een bepaald moment gebouwd en nu stond daar het vier verdiepingen tellende gebouw, met een dak met kantelen, dat erop duidde dat die verdieping ook kon worden bewoond. En vanaf het dak zou je naar alle kanten uitzicht hebben, bedacht Lynley. Je zou Ireleth Hall kunnen zien, de oprit, het hele terrein, het meer en ook het botenhuis.

Toen hij op de deur klopte, hoorde hij binnen een vrouw min of meer geërgerd uitroepen: 'Wat? Wát?' Hij vermoedde dat hij Mignon bij iets stoorde, bij wat ze ook aan het doen was – hij wist niet welk beroep ze uitoefende – en riep: 'Miss Fairclough? Sorry. Stoor ik?'

Ze antwoordde verbaasd. 'O! Ik dacht dat het m'n moeder weer was,' en even later zwaaide de deur open en kwam een van Bernard Faircloughs tweelingdochters tevoorschijn. Ze leunde op een looprekje, een vrouw die net als haar vader kort van stuk was en dus niet op haar moeder leek. Ze was gehuld in verschillende lagen jurken en gewaden, die haar een artistiek tintje verleenden en tegelijkertijd haar lichaam verdoezelden. Het viel Lynley ook op dat ze volledig opgemaakt was, alsof ze van plan was die dag de deur uit te gaan. Bovendien had ze aandacht aan haar haren besteed, hoewel haar kapsel er enigszins kinderachtig uitzag. Het haar was met een blauw lint in een staart gebonden, zoals bij Alice in Wonderland, maar in tegenstelling tot Alice was haar haar niet blond maar saaibruin.

Ze zei: 'Je komt vast uit Londen. Waarom struin je hier vanmorgen rond? Ik zag je weer bij het botenhuis.'

'O ja?' Lynley vroeg zich af hoe ze dat voor elkaar had gekregen. Drie trappen met een looprekje. Hij vroeg zich ook af waarom ze het had gedaan. 'Ik was een luchtje aan het scheppen,' zei hij. 'Ik zag de toren vanuit het botenhuis en wilde me komen voorstellen. Ik dacht dat ik je gisteravond bij het diner zou ontmoeten.'

'Ik ben bang dat dat niet is gelukt,' zei ze. 'Nog steeds herstellende van een operatie.' Ze bekeek hem ongegeneerd van top tot teen. Het leek alsof ze op het punt stond te zeggen dat hij ermee door kon, of dat ze hem zou vragen zijn mond open te doen om zijn tanden te inspecteren, maar in plaats daarvan zei ze: 'Kom nou ook maar binnen.'

'Komt het slecht uit?'

'Ik was online, maar dat kan wel wachten.' Ze deed een stap bij de deur vandaan.

Eenmaal binnen kon hij de hele benedenverdieping in één oogopslag in zich opnemen. Die bestond uit een zithoek, een keuken en een plek voor Mignons computer. Bovendien leek de ruimte als opslag te fungeren, want overal stonden stapels dozen op de vloer. Ze waren verzegeld, en eerst dacht hij dat ze nog aan het verhuizen was, maar toen hij beter keek, zag hij dat al die pakketten aan haar geadresseerd waren, met de paklijst in plastic erbovenop.

De computer stond aan, zag hij. Op het oplichtende scherm zag hij dat ze bezig was geweest mails te lezen en te beantwoorden. Ze zag waar hij naar keek en zei: 'Een virtueel bestaan. Dat heb ik liever dan de echte wereld.'

'Een moderne versie van penvriendinnen?'

'Hemel, nee. Ik heb nogal een hartstochtelijke affaire met een heer op de Seychellen. Hij beweert althans dat hij daar vandaan komt. Hij zegt ook dat hij getrouwd is en als leraar is opgebrand. De arme kerel ging daar op zoek naar wat avontuur en kwam er ten slotte achter dat het enige avontuur op internet te vinden was.' Ze glimlachte even onoprecht. 'Voor hetzelfde geld heeft hij over alles gelogen, want voor zover hij weet ben ík een modeontwerpster die het heel druk heeft en midden in de voorbereidingen zit voor mijn volgende modeshow. De vorige keer was ik een ontwikkelingsarts die nobel werk verricht in Rwanda, en daarvoor... even kijken... O ja. Toen was ik een mishandelde huisvrouw die op zoek was naar iemand die begrip had voor mijn benarde situatie. Zoals ik al zei, het is een virtueel leven. Alles is mogelijk. Je kunt met de waarheid alle kanten op.'

'Kan zoiets niet averechts gaan werken?'

'Dat is de helft van de pret. Maar ik ben voorzichtig, en als ze beginnen over een afspraakje in een of andere haven, verlaat ik met een knal het toneel.' Ze liep naar de keuken en vervolgde: 'Ik zou je koffie of zo moeten aanbieden. Maar ik ben bang dat ik alleen oploskoffie heb. Wil je dat? Of thee? Ik heb alleen zakjes, geen losse thee. Ik weet dat theeblaadjes beter zijn, maar dat vind ik zo'n gedoe. Ik heb koffie of thee.'

'Koffie is prima. Maar ik wil je niet tot last zijn.'

'Echt waar? Zeker goed opgevoed, hè?' Ze was buiten zijn gezichtsveld in de keuken aan het rommelen, dus nam hij de gelegenheid te baat om rond te kijken. Los van de stapels dozen stond ook overal vuil serviesgoed. De borden en schalen leken er al een tijdje te staan, want toen hij er een optilde, zat er een volmaakte kring onder, niet aangetast door het fijne laagje stof dat zich elders had gevormd.

Hij liep naar de computer. Hij zag in een oogopslag dat ze niet had gelogen. *God, ik weet precies wat je bedoelt,* had ze geschreven. *Soms zit het leven je zo in de weg als het om de werkelijk belangrijke dingen gaat. In mijn geval deden we het elke avond. En nu mag ik blij zijn als het een keer per maand gebeurt. Maar je zou er met haar over moeten praten. Echt. Uiteraard, hoor wie het zegt, want ik praat niet met James. Hoe graag ik dat ook zou willen. Maar dat geeft niet. Wat ik wil gaat niet gebeuren. Ik wenste dat dat wel kon.*

'We zijn nu zover dat we onthullingen doen over ons ellendige huwelijk,' zei Mignon achter hem. 'Echt, het is ongelooflijk. Het verloopt altijd hetzelfde. Je zou denken dat er ergens iemand is met een beetje fantasie als het om verleiden gaat, maar dat hebben ze nooit. Ik heb water opgezet. De koffie is zo klaar. Je moet even meelopen en zelf je kopje dragen.'

Lynley liep naar de keuken. Die was klein, maar alles wat je nodig had was er. Hij zag echter dat ze binnenkort toch echt aan de afwas moest. Er waren nog maar een paar borden over en ze gebruikte het laatste schone kopje voor zijn koffie. Zelf nam ze niet. Hij zei: 'Zou je niet liever een echte relatie hebben?'

Ze keek hem aan. 'Zoals die van mijn ouders, bedoel je?'

Hij trok een wenkbrauw op. 'Ze lijken erg dol op elkaar te zijn.'

'O ja. Dat zijn ze ook. Elkaar helemaal toegewijd, passen volkomen bij elkaar enzovoort. Je hoeft maar naar ze te kijken. Net tortelduifjes. Hebben ze dat stukje al voor je opgevoerd?'

'Ik weet niet of ik een tortelduifje zou herkennen.'

'Nou, als ze dat gisteren niet een paar keer hebben gedaan, dan laten ze je het vandaag wel zien, geloof me. Je kunt erop wachten dat ze elkaar aankijken met zo'n blik van stille-wateren-diepe-gronden. Daar zijn ze goed in.'

'Alleen voor de vorm, maar zonder inhoud?'

'Dat heb ik niet gezegd. Toegewijd, dat heb ik gezegd. Ze zijn elkaar toegewijd en vullen elkaar aan, met alle toeters en bellen van dien. Ik denk dat het iets te maken heeft met het feit dat mijn vader hier bijna nooit is. Dat is voor hen beiden eigenlijk perfect. Nou ja, in elk geval voor hem. En mijn moeder, ach, die klaagt niet en waarom zou ze ook? Zolang ze maar kan vissen, met haar vriendinnen kan lunchen, mijn leven kan regelen en riante bedragen kan besteden aan de tuinen, leidt ze een prima bestaan, denk ik zo. En het is trouwens háár geld, niet dat van mijn vader, maar dat heeft hem nog nooit kunnen schelen, als hij er maar vrijelijk over kan beschikken. Niet wat ik in een huwelijk zou willen, maar aangezien ik helemaal niet wil trouwen, wie ben ik dan om over hen te oordelen?'

Het water kookte en de ketel sloeg af. Mignon ging een kop koffie voor hem maken, maar was daar niet erg handig in. Ze lepelde een hoopje instantkoffie op, morste een spoor vanaf de pot naar de kop, en toen ze erin roerde, klotste de vloeistof over de rand van de kop op het aanrecht. Met dezelfde lepel schepte ze in de suikerpot, morste opnieuw, deed er melk bij, en morste nog meer. Ze gaf Lynley de kop zonder die af te vegen en zei, wat Lynley het understatement van het jaar vond: 'Sorry, ik ben niet zo huishoudelijk aangelegd.'

'Ik ook niet,' antwoordde hij. 'Dankjewel.'

Ze hobbelde naar de zitkamer terug en zei over haar schouder: 'Wat is dat voor auto, trouwens?'

'Auto?'

'Dat verbazingwekkende voertuig van je. Ik zag je er gisteren mee aan komen rijden. Behoorlijk stijlvol, maar hij zuipt vast evenveel benzine als een kameel in een oase.'

'Healey Elliot,' zei hij tegen haar.

'Nooit van gehoord.' Ze vond een stoel waar geen tijdschriften en dozen op lagen. Ze liet zich met een plof vallen en zei tegen hem: 'Zoek maar een plekje. Schuif alles maar aan de kant. Het maakt niet uit.' En terwijl hij een zitplaats zocht: 'Zo, wat deed je bij het botenhuis? Ik zag je daar gisteren met mijn vader. Waar gaat het over?'

Hij nam zich voor zich voorzichtiger over het terrein te bewegen. Als Mignon niet online was hield ze alles op het landgoed in de gaten. Hij zei: 'Ik overwoog om met de scull het meer op te gaan, maar mijn natuurlijke neiging tot luiheid kreeg de overhand.'

'Maar beter ook.' Ze maakte een hoofdbeweging grofweg in de richting van het botenhuis. 'De laatste die hem heeft gebruikt is verdronken. Ik dacht even dat je daar rondsloop om de plaats delict te onderzoeken.' Ze grinnikte morbide.

'Plaats delict?' Hij nam een slokje koffie. Die was niet te drinken.

'Mijn neef Ian. Dat hebben ze je toch zeker wel verteld. O nee?' Ze vertelde hem veel van wat hij al wist, en net zo zorgeloos als ze hem de rest ook vertelde. Hij vroeg zich af of ze altijd zo eerlijk was als ze met iemand praatte. Zijn ervaring was dat er achter zo'n ogenschijnlijke oprechtheid meestal een schat aan informatie school.

Mignon was er vast van overtuigd dat Ian Cresswell was vermoord. Voor zover zij wist, zo redeneerde ze, gingen mensen zelden dood omdat iemand anders dat gewoon wenste. Lynley trok een wenkbrauw op en zij ging verder: haar broer Nicholas had bijna zijn hele leven in de heilige voetsporen van neef Ian moeten voortstrompelen. Vanaf het moment dat de dierbare Ian na de dood van zijn moeder uit Kenia bij de familie Fairclough was gaan wonen, was het Ian voor en Ian na, de eersteklas neef van zijn oom Bernard: de stralende ster, de blonde jongen die geen kwaad bij hem kon doen.

'Ik dacht dat toen Ian zijn gezin dumpte en het met Kaveh aanlegde, bij pa de schellen van de ogen zouden vallen. Ik weet zeker dat Nicky dat net zo voelde. Maar zelfs het feit dat hij zijn familie in de steek liet was niet afdoende. En nu werkt Kaveh voor mijn moeder, en wie anders dan Ian heeft dat geregeld? Nee, de arme Nicky heeft in zijn leven niets kunnen doen om zichzelf in een stralender licht te zetten dan de schijnwerper die op Ian scheen. En Ian kon niets slechts doen waardoor het licht in mijn vaders ogen voor hem verbleekte. Dan ga je je toch iets afvragen.'

'Wat dan?'

'Allerlei verrukkelijke dingen.' Haar gezicht drukte meer-zeg-ik-niet uit, zowel vroom als vergenoegd.

'Dus Nicholas heeft hem vermoord?' informeerde Lynley. 'Ik neem aan dat hij er wel iets bij te winnen heeft.'

'Als het om het moordgedeelte gaat, zou ik zeggen dat het me niet in het minst zou verbazen. Maar of hij... daar iets mee wint... dat weet ik zo net nog niet.' Ze maakte ook de indruk dat ze het Nicholas niet erg kwalijk nam als er iets met Ian Cresswell was gebeurd, en dit, samen met haar opmerkingen over de man zelf, was iets waar hij verder naar moest graven. Evenals, bedacht Lynley, de voorwaarden in Cresswells testament.

Hij zei: 'Het is nogal riskant om hem op deze manier te vermoorden, vind je niet?'

'Hoezo?'

'Ik begrijp dat je moeder bijna elke dag in het botenhuis te vinden is.'

Mignon ging rechtop in haar stoel zitten terwijl ze dit tot zich door liet dringen. Ze zei: 'Impliceer je soms...?'

'Dat het misschien de bedoeling was dat je moeder werd vermoord, aangenomen dat er iemand op moord uit was.'

‘Niemand zou ook maar het minste belang hebben bij mijn moeders dood,’ verklaarde Mignon. Ze voelde kennelijk de behoefte om iedereen die van haar moeder hield op haar vingers af te tellen en boven aan de lijst stond opnieuw haar vader, evenals al zijn beweringen dat hij zo dol was op Valerie.

Lynley dacht aan *Hamlet* en dames die al te hevig protesteerden. Hij dacht ook aan rijke mensen, wat ze met hun geld deden en dat voor geld alles te koop was, van onwillig stilzwijgen tot schoorvoetende medewerking. Maar dit alles ging voorbij aan de vraag waarom Bernard Fairclough naar Londen was gegaan met het verzoek om de dood van zijn neef te onderzoeken.

Sluwer dan goed voor hem is, dacht Lynley. Maar hij wist niet zeker op wie die uitdrukking van toepassing was.

Grange-over-Sands

Cumbria

Manette Fairclough McGhie had heel lang geloofd dat niemand op de wereld manipulatiever was dan haar eigen zus, maar nu dacht ze daar anders over. Mignon had met een simpel ongelukje bij Launchy Gill haar ouders ruim dertig jaar in haar greep gehouden: te dicht bij de waterval uitglijden, op je hoofd terechtkomen, een schedelbasisfractuur oplopen en mijn god, je zou denken dat de wereld verging. Maar echt, Mignon was niets vergeleken bij Niamh Cresswell. Mignon maakte misbruik van het schuldgevoel, de angst en ongerustheid van mensen om te krijgen wat ze wilde. Maar Niamh maakte misbruik van haar eigen kinderen. En daar, besloot Manette, moest een eind aan komen.

Ze nam een dag vrij van haar werk. Daar had ze een goede reden voor, want ze was bont en blauw van Tims aanval van de middag ervoor. Maar ook als hij haar niet zo wild in de nieren en de rug had geschopt, moest ze een oplossing bedenken. Normaal gesproken gedroegen veertienjarige jongens zich niet zoals Tim had gedaan. Ze had natuurlijk wel geweten dat er iets ernstigers aan de hand was, dat Tims aanval niet alleen kwam doordat hij in de war was door zijn vaders keuzes in het leven en zijn overplaatsing naar de Margaret Fox-school. Ze had alleen niet geweten dat het door die ellendige vrouw kwam die zijn moeder was.

Niamhs huis stond even buiten Grange-over-Sands, op enige afstand van Great Urswick. Het maakte deel uit van een keurig en vrij nieuw huizenproject dat heuvelafwaarts omlaag kronkelde en over een riviermonding in Morecambe Bay uitkeek. De huizen hier duidden op een mediterrane smaak: ze waren zonder uitzondering oogverblindend wit, hadden zonder uitzondering donkerblauwe lijsten en zonder uitzondering bescheiden voortuinen met grind en struiken. Ze waren niet allemaal even groot, maar zoals gebruikelijk had Niamh het grootste huis met het beste uitzicht op de riviermonding en de daar bivakkerende wintervogels. Hier was Niamh naartoe verhuisd nadat Ian zijn gezin in de steek had gelaten. Manette wist van gesprekken met Ian na de scheiding dat Niamh keihard was geweest over een ander huis. Maar ja, wie kon haar dat nou kwalijk nemen, had Manette destijds gedacht. De herinneringen in het oude huis zouden pijnlijk zijn en de vrouw moest voor twee kinderen zorgen in de nasleep van een kernbom die midden in haar gezin tot ontploffing was gebracht. Ze had in elk geval iets moois gewild, om de klap van zo'n overgang in Tims en Gracies leven op te vangen.

Dat dacht Manette voordat ze te horen had gekregen dat Tim en Gracie helemaal niet bij hun moeder gingen wonen, maar bij hun vader en zijn minnaar. Toen was ze gaan denken: wat is hier verdomme aan de hand? Maar ze had de vraag laten rusten toen Ian haar had verteld dat hij zijn kinderen graag bij zich wilde hebben. Na Ians dood had Manette gedacht dat Niamh natuurlijk de kinderen weer bij zich in huis zou nemen. Dat had ze duidelijk niet gedaan, waardoor de vraag opnieuw opkwam: wat is er verdomme aan de hand? En deze keer wilde ze per se antwoord op die vraag.

Niamhs stationwagen stond voor het huis en ze kwam aan de deur toen Manette aanklopte. Ze had een verwachtingsvolle uitdrukking op haar gezicht, die onmiddellijk veranderde toen ze zag dat het Manette was. Ook al had Niamh niet zoveel parfum op gehad dat een pony ervan door zijn hoeven zou zakken, en ook als ze geen verleidelijke, roze cocktailjurk met weelderig decolleté had gedragen, wist Manette alleen al door die veranderde gezichtsuitdrukking dat ze binnen afzienbare tijd iemand anders verwachtte.

Niamh zei bij wijze van groet: 'Manette.' Ze deed geen stap naar achteren om haar binnen te laten.

Maakt niet uit, dacht Manette. Ze stapte naar voren, zodat Niamh geen andere keus had dan tegen haar borst te stoten of plaats te maken. Niamh koos voor het laatste, hoewel ze de deur niet achter hen sloot toen ze Manette het huis in volgde.

Manette koos de zitkamer, waar brede ramen over de riviermonding uitkeken. Ze wierp een blik op het bergmassief van Arnside Knot aan de verre overkant van de baai en even ging de gedachte door haar heen dat je met een krachtige telescoop niet alleen de plek kon zien waar de bomen van de Knot zich als een kroon naar een open plek openvouwden met op de top een paar door de wind geteisterde coniferen, maar ook lager op de heuvel in de zitkamer van Nicholas kon kijken.

Ze draaide zich om en keek Niamh aan. De andere vrouw sloeg haar gade, maar vreemd genoeg schoot haar blik een paar keer van Manette naar de deuropening die naar de keuken leidde. Het was alsof iemand zich daar verstopte, wat niet logisch was, gezien Niamhs eerdere verwachtingsvolle blik. Dus Manette zei: 'Ik zou wel een kop koffie willen. Vind je het goed als ik...' en ze beende die kant op.

Niamh zei: 'Manette, wat wil je? Ik had het prettig gevonden als je had gebeld om me te...'

Maar Manette was al in de keuken en zette water op alsof ze er kind aan huis was. Op het aanrecht stond de reden voor Niamhs rusteloze blik. Een felrode, tinnen emmer met daarin verschillende voorwerpen. Een zwarte sticker met witte letters vormde een vlag op de emmer waar LIEFDESEMMER op gedrukt stond. Een open doos, die ook op het aanrecht stond, duidde erop dat dit intrigerende geval zojuist per post was afgeleverd. Je hoefde geen graad in de seksuologie te hebben om te begrijpen dat de emmer een variëteit aan speeltjes bevatte om iemands seksleven spannender te maken. Héél interessant, dacht Manette.

Niamh drong zich langs haar heen, griste de liefdesemmer weg en zette hem weer in de doos. Ze zei: 'Oké. Wat moet je? En ík maak de koffie, als je het niet erg vindt.' Ze pakte een cafetière en zette die met een klap op het aanrecht. Hetzelfde deed ze met een zakje koffie en een mok waarop rondom IK BEN IN BLACKPOOL GEWEEST! stond afgedrukt.

'Ik kom vanwege de kinderen,' zei Manette. Ze zag niet in waarom ze niet meteen met de deur in huis kon vallen. 'Waarom wonen ze nog niet bij jou, Niamh?'

'Volgens mij gaat jou dat niets aan. Heeft Timothy gisteren soms iets tegen je gezegd?'

'Tim heeft me gisteren aangevallen. Ik denk dat jij en ik het er wel over eens zijn dat dat niet bepaald normaal gedrag is voor een jongen van veertien.'

'Aha. Dus daar gaat het om. Nou, je wilde hem zelf van school ophalen. Was dat niet zo leuk? Wat vervelend voor je.' Niamh zei dit laatste op een toon alsof Tim Manette helemaal niet had aangevallen. Ze schepte koffie in de cafetière en pakte melk uit de koelkast. Ze zei: 'Maar dat zou jou niet zo moeten verbazen, Manette. Hij zit tenslotte niet voor niets op de Margaret Fox-school.'

'En we weten allebei waarom,' antwoordde Manette. 'Wat is er verdomme aan de hand?'

'Wat er aan de hand is, is het feit dat Timothy zich al een hele tijd niet normaal gedraagt, zoals jij het formuleert. Ik neem aan dat je zelf wel weet waarom.'

God, dacht Manette, daar gaan we weer. Het was altijd hetzelfde liedje met Niamh: dat uitgerekend op Tims verjaardag de onverwachte gast opdook. Schitterend moment om te weten te komen dat je vader vreemdging, en dan ook nog met een man. Manette kon Niamh wel wurgen. Hoe ver wilde die vrouw verdomme gaan om wat Ian en Kaveh hadden gedaan tot op het bot uit te buiten? Manette zei: 'Dat was niet Tims schuld, Niamh.' En ze voegde eraan toe: 'En waag het niet om nu op een ander onderwerp over te stappen, zoals je altijd doet, oké? Dat lukte je misschien bij Ian, maar ik verzeker je dat dat bij mij niet werkt.'

'Eerlijk gezegd wil ik het niet over Ian hebben, dus maak je geen zorgen.'

Laat me niet lachen, dacht Manette. Daarmee zou de vrouw van haar neef nog eens een opwindende ommezwaai maken, want in het afgelopen jaar had Niamh het over niemand anders gehad dan over Ian en welke streek hij haar had geleverd. Nou, ze zou Niamh aan haar woord houden. En ze was hier trouwens om over Tim te praten. Ze zei: 'Dat is mooi, want ik heb ook geen behoefte om over Ian te praten.'

'O nee?' Niamh bestudeerde haar vingernagels, die net als de rest van haar perfect verzorgd waren. 'Nou, dat is weer eens iets anders. Ik dacht dat Ian een van je lievelingsonderwerpen was.'

'Waar héb je het over?'

'Alsjeblieft, zeg. Doe niet net alsof je verbaasd bent. Je hebt het misschien al die jaren willen verbergen, maar voor mij was het geen geheim dat jij hem wilde.'

'Ian?'

'Als hij bij me weg zou gaan, nam jij aan dat hij dat voor jou zou doen. Echt, Manette, jij zou net zo woedend moeten zijn omdat hij Kaveh als zijn volgende levenspartner koos.'

God, god, gód, dacht Manette. Het was Niamh werkelijk gelukt om haar van Tim af te leiden, ze was zo glad als een aal. Ze zei: 'O, hou toch op. Ik heb heus wel in de gaten wat je aan het doen bent. Dat gaat niet lukken. Ik vertrek niet voordat we over Tim gepraat hebben. Je kunt dat gesprek nu met me aangaan of we kunnen de rest van de dag kat en muis met elkaar spelen. Maar íéts...' en ze keek met een betekenisvolle blik naar de doos met de liefdesemmer, '... vertelt me dat je me liever kwijt dan rijk bent. En dat gaat niet gebeuren door me kwaad te maken.'

Niamh reageerde daar niet op. Ze werd gered omdat de koffie klaar was. De elektrische ketel sloeg af en ze begon de cafetière te vullen en het aanrecht schoon te vegen.

Manette zei: 'Tim is een buitenleerling op de Margaret Fox-school. Hij is er niet intern. Het is de bedoeling dat hij 's avonds naar huis gaat, naar zijn ouders. Maar hij gaat nog steeds naar Kaveh Mehran, niet naar jou. Wat denk je dat dat geestelijk met hem doet?'

'Wát doet geestelijk iets met hem, Manette?' Niamh wendde zich van de koffie af. 'Het feit dat hij naar Ians dierbare Kaveh gaat of dat hij helemaal niet naar huis gaat en daar als een misdadiger wordt opgesloten?'

'Zijn thuis is hier, niet in Bryanbarrow. Dat weet je heel goed. Als je had gezien hoe hij er gisteren aan toe was... Lieve hemel, wat mankeert jou eigenlijk? Hij is je zoon. Waarom heb je hem niet naar huis gehaald? Waarom heb je Gracie niet naar huis gehaald? Wil je ze soms om de een of andere reden straffen? Ben je soms een soort spelletje met hun leven aan het spelen?'

'Wat weet jíj van hun leven? Wat heb je daar ooit van geweten? Jij hebt alleen contact met ze gehad – als je dat al had – vanwege Ian. De lieve, dierbare, heilige Ian, die bij al die verdomde Faircloughs geen kwaad kon doen. Zelfs je vader koos zijn kant toen hij me verliet. Je váder. Ian loopt met een halo om zijn hoofd hand in hand – of zal ik zeggen hand op kont – met een of andere... een of andere Arabíér die amper uit de luiers is en je vader doet er niets aan. Niemand van jullie heeft er iets aan gedaan. En nu werkt hij voor je moeder alsof hij mijn leven niet compleet heeft verwoest. En jij beschuldigt mij ervan dat ík een spelletje speel? Jij vraagt wat ík aan het doen ben terwijl jullie geen poot hebben uitgestoken om ervoor te zorgen dat Ian terugkwam, naar huis, waar hij hoorde, waar zijn plicht lag, waar zijn kinderen waren, waar ik... ik...' Ze griste een keukentissue omdat de tranen die in haar ogen sprongen dreigden over te lopen. Ze ving ze op voordat ze haar eyeliner konden besmeuren of strepen door haar make-up konden trekken. Daarna gooide ze de tissue in de vuilnisbak en drukte met haar handpalm op de cafetière, waardoor de koffieprut in beweging werd gezet en ze zichzelf het zwijgen oplegde.

Manette sloeg haar gade. Voor het eerst werden de zaken haar duidelijk. Ze zei: 'Je gaat ze niet in huis nemen, hè? Je wilt ze bij Kaveh laten. Waarom?'

'Drink verdomme je koffie en sodemieter op,' antwoordde Niamh.

'Niet voordat de zaken duidelijk zijn. Niet voordat ik tot in detail begrijp wat je van plan bent. Ian is dood, dus die kun je afvinken. De volgende is Kaveh. Het is echter niet waarschijnlijk dat Kaveh snel sterft, tenzij jij hem vermoordt...' Manettes woorden stokten in haar keel. Zij en Niamh staarden elkaar zwijgend aan.

Niamh wendde als eerste haar blik af. 'Ga weg,' zei ze. 'Schiet op. Eruit.'

'Hoe moet het nu met Tim? En met Gracie? Wat gaat er met ze gebeuren?'

'Niets.'

'Dus je laat ze bij Kaveh. Totdat iemand je wettelijk of op een andere manier dwingt, laat je ze in Bryanbarrow. Voorgoed. Zodat Kaveh dag in dag uit wordt geconfronteerd met wat hij heeft verwoest. Die twee kinderen, die aan deze hele zaak trouwens helemaal niets kunnen doen...'

'Wees daar maar niet zo zeker van.'

'Wat? Beweer je soms dat Tim... Mijn god. Het gaat van kwaad tot erger met je.'

Manette wist dat verder praten geen zin had. Sodemieter op met je koffie, dacht ze en ze beende naar de voordeur. Toen hoorde ze voetstappen op het opstapje en iemand riep: 'Niamh? Liefje? Waar is mijn meisje?'

Er stond een man op de stoep, met een pot chrysanten in zijn handen en zo'n gretige blik in zijn ogen dat Manette meteen wist dat dit degene was die de liefdesemmer had gestuurd. Hij kwam hier zonder meer om met de inhoud te spelen. Op zijn mollige gezicht lag een verwachtingsvolle glans.

Hij zei: 'O!' en hij keek over zijn schouder alsof hij dacht dat hij bij het verkeerde huis was.

Toen zei Niamh over Manettes schouder: 'Kom erin, Charlie. Manette ging net weg.'

Charlie. Hij kwam haar vaag bekend voor. Manette kon hem niet meteen plaatsen, totdat hij haar nerveus toeknikte en langs haar door de deuropening liep. Hij kwam nu zo dichtbij dat ze hem kon ruiken en hij rook naar keukenolie en nog iets anders. Eerst dacht Manette dat het fish-and-chips was, maar toen drong tot haar door dat hij de eigenaar was van een van de drie Chinese afhaalrestaurants op het marktplein in Milnthorpe. Ze was daar meer dan eens geweest, op weg naar huis vanuit Arnside en vanuit Nicholas' huis, om eten voor Freddie mee te nemen. Ze had de man nooit zonder zijn keukenplunje vol vetspetters en grote hoeveelheden sojasaus gezien. Maar daar stond hij, popelend om werk te doen dat niets te maken had met tjaptjoi in kartonnen bakjes scheppen.

Toen hij naar binnen liep zei hij tegen Niamh: 'Je ziet eruit om op te vreten.'

Ze giechelde. 'Dat hoop ik maar. Heb je honger?'

Ze lachten allebei. De deur ging achter hen dicht, zodat ze hun gang konden gaan.

Manette was witheet van woede. Ze besloot dat er iets aan de vrouw van neef Ian gedaan moest worden. Maar ze was wel zo verstandig om te begrijpen dat het absoluut niet in haar macht lag om haar aan de goden over te leveren. Maar ze kon wel Tims en Gracies leven veranderen. En daar zou ze persoonlijk voor zorgen.

Windermere

Cumbria
Het was niet moeilijk geweest om de forensische verslagen te bemachtigen, en het gemak waarmee dat gepaard ging was voor een groot deel toe te schrijven aan St. James' reputatie als getuige-deskundige. Uiteraard was bij deze zaak zijn expertise niet echt noodzakelijk, want de lijkschouwer was al tot een conclusie gekomen, maar een telefoontje en een leugentje om bestwil over een presentatie op de universiteit over de grondbeginselen van forensisch onderzoek was genoeg geweest om over alle relevante documenten te kunnen beschikken. Hierin werd bevestigd wat Lynley hem al over de dood van Ian Cresswell had verteld, met een paar saillante, extra details. De man had een zware klap op het hoofd gekregen, in de buurt van de linkerslaap, die zo hard was geweest dat hij buiten bewustzijn was geraakt en zijn schedel gebroken was. Het was duidelijk dat hij tegen de stenen kade aan was geslagen, en hoewel het lichaam ongeveer negentien uur in het water had gelegen voordat het werd gevonden, was het – althans volgens het forensisch rapport – nog steeds mogelijk om de wond op zijn hoofd te vergelijken met de vorm van de steen waar hij schijnbaar tegenaan was gestoten voordat hij in het water tuimelde.

St. James fronste zijn wenkbrauwen. Hij vroeg zich af hoe dat kon. Negentien uur in het water zou de toegebrachte wond sterk vervormd hebben. De informatie die je eruit zou kunnen halen, zou waardeloos zijn tenzij ze een reconstructie hadden weten te maken. Daar zocht hij naar, maar die vond hij niet. Hij maakte een notitie en las verder.

Het ging hier om een verdrinkingsdood, wat door onderzoek van de longen werd bevestigd. Kneuzingen op het rechterbeen konden erop duiden dat hij misschien met zijn voet in het voetenbord van de scull was blijven steken, toen zijn evenwicht had verloren, waardoor het vaartuig kapseisde en het slachtoffer een poosje onder water werd geduwd, totdat – wellicht door het zachte kabbelen van het meer in de uren daarna – de voet uiteindelijk was losgeraakt en zijn lichaam vrijelijk naast de kade bleef drijven.

Het toxicologierapport had niets ongebruikelijks opgeleverd. Het percentage alcohol in het bloed wees aan dat hij wel had gedronken, maar niet dronken was. Alles in het rapport duidde erop dat de man in de kracht van zijn leven was. Hij was tussen de veertig en vijfenveertig jaar oud, verkeerde in blakende gezondheid en had een uitstekende lichamelijke conditie.

Omdat het om een verdrinkingsdood zonder getuigen ging, moest de lijkschouwer erbij gehaald worden. Daardoor was een gerechtelijk onderzoek noodzakelijk geweest, dat voorafgegaan was door een onderzoek door de forensische dienst. Tijdens het gerechtelijk onderzoek hadden de rechercheurs in kwestie, evenals Valerie Fairclough, de patholoog-anatoom, de agent die als eerste ter plaatse was geweest en de agent die er daarna bij was geroepen om de conclusie van de eerste agent te bevestigen, verklaard dat dit geen zaak voor de afdeling Moordzaken was omdat het niet om een misdaad ging. Het eindresultaat van dit alles was het oordeel dat het om een dood ten gevolge van een ongeval ging.

Voor zover St. James het kon bekijken, klopte het allemaal. Als er echter fouten waren gemaakt, dan was dat in het begin van het proces gebeurd en door de eerste politieman ter plaatse. Hij moest met deze politieagent gaan praten. Dat vereiste een tripje naar Windermere, waar de agent oorspronkelijk vandaan kwam.

De man heette William Schlicht, en toen St. James bij de receptie van het politiebureau in Windermere aankwam, leek de agent zo uit het opleidingscentrum te zijn weggelopen. Dat verklaarde waarom hij er een andere agent bij had gehaald om zijn conclusies te laten bevestigen. Waarschijnlijk was dit de eerste plaats delict die agent Schlicht had meegemaakt en hij zou zijn carrière niet met een grove fout willen beginnen. Los daarvan was de dode op het landgoed van een bekende en min of meer publieke figuur aangetroffen. De streekbladen zouden hierop afkomen en de agent zou alle ogen op hem gericht weten.

Schlicht was een lichtgebouwde man, maar oogde ook pezig en atletisch; zijn uniform zag eruit alsof dat elke ochtend werd gesteven en gestreken, en de knopen gepoetst werden. Zo te zien was hij begin twintig en hij keek alsof hij het iedereen heel graag naar de zin wilde maken. Niet de beste uitstraling voor een politieman, dacht St. James. Daarmee was je maar al te gemakkelijk een speelbal voor krachten van buitenaf.

'Gaat u een cursus geven?' vroeg agent Schlicht nadat ze kennis hadden gemaakt. Hij had St. James van de receptie meegenomen en in het kantoor leidde hij hem naar een koffie-/lunchruimte waar op een koelkast een bordje hing met: ZET *#%*# JE NAAM OP JE LUNCHZAKJE! en waar een oud koffieapparaat uit de jaren tachtig van de vorige eeuw stond dat een geur uitwasemde die herinnerde aan de kolenmijnen uit de negentiende eeuw. Schlicht at zijn lunch, die leek te bestaan uit een restje kippenpastei, uit een plastic trommeltje. Daarnaast stond als toetje een kleiner trommeltje met frambozenmousse te wachten.

St. James maakte de geëigende instemmende geluiden toen de zogenaamde cursus ter sprake kwam. Hij gaf wel vaker les aan de Londense universiteit. Mocht agent Schlicht hem willen natrekken, dan kon hij alles wat hij over zijn bezoek aan Cumbria beweerde verifiëren. St. James zei tegen de agent dat hij verder kon met zijn lunch, geen probleem, want hij wilde alleen een aantal details bevestigd zien.

'Ik zou denken dat iemand als u een interessantere zaak voor een lezing zou nemen, als u begrijpt wat ik bedoel.' Schlicht stapte over de zitting van zijn stoel heen en nam plaats. Hij pakte zijn bestek en wijdde zich weer aan zijn lunch. 'De zaak-Cresswell was vanaf het begin een uitgemaakte zaak.'

'U moet toch wel enige twijfel hebben gehad,' zei St. James, 'want u hebt er een andere agent bij gehaald.'

'O, dat.' Schlicht zwaaide instemmend met zijn vork. Toen bevestigde hij wat St. James al had vermoed: hij was als eerste ter plaatse geweest, wilde geen smet op zijn blazoen en de familie was bekend in de streek. Hij voegde eraan toe: 'Om nog maar te zwijgen over het feit dat ze stinkend rijk zijn, als u begrijpt wat ik bedoel,' en hij grijnsde alsof de Faircloughs zo rijk waren dat de plaatselijke politie best een beetje vooringenomen mocht zijn. St. James zei niets, keek hem alleen maar vragend aan. Schlicht zei: 'De rijken hebben zo hun eigenaardigheden, begrijpt u wel? Ze zijn niet zoals u en ik. Neem mijn vrouw nou: stel zij vindt een lijk in ons botenhuis – niet dat we een botenhuis hebben, begrijp me goed – nou, ik zal u wel vertellen dat ze de longen uit haar lijf zou schreeuwen en als een idioot rond zou rennen. En als zíj in zo'n geval het alarmnummer zou bellen, zou niemand er een touw aan vast kunnen knopen, als u snapt wat ik bedoel. Die daar...' en St. James concludeerde dat hij het over Valerie Fairclough had, '... is een koele kikker. "Er schijnt een dode man in mijn botenhuis te drijven," zo zei ze het volgens de agent die haar telefoontje op het bureau aannam. Vervolgens geeft ze zonder dat erom werd gevraagd het adres, wat een beetje vreemd is, want je zou denken ze daar onder zulke omstandigheden aan herinnerd zou moeten worden of zoiets. En als ik daar aankom, wacht ze me dan op de oprit op, loopt ze te ijsberen in de tuin, staat ze bij de voordeur nerveus met haar voet op de trap te tikken, of doet ze iets anders wat je van iemand in zo'n toestand zou verwachten? Nee. Ze is in het huis en komt naar buiten, gekleed alsof ze naar een of ander deftig theepartijtje gaat of zo, en ik vraag me af, echt waar, waarom ze in die uitdossing sowieso naar het botenhuis was gegaan. Ze zegt onomwonden tegen me en zonder dat ik erom vraag dat ze daar was om op het meer wat te gaan vissen. In die kleren, begrijpt u wel. Ze zegt dat ze dat heel vaak doet, twee, drie, misschien wel vier keer per week. Op welk tijdstip ook, haar maakt het niets uit. Ze houdt ervan om op het water te zijn, zegt ze. Ze zegt dat ze niet had verwacht daar een drijvend lijk aan te treffen en ze weet ook wie het is: de neef van haar man. Ze neemt me ermee naartoe om te gaan kijken. Terwijl we erheen lopen, duikt er een ambulance op en ze wacht op de broeders tot die bij ons zijn.'

'Ze wist toen al zeker dat de man in het water dood was.'

Schlicht zweeg even en zweefde met de vork halverwege zijn lippen. 'Dat wist ze. Natuurlijk, want hij dreef met zijn gezicht omlaag en hij had al lange tijd in het water gelegen. Maar die kleren van haar. Dat zegt toch zeker wel iets?'

Toch, zei Schlicht, was het een uitgemaakte zaak, voor zover hij het althans kon beoordelen toen ze bij het botenhuis aankwamen, ook al was er iets vreemds aan Valerie Fairccloughs kleding en gedrag. De scull was gekapseisd, het lichaam lag ernaast en de ontbrekende stenen op de kade lieten duidelijk zien wat er was gebeurd. Maar hij had er voor de zekerheid toch een rechercheur bij gehaald, en de rechercheur in kwestie, een vrouw die Dankanics heette, kwam kijken en was het eens met Schlichts inschatting van het bewijsmateriaal. De rest was min of meer routine: formulieren invullen, rapport opmaken, acte de présence geven tijdens het gerechtelijk onderzoek, et cetera.

'Heeft rechercheur Dankanics de plaats delict samen met u onderzocht?'

'Ja. Ze heeft gekeken. We hebben allemaal gekeken.'

'Allemaal?'

'De ambulancebroeders. Mevrouw Fairclough. De dochter.'

'Dochter? Waar was die?' Dit was vreemd. De plek had verzegeld moeten zijn. Het was hoogst ongebruikelijk dat dat niet was gebeurd en St. James vroeg zich af of dit kwam door Schlichts onervarenheid, misschien door onverschilligheid bij rechercheur Dankanics of door iets anders.

'Ik weet niet precies waar zij was en wanneer ze de commotie heeft gezien,' antwoordde Schlicht, 'maar het lawaai rondom het botenhuis had haar aandacht getrokken. De ambulance had de hele weg tot aan het huis zijn sirene aangehad – die kerels zijn zo dol op hun sirene als ik op mijn hond, laat ik u dat wel vertellen – en toen ze die hoorde, kwam ze er met haar looprekje aan.'

'Is ze gehandicapt?'

'Zo zag het er wel uit. Dus dat was dat. Het lijk werd voor autopsie meegenomen, rechercheur Dankanics en ik namen verklaringen af, en...' Hij fronste zijn voorhoofd.

'Ja?'

'Sorry. Ik was de vriend vergeten.'

'Vriend?'

'Blijkt dat die dode kerel een flikker was. Zijn partner werkte op het landgoed. Niet op dat moment, hoor, maar hij kwam aanrijden toen de ambulance wegreed. Natuurlijk wilde hij weten wat er aan de hand was – wie niet, zo is de menselijke natuur nou eenmaal, hè? – en mevrouw Fairclough vertelde het hem. Ze nam hem apart, praatte even met hem en daar ging hij.'

'Viel hij flauw?'

'Met zijn gezicht plat op de kiezels. We wisten eerst niet wie hij was, en dat hij flauwviel leek een beetje raar voor een vent die net naar het huis was gereden en hoorde dat er iemand verdronken was. Dus vroegen we wie hij was en zij zei tegen ons, die Valerie dus, dat deze kerel in landschappen deed en zo en dat die andere vent, de dode bij het botenhuis, zijn partner was. Levenspartner dus, als u begrijpt wat ik bedoel. Hoe dan ook, hij kwam al snel weer bij zijn positieven en begon te snotteren. Hij zei dat het zíjn schuld was dat die andere kerel verdronken was, waardoor onze belangstelling – die van mijzelf en van Dankanics dus – werd gewekt. Maar het bleek dat ze de avond ervoor ruzie hadden gemaakt over het huwelijksbootje. De dode vent had echt voor de burgerlijke stand willen trouwen, met alles erop en eraan en in het openbaar, terwijl de nog levende kerel de zaken wilde laten zoals ze waren. En christus, wat stond die vent te jammeren, zeg! Dan ga je je toch dingen afvragen, als u snapt wat ik bedoel.'

Dat deed St. James eigenlijk niet, hoewel hij net als Alice de informatie al vreemder en vreemder begon te vinden. Hij zei: 'Wat het botenhuis zelf betreft...'

'Hmm?'

'Was alles in orde? Los van de ontbrekende stenen op de kade, natuurlijk.'

'Voor zover mevrouw Fairclough kon zien wel.'

'En de boten?'

'Die lagen allemaal binnen.'

'Zoals gebruikelijk?'

Schlicht trok zijn wenkbrauwen op. Hij had zijn kippasteitje op en prutste aan het deksel van zijn frambozenmousse. 'Ik weet niet precies of ik begrijp wat u bedoelt.'

'Lagen de boten altijd in dezelfde volgorde zoals ze lagen toen u het lijk zag? Of was die willekeurig?'

Schlicht tuitte zijn lippen tot een fluitje, maar hij maakte geen geluid. Hij gaf ook even geen antwoord, maar St. James wist wel dat hij niet achterlijk was, ook al was hij wat los in de omgang. 'Daar zegt u zowat,' zei hij, 'dat hebben we niet gevraagd. Verdikke, meneer St. James. Ik hoop dat dat niet betekent wat ik denk dat het betekent.'

Want als ze er willekeurig hadden gelegen, zou het hoogstwaarschijnlijk een ongeluk zijn. In alle andere gevallen wees het op moord.

Middlebarrow Farm

Cumbria

Het Middlebarrow burchttorenproject bevond zich aan de oostkant van de heuvel waar ook Arnside Wood lag, dat toegang bood tot een beschermd gebied dat Arnside Knot heette. Deborah St. James en Nicholas Fairclough reden op weg naar het project over deze heuvel, maakten een bocht door het bovenste deel van het dorp Arnside en gingen daarna weer heuvelafwaarts, terwijl ze de borden volgden die hun de weg wezen naar een plek die Silverdale heette. Ondertussen babbelde Nicholas Fairclough op zijn, naar het Deborah toescheen, gebruikelijke, vriendelijke manier. Hij leek open en eerlijk, de laatste persoon die je zou verdenken van het plannen van de moord op zijn eigen neef, als het inderdaad om moord ging. Hij repte natuurlijk niet van Ian Cresswells dood. Het feit dat de man was verdronken, hoe onfortuinlijk ook, had niets te maken met de schijnbare reden waarom Deborah daar op bezoek was. Maar ze wist niet zeker of ze dat ook zo moest laten. Ze wilde op de een of andere manier Cresswell ter sprake brengen.

Dat was niet haar sterkste kant. Ze vond het over het algemeen al moeilijk om met mensen over koetjes en kalfjes te praten, hoewel ze daar door de jaren heen beter in was geworden, omdat ze er de waarde wel van had leren inzien om haar fotomodellen tijdens het fotograferen op hun gemak te stellen. Maar dat soort luchtig babbelen was in zekere zin tenminste nog eerlijk. Met dit gekeuvel – terwijl ze moest doen alsof ze heel iemand anders was – wist ze niet goed raad.

Gelukkig leek Nicholas dat niet te merken. Hij was bezig haar ervan te verzekeren dat zijn vrouw helemaal achter het werk stond dat hij deed.

'Ze is afstandelijk totdat je haar beter leert kennen,' zei hij tegen Deborah terwijl ze over de smalle weg schoten. 'Zo zit ze in elkaar. Je moet het niet persoonlijk opvatten. Allie vertrouwt mensen niet zomaar. Dat heeft met haar familie te maken.' Hij schonk haar een glimlach. Hij had een merkwaardig jeugdig gezicht, als van een jongen die nog niet helemaal volwassen was, en Deborah vermoedde dat hij er tot in zijn graf jong zou blijven uitzien. Sommige mensen hadden dat geluk. 'Haar vader is burgemeester in haar geboortestad. In Argentinië. Hij is jarenlang burgemeester geweest, dus ze is daar in de schijnwerpers opgegroeid en moest leren zich heel bewust te zijn van alles wat ze deed. Ze heeft altijd het gevoel dat iemand haar in de gaten houdt, haar op iets wil betrappen... Ik weet niet waarop. Hoe dan ook, daardoor is ze in het begin schuw. Iedereen moet haar vertrouwen verdienen.'

'Ze is wel heel aantrekkelijk, hè?' zei Deborah. 'Dat zal best een probleem zijn voor iemand die in de kijker staat, zelfs in een kleine stad. Alle ogen zijn op haar gericht, als je begrijpt wat ik bedoel. Uit welk gedeelte van Argentinië komt ze?'

'Santa María di nog wat. Ik vergeet het altijd. Het zijn wel tien woorden. Het ligt ergens in de heuvels. Sorry. Ik raak in de war van al die Spaanse namen. Ik ben volkomen hopeloos met talen. Ik spreek amper Engels. Hoe dan ook, ze heeft een hekel aan die plek. Ze zegt dat het voelde als een buitenpost van de maan. Ik denk dat het niet eens zo heel groot is. Ze is van huis weggelopen toen ze een jaar of vijftien was. Na een poosje heeft ze zich weer met haar familie verzoend, maar ze is nooit teruggegaan.'

'Haar familie mist haar vast.'

'Dat zou ik niet weten,' zei hij. 'Hoewel dat waarschijnlijk wel zo zal zijn, toch?'

'Heb je ze dan nooit ontmoet? Zijn ze niet op jullie bruiloft geweest?'

'Eigenlijk was er geen bruiloft. Alleen Allie en ik in het stadhuis van Salt Lake City. Iemand die ons in de echt heeft verbonden en twee vrouwen die we als getuigen van straat hebben geplukt. Daarna heeft Allie haar ouders geschreven dat we getrouwd waren, maar ze hebben niet teruggeschreven. Ze zullen het vast niet leuk hebben gevonden. Maar ze trekken wel weer bij. Dat gebeurt altijd. Vooral...' hij grijnsde, '... als er een kleinkind op komst is.'

Dat verklaarde het tijdschrift dat ze had gezien. *Conceptie*, met de talloze pre- en postnatale verhalen over van alles en nog wat. 'Zijn jullie in verwachting? Gefelici...'

'Nog niet. Maar het kan nu elk moment gebeuren.' Hij tikte met zijn vingers op het stuur. 'Ik heb geluk,' zei hij. 'Ik heb heel veel geluk.' Toen wees hij naar een herfstig bos aan de oostkant van de weg, een weelderig bladerdak van donkerbruine en goudkleurige, kalende bomen die fel afstaken tegen het groen van de coniferen. 'Middlebarrow Wood,' zei hij tegen haar. 'Vanaf hier kun je de burchttoren zien.' Hij reed de berm in om haar het uitzicht te laten zien.

Deborah zag dat de toren op een heuvel stond die leek op de prehistorische terpen die je overal in het Engelse landschap aantrof. Achter die heuvel begon het bos, terwijl de toren zelf op een open plek stond. Daardoor lag die hoger dan het omliggende landschap, voor het geval er grensstruikrovers opdoken, wat veelvuldig voorkwam in de eeuwen waarin de grens tussen Engeland en Schotland voortdurend veranderde. De schurken waren altijd op hetzelfde uit. Ze waren plunderaars die profiteerden van de wetteloosheid in die tijd, die veediefstal tot kunst verhieven, huizen overvielen en hun slachtoffers beroofden van alles wat ze bezaten. Hun opzet was altijd om te plunderen en naar hun huizen terug te keren zonder zelf te worden gedood. Als zij daar voor moesten doden, dan deden ze dat. Maar daar waren ze niet echt op uit.

De burchttorens waren bedoeld om zich tegen de plunderaars te verdedigen. De beste waren onverwoestbaar, met stenen muren die veel te dik waren om schade aan te kunnen toebrengen en ramen die net breed genoeg waren om er pijlen uit af te vuren. Er waren verschillende verdiepingen voor dieren, hun eigenaars, hun huishoudens en hun verdediging. Maar nadat ten slotte de grenzen definitief waren vastgesteld en er wetten kwamen die door gezagsdragers werden gehandhaafd en dus meer waren dan een kortstondige bevlieging, raakten de torens gaandeweg in onbruik. Toen het eenmaal zover was, verdween het materiaal in andere gebouwen. Of de toren werd onderdeel van grotere bouwwerken, ging deel uitmaken van een groot huis, een pastorie of een school.

De Middlebarrow-burchttoren hoorde bij het eerste type. Hij was hoog en de meeste ramen waren nog intact. Op korte afstand ervan stond aan de overkant van een veld een groep oude boerderijen, waaraan je kon zien waarvoor een aantal van de oorspronkelijke stenen was gebruikt. Tussen de toren en de boerderijen was een kamp opgezet. Dat bestond uit kleine tenten, voorraden en verschillende geïmproviseerde barakken waarvan een grotere tent was ingericht voor het twaalfstappenprogramma, zei Nicholas. Die deed ook dienst als eettent. Maaltijden en de twaalf stappen gingen hand in hand.

Nicholas reed de weg weer op, die op een pad uitkwam dat naar de toren liep. De toren, zo zei hij, stond op privéterrein van de Middlebarrow-boerderij. Hij had de boer zover gekregen dat die instemde met het project – en met het gevolg: de aanwezigheid van herstellende verslaafden die daar momenteel woonden en werkten – toen hij de voordelen inzag van een gerestaureerde toren die kon worden ingezet als vakantiehuis of toeristische attractie en alles daartussenin.

'Hij vond het goed dat we er een kampeerplaats van maakten,' zei Nicholas tegen haar. 'In het seizoen krijgt hij daar wat extra inkomsten uit en hij neemt ons op de koop toe als dat het eindresultaat is. Het was trouwens Allies idee, zij heeft aan de boer uitgelegd wat de mogelijkheden van de toren waren als hij ons onze gang liet gaan. Zij was betrokken bij de voorbereidende fase van het burchttorenproject.'

'Maar nu niet meer?'

'Ze blijft liever op de achtergrond. Plus... nou ja, ik mag wel zeggen dat toen de verslaafden binnendruppelden, ze zich thuis meer op haar gemak voelde dan hier.' Hij reed naar de plek waar het werk vorderde en voegde er toen aan toe: 'Maar je hoeft niet bang te zijn, hoor. Die kerels zitten er te ver doorheen, en ze zijn meer dan bereid om hun leven te veranderen, dan om voor wie dan ook een bedreiging te kunnen vormen.'

Maar ze zaten er helemaal niet doorheen, merkte Deborah. Er was een projectteamleider benoemd, en toen Nicholas die aan haar voorstelde als Dave K – 'Het is traditie om elkaar niet bij de achternaam te noemen,' zo vertelde hij haar – was het duidelijk dat werk hongerig maakte, wat weer te maken had met de maaltijden, die op hun beurt weer naar de twaalf stappen leidden, en daarna was het slapen geblazen. Dave K had een rol plannen bij zich, en die spreidde hij op de motorkap van Nicholas Fairclough's auto uit. Met een knikje naar Deborah, bij wijze van begroeting, stak hij een sigaret op en gebruikte die als aanwijzer terwijl hij met Nicholas over het project praatte.

Deborah liep bij de auto vandaan. Ze zag dat het een enorme toren was, een volumineuze massa die eruitzag als een Vikingkasteel, compleet met kantelen. Op het eerste gezicht hoefde er niet veel gerestaureerd te worden, zo leek het althans, maar toen Deborah naar de andere kant van het bouwwerk liep, zag ze wat de eeuwen waarin het ten prooi was gevallen aan plunderaars uit de buurt hadden aangericht.

Het zou een reusachtig project worden. Deborah kon zich niet voorstellen hoe ze al het benodigde werk voor elkaar moesten krijgen. Er waren geen verdiepingen in het gebouw, een van de vier buitenmuren ontbrak en een andere muur was gedeeltelijk ingestort. Ze zouden alleen al met het weghalen van het puin een eeuwigheid bezig zijn, en dan was er nog de niet geringe taak om aan de materialen te komen die lang geleden waren weggehaald en voor andere gebouwen in de streek waren gebruikt.

Ze keek er met een fotografische blik naar. Zo sloeg ze ook de mannen gade die daar aan het werk waren, de meesten zagen eruit alsof ze gepensioneerd waren. Ze had geen van haar camera's bij zich, afgezien van een klein digitaal toestel om de schijn op te houden dat ze onderzoek deed voor een filmmaker. Dat haalde ze uit haar tas en ze registreerde alles om haar heen.

'Echt, met creëren kun je genezen. Het gaat om het proces, niet om het product zelf. Dat zit in de menselijke aard. Maar uiteindelijk komen ze tot het inzicht dat het werkelijke resultaat geloof in jezelf is, trots, zelfkennis. Hoe je het ook wilt noemen.'

Deborah draaide zich om. Nicholas was naast haar komen staan. Ze zei: 'Eerlijk gezegd zien je arbeiders er niet bepaald uit dat ze veel klaarmaken. Waarom zijn er geen jongere mannen om ze te helpen?'

'Omdat deze kerels het meest aan redding toe zijn. Hier en nu. Als niemand ze een helpende hand biedt, sterven ze in de komende jaren op straat. Ik vind dat niemand zo'n dood verdient. In het hele land en over de hele wereld zijn er programma's voor jonge mensen en geloof me, ik weet het want ik ben er zelf geweest. Maar voor zulke kerels? Nachtopvang, broodjes, warme soep, bijbels, dekens, wat dan ook. Maar geen geloof. Ze zijn nog niet zo ver heen dat ze medelijden niet op een kilometer afstand kunnen ruiken. Als je je zo tegenover ze opstelt, pakken ze je geld aan, worden ze stoned en vervloeken ze je. Excuseer me even, oké? Kijk rond als je wilt. Ik moet een van hen spreken.'

Deborah keek toe hoe hij zich geroutineerd een weg door het puin baande. Hij riep: 'Hé, Joe! Wat hebben we van die steenhouwer gehoord?'

Deborah dwaalde in de richting van de grote tent, waar een bord stond met daarop: ETEN EN ONTMOETEN. Binnen dekte een bebaarde man met gebreide muts en dikke jas – te dik voor dit weer, maar hij leek geen spatje vet aan zijn lijf te hebben om zijn botten te beschermen – de tafel voor het eten. Hij had op spiritusbranders grote pannen neergezet waaruit een aroma opsteeg van stoofvlees en aardappels. Hij zag Deborah en zijn ogen schoten naar de camera in haar handen.

Deborah zei vriendelijk: 'Hallo. Maakt u zich geen zorgen. Ik kijk alleen een beetje rond.'

'Dat zeggen ze allemaal,' sputterde hij.

'Komen er veel bezoekers?'

'Er loopt altijd wel iemand rond. Hij heeft het geld nodig.'

'O, ik begrijp het. Ik ben bang dat ik geen potentiële sponsor ben.'

'Dat was de laatste ook niet. Niet dat het mij iets kan schelen. Ik krijg te eten en ga naar de bijeenkomsten en als iemand me vraagt om te zeggen dat ik in dit werk geloof, dan zeg ik dat.'

Deborah liep naar hem toe. 'Maar u gelooft er niet in?'

'Dat heb ik niet gezegd. En het maakt niet uit wat ik geloof. Zoals ik al zei, ik krijg te eten en ga naar de bijeenkomsten, en dat is voor mij genoeg. Ik vind de bijeenkomsten niet zo erg als ik had gedacht, dus dat is half zo slecht nog niet. En ik krijg ook een droge slaapplaats.'

'Tijdens de bijeenkomsten?' vroeg Deborah hem.

Hij keek scherp op. Hij zag haar glimlach en grinnikte. 'Hoe dan ook, zoals ik al zei, ze zijn zo slecht nog niet. Een beetje veel God-gedoe, beetje veel gedoe over acceptatie, maar ik kan er wel mee omgaan. Misschien dringt het door. Ik wil het best proberen. Tien jaar slecht slapen... het is genoeg geweest.'

Deborah hielp hem de tafel te dekken. Hij had een grote kist op een stoel gezet en daaruit haalde hij bestek, tinnen borden, plastic glazen, koppen en een stapel papieren servetten tevoorschijn. Die begon hij op de tafel te rangschikken en Deborah hielp hem.

'Leraar,' zei hij zachtjes.

Ze zei: 'Wat?'

'Dat ben ik geweest. Middelbare school in Lancaster. Scheikunde. Ik durf te wedden dat u dat niet had gedacht, hè?'

'Nee. Inderdaad.' Zij zei het net zo zacht.

Hij gebaarde naar de buitendeuren. 'In alle soorten en maten,' zei hij. 'We hebben hier een chirurg, een natuurkundige, twee bankiers en een makelaar. En dat zijn nog degenen die bereid zijn te vertellen wat ze achter hebben gelaten. De anderen...? Die zijn nog niet zover. Het kost tijd om toe te geven hoe ver je gezakt bent. U hoeft die servetten niet zo netjes te vouwen, hoor. We zijn hier niet in de Ritz.'

'O. Sorry. Macht der gewoonte.'

'Net als hij,' zei hij. 'Je kunt je afkomst niet verloochenen.'

Deborah vertelde hem maar niet dat ze zelf afstamde van wat in een andere eeuw 'een dienstje' zou zijn genoemd. Haar vader was al lang in dienst bij de familie St. James en in de afgelopen zeventien jaar had hij voor Simon gezorgd terwijl hij deed alsof hij niet voor hem zorgde. Het was een uitermate delicaat evenwicht, en meneer St. James was ook nog zijn schoonzoon. Deborah mompelde min of meer instemmend en zei: 'Zo te horen mag u hem heel graag.'

'Hem? Fatsoenlijke vent. Beetje te goed van vertrouwen, maar er zit geen kwaad bij.'

'Denkt u dat er iemand misbruik van hem maakt? Ik bedoel, met al deze heren hier?'

'Amper. De meesten van hen weten dat ze iets goeds in handen hebben en tenzij ze het met drank of drugs te gortig maken, proberen ze hier zo lang mogelijk rond te hangen.'

'En anderen?'

'Misbruik?' Hij keek haar recht aan, met een uitermate betekenisvolle blik. Deborah zag dat hij in zijn linkeroog grauwe staar ontwikkelde en ze vroeg zich af hoe oud hij was. Nadat hij tien jaar op straat had geleefd, was het nagenoeg onmogelijk aan de hand van zijn uiterlijk vast te stellen hoe oud hij was.

'Mensen komen hiernaartoe en beloven hem van alles en nog wat. In dat opzicht is hij naïef.'

'Heeft het met geld te maken? Donaties?'

'Soms. Andere keren willen ze iets van hem.' Opnieuw die betekenisvolle blik.

Deborah besefte dat hij haar onder de categorie mensen schaarde die iets van Nicholas Fairclough wilde. Dat was geen onredelijke conclusie, als je in ogenschouw nam wie ze leek te zijn. Maar toch zei ze: 'Zoals?'

'Nou, hij heeft een goed verhaal te vertellen, nietwaar? Hij denkt dat als hij dat uitdraagt, dat voor deze plek geld oplevert. Alleen werkt het niet altijd zo, nietwaar? Negen van de tien keer komt er niets van terecht. Er is hier wel vier keer een krantenjongen geweest die een verhaal had beloofd en hij zag het schip met geld al binnenkomen om ons uit de brand te helpen als het verhaal eenmaal was gepubliceerd. Maar er is verdomme niets van gekomen en nu zijn we weer terug bij af, waar we het geld bijeen moeten schrapen. Dat bedoel ik. Een beetje naïef.'

Deborah zei: 'Vier keer?'

'Eh?'

'Is hier vier keer een verslaggever geweest en is daar geen verhaal uitgekomen? Dat is wel raar, als je er zo veel tijd in steekt zonder dat het voor iemand iets oplevert. Dat moet echt een teleurstelling zijn geweest. Welke journalist investeert nou al die tijd in de voorbereidingen van een verhaal zonder het te schrijven?'

'Dat zou ik ook weleens willen weten. Hij bewéérde dat hij van *The Source* in Londen was, maar niemand heeft uitgezocht of dat klopte, dus hij had wel iedereen kunnen zijn. Ik persoonlijk denk dat hij hier was om hem door het slijk te halen en hoopte dat hij een slecht beeld van hem kon schetsen. Om zijn eigen carrière wat soepeler te laten verlopen, van die kerel, als u begrijpt wat ik bedoel. Maar hij ziet dat niet zo. "De tijd was nog niet rijp," zo verklaarde hij het.'

'Maar daar bent u het niet mee eens.'

'Ik vind dat hij voorzichtig moet zijn. Dat is hij nooit en dat gaat nog een probleem voor hem worden. Niet nu, maar later. Een probleem.'

Windermere

Cumbria

Het was Yaffa Shaw geweest die tegen Zed had geopperd dat er wellicht meer te doen viel dan alleen maar in de Willow & Well in het dorp Bryanbarrow rond te hangen totdat hem een wonderbaarlijke openbaring in de schoot zou vallen: zoals het opduiken van een Scotland Yard-rechercheur, compleet met vergrootglas in de hand en een meerschuimen pijp tussen de lippen geklemd, duidelijk herkenbaar. Nadat Zed zijn aantekeningen had uitgewerkt over alle toespelingen die de oude boer George Cowley op het plein had gemaakt, hadden ze hun gebruikelijke gesprekje. Hij had ook opgemerkt dat de tienerzoon van de man zich erg ongemakkelijk had gevoeld bij de tirade van de man. Het zou kunnen, zo dacht hij, dat hij nog een babbeltje moest gaan maken, maar deze keer met Daniel Cowley en niet met zijn vader.

Yaffa, die de rol speelde van zijn bezorgde, mogelijk toekomstige levenspartner omdat zijn moeder in de kamer was – wanneer was ze níét in de kamer als het op zijn liefdesleven aankwam? vroeg Zed zich wrokkig af – wees hem erop dat Ian Cresswells dood en George Cowleys bedoelingen misschien juist met elkaar in strijd waren in plaats van wat Zed had geconcludeerd, namelijk dat er een rechtstreeks verband tussen was.

Eerst had Zed zijn stekels opgezet. Hij was hier tenslotte de onderzoeksjournalist. En zij was slechts een student aan de universiteit van Londen die haar opleiding sneller wilde afronden om naar Micah terug te kunnen, naar haar vriend die medisch student was in Tel Aviv. Hij zei: 'Daar zou ik maar niet zo zeker van zijn, Yaf,' waarbij hij eerst niet in de gaten had dat hij het koosnaampje er zomaar uitflapte. 'Sorry. Yaffa,' verbeterde hij zichzelf.

Ze zei: 'Ik vind dat andere wel leuk. Ik moet ervan glimlachen.' En toen overduidelijk tegen zijn moeder om antwoord te geven op de ademloze vraag van Susanna Benjamin over waarom Yaffa Shaw moest glimlachen tijdens het gesprek met haar geliefde Zed: 'O, Zed noemde me Yaf. Ik vond dat wel lief.' En tegen Zed: 'Je moeder zegt dat jij lief bent. Ze zegt dat je onder dat reusachtige uiterlijk van je roomzacht bent.'

'God,' kreunde Zed. 'Kun je haar niet de kamer uit sturen? Of zal ik ophangen en het voor vandaag maar voor gezien houden?'

'Zed! Hou op!' Ze lachte. Hij had gemerkt dat ze een heerlijke lach had. Ze zei tegen zijn moeder: 'Deze man maakt kusgeluidjes. Doet hij dat altijd als hij met een vrouw aan de telefoon zit...? Niet? Hmm. Ik vraag me af wat hij nu gaat zeggen.'

'Zeg tegen haar dat ik je vraag je onderbroek uit te doen of zoiets,' zei Zed.

'Zedekiah Benjamin! Je moeder staat hier pal naast me.' En toen: 'Hij is heel erg ondeugend.' Even later zei ze op een andere toon tegen Zed: 'Ze is weg. Maar echt, Zed, je moeder is heel lief. Ze brengt me 's avonds warme melk en koekjes. Als ik aan het studeren ben.'

'Je weet wat ze wil. Daar werkt ze al jaren aan. Dus. Gaat alles goed?'

'Prima. Micah heeft gebeld en nu speelt hij tegenover je moeder mijn broer Ari, die uit Israël belt om te kijken hoe zijn kleine zusje met haar studie vordert.'

'Oké. Nou ja. Mooi zo.' En echt, nu waren ze wel klaar, want ze hadden met elkaar afgesproken dat ze twee keer per dag zouden bellen, wanneer zijn moeder in de buurt was.

Maar Yaffa kwam terug op wat ze eerder hadden besproken. 'Stel dat de zaken anders zijn dan ze lijken?'

'Zoals wij, bedoel je?'

'Nou, ik heb het niet over ons, maar het is wel een aandachtspunt, vind je niet? Ik bedoel maar, stel dat er impliciet een ironie in schuilt waardoor dat op zichzelf je verhaal over Nicholas Fairclough wat sexyer kan maken?'

'Die kerel van Scotland Yard...'

'Los van de kerel van Scotland Yard. Want luister nou eens naar wat je me erover hebt verteld: een man is dood, een andere man wil de boerderij waar de dode man woonde. Maar er woont nog een man op de boerderij met de kinderen van de dode man. Wat vertelt jou dat?'

De waarheid was dat het hem niets zei, maar het drong plotseling tot Zed door dat Yaffa in het verhaal verder doordacht dan hij. Hij kuchte, hakkelde wat en schraapte zijn keel.

Ze zei vriendelijk: 'Er zit hier meer achter dan op het eerste gezicht lijkt, Zed. Is er een testament van de dode man?'

'Een testament?' Wat deed een testament er in godsnaam toe? Hoe pikant was dat?

'Ja. Een testament. Zie je niet dat hier mogelijk een conflict ligt? George Cowley veronderstelt dat hij nu kans maakt op de boerderij, want die wordt vast te koop aangeboden. Maar stel dat dat niet zo is?

Stel dat de farm hypotheekvrij is en dat Ian Cresswell hem aan iemand heeft nagelaten? Of stel dat de koopakte op nog iemands naam staat? Wat een ironie, hè? Dan wordt George Cowley opnieuw gedwarsboomd. Het wordt zelfs nog interessanter als deze George Cowley iets met Ian Cresswells dood te maken heeft, denk je niet?'

Zed zag dat ze gelijk had. Hij zag ook dat ze slim was en bovendien aan zijn kant stond. Dus nadat ze hadden opgehangen, ging hij verder graven naar Ian Cresswell en een testament. Hij had niet lang nodig om te ontdekken dat er inderdaad een testament was, want Cresswell was zo verstandig geweest om die online te registreren en de informatie lag zo voor het oprapen: een kopie van het document lag op het kantoor van zijn advocaat in Windermere. Aangezien de kerel dood was gevonden, was er nog een exemplaar beschikbaar via het officiële register, maar het zou waardevolle tijd kosten om daar achteraan te gaan, om nog maar te zwijgen over een reis helemaal naar York. Dus hij wist dat hij er een blik op moest zien te werpen, of de informatie op een andere manier in handen moest weten te krijgen.

Het zou natuurlijk het toppunt van verrukking zijn geweest als het testament online in te zien zou zijn, maar het gebrek aan privacy in het Verenigd Koninkrijk – dat pandemische vormen begon aan te nemen, met dank aan het wereldwijde terrorisme, nationale grenzen die zo lek als een mandje waren en het gemak waarmee je toegang had tot de diensten van de wapenfabrikanten in deze wereld – had zich nog niet zo ver uitgebreid dat iemands testament daaraan werd opgeofferd en voor het publiek toegankelijk was. Maar toch wist Zed dat er een manier was om wel zover te komen en hij wist ook wie op deze planeet heel waarschijnlijk de hand zou weten te leggen op het benodigde document.

'Een testament,' zei Rodney Aronson toen Zed contact opnam met de hoofdredacteur op zijn kantoor in Londen. 'Je zegt me dat je het testament van de man wilt inzien. Ik zit midden in een vergadering, Zed. We moeten een krant uitgeven. Dat weet je toch, hè?'

Zed vermoedde dat zijn hoofdredacteur ook midden in een chocoladereep zat, want door de telefoon kon hij het papiertje horen kraken terwijl Rodney Aronson aan het woord was.

Hij zei: 'De toestand ligt gecompliceerder dan het lijkt, Rod. Er is hier een vent die zijn zinnen op de boerderij van Ian Cresswell heeft gezet. Hij denkt dat die onder de hamer gaat. Volgens mij heeft hij een verdomd goed motief om onze vent om zeep te helpen...'

'Onze vént, zoals jij het uitdrukt, is Nick Fairclough. Het verhaal gaat over hem, nietwaar? In dat verhaal zoeken we naar de seks en de seks is de politie. Maar er zit alleen seks in het Fairclough-verhaal als ze ook daadwerkelijk onderzoek doen naar Fairclough. Zed, jongen van me, moet ik je werk soms voor je doen of kun je misschien op een al rijdende trein springen?'

'Ik snap 't. Ik weet het. Ik ben geheel en al bij de les. Maar aangezien er nog geen politieman is komen opdagen...'

'Zit je dat daar soms te doen? Zit je te wachten totdat de politie haar gezicht laat zien? Jezus christus, Zed. Wat voor journalist ben je eigenlijk? Ik zal het voor je uitspellen, oké? Als deze Credwell...'

'Cresswell. Ian Cresswell. En hij heeft hier een farm en zijn kinderen wonen daar met een of andere vent, voor zover ik weet. Dus als de farm aan deze vent of zelfs aan de kinderen wordt nagelaten, en...'

'Het kan me verdomme geen reet schelen wie de farm krijgt, van wie die is of dat hij stiekem de tango danst. En het kan me verdomme geen reet schelen of die Cresswell vermoord is. Wat mij iets kan schelen is wat de politie daar doet. Als ze niet bij Nicholas Fairclough rondneuzen, dan is je verhaal exit en kom je weer terug naar Londen. Snap je dat of moet ik het nog een keer uitleggen?'

'Ik snap 't. Maar...'

'Mooi zo. Ga dan nu weer terug naar Fairclough en val me niet meer lastig. Of kom naar Londen terug, laat de hele boel zitten en ga een baan zoeken waar je wenskaarten kunt schrijven. Van het soort dat rijmt.'

Dat laatste was onder de gordel. Maar Zed zei niettemin: 'Oké.'

Maar het was niet oké. En het was ook geen goede journalistiek. Niet dat *The Source* goede journalistiek bedreef, maar als een verhaal hun nagenoeg in de schoot geworpen werd, zou je toch aan die mogelijkheid kunnen denken.

Prima, dacht Zed. Hij zou weer terugkeren naar Nicholas Fairclough en Scotland Yard. Maar eerst zou hij koste wat kost uitzoeken hoe het zat met die farm en de voorwaarden van dat verdomde testament, want hij voelde aan zijn water dat die informatie voor meer dan één persoon in Cumbria van cruciaal belang was.

Milnthorpe

Cumbria

Lynley had met St. James en Deborah afgesproken in de bar van hun B&B. Bij een glas nogal onbestemde port namen ze de tot dan toe vergaarde informatie door. Lynley ontdekte dat St. James op dezelfde lijn zat als hij. Ze moesten de ontbrekende stenen van de kade opvissen en St. James moest ze aan een onderzoek onderwerpen. Hij zou zelf ook graag het botenhuis willen bekijken, zei hij tegen Lynley, maar hij wist niet hoe ze dat moesten regelen zonder dat ze zich in de kaart lieten kijken.

'Ik weet eigenlijk zeker dat dat uiteindelijk toch gaat gebeuren,' zei Lynley. 'Ik weet niet hoe lang ik nog kan doen alsof ik voor de toevallige toeschouwer gewoon nieuwsgierig ben. Faircloughs vrouw weet het trouwens. Hij heeft het haar verteld.'

'Dat maakt de zaken er gemakkelijker op.'

'Relatief gesproken wel, ja. En ik ben het met je eens, Simon. We moeten jou in dat botenhuis zien te krijgen, en om meer dan één reden.'

'Hoezo?' vroeg Deborah. Ze had haar digitale camera naast haar glas port op tafel gelegd en een kleine blocnote uit haar schoudertas gehaald. Lynley zag dat ze haar rol in hun onderzoekje serieus nam. Hij glimlachte naar haar, dankbaar dat hij weer voor het eerst sinds maanden in het gezelschap van oude vrienden was.

'Ian Cresswell ging niet regelmatig met zijn scull roeien,' zei Lynley tegen haar. 'Maar Valerie Fairclough gaat er met haar roeiboot een paar keer per week op uit. De scull lag weliswaar aangemeerd op de plek waar de kadestenen loszaten, maar hij had geen vaste plek. De mensen van het landgoed maakten hun vaartuig vast waar ze een plekje konden vinden.'

'Maar iemand die de scull daar had zien liggen, kon de stenen hebben losgemaakt terwijl hij die avond op het meer was, toch?' vroeg Deborah.

'Dan zou iemand die avond op het landgoed moeten zijn geweest,' zei haar man. 'Was Nicholas Fairclough daar die avond?'

'Als dat al zo was, dan heeft niemand hem gezien.' Lynley wendde zich tot Deborah. 'Wat voor indruk heb jij van Fairclough gekregen?'

'Hij lijkt me verschrikkelijk aardig. En zijn vrouw is beeldschoon, Tommy. Ik weet niet precies welk effect ze heeft op mannen, maar volgens mij krijgt ze moeiteloos een trappistenmonnik zover dat hij zijn geloften overboord gooit.'

'Iets tussen haar en Cresswell?' opperde St. James. 'En dat dit een punt is voor Nicholas?'

'Lijkt me niet, de man was homoseksueel.'

'Of biseksueel, Tommy.'

'En dan is er nog iets,' vervolgde Deborah. 'Eigenlijk twee dingen. Misschien is het volkomen onbelangrijk, maar als je mij vraagt wat ik nou intrigerend vind...'

'Laat horen,' zei Lynley.

'Oké: in het huis van Alatea Fairclough ligt een exemplaar van het tijdschrift *Conceptie*. Achterin waren een paar bladzijden uit gescheurd, we zouden dat nummer kunnen opzoeken en kijken waar die over gaan. Nicholas vertelde me dat ze graag een kind willen.'

St. James schrok op. Aan zijn gezicht te zien vond hij dat dat tijdschrift niets te betekenen had en het zou voor niemand iets te betekenen hebben, behalve voor Deborah, wier eigen zorgen over conceptie haar oordeel wellicht vertroebelden.

Lynley zag dat Deborah hetzelfde bij haar man opmerkte als hij, want ze zei: 'Dit gaat niet om míj, Simon. Tommy is op zoek naar iets wat opvalt en ik dacht... Stel dat Nicholas door zijn drugsgebruik onvruchtbaar is geworden, maar dat Alatea niet wil dat hij dat weet? Misschien heeft een arts haar dat wel verteld, maar niet aan hem. Of ze heeft een dokter zover gekregen dat die tegen hem heeft gelogen, omwille van zijn ego, om hem op het rechte pad te houden. Dus stel dat ze weet dat hij haar geen kinderen kan schenken en aan Ian heeft gevraagd hun een handje te helpen, als je begrijpt wat ik bedoel?'

'Om het in de familie te houden?' vroeg Lynley. 'Alles is mogelijk.'

'En dan is er nog iets,' zei Deborah. 'Een verslaggever van *The Source*...'

'Godallejezus.'

'... is daar vier keer geweest, ogenschijnlijk om een artikel over Nicholas te schrijven. Maar er is vier keer niets uitgekomen, Tommy. Een van die kerels van het burchttorenproject in Middlebarrow heeft me dat verteld.'

'Als het *The Source* is, dan zit er stront aan iemands schoenzolen,' merkte St. James op.

Lynley dacht erover na wiens schoenzolen dat dan zouden zijn. Hij zei: 'Cresswells minnaar is absoluut op het landgoed geweest, op het terrein van Ireleth Hall, hij werkt daar al enige tijd aan een project voor Valerie. Hij heet Kaveh Mehran.'

'Agent Schlicht had het over hem,' zei St. James. 'Heeft hij een motief?'

'Er is een testament en een verzekering waar we naar moeten kijken.'

'Nog iemand anders?'

'Met een motief?' Lynley vertelde hun over zijn ontmoeting met Mignon Fairclough: haar insinuaties over het huwelijk van haar ouders, waarna ze die insinuaties vervolgens weer ontkende. Hij vertelde over de hiaten in de achtergrond van Nicholas Fairclough die ze maar al te graag wilde opvullen. Hij eindigde met: 'Ze is me nogal een portret en ik heb de indruk dat ze haar ouders op de een of andere manier in haar macht heeft. Dus misschien is het de moeite waard om een onderzoek naar Fairclough zelf in te stellen.'

'Chantage? En Cresswell die daar misschien van op de hoogte was?'

'Emotionele chantage of op een andere manier, durf ik te beweren. Ze woont op het landgoed, maar niet in het huis. Ik vermoed dat Bernard Fairclough een onderkomen voor haar heeft laten bouwen en het zou me niet verbazen als hij dat heeft gedaan om haar uit zijn buurt te houden. Er is nog een zus. Met haar moet ik nog kennismaken.'

Hij vertelde hun bovendien dat Bernard Fairclough hem een videoband had gegeven. Hij had voorgesteld dat Lynley die zou bekijken, want als er inderdaad iets achter Ians dood zat, dan moest hij dat zien 'in plaats van dat het hem werd verteld'.

Het bleek een opname van de begrafenis te zijn, met de bedoeling die naar Ians vader in Kenia op te sturen, die te zwak was om de reis te maken en afscheid van zijn zoon te nemen. Fairclough had hem samen met Lynley bekeken en het bleek dat hij Lynley op iets wilde wijzen wat er níét op te zien was. Niamh Cresswell, de vrouw met wie Ian zeventien jaar getrouwd was geweest en die de moeder van zijn beide kinderen was, was niet komen opdagen. Fairclough legde uit dat ze ten minste omwille van haar verdrietige kinderen wél had kunnen komen.

'Hij vertelde me nog een paar bijzonderheden over het einde van Ian Cresswells huwelijk.' Lynley vertelde wat hij wist, waarop St. James en Deborah tegelijkertijd zeiden: 'Motief, Tommy.'

'Geen grotere helleveeg dan een afgewezen vrouw... Inderdaad. Maar het is niet waarschijnlijk dat Niamh Cresswell ongezien op het terrein van Ireleth Hall kon rondsnuffelen, en tot dusverre heeft niemand daar iets over gezegd.'

'Maar we moeten toch onderzoek naar haar doen,' zei St. James, 'wraak is een krachtig motief.'

'Hebzucht ook,' zei Deborah. 'Maar dat zijn alle doodzonden, toch?

Waarom worden ze anders doodzonden genoemd?'

Lynley knikte. 'Dus we moeten uitzoeken of zij er afgezien van wraak op een andere manier van profiteert,' zei hij.

'Dan zijn we weer terug bij het testament. Of een levensverzekering,' zei St. James. 'Die informatie is niet gemakkelijk te achterhalen als je wilt verdoezelen waarom je werkelijk in Cumbria bent, Tommy.'

'Niet als ik er rechtstreeks induik. Daar heb je gelijk in,' zei Lynley. 'Maar dat kan ik door iemand anders laten doen.'

Lake Windermere

Cumbria

Tegen de tijd dat ze klaar waren met hun bespreking, was het voor Lynley te laat om het geplande telefoontje te plegen. Dus in plaats daarvan belde hij met Isabelle. Hij moest toegeven dat hij haar miste. Maar aan de andere kant was hij ook blij dat hij niet in haar buurt was. Het was niet zo dat hij haar gezelschap niet op prijs stelde, maar hij wilde weten wat hij voelde als ze niet bij elkaar waren. Doordat hij haar elke dag op zijn werk zag, doordat hij haar een paar avonden per week ontmoette, was het voor hem onmogelijk om erachter te komen wat hij voor de vrouw voelde, los van de louter seksuele gevoelens. Hij kon nu ten minste één gevoel benoemen: verlangen. Dus wist hij dat hij haar lichaam miste. Dus moest hij nu nog zien te ontdekken of hij de rest van Isabelle Ardery ook miste.

Toen hij weer terug was in Ireleth Hall belde hij haar pas met zijn mobiele telefoon. Hij stond naast de Healey Elliot, toetste het nummer in en wachtte tot hij overging. Hij merkte dat hij plotseling wilde dat ze bij hem was. Doordat hij zo ongedwongen met zijn vrienden kon praten en vooral door de manier waarop Simon en Deborah met elkaar omgingen, wilde hij dat zelf ook weer: die vertrouwdheid. Maar eigenlijk wenste hij dat hij kon terugkeren naar de gesprekken tussen hem en zijn vrouw, 's ochtends, tijdens het eten, samen in bed, zelfs als een van hen onder de douche stond. Maar voor het eerst besefte hij dat Helen niet per se die vrouw hoefde te zijn, maar dat iemand anders, wie dan ook, dat ook zou kunnen zijn. Even voelde dat als een soort verraad aan zijn geliefde vrouw, die zonder dat ze daar enige schuld aan had gehad door een gevoelloze geweldsdaad om het leven was gebracht. Hij begreep echter ook dat dit gevoel voortkwam uit het feit dat zijn leven verderging, en hij wist dat Helen hem dat net zozeer toewenste zoals ze hun leven samen had gewenst.

In Londen was er inmiddels opgenomen. Hij hoorde vaagjes: 'Verdomme,' daarna het geluid dat Isabelles telefoon ergens tegenaan klapte en toen was er helemaal niets meer.

Hij zei: 'Isabelle? Ben je daar?' en wachtte. Niets. Hij riep haar nog een keer. Toen er geen reactie kwam, hing hij op, kennelijk was de verbinding verbroken.

Hij toetste het nummer opnieuw in. Hij ging over. Bleef overgaan. Misschien zat ze in de auto, dacht hij, kon ze niet opnemen. Of stond ze onder de douche. Of was ze druk bezig met iets waardoor ze onmogelijk...

''Lo? Tommy? Hei je gebeld?' En toen een geluid dat hij niet wilde horen: iets sloeg tegen haar mobieltje, een glas, een fles, wat maakte het uit. ''k Dacht net an je en d'r ben je. Wa' dacht je, als da' geen tepe... tele... telepathie is?'

'Isabelle...' Lynley merkte dat hij niets meer kon uitbrengen. Hij verbrak de verbinding, stopte de telefoon in zijn zak en ging terug naar zijn kamer in Ireleth Hall.

5 november

Chalk Farm

Londen

Barbara Havers was op haar vrije dag eerst bij haar moeder op bezoek geweest die in het particuliere verpleeghuis in Greenford woonde. Het werd hoog tijd. Ze was er in geen zeven weken geweest. Nadat ze de grens van drie weken had bereikt, had ze zich met de dag steeds meer schuldig gevoeld. Ze had zichzelf het ergste toegegeven: dat ze het liefst wilde dat het werk zich om haar heen zou opstapelen, zodat ze er maar niet naartoe hoefde om te moeten zien hoe de geest van haar moeder stelselmatig aftakelde. Maar op een bepaald moment gekomen moest ze toch met zichzelf verder leven en dat betekende dat ze de reis moest ondernemen naar dat grindstenen huis, de keurige voortuin en vlekkeloze gordijnen voor de ramen die dof glansden, ongeacht welk weer het was. Dus nam ze de trein vanaf Tottenham Court Road, niet omdat dat sneller was, maar juist omdat dat niet zo was.

Ze was nog niet zo oneerlijk dat ze zichzelf wijsmaakte dat ze wilde nadenken en daarom de trein had genomen. Want eigenlijk wilde ze helemaal geen tijd hebben om over wat dan ook na te denken, en haar moeder was niet de enige over wie ze zich niet het hoofd wilde breken. En dan Thomas Lynley: waar hij was, wat hij aan het doen was en waarom hij haar over beide niets had verteld. Isabelle Ardery was daarna aan de beurt: of ze werkelijk definitief als hoofdinspecteur zou worden benoemd en wat dat voor Barbara's toekomst bij de Met betekende, om nog maar te zwijgen over haar werkrelatie met Thomas Lynley. Verder dacht ze ook na over Angelina Upman: of zij, Barbara, bevriend kon raken met de minnares van haar buurman en vriend Taymullah Azhar, wiens dochter min of meer een pareltje in Barbara's leven was geworden. Nee, ze nam de trein om weg te kunnen vluchten, zo simpel was het. Bovendien werd ze dan voortdurend afgeleid, en Barbara wilde graag afgeleid worden want dan had ze wat gespreksstof als ze uiteindelijk bij haar moeder arriveerde.

Niet dat zij en haar moeder nog gesprekken voerden. Althans niet het soort gesprekken dat je normaal tussen moeder en dochter zou verwachten. En uiteindelijk zou deze dag niet anders verlopen dan andere dagen: Barbara zou aan het woord zijn, aarzelen, rondkijken, en wanhopig graag zo snel mogelijk een einde willen breien aan het bezoek.

Haar moeder was verliefd geworden op de jongere versie van Laurence Olivier. Ze lag compleet in katzwijm van Heathcliff en Max de Winter. Ze wist niet precies wie hij was – de man op het tv-scherm naar wie ze onophoudelijk zat te kijken – de man die Merle Oberon martelde, als hij niet bezig was de arme Joan Fontaine te verbijsteren. Ze wist alleen dat ze voorbestemd waren om samen te zijn, zij en deze knappe man. Dat hij in werkelijkheid al lang dood was, kon haar niets schelen.

Ze herkende de oudere versie van de acteur niet. Olivier die de tand van die arme Dustin Hoffman trekt – om nog maar te zwijgen over Olivier die met Gregory Peck over de vloer rolt – maakte dat geen enkele indruk op haar. Sterker nog, wanneer haar een andere Olivier-film dan *Woeste hoogten* of *Rebecca* werd voorgeschoteld, werd ze compleet onhandelbaar. Zelfs Olivier in de rol van Mr. Darcy kon haar niet van de andere twee films afleiden. Dus werden die eindeloos in haar moeders slaapkamer herhaald op een televisie die mevrouw Florence Magentry daar had geïnstalleerd, omwille van de veiligheid van zowel haar eigen geestelijke gezondheid als die van de andere bewoners. Hoe vaak kon je kijken naar de gemene Larry die David Nivens aarzelende aanspraak op geluk verwoestte?

Barbara was twee uur bij haar moeder geweest. Uren om moedeloos van te worden en ze voelde die pijn gedurende de hele weg van Greenford naar huis. Dus toen ze Angelina Upman en haar dochter Hadiyyah tegen het lijf liep, op de stoep van het grote huis in Eton Villas waar ze een appartement bewoonden, nam ze de uitnodiging aan om 'eens te komen kijken naar wat mammie heeft gekocht, Barbara', zodat ze de beelden van haar moeder uit haar hoofd kon verdrijven: zoals die zachtjes over haar borst streek terwijl ze op het flakkerende scherm naar Max de Winter zat te kijken, gekweld door de dood van zijn boosaardige eerste vrouw.

Ze was nu bij Hadiyyah en haar moeder, had plichtsgetrouw twee ultramoderne litho's bewonderd die Angelina 'praktisch voor niets, Barbara, het was echt een koopje, écht, hè, mammie?' op de kop had weten te tikken bij een koopman in de Stables Market. Barbara bewonderde ze. Het was niet haar smaak, maar ze zag wel hoe ze in de woonkamer van Azhars appartement tot hun recht kwamen.

Barbara dacht na over het feit dat Angelina haar dochter klaarblijkelijk had meegenomen naar een van de plekken die de vader van het meisje nadrukkelijk tot verboden terrein had verklaard. Ze vroeg zich af of Hadiyyah dit haar moeder had verteld of dat Angelina en Azhar wellicht van tevoren hadden afgesproken dat het tijd werd dat Hadiyyah meer van de wereld ging zien. Ze kreeg haar antwoord toen Hadiyyah een hand voor haar mond sloeg en zei: 'Dat ben ik helemaal vergéten, mammie!' Angelina antwoordde: 'Geeft niet, liefje. Barbara zal ons geheimpje wel bewaren. Hoop ik.'

'Dat doe je wel, hè, Barbara?' vroeg Hadiyyah. 'Pap wordt zo boos als hij weet waar we zijn geweest.'

'Draaf niet zo door, Hadiyyah,' zei Angelina. En tegen Barbara: 'Heb je zin in thee? Ik ben uitgedroogd en je ziet wat pips om je neus. Zware dag gehad?'

'Ik ben in Greenford geweest.' Barbara zei verder niets, maar Hadiyyah voegde eraan toe: 'Daar woont Barbara's moeder, mammie. Het gaat niet goed met haar, hè, Barbara?'

Barbara wilde het absoluut niet over haar moeder hebben, dus zocht ze een ander onderwerp. Omdat Angelina zo op en top vrouwelijk was, waar Barbara alleen maar van kon dromen, plukte Barbara een soort onderwerp uit de lucht waar een op en top vrouw het wel over zou willen hebben.

Haar. Preciezer nog, het feit dat ze op Isabelle Ardery's uitdrukkelijk advies iets aan haar eigen haar moest doen. Barbara herinnerde zich dat Angelina een schoonheidsspecialist wist...

'Salon!' lachte Hadiyyah. 'Barbara, het is geen specialist. Het is een salon!'

'Hadiyyah,' zei haar moeder streng. 'Dat is heel onbeleefd. En specialist is prima, trouwens. Salon is moderner, maar dat doet er amper toe. Doe niet zo mal.' Tegen Barbara zei ze: 'Ja, natuurlijk weet ik die, Barbara. Daar laat ik mijn haar altijd doen.'

'Denk je dat ik daar ook...?' Barbara wist niet eens waarnaar ze moest vragen. Knippen? Stylen? Verven? Wat? Ze had jarenlang zelf haar haar geknipt en hoewel het er eigenlijk precies zo uitzag als je kon verwachten wanneer je je eigen haren knipte – en er dus geen sprake was van welke stijl dan ook maar eerder het resultaat van een schaar die tijdens een onweersstorm op een hoofd huishield – was het lange tijd afdoende geweest om het uit haar gezicht weg te houden. Dat kon echter niet langer, althans, waar het Barbara's baas bij de Londense politie betrof.

'Ze kunnen alles wat je maar wilt. Ze zijn heel goed. Ik kan je hun nummer wel geven. En de naam van mijn kapper. Hij heet Dusty en hij is een beetje een flamboyante lul, ben ik bang – sorry, Hadiyyah, niet tegen je vader zeggen dat ik in jouw bijzijn lul zeg – maar als je op de koop toeneemt dat hij zichzelf fabelachtig fantastisch vindt, is hij echt een goede kapper. Sterker nog, zal ik een afspraak voor je maken en met je meegaan? Tenzij je dat te opdringerig vindt, natuurlijk.'

Barbara wist niet zo goed wat ze ervan moest denken als Azhars geliefde haar gezelschap hield op haar weg naar zelfverbetering. Voordat Angelina in haar dochters leven terugkeerde, had Hadiyyah dat op zich genomen, maar de overstap naar haar moeder en wat het betékende als ze die overstap maakte... een stap in de richting van vriendschap... Ze wist het zo net nog niet.

Angelina leek Barbara's aarzeling op te merken, want ze zei: 'Nou ja, ik haal dat nummer even, dan kun jij er intussen over nadenken. Ik ga met alle liefde met je mee.'

'Waar is het, eigenlijk, die specia... salon?'

'Knightsbridge.'

'Knightsbridge?' God, dat zou een fortuin gaan kosten.

'Het is de maan niet, Barbara,' zei Hadiyyah.

Haar moeder stak een waarschuwende vinger omhoog. 'Hadiyyah Khalidah...'

'Het geeft niet, hoor,' zei Barbara. 'Ze kent me te goed. Als je me het nummer geeft, bel ik ze meteen. Ga jij ook mee, kiddo?' vroeg ze aan Hadiyyah.

'O ja, ja ja!' riep Hadiyyah uit. 'Mammie, ik mag wel met Barbara mee, hè?'

'En jij ook,' zei Barbara tegen Angelina. 'Volgens mij heb ik bij dit avontuur alle hulp nodig die ik kan krijgen.'

Angelina glimlachte. Barbara zag dat ze een heel lieve glimlach had. Azhar had haar nooit verteld hoe hij Angelina had ontmoet, maar ze vermoedde dat haar glimlach hem het eerst was opgevallen. En aangezien hij een man was, waren zijn ogen daarna waarschijnlijk direct naar haar lichaam gegaan, dat sierlijk en vrouwelijk was, elegant gekleed en goed verzorgd, iets waarin Barbara haar nooit zou kunnen evenaren.

Ze haalde haar mobieltje tevoorschijn om meteen te bellen, maar die ging al over voordat ze daaraan toekwam. Ze keek naar het nummer en zag dat het Lynley was. Het beviel haar helemaal niet dat ze dolblij was toen ze zijn nummer herkende.

'Dat telefoontje naar de salon zal even moeten wachten,' zei ze tegen Angelina. 'Dit moet ik aannemen.'

Chalk Farm

Londen

'Wat ben je aan het doen?' vroeg Lynley aan haar. 'Waar ben je? Kun je praten?'

'Mijn stembanden zijn nog intact, als u dat bedoelt,' zei Barbara. 'Maar als u bedoelt of het veilig is... God, dat zei hij steeds tegen Dustin Hoffman, hè? Ik verlies verdomme m'n verstand nog als ik ga citeren uit...'

'Barbara, waar heb je het over?'

'Laurence Olivier. *Marathon Man*. Vraag maar niks. Ik ben thuis, min of meer althans. Ik sta op het terras voor Azhars appartement, en u hebt me op het nippertje gered van een telefoontje om een afspraak te maken om mijn haar onder handen te laten nemen, om plaatsvervangend hoofdinspecteur Ardery te plezieren. Ik dacht aan een getoupeerd kapsel, uit begin jaren tachtig of zo. Of zo'n ingewikkeld geval uit de Tweede Wereldoorlog met van die permanentkrulletjes, als u begrijpt wat ik bedoel. Massa's haar aan weerskanten van het voorhoofd die om iets heen worden gewikkeld zodat het er als een worst uitziet. Ik heb me altijd afgevraagd hoe ze zo'n kapsel voor elkaar kregen. Toiletrolletjes misschien?'

'Gaan alle gesprekken met jou voortaan die kant op?' vroeg Lynley. 'Eerlijk gezegd dacht ik dat je aantrekkingskracht hem er juist in zat omdát persoonlijke verzorging je volstrekt koud laat.'

'Dat is verleden tijd, sir. Wat kan ik voor u doen? Ik neem aan dat dit geen persoonlijk gesprek is om te controleren of ik mijn benen wel heb geschoren.'

'Je moet iets voor me uitzoeken, maar niemand mag er iets van merken. Misschien moet je er ook wat loopwerk voor doen. Wil je dat? Preciezer nog, kun je dat?'

'Dit heeft zeker te maken met wat u in uw schild voert, hè? Iedereen heeft 't erover, weet u.'

'Waarover?'

'Waar u bent, waarom u er bent, wie u gestuurd heeft, noem maar op. Iedereen denkt dat u ergens een geweldige puinhoop aan het onderzoeken bent. Politiecorruptie, dat u zich ergens achter de lambrisering verstopt om iemand te betrappen die steekpenningen aanneemt of dat u iemand de duimschroeven aandraait omdat die het met een verdachte heeft verprutst. U weet wel wat ik bedoel.'

'En jij?'

'Wat ik ervan denk? Dat Hillier u voor zijn karretje heeft gespannen met iets waar hij zijn eigen vingers niet aan wil branden. Als u een misstap maakt, zit u op de blaren en kan hij zijn handen in onschuld wassen. Ben ik warm?'

'Als het om Hillier gaat wel. Maar ik verleen hem een gunst.'

'En meer kunt u niet zeggen.'

'Voorlopig niet. Wil je het doen?'

'Wat? U uit de brand helpen?'

'Niemand mag het weten. Je moet echt onder de radar blijven. Bij iedereen, maar vooral...'

'Bij de hoofdinspecteur.'

'Je zou problemen met haar kunnen krijgen. Op de lange termijn niet, maar op de korte wel.'

'Waar leef ik anders voor in ons vaderland?' vroeg Barbara. 'Zeg maar wat ik moet doen.'

Chalk Farm

Londen

Zodra Lynley 'Fairclough' zei, wist Barbara het. En niet omdat ze iedereen in de gaten hield die een titel had in het Verenigd Koninkrijk. Verre van dat. Het was eerder omdat ze een toegewijd lezer, weliswaar stiekem, van *The Source* was. Ze was er al jaren aan verslaafd, ze viel absoluut voor de schreeuwende koppen en verrukkelijk compromitterende foto's. Wanneer ze maar ergens op de stoep een advertentie zag staan die een schreeuwend voorpaginaverhaal aankondigde dat bij deze of gene kiosk of hoekwinkel te koop was, liep ze als vanzelf de winkel in, overhandigde het geld en wentelde zich in de verhalen, meestal 's middags bij een kop thee en een knapperig biscuitje. Dus was Fairclough voor haar een bekende naam: niet alleen vanwege de baron van Ireleth en zijn bedrijf – dat door de jaren heen een hoop journalistieke hilariteit had opgeleverd – maar ook vanwege de losbol van een zoon, Nicholas.

Ze wist ook prompt waar Lynley was: in Cumbria, waar de Faircloughs woonden en Fairclough Industries gevestigd was. Ze wist echter niet dat Hillier de Faircloughs kende en wat Lynley op zijn verzoek voor de familie moest opknappen. Met andere woorden: ze wist niet zeker of dit een zaak was van we-zijn-voor of we-zijn-tegen-ze, maar ze bedacht dat als er een titel in het spel was, Hillier naar de voorstanders neigde. Hillier had iets met adellijke titels, vooral als ze boven zijn eigen titel uitstegen, maar dat gold voor al die lui.

Dus dit had waarschijnlijk te maken met lord Fairclough en niet met die nietsnut van een zoon, lange tijd onderwerp van onthullingen in de roddelpers, samen met andere rijke jonge telgen die hun leven vergooiden. Maar te oordelen naar de lijst met wat Lynley van haar wilde, gooide hij wel een heel breed net uit, want daarop stonden een testament, een verzekeringspolis, *The Source*, Bernard Fairclough en de recentste uitgave van *Conceptie*. Bovendien was er ene Ian Cresswell bij betrokken, de neef van Fairclough. En als klap op de vuurpijl moest ze iemand natrekken die Alatea Vásquez y del Torres heette, uit Argentinië kwam, uit een plaats met de naam Santa María di nog wat. Maar alleen als ze er tijd voor had, benadrukte Lynley, want momenteel was het graafwerk naar Fairclough het belangrijkste. Vader Fairclough, niet de zoon, drukte hij haar op het hart.

Lake Windermere

Cumbria

Freddies volgende internetdate had de nacht bij hem doorgebracht, en hoewel Manette altijd haar best deed zichzelf te zien als een vrouw met moderne opvattingen werd dit haar toch wat te gortig. Haar ex-man was geen schooljongen, zeer zeker niet, en hij zat absoluut niet te wachten op haar mening over de kwestie. Maar in godsnaam, het was hun éérste ontmoeting en waar ging het met de wereld naartoe – preciezer nog, waar ging het met Freddie naartoe – als mannen en vrouwen elkaar in bed uitprobeerden 'om je te leren kennen'? Maar dat was wel gebeurd, volgens Freddie, en het was haar idee geweest. Het was van de vrouw uitgegaan! Naar Freddies zeggen had ze gezegd: 'Het heeft werkelijk geen zin verder te gaan als het seksueel niet klikt, Freddie, ben je dat niet met me eens?'

Nou, per slot van rekening was Freddie een man. Wat moest hij anders, nu hij het op een presenteerblaadje aangereikt kreeg? Vragen om een halfjaar celibaat om de tijd te nemen elkaar te onderzoeken, op het politieke vlak tot en met goochelkunst aan toe? Bovendien vond hij het niet onredelijk. Tijden veranderden tenslotte. Dus na twee glazen wijn in de kroeg en thuis waren ze samen het diepe ingedoken. Het was duidelijk dat al hun lichaamsdelen functioneerden en ze vonden het een aangename ervaring, dus hadden ze het nog twee keer gedaan – althans naar Freddies zeggen – en was ze blijven slapen. En daar zat ze 's ochtends in de keuken met hem koffie te drinken toen Manette beneden kwam. Ze had Freddies shirt aan met niets eronder, waardoor er een hoop been te zien was en een aanzienlijk deel van waar het been aan vastzat. En als een likkebaardende kat die de kanarie te grazen had genomen, zei ze tegen Manette: 'Hallo. Jij bent zeker Freddies ex. Ik ben Holly.'

Holly? Holly! Wat was dat voor naam? Maakte haar vroegere echtgenoot soms jacht op een lellebel? Manette keek naar Freddie, die tenminste nog het fatsoen had om paarsbruin aan te lopen, schonk zichzelf haastig een kop koffie in en trok zich in de badkamer terug. Daar kwam Freddie zich verontschuldigen voor de ongemakkelijke toestand

– en niet, zo merkte Manette op, omdat de vrouw de hele nacht was gebleven – en hij zei op zijn beste Freddie-manier dat hij in de toekomst de nacht in hun huis zou doorbrengen in plaats van andersom. 'Het is nogal snel gegaan tussen ons,' zei hij tegen haar. 'Dit was niet mijn bedoeling.'

Maar Manette zoomde in op 'hun huis', en zo leerde ze dat de tijden veranderd waren en dat iemand de hand schudden was vervangen door meteen met elkaar in bed te duiken. Ze sputterde: 'Ben je dan van plan om ze allemaal uit te proberen?'

'Nou, tegenwoordig gaat het er kennelijk zo aan toe.'

Ze probeerde hem aan het verstand te brengen dat dit waanzin was. Ze had hem de les gelezen over soa's, ongeplande zwangerschappen, valstrikken, en alles wat ze maar kon bedenken. Wat ze niet zei was dat hun situatie tot dat moment prima was geweest, die van haar en Freddie, dat ze als huisgenoten leefden, want ze wilde hem niet horen zeggen dat het tijd werd dat ze elk huns weegs gingen. Maar het eind van het liedje was dat hij een kus op haar voorhoofd drukte, meldde dat ze zich geen zorgen om hem hoefde te maken, onthulde dat hij die avond weer een date had, aankondigde dat hij daarna misschien niet thuis zou komen en zei dat hij haar op het werk wel weer zou zien. Vandaag was hij met zijn eigen auto gegaan, zo zei hij tegen haar, want de volgende date woonde in Barrow-in-Furness, en ze hadden afgesproken in de nachtclub Scorpio, dus als ze in alle ernst van plan was zich door Freddie aan de haak te laten slaan – Freddie zei wérkelijk 'in alle ernst aan de haak te laten slaan' – dan zouden ze naar haar huis gaan, want klaarblijkelijk was Great Urswick te ver weg als de vlam in de pan sloeg.

Manette jammerde: 'Maar Freddie...!' maar besefte toen dat ze hier niets op te zeggen had. Ze kon hem bepaald niet van ontrouw beschuldigen, dat hij vernielde wat ze samen hadden, of dat hij wel heel halsoverkop te werk ging. Ze waren niet getrouwd, ze 'hadden' nagenoeg niets met elkaar, en ze waren al zo lang gescheiden dat Freddies besluit om terug te keren in de datingwereld – hoe bizar die wereld tegenwoordig kennelijk ook was – niet uit de lucht was komen vallen. Zo'n soort man was hij trouwens niet. En je hoefde maar een blik op hem te werpen om te snappen waarom vrouwen hem maar wat graag als maatje wilden uitproberen: hij was fris, lief en zag er helemaal niet slecht uit.

Nee, hier had ze geen rechten en dat wist Manette. Maar ze treurde toch om iets wat verloren was gegaan.

Niettemin moest ze zich met zaken bezighouden die verder gingen dan haar situatie met Freddie, en ze merkte dat ze daar dankbaar voor was, hoewel ze daar de vorige dag na haar confrontatie met Niamh

Cresswell niet zo over had gedacht. Er moest iets aan Niamh gedaan worden, en hoewel Manette machteloos stond tegenover deze vrouw, stond ze dat niet als het op Tim en Gracie aankwam. Al moest ze een berg verzetten om die kinderen te helpen, ze zou het doen.

Ze reed naar Ireleth Hall. Ze dacht dat er een goede kans was dat Kaveh Mehran daar was, aangezien hij daar al een hele tijd bezig was met de aanleg van een kindertuin voor het landgoed, en bovendien de supervisie had over de opbouw. De tuin was bedoeld voor Nicholas' toekomstige kinderen – hoezo de huid verkopen voordat de beer geschoten is, dacht Manette – en de tuin was zo groot dat Valerie wel op tientallen nazaten moest rekenen.

Ze had geluk, dat zag Manette meteen. Ze slenterde om de toekomstige kindertuin heen, die ten noorden van de reusachtige en fantastische sculptuurtuin lag, en zag niet alleen Kaveh Mehran, maar ook haar vader. Er was nog een man bij hen die Manette niet herkende maar ze vermoedde dat hij 'de graaf' was over wie haar zus had gebeld.

'Weduwnaar,' had Mignon haar verteld. Manette hoorde haar op de achtergrond op haar toetsenbord tikken, dus ze wist dat haar zus zoals gewoonlijk zat te multitasken: e-mailen met een van haar online minnaars terwijl ze tegelijkertijd zich ontdeed van een andere die in haar ogen niet meer door de beugel kon. 'Het is nogal duidelijk waarom pa hem uit Londen hiernaartoe heeft gesleept. Hoop doet leven, et cetera. En nu ik de operatie heb gehad en al dat gewicht kwijt ben, vindt hij dat ik rijp ben voor een huwelijkskandidaat. Een onvervalste Charlotte Lucas die wacht of meneer Collins opduikt. God, wat gênant. Nou, droom maar lekker verder, *padre*. Ik ben heel gelukkig met waar ik zit, dank u.'

Manette zou dat niet aan haar vader overbrieven. Hij was al jaren bezig om van Mignon af te komen, maar die had hem precies waar ze hem wilde hebben en was niet van plan daar enige verandering in te brengen. Waarom Bernard Mignon niet de deur wees, haar niet een spreekwoordelijke schop onder haar kont gaf om van haar af te komen, begreep Manette echt niet. Hoewel, toen hij de folly een jaar of zes geleden voor haar zus had laten bouwen, had Manette geconcludeerd dat haar tweelingzus iets vreselijks wist over haar vader dat hem zou ruïneren als ze dat bekend zou maken. Manette kon zich niet voorstellen wat dat dan kon zijn, maar het was vast iets enorms.

Kaveh Mehran liet klaarblijkelijk de andere twee mannen zien hoe ver hij tot nu toe met de kindertuin was gevorderd. Hij wees her en der naar stapels balken onder vrijstaande overkappingen, bergen uitgehakte stenen en palen die in de grond waren gedreven en waartussen touwen gespannen waren. Manette riep een groet en beende hun kant op.

Toen de mannen zich naar haar omdraaiden, concludeerde ze dat Mignon haar verstand moest hebben verloren als ze dacht dat 'de weduwnaar' uit Londen hiernaartoe was gehaald als potentiële huwelijkskandidaat voor haar, een soort 'gentleman aanzoeker' in de beste traditie van Tennessee Williams' psychodrama's. Hij was lang, blond, uitermate aantrekkelijk en goed gekleed, zelfs hier in het Lake District, godbetert, met het soort aangeboren, achteloze elegantie die praktisch uitschreeuwde dat we hier met oud geld te maken hadden. Als hij al een weduwnaar was en op zoek naar Vrouw Nummer Twee of Vrouw Nummer Tweehonderdtweeëntwintig, dan zou haar zus daar niet voor in aanmerking komen. Absoluut verbazingwekkend, bedacht Manette, hoe het menselijk oertalent zich een rad voor ogen wist te draaien.

Bernard begroette Manette met een glimlach, waarna hij iedereen aan elkaar voorstelde. Tommy Lynley, zo heette de graaf, maar waar hij graaf van was, werd niet gezegd. Hij gaf een stevige handdruk, had een interessant oud litteken op zijn bovenlip, een prettige glimlach en diepbruine ogen, die contrasteerden met zijn lichte haar. Hij was goed in luchtige gesprekjes en wist mensen op hun gemak te stellen. Een prachtige dag op een prachtige plek, zei hij tegen haar. Hij kwam zelf van oorsprong uit Cornwall, ten zuiden van Penzance, ook een heel mooi gebied, logisch, natuurlijk, en hij was nog niet zo lang in Cumbria. Maar nu hij het gebied rondom Ireleth Hall had gezien, wist hij dat hij hier vaker naartoe zou gaan.

Heel aardig van hem, vond Manette. Heel beleefd. Als hij dit tegen Mignon had gezegd, zou ze daar allerlei dubbele bodems in hebben gezien. Manette zei: 'In de winter zou u daar weleens anders over kunnen denken,' en toen tegen Kaveh Mehran: 'Ik wil even met je praten, als je tijd hebt.'

Haar vader was vooral zo succesvol in zaken geweest omdat hij heel gevoelig was voor nuances. Hij zei: 'Wat is er aan de hand, Manette?' en toen ze een blik naar Lynley wierp, vervolgde Bernard: 'Tommy is een goede vriend. Hij weet van het recente drama in onze familie. Is er nog iets...?'

'Niamh,' zei Manette.

'Wat is er met haar?'

Manette keek naar Lynley en zei tegen haar vader: 'Ik weet niet of dit wel...'

Lynley wilde zich al verontschuldigen, maar Bernard zei: 'Nee, het is goed zo. Blijf nou maar.' En tegen Manette: 'Zoals ik al zei, hij is een vriend. Het kan toch niet...'

Prima, dacht Manette. Zoals je wilt. En prompt zei ze: 'Niamh heeft de kinderen nog niet opgehaald. Ze wonen nog steeds bij Kaveh. Daar moet iets aan gedaan worden.'

Bernard keek met gefronste wenkbrauwen naar Kaveh en mompelde tegen Lynley: 'De vrouw van mijn overleden neef.'

'Er deugt helemaal niets van,' zei Manette. 'Ze weet het en het kan haar niets schelen. Ik heb haar gisteren gesproken. Helemaal opgedirkt, met een emmer seksspeeltjes waar ze bepaald niet geheimzinnig over deed. Ze doet het met een of andere kerel bij haar thuis en Tim en Gracie lopen haar maar in de weg.'

Bernard wierp nog een blik op Kaveh. De jonge man zei: '"Er deugt niets van", Manette?' Hij zei het heel beleefd, maar op zo'n manier dat Manette merkte dat hij haar verkeerd begreep.

Ze zei: 'O, in hemelsnaam, Kaveh. Je weet best dat ik het niet over jou heb. Wat jij doet moet je zelf weten, maar als er kinderen in het geding zijn...'

'Ik ben niet geïnteresseerd in kinderen.'

'Nou, daar gaat het juist om, nietwaar?' snauwde Manette, en ze koos er met opzet voor zijn opmerking verkeerd op te vatten. 'Het zou beter zijn als je wel in kinderen geïnteresséérd bent als je daadwerkelijk voor ze zorgt. Pap, Tim en Gracie horen bij de familie thuis en wat Kaveh verder ook mag zijn, hij is geen familie.'

'Manette...' Haar vaders stem klonk dreigend. Het was duidelijk dat hij inderdaad liever had dat Tommy Lynley bepaalde zaken uit het 'recente familiedrama' niet te horen kreeg, hoewel hij eerder anders had beweerd. Nou ja, dat was dan jammer, want hij had haar uitgenodigd om in het bijzijn van de man uit Londen vrijuit te spreken, en dat zou ze doen ook.

Ze zei: 'Ian was er blij mee dat hij de kinderen in Bryanbarrow bij zich had. Dat begreep ik en ik was het er ook mee eens. Alles om ze maar uit de buurt van Niamh te houden, die zo'n beetje het moederinstinct heeft van een grote witte haai, zoals je heel goed weet. Maar het was vast niet Ians bedoeling dat ze bij Kaveh zouden blijven als hem iets overkwam. Dat weet je best, Kaveh.' En weer tegen haar vader: 'Dus moet je met haar gaan praten. Je moet haar dwingen. Je moet iets doen. Tim is er heel slecht aan toe, nog erger dan toen hij voor het eerst naar de Margaret Fox-school ging, en god mag weten dat Gracie op dit moment meer dan ooit een moeder nodig heeft; daar verlangt ze al een jaar of twee wanhopig naar. Als Niamh daar niet van wil weten, dan moet iemand anders voor ze in de bres springen.'

'Ik begrijp de situatie,' zei Bernard. 'We zullen het er een andere keer over hebben.'

'Dat gaat niet, pap. Sorry.' En tegen Lynley: 'Vuile was, en dit is nog niet alles. Als je ertegen kunt...'

Lynley zei tegen Bernard: 'Misschien kan ik ergens mee helpen?' en er gebeurde iets tussen hen, een soort boodschap of geruststelling, of íéts waardoor Manettes vader kalmeerde nadat hij zich druk maakte omdat Lynley getuige was van een uit de hand lopend gesprek.

Manette zei: 'Tim heeft me aangevallen. Nee, nee, ik heb verder niets. Een beetje beurs, maar daar gaat het niet om. Daar moet iets mee gebeuren – aan de hele situatie moet verdomme iets gedaan worden – en Kaveh blijft niet voor eeuwig op de farm, het is voor iedereen het beste als er iets aan gedaan wordt voordat de farm wordt verkocht. Als Kaveh moet verhuizen, wat gebeurt er dan met de kinderen? Blijven ze bij hem? En waar dan? Dit kan zo niet doorgaan. Je kunt niet voortdurend met ze heen en weer slepen.'

'Hij heeft de boerderij aan mij nagelaten,' zei Kaveh. 'Ik ga nergens naartoe.'

Manette draaide zich met een ruk naar hem toe. 'Wát?'

'De farm, Manette. Ik blijf. Ian heeft mij de farm nagelaten.'

'Aan jou? Waarom?'

Kaveh zei met een waardigheid die Manette alleen maar kon bewonderen: 'Omdat hij van me hield. Omdat we partners waren en partners doen dat over het algemeen: regelingen treffen zodat de ander verzorgd achterblijft als een van de twee komt te overlijden.'

Er viel een lange stilte, die slechts door een paar torenkraaien in de lucht werd doorboord. Ergens vandaan dreef de geur van brandende bladeren hun kant op, zo snel alsof er in de buurt brand woedde, wat niet het geval was.

'Mannen zorgen in dat geval meestal ook voor de kinderen,' zei Manette. 'Die farm behoort Tim toe, niet jou. Hij zou van Gracie moeten zijn. Zij zouden hem moeten kunnen verkopen, zodat hun toekomst is veiliggesteld.'

Kaveh wendde zijn blik af. Hij bewoog zijn kaken alsof hij daardoor zijn emoties in toom kon houden. 'Daar had hij een verzekering voor afgesloten, zoals je wel zult ontdekken.'

'Komt dat even goed uit. Wiens idee is dit eigenlijk: de farm naar jou en een verzekering voor hen? En hoe hóóg is die verzekering eigenlijk? En waar gaat het geld naartoe? Want als Niamh het voor de kinderen moet beheren...'

'Manette,' onderbrak haar vader haar. 'Dat is nu niet aan de orde.' En tegen Kaveh: 'Hou je de farm of ga je hem verkopen, Kaveh?'

'Ik hou hem. En wat Tim en Gracie betreft, ze mogen met alle liefde bij me blijven totdat Niamh zover is dat ze ze terug wil nemen. En als dat nooit gebeurt, dan zou Ian hebben gewild...'

'Nee, nee. Nee!' Manette wilde de rest niet horen. Punt was dat de kinderen bij hun familie thuishoorden, en Kaveh – of hij nou Ians partner was of niet – was geen familie. Ze zei fel: 'Pap, je móét... Ian kán dit niet hebben gewild... Weet Niamh hiervan?'

'Welk gedeelte?' vroeg Kaveh. 'En denk je dat het haar ook maar iets kan schelen?'

'Weet ze dat jij alles geërfd hebt? En wanneer heeft Ian dat eigenlijk geregeld?'

Kaveh aarzelde even, alsof hij nadacht over hoe hij daarop moest reageren. Manette moest twee keer zijn naam noemen om een antwoord te krijgen. 'Dat weet ik niet,' zei hij tegen haar.

Bernard en Tommy Lynley wisselden een blik met elkaar. Manette zag het en wist dat ze hetzelfde dachten als zij. Kaveh loog ergens over. Het punt was nu op welke vraag hij met 'dat weet ik niet' had geantwoord.

'En wat precies weet je niet?' vroeg ze hem.

'Ik weet helemaal niets van Niamh, niks. Zij heeft het verzekeringsgeld, en dat is heel wat. Ian had het natuurlijk bedoeld om haar te helpen bij de zorg voor Tim en Gracie, maar dat was omdat hij geloofde dat als hem iets overkwam, Niamh wel weer bij zinnen zou komen.'

'Nou, dat is niet gebeurd. En het ziet er niet naar uit dat dat ook gaat gebeuren.'

'Als het moet, blijven ze bij mij. Ze zijn het gewend op de farm en hebben het er best naar hun zin.'

Een belachelijk idee dat Tim Cresswell gelukkig zou zijn. Hij was al in geen tijden gelukkig geweest. Manette zei: 'En wat gaat er precies gebeuren als je binnen een maand of twee iemand anders vindt, Kaveh? Wanneer je diegene bij je laat intrekken op de farm en met hem gaat samenleven? Wat dan? Waar moeten de kinderen dan naartoe? Wat moeten de kinderen daar wel niet van denken?'

'Manette,' mompelde Bernard behoedzaam.

Kaveh was bij haar woorden wit weggetrokken, maar hij zei niets hoewel hij heftig met zijn kaken maalde en zijn rechterhand langs zijn lichaam tot een vuist had gebald.

Manette zei: 'Niamh zal je voor het gerecht slepen om die farm. Ze zal het testament aanvechten. Omwille van de kinderen.'

'Manette, genoeg,' zei haar vader met een zucht. 'Overal heerst verdriet en iedereen moet er nog van bijkomen, jijzelf incluis.'

'Sinds wanneer moet jij zo nodig de vredestichter spelen?' vroeg Manette bits aan haar vader. En met een felle hoofdbeweging naar Kaveh:

'Hij betekent niets voor ons. Hij is alleen maar iemand voor wie Ian zijn leven heeft verwoest en...'

'Genoeg, zei ik!' snauwde Bernard. En tegen Kaveh: 'Neem het haar maar niet kwalijk, Kaveh. Ze wilde niet...'

'O, ze weet heel goed wat ze wil,' zei Kaveh. 'Dat geldt voor de meeste mensen.'

Manette zocht een uitweg uit het moeras waarin ze zichzelf had gemanoeuvreerd en zei vermoeid: 'Oké. Moet je horen. Hoe dan ook ben je te jong om vader te zijn van een veertienjarige jongen, Kaveh. Hij heeft een ouder iemand nodig, iemand met meer ervaring, iemand...'

'Die niet homoseksueel is.' Kaveh maakte de zin voor haar af.

'Dat heb ik niet gezegd. En dat bedoelde ik ook niet. Ik wilde zeggen: iemand van zijn eigen familie.'

'Dat punt heb je meer dan eens gemaakt.'

'Sorry, Kaveh. Het is niet persoonlijk bedoeld. Het gaat om Tim en Gracie. Ze mogen niet nog meer puinhopen in hun leven krijgen. Ik moet zien te voorkomen dat hun wereld nog verder uit elkaar valt. Ik hoop dat je dat begrijpt.'

'Laat de zaken nu maar voor wat ze zijn, Manette,' zei haar vader. 'Op dit moment zijn er grotere zorgen.'

'Wélke dan?'

Hij zweeg. Maar opnieuw wisselden haar vader en zijn Londense vriend een blik en ze vroeg zich nu voor het eerst af wat er eigenlijk aan de hand was. Het was duidelijk dat deze kerel niet van plan was haar berekenende zus op achttiende-eeuwse wijze het hof te maken; misschien was hij op haar geld uit om een vervallen landgoed in Cornwall op te knappen. En het feit dat haar vader werkelijk wilde dat hij elk woord van haar gesprek met Kaveh hoorde, duidde erop dat er diepere gronden onder Tommy Lynleys op het oog stille wateren schuilgingen, waarschijnlijk zo diep dat het monster van Loch Ness erin kon zwemmen. Nou ja, 't zou wat. Niets deed er meer toe. Ze was van plan iets te doen aan de kinderen van haar neef en als haar vader de gelederen niet wilde sluiten, wist ze iemand die dat wel wilde doen.

Ze stak haar handen in de lucht. 'Goed dan,' zei ze. En tegen Lynley: 'Het spijt me dat u dit allemaal hebt moeten aanhoren.'

Hij knikte beleefd. Maar de uitdrukking op zijn gezicht leek erop te wijzen dat hij het helemaal niet erg had gevonden om die informatie tot zich te nemen.

Van Bryanbarrow naar Windermere

Cumbria

De vorige dag was volkomen verspild. Tim had twee uur lang geprobeerd om naar Windermere te liften en ten slotte had hij het maar opgegeven. Maar hij was vastbesloten dat het vandaag anders zou gaan.

Het begon te regenen, niet lang nadat hij aan het moeilijkste gedeelte van zijn reis begon: de eindeloze wandeling naar het dorp Bryanbarrow over de hoofdweg door Lyth Valley. Op dit gedeelte van de route verwachtte hij geen lift te krijgen, want daar reden weinig auto's en als er toevallig een boerenvoertuig langskwam, een tractor bijvoorbeeld, dan reed die zo langzaam en hoefde die maar zo'n klein eindje dat het lopend sneller ging.

Hij had echter niet verwacht dat het zou gaan regenen. Dat was stom van hem, als je bedacht dat het de natte maand november was, en voor zover hij wist regende het in het Lake District meer dan waar ook in dit verdomde land. Maar aangezien hij niet bepaald met een helder hoofd van Bryan Beck-farm was weggegaan, had hij een jasje met capuchon over zijn flanellen overhemd aangetrokken, waaronder hij een jersey shirt droeg, maar niets daarvan was waterdicht. Bovendien had hij gymschoenen aan, en hoewel die niet doorweekt waren, zat de modder tot aan zijn enkels, want de bermen van de weg waren drassig, zoals altijd in deze tijd van het jaar. En zijn spijkerbroek werd steeds zwaarder naarmate die natter werd. Omdat de broek toch al een paar maten te groot was, had hij de grootste moeite om hem op zijn heupen te houden en dat was om woedend van te worden.

Hij scoorde zijn eerste lift toen hij het dal door was en op de hoofdweg was aangekomen. Een lichtpuntje op een dag die anders jammerlijk was verzopen. Hij kreeg de lift van een boer. Die reed met een landrover waarvan de spatborden onder de aangekoekte modder zaten naar de kant van de weg en zei: 'Stap in, jongen. Je ziet eruit alsof je uit een vijver bent opgevist. Waar moet je naartoe?'

Tim zei dat hij naar Newby Bridge moest, de andere kant op dan Windermere, want hij had een raar gevoel over die vent en de manier waarop hij naar hem keek: oplettend en nieuwsgierig. Hij wilde bovendien geen sporen achterlaten als alles achter de rug was. Als de zaken zo gingen als hij wilde, als zijn naam en gezicht in de kranten zouden opduiken en deze vent zou hem herkennen, dan wilde Tim dat hij in zijn telefoontje naar de politie zou zeggen: 'O ja, ik herinner me die jongen. Hij zei dat hij naar Newby Bridge ging.'

De boer zei: 'Newby Bridge, hè?' en reed de weg weer op. Hij zei dat hij hem tot Minster kon meenemen en daarna stelde hij de gebruikelijke vraag, namelijk waarom Tim niet op school zat. Hij zei: 'Het is vandaag toch een schooldag? Ben je soms aan het spijbelen?'

Tim was gewend aan die gekmakende gewoonte van volwassenen om allerlei vragen te stellen over dingen die ze geen snars aangingen. Dan wilde hij wel zijn duimen in hun oogkassen begraven. Zulk soort vragen zouden ze niet aan een andere volwassene stellen, zoals: 'Waarom ben je vandaag niet aan het werk, net als de rest van de wereld?' maar ze dachten schijnbaar dat de jacht op kinderen geopend was en dat ze konden vragen wat ze wilden. Hij was hier echter op voorbereid en zei: 'Kijk maar hoe laat het is. Vandaag heb ik maar een halve dag.'

De boer zei: 'Mijn drie kinderen niet. Waar ga je naar school?'

Jezus, dacht Tim. Die boer had geen moer te maken met waar hij op school zat, net zomin als hij iets te maken had met wanneer hij voor het laatst had gekakt. Hij zei: 'Niet hier in de buurt. Margaret Fox. Vlak bij Ulverston,' terwijl hij er redelijk zeker van was dat de man daar nooit van had gehoord, en ook niet dat hij iets wist van de reden waarom hij daar zat. Hij voegde eraan toe: 'Een particuliere school. Het is een kostschool, alleen ben ik niet intern.'

'Wat is er met je handen gebeurd?' vroeg de boer. 'Je wilt toch zeker niet dat ze zo blijven?'

Tim beet op zijn tanden. Hij zei: 'Heb me gesneden. Moet voortaan voorzichtiger zijn.'

'Gesneden? Zo ziet het er anders niet uit...'

'Moet je horen, zet me hier maar af,' zei Tim.

'We zijn nog niet eens in de buurt van Minster, jongen.' Dat was maar al te waar. Ze hadden amper anderhalve kilometer gereden.

'Zet me hier nou maar af, oké?' zei Tim beheerst. Hij wilde niet uitvaren en al zijn woede naar buiten laten komen, maar hij wist dat als hij niet maakte dat hij nú uit die landrover kwam, hij iets bepaald onaangenaams zou gaan doen.

De boer haalde zijn schouders op. Hij reed naar de kant van de weg. Toen hij op de rem trapte, keek hij Tim lang en intens aan en Tim wist dat de man zijn gezicht in zijn hoofd prentte. Ongetwijfeld zou hij naar het volgende radionieuws luisteren, in de verwachting dat hij over een plaatselijke inbraak te horen zou krijgen of een hele reeks wandaden die hij aan Tim kon toeschrijven. Nou, dat risico moest hij dan maar nemen. Beter dan met deze vent door te moeten rijden.

'Wees voorzichtig, jongen,' zei de boer voordat Tim het portier hard dichtsloeg.

'Bekijk 't maar,' antwoordde Tim toen de landrover doorreed. Hij trok met zijn tanden aan de rug van zijn hand.

De volgende lift pakte beter uit. Een Duits echtpaar nam hem helemaal tot aan Crook mee, waar ze afsloegen op zoek naar een of ander deftig plattelandshotel. Ze spraken goed Engels, maar het enige wat ze tegen hem zeiden was: 'Ach, wat regent het toch veel in Cumbria,' en als ze met elkaar praatten – wat ze trouwens toch het meest deden – was dat in het Duits, in snelle zinnen en over iemand die Heidi heette.

Tim wist een laatste lift te krijgen van een vrachtwagenchauffeur even ten noorden van Crook Road. Deze kerel ging helemaal naar Keswick, dus Windermere was geen probleem, zei hij.

Wél een probleem was dat de chauffeur in de beperkte tijd die ze samen hadden Tim de les wilde lezen over de gevaren van liften en hem ondervroeg over zijn ouders, en wisten ze dan niet dat hij onderweg was en door vreemden werd opgepikt? 'Je weet niet eens wie ik ben,' verklaarde hij. 'Ik kan wel een seriemoordenaar zijn. Of een sadist. Ik kan wel een kinderverkrachter zijn die je broek wil uittrekken. Begrijp je dat?'

Tim verdroeg dit alles zonder die kerel in het gezicht te schoppen, wat hij maar al te graag had willen doen. Hij knikte, zei ja en amen, en toen ze uiteindelijk bij Windermere waren, vroeg hij hem bij de bibliotheek af te zetten. Dat deed de vrachtwagenchauffeur, maar niet zonder op te merken dat Tim geluk had dat hij niet geïnteresseerd was in twaalfjarige jongens. Dat ging Tim echt te ver en hij zei dat hij veertien was, geen twaalf. De chauffeur schoot in de lach en zei: 'Om de dooie dood niet. En wat heb je daar onder die slobberige kleren van je? Ik durf te wedden dat je ook nog een meisje bent,' waarop Tim het portier dichtsloeg.

Meer kon hij niet verdragen. Het liefst wilde hij de bibliotheek binnengaan en een hele plank boeken verscheuren. Maar hij wist wel dat dat hem geen stap dichter bij de plek bracht waar hij wilde zijn. Dus hij verbeet zich uit alle macht en beet op zijn knokkels tot hij bloed proefde, en daardoor was hij in staat op weg te gaan naar het businesscentrum.

Zelfs in deze tijd van het jaar waren er toeristen in Windermere. Natuurlijk niet zoveel als in de zomer, dan kon je in het stadje geen stap verzetten zonder op een of andere enthousiasteling te stuiten die daar met een uitpuilende rugzak en een wandelstok in de hand rondliep. Dan kwam niemand van de plaatselijke bevolking met een beetje verstand in zijn hoofd in de stad, omdat de eindeloze verkeersopstoppingen elke straat tot een parkeerplaats transformeerden. Nu kon je je echter gemakkelijker bewegen, en de toeristen op de trottoirs waren van het kan-me-niet-schelen-soort, uitgerust met groene, plastic beddenlakens met daaronder hun rugzak waardoor het leek of ze allemaal een bochel hadden. Tim liep tussen de mensen door naar het businesscentrum, waar geen enkele toerist te bekennen was, want die hadden daar niets te zoeken.

Maar Tim had er wel degelijk iets te zoeken en dat heette Shots! Het was een fotowinkel, zo was hij na een enkel bezoek te weten gekomen, en de belangrijkste dienst die ze leverden was het maken van superuitvergrotingen voor professionele fotografen die naar de Lakes kwamen om in alle seizoenen de weidse uitzichten daar vast te leggen.

Voorbeelden van wat Shots! allemaal in zijn mars had, stonden in de etalage op grote ezels tegen een zwart achtergrondgordijn. In de winkel zelf hingen fotoportretten aan de muren, waren digitale camera's te koop en in een boekenkast met een glazen deur stond bovendien een aantal ouderwetse camera's uitgestald. Er was een toonbank en, zoals Tim wist, een achterruimte. Uit die ruimte kwam een man tevoorschijn. Hij droeg een witte laboratoriumjas met op de linkerborst SHOTS! geborduurd en daarboven droeg hij een plastic naamkaartje. Zodra hij Tim in het oog kreeg, trok hij het naamkaartje razendsnel weg en stopte het in zijn zak.

Het viel Tim opnieuw op hoe normaal Toy4You eruitzag. Hij was alles wat je er niet van zou verwachten, met keurig bruin haar, roze vlekjes op zijn wangen en een bril met een metalen montuur. Hij had een vriendelijke glimlach en die zette hij nu op. Hij zei echter tegen Tim: 'Het komt nu niet uit.'

'Ik heb je ge-sms't,' zei Tim. 'Je hebt niet geantwoord.'

'Ik heb niets ontvangen,' zei Toy4You. 'Weet je zeker dat je het naar het juiste nummer hebt gestuurd?' Hij keek hem recht aan, waardoor Tim wist dat hij loog, want dat deed hij vroeger zelf ook altijd, totdat hij ontdekte dat je jezelf vierkant verraadde als je iemand zo in de ogen keek.

Tim zei: 'Waarom heb je niet gereageerd? We hadden een deal. We hébben een deal. Ik heb mijn aandeel geleverd. Jij het jouwe niet.'

De man wendde zijn blik af. Zijn ogen gingen van Tim naar de deuropening. Hij hoopte zeker dat er iemand zou binnenkomen zodat het gesprek moest worden afgebroken, want hij wist net zo goed als Tim dat ze geen van beiden wilden dat ze werden afgeluisterd. Maar daar was niemand, dus hij moest wel iets zeggen, anders zou Tim stennis gaan tappen in de winkel... zoals een uitval doen naar de oude camera's in de vitrine of naar een van de digitale exemplaren. Toy4You wilde vast niet dat daar iets mee gebeurde.

Tim zei: 'Ik zéí...'

'Wat jij hebt voorgesteld is te riskant. Ik heb erover nagedacht, maar zo is 't gewoon.'

Tim kreeg het zo warm dat hij het gevoel had dat zijn voeten vlam vatten. De hitte steeg razendsnel naar zijn hoofd, overspoelde hem, en hij begon snel en hijgend te ademen, omdat dat de beste manier leek om zichzelf onder controle te houden. Hij zei: 'We hadden verdomme een overeenkomst. Denk je dat ik dat zomaar vergeet?' Hij balde zijn vuisten, ontspande zijn vingers weer en keek om zich heen. 'Wil je weten wat ik kan doen als je je belofte niet nakomt?'

Toy4You liep naar een lade aan het eind van de toonbank. Tim verstrakte en dacht dat hij een vuurwapen of zo wilde pakken, zoals dat in een film wel gebeurde. Maar in plaats daarvan haalde hij een pakje sigaretten tevoorschijn. Hij stak er een op. Hij keek Tim heel lang onderzoekend aan voordat hij iets zei. Ten slotte zei hij: 'Oké. Goed dan. Maar als je wilt dat dat voor elkaar komt, wil ik meer van je dan je me tot nu toe hebt geleverd. Dan wordt het misschien nog de moeite waard. Jij neemt een risico in ruil voor het risico dat ik neem. Gelijke munt.'

Tim deed zijn mond open om iets te zeggen, maar dat lukte eerst niet. Hij had al álles gedaan. Tot elk detail aan toe. Wat moest hij nog meer doen? Hij zei het enige wat er in hem opkwam: 'Je hebt het beloofd.'

Toy4You trok een gezicht alsof hij een heel vuile luier op de voorbank van iemands auto had ontdekt. Hij zei: 'Wat heb je toch met "je hebt het beloofd"? Zoals bij een kinderachtig afspraakje op school? Jij geeft mij jouw chocoreep en dan mag jij even op mijn skateboard? Alleen eet ik de reep op en zet het op een lopen zodat jij je ritje lekker niet krijgt?'

Tim zei: 'Je bent ermee akkoord gegaan. Je hebt het gezégd. Dit is verdomme niet eerlijk.'

Toy4You nam een lange trek van zijn sigaret en keek Tim over de gloeiende punt heen aan. Hij zei: 'Ik ben van gedachten veranderd. Dat doen mensen. Ik heb het gevaar ingeschat en dat komt helemaal op mijn bordje terecht en niet op het jouwe. Als je dan zo nodig de zaak voor elkaar wilt krijgen, doe het dan maar zelf.'

Tim zag een rood waas opdoemen tussen hem en Toy4You. Hij wist wat dit betekende: hij moest iets doen, en Toy4You zou dan echt de politie niet bellen om hem tegen te houden. Maar aan de andere kant zou daarmee een einde aan hun samenwerking komen en ondanks wat hij nu voelde, wist Tim dat hij deze hele toestand niet weer van voren af aan wilde meemaken en weer op zoek moest gaan naar iemand anders. Dat kon hij niet aan: dat zou dagen en weken duren. Dus zei hij: 'Ik zweer het je, ik ga het vertellen. En als ik daarmee klaar ben... nee, ik vermoord je eerst en dan ga ik het vertellen. Ik zweer 't. Ik zeg gewoon dat ik wel moest. Ik zeg gewoon dat jij me ertoe hebt gedwongen.'

Toy4You trok achteloos een wenkbrauw op. 'Met dat spoor dat je op die computer van je hebt achtergelaten? Ik dacht het niet, vriend.' Hij keek naar een wandklok achter de toonbank en zei: 'En nu is het tijd dat je vertrekt.'

'Ik blijf.' Tims stem begon te trillen. De woede vervulde hem zowel met opwinding als met een hulpeloosheid. 'Ik zeg het tegen iedereen die binnenkomt. Als je me eruit gooit, wacht ik op het parkeerterrein. Ik zal het iedereen vertellen die in de buurt komt. Je mag de politie bellen om me hier weg te krijgen, maar dan zeg ik het ook tegen hen. Denk je dat ik dat niet doe? Denk je dat het me nu nog iets kan schelen?'

Toy4You nam even de tijd om hierop te reageren. Het werd zo stil in de winkel dat de beweging van de grote wijzer van de wandklok klonk alsof de haan van een pistool werd gespannen, steeds en steeds maar weer. Ten slotte zei de man: 'Jezus. Relax. Oké. Je hebt me bij de kladden, maar ik jou ook en dat heb je niet in de gaten. Zoals ik al heb gezegd, loop jij geen risico. Dat ligt geheel en al bij mij. Dus moet je de zaken meer de moeite waard maken dan momenteel het geval is. Dat is het enige wat ik wil zeggen.'

Tim zei niets. Wat hij 'momenteel' wilde, zoals Toy4You het uitdrukte, was over de toonbank duiken en de klootzak tot pulp slaan. Maar hij bleef waar hij was.

Toy4You zei: 'Echt, kerel, wat kost het je nou helemaal? Een uur, twee, drie? Als je zo graag wilt, ga je ermee door. Als je het toch niet zo graag wilt, bel je de politie. Maar in dat geval moet je ze bewijzen geven van wat je ze vertelt en jij en ik weten waar dat bewijs toe leidt. Je hebt een mobieltje vol berichten. Je computer zit vol e-mails. De politie gaat die allemaal bekijken en uitzoeken wat het met jou te maken heeft, en dat is makkelijk zat. We zitten allebei in de shit, dus waarom helpen we mekaar niet in plaats van dat we mekaar voor de trein gooien?'

Ze bleven elkaar lange tijd aanstaren. Tim voelde zijn woede veranderen in pure hopeloosheid. Hij wilde de waarheid niet onder ogen zien, de waarheid dat Toy4You een punt had dat Tim niet kon ontkennen. Dus uiteindelijk zei hij verslagen: 'Wat dan?'

Toy4You glimlachte even. 'Deze keer niet één maar twee.'

Tim kreeg een wee gevoel in zijn maag. Hij zei: 'Wanneer?'
Weer die glimlach, het soort glimlach dat zijn overwinning bevestigde. 'Binnenkort, mijn vriend. Ik stuur je wel een sms'je. Zorg jij maar dat je klaarstaat. Deze keer helemaal klaarstaat. Begrepen?'
'Ja,' zei Tim, want er zat niets anders op en dat wist hij.

Lake Windermere

Cumbria

Nadat Manette was vertrokken zei Lynley tegen Bernard Fairclough dat hij met hem moest praten. Fairclough had dit kennelijk al verwacht, want hij knikte, en hoewel het begon te regenen zei hij: 'Laat me je eerst een rondleiding geven door de sculptuurtuin.'

Lynley vermoedde dat Fairclough dit voorstelde om zich voor te bereiden op het komende gesprek, en hij gunde de andere man die tijd. Ze liepen door een poort in een stenen muur met grijze korstmosvlekken. Fairclough babbelde over de tuin. Hij deed er luchtig over, maar ongetwijfeld had hij deze rondgang al talloze keren gemaakt: hij pronkte met wat zijn vrouw met veel moeite had bereikt om de tuin in oude luister te herstellen.

Lynley luisterde er zonder commentaar naar. Hij vond de tuin op een vreemde manier prachtig. Meestal vond hij natuurlijk groeiende struikgewassen mooier, maar hier waren buxus, hulst, mirte en taxusbomen in fantastische vormen gesnoeid, sommige waren wel negen meter hoog. Er waren trapeziums, piramides en spiralen, maar ook dubbele spiralen, paddenstoelen, bogen, tonnen en kegels. Ertussendoor liepen lichte kalkstenen paden, en waar geen struiken stonden, bevonden zich door buxusstruiken omgeven bloemperken. In de bloemperken bloeide nog altijd gele Oost-Indische kers, die een contrast vormde met de paarse viooltjes eromheen.

De tuin was ruim tweehonderd jaar oud en toen Valerie Ireleth Hall erfde, was het haar droom geweest om die in oude staat terug te brengen, zo vertelde Fairclough hem. Het had haar jaren gekost, met behulp van vier tuinlieden en foto's uit het begin van de twintigste eeuw. 'Schitterend, hè?' zei Fairclough trots. 'Ik heb een verbazingwekkende vrouw.'

Lynley bewonderde de tuin. Iedereen die hij kende zou hetzelfde doen. Maar er klopte iets niet helemaal in Fairclough's toon en Lynley zei tegen hem: 'Zullen we hier in de tuin praten of ergens anders?'

Fairclough, die wel wist dat het nu zover was, antwoordde: 'Kom dan maar mee. Valerie is bij Mignon, dat duurt wel even. We kunnen in de bibliotheek praten.'

Dat was niet het juiste woord ervoor, want er stonden geen boeken. Het was een kleine, gezellige kamer naast de grote hal, met een donkere lambrisering langs de muren waarboven portretten van al lang overleden Faircloughs hingen. In het midden van het vertrek stond een bureau en er stonden twee comfortabele leunstoelen voor de haard. Deze laatste was een indrukwekkend Grinling Gibbons-kolengeval en de schoorsteenmantel stond vol antiek Willow-aardewerk. Fairclough stak de kachel aan, want het was wat kil in de kamer. Toen opende hij de zware gordijnen die voor de glas-in-loodramen hingen, waar de regen strepen langs trok.

Fairclough bood Lynley een drankje aan. Voor Lynley was het wat aan de vroege kant, zo zei hij, dus schonk Fairclough een sherry voor zichzelf in. Hij wees naar de stoelen en ze namen plaats. Hij zei: 'Je krijgt meer vuile was te zien dan ik had verwacht. Sorry.'

'Elke familie heeft daarmee te maken,' merkte Lynley op. 'Die van mij ook.'

'Niet zo erg als in die van mij, durf ik te wedden.'

Lynley haalde zijn schouders op. Hij vroeg, want op dit moment moest die vraag nu eenmaal gesteld worden: 'Wil je dat ik ermee doorga, Bernard?'

'Waarom vraag je dat?'

Lynley zette zijn vingertoppen onder zijn kin en keek naar het kolenvuur, dat zich mooi opbouwde door de aanmaakblokjes die eronder lagen. Het zou algauw behoorlijk warm zijn in de kamer. Hij zei: 'Los van die toestand over Cresswells boerderij, wat ik nader moet onderzoeken, heb je misschien al de uitkomst waarnaar je op zoek bent. Als de lijkschouwer heeft geoordeeld dat het om een ongeluk ging, dan kun je dat ook zo laten.'

'En iemand met moord weg laten komen?'

'Uiteindelijk komt nooit iemand met moord weg, is mijn ervaring.'

'Wat heb je ontdekt?'

'Het gaat er niet om wat ik heb ontdekt. Tot nu toe is dat niet veel omdat mijn handen ietwat gebonden zijn doordat ik me als een gewone bezoeker moet opstellen. Het gaat er eerder om wat ik zou kunnen ontdekken, en dan bedoel ik een motief voor moord. Eigenlijk wil ik daarmee zeggen dat hoewel dit gemakkelijk voor een ongeluk zou kunnen doorgaan, je het risico loopt dat ik zaken ontdek over je zoon, je dochters, zelfs over je vrouw, die je liever niet wilt weten, wat de doodsoorzaak ook mag zijn geweest. Dat soort dingen gebeurt nu eenmaal tijdens een onderzoek.'

Fairclough leek hierover na te denken. Net als Lynley liet hij zijn ogen dwalen naar de haard en daarna naar het Willow-aardewerk erboven. In een van de vazen, zag Lynley, zat een barst en hij moest ooit een keer gerepareerd zijn. Waarschijnlijk lang geleden. Het was knullig gedaan, tegenwoordig konden ze de schade veel beter wegwerken.

Lynley zei: 'Aan de andere kant zou deze moord ook best door een dierbare kunnen zijn gepleegd. Wil je daarmee geconfronteerd worden?'

Daarop keek Fairclough hem aan. Hij zweeg, maar Lynley zag dat de man inwendig op iets broedde.

'Denk ook eens over het volgende na,' vervolgde Lynley. 'Je wilde weten of Nicholas op de een of andere manier betrokken was bij wat je neef is overkomen. Dat was de reden waarom je naar Londen kwam. Maar stel dat niet Nicholas maar iemand anders erbij betrokken is? Een ander lid van je familie. Of stel dat Ian niet het beoogde slachtoffer was? Wil je dat dan ook weten?'

Fairclough antwoordde zonder aarzeling. Ze wisten beiden wie dan dat andere slachtoffer zou zijn geweest. Hij zei: 'Niemand heeft een reden om Valerie iets aan te doen. Zij vormt het middelpunt van deze wereld hier. Zowel van mijn wereld als van die van hen.' Hij wees naar buiten, dus Lynley nam aan dat hij zijn kinderen bedoelde, en een van hen in het bijzonder.

Lynley zei: 'Bernard, we kunnen niet om Mignon heen. Ze heeft elke dag toegang tot het botenhuis.'

'Het kan Mignon absoluut niet zijn geweest,' zei Fairclough. 'Zij zou geen vinger naar Ian uitsteken en zeker niet naar haar eigen moeder.'

'Waarom niet?'

'Ze is kwetsbaar, Tommy. Altijd al geweest. Als kind heeft ze hoofdletsel opgelopen en sindsdien... Ze is gehandicapt. Haar knieën, haar operatie... Hoe dan ook... Ze zou er niet toe in staat zijn geweest.'

'Als ze er op een of andere manier wel toe in staat zou zijn,' hield Lynley vol, 'heeft ze dan een motief? Is er iets wat ik moet weten over haar relatie met haar moeder? Met haar neef? Waren ze close? Waren ze vijanden?'

'Met andere woorden: had ze een reden om Ian dood te willen?'

'Inderdaad, dat is mijn vraag.'

Fairclough zette zijn bril af en wreef in zijn ogen. 'Ian was mijn financieel adviseur, dat weet je. Hij deed al onze geldzaken. Dat was zijn baan. Hij was er goed in en ik had hem nodig.'

'Dat begrijp ik,' zei Lynley.

'Een tijd lang, misschien een jaar of drie, stond hij erop dat ik Mignon geen toelage meer zou geven. Hij heeft nooit begrepen dat het meisje niet kán werken. Dat heeft ze nooit gekund. Ian bracht naar voren dat we juist door haar geld te geven haar vleugellam maakten en dat ze verder prima in orde was. Daarin verschilden we van mening. Dat was vervelend, maar ook niet heel storend en het kwam maar een paar keer per jaar aan de orde. Maar ik was niet van plan... ik kon het gewoon niet. Wanneer je kind zo zwaargewond is geraakt... Als je zelf kinderen hebt, zul je het wel begrijpen, Tommy.'

'Wist Mignon dat Ian een eind wilde maken aan haar toelage?'

Fairclough knikte aarzelend. 'Hij heeft met haar gepraat. "Bloedgeld van haar vader", zo formuleerde hij het. Dat heeft Mignon me verteld. Ze was natuurlijk gekwetst. Ze zei tegen me dat ik met onmiddellijke ingang de toelage kon stopzetten. Ze wilde zelfs graag dat ik dat deed.'

'Ik durf te beweren dat ze wel wist dat je dat niet zou doen.'

'Ze is mijn kind,' zei Fairclough.

'En je andere kinderen? Had Manette een reden om Ian uit de weg te ruimen?'

'Manette aanbad Ian. Ik denk dat ze ooit graag met hem had willen trouwen. Lang voordat Kaveh in beeld kwam, natuurlijk.'

'En wat voelde hij voor haar?'

Fairclough dronk zijn glas sherry leeg en schonk nog eens bij. Hij gebaarde met de karaf in Lynleys richting. Opnieuw sloeg Lynley het aanbod af. 'Hij was dol op Manette,' zei Fairclough. 'Maar verder ging het niet.'

'Ze is gescheiden, hè?'

'Ja. Haar ex-man werkt voor me. Freddie McGhie. Zij trouwens ook.'

'Kan er een reden zijn waarom Freddie McGhie Ian uit de weg wilde hebben? Je hebt me al verteld dat je nog niet definitief hebt besloten over een opvolger binnen Fairclough Industries. Hoe staan die zaken ervoor nu Ian er niet meer is?'

Fairclough keek hem aan, maar zei eerst niets. Het scheen Lynley toe dat ze een punt naderden waar Fairclough liever niet naartoe wilde. Lynley trok een wenkbrauw op. Fairclough zei: 'Zoals ik al heb gezegd, heb ik daar nog geen besluit over genomen. Zowel Manette als Freddie zou het over kunnen nemen. Zij kennen de zaak door en door. Ze hebben al gedurende hun hele carrière voor me gewerkt. Vooral Freddie zou een goede keus zijn, ook al is hij Manettes ex. Hij kent elke afdeling en heeft op allemaal gewerkt. Ik had liever een familielid gehad, Valerie ook, maar als verder niemand de ervaring en het juiste overzicht heeft, dan ligt het voor de hand dat Freddie de teugels overneemt.'

'Zou je Nicholas in overweging nemen?'

'Met zijn geschiedenis zou dat waanzin zijn. Maar hij doet zijn best zich voor me te bewijzen.'

'Wat vond Ian daarvan?'

'Hij dacht dat het Nick niet zou lukken. Maar aangezien Nick me had beloofd dat hij voor eeuwig en altijd een ander mens was, wilde ik hem toch een kans geven. Hij werkt zich in de zaak nu van onderaf omhoog. Ik bewonder hem daar wel om.'

'Is dat de deal die je met hem hebt gesloten?'

'Zeer zeker niet. Het was zijn idee. Ik vermoed dat Alatea daar achter zit.'

'Dus het is toch mogelijk dat hij het bedrijf overneemt?'

'Alles is mogelijk,' zei Fairclough. 'Zoals ik al zei, er is nog niets besloten.'

'Maar op een bepaald moment moet je toch aan hem gedacht hebben, waarom heb je me anders gevraagd onderzoek naar Nicholas te doen?'

Fairclough zweeg. Dat zei voldoende. Nicholas was tenslotte zijn zoon. En over het algemeen was het de zoon die de aarde erfde, en niet de bescheiden mens.

Lynley vervolgde: 'Zijn er nog meer mensen die een reden hebben om zich van Ian te ontdoen? Iemand die z'n gram wilde halen, een geheim te verbergen had, iets opgehelderd wilde hebben?'

'Voor zover ik weet helemaal niemand.' Fairclough nam een slokje sherry maar hij bleef Lynley over de rand van zijn glas aankijken.

Lynley wist dat hij loog, maar wist niet waarom. Hij had ook het gevoel dat hij nog niet helemaal doorgrondde waarom hij daar zelf was: op Ireleth Hall, terwijl hij iets onderzocht wat al opgelost was en waar de man opgelucht over hoorde te zijn. Lynley zei: 'Bernard, feitelijk gaat in dit geval helemaal niemand vrijuit, behalve degenen die geen toegang tot het botenhuis hadden. Je moet een besluit nemen of je de waarheid boven tafel wilt krijgen, wat die ook mag zijn.'

'Wat voor besluit?'

'Als je dit echt tot de bodem wilt uitzoeken, moet je ermee akkoord gaan dat je me laat zijn wat ik werkelijk ben.'

'En dat is?'

'Een politieman.'

Fleet Street

Londen-City

Barbara Havers koos een pub in de buurt van Fleet Street, een van die kroegen waar lang geleden, in de hoogtijdagen van de krantenbusiness, journalisten elkaar opzochten, toen bijna elke tabloid zijn hoofdkwartier in de onmiddellijke omgeving had. Er was het een en ander veranderd, meer dan één nieuwsorganisatie was weggelokt door het vastgoed rondom Canary Wharf aan de oostkant van de stad. Maar niet iedereen had gehoor gegeven aan die roep van lagere huren, en in het bijzonder één krant was halsstarrig gebleven, vastbesloten om dicht bij het vuur te blijven. Dat was *The Source*, en Barbara wachtte tot haar bron bij *The Source* kwam opdagen. Ze had hem gebeld en gevraagd of hij haar wilde ontmoeten. Hij had geaarzeld, totdat ze hem zelf het tijdstip liet kiezen en hem een lunch aanbood. Daarna had hij nog altijd getwijfeld totdat ze over Lynley begon. Dat trok zijn aandacht. Hij vroeg: 'Hoe gaat het met hem?' en Barbara merkte dat de verslaggever op iets hoopte waarmee hij de honger van zijn lezers kon stillen in de afdeling OPGEKRABBELD NA PERSOONLIJK DRAMA. Het zou niet de voorpagina halen, maar hij mocht wel hopen op een plekje op pagina drie plus foto's, als de details maar smeuïg genoeg waren.

Ze had gezegd: 'Via de telefoon zeg ik er geen woord over. Kunnen we afspreken?'

Dat had hem over de streep getrokken. Ze vond het vervelend dat ze Lynley op die manier moest gebruiken – als het erop aankwam, vond ze het überhaupt vervelend om zijn naam te gebruiken – maar aangezien hij haar zelf om informatie had gevraagd, dacht ze wel dat ze aan de veilige kant zat als het ging om wat wel en niet tussen vrienden door de beugel kon.

Isabelle Ardery was een lastiger kluif geweest. Toen Barbara belde om vrij te vragen – ze had trouwens nog recht op vrije dagen – was Ardery onmiddellijk wantrouwig geworden. Dat liet ze merken door vragen te stellen als: 'Waarom? Waar ga je naartoe?' Barbara had wel geweten dat de plaatsvervangende hoofdinspecteur waarschijnlijk lastig te bewerken was, dus had ze haar smoes klaar.

'Ik ga mijn haar laten knippen,' zei ze. 'Of misschien moet ik zeggen laten stylen. Ik heb iets in Knightsbridge gevonden.'

'Dus je hebt aan een dag genoeg,' had Ardery duidelijk gemaakt.

'Voorlopig wel,' antwoordde Barbara.

'Wat heeft dat te betekenen, brigadier?' Weer dat wantrouwen. Als de baas haar paranoia wilde verdoezelen, moest ze iets aan die scherpe stem van haar doen, bedacht Barbara.

Ze zei: 'Heb genade, baas. Als ik er uiteindelijk als een vogelverschrikker uit kom te zien, moet ik iemand anders zien te vinden die de boel kan redden. Ik hou contact. Ik heb er trouwens recht op.'

Dit was niet gelogen en dat wist Ardery best. Bovendien was zij degene geweest die Barbara had opgedragen om, onder het mom van een aanbeveling, iets aan haar uiterlijk te doen. De hoofdinspecteur was onwillig akkoord gegaan, hoewel ze eraan had toegevoegd: 'Twee dagen, niet langer,' waarmee ze Barbara duidelijk maakte wie van hen de leiding had.

Op weg naar de pub had Barbara ook aan een ander verzoek van Lynley voldaan. Ze had naar het laatste nummer van *Conceptie* gezocht en die in King's Cross Station gevonden waar WHSmith elk denkbare tijdschrift te koop aanbood. Dat kwam goed uit omdat Barbara vanuit Chalk Farm met de metro langs King's Cross Station kwam. Dus hoefde ze daar alleen maar even uit te stappen, ook al kreeg ze een taxerende blik te verduren van de jongeman achter de toonbank toen ze voor het blad betaalde. Ze zag het in zijn ogen en de o zo subtiele beweging van zijn mond: conceptie? Jij? Ammenooitniet. Ze had hem wel bij de boord van zijn witte overhemd over de toonbank willen trekken, maar de vuile rand in de kraag weerhield haar ervan. Ze hoefde nou ook weer niet heel dicht bij iemand in de buurt te komen die het niet zo nauw nam met persoonlijke hygiëne, had ze besloten.

Terwijl ze in de pub wachtte, bladerde ze door het tijdschrift *Conceptie*. Ze vroeg zich af waar ze al die perfecte baby's vandaan haalden die op de foto's stonden, evenals al die moeders die er okselfris uitzagen en helemaal niet zoals ze waarschijnlijk werkelijk waren: afgetobd door gebrek aan slaap. Ze bestelde aardappels met chili con carne en zat daarvan te snoepen terwijl ze las over de verzorging van je tepels tijdens de borstvoeding – wie had nou gedacht dat dat zo'n pijn deed? vroeg ze zich af – toen haar informant van *The Source* opdook.

Mitchell Corsico kwam in zijn gebruikelijke outfit de kroeg binnen. Hij droeg als altijd een stetsonhoed, spijkerbroek en cowboylaarzen. God, dacht ze, nog even en hij draagt leren beenkappen en zes revolvers. Hij kreeg haar in het oog, knikte haar toe en liep naar de bar om te bestellen. Hij keek even naar het menu, gooide het neer en zei tegen de barman wat hij wilde. Hij betaalde, wat Barbara als een goed teken opvatte tot hij bij haar tafel stond en zei: 'Twaalf pond vijftig.'

Ze zei: 'Godskolere, wat heb je besteld?'

'Zit er een maximumprijs aan?'

Ze mopperde even en haalde haar portemonnee tevoorschijn. Ze viste het geld eruit en schoof dat naar hem toe, terwijl hij een stoel pakte en erop ging zitten alsof hij een paard besteeg. Ze zei: 'Waar is je paard?'

'Wat zeg je?'

'Laat maar.'

'Dat is slecht voor je bloedvaten,' merkte hij met een knik naar haar aardappels op.

'En wat heb jij besteld?'

'Oké. Laat maar zitten. Wat heb je?'

'We kunnen elkaars rug krabben.'

Ze zag een behoedzame trek op zijn gezicht verschijnen. Wie kon 't hem kwalijk nemen? Meestal was Corsico degene die bij de politie om informatie kwam bedelen in plaats van andersom. Maar er was ook een soort hoop op zijn gezicht te lezen, want hij wist dat hij bepaald niet populair was bij de Yard. Bijna een jaar geleden had hij tijdens de jacht op een seriemoordenaar de politie voor de voeten gelopen en dat was hem niet in dank afgenomen.

Maar hij was toch voorzichtig. Hij zei: 'Dat weet ik niet. We zullen zien. Wat heb je nodig?'

'Een naam.'

Daar reageerde hij niet op.

'Een verslaggever van *The Source* is naar Cumbria gestuurd. Ik moet weten wie hij is en waarom hij daar is.' Hierop reikte hij naar zijn jaszak, dus zei ze: 'Hola, we zijn nog niet met krabben begonnen, Mitch. Hou je paard nog maar even in toom, als je begrijpt wat ik bedoel.'

'O. Een paard.'

'Ja. Net als Silver. Hi ho, en zo. Eigenlijk dacht ik dat je dat wel snapte. Dus wie is daar naartoe gestuurd? En waarom?'

Hij dacht erover na. Na een poosje, terwijl ondertussen zijn maaltijd werd gebracht – rosbief en Yorkshire pudding, godbetert, met alles erop en eraan, en Barbara wist vrijwel zeker dat hij dat alleen at als iemand anders betaalde – zei hij: 'Ik moet weten wat er voor mij in zit.'

'Dat hangt ervan af hoe waardevol je informatie is.'

'Zo werkt het niet,' zei hij.

'Normaal gesproken niet. Maar er zijn dingen veranderd. Een nieuwe baas die meekijkt. Ik moet voorzichtig zijn.'

'Een exclusief verhaal met inspecteur Lynley volstaat.'

'Ha! Dat gaat niet gebeuren.'

Hij wilde opstaan. Barbara wist dat het show was, want er was geen sprake van dat hij zou weglopen en zijn rosbief en Yorkshire pudding onaangeroerd op tafel zou laten staan. Maar ze speelde het spelletje mee en zei: 'Goed dan. Ik zal doen wat ik kan. Dus jij doet ook wat je kunt. Wie is er naar Cumbria gestuurd?'

Hij kwam met het hele verhaal, zoals ze al had verwacht. Hij vertelde haar alles: Zedekiah Benjamin, een verhaal over Nicholas Fairclough, een afwijzing van de hoofdredacteur en een verslaggever die koste wat kost het verhaal zo om wilde vormen dat het geschikt was voor *The Source* in plaats van wat hij eerst had ingeleverd, een wollig stuk dat eerder in *Hello!* thuishoorde. Hij was inmiddels minstens drie keer naar Cumbria geweest, misschien wel vier keer, om te proberen het verhaal sexyer te maken voor Rodney Aronson, maar kennelijk was hij traag van begrip. Hij was geen stap verder gekomen, totdat Ian Cresswell verdronk.

Dat was interessant, dacht Barbara. Ze vroeg naar de data waarop Zedekiah Benjamin in Cumbria was geweest en kwam te weten dat twee van die bezoekjes hadden plaatsgevonden voordat Cresswell was verdronken. Het tweede was drie dagen voor zijn dood geëindigd, waarop Benjamin klaarblijkelijk met de staart tussen de benen naar Londen was teruggegaan, zonder dat het hem was gelukt om de seks te ontdekken die zijn hoofdredacteur van hem eiste.

Ze zei: 'Wat gebeurt er met die vent als hij er geen sexy draai aan weet te geven?'

Corsico maakte met zijn hand een gebaar als van een mes langs zijn hals en wees met zijn duim over zijn schouder voor het geval Barbara te dom was om te begrijpen wat dat betekende. Ze knikte en zei: 'Weet je waar hij daar logeert?'

Corsico zei van niet, maar hij voegde eraan toe dat Benjamin bepaald niet moeilijk te vinden was, ook al hield hij zich schuil in de bosjes naast iemands huis.

'Hoezo?' vroeg Barbara.

Omdat, zei Corsico, hij twee meter lang was en zo'n kop met rood haar had dat het leek alsof zijn schedel in brand stond.

'Nou,' besloot hij terwijl hij zijn notitieblokje tevoorschijn haalde. 'Nu ik.'

'Jij komt later aan de beurt,' antwoordde ze.

Arnside Knot

Cumbria

Tijdens Alatea's wandeling was het gaan regenen. Ze had daar op gerekend, want ze had het akelige wolkendek boven Morecambe Bay vanuit Humphrey Head richting Arnside zien naderen. Maar ze had niet verwacht dat het zo hevig zou zijn. Ze had aan de wind gemerkt dat de neerslag snel kwam opzetten. Maar ze werd toch verrast omdat de stortbui binnen een kwartier overging in een hevige storm. Ze was halverwege haar eindbestemming toen het begon te plenzen. Ze had naar huis kunnen terugkeren, maar dat deed ze niet. Ze moest en zou de klim naar de top van Arnside Knot afmaken. Ze zei grimmig tegen zichzelf dat ze misschien wel door de bliksem kon worden getroffen en op dit moment leek zo'n einde aan haar leven eigenlijk nog zo slecht niet. Dan was ze in één klap weg, klaar. Dat zou een vorm van ultiem weten zijn in een situatie waarin het niet-weten aan haar vrat.

De regen was afgenomen toen ze het laatste stuk omhoog klom langs de in hun herfstjas gestoken Schotse stierkalveren die ongestoord op de heuvelrug graasden. Ze zocht met haar voeten naar vaste grond op de plekken waar kalksteengruis lag en om naar de top te komen greep ze zich vast aan de stammen van de overhellende, door de wind geteisterde coniferen. Eenmaal daar aangekomen, merkte ze dat ze minder zwaar hijgde dan de andere keren dat ze de klim maakte. Binnenkort, zei ze tegen zichzelf, kon ze misschien wel moeiteloos naar de top van Arnside Knot rennen.

Boven op de uitstekende rots kon ze het allemaal aanschouwen: tweehonderdtachtig graden panorama met daarin alles, van de stip van Peel Island Castle tot aan de golvende massa van Morecambe Bay en de langs de oever liggende vissersdorpen aan toe. Dit uitzicht bood een eindeloze lucht, het verraderlijke water en een rijk en gevarieerd landschap. Het bood echter geen blik in de toekomst en Alatea was in het wisselvallige weer gaan lopen in een poging iets te ontvluchten waarvan ze wist dat ze er niet eeuwig voor kon weglopen.

Ze had Nicholas gedeeltelijk verteld wat ze tijdens haar naspeuringen had ontdekt, maar niet alles. 'Ze is een freelance fotografe, helemaal geen locatieonderzoeker,' had ze hem gemeld. Haar zenuwen waren strakgespannen en ze had een slokje sherry genomen om ze tot bedaren te brengen. 'Kom kijken, Nicholas. Ze heeft een website.'

Het was een fluitje van een cent geweest om te ontdekken wat ze over Deborah St. James wilde weten. Internet was een onuitputtelijke bron aan informatie en je hoefde geen genie te zijn om ermee te kunnen omgaan. Ga naar een zoekmachine, toets een naam in. In de wereld van vandaag kon iemand wel op de vlucht slaan, maar verbergen kon hij zich niet.

Deborah St. James probeerde het niet eens te verbergen. WAT WILT U GEFOTOGRAFEERD HEBBEN? stond er op haar website, waarop je via verschillende links kon zien wat ze allemaal deed. Ze deed aan artistieke fotografie, als dat tenminste het juiste woord was. Ze maakte het soort foto's dat in galeries werd verkocht: landschappen, portretten, stillevens, dramatische actieshots, spontane momenten uit het leven die ze op straat had geschoten. Ze werkte voornamelijk in zwart-wit, had verschillende exposities gehad en bij fotowedstrijden was ze prominent aanwezig geweest. Ze was duidelijk goed in haar werk, maar wat ze níét deed, was locatieonderzoek voor een bedrijf dat Query Productions heette.

Dat bedrijf bestond helemaal niet. Dat had Alatea ook ontdekt. Maar dat had ze haar man niet verteld, want als ze Nicholas van dat stukje informatie op de hoogte bracht, wist ze intuïtief waar dat toe zou leiden. Dan zou hij vragen: maar wat doet ze dan hier? WAT WILT U GEFOTOGRAFEERD HEBBEN? Dat zei het al. Waar het werkelijk om ging – of waar het voor Alatea om ging mocht de waarheid aan het licht komen – was wat Deborah St. James met de foto's wilde doen.

Toch lag dat onderwerp veel te gevoelig om met haar echtgenoot te kunnen bespreken, dus Alatea had tegen Nicholas gezegd: 'Ik voel me niet op m'n gemak met haar in de buurt, Nicky. Er is iets aan haar wat me niet aanstaat.'

Nicholas had zijn wenkbrauwen gefronst. Ze hadden in bed gelegen, hij had zich op zijn zij naar haar toe gedraaid en zijn hand onder zijn hoofd gelegd. Hij had zijn bril niet op, dus hij zag haar niet scherp, maar toch leek het alsof hij haar gezicht bestudeerde, en door wat hij daar kennelijk dacht te zien, zei hij met een glimlach: 'Omdat ze een fotograaf is of omdat ze een vrouw is? Want, lieve vrouw van mij, ik zal je dit vertellen: mocht je piekeren over het vrouwengedeelte, dan hoef je je totaal geen zorgen te maken.' Hij was naar haar toe geschoven om zijn verklaring kracht bij te zetten en dat stond ze toe. Ze had het zelfs gewild, om haar gedachten af te leiden van wat een liefde met Nicholas met zich meebracht. Maar daarna waren de zorgen en angsten weer als een vloedgolf in Morecambe Bay over haar heen gespoeld. Er was geen ontsnappen mogelijk en ze dreigde kopje-onder te gaan in het snel opkomende tij.

Dat had hij gevoeld. Daar was Nicholas goed in. Hij kon haar spanning voelen, ook al wist hij niet waar die vandaan kwam. Hij had gezegd: 'Waarom wind je je hier zo over op? Ze is een freelance fotograaf, en freelancers worden ingehuurd om foto's te maken en die aan hun opdrachtgever te overhandigen. Dat is ze hier aan het doen.' Hij trok zich weer op zijn kant van het bed terug. 'Volgens mij hebben we even rust nodig.' Hij had het met een tedere uitdrukking op zijn gezicht gezegd. 'We hebben te hard en te lang gewerkt. Je hebt maandenlang tot over je oren in de beslommeringen rondom het huis gezeten en ik heb tussen Barrow en het burchttorenproject heen en weer gerend. Ik moet zo hard werken om weer in de gunst van mijn vader te kunnen komen dat ik te weinig aandacht aan jou heb besteed. Aan hoe je je voelt, aan het feit dat het hier allemaal vreemd voor je is, nu je hier woont. Voor mij is het thuis, maar ik heb niet beseft dat dit voor jou een vreemd land is.' Hij glimlachte berouwvol. 'Verslaafden zijn egoïstische klootzakken, Allie. Ik ben daar bij uitstek een voorbeeld van.'

Ze pikte hier een enkel aspect uit. Ze zei: 'Waarom heb je dit nodig?'

'De rust? Jou? Dit, hier in bed?' Hij glimlachte, en zei toen: 'Ik had gehoopt dat je die laatste vraag niet hoefde te stellen.'

'Je vader,' zei ze. 'Waarom moet je weer bij hem in de gunst komen?'

In zijn antwoord sijpelde verbazing door. 'Omdat ik jarenlang zijn leven tot een hel heb gemaakt. Dat van mijn moeder ook.'

'Je kunt het verleden niet veranderen, Nicky.'

'Maar ik kan het wel rechtzetten. Ik heb jaren van hun leven afgepakt en als het even kan wil ik die jaren aan ze teruggeven. Zou jij niet hetzelfde willen als je in mijn schoenen stond?'

'Het is de bedoeling,' zei ze, 'dat ieder mens zijn eigen leven leidt en eerlijk tegenover zichzelf is. Wat jij aan het doen bent is een leven leiden om eerlijk te zijn tegenover het beeld dat iemand anders van je heeft.'

Hij had met zijn ogen geknipperd en er gleed een gekwetste uitdrukking over zijn gezicht, die net zo snel weer verdween als ze was opgekomen. Hij zei: 'We moeten het erover eens worden dat we hierin van mening verschillen. En je zult moeten afwachten om te zien hoe de zaken uitpakken, hoe ze zullen veranderen, voor mij, voor jou en voor de familie.'

Ze had toen gezegd: 'Jouw familie...'

Hij had haar onderbroken met: 'Ik bedoel niet mijn familie. Ik heb het over ons gezin. Dat van jou en van mij. Het gezin dat we gaan stichten. Vanaf nu zal alles beter worden. Je zult het zien.'

De volgende ochtend had ze het opnieuw geprobeerd, maar deze keer via een omweg en niet met een frontale aanval. Ze had gezegd: 'Ga vandaag niet naar je werk. Blijf bij me, blijf hier, ga niet naar de toren.'

'Dat is een heel verleidelijk voorstel,' had hij geantwoord en dat had haar hoop gegeven, maar die werd onmiddellijk de bodem ingeslagen toen hij zei: 'Maar ik moet naar mijn werk, Allie. Ik heb al een dag vrij genomen.'

'Nicky, je bent de zoon van de eigenaar. Als je geen vrije dag kunt nemen...'

'Ik ben *line operator* op de expeditieafdeling. Misschien word ik ooit weer de zoon van de eigenaar. Maar zover ben ik nog niet.'

En zo waren ze weer terug bij af. Alatea wist dat ze van daaruit verder moesten. Hij geloofde dat hij zich moest bewijzen om zijn verleden goed te maken. Op die manier zou hij zich een weg banen naar de toekomst, door steeds maar weer te laten zien dat hij niet degene was die hij vroeger was geweest. Ze begreep dat wel, maar zo zat haar leven niet in elkaar. Sterker nog, voor haar was het onmogelijk om te leven zoals Nicholas dat verkoos te doen.

En nu was daar de kwestie Query Productions en het feit dat het bedrijf niet bestond. Dat betekende maar één ding: dat de fotografe helemaal niet in Cumbria was in verband met Nicholas' werk, dat haar aanwezigheid helemaal niets te maken had met wat hij met het burchttorenproject in Middlebarrow probeerde te bereiken, en ook niet met wat hij met zijn ouders voorhad en wat hij van zijn leven wilde maken. Voor zover zij het kon overzien, bleef daardoor slechts één verklaring voor de aanwezigheid van de fotograaf over. WAT WILT U GEFOTOGRAFEERD HEBBEN? zei genoeg.

Alatea deed langer over de afdaling van Arnside Knot dan de klim naar de top had geduurd. De plekken met kalksteengruis waren glad door de regen. Ze moest oppassen dat ze niet over de losse stenen uitgleed en de heuvel af tuimelde. Ze glibberde over de gevallen bladeren van de lindes en kastanjebomen die lager op de heuvel bijeengroepten. Zo was ze vooral bezig zich in het snel wegstervende daglicht een veilige weg naar huis te banen. Omwille van diezelfde veiligheid pakte ze zodra ze in Arnside House was de telefoon.

Ze had het telefoonnummer altijd bij zich. Dat was al zo sinds ze dat eerste telefoontje had gepleegd. Ze wilde dit eigenlijk niet, maar zag geen andere mogelijkheid. Ze haalde het kaartje tevoorschijn, haalde een paar keer diep adem, toetste de cijfers in en wachtte tot er werd opgenomen. Toen dat gebeurde, stelde ze de enige vraag die er voor haar nu toe deed.

'Ik wil je niet onder druk zetten, maar ik moet het weten. Heb je over mijn aanbod nagedacht?'

'Ja,' antwoordde de zachte stem.

'En?'

'Laten we wat afspreken om erover te praten.'

'En dat betekent?'

'Weet je het helemaal zeker van het geld?'

'Ja, ja. Natuurlijk weet ik dat zeker.'

'Dan denk ik wel dat ik kan doen wat je vraagt.'

Milnthorpe

Cumbria

Deborah spoorde Lynley op toen ze iets zaten te eten wat ze betitelde als 'een uiterst twijfelachtige curry, Tommy,' in een restaurant in Church Street in Milnthorpe, dat de Fresh Taste of India heette. St. James voegde eraan toe: 'We hadden bepaald niet veel keus. Het was dit, chinees of pizza. Ik stemde voor pizza, maar werd weggestemd.'

Ze waren klaar met eten en dronken een verontrustend groot glas limoncello. Dat was wat merkwaardig, ten eerste omdat het zo'n groot glas was en ten tweede vanwege het feit dat een Indiaas restaurant Italiaanse likeur schonk. 'Simon voert me na negen uur 's avonds graag dronken,' zo verklaarde Deborah de grote glazen. 'Ik word als was in zijn listige handen, hoewel ik niet denk dat hij er al achter is hoe hij me van de vloer moet oprapen, het restaurant uit moet krijgen en naar het hotel moet terugbrengen als ik dit allemaal opdrink.'

'Met een karretje,' zei St. James. Hij gebaarde naar een tafeltje in de buurt waar lege stoelen omheen stonden. Lynley pakte er een van en ging bij hen zitten.

'En?' vroeg St. James.

Lynley wist wel dat hij het niet over eten of drinken had. 'Ik heb een aantal motieven gevonden. Het is nu een kwestie van de onderste steen boven halen.' Hij somde ze voor zijn vrienden op: een verzekeringspolis op naam van Niamh Cresswell; Kaveh die het land en de boerderij kreeg; Mignon Fairclough die mogelijk haar toelage zou verliezen; Manette of Freddie McGhie die mogelijk een betere positie bij Fairclough Industries zou krijgen, maar dat gold ook voor Nicholas Fairclough; Niamh Cresswell en haar wraakacties. 'En met Cresswells zoon, Tim, klopt er ook iets niet. Hij is klaarblijkelijk een externe leerling op een school die Margaret Fox heet en een instelling blijkt te zijn voor moeilijke kinderen. Dat heeft een telefoontje opgeleverd, maar verder zegt niemand iets over hem.'

'Dus "moeilijk" kan van alles zijn,' merkte St. James op.

'Inderdaad.' Lynley vertelde dat Cresswells kinderen eerst zomaar bij hun vader waren gedumpt en nu bij de minnaar werden achtergelaten.

'De zus, Manette McGhie, trapte daar vanmiddag een hoop stennis over.'

'Wie zou dat niet doen?' zei Deborah. 'Dit is afschuwelijk, Tommy.'

'Mee eens. De enige mensen die tot nu toe geen motief hebben zijn Fairclough zelf en zijn vrouw. Hoewel,' voegde Lynley er bedachtzaam aan toe, 'ik wel de indruk heb dat Fairclough iets achterhoudt. Dus Barbara neemt zijn Londense leven voor me onder de loep.'

'Maar als hij iets te verbergen heeft, waarom vraagt hij je dan om de boel te onderzoeken?' vroeg Deborah.

'Ja, dat is de vraag, hè?' zei Lynley. 'Het zou eigenlijk nergens op slaan als een moordenaar die met een moord weet weg te komen naar de politie loopt met de vraag er eens dieper in te duiken.'

'Nu we het daar toch over hebben...' Hij was bij de patholoog-anatoom geweest, zo vertelde St. James aan Lynley. Het leek erop dat alles klopte en helemaal in orde was. Hij had de verslagen ingezien en de röntgenfoto's bekeken, daarop was duidelijk te zien dat Ian Cresswells schedel gebroken was. En Lynley wist heel goed dat er bij een schedelfractuur niet te zien was waardoor de breuk was veroorzaakt. De schedel was of als een ei gebarsten waarna de scheurtjes zich als een spinnenweb hadden verspreid, of er was een laterale, halfronde breuk op het oppervlak ontstaan. Maar in beide gevallen moest de mogelijke oorzaak van de fractuur worden onderzocht om te kunnen bepalen wat de ware toedracht was.

'En?' vroeg Lynley.

Dat was inderdaad gebeurd. Er lag bloed op een van de stenen die nog op de kade lagen terwijl de andere waren losgeraakt en in het water waren gevallen. DNA-analyse van het bloed wees uit dat het van Ian Cresswell was. Er waren bovendien haren, huid en vezels gevonden, en toen die waren getest, bleken die ook van Ian Cresswell afkomstig te zijn.

'Ik heb de forensisch agenten opgespoord die het gerechtelijk vooronderzoek hebben gedaan,' vervolgde St. James. 'Er waren er twee: een voormalig rechercheur van het politiekorps in Barrow-in-Furness en een ziekenbroeder die dit soort werk erbij doet. Ze hadden beiden het idee dat het om een ongeluk ging, geen moord, maar ze hebben voor de zekerheid alle alibi's nagetrokken.'

Evenals Lynley begon St. James die op te sommen, waarbij hij een aantekenboekje raadpleegde dat hij uit de borstzak van zijn colbert had gehaald. Kaveh Mehran, zei hij, was thuis, en hoewel de Cresswell-kinderen dat hadden kunnen bevestigen, zijn ze niet ondervraagd om ze nog verder trauma te besparen; Valerie Fairclough was in het huis op het landgoed geweest, waar ze na een vistochtje op het meer sinds vijf uur 's middags was geweest. Ze was pas de volgende ochtend weer de deur uitgegaan om met de tuinlieden te praten die in de sculptuurtuin aan het werk waren; Mignon Fairclough was eveneens thuis geweest, maar niemand kan haar alibi bevestigen dat ze aan het e-mailen was, want iedereen met toegang tot haar computer en password had uit haar naam die e-mails kunnen versturen; Niamh Cresswell was onderweg om de kinderen naar Bryan Beck-farm terug te brengen en daarna was ze naar Grange-over-Sands teruggereden, maar dat kan niemand bevestigen...

'Blijven zijzelf en Kaveh Mehran over, die voor dat tijdstip geen bevestigd alibi hebben,' merkte Lynley op.

'Inderdaad.' St. James vervolgde: 'Manette en Freddie McGhie waren beiden de hele avond thuis, Nicholas was thuis met zijn vrouw Alatea, lord Fairclough dineerde in Londen met een directielid van zijn stichting. Dat was één vrouw, Vivienne Tully, en zij heeft dat bevestigd,' zei St. James ten slotte. 'Uiteraard blijft de manier waarop de man is gestorven het wezenlijke probleem.'

'Zo is het,' zei Lynley instemmend. 'Er had op elk willekeurig moment met de stenen op de kade geknoeid kunnen zijn, als er al mee geknoeid is. Dus zijn we weer terug bij degenen die toegang tot het botenhuis hadden, en dus terug bij ongeveer iedereen.'

'We zijn terug bij een nader onderzoek van de kade, en we moeten de ontbrekende stenen opvissen. Het is dat laatste of we noemen het alsnog een ongeluk en laten de boel de boel. Als Fairclough zekerheid wil, stel ik voor om nader onderzoek te doen.'

'Hij zegt dat hij dat wil.'

'Dan moeten we met felle lampen het botenhuis in en iemand moet het water in om de stenen eruit te halen.'

'Tenzij ik Fairclough kan overhalen om dit allemaal openbaar te maken, is de kans groot dat we dit moeten doen zonder dat iemand het merkt,' zei Lynley.

'Enig idee waarom hij alles zo geheim wil houden?'

Lynley schudde zijn hoofd. 'Het heeft iets te maken met zijn zoon, maar ik weet niet waarom, los van het voor de hand liggende.'

'En dat is?'

'Volgens mij wil hij niet dat zijn enige zoon te weten komt dat zijn vader hem wantrouwt, wat een ramp zijn verleden ook is geweest. Per slot van rekening zou hij een nieuwe bladzijde hebben omgeslagen. En klaarblijkelijk is hij thuis met open armen ontvangen.'

'En hij heeft een alibi, zoals je al zei.'

'Thuis bij zijn vrouw. Inderdaad,' stemde Lynley in.

Deborah had dit allemaal aangehoord, maar na deze laatste opmerking over Nicholas Fairclough haalde ze een stapel papieren uit haar handtas tevoorschijn. Ze zei: 'Barbara heeft me de ontbrekende bladzijden uit *Conceptie* gefaxt, Tommy. Ze stuurt het tijdschrift zelf ook nog op, maar in de tussentijd...' Deborah gaf hem de bladzijden.

'Relevant?' Lynley zag dat het om zowel particuliere als bedrijfsadvertenties ging.

Ze zei: 'Het klopt met wat Nicholas me vertelde over het gezin dat ze willen stichten.'

Lynley wisselde een blik met St. James. Hij wist dat de andere man hetzelfde dacht als hij: hoe objectief kon Deborah zijn als bleek dat ze een vrouw tegen het lijf was gelopen die met precies dezelfde problemen kampte als zij?

Deborah zag die blik. Ze zei: 'Nou zeg. Horen jullie in aanwezigheid van een verdachte niet neutraal te kijken?'

Lynley glimlachte. 'Sorry. Macht der gewoonte. Ga alsjeblieft door.'

Ze gromde even, maar vervolgde toen: 'Eens kijken wat we hier hebben als je bedenkt dat Alatea, of iemand anders, deze bladzijden uit het tijdschrift heeft gescheurd.'

'Die íémand zou weleens van belang kunnen zijn,' zei St. James.

'Het lijkt me niet waarschijnlijk, toch? Kijk, hier staan advertenties in voor bijna alles wat mogelijkerwijs met het reproductieproces te maken heeft. Er zijn advertenties van advocaten die gespecialiseerd zijn in particuliere adoptie, advertenties van spermabanken, lesbische stellen die op zoek zijn naar spermadonors, adoptiebureaus, draagmoederschap-advocaten, advertenties waarin meisjes gevraagd wordt hun eicellen af te staan, waarin studenten gevraagd wordt om tegen betaling op reguliere basis hun zaad te doneren. Met dank aan onze moderne wetenschap is het inmiddels een industrie geworden.'

Lynley hoorde hoe hartstochtelijk Deborah dat opsomde en overwoog wat dat kon betekenen, vooral omdat het hier ging om Nicholas Fairclough en zijn vrouw. Hij zei: 'Een man wil zijn vrouw beschermen, Deb, dat is belangrijk voor hem. Fairclough heeft misschien het tijdschrift zien liggen en er deze bladzijden uit gescheurd zodat Alatea ze niet zou zien.'

'Misschien,' zei ze. 'Maar dat hoeft niet te betekenen dat Alatea niet wist dat ze er waren.'

'Oké. Maar wat heeft dit te maken met Ian Cresswells dood?'

'Dat weet ik nog niet. Maar als je dan alle mogelijkheden wilt onderzoeken, Tommy, dan is dit er een van.'

Lynley keek nogmaals naar St. James. De andere man zei: 'Ik waag te beweren dat ze gelijk heeft.'

Deborah keek verbaasd op. Het feit dat haar man voortdurend, en tot Deborahs woede, zijn best deed om haar tegen leed te beschermen, speelde al lange tijd tussen hen. Dat kwam doordat hij haar sinds haar zevende kende en omdat hij elf jaar ouder was dan zij. Ze zei: 'Ik denk dat ik Alatea nog een keer moet opzoeken, Tommy. Ik kan misschien een band met haar creëren. Als we hetzelfde probleem hebben, hoeft dat niet al te moeilijk te zijn. Alleen een vrouw weet hoe dat is. Geloof me nou maar.'

Lynley vermeed zorgvuldig St. James' blik. Hij wist hoe Deborah het zou opvatten als hij de schijn wekte dat hij haar echtgenoot om toestemming vroeg, alsof hij zo uit een victoriaanse roman was gestapt. Dus zei hij: 'Mee eens. Je moet er inderdaad nog een keer heen. Kijk wat je verder over haar te weten kunt komen.' Hij voegde er niet aan toe dat ze voorzichtig moest zijn. Hij wist dat St. James dat wel voor zijn rekening zou nemen.

6 november

Bryanbarrow

Cumbria

Tot Zed Benjamins verbazing en blijdschap bleek Yaffa Shaw haar gewicht in goud waard te zijn. Ze was niet alleen dagelijks een amusante gesprekspartner aan de telefoon – hij was tot de conclusie gekomen dat ze met haar act van een tot over haar oren verliefde vrouw een Oscar verdiende – maar ze was bovendien een vierentwintig karaats hulp bij zijn inspanningen. Hij wist niet hoe ze het voor elkaar had gekregen, maar ze had net zolang geslijmd tot ze Ian Cresswells testament mocht inzien. De vorige dag was ze niet naar college gegaan, maar had de trein naar York genomen, waar een klerk van het testamentenregister kennelijk zo van haar gecharmeerd was dat hij haar het Cresswell-document had toegeschoven om er een kijkje in te nemen, en meer dan dat had ze niet nodig gehad. En toen bleek nota bene ook nog eens dat de vrouw een fotografisch geheugen had. Ze belde hem op en lepelde de legaten op, waarmee ze Zed een trip naar het zuiden bespaarde, evenals een lange wachttijd voordat de documenten gekopieerd en naar hem opgestuurd waren. Kortom, ze was fantastisch en geweldig.

Dus zei hij: 'Ik aanbid je.'

Zij zei: 'Daar ga ik van blozen,' en tegen zijn moeder, die uiteraard ergens in de buurt rondhing: 'Uw zoon maakt me werkelijk aan het blózen, mevrouw B.' Ze maakte kusgeluiden in de telefoon.

Zed gaf haar een paar luchtkussen terug in zijn enthousiasme over haar ontdekking. Toen kwam hij weer tot zichzelf en herinnerde zich Micah, die in Tel Aviv op Yaffa's terugkeer wachtte. Was het leven niet vol ironie? dacht hij.

Na een passende uitwisseling van luidruchtige knuffels en heftige kussen verbraken ze de verbinding en Zed dacht na over de nieuwe informatie. Ondanks Rodney Aronsons instructie over zijn eigenlijke taak in Cumbria, besloot Zed dat het tijd was voor een aanval op de flank van de tegenpartij. Hij ging echter niet George Cowley aan de tand voelen over wat hij wel of niet over de farm wist. Hij zou met de zoon van de man gaan praten.

En zo ging hij al vroeg naar het dorp Bryanbarrow. De Willow & Well, waarvan de ramen zo handig uitkeken op de Bryan Beck-farm, was nog niet open, dus moest Zed in zijn auto wachten, die hij aan de rand van het dorpsplein had geparkeerd. Dat was voor hem geen pretje omdat hij zo lang was, maar er zat niks anders op. Kramp in zijn benen en de mogelijkheid van trombose in de dieper liggende aderen had hij over voor een gesprek waar alles mee te winnen viel.

Natuurlijk regende het. Zed vond het een wonder dat het hele Lake District nog niet in een moeras was veranderd als je het weer in aanmerking nam. Terwijl hij wachtte tot Daniel Cowley opdook, besloeg de voorruit van de auto voortdurend door de aanhoudende neerslag en kou. Hij veegde hem steeds met de rug van zijn hand schoon, wat niet echt hielp; de mouwen van zijn overhemd werden er alleen maar nat van omdat de condens langs zijn armen omlaag druppelde.

Uiteindelijk kwam de jongen tevoorschijn. Zed vermoedde dat hij in Windermere naar school ging. Het was het een of het ander: of zijn vader zou hem ernaartoe rijden of hij zou met de schoolbus gaan. Geen van beide maakte iets uit, want Zed zou hoe dan ook met hem praten. Hij zou hem op weg naar school onderscheppen of hem een lift naar school aanbieden als hij naar de bushalte liep, want die kwam van zijn lang zal ze leven niet in de buurt van deze godvergeten uithoek.

Het laatste bleek het geval. Daniel stak het plein over, sloeg de hoek om en liep het dorp uit, met gebogen hoofd en in een broek en schoenen die al snel onder de modder kwamen te zitten. Zed gaf hem tien minuten, ging ervan uit dat hij naar de hoofdweg door Lyth Valley moest. Dat was een hele tippel.

Toen hij naast Daniel ging rijden, was de jongen al doornat, want hij zou net als de meeste jongens van zijn leeftijd, nog niet dood met een paraplu gevonden willen worden.

Zed liet het raampje zakken. 'Wil je een lift?'

Daniel keek hem aan. Hij fronste zijn wenkbrauwen. Hij keek naar links en naar rechts en dacht na over de vraag terwijl de regen op hem neer kletterde. Ten slotte zei hij: 'Ik weet nog wie je bent. Ben je een perverseling of zoiets? Want als je me ook maar met een vinger aanraakt...'

'Rustig maar,' zei Zed tegen hem. 'Je hebt vandaag geluk. Ik val op meisjes. Morgen heb je misschien minder geluk. Kom op. Stap in.'

Daniel sloeg zijn ogen ten hemel bij Zeds flauwe grap. Toen gaf hij toe. Hij liet zich op de passagiersstoel vallen die nat werd. Hij zei: 'Sorry.'

'Geeft niet.'

Zed reed weg. Hij was vastbesloten alles uit de jongen te melken wat hij kon, dus hij reed langzaam. Hij hield zijn ogen op de weg gericht om zijn slakkengangetje te verklaren: paranoïde bezoeker die bang is een schaap of wildeman aan te rijden.

Daniel zei: 'Waarom ben je hier trouwens weer?'

Zed had zelf al zitten nadenken over hoe hij een praatje kon aanknopen, dat Daniel hem nu achteloos in de schoot wierp. 'Je schijnt je nogal zorgen te maken over de bewoners hier in de streek.'

'Wat?' De jongen vertrok zijn gezicht.

'Die opmerking over perverseling.'

'Wie zou dat niet doen,' zei Daniel schouderophalend. 'Het wemelt ervan hier.'

'Nou, de hele streek zit vol schapen, toch?' merkte Zed met een knipoog op. 'Dan is niemand veilig.'

De jongen keek hem aan met die puberuitdrukking op zijn gezicht waarvan afstraalde: wat ben jij een stomme idioot; veel effectiever dan hij het ooit met woorden had kunnen uitdrukken.

Zed zei: 'Grapje. Te vroeg in de ochtend. Waar moet ik je afzetten?'

'Lyth Valley. Daar pak ik de schoolbus.'

'Waar naartoe?'

'Windermere.'

'Als je wilt, kan ik je erheen brengen. Het is geen moeite. Ik moet toch die kant op.'

De jongen deinsde terug. Dit was duidelijk pervers terrein. Hij zei: 'Wat wil je eigenlijk? Je hebt me niet verteld wat je weer in het dorp doet. Wat is er aan de hand?'

Slimmer dan goed voor hem is, dacht Zed. 'Allemachtig, rustig maar,' zei hij. 'Ik zet je af waar je maar wilt. Wil je nu soms uitstappen?'

Daniel keek naar de regen. Hij zei: 'Probeer maar niets. Want dan geef ik je zo een stomp op je adamsappel, en denk maar niet dat ik dat niet doe. Ik weet hoe dat moet. Dat heeft mijn vader me geleerd en geloof me, het werkt. Beter dan een schop in je ballen. Veel beter.'

'Hartstikke handig,' zei Zed instemmend. Hij moest het joch in het gesprek zien te manoeuvreren dat hij in gedachten had voordat ze Lyth Valley bereikten en hij moord en brand begon te schreeuwen, of erger. Dus zei hij: 'Zo te horen maakt je vader zich zorgen om je.'

'Oké. Nou ja. Naast ons woont een stel perverselingen, ja. Ze doen alsof het onderhuur is, maar wíj weten wel beter. Pap zegt dat je niet voorzichtig genoeg kunt zijn met kerels zoals zij, en nu is het nog erger.'

'Hoezo?' Halleluja, dacht Zed.

'Omdat de ene dood is en de andere naar een nieuwe gaat zoeken.'

Dat klonk als een opmerking die rechtstreeks uit de stal van z'n pa kwam. 'Ik begrijp het,' zei Zed. 'Maar zou je niet denken dat die andere gewoon zal vertrekken?'

'Daar zit mijn pa op te wachten,' zei Daniel. 'Hij gaat de farm kopen als die onder de hamer gaat.'

'Wat, die schapenfarm waar jullie allebei wonen?'

'Inderdaad,' zei Daniel tegen hem. Hij veegde zijn doorweekte haar van zijn voorhoofd en ging er eens goed voor zitten. Bij dit onderwerp leek hij zich meer op zijn gemak te voelen, nu ze het niet meer over perverselingen, zoals hij ze noemde, hoefden te hebben, want hij zette de verwarming in de auto op een tropische temperatuur en diepte uit zijn rugzak een banaan op, die hij begon op te eten. Hij vertelde Zed dat zijn pa de farm vooral wilde hebben zodat Daniel die kon erven. En dat, zo zei Daniel, was achterlijk idioot, want hij was in de verste verte niet van plan om schapenboer te worden. Daniel wilde helemaal weg uit het Lake District. Hij wilde bij de RAF. Die scheerden over het Lake District, wist Zed dat? Toffe jets vlogen op negentig meter hoogte – oké, honderdvijftig meter – en als je nietsvermoedend aan het wandelen was, scheerden ze plotseling brullend door het dal vlak boven Lake Windermere, dat was pas tof.

'Ik heb 't m'n pa wel honderd keer verteld,' zei Daniel. 'Maar hij denkt dat hij me thuis kan houden. Dat het hem lukt als hij de farm maar krijgt.'

Hij hield van zijn pa, zei Daniel, maar hij wilde niet zo'n leven als dat van z'n vader. Zijn moeder had hem ook al in de steek gelaten. Zij wilde ook niet zo'n leven, maar het drong nog steeds niet tot zijn pa door.

'Ik zeg elke keer tegen hem dat hij moet doen waar hij goed in is. Dat zou iedereen moeten doen.'

Amen, dacht Zed. Maar hij zei: 'En wat is dat dan?'

Daniel aarzelde even. Zed keek naar hem. De jongen leek er absoluut ongemakkelijk onder. Misschien kwam hij nu ergens, besefte Zed. De jongen stond op het punt op te biechten dat George goed was in het om zeep helpen van kerels die op de farm woonden die hij wilde kopen. Zilver, goud, platina enzovoort. Zed stond op het punt de primeur van zijn leven te krijgen.

'Poppenhuismeubels maken,' mompelde Daniel.

'Wat?'

'Poppenhuismeubels. Meubels die je in een poppenhuis neerzet. Weet je niet wat dat is?'

Shit, verdomme, klote, dacht Zed.

Daniel vervolgde: 'Hij is er zo goed in. Dat klinkt raar, dat weet ik wel, maar dat is z'n eigenlijke werk. Zodra hij iets af heeft, verkoopt hij het op internet. Ik zeg tegen hem dat hij dat fulltime zou moeten doen in plaats van rondsjouwen met die verdomde schapen. Hij zegt dat het een hobby is en dat ik toch zeker wel het verschil kan zien tussen een hobby en iemands levenswerk.' Daniel schudde zijn hoofd. 'Voor hem is het die stomme farm of niets.'

O ja? vroeg Zed zich af. En wat zou Cowley doen als hij te weten kwam dat de farm door Ian Cresswell aan Kaveh Mehran was nagelaten en dus wettelijk van hem was?

Daniel wees naar een enorme eik vlak naast een muur van stapelstenen. Daar mocht Zed hem afzetten, zei hij. En bedankt voor de lift, trouwens.

Zed reed naar de kant en Daniel stapte uit. Op dat moment ging Zeds telefoon. Hij wierp er een blik op en zag dat het Londen was. Rodney Aronson belde. Het was zelfs voor Rodney wat vroeg om op zijn werk te zitten, dus dat was geen goed teken. Het goede nieuws was echter dat Zed kon melden dat hij na zijn gesprek met Daniel Cowley eindelijk vorderingen maakte.

'Je moet oppassen,' viel Rodney met de deur in huis.

'Hoezo? Wat is er gebeurd?'

'Scotland Yard weet dat je daar bent. Hou je gedeisd...'

Met zijn twee meter? vroeg Zed zich af.

'... en hou Nick Fairclough in de gaten. Degene die ernaartoe gestuurd is om in Ian Cresswells dood te graven, is daar te vinden.'

Barrow-in-Furness

Cumbria
Manette kon niet verkroppen dat haar ex-man de vorige avond niet thuis was gekomen. Sterker nog, ze kon niet verkroppen hoe ze zich daarover voelde. Maar ze kon het moeilijk negeren.

In de afgelopen jaren hadden ze eindeloos over hun gebroken huwelijk gepraat. Ze hadden ongeveer elk aspect besproken van wat er met hen was gebeurd, wat er wellicht zou gebeuren, wat er gebeurd zou kunnen zijn en wat er zeker zou gebeuren als ze er niet iets aan deden. Uiteindelijk waren ze tot de conclusie gekomen dat er geen romantiek meer was en dat dat hen de das om had gedaan, dat hun leven in alle opzichten een zakelijke aangelegenheid was geworden en dat het totaal niet meer opwindend was. Ze waren een echtpaar geworden dat met de agenda in de hand een afspraak moest maken om met elkaar te vrijen; ze deden al tijden alsof ze iets voor elkaar voelden, wat niet het geval was. Na afloop van wat wel honderden gesprekken leken, hadden ze besloten dat vriendschap toch belangrijker was dan hartstocht. Dus hadden ze als vrienden met elkaar geleefd en van elkaars gezelschap genoten, want uiteindelijk hadden ze het altijd heerlijk gevonden om bij elkaar te zijn, en hoeveel stellen konden dat na twintig jaar nou nog zeggen?

Maar nu was Freddie niet thuisgekomen. En als hij tegenwoordig wel thuis was, dan bereidde hij zich fluitend voor om naar zijn werk te gaan. Erger nog, hij stond te zingen onder de douche – Freddie en zíngen, godbetert – en hij zong altijd datzelfde verdomde liedje, waar ze sowieso al knettergek van werd. Dat ging over dat verdomde *Les Misérables*, waarin mannen onder de wapenen werden geroepen, en Manette wist dat als ze 'het bloed van de martelaren zal over de Franse velden vloeien' nog een keer moest aanhoren, ze Freddies bloed over de badkamertegels zou laten vloeien.

Alleen, dat deed ze niet. Niet bij Freddie. Ze zou Freddie nooit kwaad doen.

Ze liep zijn kantoor binnen. Hij had zijn colbertje uitgedaan en zat in zijn gesteven, witte overhemd en rode stropdas met de eendenkuikens aan zijn bureau over een paar computeruitdraaien gebogen. Nog meer boekenonderzoek, om zich in te werken zodat hij in de voetsporen van Ian kon treden, voor het geval haar vader hem die baan zou aanbieden. En als hij verstandig was, zou hij die aannemen.

Ze zei vanuit de deuropening: 'En, hoe was de Scorpio?'

Freddie keek op. Zo te zien had hij geen flauw idee waar ze het over had, maar vermoedde hij dat het iets met de dierenriem te maken had.

Ze zei: 'De nachtclub? Waar jij en je laatste date hadden afgesproken?'

Hij zei: 'O! Scorpio.' Hij legde de uitdraai op zijn smetteloze bureau. 'Daar zijn we niet naar binnen gegaan. We hadden voor de deur afgesproken.'

'Goeie hemel, Freddie. Ben je daarna meteen het bed ingedoken? Je bent ook een slimmerik.'

Hij bloosde. Manette vroeg zich af op welk moment in hun huwelijk het haar niet meer was opgevallen hoe vaak hij bloosde en dat de kleur vanuit zijn oren over zijn wangen kroop, waarbij de puntjes van zijn oren vuurrood werden. Ze vroeg zich ook af wanneer ze was gestopt zijn oren te bewonderen, die als volmaakte schelpen plat tegen zijn hoofd lagen.

Hij lachte. 'Nee, nee,' zei hij. 'Maar daarbinnen leek iedereen ongeveer negentien en de meesten van hen waren gekleed als de cast uit de *Rocky Horror Picture Show*. Dus we zijn in een wijnbar gaan eten. Rigatoni puttanesca. Het was niet heel lekker. Nogal zwaar op de maag en licht in het hoofd, naar later bleek.' Hij glimlachte om zijn eigen malle grap en voegde er, eerlijk als hij altijd was, aan toe: 'Dat heb ik niet verzonnen. Die was van Sarah.'

'Dus zo heet ze? Sarah?' Goddank was het niet weer een bos hout, dacht Manette. Ze had eerder verwacht dat hij met zijn tweede strooptocht op internet een Ivy of Juniper-kortweg June had opgeduikeld. Maar natuurlijk had Ivy geen bos hout voor de deur, toch? Zij was eerder een wijnrank. Dus... Ze riep zichzelf tot de orde. Wat háálde ze allemaal in haar hoofd? Ze zei: 'En?' hoewel ze het eigenlijk niet wilde weten. 'Heb je weerzinwekkende details? Ik heb zelf geen leven, dat weet je maar al te goed, dus grijp ik mijn kans op plaatsvervangende opwinding.' Ze kuierde zijn kantoor in en ging op de stoel naast zijn bureau zitten.

Hij bloosde deze keer dieprood. 'Ik hou er niet van om uit de school te klappen,' zei hij.

'Maar je hebt het toch gedaan, toch?'

'"Het gedaan"? Wat is dat voor tekst, "het gedaan"?'

Ze hield haar hoofd schuin en wierp hem een betekenisvolle blik toe. 'Freddie...'

'Oké, ja. Ik bedoel, ik heb je dat al uitgelegd: hoe het er tegenwoordig aan toegaat. Je weet wel. Als mensen samen uitgaan. Dus, nou... ja, we hebben 't gedaan.'

'Meer dan één keer?' Ze had een pesthekel aan zichzelf dat ze de vraag stelde, maar plotseling moest ze het weten. En de reden waarom ze het moest weten was dat in al die jaren dat ze samen waren geweest – zelfs toen ze in het eerste halfjaar twintig waren en geil op elkaar – Freddie en zij nooit vaker dan één keer in een etmaal in een hartstochtelijke omhelzing hadden gelegen.

Freddie reageerde met de geschokte blik van een gentleman. Hij zei: 'Manette, hemeltjelief. Sommige dingen...'

'Ja dus. Meer dan eens. Meer dan met Holly? Freddie, je doet toch wel aan anticonceptie, hè?'

'Hier hebben we het vaak genoeg over gehad,' antwoordde hij waardig.

'En vanavond? Heb je vanavond weer een afspraak met iemand anders? Wie is het vanavond?'

'Nou, eigenlijk zie ik Sarah nog een keer.'

Manette sloeg haar benen over elkaar. Ze had zin in een sigaret. Toen ze in de twintig was rookte ze nog en hoewel ze in geen jaren aan sigaretten had gedacht, wilde ze plotseling iets vasthouden wat troost bood. Nu pakte ze een paperclip uit een bakje om iets in haar handen te hebben. Ze zei: 'Ik ben gewoon nieuwsgierig. Aangezien je het al met haar hebt gedaan en die hobbel uit de weg is geruimd, wat komt er dan hierna? Familiekiekjes? Of gaan jullie het over achternamen hebben en besmettelijke ziekten?'

Hij keek haar bevreemd aan. Manette vermoedde dat hij over haar opmerking nadacht, die woog en daar passend op wilde reageren maar ook weer niet wilde overdrijven. Voordat hij kon zeggen wat hij volgens haar zou gaan zeggen – 'Je bent hierdoor van streek. Waarom? We zijn al eeuwen gescheiden en hebben besloten als vrienden door het leven te gaan, maar ik ben nooit van plan geweest om de rest van mijn leven het celibaat aan te hangen' – vervolgde ze met: 'Nou, kom je vanavond nog thuis of ga je weer naar Sarah?'

Hij haalde zijn schouders op, maar die gezichtsuitdrukking bleef, die het midden hield tussen nieuwsgierig en verward. Hij zei: 'Eigenlijk weet ik het niet.'

'Natuurlijk niet. Hoe kun je ook? Sorry. Hoe dan ook, ik hoop dat je haar meeneemt. Ik wil haar graag ontmoeten. Waarschuw me alleen van tevoren zodat ik niet in mijn onderbroek aan de ontbijttafel verschijn.'

'Doe ik. Natuurlijk. Ik bedoel, die laatste keer ging het allemaal nogal spontaan. Met Holly, bedoel ik. Ik wist toen nog niet hoe het allemaal in zijn werk ging. Nu ik dat wel weet... Nou ja, natuurlijk, we hebben afspraken gemaakt, nietwaar? En dingen uitgelegd en zo.'

Nu was het Manettes beurt om nieuwsgierig te kijken. Het was niets voor Freddie om over zijn woorden te struikelen. Ze zei: 'Wat is er aan de hand? God, Freddie, je hebt je toch niet uit de voeten gemaakt en iets... iets krankzinnigs gedaan, wel?' Ze wist niet wat dat krankzinnigs dan kon zijn. Maar waanzin was zo helemaal niets voor Freddie. Hij was zo rechtdoorzee en eerlijk als maar mogelijk was.

Hij zei: 'Nee, nee. Ik heb haar alleen niet verteld over... Nou ja, over jou.'

'Wat? Heb je niet verteld dat je gescheiden bent?'

'Dat weet ze natuurlijk wel. Maar ik heb haar niet verteld dat jij en ik... nou ja, dat we in hetzelfde huis wonen.'

'Maar Holly wist het wel. Zij scheen het geen probleem te vinden. Veel mannen hebben vrouwelijke huisgenoten en zo.'

'Ja, natuurlijk. Maar Sarah... Bij Sarah voelde het anders. In haar geval wilde ik het risico niet nemen.' Hij pakte de uitdraaien op en maakte er een net stapeltje van op zijn bureau. Hij zei: 'Ik heb dit soort dingen al eeuwen niet meer gedaan, Manette, dat weet je best. Bij deze vrouwen ga ik op mijn gevoel af.'

Ze zei bits: 'Dat zal best, ja.'

Eigenlijk was ze naar hem toe gegaan om over Tim en Gracie te praten, en over het gesprek met haar vader te vertellen. Maar nu voelde het voor Manette niet goed om het daarover te hebben. En zoals Freddie net had verklaard, was het verstandig om in een nieuwe situatie op je gevoel af te gaan. Ze stond op.

Ze zei: 'Dan verwacht ik niet dat je vanavond thuiskomt. Doe alleen voorzichtig, oké? Ik zou niet graag zien dat je... Ik weet niet... Gekwetst raakt of zo.' Voordat hij kon antwoorden, was ze zijn kantoor al uit en ging ze op zoek naar haar broer. Ze zei tegen zichzelf dat Freddie en zij allebei hun eigen leven hadden, en dat het tijd werd dat ze net als Freddie iets met haar leven ging doen. Ze wist niet hoe dat er dan uit moest zien, maar ze kon zich niet voorstellen dat ze zich in de onbekende wereld van internetdaten zou begeven. Met volslagen vreemden het bed induiken om te kijken of ze bij elkaar pasten? Ze rilde. Zoals zij het zag vroeg je er dan om in de oven van een seriemoordenaar te belanden, maar misschien had ze in de afgelopen jaren te veel detectives gekeken.

Ze trof Nicholas in het pakhuis van de expeditieafdeling, een bescheiden stap voorwaarts nadat hij het voorgaande halfjaar op een andere afdeling had gewerkt. Dat was bij de stortbakken, de toiletpotten en gootstenen geweest, waar hij toezicht had gehouden op het porselein dat in de kleien mallen in de enorme oven werd geplaatst. In dat deel van de fabriek was het ondraaglijk heet en het lawaai was al even erg, maar Nicholas had het daar goed gedaan. Sterker nog, hij had het op alle afdelingen waar hij in de afgelopen twee jaar had gewerkt goed gedaan.

Manette wist dat hij zich via alle mogelijke banen in de fabriek omhoogwerkte. Langzamerhand was ze hem daarom gaan bewonderen, hoewel ze een beetje ongerust was over de reden waarom hij het deed. Hij dacht toch zeker niet dat die paar jaren die hij bij Fairclough Industries rondscharrelde meer gewicht in de schaal legden dan de tientallen jaren die zij en Freddie er hadden gewerkt? Hij verwachtte toch zeker niet dat hij tot algemeen directeur benoemd zou worden als hun vader eenmaal het veld ruimde? Een belachelijk idee.

Manette zag dat Nicholas zich vandaag met badkamerwastafels bezighield. Met een clipboard in de ene en een pen in de andere hand vergeleek hij op het laadplatform de groottes en stijlen die op de verpakkingsdozen stonden met die op een orderbon. De wastafels waren door een vorklift op een pallet afgeleverd. Nadat hij ze had gecontroleerd, zou hij ze op een wachtende vrachtwagen laden. De chauffeur had de wagen met de achterkant naar het laadpunt gereden en lummelde nu wat rond, rookte een sigaret en leek over het geheel genomen weinig toeschietelijk.

Omdat de reusachtige deuren openstonden, was het koud in het pakhuis. Het was er ook lawaaiig want er schetterde muziek uit speakers, alsof iemand een voorliefde had voor oude nummers van Carlos Santana en zo de omgevingstemperatuur wat wilde opkrikken.

Manette liep naar haar broer. Hij keek op en knikte haar begroetend toe. Ze schreeuwde boven de muziek uit en vroeg of ze even met hem kon praten. Het ergerde haar toen hij zei: 'Ik heb nog lang geen pauze.'

Ze zei: 'In godsnaam, Nick. Volgens mij kun je wel vijf minuten weg zonder dat je de laan uit gestuurd wordt.'

'Er moet een vracht de deur uit. Hij staat te wachten.' Met 'hij' bedoelde Nicholas de vrachtwagenchauffeur, die bepaald niet stond te popelen om op pad te gaan. Oké, hij was naar de bestuurderskant van zijn vrachtwagen gelopen en had het portier geopend. Maar daar haalde hij een thermosfles tevoorschijn waaruit hij iets inschonk waar de damp vanaf sloeg. De onderbreking in zijn routine leek hem wel te bevallen.

Ze zei: 'Ik moet met je praten. Het is belangrijk. Vraag voor mijn part toestemming. Of moet ik dat voor je doen?'

De leidinggevende van haar broer kwam naar ze toe. Hij schoof zijn helm naar achteren, begroette haar en sprak haar aan met mevrouw McGhie, wat een steek in haar hart was, hoewel dat inderdaad nog steeds haar wettige achternaam was. Ze zei: 'Mag ik even met Nicholas praten, meneer Perkins? Het is nogal belangrijk. Familiekwestie.' Ze zei dit laatste om de man eraan te helpen herinneren wie Nicholas was, alsof dat nodig was.

Meneer Perkins keek naar de vrachtwagen, kreeg de rondhangende chauffeur in het oog en zei: 'Vijf minuten, Nick,' en hij liep weg.

Manette liep met hem naar een rustiger plek, die aan de zijkant van het pakhuis bleek te zijn. Dit was een rookplek, zag ze, want ook al was er op dat moment niemand, de grond lag bezaaid met peuken. Ze nam zich voor het hierover met Freddie te hebben. Toen veranderde ze van gedachte en besloot het zelf af te handelen.

Ze zei tegen haar broer: 'Het gaat om Tim en Gracie,' en ze vertelde hem het verhaal tot in detail: wat Niamh van plan was, Kavehs verantwoordelijkheden, hun vaders positie in de zaak, Tims ellende, wat Gracie in de toekomst nodig had. Ze eindigde met: 'We moeten hier iets aan doen, Nick. En gauw ook. Als we wachten, heb ik geen idee wat Tim gaat doen. Hij raakt door alles wat er gebeurt zo beschadigd.'

Haar broer trok zijn handschoenen uit en haalde uit zijn zak een tube dikke lotion waarmee hij zijn handen begon in te smeren. Het schoot door haar hoofd waarom hij dat deed: ongetwijfeld om ze voor Alatea zacht te houden. Alatea was een vrouw voor wie een man zachte handen wilde hebben. Nicholas zei: 'Is het niet Niamhs taak om de kinderen ermee te leren omgaan en alles wat daarbij komt kijken?'

'Ja, uiteraard, normaal gesproken is dat ook zo. Moeders zijn verzorgers en hun kinderen ontvangen die zorg. Maar Niamh is niet normaal, niet sinds Ian haar in de steek heeft gelaten, en dat weet je heel goed.' Manette observeerde hoe haar broer zijn handen met de lotion insmeerde. Bijna twee jaar lang had hij met zijn handen gewerkt, niet alleen in de fabriek maar ook bij het burchttorenproject bij Arnside, maar dat zou je niet zeggen als je naar zijn vingers, nagels en handpalmen keek. Het leken wel vrouwenhanden, ze waren alleen groter. 'Iemand moet aan de rem trekken. Geloof het of niet, maar Niamh is vast van plan die kinderen bij Kaveh Mehran te laten wonen.'

'Hij is een goeie vent, Kaveh. Ik mag hem graag. Jij niet?'

'Het gaat er niet om of hij aardig is of niet. In godsnaam, Nick, hij is niet eens familie van ze. Moet je horen, ik ben even vrijdenkend als ieder ander en toen ze nog bij hun vader woonden, vond ik dat prima. Beter bij Ian in een liefdevol huishouden dan bij Niamh die vuur, zwavel en wraak over ze heen uitstortte. Maar het werkt niet en Tim...'

'Denk je niet dat het gewoon wat tijd nodig heeft?' zei Nick. 'Volgens mij is Ian nog niet lang genoeg dood om te kunnen nagaan wat het beste voor de kinderen is.'

'Dat kan wel zo zijn, maar intussen horen ze bij familie te wonen. Als dat niet bij hun moeder kan, dan ten minste bij een van ons. Ik weet dat jij en Ian niet erg op elkaar gesteld waren. Hij heeft je het leven zuur gemaakt. Hij vertrouwde je niet. Hij heeft ook op pa ingepraat zodat die je ook niet vertrouwde. Maar een van ons moet die kinderen een gevoel van veiligheid, van vertrouwdheid geven en...'

'Waarom pa en ma dan niet? Ze hebben in Ireleth Hall meer dan genoeg ruimte.'

'Ik heb het erover gehad en kreeg nul op het rekest.' Manette merkte dat ze moeite had om haar broers wil naar haar hand te zetten. Dit zou een makkie moeten zijn, want het was altijd kinderspel geweest om Nicholas ergens toe over te halen, een van de redenen waarom hij zo'n lastige jeugd had gehad. Iedereen kon hem altijd ergens toe overhalen. Ze zei: 'Moet je horen, ik weet wat je probeert te doen en ik heb daar bewondering voor. Pa ook. Wij allemaal. Nou ja, op Mignon na dan, maar dat hoef je niet persoonlijk op te vatten, omdat ze niet doorheeft dat er op deze planeet nog iemand anders bestaat dan zij.'

Hij keek haar aan en glimlachte. Hij kende Mignon even goed als zij.

Ze zei: 'Dit is een volgende fase in het project dat je voor jezelf aan het bouwen bent, Nick. Als je dit doet – als je de kinderen neemt – word je positie sterker. Het laat zien dat je betrokken bent. Het laat zien dat je in staat bent je verantwoordelijkheid te nemen. Bovendien, jij woont dichter bij de Margaret Fox-school dan Kaveh en jij kunt Tim er op weg naar je werk heen brengen.'

'Nu we het daar toch over hebben,' merkte Nicholas op, 'jij woont nog dichter bij de Margaret Fox-school dan ik. Je zit praktisch in de buurt. Waarom doe jij het dan niet?'

'Nick...' Manette wist dat ze hem de waarheid moest vertellen, dus hield ze het kort. Freddie en het daten en de nieuwe wereld van onmiddellijke seks, met als resultaat volslagen onbekende vrouwen aan de ontbijttafel. Bepaald geen geschikte situatie om kinderen in op te voeden, wel?

Nicholas had zijn blik strak op haar gezicht gericht gehouden toen zij aan het woord was. Toen ze klaar was, zei hij: 'Jammer.' En voor het geval ze mocht denken dat hij daarmee aangaf dat hij de kinderen niet wilde nemen vervolgde hij: 'Ik weet echt wat Freddie voor je betekent, Manette, ook al besef je dat zelf niet.'

Ze wendde haar blik af. Ze zei: 'Misschien is dat wel zo... Zie je...'

'Ik moet weer aan het werk.' Hij sloeg een arm om haar heen en kuste haar op de slaap. Hij zei: 'Ik zal er met Allie over praten, oké? Momenteel zit haar iets dwars. Ik weet niet wat. Ze heeft er nog niets over gezegd, maar dat komt wel. We hebben geen geheimen voor elkaar, dus binnenkort vertelt ze me het wel. Tot dan moet je me wat tijd gunnen, oké? Ik zeg nog geen nee als het om Tim en Gracie gaat.'

Arnside

Cumbria

Hij wist niets van vissen, maar dat was het punt niet. Zed Benjamin begreep dat je geen vis hoefde te vangen of zelfs maar te hopen dat je er een ving, als hij de schijn maar ophield. Dus had hij een hengel geleend van de onvast op haar benen staande eigenares van zijn B&B, die een boekje opendeed over wijlen haar echtgenoot en de verspilde uren die hij met zijn hengel op dit meer, die stroom of welke baai dan ook had doorgebracht. Ze leende hem bovendien een kist met visgerei, samen met een oliejas waar Zeds arm wel in paste, maar de rest niet, evenals een paar rubberlaarzen waar hij ook niets aan had. Ze drukte hem een klapstoeltje in de hand en wenste hem succes. Haar man, zo vertelde ze, had amper wat gevangen. Volgens haar had de man in vijfentwintig jaar vijftien vissen aan de haak gehad. Hij kon het nakijken, als hij wilde, want ze had het bijgehouden; elke keer dat die verdomde vent het huis uitging kwam hij met lege handen thuis. Misschien had hij wel een scharrel, zei ze, want als je er echt over ging nadenken...

Zed had haar haastig bedankt en was naar Arnside gereden, waar hij tot zijn opluchting zag dat het vloed was. Hij installeerde zich op het pad langs de zeewering, vlak onder Nicholas Faircloughs huis, en daar wierp hij zijn lijn in het water. Er zat geen aas aan de haak. Het laatste wat hij wilde was echt een vis vangen en er iets mee moeten doen. Aanraken, bijvoorbeeld.

Nu Scotland Yard wist dat hij in de buurt was, moest hij voorzichtig zijn. Als ze hem eenmaal in de smiezen kregen, wie 'ze' ook mochten zijn, werd zijn werk er nog moeilijker op. Hij moest precies weten wie ze waren – aangenomen dat er meer waren, want werkten ze niet altijd met zijn tweeën, zoals op tv? – want als hij hen eerder in de gaten kreeg dan zij hem, stond hij heel wat sterker als het op een deal aankwam. En als ze hier in het geheim waren, nou dan was wel het laatste wat ze wilden dat hun portret op de voorpagina van *The Source* werd afgedrukt, waardoor Nicholas Fairclough te weten zou komen dat ze er waren, laat staan met welke bedoelingen.

Zed had bedacht dat ze uiteindelijk wel bij Arnside House zouden opduiken. Hij was daar om te kijken wanneer dat zou gaan gebeuren.

Het klapstoeltje was een schitterend idee geweest. Nadat hij zich op de zeewering had geïnstalleerd, wisselde hij met het verstrijken van de uren staan met zitten af. Maar er gebeurde helemaal niets verdachts, sterker nog, er viel helemaal niets te beleven aan de overkant van het grasveld van Arnside House. Hij begon zich net wanhopig af te vragen of hij nog iets – wat dan ook – bruikbaars met dit verhaal kon doen, toen Alatea Fairclough eindelijk naar buiten kwam.

Ze liep regelrecht in zijn richting en hij dacht: godverdegodverdegodverdomme. Hij stond op het punt ontdekt te worden nog voordat hij verdomme zelf iets bruikbaars had ontdekt, waarom liet het geluk hem tegenwoordig altijd in de steek? Maar ze bleef vlak voor de zeewering staan om over de eindeloze, golvende watermassa van de baai uit te kijken. Ze had een zwaarmoedige uitdrukking op haar gezicht. Zed vermoedde dat ze aan al die mensen dacht die uiteindelijk hier aan hun eind kwamen, zoals die arme Chinese sloebers. Met zijn vijftigen waren ze geweest, in het donker in de val tijdens het opkomend tij terwijl ze als E.T. naar huis probeerden te bellen, wanhopig op zoek naar redding die niet kwam. Of die kerel en zijn zoon die door de vloed en een plotselinge mistbank werden overvallen en rondjes draaiden om de misthoorns die van alle kanten leken te komen. Als je dit in ogenschouw nam, bedacht Zed dat de oever van Morecambe Bay een gevaarlijk deprimerende woonplek was, en Alatea Fairclough leek zo alarmerend in de put als iemand maar kon zijn.

Verdomme, dacht hij, dacht ze er soms over om in deze verraderlijke golven een eind aan haar leven te maken? Hij hoopte van niet. Dan zou hij haar moeten redden, en als het zover zou komen, waren ze er waarschijnlijk allebei geweest.

Hij zat te ver van haar af om het te horen, maar kennelijk ging Alatea's telefoon over, want ze haalde hem uit het jasje dat ze droeg en klapte hem open. Ze praatte met iemand. Ze begon heen en weer te lopen. Ten slotte keek ze op haar horloge, dat zelfs op deze afstand aan haar pols schitterde. Ze keek om zich heen alsof ze bang was dat iemand haar zag en Zed dook weg.

God, wat was ze mooi, dacht hij. Hij begreep niet hoe ze in zo'n gat terechtgekomen was, terwijl een vrouw als zij op een catwalk thuishoorde of minstens in een catalogus waarin ze schaarse kleding droeg, zoals die modellen van Victoria's Secret met hun weelderige boezem die uit hun beha barstte, die altijd bij hun slip paste, en de slip op zijn beurt weer heel veel stevige en heerlijke dijen liet zien zodat je je gemakkelijk al dat heerlijks kon voorstellen...

Zed riep zichzelf tot de orde. Wat was er verdomme met hem aan de hand? Het was absoluut oneerlijk tegenover vrouwen door zo te denken. En het was vooral oneerlijk ten opzichte van Yaffa die in Londen van alles voor hem deed en hem uit de brand hielp met die waanzin van zijn moeder en... Maar wat had het voor zin om aan Yaffa te denken terwijl Micah op een laag pitje in haar leven stond, die in Tel Aviv geneeskunde studeerde zoals het een goede moederszoon betaamde, terwijl Zed dat zelf niet was?

Hij sloeg met zijn handpalm tegen zijn voorhoofd. Hij waagde een blik op Alatea Fairclough. Ze was klaar met bellen en liep nu naar het huis terug.

Een poosje leek dat het hoogtepunt van Zeds dag. Geweldig, dacht hij. De volgende nul die hij aan zijn nullen kon bijschrijven van wat hij in Cumbria had bereikt. Hij deed nog een paar uur alsof hij aan het vissen was, hield het toen voor gezien en overwoog wat hem vervolgens te doen stond.

Maar toen hij terugsjokte in de richting van de promenade en zijn auto, die hij in het dorp Arnside had geparkeerd, namen de zaken een wending. Hij was net bij het einde van de zeewering die de grens van Arnside House markeerde toen er een auto kwam aanrijden en de oprit op reed.

Er zat een vrouw aan het stuur. Zo te zien wist ze waar ze moest zijn. Ze parkeerde voor het huis en stapte uit, en Zed kroop, zo goed en zo kwaad als een man van twee meter dat kan, terug langs de weg die hij was gekomen.

Zij had net als hij rood haar. Ze was sportief gekleed in spijkerbroek, laarzen en een dikke wollen, mosgroene trui. Hij verwachtte dat ze rechtstreeks naar de voordeur zou lopen, een vriendin die bij Alatea langsging, dacht hij. Maar dat deed ze niet. In plaats daarvan sloop ze als een derderangsinbreker om het huis. Sterker nog, ze haalde een digitale camera uit haar schoudertas en begon foto's te maken.

Uiteindelijk liep ze naar de voordeur en belde aan. Ze wachtte, keek om zich heen of ze, net als Zed zelf, dacht dat iemand zich had verscholen in het struikgewas. Terwijl ze wachtte, keek ze op haar telefoon, misschien of er sms'jes of zo waren. Toen ging de voordeur open en zonder dat er veel werd gezegd, liet Alatea Fairclough haar binnen.

Maar het was verdomd duidelijk dat ze daar niet gelukkig mee was, besefte Zed. Met een golf van pure vreugde besefte hij ook dat zijn wachten was beloond. Hij had de primeur die hij nodig had. Hij had de seks in het verhaal gevonden. Hij wist wie de rechercheur was die New Scotland Yard uit Londen hierheen had gestuurd.

Arnside

Cumbria

Toen Alatea de deur opendeed, zag Deborah onmiddellijk aan haar gezicht dat ze zich een ongeluk schrok. Haar ontzetting was buiten alle proporties, alsof ze op haar drempel een onverwachte bezoeker aantrof die van plan was haar kwaad te doen, dus even was Deborah van haar stuk gebracht. Ze zocht naar woorden en stamelde: 'Ik heb het idee dat meneer Fairclough niet thuis is, maar hem wilde ik ook niet spreken.'

Dat maakte de zaak alleen nog maar erger. 'Wat wilt u?' zei Alatea kortaf. Ze keek over Deborahs schouder alsof ze verwachtte dat elk moment nog iemand om de hoek van het huis zou komen aanstormen. 'Nicky is naar zijn werk.' Ze keek op haar horloge, een reusachtig geval van goud en bergkristal dat haar goed stond, maar een vrouw met een minder theatrale uitstraling belachelijk zou maken. 'Hij is nu waarschijnlijk op weg naar het burchttorenproject.'

'Geeft niet,' zei Deborah opgewekt. 'Ik wilde wat buitenopnamen maken, om de producer een idee van de omgeving te geven en waar hij zijn interviews kan houden. Het grasveld is geweldig, vooral wanneer het op dat moment vloed is. Maar de kans bestaat altijd dat het pijpenstelen regent, hè? Dus ik hoopte ook wat shots van het interieur van het huis te mogen maken. Is dat goed? Ik zal u niet tot last zijn. Het duurt niet lang. Het is allemaal heel informeel.'

Alatea slikte iets weg. Ze verzette geen stap bij de deuropening vandaan.

'Een kwartiertje misschien.' Deborah deed haar best joviaal te klinken: van mij heb je niets te vrezen. 'Ik ben eigenlijk vooral geïnteresseerd in de zitkamer. Daar is het licht goed en de achtergrond is ook interessant.'

Het woord tegenzin deed geen recht aan de houding waarmee Alatea Deborah binnenliet. Ze voelde de spanning letterlijk van de vrouw afspatten en ze kon niet anders dan zich afvragen of Alatea misschien een andere man in huis had die zich net als Polonius achter een handig wandtapijt verschool.

Ze liepen naar de gele zitkamer, kwamen door de grote hal waar de schuifdeuren gesloten waren. Die onthulden een indrukwekkende lambrisering en doorzichtige en glas-in-loodramen, bestaande uit rode tulpen en groene bladeren. Iemand zou zich in die kamer inderdaad hebben kunnen verstoppen, bedacht Deborah, maar ze kon zich niet voorstellen wie dat dan zou kunnen zijn.

Ze praatte luchtig over koetjes en kalfjes. Het was een markant huis, zei ze tegen Alatea. Was het al in een tijdschrift verschenen? De Arts&Crafts-beweging was zo puur en sympathiek, vond ze ook niet? Was Alatea sowieso geïnteresseerd in een documentaire over de restauratie van dit pand? Was ze al benaderd door een van de vele televisieprogramma's die over huizen uit een bepaalde periode gingen? Alatea gaf op dit alles eenlettergrepige antwoorden. Deborah concludeerde dat het niet eenvoudig zou worden om met deze vrouw een band te creëren.

In de zitkamer stapte ze op een ander onderwerp over. Had Alatea het naar haar zin in Engeland? Het was hier zeker heel anders dan in Argentinië, vermoedde Deborah.

Hier leek Alatea van te schrikken. 'Hoe weet u dat ik uit Argentinië kom?'

'Dat heeft uw man me verteld.' Deborah wilde vragen: hoezo? Is het dan een probleem dat je uit Argentinië komt? Maar dat deed ze niet. In plaats daarvan nam ze de kamer in zich op. Het was haar bedoeling om Alatea bij de erkerramen te positioneren, waar de tijdschriften lagen, dus nam Deborah een paar foto's van mogelijke plekken waar een interview kon worden afgenomen, en liep achteloos die kant op.

Toen ze daar echter eenmaal was, viel haar meteen op dat *Conceptie* uit de waaier tijdschriften was verdwenen. Dat zou de zaken lastiger maken, maar niet onmogelijk. Deborah nam een foto van de twee stoelen en de lage tafel die voor de erker stonden, paste de camera aan op de lichtinval van buiten, zodat zowel het in- als het exterieur goed uitkwam. Intussen zei ze: 'U en ik hebben iets gemeen, mevrouw Fairclough.' Ze keek van haar camera op en schonk haar een glimlach.

Alatea stond bij de deur alsof ze klaar stond om op de vlucht te slaan. Ze glimlachte beleefd terug en zag er vertwijfeld uit. Als ze al iets gemeen hadden, dan was duidelijk dat ze geen flauw idee had wat dat dan zou moeten zijn, afgezien van het feit dat ze beiden vrouw waren en zich op dat moment in hetzelfde vertrek in haar huis bevonden.

Deborah zei: 'We willen allebei graag een baby. Uw man heeft me dat verteld. Hij zag dat ik het tijdschrift had gezien. *Conceptie*?' Ze voegde er een leugentje om bestwil aan toe: 'Ik lees dat al tijden. Nou ja, vijf jaar inmiddels. Zo lang zijn Simon en ik, dat is mijn man, het al aan het proberen.'

Alatea zei hier niets op, maar Deborah zag dat ze slikte en dat haar blik naar de tafel ging waar het tijdschrift had gelegen. Deborah vroeg zich af of zij het had weggehaald of dat Nicholas dat had gedaan. Ze vroeg zich ook af of Nicholas zich zorgen maakte over de geestelijke en lichamelijke gesteldheid van zijn vrouw, zoals Simon zich om haar zorgen maakte.

Ze nam nog een foto en zei: 'Simon en ik zijn *au naturel* begonnen, in de hoop dat de natuur haar loop zou nemen. Daarna zijn we het gaan bijhouden. Alles van mijn menstruatie tot mijn dagelijkse temperatuur tot de maanstanden.' Ze stiet een lachje uit. Deborah hoefde dit niet zo nodig aan iemand te bekennen, maar ze vond het belangrijk en dacht dat zo'n onthulling zelfs weleens opluchtend kon werken. 'En toen kwamen de onderzoeken,' zei ze, 'waar Simon bepaald niet dol op was, kan ik u vertellen. Daarna de eindeloze discussies over alternatieven, bezoeken aan specialisten, gesprekken over andere mogelijkheden om een kind te krijgen.' Ze wachtte even met fotograferen en zei schouderophalend tegen Alatea: 'Het blijkt dat ik nooit een baby zal kunnen voldragen. Er mankeert iets aan mijn lichaam. We onderzoeken of we kunnen adopteren en of er nog iets anders is wat we kunnen doen. Ik voel wel voor draagmoederschap, maar dat wil Simon niet.'

De Argentijnse vrouw was verder de kamer in gekomen, iets dichterbij, maar hield nog altijd afstand. Deborah zag dat ze van kleur was verschoten en dat ze haar elegante handen wrong. Haar ogen glansden van nog onvergoten tranen.

Deborah wist wat er aan de hand was. Zij had zich jarenlang net zo gevoeld. Ze zei haastig: 'Neem me niet kwalijk. Het spijt me heel erg. Zoals ik al zei, de vorige keer dat ik hier was, zag ik het tijdschrift liggen. Uw man zei dat jullie het aan het proberen zijn. Hij zei dat jullie nu twee jaar getrouwd zijn, en... Het spijt me heel erg, mevrouw Fairclough. Ik wilde u niet van streek maken. Alstublieft. Ga even zitten.'

Alatea ging zitten, maar niet waar Deborah haar graag had willen hebben. Ze koos voor het hoekje met de kussens bij de open haard, vlak onder een glas-in-loodraam waar het licht op haar krullende haar viel. Deborah liep naar haar toe, maar bleef op veilige afstand, en zei: 'Het is moeilijk. Dat weet ik. Ik ben zelfs drie kilo afgevallen voordat ik ontdekte wat er mis was met mijn lichaam. Misschien kunnen ze er ooit iets aan doen, als je bedenkt wat de wetenschap nu al allemaal kan. Maar dan ben ik waarschijnlijk te oud.'

Er rolde een traan over Alatea's wang. Ze ging in een andere houding zitten, alsof ze zo haar tranen voor deze onbekende vrouw kon verbergen.

Deborah zei: 'Het is me een raadsel waarom het voor sommige vrouwen zo eenvoudig is en voor andere volslagen onmogelijk.'

Deborah verwachtte nog altijd dat de andere vrouw op de een of andere manier zou reageren, los van de tranen, dat ze zou toegeven dat ze datzelfde gevoel had. Maar dat deed Alatea niet. Deborah zou nu alleen nog maar kunnen uitleggen waaróm ze zo intens naar een kind verlangde. Wat deels te maken had met het feit dat haar man gehandicapt was – kreupel, zoals hij het zelf noemde – en deels welk effect die handicap had op zijn gevoel van man zijn. Maar ze was niet van plan dat met Alatea te bespreken. Het was al moeilijk genoeg om het aan zichzelf toe te geven.

Dus gooide ze het over een heel andere boeg. Ze zei: 'Deze kamer biedt naar mijn idee meer mogelijkheden om een interview te filmen dan buiten. En nu zit u eigenlijk op een prachtige plek, vanwege het licht. Als u het niet erg vindt, wil ik een kiekje van u maken om te laten zien...'

'Nee!' Alatea sprong overeind.

Deborah deed een stap naar achteren. 'Het is om...'

'Nee! Nee! Zeg me wie u bent!' riep Alatea uit. 'Zeg me wie u werkelijk bent! Zeg het me, zég het!'

7 november

Bryanbarrow

Cumbria

Toen zijn telefoon ging, hoopte Tim dat het Toy4You was, want hij was het wachten meer dan zat. Maar het was verdomme die stomme Manette. Ze deed alsof hij haar niets had aangedaan. Ze zei dat ze het over hun kampeeravontuur wilde hebben. Zo noemde ze het, een avontuur. Alsof ze naar Afrika gingen en niet ergens in een kloteweiland zouden belanden waar ze met een paar achterlijke toeristen uit Manchester zouden moeten verbroederen. Ze zei opgewekt: 'Laten we een datum prikken, oké? We moeten niet wachten tot later in het jaar. Met regen kunnen we nog wel overweg, maar als het gaat sneeuwen, kunnen we 't schudden. Wat zeg je ervan?'

Maar hij zei: 'Waarom laat je me niet met rust?'

Ze zei: 'Tim...' op die geduldige toon die volwassenen altijd gebruiken wanneer ze dachten dat hij van zich afbeet, wat meestal ook zo was.

Hij zei: 'Luister. Laat maar zitten. Al dat gelul over "om me geven".'

'Maar ik geef echt om je. We geven allemaal om je. Hemel, Tim, je bent...'

'Kom niet met die onzin aanzetten. Het enige waar jij om gaf was mijn vader, denk je dat ik dat niet weet? Iederéén gaf alleen maar om die smerige klootzak en nu is hij dood en ik ben blij, dus laat me met rust.'

'Daar meen je helemaal niets van.'

'Als je verdomme maar weet van wel.'

'Nee. Dat doe je niet. Je hield van je vader. Hij heeft je verschrikkelijk gekwetst, maar wat hij heeft gedaan, had niets met jou te maken, lieverd.' Ze wachtte even, alsof ze op een reactie wachtte, maar hij wilde haar niet de voldoening geven dat ze ook maar íéts in zijn stem zou horen. 'Tim, ik vind het heel erg wat er is gebeurd. Maar als hij had geweten hoe hij anders met zichzelf kon leven, had hij het niet gedaan. Nu begrijp je dat nog niet, maar dat komt wel. Echt waar. Ooit komt dat echt.'

'Je weet verdomme helemaal niet waar je het over hebt.'

'Ik weet dat het moeilijk voor je is, Tim. Dat is logisch. Maar je vader aanbad je. We houden allemaal van je. Je familie – wij allemaal – willen dat je...'

'Hou je kop!' schreeuwde hij. 'Laat me met rust!'

Hij verbrak de verbinding terwijl hij inwendig ziedde van woede. Het kwam door haar toon, verdomme, die troostende, moederlijke toon van haar. Het kwam door wat ze zei. Het kwam door alles in zijn leven.

Hij gooide zijn telefoon op het bed. Zijn lichaam was zo gespannen als een snaar. Hij had frisse lucht nodig. Hij liep naar het slaapkamerraam en gooide het open. Het was koud buiten, maar wie maalde daar nou verdomme om?

Aan de overkant van de binnenplaats van de farm kwamen George Cowley en Dan naar buiten. Ze waren aan het praten, ze bogen hun hoofden naar elkaar toe, alsof dat wat ze zeiden van levensbelang was. Toen liepen ze naar Georges rammelkast van een auto: een landrover die onder de aangekoekte modder zat, om nog maar te zwijgen over de schapenstront in de profielen van de banden.

George deed het portier aan de bestuurderskant open en hees zich naar binnen, maar Daniel liep niet om de auto heen om ook in te stappen. Hij bleef pal naast het portier staan en keek aandachtig naar de pedalen bij zijn vaders voeten. George praatte en gebaarde en trapte op de pedalen. Omhoog, omlaag, in, uit, wat dan ook. Hij stapte uit de auto en Dan nam achter het stuur plaats. Dan trapte naar voorbeeld van zijn vader op de pedalen. George sloot het portier en Dan draaide het raampje naar beneden. Het voertuig was zo geparkeerd dat je niet achteruit hoefde te rijden om weg te komen, en George gebaarde naar het driehoekige plein. Dan trok langzaam op. Het was de eerste keer dat hij schakelde, gas gaf en weer remde, en dat alles ging met horten en stoten. George rende als een derderangsautodief naast de auto mee, schreeuwde en zwaaide met zijn armen. De landrover reed voor hem uit, schokte en bleef stilstaan.

George stoof ernaartoe, zei een paar woorden door het passagiersraampje en stak een hand uit. Toen Tim dit zag, dacht hij dat de boer Dan een draai om zijn oren zou geven, maar George woelde door zijn haar en lachte, en Dan lachte ook. Hij startte de landrover opnieuw en herhaalde het proces, terwijl George deze keer achterbleef en hem bemoedigend toeschreeuwde. Dan deed het nu beter en George stak zijn arm in de lucht.

Tim wendde zich van het raam af. Stomme sukkels, dacht hij. Twee lamlendige klootzakken. Zo vader zo zoon. Dan zou net zo eindigen als zijn vader, hij zou uiteindelijk ergens in de schapenstront rondsjokken.

Een loser, dat was ie. Dubbele loser. Driedubbel. Hij was zó'n loser dat hij van de aardbodem weggevaagd moest worden en daar wilde Tim wel voor zorgen. Nu. Meteen. Zonder meer. Met een pistool, een mes of een stok het huis uit stormen, alleen had hij die niet en hij had ze zo nodig, zo nodig, hij wilde het liefst...

Tim beende zijn kamer uit. Hij hoorde Gracies stem en het antwoord van Kaveh, en hij liep in de richting van de stemmen. Hij trof ze in de prentenkamer boven aan de trap, een alkoof die Kaveh als kantoor gebruikte. De lulhannes zat aan een tekentafel ergens aan te werken en Gracie – die sukkelige, stomme Gracie – zat aan zijn voeten met die klotepop van haar in haar armen, die ze zelfs aan het wiegen was en ze neuriede ertegen. Zij moest ook maar eens wakker worden, en het werd tijd dat ze een beetje ópgroeide en hoe kon hij dat beter doen dan...

Hij griste de pop weg en Gracie gilde het uit alsof hij een stok in haar achterste stak. Hij zei: 'Stomme idioot, jezus christus,' en hij sloeg met de pop tegen de rand van de tekentafel, rukte de armen en benen eraf en smeet hem weg. Hij gromde: 'Word een keer volwassen, trut,' en draaide zich om naar de trap.

Hij stormde naar beneden en de deur uit, terwijl hij achter zich Gracie hoorde gillen. Nu zou hij zich goed moeten voelen, maar dat was niet zo. En toen hoorde hij dat Kaveh hem riep en dat Kaveh achter hem aankwam, uitgerekend Kaveh, die alle shit waaruit zijn leven nu bestond, had veroorzaakt.

Hij stommelde langs George Cowley en Daniel, die naast de landrover stonden. Hij hoefde helemaal niet bij ze in de buurt te komen, maar deed dat toch, zodat hij die halfzachte Daniel een zet kon geven. George schreeuwde: 'Jij kleine klootzak...!'

'Krijg de tering!' riep Tim terug. Hij snakte, hongerde, móést iets zien te vinden, want alles kookte vanbinnen, zelfs zijn bloed kookte, en hij wist dat als hij niet iets deed, zijn hoofd uit elkaar zou barsten, het bloed en de hersens naar buiten zouden gutsen en hoewel hem dat geen snars kon schelen, wilde hij het niet op die manier. En daar was Kaveh die hem riep, tegen hem zei dat hij moest blijven staan, moest wachten, maar dat was wel het laatste wat hij ooit zou doen: wachten op Kaveh Mehran.

Langs de zijkant van de pub en een tuin door en daar was de Bryan. Op de rivier dreven de dorpseenden en in het dichte gras op de tegenoverliggende oever wroetten wilde eenden naar slakken, wormen of wat ze verdomme ook aten, en o god wat wilde hij ze graag met zijn vuisten vermorzelen, of met zijn voeten vertrappen, het maakte niet uit, als er maar iets dood, dood, doodging.

Voordat hij het wist was Tim al in het water. De eenden stoven uiteen. Hij haalde naar ze uit. Van alle kanten werd er geschreeuwd en het drong tot hem door dat hij ook schreeuwde en toen werd hij vastgegrepen. 'Nee. Niet doen. Dat moet je niet doen. Het is al goed.'

En godverdomme, het was de kontneuker zelf, de eikel, dat mietje. Hij raakte Tim met zijn armen en handen aan en hij hield hem vast, godbetert, hij hield hem echt vast en raakte hem aan, zo smerig, zo smerig smerig.

'Ga weg!' gilde Tim. Hij vocht. Kaveh hield hem nog steviger vast.

'Tim! Hou op!' riep Kaveh. 'Dit wil je helemaal niet. Kom mee. Snel.'

Ze worstelden in het water als twee ingevette apen tot Tim zich loswurmde en Kaveh achteroverviel. Hij kwam op zijn achterste terecht en het ijskoude water kwam tot aan zijn middel. Hij worstelde om overeind te komen en Tim voelde een enorme triomf omdat hij wilde dat die idiote lulhannes moest worstelen, hij wilde het hem laten zien, bewijzen...

'Ik ben geen kontneuker,' schreeuwde hij. 'Blijf met je klotehanden van me af. Hoor je? Zoek maar iemand anders.'

Kaveh sloeg hem gade. Hij hijgde, net als Tim, maar er was iets in zijn gezicht te lezen en dat wilde Tim niet zien, want het was gekwetstheid, verbijstering, vernietiging.

Kaveh zei: 'Natuurlijk ben je dat niet, Tim. Dacht je soms van wel?'

'Hou je kop!' gilde Tim terug. Hij draaide zich om en zette het op een lopen.

In de beek bleef Kaveh achter, het water tot zijn middel, en hij zag hoe Tim wegrende.

Great Urswick

Cumbria

Manette had de tent in haar eentje weten op te zetten en dat was niet gemakkelijk geweest. Hoewel ze een gebruiksaanwijzing altijd tot op de letter volgde, was ze er niet in geslaagd de stokken en stof helemaal in lijn te krijgen, om nog maar te zwijgen van de haringen die de grond in gewerkt moesten worden, dus ze vermoedde dat het hele geval snel zou instorten. Maar toch kroop ze naar binnen en ging als een boeddhabeeld in de opening zitten, aan de rand van de tuin met haar gezicht naar het meertje.

Freddie had op haar badkamerdeur geklopt en gezegd dat hij met haar moest praten. Ze had ja, natuurlijk gezegd en of hij een paar minuutjes kon wachten. Ze moest alleen nog... nou ja. Hij haastte zich te zeggen: uiteraard, alsof dat het laatste was wat hij wilde weten: wat ze in de badkamer deed, en wie kon hem dat ook kwalijk nemen? Sommige intimiteiten waren veel te intiem.

Ze had helemaal niets gedaan. Ze was de tijd aan het doden. Ze had gemerkt dat Freddie ergens mee zat toen ze halverwege de ochtend elkaar bij het koffieapparaat tegen waren gekomen. Ze was haar kamer uit gegaan en de trap af gelopen; hij kwam net binnen en omdat hij nog dezelfde kleren aanhad als de dag ervoor, wist ze dat hij de nacht bij Sarah had doorgebracht. Slimme tante, die Sarah, dacht Manette. Die herkende een juweel als ze er een zag.

Dus toen Freddie vroeg of hij met haar kon praten, vermoedde ze dat de bom zou barsten. Hij had in Sarah een mogelijke Ware gezien of misschien, dacht Manette zuur, de tweede Ware, aangezien zijzelf de eerste was geweest. Hoe dan ook, hij wilde haar waarschijnlijk vanavond nog mee naar huis nemen of ze zou heel binnenkort bij hem intrekken, en ze vroeg zich af hoe ze daarmee om moest gaan.

Het was duidelijk dat ze het huis zouden moeten verkopen en elk hun eigen weg zouden gaan. Dat wilde ze niet, want ze was dol op deze plek. Het ging niet eens zozeer om het huis, dat, toegegeven, nogal hokkerig was, maar om dit speciale plekje dat jarenlang haar veilige haven was geweest. Het ging inderdaad om de plek zelf en als ze daar weg moest...

Ze werd er onrustig van. Het ging om de stilte in Great Urswick, het baldakijn van sterren dat 's avonds boven het dorp hing. Het ging om het meertje en de zwanen die er leefden, die er kalm in dreven en slechts zo nu en dan naar een overenthousiaste hond uithaalden als die zo stom was om achter ze aan te jagen. En om de oude, met verf bespatte roeiboot die aan de steiger lag vastgebonden en het feit dat ze ermee het water op kon om de zon op of onder te zien gaan of in de regen te zitten als ze dat wilde.

Ze vermoedde dat het in wezen ging om haar wortels, die had ze ergens geplant en die wilde ze er niet uit trekken, want een plant ging vaak dood als je hem overpotte, en ze wist niet hoe het zou zijn als ze alleen verder moest.

Dit ging niet om Freddie, zei ze tegen zichzelf. Dit ging niet om Sarah of om welke andere vrouw ook die Freddie uiteindelijk zou kiezen. Hoe kon dat ook terwijl zij zelf de vonk had aangestoken, en hoe zij en Freddie die waren kwijtgeraakt. Die was absoluut, volkomen en onomkeerbaar verdwenen, en was Freddie het diep in zijn hart niet met haar eens?

Manette kon zich Freddies gezichtsuitdrukking niet meer voor de geest halen toen ze dit pijnlijke onderwerp te berde had gebracht. Was hij het met haar oneens geweest? Ze wist het niet meer. Hij gaf in alles altijd zo verdomd gemakkelijk toe. Het had haar niet moeten verbazen dat hij net zo gemakkelijk had toegegeven dat hun huwelijk op sterven na dood was. En destijds was ze opgelucht geweest. Maar nu kon ze zich niet meer herinneren waarom ze in hemelsnaam zo opgelucht was geweest. Wat had ze eigenlijk van een huwelijk verwacht? Topdrama, dat de vonken ervan afspatten en dat ze elke avond als een stelletje tieners lagen te rollebollen? Wie hield dat nou vol? Wie wilde dat nou?

'Jij en Freddie?' had Mignon gezegd. 'Schéíden? Je zou eerst eens een hele tijd moeten kijken hoe het er daarbuiten tegenwoordig aan toe gaat voordat je die stap neemt.'

Maar ze ruilde Freddie niet in voor een ander, dat was het punt niet. Daar was Manette niet in geïnteresseerd. Ze was alleen maar realistisch, ze keek gewoon eerlijk naar het leven dat ze leidde en had afstand genomen om over de mogelijkheden na te denken. Zoals ze waren geweest – goede vrienden die zo nu en dan tijd inruimden voor een aangenaam verpozen tussen de lakens – zouden ze het niet overleven, daar was geen enkele kans op. Zij wist het, hij wist het en daar moesten ze mee omgaan. Dat hadden ze gedaan en ze waren beiden opgelucht geweest toen het was uitgesproken. Toch?

'Daar ben je dus. Wat ben je voor den duivel aan het doen, meissie?'

Ze schrok op. Freddie was haar gaan zoeken en had twee mokken meegenomen. Hij hurkte bij de tentopening neer en gaf er een aan haar. Ze wilde naar buiten kruipen, maar hij zei: 'Wacht. Ik heb in geen jaren in een tent gezeten.' Hij kroop naar binnen. Hij zei: 'Die stok valt straks om, Manette,' terwijl hij vaag gebaarde naar het hachelijke deel van het bouwwerk.

Ze zei: 'Dat weet ik. Eén windvlaag en het is gebeurd. Maar het is een fijne plek om na te denken. En ik wilde alvast oefenen.'

'Helemaal niet nodig,' zei hij. Hij ging met gekruiste benen naast haar zitten en het viel haar op dat hij net zo lenig was als zij: hij kon met zijn knieën helemaal tot op de grond komen, terwijl de meeste mensen zo stijf waren dat ze dat niet voor elkaar kregen.

Ze nam een slokje uit de mok die hij haar had aangereikt. Kippenbouillon. Interessant, alsof ze ziek was. Ze zei: 'Niet nodig?'

'Verkassen,' zei hij, 'als ik het zo mag uitdrukken. Je biezen pakken, voor het geval dat.'

Ze fronste haar wenkbrauwen. 'Freddie, waar héb je het over?'

Hij hield zijn hoofd schuin. Zijn bruine ogen leken naar haar te fonkelen, dus ze wist dat hij ergens een grapje over maakte en had de smoor in dat zij daar geen deel van uitmaakte. 'Je weet wel. Van de week? Holly? Dat was eens maar nooit weer. Dat zal niet meer gebeuren.'

Ze zei: 'Hou je er dan mee op?'

'Met daten? Goeie god, nee.' En toen zag ze weer die Freddie-blos. 'Ik bedoel, ik vind het heerlijk. Ik had geen idee dat vrouwen in de jaren dat ik aan de zijlijn stond zo... direct zijn geworden. Niet dat ik ooit wel actief heb meegedaan.'

'Dankjewel,' zei ze bitter.

'Nee, nee. Ik bedoelde niet... Wat ik wel bedoel is dat jij en ik nog zo jong waren, we zijn vanaf het begin samen geweest, min of meer... Jij was mijn eerste, weet je. Mijn enige eigenlijk. En nu ik zie wat er in de echte wereld gaande is... Dat is een verrassing, dat kan ik je wel vertellen. Nou ja, dat zul je zelf gauw genoeg meemaken.'

Ze zei: 'Ik weet niet of ik dat wel wil.'

'O.' Hij zweeg, nipte van zijn kippenbouillon. Ze vond het prettig dat hij tijdens het drinken geen geluiden maakte. Ze had er een hekel aan als mensen slurpten en Freddie slurpte nooit. 'Nou. Hoe het ook zij.'

Ze zei: 'Weer terug naar jou. Ik heb niet het recht van je te vragen geen vrouwen mee naar huis te nemen, Freddie. Wees daar maar niet bang voor. Maar ik wil het wel van tevoren weten. Een telefoontje als ze even naar de wc is of zo, maar zelfs dat is niet verplicht.'

'Dat weet ik wel,' zei hij, 'als het om rechten gaat en zo. Maar ik weet ook hoe ik me zou voelen als ik 's ochtends beneden kwam en een of andere kerel achter een kom cornflakes zou aantreffen. Dat is een beetje raar. Dus meestal stel ik voor elders af te spreken, niet hier. Je weet wel.'

'Zoals met Sarah.'

'Inderdaad, zoals met Sarah.'

Manette probeerde iets uit zijn stem op te maken, maar dat lukte niet. Ze vroeg zich af of ze er ooit in zou slagen ook maar iets uit zijn stem op te maken. Het was een vreemde gedachte, maar kende je je levenspartner eigenlijk wel echt? vroeg ze zich af. En toen riep ze zichzelf tot de orde en liet die gedachte varen, want Freddie was haar echtgenoot niet meer en dat was al een hele tijd zo.

Na een stilte die alleen werd onderbroken door de kwakende eenden in de lucht boven hen, zei Freddie: 'Waar komt deze eigenlijk vandaan?' en hij doelde op de tent. 'Hij is nieuw, hè?'

Ze vertelde hem over haar plannen met de tent: kamperen met Tim, over de hoogvlakten lopen met als einddoel Scout's Scar. Ze besloot met: 'Laat ik het zo zeggen, hij was niet enthousiast toen ik het voorstelde.'

'Arme jongen,' antwoordde Freddie. 'Hij heeft geen leven, hè?'

Dat was nog zacht uitgedrukt, dacht ze. Wat ging er in godsnaam met Tim gebeuren? Met Gracie? Met hun wereld? Ze wist dat als haar leven er nu anders uit had gezien, zij en Freddie ze in huis hadden genomen. Als ze het aan Freddie had voorgesteld, zou hij zonder zich te bedenken hebben gezegd: natuurlijk. Maar nu kon ze het niet aan Freddie vragen, en zelfs als ze het wel deed, kon ze de kinderen moeilijk in huis nemen als er een kans was dat ze een vreemde vrouw tegen het lijf zouden lopen die op zoek was naar de plee. Hoewel Freddie zei dat hij Sarah of Holly of wie dan ook niet mee naar huis zou nemen, bestond de kans altijd dat hij in het heetst van de strijd zijn belofte zou vergeten. Dat kon ze niet riskeren.

Op het meertje kwamen de twee huiszwanen in zicht. Majestueus en kalmpjes leken ze zich zonder enige inspanning voort te bewegen. Manette keek ernaar en naast zich voelde ze dat Freddie dat ook deed. Ten slotte zei hij behoedzaam: 'Manette, ik ben aan Ians boekhouding begonnen.'

'Dat heb ik gemerkt,' zei ze.

'Ja. Oké. Maar ik heb iets gevonden. Een paar dingen eigenlijk, en ik weet niet wat ik ermee aan moet. Eerlijk gezegd, weet ik niet eens of het wel belangrijk is, maar het moet wel uitgezocht worden.'

'Wat voor dingen?'

Freddie keek haar aan. Hij aarzelde.

'Freddie?'

'Wist je dat je vader alles heeft betaald wat met Arnside House te maken heeft?'

'Het was zijn huwelijksgeschenk aan Nicholas en Alatea.'

'Ja, natuurlijk. Maar hij heeft ook de hele renovatie betaald. En dat is een dure grap geweest. Een extreem dure grap, dat is meestal zo. Heb je enig idee waarom hij dat heeft gedaan?'

Ze schudde haar hoofd. 'Is het belangrijk? Pa zwemt in het geld.'

'Dat is zonder meer waar. Maar ik kan me niet voorstellen dat Ian niet geprobeerd heeft hem een terugbetalingsregeling te laten treffen. Zo veel geld, al was het maar een renteloze regeling waar hij een eeuw over mocht doen. En het zou niets voor Ian zijn om dat niet ergens vast te leggen. Dan hebben we ook de niet geringe kwestie van Nicks verleden nog. Zo veel geld aan een verslaafde geven...?'

'Ik betwijfel of pa hem het geld heeft gegeven, Freddie. Het lijkt me waarschijnlijker dat hij de rekeningen heeft betaald. Hij is een voormalig verslaafde, dat is hij nu niet meer.'

'Nick zou het woord voormalig niet in de mond nemen. Daarom gaat hij zo trouw naar zijn bijeenkomsten. Maar Ian wist dat vast niet en hij zou dat "voormalig" met een korreltje zout hebben genomen. Zeker met Nicks geschiedenis.'

'Dat zal wel, ja. Maar toch... Nicholas zou sowieso van pa erven. Misschien hadden ze het zo geregeld dat het een voorschot op de erfenis was, zodat pa kon zien dat hij er plezier van had.'

Freddie leek niet erg overtuigd. 'Wist je ook dat Mignon al jaren een toelage van hem krijgt?'

'Wat moet hij anders? Ze heeft hem sinds haar val bij Launchy Gill al bij de kladden. Echt, je zou denken dat pa haar geduwd heeft. Dat had hij misschien maar moeten doen.'

'De maandbetalingen zijn onlangs verhoogd.'

'Levensonderhoud?'

'Welke kosten heeft ze nou? En de toelage is fiks hoger geworden. Verdubbeld. Dat zou Ian nooit hebben goedgekeurd. Daar had hij tegen geprotesteerd. Hij had geroepen dat hij haar toelage moest stopzetten.'

Manette dacht erover na. Ze wist dat Freddie gelijk had. Maar er waren situaties betreffende Mignon die hij nooit had begrepen. Ze zei: 'Ze heeft operaties gehad. En die zijn vast niet in een algemeen ziekenhuis uitgevoerd. Iemand heeft dat betaald, pa dus, wie anders?'

'Dan zou er rechtstreeks aan de chirurg betaald moeten zijn, toch? Maar dat was niet zo.'

'Misschien is het geld naar Mignon gegaan, zodat zij de behandeling kon betalen.'

'Maar waarom maakt hij het geld dan nog steeds over? Waarom betaalt hij haar nog steeds?'

Manette schudde haar hoofd. Eerlijk gezegd wist ze het niet.

Ze zweeg. Freddie ook. Toen hij vervolgens een zucht slaakte, wist ze dat er meer kwam. Ze vroeg wat er was.

Hij ademde langzaam in. 'Wat is er ooit met Vivienne Tully gebeurd?' vroeg hij.

Ze keek hem aan, maar hij richtte zijn blik op de twee zwanen op het meertje. Ze zei: 'Ik heb geen flauw idee. Hoezo?'

'Omdat zij in de afgelopen acht jaar ook een toelage heeft gehad.'

'Waarom in hemelsnaam?'

'Geen idee. Maar je vader gooit letterlijk geld in het water, Manette. En voor zover ik weet, was Ian de enige die dat wist.'

Van Chalk Farm naar Marylebone

Londen

Barbara Havers haalde net haar hart op aan iets lekkers toen Angelina Upman en haar dochter op haar deur klopten. Het lekkers was een bosbessentaartje met een laagje cottage cheese – je moest bij elke maaltijd minstens drie elementen uit de schijf van vijf nemen, en waar het Barbara betrof kwam ze min of meer in de richting van meer dan één – en voordat Barbara de deur opendeed, propte ze de rest van het taartje in haar mond. Buiten hoorde ze Hadiyyahs opgewonden stem en het was beter om te worden betrapt met heilzame cottage cheese dan met een weerzinwekkend taartje, bedacht ze.

Ze rookte ook. Dat viel Hadiyyah meteen op. Ze wierp een blik langs Barbara en begon met haar voet op de vloer te tikken toen ze de smeulende peuk in de asbak op tafel zag. Ze schudde haar hoofd maar zei niets. Ze keek omhoog naar haar moeder, de rechtschapen niet-roker, alsof ze wilde zeggen: zie je nou waar ik mee te maken heb?

Angelina zei: 'We zijn de boodschappers van goed en slecht nieuws. Mogen we binnenkomen, Barbara?'

O god, nee, dacht Barbara. Tot dan toe had ze Angelina uit haar schamele onderkomen weten te weren en dat wilde ze graag zo houden. Ze had haar bed niet opgemaakt, de afwas stond er nog en boven de gootsteen had ze een waslijn geflanst waaraan vijf onderbroeken te drogen hingen. Maar ze kon toch zeker niet de novemberkou in stappen om uit te vinden waarom Angelina en haar dochter bij haar langskwamen, dus moest ze doen wat Angelina ook zou doen, namelijk de deur wijd open gooien, koffie en thee aanbieden en beleefd zijn tegen je onverwachte gasten.

Ze deed een stap naar achteren en zei: 'Ik wilde net wat huishoudelijke klusjes gaan doen,' wat zo'n pertinente leugen was, dat ze er bijna in stikte.

Hadiyyah keek ongelovig, maar Angelina kende Barbara niet goed genoeg om te beseffen dat voor haar huishoudelijke klussen doen ongeveer hetzelfde was als iemands wimpers er haartje voor haartje uittrekken.

Barbara zei: 'Koffie? Thee? Ik was wel een paar koppen af.' Er stonden er tien in de gootsteen, waar nog meer vaat en bestek stonden opgestapeld.

'Nee. Nee. We kunnen niet blijven,' haastte Angelina zich te zeggen. 'Maar ik wilde je over Dusty vertellen.'

Wie is in godsnaam...? vroeg Barbara zich af, tot ze zich herinnerde dat de haarstilist in Knightsbridge zo heette, tot wie ze veroordeeld was om nog meer veranderingen in haar uiterlijk aan te brengen. 'O ja,' zei ze. Ze liep naar de tafel en drukte snel haar peuk uit.

'Ik heb een afspraak voor je gemaakt,' zei Angelina, 'maar het kan pas over een maand, ben ik bang. Hij zit vol. Nou ja, hij zit altijd vol. Zo gaat dat als je een succesvol haarstilist bent. Iedereen wil liever vandaag dan morgen een afspraak met hem.'

'Harencrisis, ja,' zei Barbara wijsgerig, alsof ze alles van dat onderwerp wist. 'Verdomme. Nou, jammer dan.'

'Jammer?' echode Hadiyyah. 'Maar Barbara, je moet naar hem toe. Hij is de beste. Hij maakt je haar zo mooi.'

'O, dat is zo klaar als een klontje, kiddo,' zei Barbara instemmend. 'Maar ik heb tegen mijn baas gezegd dat ik vrij heb genomen om mijn haar te laten doen, en ik kan geen maand vrij nemen en ook niet op mijn werk verschijnen zonder dat er iets met mijn haar is gebeurd. Dus...' En tegen Angelina: 'Weet je iemand anders?' want zij wist dat zelf zeer zeker niet.

Angelina dacht na. Met een perfect gemanicuurde hand tikte ze tegen haar wang en zei toen: 'Weet je, misschien krijgen we het toch voor elkaar, Barbara. Dan wordt het niet Dusty, maar wel in dezelfde salon. Hij heeft stagiairs, stilisten in opleiding... Misschien kan het bij een van hen? Als ik je ertussen kan krijgen en als ik met je meega, dan weet ik zeker dat Dusty een oogje in het zeil zal houden. Is dat een idee?'

Als je bedacht dat ze in de afgelopen tien jaar haar haar in de douche had afgehakt, dan was alles wat maar bij een kapper in de buurt kwam prima. Maar Barbara vond het toch verstandig om ietwat ongemakkelijk op dat vooruitzicht te reageren. Ze zei: 'Hmm... ik weet het niet... Wat denk jij? Ik bedoel, het is belangrijk, want mijn baas... Ze neemt het allemaal heel serieus.'

'Ik denk dat het prima in orde komt,' zei Angelina. 'Die salon is het neusje van de zalm. Ze nemen niet de eerste de beste in de leer. Zal ik...?'

'O ja, Barbara,' zei Hadiyyah. 'Zeg ja. Misschien kunnen we na afloop met zijn allen thee drinken. Dan kleden we ons mooi aan, doen een hoedje op, nemen een mooie handtas mee, en...'

'Ik geloof niet dat iemand tijdens de thee nog een hoedje draagt,' onderbrak Angelina haar. Het was duidelijk dat ze Barbara's blik van afgrijzen had gezien, dacht Barbara. Ze zei: 'Wat vind je ervan, Barbara?'

Barbara had werkelijk geen keus, want ze moest per se met een nieuw kapsel bij de Met verschijnen, en als ze niet werd geknipt door iemand met een beetje opleiding, zou ze het zelf moeten doen, wat ondenkbaar was. Ze zei: 'Goed idee,' en Angelina vroeg of ze de telefoon mocht gebruiken. Ze zou de afspraak meteen maken, zei ze. Dan was het maar geregeld.

Hadiyyah huppelde naar de telefoon, die achter de tv op een stoffige plank stond, en toen pas viel het Barbara op dat het kleine meisje geen vlechten meer droeg, wat normaal wel zo was. In plaats daarvan hing het in een glanzend geborstelde, golvende massa op haar rug, waar het netjes met een sierlijk haarlint bijeen werd gehouden.

Terwijl Angelina met de salon belde, zei Barbara tegen Hadiyyah dat ze haar haar prachtig vond. Hadiyyah straalde, wat Barbara wel had verwacht. Dat had mammie gedaan, zei ze. Pap had het alleen maar kunnen vlechten, maar zo droeg ze het altijd vóórdat mammie naar Canada ging.

Barbara vroeg zich af of Hadiyyah haar haar al zo had sinds Angelina terug was, wat zo'n vier maanden geleden was. God, als het haar nu pas opviel, wat zei dat dan over haar? Barbara gaf geen antwoord op die vraag, aangezien ze wist dat ze daarmee toegaf dat ze in die afgelopen vier maanden vooral op Angelina had gelet, erger nog, op Angelina en Taymullah Azhar.

'Schitterend, schitterend,' zei Angelina aan de telefoon. 'We zullen er zijn. En je weet zeker dat Cedric...'

Cédric? dacht Barbara.

'... is hij goed? ... Prachtig, ... Ja, dankjewel. Tot dan.' Ze hing op en zei tegen Barbara: 'Vanmiddag om drie uur. Dusty kijkt mee en zal ook zijn mening geven. Vergeet alleen niet die weerzinwekkende houding van hem te negeren en vat dat vooral niet persoonlijk op. En daarna doen we wat Hadiyyah opperde, en gaan we thee drinken. We nemen een taxi en doen het zoals het hoort, in het Dorchester. Ik trakteer, trouwens.'

'Thee in het Dorchester?' riep Hadiyyah uit. Ze sloeg haar handen voor haar borst ineen. 'O ja, ja, ja. Zeg ja, Barbara.'

Barbara wilde net zo graag in het Dorchester theedrinken als een achtling ter wereld brengen. Maar Hadiyyah keek zo hoopvol en tenslotte had Angelina haar uit de brand geholpen. Wat kon ze anders?

'Thee in het Dorchester zal het zijn,' zei ze, hoewel ze zich afvroeg wat ze in godsnaam aan moest trekken en of ze de ervaring wel zou overleven.

Nu de plannen waren gemaakt, nam Barbara afscheid van haar vrienden, maakte zich min of meer toonbaar en ging naar Portland Place en de Twins, de club van Bernard Fairclough. Ze vermoedde dat de kans groot was dat lord Fairclough in de club verbleef als hij in Londen was. Als dat zo was, was het heel waarschijnlijk dat daar iemand werkte die wel een boekje over hem open kon doen, als er al van een boekje sprake was.

Barbara was nooit in een privéclub geweest, dus ze wist niet wat ze zou aantreffen. Ze dacht aan sigarenrook, kerels die op oosterse slippers rondliepen, en ergens in het pand de welluidende klank van tegen elkaar tikkende biljartballen. Ze bedacht dat er leren fauteuils bij een open haard zouden staan en beduimelde exemplaren van *Punch* zouden rondslingeren.

Wat ze niet verwachtte was de oude vrouw die aan de deur kwam nadat ze had aangebeld. De vrouw zag eruit alsof ze daar al sinds de oprichting van de club werkte. Haar gezicht was niet zozeer gerimpeld als wel gebarsten. Haar huid was als perkament en haar ogen stonden dof. En kennelijk was ze vergeten haar gebit in te doen. Of misschien wilde ze geen vals gebit. Ook een manier om een dieet te volgen, dacht Barbara.

Ze mocht dan ongeveer tweeduizend jaar oud zijn, maar ze was niet op haar achterhoofd gevallen. Ze wierp een blik op Barbara – ze nam haar van top tot teen op – en was klaarblijkelijk totaal niet onder de indruk. Ze zei: 'Geen toegang voor niet-leden zonder iemand die wel lid is, liefje,' met de stem van een vijftig jaar jongere vrouw. Haar te horen praten was werkelijk zo verontrustend dat Barbara bijna onwillekeurig om zich heen keek of zich ergens een buikspreker verstopte.

Barbara zei: 'Ik hoopte lid te kunnen worden,' om een voet tussen de deur te krijgen. Over de schouder van de vrouw ving ze een glimp op van muren met lambrisering en schilderijen, maar meer ook niet.

'Dit is een herenclub,' zo werd haar meegedeeld. 'Vrouwen mogen alleen naar binnen in het gezelschap van een mannelijk clublid, ben ik bang. En alleen in de eetkamer, liefje. En de toiletten, uiteraard.'

Nou, daar kwam ze geen stap verder mee, bedacht Barbara, dus ze knikte en zei: 'Dan is er nog iets,' en ze viste haar badge van Scotland Yard tevoorschijn. 'Ik vrees dat ik een paar vragen heb over een van uw leden, als ik binnen mag, tenminste.'

'U zei dat u lid wilde worden,' zei de oude vrouw. 'Wat is het nou? Lidmaatschap of vragen?'

'Eigenlijk allebei. Maar kennelijk zit een lidmaatschap er niet in, dus ik hou het bij de vragen. Maar die stel ik liever niet op de drempel.' Ze deed een stap naar voren.

Meestal werkte dit, maar nu niet. De oude dame gaf geen krimp. Ze zei: 'Vragen, waarover?'

'Die moet ik aan degene stellen die de leiding heeft,' zei Barbara. 'Als u hem voor me kunt opzoeken...? Ik wacht wel in de lobby. Of waar u bezoekende politiemensen anders neerpoot.'

'Hier heeft niemand de leiding. Er is een bestuur en dat bestaat uit leden, en als u met een van hen wilt spreken, zult u voor de volgende vergadering moeten terugkomen, die is de komende maand.'

'Sorry. Dat kan niet,' zei Barbara tegen haar. 'Het gaat om een politieonderzoek.'

'En hier gaat het om clubregels,' zei de dame. 'Zal ik de advocaat van de club bellen en hem laten komen? Want, liefje, dat is de enige manier waarop je binnen kunt komen, tenzij je dwars door me heen wilt rennen.'

Verdomme, dacht Barbara. De vrouw gaf een nieuwe invulling aan het begrip 'harde ouwe tante'.

Barbara zei: 'Moet u horen, ik zal open kaart met u spelen. Ik heb een aantal serieuze vragen over een van uw leden en dit zou weleens om een moord kunnen gaan.'

'Ik begrijp het.' De vrouw dacht hierover na, terwijl ze haar hoofd schuin hield. Ze had dik haar dat helemaal wit was. Barbara vermoedde dat ze een pruik droeg. Je werd niet zo oud met al dat haar. Dat gebeurde gewoon niet. Je hoefde maar naar de koningin-moeder te kijken. 'Nou, liefje,' zei de vrouw, 'Als het "om een moord zou kúnnen gaan" nu verandert in "het gáát om een moord", dan kunnen we erover praten. Eerder niet.'

Dat gezegd hebbende deed ze een stap achteruit en sloot de deur. Ze liet Barbara op de stoep staan, die besefte dat ze de strijd had verloren omdat ze verdomme een hulpwerkwoord had gebruikt.

Ze vloekte en viste een pakje Players uit haar tas. Ze stak er een op en dacht na over haar volgende stap. Er werkte hier vast wel iemand anders, iemand die informatie te spuien had: een chef-kok, een kok, een ober, een schoonmaker. Die ouwe taart runde die tent toch zeker niet in haar eentje?

Ze liep het trapje af en keek weer naar het gebouw. Dat zat potdicht en zag er onheilspellend uit, een fort met daarin de geheimen van zijn leden.

Ze keek om zich heen. Misschien, dacht ze, kon het anders. Een winkel met een nieuwsgierige winkelbediende, die uit het raam naar buiten staarde als de rijkelui arriveerden en de club binnen gingen? Een tabakswinkel die snuiftabak of sigaren verkocht? Maar zo te zien was er niets, afgezien van een taxistandplaats op Portland Place, niet ver van de BBC-studio's.

Ze besloot haar geluk bij een taxistandplaats te beproeven. Taxichauffeurs hadden vast hun favoriete routes en standplaatsen. Zij zouden weten waar ze de beste vrachtjes konden oppikken en zouden daar in de buurt op jagen. Als dat zo was, leek het heel waarschijnlijk dat een taxichauffeur iemand van de Twins ergens heen zou kunnen brengen, zoals hij ook iemand van de BBC kon oppikken.

Ze liep ernaartoe om een babbeltje te maken. De eerste drie chauffeurs in de rij leverden niets op. De vierde was een gelukstreffer. De chauffeur kletste als een figurant uit *East Enders*. Barbara had het idee dat hij 's zondags in de omgeving van de Brick Lane-markt luidruchtig zijn waar stond aan te prijzen.

Hij kende lord Fairclough wel. Hij kende 'de meesten van die chique lui', zei hij. Hij maakte graag een babbeltje met ze want daar ergerden ze zich aan, echt waar, en hij had er schik in om te zien hoe lang het duurde voordat ze zeiden dat ie z'n kop moest houden. Fairclough was altijd wel in voor een praatje, als hij alleen was, tenminste. Als hij iemand bij zich had, was het een ander verhaal.

Dat 'iemand bij zich' wekte Barbara's belangstelling. Iemand in het bijzonder? vroeg ze.

O, ja, vertelde de chauffeur. Altijd hetzelfde wijffie.

Zijn vrouw? wilde Barbara weten.

De taxichauffeur barstte in lachen uit.

Weet je nog waar je ze naartoe hebt gebracht? vroeg ze.

De chauffeur keek haar spottend aan. Hij tikte tegen zijn hoofd, de schatkamer van alle kennis, inclusief De Wetenschap. Hij zei dat hij dat natuurlijk nog wist, want het was altijd hetzelfde. En, voegde hij er met een knipoog aan toe, het was een jong blaadje.

Het wordt steeds mooier, dacht Barbara. Bernard Fairclough en een jonge vrouw die altijd per taxi naar dezelfde plek gaan nadat ze in zijn club hadden afgesproken. Ze vroeg de chauffeur of hij haar er nu naartoe kon brengen.

Hij keek naar de rij taxi's vóór hem en ze wist wat dat betekende. Hij kon niet voor zijn beurt met een klant vertrekken, anders zou hij daar zwaar voor moeten boeten. Ze zei dat ze zou wachten tot hij voor aan de rij stond, maar hij kon haar toch wel naar de precieze plek brengen en haar laten zien waar Fairclough met zijn gezelschap naartoe ging? Ze liet haar badge zien. Politiezaak, zei ze tegen hem.

Hij zei: 'Heb je geld?' en toen ze knikte: 'Stap dan maar in, lieffie. Ik ben je man.'

Van Milnthorpe naar Lake Windermere

Cumbria

'Begrijp je dan niet wat dit alles betekent, Simon?'

Wanneer Deborah dit tegen hem zei, wist St. James dat hij op zijn hoede moest zijn. Ze wilde nog iets toevoegen aan haar laatste opmerkingen, en daardoor kon ze zich weleens in een hachelijke positie manoeuvreren. Dus zei hij: 'Eigenlijk niet, liefje. Het enige wat ik begrijp is dat Alatea Fairclough tijdens jullie gesprek van streek raakte om redenen die me niet helemaal duidelijk zijn, maar die redenen lijken niets te maken te hebben met de dood van Ian Cresswell. Het beste wat je kunt doen is haar man terugbellen en hem vertellen dat er iets tussen is gekomen en dat je naar Londen terug moet.'

'Zonder te vragen wat hij wil?' zei Deborah ongelovig en met een wantrouwige uitdrukking op haar gezicht. Zoals dat bij de meeste echtparen het geval was kende Deborah zijn zwakke plekken. Ze wist ook dat zijn zwakste plek Deborah zelf was. 'Waarom zou ik dat in hemelsnaam doen?'

'Je hebt zelf gezegd dat ze weet dat je niet degene bent voor wie je je hebt uitgegeven. Je kunt er niet van uitgaan dat ze dat niet aan Nicholas heeft verteld. Als hij jou heeft gebeld en heeft gezegd dat hij graag met je wil praten – dat heeft hij toch gedaan? – dan gaat dat vast over zijn vrouw en hoe die eraan toe was toen jij bij haar wegging.'

'Daar zou jíj over willen praten. Misschien wil hij me wel over tientallen andere zaken spreken. En dat kom ik niet te weten als ik hem niet terugbel en met hem afspreek.'

Ze stonden naast zijn huurauto op het parkeerterrein van de Crow & Eagle, hij stond op het punt naar Lynley in Ireleth Hall te gaan. Nu was hij nog niet te laat, maar als het gesprek nog langer duurde, zou hij dat wel zijn. Deborah was vanaf hun kamer achter hem aan gelopen omdat hij hun gesprek wel als beëindigd had beschouwd, maar zij niet. Ze was gekleed om de deur uit te gaan en dat was geen goed teken. Maar ze had haar schoudertas en camera niet bij zich, dus dat stelde hem weer gerust.

Deborah had hem haar ontmoeting met Alatea Fairclough haarfijn uit de doeken gedaan, en wat hem betrof was Deborahs dekmantel naar de gallemieze; het werd tijd om zich uit de hele toestand terug te trekken. De Argentijnse vrouw had zo extreem gereageerd dat ze vast iets te verbergen had, zo had Deborah geopperd. Bovendien zei ze dat als Alatea inderdaad iets achterhield, de kans dan groot was dat haar man daar niets van wist. Dus de enige manier om erachter te komen wat er werkelijk aan de hand was, was met haar man te spreken.

St. James had haar erop gewezen dat er volgens Lynley ook een journalist van *The Source* in de streek had rondgesnuffeld, dus dat, in combinatie met een fotograaf die zich voor iemand anders uitgaf, zou zeker voldoende zijn om Alatea Fairclough de stuipen op het lijf te jagen. Wat dacht Deborah dan eigenlijk, dat ze een nazi in haar verleden had? Ze kwam tenslotte uit Argentinië.

Kletskoek, zei Deborah.

Kletskoek? dacht St. James. Wat voor woord was kletskoek nou in deze eeuw en wat deed kletskoek er nou toe? Maar hij was wel zo wijs dat niet te zeggen. In plaats daarvan wachtte hij tot er meer kwam, en zoals gebruikelijk stelde zijn vrouw hem niet teleur.

Deborah zei: 'Volgens mij heeft het allemaal te maken met dat tijdschrift, Simon. Het ging prima met Alatea – nou ja, een beetje zenuwachtig, maar verder prima – totdat ik *Conceptie* ter sprake bracht. Ik probeerde toenadering te zoeken, ik vertelde een beetje over de problemen die wij hadden met zwanger worden, meer niet. Toen ging ze zowat uit haar dak en...'

'Daar hebben we het al over gehad, Deborah,' zei hij geduldig. 'Je ziet toch waar het toe leidt? Haar man komt thuis, zij vertelt hem dat je niet degene bent die je voorgeeft te zijn, hij belt je op, wil met je praten en in dat gesprek vertelt hij jou dat je onder valse voorwendsels zijn leven binnen wilde dringen...'

'Ik heb haar vertéld dat ik freelance fotograaf ben. Ik heb haar verteld wat dat betekent, dat ik door Query Productions ben ingehuurd, een nieuw bedrijf dat nog geen films heeft geproduceerd. Daar dacht ik in het heetst van de strijd gelukkig nog aan, want nu zal ze er trouwens wel achter komen dat er helemaal geen nieuw bedrijf bestaat dat Query Productions heet, en dat weten jij en ik allebei. Als ik daarmee kan omgaan, kan ik een ontmoeting met Nicholas ook wel aan.'

'Je zit in een lastig parket,' besloot hij met zijn hand op de deurkruk van zijn auto. 'Je moet dit laten rusten.' Hij verbood haar niet ermee door te gaan. Hij zei niet dat hij wilde dat ze ermee zou ophouden. In al die huwelijksjaren had hij wel geleerd dat dat waanzin was, dus hij probeerde er in algemene termen een eind aan te breien. Als het erop aankwam was hij doodsbenauwd om haar te verliezen, maar dat kon hij niet zeggen, want dan zou ze zeggen dat hij haar heus niet zou verliezen, waarop híj weer zou reageren. Over de dood van Helen en de krater die dat in Tommy's leven had geslagen, en hij wilde het helemaal niet over Helens dood hebben. Dat onderwerp was te rauw om te bespreken, en hij wist heel goed dat daar geen verandering in zou komen.

Ze zei: 'Ik kan best voor mezelf zorgen. Wat kan hij doen? Me van een klif duwen? Een klap op mijn hoofd geven? Er is iets aan de hand met Alatea en ik ben er bijna achter wat dat is. Als het iets belangrijks is en als Ian Cresswell het heeft ontdekt... Begrijp je dat dan niet?'

Het probleem was dat hij het maar al te goed begreep. Maar dat kon hij niet zeggen, want dan eindigden ze ergens waar hij niet wilde zijn. Hij zei dus: 'Ik ben niet al te lang weg. We hebben het er verder over als ik terug ben, goed?'

Ze trok dat gezicht van haar. Hemel, wat was ze koppig. Maar ze liep bij de auto vandaan en ging terug naar de herberg. Ze waren er echter bij lange na nog niet klaar mee. Hij wilde dat hij haar autosleutels had meegenomen.

Er zat niets anders op dan naar Ireleth Hall te gaan. Alles was geregeld. Valerie Fairclough zou in de folly haar dochter afleiden en bij de ramen weghouden. Lynley en lord Fairclough zouden op zijn komst wachten met een paar lampen om de binnenkant van het botenhuis te verlichten.

St. James schoot lekker op en vond Ireleth Hall zonder problemen. De hekken stonden open en hij reed de oprit op. In de verte stonden reeën op hun gemak te grazen, zo nu en dan tilden ze hun kop op om hun omgeving te inspecteren. En die was verbijsterend: een park met magnifieke eiken, platanen, beuken en berkenbosjes rees boven een glooiende grasvlakte uit.

Lynley kwam uit het huis toen St. James de auto parkeerde. Bernard Fairclough was bij hem en Lynley stelde ze aan elkaar voor. Fairclough wees de weg naar het botenhuis. Hij zei dat hij wat licht had geïmproviseerd door stroom van een buitenlamp af te tappen. Ze hadden ook voor zaklantaarns gezorgd, voor het geval dat. Bovendien hadden ze een stapel handdoeken bij zich.

De weg tussen het struikgewas en de populieren glooide licht naar Lake Windermere omlaag. Het meer lag er kalm bij en in de omgeving waren geen andere geluiden te horen dan de vogels en een motor ergens ver op het water. Het botenhuis was een vierkant, stenen geval waarvan de daklijst bijna tot aan de grond door liep. De enkele deur stond open en het viel St. James op dat er geen slot op zat. Lynley had dat vast ook gezien en al geconcludeerd wat dat betekende.

Binnen zag St. James dat er aan drie kanten van het gebouw een stenen kade liep. Verschillende bouwlampen waren neergezet om het gedeelte van de kade waar Ian Cresswell was gevallen in de schijnwerpers te zetten. Een lang verlengsnoer hing in een lus over een van de steunbalken van het gebouw en liep van de lampen naar buiten. De lichten wierpen overal lange schaduwen, behalve in de onmiddellijke omgeving van de stenen in kwestie, dus Lynley en Fairclough knipten hun zaklantaarns aan om de schemerige plekken bij te lichten.

St. James zag dat er aan een kant een werkbank stond, en als je op de penetrante lucht mocht afgaan, werd daar vis schoongemaakt. En als er vis werd schoongemaakt, moest er ook gereedschap zijn, dus daar moest ook naar gekeken worden, bedacht hij. In het botenhuis lagen bovendien vier vaartuigen: de scull van Ian Cresswell, een roeiboot, een motorboot en een kano. De roeiboot was van Valerie Fairclough, zo was hem verteld. De kano en motorboot werden door iedereen van de familie gebruikt, maar niet regelmatig.

St. James liep voorzichtig naar de plek waar de stenen waren losgekomen. Hij vroeg om een lantaarn.

Hij zag meteen dat als je daar viel, je met gemak een schedelfractuur kon oplopen. De stenen waren ruw uitgehakt zoals dat zo vaak met bouwwerken in Cumbria het geval was. Het was leisteen, waar hier en daar een stuk graniet tussen zat. Ze waren met cement op hun plek gelegd, want elke andere manier zou riskant zijn. Maar het voegsel was versleten en op sommige plekken brokkelde het af. De stenen konden gemakkelijk loskomen. Dat kon door ouderdom zijn gebeurd, maar ook met opzet. Generaties mensen stapten hier van de kade op een boot waardoor de stenen gaandeweg gevaarlijk waren geworden, maar dat kon net zo goed gebeurd zijn als iemand ze opzettelijk had losgewerkt.

Hij onderzocht het voegsel, keek naar sporen die erop konden wijzen dat er met een stuk gereedschap tussen was gewrikt en als hefboom had gediend. Maar het voegsel was in zo'n slechte staat, zag hij, dat het moeilijk in te schatten was of iemand met gereedschap in het cement had geknoeid of dat de barsten door ouderdom waren ontstaan. Een glimmende vlek zou erop wijzen dat iemand er met een werktuig in had zitten wroeten, maar zo te zien was die er niet.

Nadat hij de hele plek van de ontbrekende stenen centimeter voor centimeter had onderzocht, kwam hij ten slotte overeind. Fairclough zei: 'Wat denk je?'

'Volgens mij is er niets.'

'Weet je dat zeker?' Fairclough leek opgelucht.

'Ik zie nergens bewijs van. We kunnen misschien nog sterkere lampen halen, en misschien kunnen we de plek uitvergroten. Maar ik begrijp wel dat ze dit als een ongeluk hebben beschouwd. In elk geval tot nu toe.'

Fairclough keek naar Lynley. 'Tot nu toe?' vroeg hij.

Lynley zei: 'Geen sporen op het voegsel betekent niet dat er geen sporen op de ontbrekende stenen zijn.' En met een ironisch lachje tegen zijn vriend: 'Ik hoopte dat we dit konden overslaan, weet je.'

St. James glimlachte. 'Dat dacht ik al. Er zijn momenten waarop het absoluut een voordeel is als je gehandicapt bent. Dit is er toevallig een van.'

Lynley gaf hem zijn lantaarn en begon zijn kleren uit te trekken. Toen hij in zijn ondergoed stond, grimaste hij en liet zich in het water glijden. Toen het ijskoude water tot zijn middel reikte, zei hij: 'Christus,' en voegde eraan toe: 'Het is tenminste niet diep.'

'Niet dat het iets uitmaakt,' zei St. James. 'Je moet het mooiste gedeelte niet overslaan, Tommy. Dat moet een makkie zijn. Er zitten geen algen op.'

'Dat weet ik,' zei hij mopperend.

Lynley dook onder. Het was inderdaad zo eenvoudig als St. James had gezegd. De losgeraakte stenen hadden niet lang in het water gelegen, dus waren er nog geen algen op gegroeid. Dus Lynley wist ze snel te vinden en viste ze eruit. Maar hij bleef nog in het water staan. Hij zei tegen Fairclough: 'Er ligt nog iets. Kun je het licht deze kant op draaien?' En hij dook opnieuw onder.

Terwijl Fairclough het lantaarnlicht zijn kant op zwaaide, wierp St. James een blik op de stenen. Hij zag zo dat er niets mee aan de hand was, want er zaten geen glimmende sporen of strepen op, toen Lynley opnieuw bovenkwam. Hij had iets in zijn hand wat hij op de kade gooide. Hij hees zich rillend uit het water en greep naar de handdoeken.

St. James bekeek het voorwerp dat hij uit het water had gehaald. Fairclough, nog altijd op de kade, zei: 'Wat heb je gevonden?'

Het was een fileermes, zag St. James, het soort waarmee je vis schoonmaakt. Het had een smal lemmet van zo'n vijfentwintig centimeter lang. Maar het opmerkelijkste was wel dat het duidelijk nog niet lang in het water had gelegen.

Milnthorpe

Cumbria

Deborah had geen idee waar Simon nou zo bang voor was. Wat kon haar nou in godsnaam overkomen als ze Nicholas Fairclough terugbelde? Ze had de confrontatie met zijn vrouw prima doorstaan; ze was er vast van overtuigd dat het met Nicholas ook zou lukken.

Toen ze hem terugbelde, vroeg hij of ze iets konden afspreken. Hij begon met de vraag of ze misschien nog iets anders van hem nodig had. Hij had begrepen, zo zei hij, dat filmmakers graag allerlei opnamen wilden maken die met een voice-over werden vertoond en daar was meer dan genoeg gelegenheid voor. Dus vroeg hij of hij haar mocht meenemen naar Barrow-in-Furness om haar een paar plekken te laten zien waar wat mensen rondzwierven. Dit kon voor het totaalplaatje van belang zijn.

Deborah stemde daarmee in. Opnieuw een kans om verder te graven, en dat wilde Tommy van haar. Waar spraken ze af? vroeg Deborah aan Nicholas.

Hij haalde haar wel op bij de herberg, antwoordde hij.

Ze zag daar geen gevaar in. Ze had tenslotte haar telefoon bij zich en zowel Simon als Tommy was slechts een telefoontje bij haar vandaan. Dus liet ze een briefje achter voor haar man, samen met Nicholas' mobiele nummer, en ze vertrok.

Nicholas kwam zo'n twintig minuten later in zijn oude Hillman aan karren. Deborah zat voor het hotel op hem te wachten en toen hij voorstelde om een kop koffie te drinken voordat ze naar Barrow-in-Furness gingen, maakte ze geen bezwaar.

Je kon overal koffie drinken, want Milnthorpe was een marktplaats met een groot plein vlak bij de hoofdweg. Aan het plein stond een kerk die op een bescheiden heuvel boven het stadje uitrees, maar aan twee van de andere drie kanten bevonden zich restaurants en winkels. Naast de Milnthorpe snackbar, waar je kennelijk alle frituur kon krijgen die je maar wilde, was een klein café. Nicholas nam haar daar mee naartoe, maar voor ze er waren, riep hij opeens: 'Niamh? Niamh?' naar een vrouw die net uit een Chinees afhaalrestaurant stapte, drie deuren voorbij de snackbar.

Deborah draaide zich om. Ze zag dat de vrouw klein en tenger was. Ze had zich ook geweldig opgetut, helemaal voor dit tijdstip van de dag, dan droeg je geen hoge hakken en een cocktailjurk. Het was een korte jurk, waardoor een paar welgevormde benen te zien waren. Bovendien kwamen haar borsten er goed in uit, die vol, parmantig en, het moest gezegd, zo nep waren als wat. Vlak achter haar stond een man met de schort van een werknemer van het afhaalrestaurant. Deborah merkte op dat ze een relatie moesten hebben, want Niamh draaide zich naar hem toe, en hij keek haar lange tijd met een dwepende blik aan.

Nicholas zei tegen Deborah: 'Wil je me even verontschuldigen?' en hij liep naar de vrouw toe. Ze leek niet blij om hem te zien, want ze keek hem ijzig aan. Ze zei iets tegen de man die bij haar was, die van haar naar Nicholas keek en toen in het afhaalrestaurant verdween.

Nicholas begon te praten. Niamh luisterde. Deborah sloop wat dichterbij om iets van hun gesprek op te vangen, wat niet eenvoudig was, want het was marktdag. Los van het verkeerslawaai van de hoofdweg die door Milnthorpe liep had ze ook last van de babbelende huisvrouwen die fruit en groenten stonden te kopen, en van nog meer mensen die allerlei dingen aanschaften, van batterijen tot sokken.

'... gaat jou niet aan,' zei Niamh. 'En het gaat zeker Manette niet aan.'

'Begrepen.' Nicholas klonk heel toegeeflijk. 'Maar aangezien ze deel uitmaken van de familie, Niamh, kun je misschien haar zorg wel begrijpen. En ook die van mij.'

'Deel uitmaken van de familie?' herhaalde Niamh. 'Laat me niet lachen, zeg. Dus nu zijn ze jullie familie, maar wat waren ze toen hij wegliep en de rest van jullie werkeloos toekeek? Waren ze jullie famílie toen hij ons gezin verwoestte?'

Nicholas leek verbijsterd. Hij keek om zich heen om te zien of er mensen meeluisterden maar ook omdat hij naar woorden leek te zoeken. 'Ik weet eigenlijk niet of iemand van ons er iets aan had kunnen doen.'

'O nee? Nou, ik zal je helpen. Om te beginnen had die verdomde vader van je hem kunnen ontslaan als hij verdomme niet bij zinnen kwam. Je verdomde vader had kunnen zeggen: als je dat doet, ben ik klaar met je, en jullie hadden allemaal hetzelfde kunnen doen. Maar dat hebben jullie niet gedaan, hè, want Ian had jullie allemaal in z'n zak...'

'Zo lagen de zaken feitelijk niet,' onderbrak Nicholas haar.

'... en niemand van jullie is ooit tegen hem in opstand gekomen. Níémand.'

'Moet je horen, daar wil ik geen ruzie over maken. We zien dat gewoon anders, meer niet. Ik wil alleen zeggen dat Tim er slecht aan toe is...'

'Denk je soms dat ik dat niet weet? Ik moest hem naar die school sturen, zodat hij niet het gevoel had dat de andere leerlingen hem nawezen omdat hij dat joch is wiens vader het in het geniep had aangelegd met een of andere Arabier. Ik weet godverdomme wel dat hij er slecht aan toe is, en ik trek mijn eigen plan. Zodat jij en je hele ellendige familie uit ons leven verdwijnen. Toen Ian nog leefde wilde jij dat toch ook zo graag?'

Ze stoof in de richting van een rij geparkeerde auto's aan de noordkant van het plein. Nicholas bleef even met gebogen hoofd en duidelijk peinzend staan voordat hij weer naar Deborah terugliep.

Hij zei: 'Sorry. Familiekwestie.'

'Ah,' antwoordde ze. 'Lid van de familie?'

'De vrouw van mijn neef. Hij is onlangs verdronken. Ze vindt het moeilijk... nou ja, om met het verlies om te gaan. En er zijn kinderen.'

'Wat naar. Zullen we...?' Ze gebaarde naar het café waar ze naartoe op weg waren en zei toen: 'Schikt een ander moment misschien beter?'

'O nee,' zei hij. 'Ik wilde toch met je praten. Over Barrow. Eerlijk gezegd was dat een smoes om met je af te spreken.'

Deborah wist wel zeker dat hij hiermee niet bedoelde dat hij naar haar verlangde en van haar charme wilde genieten, dus bereidde ze zich geestelijk voor op wat komen ging. Omdat hij haar had gebeld en een ontmoeting had voorgesteld, had ze aanvankelijk aangenomen dat Alatea hem niet de ware toedracht van hun treffen had verteld. Maar dat lag misschien toch anders.

Ze zei: 'Natuurlijk,' en liep achter hem aan naar het café. Ze bestelde koffie en cake en deed haar best de indruk te wekken volkomen op haar gemak te zijn.

Hij begon pas over Alatea nadat hun koffie was gebracht. Toen zei hij: 'Ik weet niet zo goed hoe ik moet beginnen, dus zal ik maar met de deur in huis vallen. Je moet bij mijn vrouw uit de buurt blijven als deze documentaire inderdaad van de grond komt. Dat moeten de filmmakers ook weten.'

Deborah deed haar best verschrikt te kijken: de onschuld zelve die hier totaal niet op voorbereid was. Ze zei: 'Je vrouw?' En toen, in een poging te doen alsof het haar begon te dagen en het haar speet: 'Ik heb haar gisteren van streek gemaakt, en dat heeft ze je verteld, hè? Eerlijk gezegd hoopte ik dat ze dat niet zou doen. Het spijt me zo verschrikkelijk, Nicholas. Dat was mijn bedoeling niet. Eerlijk gezegd was het nogal klunzig van me. Het ging om het tijdschrift, zeker?'

Tot haar verbazing zei hij nogal scherp: 'Welk tijdschrift?'

Wat een vreemde reactie, dacht ze. '*Conceptie*,' zei ze. Eigenlijk wilde ze eraan toevoegen: is er dan nog een ander tijdschrift? Maar dat deed ze natuurlijk niet. Ze dacht koortsachtig terug aan de andere bladen die ze samen met *Conceptie* op de tafel had zien liggen. Ze kon zich niet meer herinneren welke dat waren, daarvoor was haar belangstelling te veel naar dat ene uitgegaan.

Hij zei: 'O, dat. *Conceptie.* Nee, nee. Dat is niet... Vergeet dat maar.'

Wat haar echter niet best afging. Ze koos voor de rechtstreekse benadering en vroeg: 'Nicholas, is er iets aan de hand? Wil je me misschien iets vertellen? Of me iets vragen? Kan ik je ergens in geruststellen?'

Hij speelde met het oor van zijn koffiekop. Hij zuchtte en zei: 'Over sommige dingen wil Alatea niet praten en haar verleden is er een van. Ik weet dat je hier niet bent om in haar achtergrond of zo te graven, maar daar is ze wel bang voor: dat je misschien begint te graven.'

'Ik begrijp het,' zei Deborah. 'Nou, deze documentaire gaat alleen over het burchttorenproject, dat is het enige waar we onderzoek naar doen. Misschien komen er zaken over jou zelf naar voren... Weet je zeker dat ze niet gewoon bang is voor de invloed die de film op jou zal hebben? Op je reputatie? Je aanzien in de maatschappij?'

Hij lachte spottend. 'Ik heb mezelf genoeg schade berokkend toen ik nog gebruikte. Geen enkele film kan me nog meer schade toebrengen. Nee, het heeft te maken met wat Alatea heeft moeten doormaken voordat zij en ik elkaar leerden kennen. Eigenlijk is het een beetje dom dat ze er zo door geschokt is. Het gaat nergens over. Ik bedoel, het is heus niet zo dat ze pornofilms heeft gemaakt of zoiets.'

Deborah knikte ernstig. Ze hield haar gezicht in een meevoelende plooi en zweeg. Ze dacht dat hij nu toch wel op het punt stond... bijna... op de rand van het klif... Misschien zou een heel klein duwtje hem eroverheen helpen.

Ten slotte zei ze bedachtzaam: 'Jullie hebben elkaar in Utah leren kennen, hè? Ik heb een tijdje in Amerika op school gezeten. In Santa Barbara. Ken je die plaats? Het is een dure omgeving en ik... nou ja, ik had weinig geld en je kunt altijd wel iets bedenken om gemakkelijk aan geld te komen...' Ze maakte haar zin niet af, zodat hij die zelf met zijn eigen fantasie kon aanvullen. In werkelijkheid had ze buiten school om helemaal niets gedaan, maar dat kon hij onmogelijk weten.

Hij tuitte zijn lippen, overwoog misschien om er iets van toe te geven. Hij nam een slok koffie, zette zijn kopje weer neer en zei: 'Nou ja, eigenlijk ging het om ondergoed.'

'Ondergoed?'

'Alatea was model voor ondergoed. Ze stond in catalogi. Ook in tijdschriftadvertenties.'

Deborah glimlachte. 'En dat wil ze voor me verborgen houden? Dat kun je bepaald niet laag-bij-de-gronds noemen, Nicholas. En laten we eerlijk zijn. Ze heeft er het lichaam voor. Ze is ook aantrekkelijk. Je ziet zo...'

'Ondeugend ondergoed,' zei hij. Daarna zweeg hij even zodat Deborah die informatie en de implicaties ervan tot zich door kon laten dringen. 'Catalogi voor een bepaald soort mensen, begrijp je. Advertenties in bepaald soort tijdschriften. Het was niet... Ze waren niet... Ik bedoel, je kunt niet zeggen dat het 't fijnste ondergoed was ooit. Ze geneert zich er enorm voor en ze is bang dat iemand erachter komt en haar op de een of andere manier aan de schandpaal zal nagelen.'

'Ik begrijp 't. Nou, wat dat betreft kan ik haar geruststellen. Ik ben niet geïnteresseerd in haar ondergoedverleden.' Ze keek door het raam van het café, dat op het marktplein uitkeek. Het was er druk en er stond een rij voor een donkergroene caravan die dienstdeed als kraam en waar SUE'S SNACKBAR op stond. Voor de caravan zaten mensen aan een paar picknicktafels te eten van wat de gelijknamige eigenaar op stomende papieren borden had geschept.

Deborah zei: 'Ik dacht echt dat het te maken had met dat blad – *Conceptie* – maar ik vermoed dat dat meer met mij te maken heeft dan met haar. Ik had er niet over moeten beginnen. Breng haar alsjeblieft mijn verontschuldigingen over.'

'Dat was het niet,' zei Nicholas. 'Ze wil zonder meer zwanger worden, maar eerlijk gezegd verlang ik er momenteel meer naar dan zij en dat maakt haar prikkelbaar. Maar het echte probleem zit 'm in dat verdomde fotomodelverleden en die foto's, in haar beleving kunnen die elk moment in de roddelpers opduiken.'

Bij deze laatste opmerkingen dwaalde zijn blik, net als die van Deborah, naar buiten. Maar in plaats van dezelfde achteloze blik die Deborah op de eetkraam en de picknicktafels had geworpen, bleef die van hem ergens op gefixeerd en zijn gezichtsuitdrukking veranderde. Zijn vriendelijke gezicht werd hard. Hij zei: 'Neem me niet kwalijk, ik ben zo terug,' en voordat Deborah iets terug kon zeggen, beende hij naar buiten.

Hij liep naar een van de mensen die bij SUE'S SNACKBAR zaten te eten. Het was een man die wegdook toen Nicholas hem naderde, duidelijk in een poging niet op te vallen. Dat lukte niet en toen Nicholas de schouder van de man vastgreep, kwam hij weer overeind.

Hij was enorm, zag Deborah. Hij leek wel langer dan twee meter. En doordat hij zo snel weer opstond, stootte hij met zijn hoofd tegen de ingeklapte parasol die midden op de tafel stond, waardoor zijn muts verschoof en er vuurrood haar tevoorschijn kwam.

Ze reikte in haar tas toen de man een stap bij de tafel vandaan deed en luisterde naar wat Nicholas tegen hem zei, wat zo te zien net zo gepeperd was als het eten van de man. De man haalde zijn schouders op. Er werden meer woorden gewisseld.

Deborah haalde haar camera tevoorschijn en legde Nicholas Faircloughs ontmoeting met de man vast.

Kensington

Londen

Barbara Havers vond zichzelf een geluksvogel toen de taxi van Portland Place niet verder ging dan Rutland Gate, ten zuiden van Hyde Park. Het had net zo goed in Wapping kunnen zijn geweest of nog verder. Ze wist wel dat Lynley de taxikosten uiteindelijk zou terugbetalen, maar ze had niet genoeg geld bij zich voor een lange rit en ze betwijfelde of de chauffeur een kwartiertje knuffelen als betaling zou accepteren. Daar had ze niet aan gedacht toen ze zorgeloos in de auto stapte, maar ze slaakte een zucht van opluchting toen de man naar het westen reed en niet naar het oosten, en ten slotte op korte afstand voorbij het bakstenen gevaarte van de Hyde Park-kazerne afsloeg.

Hij wees naar het pand in kwestie: een imposant, wit bouwwerk met naast de deur een paneel vol deurbellen, dat erop duidde dat het tot appartementen was verbouwd. Barbara stapte uit, betaalde de rit en terwijl de taxi wegreed, overwoog ze haar mogelijkheden. De chauffeur had Barbara met een knipoog verteld dat het stel hier uitstapte, dat ze altijd samen naar binnen gingen en dat ze allebei een sleutel hadden, want nu eens de een en dan weer de ander deed de voordeur open.

Appartementen, zo wist Barbara, betekenden dat er bewoners waren, en dus moest ze de identiteit van de bewoner in kwestie zien te achterhalen. Ze stak een sigaret op en begon heen en weer te lopen. Ze dacht dat ze door de nicotine beter kon nadenken. Dat duurde echter maar even.

Ze liep naar de deur en zag de rij bellen. Er stonden wel appartementnummers vermeld maar geen namen, typisch iets voor Londen. Maar er was één bel waar PORTIER naast stond en daar had ze mooi geluk mee. Niet elk appartementengebouw in Londen had een portier. Daardoor werden de appartementen meer waard, maar het kostte de bewoners ook een fortuin.

Een mechanische stem vroeg wat ze wilde. Ze zei dat ze informatie wilde over een van de flats, waarvan ze had gehoord dat die binnenkort te koop aangeboden zou worden, en of ze alstublieft met hem over het pand mocht praten?

De portier was niet erg enthousiast over dat verzoek, maar hij werkte toch mee. De deur ging zoemend open en hij zei dat ze door de gang naar achteren door moest lopen, waar ze zijn kantoor zou aantreffen.

Binnen heerste volkomen stilte, los van de gedempte verkeersgeluiden van Kensington Road, even voorbij Rutland Place. Ze liep geruisloos over een marmeren vloer met daarop een verschoten Turks kleed. Hier bevonden zich de deuren van twee tegenover elkaar liggende benedenflats, en onder een zware, vergulde spiegel stond een tafel met daarop vakjes waarin de dagelijkse post werd gesorteerd. Ze wierp een snelle blik op de vakjes, maar evenals de bellen buiten stonden daar alleen flatnummers op en geen namen.

Even voorbij het trappenhuis en een lift vond ze een deur met daarop PORTIER. Ze klopte aan en de portier deed open. Zo te zien was hij gepensioneerd en hij droeg een uniform dat te strak bij de boord zat en te wijd om zijn buik. Hij nam Barbara van top tot teen op en van zijn gezicht was te lezen dat als ze daadwerkelijk van plan was daar een appartement te kopen, ze zich maar moest voorbereiden op een startbod dat haar regelrecht uit haar enkelhoge gympen zou vegen.

Zonder plichtplegingen zei hij: 'Ik weet van geen flat die te koop staat.'

Ze zei: 'Het gaat meer om een optie vooraf, als u begrijpt wat ik bedoel. Mag ik...?' Ze wees naar zijn kantoor en glimlachte vriendelijk. 'Ik vraag maar een minuutje van uw tijd,' voegde ze eraan toe.

Hij deed een stap naar achteren en hield zijn hoofd schuin in de richting van een bureau dat in een hoek van de kamer stond. Hij had het hier leuk voor elkaar, dacht Barbara. Een deel van de ruimte was als gezellige zitkamer ingericht, met televisie en al, waarop op dat moment een oude film werd vertoond, waarin Sandra Dee en Troy Donahue waren verstrengeld in een tijdloze, puberachtige, martelende omhelzing onder begeleiding van een bekend, aanzwellend muziekthema. Ze dacht even na en toen schoot de titel haar te binnen. *A Summer Place*, dat was het. Dat was een en al jonge, folterende liefde. Het lijkt er zelfs niet op, dacht ze. Schiet me maar lek.

De portier zag waar ze naar keek, liep naar de televisie en zette die haastig uit, misschien omdat hij dacht dat de film van zijn keuze ook iets over hem zei. Toen ging hij achter zijn bureau zitten en liet Barbara staan, wat kennelijk ook zijn bedoeling was.

Barbara gaf blijk van wat in haar ogen gepaste dankbaarheid was voor het feit dat de portier met haar wilde praten. Ze stelde het soort vragen over het gebouw die een mogelijke koper naar haar idee zou stellen voordat het op harde pegels aankwam om een extravagant stukje vastgoed in Kensington te kunnen aanschaffen. Ouderdom, bouwkundige staat, problemen met verwarming, leidingen en ventilatie, hinder van andere bewoners, ongewenste elementen, de buurt, lawaai, pubs, restaurants, markten, buurtwinkels, ga zo maar door. Toen ze de hele lijst van alles wat ze maar kon bedenken had afgewerkt – ze noteerde zijn antwoorden in haar kleine aantekenboekje – gooide ze haar aas uit in de hoop dat hij zou toehappen: 'Schitterend. Ik kan u niet genoeg bedanken. Het meeste klopt met wat Bernard me over de plek heeft verteld.'

Hij hapte. 'Bernard? Is hij uw makelaar? Want zoals ik al zei, ik weet van geen flat die te koop staat.'

'Nee, nee. Bernard Fairclough. Hij vertelde me dat een kennis van hem hier woont en zij heeft hem kennelijk over die flat verteld. Ik weet niet meer hoe ze heet...'

'O. Dat zal Vivienne Tully zijn,' zei hij. 'Zij woont op nummer 6. Maar ik denk niet dat haar appartement te koop komt. Daarvoor is de situatie te gerieflijk.'

'O, oké,' zei Barbara. 'Dus niet dat van Vivienne. Ik dacht eerst van wel en werd al helemaal enthousiast, maar Bernie...' – dat 'Bernie' stond haar wel aan – '... zei dat zij hier helemaal thuis is.'

'Inderdaad,' zei hij. 'Leuke vrouw ook. Die denkt met Kerstmis aan me, echt, wat meer is dan ik van sommige anderen kan zeggen.' Hij wierp daarna een blik op de televisie en schraapte zijn keel. Barbara zag dat er op een lage tafel naast een ligstoel een bord bonen en toast stond te wachten. Daar wilde hij ongetwijfeld naartoe terug, evenals naar Sandra, Troy en hun hartstochtelijke, verboden liefde. Nou ja, ze kon het hem niet kwalijk nemen. Met hartstochtelijke en verboden liefde werd het leven toch zeker veel leuker?

Lake Windermere

Cumbria

Lynley zat met Valerie en Bernard Fairclough als aperitief voor het eten een sherry te drinken toen Mignon opdook. Ze zaten in wat Valerie de kleine salon noemde, waar een kolenvuur de kou verdreef. Geen van hen had Mignon het huis horen binnengaan – de voordeur was op enige afstand van de kamer waar ze zich bevonden – dus wist ze een verrassende entree te maken.

De deur zwaaide open en ze schoof met haar looprekje de kamer binnen. Het was weer gaan regenen, en niet zo'n beetje ook, en ze was zonder regenkleding naar buiten gegaan. Lynley vermoedde dat ze dat met opzet had gedaan, zodat ze nat werd en daarmee een reactie van haar beide ouders zou ontlokken. Haar haar zat plat tegen haar hoofd, het water droop van haar *Alice-in-Wonderland*-haarband over haar voorhoofd in haar ogen, en haar schoenen en kleren waren doorweekt. De wandeling vanaf de folly naar het hoofdgebouw was ook weer niet zo lang dat je er zo nat van werd. Lynley kwam tot de conclusie dat ze een tijdje in de stromende regen had gestaan om door en door nat te worden en zo het dramatische effect te verhogen. Zodra haar moeder haar zag, sprong ze overeind en Lynley – die zichzelf er niet van kon weerhouden, al had hij het geprobeerd – stond ook beleefd op.

'Mignon!' riep Valerie uit. 'Waarom heb je geen paraplu meegenomen?'

Mignon zei: 'Met dit ding kan ik bepaald geen paraplu vasthouden, wel?' waarmee ze op het looprekje doelde.

'Met regenjas en hoed was het ook wel gelukt,' zei haar vader onschuldig. Het viel op dat hij niet was opgestaan en aan zijn gezicht was te zien dat hij maar al te goed doorhad wat ze in haar schild voerde.

'Vergeten,' zei Mignon.

Valerie zei: 'Hier. Kom bij het vuur zitten, liefje. Ik haal een handdoek voor je haar.'

'Doe geen moeite,' zei Mignon. 'Ik loop zo weer terug. Jullie gaan zo eten, hè? Aangezien ik daar vanavond niet voor ben uitgenodigd, zal ik niet te veel beslag leggen op jullie tijd.'

'Jij hebt toch geen uitnodiging nodig,' zei Valerie. 'Je bent altijd welkom. Maar aangezien je liever... vanwege...' Het was duidelijk dat ze in het bijzijn van Lynley niet meer wilde zeggen.

Het was echter even duidelijk dat Mignon dat wel wilde. 'Ik heb een maagoperatie gehad, Thomas. Ik was zo dik als een os. Je wilt niet geloven hoe dik. Mijn knieën hebben ruim twintig jaar mijn vet over de aarde rondgezeuld, dus die moeten worden vervangen. De knieën, bedoel ik. Dan zijn ze weer zo goed als nieuw en dan komt er een of andere vent langs en dan zijn mijn ouders van me verlost. Dat hopen ze, althans.'

Ze liep de kamer door en liet zich in de stoel zakken waaruit haar moeder was opgestaan. Ze zei tegen haar vader: 'Ik heb ook wel zin in een sherry,' en tegen Lynley: 'Aanvankelijk dacht ik dat je om die reden hier was. Stom van me, dat weet ik wel, maar denk je eens in hoe mijn vader in elkaar zit. Altijd aan het bekokstoven, die vader van me. Zodra ik je zag wist ik dat je daar deel van uitmaakte. Ik had alleen niet door met welk plannetje hij nu weer bezig was. Ik dacht dat je voor mij kwam, als je begrijpt wat ik bedoel.'

'Mignon, alsjeblieft,' zei haar moeder.

'Ik geloof dat ik die handdoek toch wel graag wil.' Klaarblijkelijk genoot Mignon van het idee haar moeder voor haar te laten rennen. Ze keek heel voldaan toen haar moeder ging doen wat ze vroeg. Haar vader had zich in de tussentijd niet verroerd, dus ze zei tegen hem: 'Die sherry, pap?'

Lynley kreeg de indruk dat Bernard iets wilde zeggen waar hij spijt van zou krijgen, zo zag hij er althans uit. In andere omstandigheden zou Lynley hebben gewacht om te zien wat dat dan zou zijn, maar zijn natuurlijke neiging om de zaken beschaafd te houden, kreeg de overhand. Hij zette zijn glas sherry op de tafel naast zijn stoel. Hij zei: 'Ik doe het wel even,' en Bernard weerhield hem daarvan met: 'Ik ga wel, Tommy.'

'Doe maar een groot glas,' zei Mignon tegen haar vader. 'Ik heb net een geslaagd romantisch intermezzo met meneer Seychellen achter de rug en hoewel ik daarna meestal een peuk opsteek, ga ik me nu liever bezatten.'

Fairclough sloeg zijn dochter gade. De weerzin was zo duidelijk van zijn gezicht te lezen dat Mignon grinnikte.

'Heb ik iets verkeerds gezegd?' vroeg ze. 'Neem me níét kwalijk.'

Haar vader schonk een glas sherry voor haar in, een groot glas. Als de vrouw dat achteroversloeg, dacht Lynley, zou daarmee de klus zeker geklaard zijn. Hij had zo'n gevoel dat ze dat zonder meer zou gaan doen.

Fairclough gaf het glas aan zijn dochter terwijl Valerie met de handdoek terugkwam. Ze liep naar Mignon en begon zachtjes haar haren te drogen. Lynley verwachtte dat Mignon geërgerd zou reageren en haar hand weg zou duwen. Maar dat deed ze niet. In plaats daarvan liet ze toe dat haar haren werden gedroogd, evenals haar nek en gezicht.

Mignon zei: 'Moeder komt nooit zomaar langs. Wist je dat, Thomas? Ik bedoel, ze brengt me eten – eerder alsof ze een aalmoes aan de armen uitdeelt, zoals het een vrouwe van een landgoed betaamt – maar gewoon voor een babbeltje? Dus toen dat vandaag wel gebeurde, stond ik perplex. Wat wilde het lieve ouwetje in hemelsnaam, dacht ik.'

Valerie liet haar handen met de handdoek van haar dochters haren glijden. Ze keek naar haar man. Hij zei niets. Ze leken zich schrap te zetten voor een scherpe uitval, en Lynley vroeg zich af hoe ze zich in godsnaam in deze positie ten opzichte van hun eigen dochter hadden gewerkt.

Mignon nam een flinke slok van haar sherry. Ze hield haar glas in beide handen vast, zoals een priester een bokaal. 'Moeder en ik hebben elkaar namelijk niets te zeggen, zie je,' vervolgde ze. 'Ze is niet in mijn leven geïnteresseerd, en geloof me, ik ben dat ook niet in dat van haar. Daardoor is onze gespreksstof enigszins beperkt. Waar kun je het verder nog over hebben dan het weer? Ik bedoel, afgezien van haar saaie sculptuurtuin en haar zelfs nog saaiere kinderspeelterrein of wat het ook moet voorstellen.'

Ten slotte zei haar vader: 'Mignon, eet je nog mee of ben je hier voor iets anders?'

'Zet me niet klem,' zei Mignon. 'Daar hou ik niet van.'

'Lieverd,' begon haar moeder.

'Alsjeblieft, zeg. Als er al een líéverd in de familie zit, dan weten we allebei dat ik dat niet ben.'

'Dat is niet waar.'

'God.' Mignon sloeg haar ogen ten hemel en keek naar Lynley. 'Dat was Nicholas. Sinds de dag dat hij werd geboren, was dat Nicholas, Thomas. Eindelijk een zoon, halleluja. Maar daarvoor ben ik hier niet. Ik wil het hebben over die pathetische, kleine mankepoot.'

Even had Lynley geen benul over wie ze het eigenlijk had. Hij was zich natuurlijk scherp bewust van het feit dat St. James gehandicapt was, hij had immers zelf het ongeluk veroorzaakt waardoor hij gewond was geraakt. Maar om de man, die hij al sinds zijn puberjaren op school kende, 'pathetisch' of 'klein' te noemen, was zo absurd dat hij even dacht dat Mignon het over heel iemand anders had. Het werd duidelijk toen ze vervolgde: 'Moeder hield het uiteindelijk niet zo lang met me uit als de bedoeling was. Toen ze eenmaal weg was, vroeg ik me af waarom ze sowieso was langsgekomen en dat werd al vrij snel duidelijk. Daar kwamen jullie zomaar met zijn allen uit het botenhuis tevoorschijn, pa. Jij, Thomas en die mankepoot. En aan de handdoeken te zien zag Thomas eruit alsof hij zich net had afgedroogd. Maar de mankepoot niet. Die was helemaal droog. En jij trouwens ook, pa.' Ze nam opnieuw een grote slok sherry en zei toen: 'Nou, de handdoeken duidden erop dat Thomas goed voorbereid naar het botenhuis ging. Hij is niet per ongeluk uitgegleden en in het water gevallen, en aangezien zijn kleren niet nat waren, denk ik dat we die veronderstelling wel voor waar mogen aannemen. Wat betekent dat hij met opzet het water in is gegaan. En aangezien het seizoen er bepaald niet naar is om een duik in het meer te nemen, moest hij wel een andere reden hebben gehad. Ik vermoed dat die reden iets met Ian te maken heeft. Ben ik warm?'

Lynley voelde dat Fairclough naar hem keek. Valeries ogen gingen zenuwachtig van haar dochter naar haar man. Lynley zweeg. Hij vond dat het aan Fairclough was om al of niet toe te geven wat er aan de hand was. Wat hem betrof, achtte hij het verstandiger om de redenen voor zijn bezoek liever bekend te maken dan een poging te doen de schijn op te houden.

Fairclough zei echter niets tegen zijn dochter. Dit vatte ze kennelijk als een bevestiging op. Ze zei: 'Dus dat betekent dat jullie geloven dat Ians dood geen ongeluk is geweest, pap. Dat denk ik althans nadat ik jullie drieën van het meer zag teruglopen. Een paar seconden op internet was trouwens genoeg om erachter te komen wie onze bezoeker in werkelijkheid is. Als je die informatie voor me verborgen had willen houden, dan had je een pseudoniem voor hem moeten verzinnen.'

'Niemand hield iets voor je verborgen, Mignon,' zei haar vader. 'Tommy is hier omdat ik hem heb uitgenodigd. Het feit dat hij ook politieman is, heeft niets te maken met...'

'Een rechercheur,' wees Mignon hem terecht. 'Een rechercheur van Scotland Yard, pap, en ik neem aan dat je dat weet. En aangezien hij hier op jouw uitnodiging bij het botenhuis rondneust in het gezelschap van die andere vent, wie dat dan ook mag zijn, is het niet moeilijk om de optelsom te maken.' Ze draaide zich in haar stoel om en richtte zich nu tot Lynley. Haar moeder was met de handdoek in haar handen bij haar weggelopen. Mignon zei tegen Lynley: 'Dus je voert in het geniep een onderzoekje uit. In gang gezet door...? Nou, pa kan het niet zijn geweest, of wel?'

'Mignon,' zei haar vader.

Ze vervolgde: 'Want dát suggereert dat hij zelf onschuldig is, wat, laten we eerlijk zijn, niet erg waarschijnlijk is.'

'Mignon!' riep Valerie uit. 'Wat afschuwelijk om te zeggen.'
'Vind je? Maar pa had wel een reden om onze Ian een kopje kleiner te willen maken. Toch, pap?'
Fairclough reageerde niet op zijn dochter. De blik die hij op Mignon wierp, verraadde niets. Ofwel hij was gewend aan dit soort gesprekken met haar, ofwel hij wist dat ze het bij deze bewering zou laten. Er verstreek een gespannen ogenblik terwijl ze allemaal wachtten of er meer kwam. Buiten vloog iets in een windvlaag tegen de ramen van de kleine salon. Valerie kromp in elkaar.
Mignon zei: 'Maar ja, die heb ik net zo goed. Dat klopt toch, pap?' Ze leunde genietend in haar stoel naar achteren. Ze keek naar haar vader, maar haar volgende woorden waren tegen Lynley gericht. 'Papa weet niet dat ik weet dat Ian mijn toelage wilde stopzetten, Thomas. Hij zat altijd met zijn neus in de boekhouding, op zoek naar manieren om pa geld te besparen. Nou, en ik was daar absoluut een van. Om te beginnen de folly, het heeft een fortuin gekost om die te laten bouwen, en dan het onderhoud ervan, en míjn levensonderhoud. En aangezien je ongetwijfeld je speurderskwaliteiten hebt gebruikt toen je bij mij op bezoek was, heb je ook ontdekt dat ik het leuk vind om geld aan het een en ander uit te geven. Maar als je bedenkt welk fortuin pa in de afgelopen jaren voor het bedrijf heeft verdiend, heb ik natuurlijk eigenlijk niet zoveel nodig. Ik moet het pa nageven dat hij het met Ian oneens was. Maar we weten beiden, pa en ik, dat er altijd een kans bestond dat hij van gedachten zou veranderen en zou meegaan met Ians suggestie om me eruit te gooien. Waar of niet?'
Faircloughs gezicht stond versteend. Haar moeder was op haar hoede. Hier haalde Lynley meer informatie uit dan wanneer ze iets zouden zeggen.
'Valerie,' zei Bernard ten slotte met een blik op zijn dochter. 'Tijd om te eten, vind je ook niet? Mignon staat op het punt om weg te gaan.'
Mignon glimlachte. Ze sloeg de rest van haar sherry achterover. Venijnig zei ze: 'Ik denk dat ik hulp nodig heb om naar de folly terug te gaan, pa.'
'Volgens mij kun je dat prima zelf,' antwoordde hij.

8 november

Van Chalk Farm naar Victoria

Londen

Barbara Havers slaakte een kreet toen ze zichzelf in de badkamerspiegel zag. Ze was vroeg opgestaan en naar de plee gestommeld, en vergeten dat ze een totale verandering had ondergaan. Haar hart bonsde letterlijk in haar borst en ze draaide zich om, klaar om de vrouw die ze in een duistere hoek van de spiegel zag te lijf te gaan. Het was maar een kwestie van seconden, maar ze voelde zich een complete dwaas toen ze bij zinnen kwam en alles wat er de dag ervoor was gebeurd als een hete golf over haar heen sloeg. Was het schaamte? Ja, daar kwam het dicht bij in de buurt.

Ze had Angelina Upman op haar mobieltje gebeld na haar bezoek aan het gebouw waarin Bernard Faircloughs kennis, Vivienne Tully, woonde. Ze had gezegd dat ze in Kensington was en dat het ernaar uitzag dat ze 'dat haargedoe', zoals ze het uitdrukte, moest afzeggen omdat ze op dat moment zo ver van Chalk Farm vandaan was. Maar Angelina had daar enthousiast op gereageerd, hemeltjelief, Kensington was maar op een steenworp afstand van Knightsbridge. Dan zouden ze elkaar daar treffen in plaats van er samen naartoe te gaan. Hadiyyah hoorde haar moeders kant van het gesprek en had zich er ook mee bemoeid. Ze had de telefoon gepakt en gezegd: 'Je kunt nu niet terugkrabbelen, Barbara. En trouwens, je hebt er opdracht toe gekregen, dat weet je best. En het doet heus geen pijn.' Ze was zachter gaan praten en had gezegd: 'En we gaan naar het Dorchester, Barbara. Na afloop thee in het Dorchester. Mammie zegt dat daar iemand is die pianospeelt terwijl jij thee zit te drinken, en ze zegt dat er voortdurend iemand rondloopt met zilveren dienbladen áfgeladen met sandwiches en ze zegt dat iemand verse, warme scones rondbrengt en er zijn cakejes. Heel veel cakejes, Barbara.'

Barbara had schoorvoetend ingestemd. Ze zou hen in Knightsbridge ontmoeten. Ze deed alles voor sandwiches op een zilveren schaal.

In de haarsalon had zich iets groots afgespeeld, Barbara wist dat een zweefpsycholoog het een groei-ervaring zou hebben genoemd. De beschrijving die Angelina van Dusty, haar stilist, had gegeven klopte volledig. Toen Barbara in de stoel van een van zijn ondergeschikten geïnstalleerd was, was hij vanaf zijn plek naar haar toe gekomen, had een blik op haar geworpen en gezegd: 'God. Uit welke eeuw stam jij?' Hij was mager, knap, had stekeltjeshaar en was zo bruin voor de maand november dat hij die twijfelachtige, kankerverwekkende gezonde teint alleen voor elkaar had kunnen krijgen door uren op de zonnebank te liggen. Hij had niet gewacht tot Barbara met een gevat antwoord kwam, als ze dat al had gehad. In plaats daarvan had hij zich tot zijn ondergeschikte gewend en gezegd: 'Kort afknippen, doe er folie op met eentweeëntachtig en vierenzestig. En ik ga je werk controleren.' Toen zei hij tegen Barbara: 'Echt, je loopt er nu al zo lang mee. Als je zes weken had gewacht, had ik het zelf kunnen doen. Wat voor shampoo gebruik je in godsnaam?'

'Gewone shampoo. Dat gebruik ik overal voor.'

'Je maakt natuurlijk een grapje. Maar vast iets uit de supermarkt, hè?'

'Waar moet ik anders mijn shampoo kopen?'

Hij sloeg vol afgrijzen zijn ogen ten hemel. 'God.' Toen tegen Angelina nadat hij haar een paar luchtkussen had gegeven: 'Je ziet er weer schitterend uit, zoals altijd,' en liet Barbara toen aan zijn ondergeschikte over. Hadiyyah negeerde hij totaal.

Na afloop van wat Barbara als een periode in de Hades ervoer, was ze weer tevoorschijn gekomen met een kortgeknipt kapsel met strepen glanzend blonde highlights en subtiele kastanjebruine strengen. De ondergeschikte – die bij nader inzien niet Cedric bleek te zijn maar een leuke jonge vrouw uit Essex, ondanks vier lippiercings en borsttattoeages – legde haar uit hoe ze haar haar moest verzorgen, waar geen gewone shampoo of iets dergelijks aan te pas kwam maar een peperdure elixer dat klaarblijkelijk 'de kleur zou beschermen, het haar zelf zou versterken en de haarzakjes zou repareren', en, zo werd aangenomen, haar sociale leven zou veranderen.

Barbara betaalde huiverend voor dit alles. Ze vroeg zich af of vrouwen werkelijk zo veel geld spendeerden aan iets wat je net zo goed als een douchebeurt kon beschouwen.

Niettemin, toen ze die ochtend ging douchen, beschermde ze haar kostbare kapsel tegen het water met plasticfolie. Ze was gewikkeld in een oversized flanellen touwtjesbroek en een sweatshirt met capuchon en trakteerde zichzelf op een aardbeientaartje toen ze het opgewonden gebabbel van Hadiyyah aan haar deur hoorde, waarna er op haar deur werd geklopt.

'Ben je er? Ben je er?' riep Hadiyyah. 'Ik heb papa bij me zodat hij je nieuwe kapsel kan zien, Barbara.'

'Nee, nee, nee,' fluisterde Barbara. Ze was nog niet zover om wie dan ook onder ogen te komen, en de laatste die ze wilde zien was wel Taymullah Azhar, wiens stem ze wel hoorde, maar niet kon verstaan. Ze bleef stilletjes wachten, in de hoop dat Hadiyyah zou denken dat ze al naar haar werk was, maar hoe kon dat nou? Het was nog niet eens acht uur 's ochtends, Hadiyyah kende Barbara's gewoonten en ook al was dat niet het geval geweest, dan stond Barbara's Mini in het volle zicht van Azhars flat. Er zat niets anders op dan open te doen.

'Zie je wel?' riep Hadiyyah terwijl ze haar vader bij de hand greep. 'Zíé je dat, papa? Mammie en ik hebben Barbara gisteren meegenomen naar mammies eigen kapper. Ziet Barbara er niet leuk uit? Iédereen in het Dorchester keek naar haar.'

Azhar zei: 'Aha. Ja. Ik zie het,' waardoor Barbara zich voelde als iemand die een lauw pluimpje kreeg toebedeeld.

Ze zei: 'Wel wat anders, hè? Ik schrok me een ongeluk toen ik vanochtend in de spiegel keek.'

'Zo angstaanjagend is het helemaal niet,' zei Azhar ernstig.

'Juist. Nou ja. Ik bedoelde dat ik mezelf niet herkende.'

'Ik vind dat Barbara er prachtig uitziet,' zei Hadiyyah tegen haar vader. 'En mammie ook. Mammie zei dat het nu net lijkt alsof Barbara's gezicht licht geeft en haar ogen komen nu zo goed uit. Mammie zegt dat Barbara prachtige ogen heeft en dat ze die moet laten zien. Dusty zei tegen Barbara dat ze haar pony moet laten groeien, zodat ze op 't laatst geen pony meer heeft, maar in plaats daarvan...'

'*Khushi*.' Azhar onderbrak haar, maar niet onvriendelijk. 'Jij en je moeder hebben het heel goed gedaan. En nu is Barbara aan het ontbijten en moeten jij en ik gaan.' Hij schonk Barbara nog een lange en sombere blik. 'Het staat je goed,' zei hij, en hij legde zachtjes een hand op het hoofd van zijn dochter, draaide haar om en dirigeerde haar mee.

Barbara keek ze na toen ze naar hun appartement terugliepen, Hadiyyah huppelend en babbelend. Sinds Barbara Azhar kende, was hij altijd al een bedaarde man geweest, maar ze had het gevoel dat er nu meer aan de hand was. Ze wist niet precies wat het was, al had Angelina momenteel geen werk, dus misschien maakte hij zich zorgen om het feit dat hij en niet zijn partner de rekening van hun kostbare theeavontuur in het Dorchester moest betalen. Angelina had flink uitgepakt en was begonnen met champagne, waarmee ze had getoost op Barbara's ontluikende schoonheid, zoals ze het had uitgedrukt.

Barbara deed nadenkend de deur dicht. Als ze Azhar in een lastig parket had gebracht, moest ze daar iets aan doen, maar ze wist niet zo goed hoe, behalve dan dat ze hem een paar pond kon toeschuiven, die hij waarschijnlijk niet van haar zou aannemen.

Toen ze klaar was om de dag te beginnen, bereidde ze zich voor op wat haar te doen stond. Hoewel ze officieel nog steeds vrij was, moest ze vandaag toch langs New Scotland Yard. Daarmee zou ze het mikpunt worden van een aantal goedmoedige opmerkingen van haar collega's wanneer die haar kapsel eenmaal in het oog kregen.

In een andere situatie zou ze misschien het onvermijdelijke hebben uitgesteld, aangezien ze nog altijd vrij was. Maar Lynley had informatie nodig die ze gemakkelijker op de Yard kon krijgen dan waar ook, dus er zat niets anders op dan naar Victoria Street te gaan en zo min mogelijk op te vallen.

Ze had een naam, Vivienne Tully, maar niet veel meer. Ze had geprobeerd meer informatie te krijgen toen ze uit het pand in Rutland Gate was vertrokken en snel even naar de post in de vakjes had gekeken. Vivienne Tully woonde in flat 6, zag Barbara aan haar stapeltje post. Ze was snel de trap op gevlogen en had ontdekt dat dit appartement op de derde verdieping lag. Het was zelfs het enige appartement op die verdieping. Toen Barbara daar aanklopte, ontdekte ze dat Vivienne Tully een schoonmaakster had, die tijdens het stofzuigen en stoffen ook opendeed als er iemand klopte. Een beleefde vraag over waar miss Tully momenteel was, onthulde dat de schoonmaakster niet veel Engels sprak. Haar moedertaal leek uit een van de Baltische staten te komen, maar de vrouw herkende Vivienne Tully's naam wel en uit haar gebarentaal, een tijdschrift dat ze van een cocktailtafel griste en veel gesticuleren naar een staande klok maakte Barbara op dat Vivienne Tully bij het Royal Ballet danste of dat ze met ene Bianca naar een balletvoorstelling was of dat zij en haar vriendin Bianca naar balletles waren. Hoe dan ook, het kwam erop neer dat Vivienne Tully er niet was en hoogstwaarschijnlijk op z'n vroegst over een uur of twee pas weer thuis zou komen. Omdat Barbara voor haar opknapbeurt moest komen opdraven, kon ze niet blijven rondhangen om de vrouw aan te spreken. Dus was ze naar Knightsbridge vertrokken terwijl Vivienne Tully een blanco pagina bleef die later beschreven zou moeten worden.

Dus daarom ging ze naar de Yard, terwijl ze meteen de gelegenheid te baat wilde nemen om het een en ander op te zoeken over Ian Cresswell, Bernard Fairclough en de vrouw uit Argentinië die Lynley ook had genoemd: Alatea Vásquez y del Torres. Ze startte haar Mini en reed in de richting van Westminster. Ze hield haar hart vast en hoopte dat ze weinig collega's zou tegenkomen als ze door de gangen van New Scotland Yard sloop.

In dat opzicht had ze redelijk geluk, althans in het begin. De enige mensen die ze zag waren Winston Nkata en de afdelingssecretaresse

Dorothea Harriman. Dorothea, al heel lang de verpersoonlijking van elegante perfectie die op onnavolgbare wijze in alle aspecten van persoonlijke verzorging uitblonk, wierp een blik op Barbara, bleef stokstijf staan op haar mishandelende, twaalf centimeter hoge stilettohakken en zei: 'Briljant, brigadier. Absoluut briljant. Wie heeft dat gedaan?' Met haar slanke en onderzoekende vingers raakte ze Barbara's haar aan. Zonder op een antwoord te wachten vervolgde ze: 'Moet je kijken hoe het glanst. Schitterend, schitterend. Plaatsvervangend hoofdinspecteur Ardery zal opgetogen zijn. Je zult het zien.'

Dat zien was wel het laatste wat Barbara wilde. Ze zei: 'Dankjewel, Dee. Heel anders, hè?'

'Anders is te zacht uitgedrukt,' zei Dorothea. 'Ik wil de naam van die stilist. Wil je me die geven?'

'Tuurlijk,' zei Barbara. 'Waarom niet?'

'O, sommige vrouwen willen dat niet, weet je. De strijd van de vrouw op jacht. Dat soort dingen.' Ze deed een stap opzij en staarde zuchtend naar Barbara's haar. 'Ik ben jaloers op je.'

Bij het idee dat Dorothea Harriman wellicht jaloers was op haar kapsel barstte Barbara bijna in lachen uit, trouwens ook bij de gedachte dat zij van plan zou zijn een man te strikken nu ze deze make-over te verduren had gehad. Maar ze beheerste zich en gaf de vrouw Dusty's naam en de naam van de salon in Knightsbridge. Dit paste precies in Dees straatje, bedacht Barbara, want ze twijfelde er geen moment aan dat Dorothea reusachtig veel tijd en het grootste deel van haar salaris in Knightsbridge zou besteden.

Winston Nkata's reactie was minder uitgesproken, en daar dankte Barbara de hemel voor. Hij zei: 'Ziet er goed uit, Barb. Heeft de baas 't al gezien?' Meer niet.

Barbara zei: 'Die wil ik het liefst omzeilen. Als je haar ziet, dan ben ik er niet, oké? Ik bedoel, ik ben er wel, maar ik ben er niet. Ik moet alleen bij de politiecomputer, en nog een paar andere dingen doen.'

'Inspecteur Lynley?'

'Mondje dicht.'

Nkata zei dat hij Barbara zo goed mogelijk zou dekken, maar dat je nooit wist wanneer plaatsvervangend hoofdinspecteur Isabelle Ardery zou opduiken. 'Zorg maar dat je een goed verhaal hebt,' raadde hij haar aan. 'Ze is er niet gelukkig mee dat de inspecteur hem is gesmeerd zonder haar te laten weten waar hij is.'

Barbara keek Nkata nauwlettend aan toen hij dit zei. Ze vroeg zich af wat hij over Lynley en Isabelle Ardery wist, maar Nkata's gezichtsuitdrukking verried niets. Hoewel dat bij hem meestal zo was, concludeerde Barbara toch dat ze mocht aannemen dat hij doelde op iets wat voor de hand lag: Lynley hoorde bij Ardery's team en de commissaris had hem ingepikt om iets te doen wat buiten Ardery om ging; daar was ze pissig over.

Barbara vond een onopvallende plek waar ze toegang had tot de Yard-computer met zijn talloze informatiebronnen. Ze begon met Vivienne Tully en had weinig moeite om de relevante bijzonderheden over haar te verzamelen. Die voerden van haar geboorte in Wellington, Nieuw-Zeeland, via haar opleiding op de basisschool en de universiteit in Auckland tot aan een indrukwekkende, hoge graad in de economie. Ze was algemeen directeur van een bedrijf dat Precision Gardening heette en tuingereedschap produceerde, bepaald geen glamourbaan, dacht Barbara, en ze was bovendien een prominent bestuurslid van de Fairclough Foundation. Met een beetje verder graven kwam ze te weten dat er meer banden waren met Bernard Fairclough. Toen ze begin twintig was, was Vivienne directieassistente geweest van Bernard Fairclough bij Fairclough Industries in Barrow-in-Furness. In de periode tussen Fairclough Industries en Precision Gardening was ze een onafhankelijk business consultant geweest. Barbara vermoedde dat dat tegenwoordig kon betekenen dat ze een poging had gedaan een eigen bedrijf op te zetten, of dat ze vier jaar werkloos was geweest. Ze was nu negenendertig, en de foto van haar toonde een vrouw met stekeltjeshaar, een nogal jongensachtige kledingstijl en een behoorlijk angstaanjagend intelligent gezicht. In haar ogen was te lezen dat Vivienne Tully geen dwazen om zich heen duldde. In combinatie met haar achtergrond en haar voorkomen straalde ze ook een enorme onafhankelijkheid uit.

Barbara vond niets buitenissigs over lord Fairclough. Des te meer was er echter over zijn onhandelbare zoon te vinden, aangezien Nicholas Fairclough in zijn tienerjaren bepaald niet op het rechte pad was gebleven. Op zijn strafblad stonden auto-ongelukken, arrestaties voor rijden onder invloed, klunzige inbraken, winkeldiefstal en heling. Maar nu leek hij zijn leven te hebben gebeterd. Hij had al zijn schulden aan de maatschappij betaald en vanaf het moment dat hij getrouwd was, was hij de braafheid zelve geweest.

Daarmee kwam Barbara bij Alatea Vásquez y del Torres, de vrouw met de mondvol namen. Behalve haar naam stond tussen Barbara's verkreukelde notities de plaatsnaam waar ze vandaan kwam, iets met Santa María di nog wat, wat bepaald niet meehielp, zoals ze ontdekte. Santa María di et cetera bleek in een Latijns-Amerikaans land hetzelfde te zijn als de achternamen Jones en Smith in haar eigen land. Ze bedacht dat dit nog weleens een lastige klus zou kunnen worden.

Ze dacht net na over hoe ze dit zou aanpakken toen de plaatsvervangend hoofdinspecteur haar vond. Dorothea Harriman had helaas uitgebreid verslag gedaan van Barbara's haar, zonder even de moeite te hebben genomen een leugentje om bestwil te gebruiken door bijvoorbeeld te zeggen dat ze Barbara ergens anders had gezien dan op New Scotland Yard. Isabelle Ardery vond haar dan ook op de twaalfde verdieping, waar Barbara zich in de bibliotheek van de Met had verstopt, een prettige plek waar ze in alle rust en stilte toegang had tot de database van de Londense politie.

'Daar ben je dus.' De plaatsvervangend hoofdinspecteur was op Barbara af geslopen als een kat op jacht, en haar voldoening was al even katachtig. Ze zag eruit als een kat met een muis tussen haar kaken.

Barbara knikte en zei: 'Baas.' Ze voegde eraan toe: 'Nog altijd met vakantie,' mocht de kleine kans bestaan dat Isabelle Ardery een klusje voor haar had.

Ardery ging daar niet op in, en evenmin bevestigde ze het feit dat Barbara nog altijd uit de running was. Ze zei: 'Ik begin met het haar, brigadier.'

Als ze op de toon van de hoofdinspecteur mocht afgaan, wilde Barbara niet echt weten wat er daarna zou komen. Ze ging staan zodat Ardery het beter kon bekijken.

Ardery knikte. 'Dat,' zei ze, 'is pas een coupe. We kunnen zelfs wel spreken van een haarstijl.'

Als je in aanmerking nam wat ze ervoor had betaald, bedacht Barbara, kon ze het ook 'een avondje stappen in de Ritz' noemen. Ze wachtte tot er meer kwam.

Ardery liep om haar heen. Ze knikte en zei: 'Haar en tanden. Uitstekend. Ik ben blij dat je de weg weet te vinden als je voeten in brand staan, brigadier.'

'Niets is mij te veel,' zei Barbara.

'Wat de kleding betreft...'

Barbara bracht haar in herinnering: 'Vrije dagen, baas?' wat in haar ogen afdoende verklaarde waarom ze gekleed was in haar joggingbroek, T-shirt met DRINK JE BIER OP... KINDEREN IN CHINA ZIJN NUCHTER, rode hoge gympen en een duffels jasje.

'Zelfs als je vrijaf hebt, Barbara,' zei Ardery, 'ben je een vertegenwoordiger van de Met. Zodra je hier de deur binnenloopt...' Abrupt brak ze haar zin af toen ze haar blik op Barbara's beduimelde notitieblokje liet rusten. Ze zei: 'Wat ben je hier aan het doen?'

'Ik heb wat informatie nodig.'

'Als je het van hier nodig hebt, duidt dat op een politiekwestie.' Isa-

belle keek op het computerscherm. Ze zei: 'Argentinië?'
'Vakantie,' zei Barbara luchtig.
Isabelle keek verder. Ze scrolde naar het vorige scherm terug en naar dat daarvoor. Terwijl ze de lijst Santa María di-plaatsen las, zei ze: 'Begin je een voorliefde voor de Heilige Maagd te krijgen? Vakantie houdt in: resorts. Skiën. Naar het strand. Oerwoudexcursies. Avonturen. Ecoreizen. Wat vind jij leuk?'
'O, op dit moment speel ik met een aantal ideeën,' zei Barbara.
Isabelle draaide zich naar haar om. 'Ik ben niet achterlijk, brigadier. Als je naar vakantiemogelijkheden keek, zou je dat niet hier doen. En aangezien je hier wel bent en aangezien je vrijaf hebt gevraagd, durf ik te concluderen dat je voor inspecteur Lynley aan het werk bent. Klopt dat?'
Barbara slaakte een zucht. 'Ja.'
'Ik begrijp het.' Isabelle kneep haar ogen tot spleetjes terwijl ze daarover nadacht. Dat leek tot maar één conclusie te leiden. 'Dan heb je dus contact met hem.'
'Nou ja... min of meer. Oké.'
'Regelmatig?'
'Ik weet niet goed wat u bedoelt,' zei Barbara. Ze vroeg zich af waar dit verdomme toe leidde. Het was heus niet zo dat ze met inspecteur Lynley scharrelde. Als Ardery dat dacht, dan was ze echt zo gek als een deur.
'Waar is hij, brigadier?' vroeg de hoofdinspecteur onomwonden. 'Dat weet je, hè?'
Barbara dacht over haar antwoord na. Ze wist het inderdaad. Maar het was ook zo dat Lynley het haar niet had verteld. Ze wist het omdat hij het over Bernard Fairclough had gehad. Dus zei ze: 'Hij heeft het me niet verteld, baas.'
Maar Ardery vatte het zwijgende moment waarin Barbara had nagedacht over haar mogelijkheden anders op. Ze zei: 'Ik snap het,' op zo'n manier dat Barbara eruit begreep dat ze een ander idee had over de zaak dan dat die werkelijk in elkaar stak. 'Dankjewel, brigadier,' voegde de hoofdinspecteur eraan toe. 'Dank je hartelijk.'
Ardery liep weg. Barbara wist dat ze haar nog terug kon roepen voordat ze de bibliotheek uit was. Ze wist dat ze alles kon ophelderen. Maar dat deed ze niet. Evenmin vroeg ze zich af waarom ze de hoofdinspecteur iets wilde laten geloven wat pertinent onjuist was.
In plaats daarvan keerde ze terug naar haar werk over Santa María di nog wat. Alatea Vásquez y del Torres, dacht ze. In deze zaak ging het erom wie zíj was en niet Isabelle Ardery.

Milnthorpe

Cumbria

Uiteindelijk moest St. James zien om te gaan met het feit dat zijn vrouw gewoon bang was. Voor hun gezamenlijke toekomst had ze wel een stuk of zes scenario's geprojecteerd, maar geen ervan verminderde die angst. Wat voor St. James mogelijk een oplossing was voor hun lang gekoesterde wens om een gezin te stichten, was voor haar helemaal geen oplossing. Er waren te veel onzekere factoren waar ze geen controle over hadden, had ze beweerd, en schoorvoetend had hij moeten toegeven dat er een grote kern van waarheid zat in wat ze zei. Wanneer ze tot een open adoptie zouden besluiten, hadden ze niet alleen te maken met een kind dat een liefhebbend gezin nodig had, maar ook met een biologische moeder, een biologische vader en aan weerskanten biologische grootouders, en Joost mocht weten wie allemaal nog meer. In zo'n geval nam je niet simpelweg een kind uit de armen van een sociaal werker over en – dat moest gezegd – maar hopen dat het kind, en de jongvolwassene die uit dat kind zou opgroeien, niet de behoefte zou voelen om een tweede leven met een biologische familie op te bouwen, nadat hij die had opgespoord zodra hij oud genoeg was. Deborah had daar gewoon gelijk in, maar hij ook: ouders kregen nooit garanties, zo had hij tegen haar gezegd.

Zijn broer zette hem onder druk, wilde een antwoord. Dit meisje uit Southampton kon niet eeuwig wachten, had David gezegd. Er zijn andere echtparen die belangstelling hebben. 'Kom op, Simon. Het is ja of nee, en het is niks voor jou om niet te beslissen.'

Dus had St. James weer met Deborah gepraat. En weer was ze onvermurwbaar geweest. Ze hadden er een kwartier over gebakkeleid, waarna hij uiteindelijk een wandeling was gaan maken. Ze waren niet met ruzie uit elkaar gegaan, maar hadden wat ruimte nodig zodat de hitte van de discussie zou afkoelen.

Hij was uit de Crow & Eagle weggegaan en in de richting van Arnside gelopen, over de weg langs de rivier de Bela die uiteindelijk bij de wadden van Milnthorpe Sands uitkwam. Tijdens de wandeling deed hij zijn best niet na te denken, maar slechts de verregende, vochtige lucht in te ademen. Hij moest eens en voor altijd een heldere kijk op deze adoptiezaak krijgen. Als hem dat niet lukte, en als het Deborah niet lukte, zou dat hun huwelijk vergiftigen.

Dat verdomde tijdschrift had de zaken er bepaald niet gemakkelijker op gemaakt. Deborah had het nu in handen en ze had het van de eerste tot de laatste letter gelezen. Door een verhaal in *Conceptie* was ze definitief tot de slotsom gekomen dat ze draagmoederschap wilde: haar eitje, zijn sperma, een petrischaaltje en een draagmoeder. Ze had een verhaal gelezen van iemand die al zes keer draagmoeder was geweest en die o zo menslievend ten opzichte van andere vrouwen was. 'Het zou ons kind zijn,' benadrukte ze steeds maar weer. 'Van ons en van niemand anders.' Nou, ja en nee, zo dacht hij. Daar lagen evengoed gevaren op de loer, net als bij andere adoptieroutes.

Het was een mooie dag, hoewel het die nacht in Cumbria flink had geregend. Maar nu voelde de lucht schoon en koel aan en aan de hemel was een asgrijze massa stapelwolken te zien. Op de wadden joegen de thuisblijvers van de vogeltrek naar Afrika en de Middellandse Zee op haarwurmen, zeepieren en schelpen. Hij herkende er plevieren en strandlopers tussen, maar de rest kon hij niet thuisbrengen. Hij sloeg ze een tijdje gade en bewonderde ze om hun simpele leventje. Toen draaide hij zich om en liep terug naar Milnthorpe.

Toen hij op het parkeerterrein van de herberg aankwam, was Lynley daar ook net gearriveerd. Hij liep naar hem toe op het moment dat zijn vriend uit de Healey Elliot stapte. Ze bewonderden beiden even de gestroomlijnde vormen en het mooi geschilderde koetswerk, waarna St. James zei: 'Maar je bent hier vast niet om me jaloers te maken met je mooie karretje.'

'Ik moet elke kans aangrijpen om je naar de kroon te steken als het om een vervoermiddel gaat. Maar in dit geval heb je gelijk. Ik wilde met je praten.'

'Dat had ook telefonisch gekund. Dit was een hele rit.'

'Hmm. Ja. Maar een deel van onze dekmantel is opgeblazen. En het geeft vast niet als ik een tijdje bij de Faircloughs uit de buurt ben, dacht ik zo.' Lynley vertelde hem over de aanvaring tussen Valerie en Bernard met Mignon Fairclough. 'Ze weet niet dat Scotland Yard erbij betrokken is, maar ze zal er geen gras over laten groeien om dit aan de grote klok te hangen.'

'Dat kon weleens gunstig uitpakken.'

'Ik heb het zelfs liever.'

'Maar je voelt je er ongemakkelijk onder?'

'Inderdaad.'

'Waarom?'

'Om wie Fairclough is. Om wie Hillier is. Omdat die verdomde Hillier me altijd maar voor zijn karretje weet te spannen.'

St. James wachtte tot er meer kwam. Hij kende de geschiedenis van Lynley met de commissaris. Daaronder viel ten minste één poging om een misdaad te verdoezelen, lang geleden. Hij achtte Hillier ertoe in staat opnieuw misbruik van Lynley te maken wanneer iemand van 'ons soort mensen', zoals Hillier ongetwijfeld Fairclough, Lynley en zichzelf beschouwde, een misstap had begaan die hij in de doofpot wilde stoppen. En Lynley werd dan geacht het deksel dicht te doen. Alles was mogelijk en dat wisten ze allebei.

Lynley zei: 'Misschien is het allemaal een rookgordijn.'

'Welk deel?'

'Dat Fairclough wilde dat ik Ian Cresswells dood onderzocht. In elk geval insinueerde Mignon Fairclough dat. Het was zo'n opmerking van kijk-ook-maar-eens-naar-je-opdrachtgever. Iets waar ik zelf ook al aan had gedacht maar weer terzijde heb geschoven.'

'Waarom?'

'Omdat ik er gewoon geen touw aan kan vastknopen, Simon.' Lynley leunde tegen de zijkant van de Healey Elliot en sloeg zijn armen over elkaar. 'Als hij om de hulp van de Met had gevraagd in geval van een moord waarvan hij beschuldigd of verdacht werd en hij zijn naam wilde zuiveren, had ik het nog kunnen begrijpen. Of als een van zijn kinderen beschuldigd of verdacht werd en hun naam gezuiverd moest worden. Maar dit werd vanaf het begin als een ongeluk beschouwd, dus waarom zou hij het dan willen laten onderzoeken als hij zelf schuldig is of als hij vermoedt dat een van zijn kinderen dat is?'

'Dan duidt het er eerder op dat het Mignon is die een rookgordijn optrekt, denk je niet?'

'Het zou verklaren waarom ze gisteravond de aandacht op haar vader wilde vestigen. Klaarblijkelijk wilde Cresswell dat Bernard haar toelage zou stopzetten.' Lynley legde uit welke financiële regeling Mignon kennelijk met haar vader had. 'Daarmee streek hij haar tegen de haren in. En aangezien Cresswell de financiën regelde en alles wist van Bernards geldzaken, is het niet ondenkbaar dat hij ook de toelage van iemand anders wilde beëindigen.'

'De zoon?'

'Dat ligt voor de hand, nietwaar? Met Nicholas' verleden heeft Cresswell misschien beweerd dat hij hem voor geen cent vertrouwde en wie kon hem dat kwalijk nemen? Nicholas Fairclough was weliswaar een herstellende methamfetaminegebruiker, maar dat is tegelijk het sleutelwoord: herstellend en niet hersteld. Verslaafden genezen nooit echt. Ze leven van dag tot dag.'

Lynley wist daar alles van, erkende St. James, vanwege zijn eigen broer. 'En heeft Fairclough zijn zoon geld gegeven?'

'Dat wil ik natrekken. De andere dochter en haar man kunnen me daar meer over vertellen.'

St. James keek een andere kant op. Door een achterdeur van het hotel dreven geluiden en geuren hun kant op: gekletter en gerinkel van pannen en de geur van gebakken bacon en geroosterd brood. Hij zei tegen Lynley: 'Hoe zit het met Valerie Fairclough, Tommy?'

'Als moordenaar?'

'Ian Cresswell was geen bloedverwant van haar. Hij was de neef van haar man en kon haar kinderen kwaad berokkenen. Als hij de toelage van Mignon wilde stopzetten en als hij twijfelde aan een langdurig herstel van Nicholas, dan had hij Fairclough er wellicht toe aangezet ze financiële hulp te weigeren. En volgens agent Schlicht heeft Valerie Fairclough zich die dag ontegenzeggelijk vreemd gedragen: op en top gekleed, volmaakt kalm, een telefoontje waarin ze aankondigde dat "er een dode man in mijn botenhuis drijft".'

'Dat is zo,' gaf Lynley toe. 'Maar ze had ook het beoogde slachtoffer kunnen zijn geweest.'

'Motief?'

'Mignon zegt dat haar vader er bijna nooit is. Hij is om de haverklap in Londen. Havers onderzoekt nu die kant van de zaak, maar als er iets mis is met Faircloughs huwelijk, wilde Bernard zich misschien van zijn vrouw ontdoen.'

'Waarom gaat hij dan niet van haar scheiden?'

'Vanwege Fairclough Industries. Hij leidt dat bedrijf al eeuwen en uiteraard zou hij een berg geld meenemen als dat in een regeling zou worden opgenomen, tenzij er een soort huwelijkse voorwaarde is waar we geen weet van hebben. Maar het is nog altijd haar bedrijf en ik durf te beweren dat ze bij elke te nemen beslissing wanneer ze dat maar wil haar gewicht in de schaal kan leggen.'

'Voor haar nog een reden om Ian uit de weg te ruimen, Tommy, als hij besluiten wilde doorvoeren die haar niet zinden.'

'Zou kunnen. Maar was het dan niet logischer geweest om Ian te ontslaan? Waarom hem vermoorden als ze hem even gemakkelijk kon tegenhouden zoals hij de toelage van twee van haar kinderen kon tegenhouden?'

'Dus hoe staan we ervoor?' St. James wees hem erop dat het fileermes dat ze uit het water hadden gevist er met het blote oog volmaakt onschuldig uitzag, er zat geen schrammetje op. Ook de stenen die ze omhoog hadden gehaald vertoonden geen recente krassen die erop wezen dat ze uit de kade waren losgewrikt. Ze konden agent Schlicht meenemen naar het botenhuis en de plaatselijke forensische jongens erbij halen, maar dan moest de onderzoeksrechter de zaak heropenen en ze hadden nagenoeg niets om hem over te halen nog eens naar de dood van Ian Cresswell te kijken.

'We moeten het antwoord bij de betrokkenen zoeken,' zei Lynley. 'Zij moeten nader onderzocht worden.'

'Wat volgens mij betekent dat ik je niet langer van dienst kan zijn,' zei St. James. 'Hoewel we als laatste nog iets met het fileermes kunnen proberen. En misschien moeten we nog een keer met Mignon gaan praten.'

Lynley wilde net op die opmerkingen reageren toen zijn telefoon ging. Hij keek wie er belde en zei: 'Havers. Misschien weten we straks welke stappen we moeten ondernemen.' Hij klapte zijn telefoon open en zei: 'Vertel me dat je iets hebt, brigadier, want hier lopen we voortdurend vast.'

Arnside

Cumbria

Alatea was vroeg bollen gaan planten, want ze wilde haar echtgenoot ontlopen. Ze had niet goed geslapen, had urenlang koortsachtig liggen piekeren en was bij het eerste daglicht uit bed geglipt en het huis uitgegaan.

Nicholas had ook slecht geslapen. Er was iets helemaal mis.

Het eerste bewijs daarvan had zich de avond ervoor tijdens het eten aangediend. Hij speelde met zijn eten, had zijn vlees gesneden en er voornamelijk mee rondgeschoven, had alleen de aardappels netjes in stukjes gesneden en ze als pokerfiches opgestapeld. Op haar vraag naar wat hem dwarszat, had hij vaagjes geglimlacht en gezegd: 'Ik heb vanavond gewoon niet zo'n trek,' en uiteindelijk was hij van tafel opgestaan en de zitkamer in geslenterd, waar hij even in de hoek bij de haard was gaan zitten. Daarna ijsbeerde hij door de kamer alsof hij als een attractie in een kooi gevangenzat.

Toen ze naar bed waren gegaan, was het nog erger geweest. Met toenemende angstgevoelens was ze dichter bij hem gaan liggen. Met een hand op zijn borst had ze gezegd: 'Nicky, er is iets aan de hand. Vertel het me,' hoewel ze in werkelijkheid banger was voor zijn antwoord dan voor haar eigen rusteloze geest en waar die haar heen zou leiden als ze die de vrije teugel liet. Hij had gezegd: 'Er is niets. Echt niet, liefje. Alleen moe of zo. Een beetje gespannen.' Toen er onwillekeurig een angstige blik in haar ogen verscheen, vervolgde hij: 'Je hoeft je geen zorgen te maken, Allie,' en ze wist dat hij haar geruststelde over iets wat in hem zat, en dat het niets met zijn drugsverleden te maken had. Ze had ook niet gedacht dat dat het geval was, maar ze speelde het spel mee en zei: 'Misschien moet je met iemand gaan praten, Nicky. Je weet hoe het gaat.' En hij knikte. Maar hij keek haar zo liefdevol aan dat ze besefte dat wat hij ook op zijn hart had, het met haar niets te maken had.

Ze hadden niet gevreeën. Dat was ook ongebruikelijk, want zij had hem benaderd en niet andersom. En hij had al lang naar haar toenaderingen verlangd. Hij was niet achterlijk en wist heel goed hoe ongelijkwaardig het tussen hen was, althans, dat was wat mensen zagen die de gelijkwaardigheid van anderen aan de hand van uiterlijkheden beoordeelden. Dus hij raakte altijd opgewonden als zij hem even vaak wilde als hij haar, en hij gaf er altijd gevolg aan. Dit was ook een slecht voorteken.

Dus toen Alatea de tuin in ging, deed ze dat deels omdat ze iets te doen moest hebben, zodat ze werd afgeleid van de afschrikwekkende mogelijkheden die gedurende de nacht in haar waren opgekomen. Maar ze deed het ook omdat ze Nicholas niet wilde zien, want wat hem dwarszat zou er uiteindelijk uitkomen en ze dacht niet dat ze dat aan zou kunnen.

Er moesten enkele duizenden bollen worden geplant. Ze wilde het grasveld vol zetten met sneeuwroem, zodat een blauwe deken op een groene ondergrond vanaf het huis naar de zeewering omlaag zou vallen. Dat was een hele klus, maar daar was ze blij om. Ze kreeg het natuurlijk niet in één ochtend klaar, maar ze kon een mooie start maken. Ze pakte de schep en de uren vlogen om. Totdat ze zeker wist dat haar man uit Arnside House was vertrokken om naar Barrow-in-Furness te rijden om zijn halve dag bij Fairclough Industries te werken alvorens naar het burchttorenproject te gaan, bleef ze bezig en wreef zo nu en dan over de pijnlijke plekken in haar rug.

Pas toen ze naar het huis liep, zag ze dat zijn auto er nog stond en ze begreep dat Nicholas helemaal niet naar zijn werk was gegaan. Daarna ging haar blik van de auto naar het huis en langzaam kroop de angst langs haar rug omhoog.

Ze trof hem in de keuken. Hij zat hij aan de brede eiken tafel te piekeren. Voor zijn neus stond een kop koffie, vlak bij een cafetière en een suikerpot. Maar de koffie leek onaangeroerd en een ring aanslag aan de binnenkant van de cafetière duidde erop dat de inhoud ervan al lang koud was.

Hij had zich niet aangekleed. Hij zat daar in zijn pyjamabroek en droeg de kamerjas die ze hem voor zijn verjaardag had gegeven. Hij was op blote voeten en had kennelijk geen last van de koude tegels. Er klopte niets van zijn uiterlijk. Maar wat al helemaal niet klopte, was dat Nicholas niet naar zijn werk was gegaan.

Alatea wist niet goed wat ze moest zeggen. Ze borduurde voort op de hint die hij haar de vorige avond onder het eten had gegeven. Ze zei: 'Nicky, ik had niet verwacht dat je nog thuis was. Ben je ziek?'

'Ik moet nadenken.' Hij keek haar aan en ze zag dat zijn ogen bloeddoorlopen waren. Haar armen gingen tintelen en die tinteling leek tot in haar hart door te dringen. Hij zei: 'En dit leek de beste plek om dat te doen.'

Ze wilde niet naar het voor de hand liggende vragen, maar dat niet te doen zou nog opvallender zijn, dus zei ze: 'Waar denk je dan over na? Wat mankeert eraan?'

Eerst zei hij niets. Ze sloeg hem gade. Hij wendde zijn blik van haar af, kennelijk dacht hij over haar vraag na en over alle verschillende antwoorden die hij daarop kon geven. Toen zei hij: 'Manette is bij me geweest. Op de expeditieafdeling.'

'Zijn er dan problemen?'

'Het ging over Tim en Gracie. Ze wil dat wij ze in huis nemen.'

'In huis nemen? Hoe bedoel je?'

Hij legde het haar uit. Ze hoorde hem wel maar luisterde niet echt, want de hele tijd probeerde ze zijn toon te duiden. Hij had het over zijn neef Ian, over Ians vrouw Niamh en over Ians twee kinderen. Alatea kende ze natuurlijk allemaal, maar ze had niet geweten wat Niamhs bedoelingen met haar eigen vlees en bloed waren. Ze vond het onvoorstelbaar dat Niamh haar kinderen zo gebruikte, als schaakstukken in een spel dat in alle opzichten afgelopen had moeten zijn. Ze kon wel huilen om Tim en Gracie en ze wilde per se iets voor ze doen, en Nicholas voelde dat duidelijk ook zo. Maar kon hij daardoor niet slapen, was hij daardoor ziek geworden...? Hij vertelde haar niet alles.

'Het zou het beste zijn als Manette en Freddie ze in huis namen,' besloot hij. 'Ik kan Tims problemen niet oplossen, maar Manette en Freddie wel. Zij kan tot Tim doordringen. Daar is ze goed in. Zij geeft nooit iemand op.'

'Dus dat is dan kennelijk opgelost,' zei Alatea hoopvol.

'Behalve dat Manette en Freddie uit elkaar zijn en dat werkt niet mee,' zei Nicholas. 'Ze zitten in een merkwaardige en bovendien onevenwichtige situatie.' Hij zweeg weer even, schonk nog wat koffie bij zijn koude koffie en roerde er een grote theelepel suiker door. 'En dat is heel jammer,' vervolgde hij, 'want die twee horen bij elkaar. Ze hebben alleen nooit kinderen gekregen en volgens mij is hen dat na verloop van tijd opgebroken.'

O god, dit was het dus, dacht Alatea. Hier zou het uiteindelijk allemaal op neerkomen. Ze had wel geweten dat het zover zou komen, als het niet met Nicholas was, dan wel met iemand anders.

Ze zei: 'Misschien wilden ze geen kinderen. Dat is bij sommige mensen zo.'

'Sommige mensen misschien, maar Manette niet.' Hij keek haar aan. Zijn gezicht was vertrokken. Daaraan zag Alatea dat hij haar de waarheid vertelde. Tim en Gracie hadden weliswaar een stabiele woonplek nodig, maar dat was het niet wat haar man dwarszat. 'Volgens mij is er meer.' Ze trok een stoel naar zich toe en ging aan tafel zitten. 'Ik denk, Nicky, dat het beter is als je het me vertelt.'

Gedurende lange tijd was het feit dat Nicholas haar alles van begin af aan had verteld een sterk aspect van hun relatie geweest. Dat wilde hij per se, vanwege het leven dat hij vroeger had geleid, een leven vol leugens, een leven waarin alles erop gericht was tegen elke prijs zijn drugsgebruik te verbergen. Als hij haar nu niet alles vertelde, wat dat 'alles' ook mocht zijn, zou het verzwijgen van die informatie hun huwelijk veel meer schade toebrengen dan de informatie zelf. En dat wisten ze allebei.

Ten slotte zei hij: 'Volgens mij denkt mijn vader dat ik Ian heb vermoord.'

Dit kwam voor Alatea zo volkomen onverwacht dat ze met stomheid geslagen was. Ze kon geen woorden vinden, althans niet in het Engels.

Nicholas zei: 'Scotland Yard is hier om Ians dood te onderzoeken. Als je bedenkt dat het als een ongeval wordt beschouwd, is er slechts één reden waarom Scotland Yard erbij is gehaald. Als pa het wil, kan hij wel aan een paar touwtjes trekken. En volgens mij heeft hij dat gedaan.'

'Onmogelijk.' Alatea's mond werd droog. Ze wilde een slokje van Nicholas' koffie nemen, maar piekerde er niet over ook maar een enkele beweging te maken, omdat ze bang was dat ze haar plotseling trillende lichaam niet in bedwang kon houden. 'Hoe weet je dat, Nicky?'

'Die journalist.'

'Wat...? Heb je het over die man? Diezelfde man? Die hier is geweest...? Het verhaal dat nooit een verhaal is geworden?'

Nicholas knikte. 'Hij is terug. Hij heeft het me verteld. Scotland Yard is hier. De rest is duidelijk genoeg: ze zijn in mij geïnteresseerd.'

'Zei hij dat? Heeft de journalist dat gezegd?'

'Niet met zoveel woorden. Maar uit alles wat er gaande is, ligt dat voor de hand.'

Er was nog iets wat hij haar niet vertelde. Alatea kon het aan zijn gezicht zien. Ze zei: 'Ik geloof het niet. Jij? Waarom zou jij Ian in godsnaam iets aan willen doen? En waarom zou je vader dat denken?'

Hij haalde zijn schouders op. Ze zag dat hij worstelde met zichzelf, dat hij iets niet durfde te vertellen. En zij worstelde om te begrijpen wat het was en wat dat voor hen beiden betekende. Hij was diep in de put, of heel erg verdrietig, of heel erg – héél erg iets anders.

Ze zei: 'Volgens mij moet je met je vader gaan praten. En wel meteen. Deze verslaggever, Nicky, heeft het niet goed met je voor. En nu deze vrouw, die zegt dat ze van een filmbedrijf is dat niet bestaat... Je moet onmiddellijk met je vader gaan praten. Je moet de waarheid boven tafel krijgen. Dat is de enige manier, Nicky.'

Hij hief zijn hoofd. Zijn ogen waren vochtig. Haar hart verkrampte door de liefde die ze voor deze man voelde, deze gekwelde ziel tegenover haar eigen gekwelde ziel. Hij zei: 'Nou, ik heb definitief besloten om niet aan die documentaire van haar mee te werken. Dat heb ik haar trouwens al verteld, dus daarmee is één ding van tafel.' Hij bewoog zijn lippen in een vergeefse poging tot glimlachen. Die was bedoeld om haar te bemoedigen, haar te vertellen dat alles gauw genoeg weer in orde zou komen.

Ze wisten echter beiden dat dat niet het geval was. Maar evenals al het andere wilden ze dat geen van beiden toegeven.

Milnthorpe

Cumbria

'Ik zou het niet op een envelop kunnen schrijven, maar als je daar een brief naartoe stuurt hebben ze er vast een Spaanse afkorting voor,' zei Havers. Ze had het over de stad in Argentinië die ze had weten te identificeren als de plaats waar Alatea Vásquez y del Torres hoogstwaarschijnlijk vandaan kwam. 'Santa María de la Cruz, de los Ángeles, y de los Santos,' had ze net telefonisch aan Lynley opgedreund. 'We hebben het over een vesting die alle spirituele aardlijnen raakt. De plek ligt vast in een aardbevingsgevoelig gebied en mocht zich het ergste voordoen, dan maar hopen op goddelijk ingrijpen.'

Lynley hoorde dat ze rookte. Dat verbaasde hem niets. Havers rookte altijd. Dan was ze dus niet op de Met. Was ze daar wel, dan belde ze vanuit een trappenhuis waar ze, wist hij, zo nu en dan onderdook voor een clandestiene peuk. Hij zei tegen haar: 'Waarom die stad, Barbara?' en tegen St. James, die ook tegen de Healey Elliot leunde: 'Ze zit achter Alatea Fairclough aan.'

'Met wie praat u?' vroeg Havers geërgerd. 'Ik heb een pesthekel aan driegesprekken.'

'St. James staat naast me. Ik zet hem wel op de luidspreker, als ik tenminste weet hoe dat moet.'

'O, dat krijgt u pas voor elkaar als het in de hel gaat sneeuwen,' zei ze. 'Geef hem aan Simon, sir. Hij weet hoe het moet.'

'Havers, ik ben niet helemaal...'

'Sir.' Het was haar geduldige-heilige-toon. Er zat niets anders op. Hij gaf het mobieltje aan St. James. Na een druk op een paar knoppen luisterden ze allebei naar Havers op het parkeerterrein van de Crow & Eagle.

'Het gaat om de burgemeester,' zei Havers. 'Ik weet dat het rondtasten in het duister is, sir, maar de burgemeester heet Esteban Vega y de Vásquez en zijn vrouw heet Dominga Padilla y del Torres de Vásquez. Ik vond dit zo'n situatie van alles in een hoge hoed gooien en kijken wat je krijgt. Een paar van de achternamen zijn hetzelfde als die van Alatea.'

'Dat is nogal een slag in de lucht, Barbara.'

'Heb je dit van internet?' vroeg St. James.

'Ik ben er verdomme uren mee bezig geweest. En aangezien alles ergerlijk genoeg in het Spaans is, neem ik maar aan dat hij de burgemeester is. Hij kan net zo goed de hondenvanger zijn, maar er stond een foto van hem bij en ik kan niet bedenken waarom de hondenvanger op een foto de sleutels van de stad overhandigd krijgt. Nou ja, behalve Barbara Woodhouse misschien.'

'Die is overleden,' zei Lynley.

'Kan me niet schelen. Er is dus een foto van hem, in zijn burgemeestershuis, zijn vrouw is erbij en ze poseren met iemand, en ik kan uiteraard niet lezen waar het over gaat want het is in het Spaans waarin ik waarachtig "*una cerveza por favor*" kan zeggen maar dat is het dan ook wel. Maar de namen staan in het bijschrift. Esteban en Dominga enzovoort. Volgens mij is dat tot nu toe onze beste kans, want ik heb verder niets kunnen vinden wat maar in de buurt komt.'

'We hebben een vertaler nodig,' merkte Lynley op.

'Hoe zit het met jou, Simon? Is Spaans een van je vele talenten?'

'Alleen Frans,' zei St. James. 'Nou ja, ook Latijn, maar ik weet niet of we daar veel aan hebben.'

'We moeten in elk geval iemand zien te vinden. En iemand anders die ons kan vertellen hoe deze mensen aan hun achternamen komen, want ik weet het verdomme niet en ik begrijp er helemaal niets van.'

'Het heeft met voorouders te maken,' zei Lynley.

'Dat zal wel, ja. Maar wat? Volgen ze elkaar dan door de geschiedenis heen op? Dat zou ik niet op mijn paspoortaanvraag willen zetten, als u begrijpt wat ik bedoel.'

Lynley dacht na over wie dit zou kunnen vertalen. Natuurlijk zou er bij de Met wel iemand zijn die dat kon, maar hij wist niet hoeveel mensen hij hier nog bij kon betrekken voordat Isabelle naar hem geleid zou worden.

Hij zei: 'En hoe zit het met Alatea Fairclough zelf? Stel dat je hiermee komt als je haar aan de tand voelt over Santa María en nog wat? Je denkt dat ze de dochter is van de burgemeester, hè?'

Havers zei: 'Zo ver zou ik niet willen gaan, sir. Ze schijnen vijf zoons te hebben.' Ze zoog aan de andere kant van de lijn aan haar sigaret en Lynley hoorde papier kraken, dus hij wist dat ze tegelijkertijd door haar notitieboekje bladerde. Ze vervolgde: 'Carlos, Miguel, Ángel, Santiago en Diego. Althans ik denk dat het vijf zoons zijn. Maar als je bedenkt hoe deze mensen hun namen aan elkaar rijgen, kan het net zo goed één kerel zijn.'

'En waar past Alatea in het plaatje?'

'Misschien is ze de vrouw van een van hen.'

'Een echtgenote op de vlucht?'

'Dat zou heel goed kunnen.'

'Of een familielid?' vroeg St. James. 'Een nicht, misschien.'

'Dat kan ook.'

'Heb je in die richting gezocht?' vroeg Lynley haar.

'Nee. Dat kan ik wel doen. Maar ik kom niet erg ver, want zoals gezegd is alles in het Spaans,' bracht ze hen in herinnering. 'Natuurlijk heeft de Yard een vertaalprogramma. Dat weet u ook wel. Ergens zit iets in die computers begraven, verstopt voor de nieuwsgierige ogen van de mensen die het werkelijk soms moeten gebruiken. Ik kan met Winston praten. Hij weet vast hoe dat moet. Zal ik het hem vragen?'

Lynley dacht erover na. Hij was weer terug bij wat hij eerder in overweging had genomen: hoe Isabelle Ardery zou reageren als ze ontdekte dat hij een ander lid van haar team voor zijn eigen doeleinden gebruikte. Dat zou geen aangenaam tafereel opleveren. Er moest een andere manier gevonden worden om het Spaanse taalprobleem te tackelen. Nu wilde hij niet nadenken over de reden waarom Isabelles reactie hem dwarszat. Vroeger zou de reactie van een leidinggevende hem niets uitgemaakt hebben. Het feit dat hij zich daar nu wel zorgen over maakte, bracht hem op een gevaarlijk hellend vlak dat hij op dit moment niet in zijn leven wilde.

Hij zei: 'We moeten iets anders verzinnen, Barbara. Ik kan Winston er niet ook nog bij betrekken. Die bevoegdheid heb ik niet.'

Havers wees hem er niet op dat hij ook niet bevoegd was om haar hulp in te roepen. Ze zei alleen: 'Ik zal wel... Nou ja, ik kan het Azhar vragen.'

'Je buurman? Spreekt hij dan Spaans?'

'Hij weet praktisch alles,' zei ze ironisch. 'Maar als hij geen Spaans spreekt, kent hij vast iemand op de universiteit die dat wel kan. Waarschijnlijk een professor. Een doctoraalstudent. En als ik het helemaal niet meer weet, kan ik altijd nog naar Camden Lock Market lopen en naar de toeristen luisteren – als die er in deze tijd van het jaar tenminste zijn – en iemand die Spaans spreekt naar het dichtstbijzijnde internetcafé sleuren om naar de webinformatie te kijken. Ik bedoel, er is altijd wel iets te verzinnen, sir. Ik denk dat we Winston niet nodig hebben.'

'Vraag Azhar maar,' zei Lynley en hij voegde eraan toe: 'als je daarmee tenminste niet in een lastig parket komt.'

'Waarom zou ik daarmee in een lastig parket komen, sir?' Barbara zei het wantrouwig en daar had ze goede reden toe.

Lynley antwoordde niet. Sommige dingen tussen hen werden niet uitsproken. Haar relatie met Taymullah Azhar was daar een van. 'Verder nog iets?' vroeg hij aan haar.

'Bernard Fairclough. Hij heeft de sleutels van het appartement van een zekere Vivienne Tully. Ik ben daar geweest, maar heb haar nog niet gezien. Ik heb een foto van haar opgediept en daarop ziet ze er jeugdig uit, trendy kleren, mooie huid, mooi figuur, gewaagde haarstijl. Feitelijk de nachtmerrie van iedere echtgenote. Het enige wat ik weet is dat ze ooit voor hem heeft gewerkt, dat ze nu in Londen werkt en dat ze van ballet houdt, want daar was ze gisteren naartoe. Dansles of een voorstelling, een van de twee. Haar huishoudster spreekt geen Engels, dus hebben we met gebarentaal gecommuniceerd. Een hoop bewegende lichaamsdelen, als u begrijpt wat ik bedoel. Godallemachtig, sir, hebt u gemerkt hoe weinig mensen er tegenwoordig in Londen wél Engels spreken? Heb jij dat ook gemerkt, Simon? Ik heb het gevoel dat ik in de lobby van de verdomde Verenigde Naties woon.'

'Heeft Fairclough een sleutel van haar flat?'

'Klinkt knus, hè? Ik heb een volgend tripje naar Kensington op mijn agenda staan. Ik vermoed dat het niet zonder slag of stoot zal gaan. Ik heb me nog niet beziggehouden met het Cresswell-testament...'

Dat gaf niet, zei Lynley tegen haar. Ze zou de bijzonderheden kunnen verifiëren, maar de informatie hadden ze al. Ze waren te weten gekomen dat er een verzekering op naam van de ex-vrouw bestaat. En volgens de partner staat in Cresswells testament dat de farm naar hem gaat. Maar ze kon er wel aan werken om deze details bevestigd te krijgen. De datum van het testament kon ook helpen. Zou ze daarvoor kunnen zorgen?

Dat kon ze en dat zou ze doen, zei ze tegen hem. 'En de kinderen?'

'Kennelijk veronderstelde Cresswell dat het verzekeringsgeld ook naar hen zou gaan. Maar daarin heeft hij zich vergist.'

Havers floot. 'Altijd het geld volgen.'

'Zo is 't maar net.'

'Wat me er trouwens aan doet denken,' zei ze, 'die jongen van *The Source*? Bent u die al tegen het lijf gelopen?'

'Nog niet,' zei Lynley. 'Hoezo?'

'Omdat er meer met hem aan de hand is dan op het eerste gezicht lijkt. Het blijkt dat hij hier is geweest, drie dagen vóórdat Ian Cresswell is verdronken. En aangezien hij voer voor zijn krantenverhaal nodig had, lijkt moord daar prima geschikt voor.'

'Nou, dat zullen we meenemen,' zei Lynley tegen haar, 'maar dan moet hij op het landgoed van de Faircloughs zijn geweest, naar het botenhuis zijn gegaan, met de kademuur hebben gerommeld en weer van het terrein zijn weggegaan, en dat alles ongezien. Het was een grote vent, zei je, toch?'

'Meer dan twee meter lang. Dus hem kunnen we wel wegstrepen?'

'Ik weet het niet, op dit moment is alles mogelijk.' Lynley dacht erover na hoe waarschijnlijk het was dat een roodharige verslaggever van meer dan twee meter aan de aandacht van Mignon Fairclough zou kunnen ontsnappen. Dat zou misschien alleen kunnen als het in het holst van een wel heel donkere nacht was, vermoedde hij.

Hij zei: 'We moeten op de een of andere manier dingen uitsluiten.' Dat was het teken dat hun gesprek ten einde was en hij wist dat de brigadier dat begreep. Maar voordat ze kon ophangen moest hij het weten, ook al wilde hij niet begrijpen waarom. Hij zei: 'Weet de hoofdinspecteur nog steeds niet wat je aan het doen bent? Denkt ze nog steeds dat je met vakantie bent? Je bent haar toch niet op de Met tegen het lijf gelopen, hè?'

Er viel een stilte. Daardoor wist hij het antwoord al. Hij ontweek de blik van St. James en zei: 'Verdomme. Dat maakt de zaken er niet eenvoudiger op. Voor jou, bedoel ik. Sorry Barbara.'

Ze zei luchtigjes: 'Eerlijk gezegd is de baas wat gespannen, inspecteur. Maar u kent me, ik ben wel aan een beetje stress gewend.'

Milnthorpe

Cumbria

Deborah vond het verschrikkelijk als ze onenigheid had met haar man. Dat kwam doordat hij zoveel ouder was dan zij, maar ook door zijn handicap en alles wat daarbij kwam kijken. Maar het kwam vooral omdat ze zulke verschillende karakters hadden, waardoor ze heel anders in het leven stonden. Simon benaderde de zaken logisch en verbazingwekkend objectief, waardoor het bijna onmogelijk was om iets tegen hem in te brengen omdat zij alles door een waas van emoties zag. In een gevecht waarin de strijdende partijen geëmotioneerd dan wel zakelijk het slagveld betraden, wonnen de zakelijk opererende bataljons het altijd. Haar restte vaak niets anders dan haar toevlucht te nemen tot de meest nutteloze opmerking om een einde te maken aan elke verhitte discussie tussen hen: je begríjpt het gewoon niet.

Toen Simon uit hun hotelkamer was vertrokken, wist ze wat haar te doen stond. Ze belde zijn broer David en bracht hem hún, zoals zij het uitdrukte, beslissing over. 'Ik vind het zo geweldig wat je allemaal voor ons hebt gedaan, David,' zei ze tegen hem en ze meende dat oprecht. 'Maar ik kan mezelf er niet toe brengen een baby te delen met zijn biologische ouders. Dus we doen het niet.'

Ze wist dat David teleurgesteld was en ze twijfelde er niet aan dat de rest van Simons familie dat ook zou zijn. Maar aan Simons familie werd niet gevraagd hun ziel en zaligheid open te stellen voor iets wat nagenoeg onbekend terrein voor ze was. David zei: 'Het is allemaal één grote gok, Deb, op welke manier je ook aan een kind wil komen,' waarop zij had gezegd: 'Dat weet ik. Maar het antwoord blijft hetzelfde. Al die complicaties die erbij komen kijken... Ik zou er niet mee om kunnen gaan.'

Dus was het afgelopen. Over een paar dagen zou het zwangere meisje op weg zijn naar een ander echtpaar dat naar een kind verlangde. Deborah was blij dat ze de beslissing had genomen, maar ze voelde zich ook ontroostbaar. Simon zou er niet blij mee zijn, maar ze kon niet anders. Ze moesten gewoon verder.

Ze had gemerkt dat haar man zich helemaal niet op zijn gemak voelde als ze met een draagmoeder in zee zouden gaan. Eigenlijk had ze gedacht dat hij er wel oren naar zou hebben, aangezien hij een wetenschapper was. Maar hij vond dat de wonderen der moderne wetenschap aan het 'ontmenselijken waren, Deborah'. Zichzelf te moeten opsluiten op een dokterstoilet om het gepaste kwakje te produceren dat naar een even gepast steriel schaaltje werd overgebracht... En dan moesten haar eicellen nog worden geoogst en wat kwam daar wel allemaal niet bij kijken, en dan de kwestie van de draagmoeder en het monitoren van die draagmoeder door de hele zwangerschap heen en dan moesten ze om te beginnen nog iemand zien te vinden.

'Wie zou het moeten worden?' had hij niet onredelijk gevraagd. 'En hoe weet je zeker dat je over alles wat nodig is zekerheid kunt krijgen?'

'We huren eigenlijk alleen maar een baarmoeder,' had Deborah hem uitgelegd.

'Als je denkt dat haar betrokkenheid daarmee ophoudt,' antwoordde Simon, 'dan stop je je kop in het zand. We huren in haar huis echt geen lege kamer die we kunnen inrichten, Deborah. Er groeit een leven in haar lichaam. Je lijkt te denken dat dat aan haar voorbijgaat.'

'In godsnaam, er wordt een contract opgesteld. Moet je horen, in dat tijdschrift staat een verhaal over...'

'Dat tijdschrift,' zei hij, 'moet je in de papierbak gooien.'

Maar Deborah gooide het niet weg toen hij de kamer uit was. In plaats daarvan belde ze David en daarna bladerde ze door het *Conceptie*-exemplaar dat Barbara Havers haar had gestuurd. Ze staarde naar de foto's van de vrouw die zes keer draagmoeder was geweest en die met de gezinnen poseerde die ze zo gelukkig had gemaakt. Ze las het artikel opnieuw. Ten slotte bladerde ze door naar achteren waar de advertenties stonden.

Er stond zo'n beetje alles bij wat maar met voortplanting te maken had, maar ondanks het hoopvolle artikel in het blad zelf was er geen advertentie over draagmoederschap. Toen ze een wetswinkel belde die op die pagina vermeld stond, hoorde ze waarom dat zo was. Het was tegen de wet om met draagmoederschap te adverteren, zo werd haar verteld. De hoopvolle moeder moest haar eigen draagmoeder zien te vinden. Het beste was nog een familielid. 'Hebt u een zus, mevrouw? Een nicht? Er waren zelfs moeders die hun eigen kleinkinderen voor hun dochters droegen. Hoe oud is uw moeder?'

God, er zou eens wél iets gemakkelijk gaan, dacht Deborah. Ze had geen zus, haar moeder was dood en ze was enig kind van enige kinderen. Simons zus was een mogelijkheid, maar ze kon zich niet voorstellen dat een wildebras als Sydney – die momenteel worstelde met de liefde van een huursoldaat, godbetert – haar modellenlijf van een miljoen pond als lanceerbasis zou gebruiken voor het kind van haar broer. Er waren absoluut grenzen aan de liefde van een zus en Deborah wist waar die lagen.

In deze kwestie had ze de wet niet aan haar zijde. Met al het andere wat met voortplanting te maken had mocht je vrijelijk adverteren: van klinieken die vrouwen geld boden om hun eicellen te mogen gebruiken, tot lesbische stellen die op zoek waren naar sperma. Er stonden zelfs advertenties tussen van groepen die donors wilden overhalen om van het donorschap af te zien, evenals advertenties van counselingbureaus voor donors, ontvangende partijen en alles daartussenin. Er werden hulplijnen vermeld en verpleegkundigen, artsen, klinieken en vroedvrouwen boden hun diensten aan. Er waren zo veel mogelijkheden die zo veel verschillende kanten op gingen dat Deborah zich afvroeg waarom iemand niet eenvoudigweg een advertentie van één woord in *Conceptie* plaatste: HELP!

Die gedachte bracht haar op het tijdschrift zelf en hoe het onder haar aandacht was gekomen: via Alatea Fairclough, die precies die bladzijden eruit had gescheurd waardoor Deborahs gemoedsrust werd verstoord. Nu Deborah zelf zo in verwarring was, werd het haar steeds duidelijker hoe Alatea naar haar eigen situatie keek. Stel dat Alatea wist dat ze geen zwangerschap kon voldragen, vroeg Deborah zich af. Stel dat ze daar nog niet met haar man over had gesproken? Stel dat ze, net zoals Deborah zelf had voorgesteld, op zoek was naar een draagmoeder? Ze zat in Engeland, ver weg van haar geboorteland, ver van vriendinnen en familieleden die de klus misschien wel voor haar hadden willen klaren... Kon ze naar iemand anders toe? Kon ze iemand anders vragen om het petrischaalkindje van haar en Nicholas Fairclough te dragen?

Deborah dacht daarover na. Ze vergeleek Alatea met zichzelf. Zij had Sidney St. James nog, al was die nog zo'n ongeschikte kandidaat. Wie had Alatea?

Er was een mogelijkheid, besefte ze, die paste in wat er in het botenhuis in Ireleth Hall was gebeurd. Ze moest het aan Simon vertellen. Ze moest ook met Tommy praten.

Ze verliet de kamer. Simon was al een tijdje weg en ze toetste zijn mobiele nummer in terwijl ze de trap af liep. Hij stond met Tommy op de parkeerplaats te praten, ze stonden net op het punt om...

Ze zei hen te wachten. Ze kwam naar hen toe.

Maar ze werd onderschept door Nicholas Fairclough. Hij was de laatste persoon die ze in de kleine lobby van de Crow & Eagle had verwacht, maar daar was hij. En hij zat op haar te wachten. Hij stond op toen hij haar zag en zei: 'Ik dacht al dat je hier zou zijn.' Hij zei het alsof ze had geprobeerd zich voor hem te verstoppen en dat zei ze ook tegen hem.

Hij antwoordde met: 'Nee, zoveel snap ik nog wel. Het is het beste om iets in het volle zicht te verbergen.'

Ze fronste haar voorhoofd. Hij gedroeg zich heel anders dan daarvoor. Hij zag er afgetobd uit en was ongeschoren. Klaarblijkelijk had hij niet veel geslapen, want hij had kringen onder zijn ogen. Bovendien straalde hij niets vriendelijks of minzaams meer uit.

Hij viel meteen met de deur in huis en zei: 'Moet je horen. Ik weet wie je werkelijk bent. En dit is iets wat jíj moet weten: ik heb Ian met geen vinger aangeraakt. Ik zou Ian met geen vinger aanraken. Het feit dat mijn vader denkt dat ik iets heb gedaan, zegt een hoop over mijn familie, maar verder zegt het helemaal niets. Jij...' En hij priemde met zijn vinger naar haar hoewel hij haar niet aanraakte. '... moet als de donder naar Londen teruggaan. Je komt geen sodemieter te weten door hier rond te hangen. Jouw onderzoek is verdomme voorbij. En laat mijn vrouw met rust, oké?'

'Ben je...'

'Blijf uit de buurt.' Hij liep achteruit weg en toen hij ver genoeg was, draaide hij zich om en liet haar daar achter.

Deborah bleef waar ze was. Haar hart ging als een razende tekeer en het bloed suisde in haar oren. Afgaande op alles wat hij had gezegd, wist ze dat er maar één verklaring voor was. Om welke onbegrijpelijke reden dan ook geloofde Nicholas Fairclough werkelijk dat zij de rechercheur van Scotland Yard was die naar Cumbria was gestuurd om de dood van zijn neef te onderzoeken.

Er was maar één manier waarop hij tot die conclusie was gekomen en die was vastgelegd op haar digitale camera.

Milnthorpe

Cumbria

Zed Benjamin was na de korte ontmoeting met Nicholas Fairclough op het marktplein in Milnthorpe uit het zicht verdwenen. Gelukkig waren er genoeg kraampjes op het plein waarachter hij uit beeld kon blijven van het café waar Fairclough en de vrouw van Scotland Yard zaten, dus nadat Fairclough een paar woorden met haar had gewisseld, hoefde hij maar een paar minuten te wachten voordat zij ook uit het café tevoorschijn kwam. Daarna was het een fluitje van een cent om te kijken waar ze naartoe ging, en ze bleek naar de Crow & Eagle te gaan, op het kruispunt van de hoofdweg door Milnthorpe en de weg naar Arnside. Dus had Zed zich 's ochtends vroeg in de buurt van een bank geposteerd en had urenlang bij een geldautomaat rondgehangen, terwijl hij de herberg in de gaten hield en wachtte tot de vrouw tevoorschijn zou komen. Dat leverde hem een hoop achterdochtige blikken op van mensen die de bank in en uit liepen, en een aantal scherpe opmerkingen van weer andere mensen die geld kwamen pinnen. Een keer zelfs priemde een oud vrouwtje een vinger tegen zijn borst en zei tegen hem: 'Sodemieter op, kereltje, anders stuur ik de politie op je af... Reken maar dat ik jouw soort ken.' Dus hij hoopte nu toch echt dat er iets op het Scotland Yard-front zou gebeuren, want anders zou hij de bak in draaien wegens verdacht rondhangen.

Hij had zijn ochtendtelefoontje met Yaffa al achter de rug, en daar dacht hij nu aan terug. Ze had zijn kusgeluiden niet beantwoord, omdat zijn moeder niet in de kamer bleek te zijn en ze dus haar liefde niet hoefde te tonen om Susanna Benjamin gelukkig te maken. Bovendien bleek dat er problemen waren met Micah in Tel Aviv, die er klaarblijkelijk genoeg van kreeg om Yaffa's broer Ari te spelen. In een gesprek met Micah had ze Zed aantrékkelijk genoemd. In hemelsnaam, had ze tegen Micah gezegd, het heeft niets om het lijf, maar hij was er niet blij mee geweest. En terwijl Zed had gepiekerd over het feit dat Yaffa hem aantrekkelijk had genoemd, had zij gezegd dat er, helaas, een heel grote kans bestond dat ze naar een ander onderkomen moest omzien. Helemaal buiten zichzelf, zo had ze Micah omschreven. Ze was bang dat hij zich zo veel zorgen om haar maakte dat hem dat van zijn studie zou houden. En daar kon voor een student geneeskunde geen sprake van zijn. Maar je weet hoe het gaat als een man onzeker wordt over zijn vrouw, Zed, had ze gezegd.

Maar eigenlijk had Zed geen flauw benul hoe het gaat wanneer een man onzeker werd over zijn vrouw, aangezien hij tot dat moment zijn hele volwassen leven vrouwen uit de weg was gegaan.

Yaffa zei dat ze dacht dat ze haar verloofde nog wel even zoet kon houden, maar niet zo lang meer. Dan zou ze moeten verhuizen of naar Tel Aviv terug moeten.

Zed had niet geweten wat hij moest zeggen. Hij was bepaald niet in de positie om haar te smeken te blijven. Hij wist om te beginnen niet eens waarom het in hem opkwam haar te smeken te blijven. En toch lag die smeekbede op het puntje van zijn tong toen ze hun gesprek beëindigden. Wat bepaald niet op het puntje van zijn tong lag was: een goede reis naar huis, dan maar, en dat verbaasde hem min of meer.

Voordat hij überhaupt had kunnen reageren, had ze opgehangen. Hij wilde haar terugbellen en zeggen dat hij haar vreselijk zou missen, hij wilde niet dat ze zijn zwijgen anders zou interpreteren. Hij had van elk gesprek met haar genoten, sterker nog, ze was precies het soort vrouw... Maar zo ver kon hij niet gaan. Jammer maar helaas, dacht hij. Ze zouden Keats en Fanny worden die elkaar gekwelde brieven schreven, en dat was dan dat.

Zed ging zo op in zijn gedachten over Yaffa en Micah, en de vreselijke ironie dat hij een vrouw tegen het lijf was gelopen die – laten we maar eerlijk zijn – volmaakt voor hem was, om er vervolgens achter te komen dat ze verloofd was met een ander, dat toen Nick Fairclough bij de Crow & Eagle opdook en daar naar binnen ging, het eerst niet tot hem doordrong hoe belangrijk dat was. Hij dacht alleen maar: ah, daar is die ouwe Nick Fairclough weer. Toen schoof hij zijn muts stevig op zijn hoofd en trok zijn schouders in om zich klein te maken, zodat hij minder opviel. Pas na Faircloughs bezoekje aan de herberg en pas nadat hij met een ijzig gezicht al snel weer naar buiten beende, drong het tot Zed door wat het een en ander betekende, en dat was: Fairclough plus de rechercheur is gelijk aan Er Gebeurt Iets Opmerkelijks.

Daarna kwam de rechercheur naar buiten. Ze was aan het telefoneren. Een telefonerende rechercheur betekende dat er ontwikkelingen gaande waren. Fairclough was vertrokken en de rechercheur ging achter hem aan. Zed moest ook achter hem aan.

Zijn auto stond niet ver weg. Hij had hem op korte afstand op straat geparkeerd, langs Arnside Road, dus hij stoof erheen toen de roodharige vrouw de hoek van de herberg omsloeg waar ongetwijfeld haar auto stond. Hij startte zijn auto en wachtte tot ze tevoorschijn kwam. Er was geen sprake van dat ze nu ergens heen ging zonder hem in haar kielzog.

Hij telde de seconden. Die werden minuten. Wat gebeurde er? vroeg hij zich af. Autopech? Lekke band? Waar was ze verdomme...?

Ten slotte kwam er een auto vanaf het parkeerterrein achter de Crow & Eagle tevoorschijn, maar het was geen huurauto en zij zat niet achter het stuur. Het was een mooi gestroomlijnd, koperkleurig antiek geval van het soort dat Joost mocht weten hoeveel kostte, en aan het stuur zat een kerel die zich er volkomen in op zijn gemak voelde, en hij was vast schatrijk, want hoe kon je je anders zo'n ding veroorloven. Een andere hotelgast, concludeerde Zed. De man reed naar het noorden.

Ongeveer drie minuten later kwam er nog een auto tevoorschijn en Zed zette zijn auto in de versnelling. Maar in die auto zat ook een vent, een ernstig uitziende heer met te veel donker haar, en hij keek grimmig en wreef over zijn hoofd alsof hij van een migraine af wilde.

Toen zag hij eindelijk de vrouw. Zij was echter te voet. Deze keer telefoneerde ze niet, maar haar gezicht stond ernstig en vastbesloten. Zed dacht eerst dat ze op weg was naar een plek in de buurt, naar het marktplein, waar je in de cafés prima met elkaar kon afspreken, net als de eettentjes en de Chinese afhaalrestaurants, trouwens. Maar in plaats van daarheen te gaan, liep ze de Crow & Eagle weer in.

Zed nam onmiddellijk een besluit. Hij schakelde de motor uit en rende achter haar aan. Hij bedacht dat hij haar wel kon blijven volgen, maar hij kon ook de koe bij de hoorns vatten en er iets nuttigs mee doen.

Hij duwde de deuren van de herberg open.

Milnthorpe

Cumbria

Deborah was zo boos op Simon dat ze niet langer een rood waas zag, maar was doorgeschoten naar de volgende kleur in het woedespectrum, wat voor kleur dat ook mocht zijn.

Met haar camera in de hand had ze haar man op de parkeerplaats aangetroffen, waar hij met Tommy stond te praten. Ze vond dat ze buitengewoon bofte dat Tommy bij hem was. Want Tommy zou haar kant kiezen en ze wist dat ze een bondgenoot nodig zou hebben.

Ze had hen kort op de hoogte gebracht: Nicholas Fairclough die haar in de herberg de pas had afgesneden. Nicholas Fairclough die wist dat Scotland Yard de dood van Ian Cresswell onderzocht. Nicholas Fairclough die geloofde dat zij nota bene de Scotland Yard-inspecteur was die in zijn leven aan het rondneuzen was. Ze zei: 'Hij kan maar op één manier tot die conclusie zijn gekomen,' en toen liet ze hun de foto zien die ze de vorige dag had genomen, van de roodharige man die met Fairclough op het marktplein had staan praten.

Ze zei: 'Meteen daarna wilde Nicholas niets meer met me te maken hebben. We zouden samen naar Barrow gaan, maar dat is niet doorgegaan. En vanochtend was hij er zo verschrikkelijk aan toe... Jullie begrijpen toch wat dat betekent, hè?'

Tommy keek naar de foto. Simon niet. Tommy zei: 'Dat is de verslaggever van *The Source*, Simon. Barbara heeft hem voor me beschreven. Een grote vent, rood haar. Er kunnen geen twee kerels in Cumbria rondlopen die aan die beschrijving voldoen én in Fairclough geïnteresseerd zijn.'

Het wordt steeds beter, had Deborah gedacht. Ze had gezegd: 'Tommy, we kunnen hem gebruiken. Er is duidelijk iets aan de hand met al die mensen en hij zit erbovenop, anders zou hij hier niet zijn. Laat me contact met hem opnemen. Hij denkt dat hij met de politie te maken heeft. We kunnen...'

'Deborah,' had Simon gezegd. Hij zei het op die toon, die gekmakende toon die betekende dat ze zich koest moest houden.

Tommy had daaraan toegevoegd: 'Ik weet het niet, Deb,' en had even een andere kant opgekeken. Ze wist niet of hij nadacht over wat ze had gezegd of dat hij overwoog zich uit de voeten te maken voordat zij en Simon ruzie zouden gaan maken, wat hij verwachtte. Want Tommy kende Simon beter dan wie ook. Hij wist wat 'Deborah' betekende als Simon dat op die manier zei. Ze moest toegeven dat in sommige situaties Simon redenen had om bezorgd te zijn, maar op dit moment was dat niet het geval.

Ze had gezegd: 'Dit wordt ons op een presenteerblaadje aangereikt, Tommy.'

Waarop Tommy had gezegd: 'Barbara vertelde me dat hij hier drie dagen vóór Cresswells dood aanwezig was, Deb. Hij wilde graag iets interessants aan een verhaal over Nicholas Fairclough toevoegen.'

'Nou en?'

'Deborah, dat is toch duidelijk,' bracht Simon in. 'De kans bestaat dat deze vent...'

'O, jullie denken toch zeker niet dat hij een verhaal interessanter wil maken door een verdachte dood van een familielid van zijn hoofdpersoon in scène te zetten? Dat is volslagen absurd.' En toen beide mannen tegelijkertijd begonnen te praten, zei ze: 'Nee. Wacht. Luister naar me. Ik heb hierover nagedacht en jullie weten niet alles. Het heeft met Nicholas' vrouw te maken.'

Het kwam goed uit dat geen van beide mannen Alatea had ontmoet. Hetzelfde gold voor Nicholas Fairclough, dus dat kwam extra goed uit. Tommy zei: 'Barbara doet onderzoek naar Alatea Fairclough, Deb.'

Maar Deborah zei: 'Dat kan wel zijn, maar ze weet niet alles,' en ze vertelde hun over de zaken die Alatea Fairclough te verbergen had. 'Volgens Nicholas bestaan er foto's. Ze is model geweest, maar ze praat liever niet over het soort werk dat ze heeft gedaan. Ze heeft het Nicholas verteld, maar niemand van zijn familie weet het. Hij noemde het "ondeugend ondergoed" en ik denk dat we allemaal wel weten hoe dat eruitziet.'

'Hoe dan precies?' Simon keek haar aan met die blik van hem, ernstig, begrijpend en bezorgd.

Wel verdomme, dacht Deborah. Ze zei: 'Dat varieert van catalogusplaatjes van leren spullen voor de sadomasochisten onder ons tot aan porno, Simon. Volgens mij zijn we het daar wel over eens, denk je niet?'

'Je hebt natuurlijk gelijk,' zei Tommy. 'Maar Barbara is er al mee bezig, Deb. Zij zoekt het wel uit.'

'Maar dat is niet alles, Tommy. Er is meer.' Deborah wist dat Simon niet blij zou zijn met wat ze zou gaan zeggen, maar ze deed het toch, want die kant moest onderzocht worden omdat die absoluut met Ian

Cresswell in verband stond. 'We moeten aan draagmoederschap denken.'

Simon trok letterlijk wit weg. Deborah besefte dat hij verwachtte dat ze deze heel persoonlijke kwestie met Tommy zou bespreken, die er bij hun onenigheid en verdriet als een scheidsrechter bij stond. Ze zei tegen haar man: 'Nee, dat bedoel ik niet. Ik denk alleen dat Alatea geen zwangerschap kan voldragen. Volgens mij is ze op zoek naar een draagmoeder en ik geloof dat die draagmoeder weleens Ian Cresswells vrouw zou kunnen zijn, Niamh.'

Simon en Tommy wisselden een blik met elkaar. Maar zij hadden Niamh Cresswell niet gezien, dus ze wisten het niet. Ze legde het uit: Nicholas Faircloughs kinderwens, Alatea die een tijdschrift in haar bezit had waar alle advertenties uit waren gescheurd, hoe Niamh Cresswell eruitzag, en dat het heel duidelijk was dat ze een operatie had ondergaan om dat te bewerkstelligen – 'en van het ziekenfonds krijg je geen borstvergroting vergoed,' zo drukte Deborah het uit – en de simpele logica van een vrouw die haar man had verloren, die vindt dat ze een vervanger nodig heeft en iets wil doen om haar kansen daarop te vergroten... 'Niamh moet dat allemaal bekostigen. Als ze voor Alatea een baby draagt, is dat de oplossing. Het is verboden om winst te maken met draagmoederschap, maar dit is een familiekwestie, en wie komt het nou te weten als er geld bij komt kijken? Nicholas en Alatea zullen het echt niet aan iemand vertellen. Dus Niamh krijgt haar baby, staat hem af, zij geven haar het geld, en klaar is Kees.'

De mannen hoorden dit zwijgend aan. Tommy keek naar zijn schoenen. Nu zouden ze haar vertellen dat ze volslagen krankzinnig was geworden – o, wat kénde ze deze twee mannen in haar leven toch goed – dus vervolgde ze: 'Of sterker nog, misschien weet Nicholas Fairclough hier helemaal niets van. Misschien doet Alatea de hele zwangerschap wel alsof. Ze is behoorlijk lang en de kans is groot dat je pas in een heel laat stadium ziet dat ze zwanger is. Niamh duikt een paar maanden onder en wanneer ze op punt van bevallen staat, gaat Alatea naar haar toe. Ze voeren een toneelstukje op, ze...'

'Mijn god, Deborah.' Simon wreef over zijn voorhoofd en Tommy stond met zijn voeten te schuifelen.

Verstrooid bedacht Deborah dat Tommy altijd Lobb-schoenen droeg. Die moesten een fortuin hebben gekost, vermoedde ze, maar uiteraard gingen ze eeuwig mee en het paar dat hij droeg had hij waarschijnlijk al sinds zijn vijfentwintigste. En natuurlijk waren ze niet versleten. Tommy's Charlie Denton – lijfknecht, butler, Vrijdag, adjudant, wát hij ook in Tommy's leven was – zou nooit slijtplekken op Tommy's schoenen toestaan. Maar ze waren ingelopen en comfortabel, zoiets als een paar vrienden, en...

Simon was aan het praten en ze besefte dat ze zich met opzet voor zijn woorden had afgesloten. Hij zou denken dat dit allemaal met haar te maken had, met hen, met dat stomme gedoe met die open adoptie, en hij had natuurlijk geen idee dat ze daar een eind aan had gemaakt, dus ze besloot hem dat ter plekke te vertellen.

'Ik heb David gebeld,' zei ze. 'Ik heb gezegd dat we het niet doen. Definitief. Ik kan het niet aan, Simon.'

Simon bewoog zijn kaken. Meer niet.

Haastig zei Deborah tegen Tommy: 'Dus laten we aannemen dat Ian Cresswell daar achter is gekomen. Hij protesteert. Hij zegt dat hun kinderen – van hem en Niamh – al genoeg op hun bordje hebben en dat van hen niet kan worden gevraagd ook nog eens te verkroppen dat hun moeder draagmoeder is voor de vrouw van zijn neef. Dat is te verwarrend. Hij zet zijn hakken in het zand.'

'Ze waren gescheiden,' merkte Tommy vriendelijk op.

'Sinds wanneer worden mensen er door een scheiding van weerhouden elkaar in de houdgreep te nemen als ze daarmee weg kunnen komen? Nicholas weet wat er aan de hand is of hij weet het niet, maar in beide gevallen leidt het nergens toe en Ian zegt dat hij er met Nicholas' vader over moet praten. Het laatste wat ze willen is dat Bernard Fairclough erbij betrokken wordt. Die vond al dat Nicholas ongeveer zijn hele leven een mislukkeling is geweest. En nu dit, deze verschrikkelijke tweespalt in de familie...'

'Genoeg,' zei Simon. 'Echt. Ik meen het. Genoeg.'

Er klonk een bevoogdende toon in zijn woorden door die als een elektrische schok werkte en dertigduizend volt door haar lichaam joeg. Deborah zei: 'Wát zei je tegen me?'

Simon zei: 'Je hoeft geen Freud te hebben gelezen om te weten waar dit vandaan komt, Deborah.'

De elektrische schok sloeg onmiddellijk om in een laaiende woede. Deborah wilde iets zeggen, maar Simon snoerde haar de mond.

'Je verzint het waar we bij staan. Het wordt tijd dat we allebei weer naar Londen teruggaan. Ik heb hier gedaan wat ik kon...' Dit zei hij tegen Tommy. '... en tenzij we nog een keer naar het botenhuis gaan, durf ik te beweren dat het er alle schijn van heeft dat Ian Cresswells dood inderdaad een ongeluk was.'

Dat hij haar werkelijk zo afserveerde... Deborah had nooit de neiging gevoeld om haar man te slaan, maar op dat moment wilde ze dat dolgraag. Je ben een dríftkop, Deb, een driftkop, zou haar vader hebben gezegd, maar haar vader was nooit zo aangesproken door deze man die nu onverbiddelijk voor haar stond. God, hij was onuitstaanbaar, dacht ze. Hij was een opgeblazen kwast. Hij was zo verdomd zelfingenomen. Hij was altijd zo zeker van zichzelf, had de wijsheid in pacht, zo honderd procent overtuigd van zijn achterlijke wetenschappelijke gelijk, maar sommige dingen hadden niets met wetenschap uit te staan. Sommige dingen hadden met het hart te maken, sommige dingen gingen niet om forensisch onderzoek, microscopen, bloedvlekken, computeranalyses, grafieken, diagrammen, verbazingwekkende apparaten die een enkele draad in verband konden brengen met een fabrikant, een streng wol, de schapen waar die vandaan was gekomen en de farm op de Hebriden waar de schapen geboren waren... Ze kon het wel uitschreeuwen. Ze kon hem de ogen wel uitkrabben. Ze kon wel...

'Ze heeft wel een punt, Simon,' zei Tommy.

Simon keek hem aan en van zijn gezicht viel af te lezen dat hij zich afvroeg of zijn oude vriend zijn verstand verloren had.

Tommy zei: 'Ik twijfel er niet aan dat er kwaad bloed zat tussen Nicholas en zijn neef. En met Bernard zit het ook niet helemaal goed.'

'Toegegeven,' zei Simon, 'maar een scenario waarin Ians ex-vrouw...' Hij wuifde het hele idee weg.

Tommy zei toen: 'Maar stel dat het waar is wat je zegt, dan is het te gevaarlijk, Deb.'

'Maar...'

'Je hebt hier goed werk verricht, maar Simon heeft gelijk over teruggaan naar Londen. Ik neem het vanaf hier wel over. Ik kan niet toestaan dat jullie gevaar lopen. Dat weet je wel.'

Hier zat meer achter. Dat wisten ze allemaal. Ze deelden een geschiedenis met Tommy, en al was dat niet het geval, dan zou hij haar nooit zodanig in gevaar brengen dat ze van Simon zou worden weggerukt, zoals dat met Tommy's eigen vrouw was gebeurd.

Ze zei verdoofd: 'Dit is niet gevaarlijk. Dat wéét je, Tommy.'

'Als het om moord gaat, is het altijd gevaarlijk.'

Hij had alles gezegd wat hij over dit onderwerp kwijt wilde. Hij had ze alleen gelaten en Simon en zij waren achtergebleven op het parkeerterrein.

Simon had tegen haar gezegd: 'Sorry, Deborah. Ik weet dat je wilt helpen.'

Ze had bitter gereageerd met: 'O, dat weet je, hè? En het gaat er zeker helemaal niet om dat je me wilt straffen, hè?'

'Waarvoor?' Hij klonk verdomme verbaasd.

'Omdat ik nee tegen David heb gezegd. Omdat ik ons probleem niet met één woord heb opgelost: ja. Want dat wilde je, een kant-en-klare oplossing. Zonder dat je er ook maar één keer aan hebt gedacht hoe ik me zou voelen als ik met een hele tweede familie zou worden opgescheept, die elke beweging van me in de gaten zou houden, die zou evalueren wat voor soort mámmie ik ben...' Ze barstte bijna in tranen uit en daar werd ze nog woedender van.

Simon zei: 'Het heeft niets te maken met je telefoontje naar David. Als jij een besluit hebt genomen, aanvaard ik dat. Wat moet ik anders? Ik had het graag anders gezien, maar...'

'En dat is wat telt. Dat is altijd wat telt. Jouw wensen. Niet die van mij. Want als mijn wensen wanneer ook maar zouden worden ingewilligd, dan vindt er een machtsverschuiving plaats, nietwaar, en dat wil je niet.'

Hij stak een hand naar haar uit, maar ze deinsde terug. Ze zei: 'Ga je maar met je eigen zaken bemoeien. We hebben hier genoeg over gezegd.'

Hij wachtte nog even en keek haar aan, maar zij kon zijn blik niet beantwoorden. Ze kon hem niet in de ogen kijken en de pijn daarin zien, en weten hoe ver terug dit in zijn verleden doordrong.

Ten slotte zei hij: 'We hebben het er later nog over,' en hij liep naar zijn auto. Even later reed hij van het parkeerterrein af om zich met zijn eigen zaken te bemoeien. Wat die ook waren. Het kon Deborah niet schelen.

Ze liep het terrein af en beende naar de voordeur van de herberg. Ze was nog maar net binnen toen ze iemand hoorde zeggen: 'Wacht even. U en ik moeten praten.' Ze draaide zich om en zag dat uitgerekend de roodharige reus binnen was gekomen. Voordat ze een kans kreeg iets te zeggen, vervolgde hij: 'Uw dekmantel is weg. Het kan morgen op de voorpagina van *The Source* staan tenzij u en ik een deal kunnen sluiten.'

'Wat voor deal?' vroeg Deborah.

'Het soort waarmee we beiden krijgen wat we willen.'

Great Urswick

Cumbria

Lynley wist dat Simon gelijk had over Deborah: ze moest er vanaf nu buiten blijven. Ze wisten niet precies waar ze mee te maken hadden en het was onaanvaardbaar dat ze een risico zou lopen, en wel in zo veel opzichten dat het gewoon onbespreekbaar was.

Het was stom van hem geweest om ze hierbij te betrekken. Het had een simpele zaak geleken die hij met hun hulp binnen een dag of zo had kunnen oplossen. Dat bleek niet het geval en hij moest de boel afkappen voordat Deborah iets deed waar hij, zij en Simon spijt van zouden krijgen.

Nadat hij ze in Milnthorpe had achtergelaten, reed hij naar het noorden en toen naar het oosten. Daarna nam hij de weg die door het spatelvormige landschap omlaag voerde, waar op het uiterste puntje Barrow-in-Furness lag. Hij ging echter niet naar Barrow. Hij wilde onder vier ogen met Manette Fairclough praten, en daarvoor moest hij naar Great Urswick.

De rit voerde hem door het heuvelachtige, victoriaanse kustplaatsje Grange-over-Sands, langs de riviermonding, waar overwinterende vogels een levend landschap vormden op de wadden en de pikorde bepaalden bij het zoeken naar eten. Voedsel was hier volop te vinden omdat het dagelijks met de getijden in Morecambe Bay werd aangevoerd.

Voorbij Grange-over-Sands kwam de weg uit bij grijs, verraderlijk kalm water aan de ene kant van de auto en aan de andere kant lagen weilanden die her en der onderbroken werden door een rij cottages waar bij beter weer strandgasten verbleven. Dit was in het verre zuiden van Cumbria, niet in het land van de Lakes dat zo werd gekoesterd door John Ruskin en William Wordsworth met zijn narcissen. Hier hadden de meeste mensen te maken met het harde leven van alledag, waarin generaties vissers in de baai tussen de verschuivende zandbanken moesten manoeuvreren, eerst met paard en wagen en nu met tractors, en altijd met het risico in het drijfzand het leven te laten als ze een verkeerde beslissing namen. En als de vloed opkwam, was er niemand om ze te redden. Dan kon men alleen nog wachten tot hun lichaam weer opdook. En dat gebeurde soms wel en soms ook niet.

Bij Bardsea reed hij landinwaarts. Great Urswick was bijna geheel door land omringd, een van die dorpen die hun bestaansrecht leken te ontlenen aan een kruispunt waar ook een pub was. Als je er wilde komen, moest je door een landschap dat in niets leek op de indrukwekkende hoogvlakten, de opgestuwde, leien puinhellingen en de plotselinge uitbarstingen van kalksteen bij de hoger gelegen Lakes. Dit deel van Cumbria leek eerder op de Broads. Je klom even door een dorp omhoog en dan kwam je op een vlak en door de wind geteisterd landschap waar dieren konden grazen.

Ook de gebouwen in Great Urswick leken niet op die in andere delen van Cumbria. Ze waren mooi geschilderd, maar niet in de plaatselijke stijl van de Lakes. Geen gevels van netjes opgestapeld leisteen, waardoor er een visuele eenheid ontstond. Hier waren ze ruw gepleisterd. Ze hadden soms zelfs een houten beschieting, wat je in dit deel van de wereld niet vaak zag.

Lynley vond Manettes huis aan een grote vijver, die klaarblijkelijk het middelpunt van het dorp vormde. Er dreven zwanen in en hier en daar stonden er dichte rietkragen omheen die hen, hun nesten en hun jongen beschermde. Voor het huis stonden twee auto's geparkeerd, dus hij bedacht dat hij twee vliegen in één klap kon slaan als hij kon praten met zowel Manette als haar ex-man die, zoals Bernard Fairclough had verteld, nog altijd bij haar woonde. Hij liep naar de deur.

Een man deed open. Dit moest Freddie McGhie zijn, dacht Lynley. Het was een fatsoenlijk uitziende man, keurig, donker haar, donkere ogen. Helen zou gekscherend hebben gezegd: *om door een ringetje te halen, lieveling*. Maar positief bedoeld, want alles aan hem was perfect verzorgd. Hij was niet gekleed voor werk, maar wist er toch uit te zien als iemand die zo uit een advertentie in *Country Life* was gestapt.

Lynley stelde zich voor. McGhie zei: 'O, ja. Bernards gast uit Londen. Manette zei dat ze u heeft ontmoet.' Hij zei het vriendelijk, maar er klonk een vragende toon in zijn stem. Tenslotte was er geen reden waarom Bernard Fairclough gast uit Londen zou afdwalen naar Great Urswick en bij Freddie McGhie zou aankloppen.

Lynley zei dat hij graag met Manette wilde praten als ze thuis was.

McGhie keek de weg af alsof hij op zoek was naar een antwoord op een vraag die hem niet gesteld was. Toen zei hij, alsof hij zich zijn manieren weer herinnerde: 'O ja. Nou, natuurlijk. Ze heeft alleen niet gezegd...'

Wat? vroeg Lynley zich af. Hij wachtte beleefd op een verklaring.

'Maakt niet uit,' zei McGhie. 'Kom binnen. Ik zal haar halen.'

Hij leidde Lynley naar een soort zitkamer die op de achtertuin en de vijver erachter uitkeek. Het belangrijkste voorwerp in de ruimte was een loopband. Het was zo'n ultramodern ding dat was uitgerust met knoppen en een scherm waarop je gegevens kon aflezen, en een verzameling gadgets. Er was ook een rubbermat om rekoefeningen voor een warming-up te doen, terwijl de meeste andere meubels in een rij tegen de verste muur stonden opgestapeld. McGhie zei: 'O, sorry. Ik dacht er niet bij na. De keuken is beter. Deze kant op,' en hij liep verder.

Hij liet Lynley even alleen in de keuken en liep weg om Manette te roepen. Maar toen zijn voetstappen op de trap omhoog wegstierven, ging de keukenbuitendeur open en kwam Manette binnen. Lynley bedacht – dat was hem eerder niet opgevallen – dat ze helemaal niet op haar zus leek. Ze had de lengte van haar moeder en haar moeders slanke bouw, maar helaas had ze haar vaders haar geërfd. Dat was zo dun dat je de schedel erdoorheen zag, hoewel ze het kort en krullend droeg alsof ze dat wilde verbergen. Ze droeg hardloopkleren, dus gezien het vaak gure weer van de streek was zij duidelijk degene die van de loopbaan gebruikmaakte. Ze zag Lynley meteen en zei: 'Hemeltje. O, hallo,' en ze keek naar de deur waardoor hij binnen was gekomen omdat ze kennelijk hoorde dat haar ex-man haar riep.

Ze zei: 'Een ogenblikje,' en liep dezelfde kant op als McGhie. Lynley hoorde haar roepen: 'Ik ben hier, Freddie. Ik ben wezen rennen.' En toen zijn antwoord: 'O, jeetje, Manette,' en meer hoorde Lynley niet omdat ze begonnen te fluisteren. Hij ving van McGhie op: 'Zal ik...?' en daarna: 'Met alle plezier, dat weet je,' zonder dat hij er een touw aan vast kon knopen. Maar toen Manette terugkwam, liep Freddie McGhie achter haar aan. Ze leek haar woorden zorgvuldig te kiezen toen ze tegen Lynley zei: 'Wat een leuke verrassing. Weet pa dat u om de een of andere reden hier bent?'

'Ik wilde graag met u beiden praten,' zei Lynley.

Ze wisselden een blik met elkaar. Hij besefte dat het hoog tijd werd om de schijn te laten varen, die had immers bij Mignon ook niet gewerkt en zou verder bij niemand meer werken. Hij haalde zijn politiebadge tevoorschijn en gaf die aan Manette. Ze kneep haar ogen tot spleetjes en gaf hem toen door aan McGhie. Terwijl die hem bekeek, stelde ze de voor de hand liggende vraag: 'Waar gaat dit over? Ik kan me niet voorstellen dat Scotland Yard een spoor volgt om hun toiletten te vervangen en dat ze u hebben gestuurd om onze wc-lijn na te trekken. Wat denk jij, Freddie?'

McGhie bloosde licht en Lynley dacht niet dat die blos iets met toiletten te maken had. Hij zei tegen haar: 'Ik dacht...' Hij haalde zijn schouders op, zo'n je-weet-wel-beweging waarmee al lang getrouwde echtparen in steno weten te communiceren.

Manette stiet een lach uit. 'Dankjewel voor je compliment,' zei ze. 'Maar ik heb zo'n gevoel dat de inspecteur liever een jonger blaadje lust.'

'Doe niet zo idioot. Je bent pas tweeënveertig,' zei Freddie tegen haar.

'Vrouwenjaren zijn hondenjaren, Freddie. Als het op mannen aankomt, zit ik eerder in de buurt van de tachtig. Wat kan ik voor u doen, inspecteur?'

Hij zei: 'Uw vader heeft me gevraagd om Ian Cresswells dood te onderzoeken.'

Manette zei tegen McGhie: 'Ik pas.' Er stond een keukentafel en daar ging ze aan zitten. In het midden stond een fruitschaal, ze pakte een banaan en begon die te pellen. Ze zei: 'Dit zal een flinke tegenvaller zijn voor die arme Mignon.' Ze haakte haar voet om een spijl van een andere stoel en schoof hem naar achteren. 'Ga zitten,' zei ze tegen Lynley. Hetzelfde zei ze tegen McGhie.

Lynley dacht eerst dat dat gebaar betekende dat ze volledig zou meewerken, maar daar vergiste hij zich in. Ze zei: 'Als pa denkt dat ik ook maar met een vinger naar wie of wat dan ook wijs, dan wil ik graag dat u hem vertelt dat die vlieger niet opgaat. Sterker nog, er gaat uit dit huis helemaal geen vlieger op. Mijn god, niet te geloven dat hij dit zijn eigen familie aandoet.'

'Hij wil er gewoon zeker van zijn of de plaatselijke politie haar werk wel goed heeft gedaan,' zei Lynley tegen haar. 'Dat gebeurt vaker dan mensen denken.'

'Hoe gaat dat eigenlijk in z'n werk?' informeerde Manette. 'Iemand gaat naar Londen en vraagt om een tweede onderzoek naar een zaak die door de lijkschouwer al is beslist en Scotland Yard gaat die zaak doen? Zomaar? Alstublieft, inspecteur. U denkt toch niet dat ik achterlijk ben?'

McGhie zei tegen Lynley: 'Wat is trouwens de aanleiding hiervoor? Volgens de onderzoeksrechter was het een uitgemaakte zaak.'

'Pa heeft zijn invloed laten gelden,' zei Manette tegen hem. 'Joost mag weten hoe, maar ik vermoed dat hij iemand kent die weer iemand kent die bereid is om aan een paar touwtjes te trekken of aan weduwen en wezen te doneren. Zo gaan die dingen. Volgens mij wil hij weten of Nicholas erbij betrokken is, wat de lijkschouwer dan ook heeft gezegd. Het is me een raadsel hoe Nick dit voor elkaar moet hebben gebokst, maar met zijn geschiedenis zal alles wel mogelijk zijn.' Ze keek naar Lynley. 'Heb ik gelijk of niet? U bent hier toch om te kijken of ik kan helpen mijn broer de duimschroeven aan te draaien?'

'Zeer zeker niet,' zei Lynley. 'Het is alleen om duidelijkheid te krijgen over waar iedereen staat.'

'Wat moet dat verdomme nou weer betekenen?'

'Soms komt het heel goed uit als iemand doodgaat. Maar daar kijkt een lijkschouwer niet naar. Daar is ook geen reden toe als de omstandigheden maar helder genoeg zijn.'

'Dus daarom bent u hier? U moet bepalen of het iemand goed uitkomt, zoals u het uitdrukt, dat mijn neef is verdronken? En voor wie kwam het dan goed uit? Want ik zal u wel vertellen dat het mij helemaal niet goed uitkwam. Hoe zit het met jou, Freddie? Kwam het jou goed uit?'

McGhie zei: 'Manette, als Scotland Yard hier is...'

'O, laat ook maar,' onderbrak ze hem. 'Als Scotland Yard hier is, zal mijn vader wel geld betaald hebben. Een verbouwing in hun kantoren. En wie weet verdomme wat nog meer? Jij hebt de boekhouding nagekeken. Als je maar goed genoeg zoekt, vind je vast wel iets. Dan is er een uitbetaling gedaan die je niet begrijpt, naast de andere onbegrijpelijke uitgaven.'

Lynley zei tegen McGhie: 'Zijn er dan onregelmatigheden geconstateerd in de boekhouding van uw schoonvaders bedrijf?'

'Ik maakte maar een grapje,' zei Manette, en toen tegen McGhie: 'Toch, Freddie?' op een toon die zei: als je je mond maar houdt.

Maar Freddie zei: 'Voormalige.'

'Wat?'

'Voormalige schoonvader.'

'Ja. Uiteraard.'

'Huidige, voormalige. Wat maakt het uit,' zei Manette. 'Wat wel iets uitmaakt is dat Ian is verdronken. Het was een ongeluk en als het géén ongeluk was, moet u zoeken naar degene die baat had bij zijn dood, en diegene ben ik niet. En aangezien dat zo is, lijkt het mij, als ik het me goed herinner, dat het vooral Kaveh Mehran goed uitkomt als je ziet wat die in de schoot geworpen heeft gekregen.'

McGhie zei tegen haar: 'Waar heb je het over?'

Ze antwoordde: 'Dat heb ik je nog niet verteld. Kaveh is nu de enige eigenaar van de farm.'

'Dat meen je niet.'

'Maar zeker wel. Ian heeft hem die nagelaten. Dat beweert hij althans. Ik neem aan dat hij de waarheid spreekt, want het lijkt me niet al te lastig om de papieren erop na te kijken.'

'We hebben alles onderzocht, mevrouw McGhie,' zei Lynley.

'Maar u gelooft niet dat Kaveh Ian heeft vermoord, toch?' vroeg Freddie McGhie.

'Niemand heeft hem vermoord,' zei Manette. 'Zijn dood mag dan iemand goed uitkomen, maar het was een ongeluk, Freddie. Dat hele botenhuis zou gesloopt moeten worden voordat het vanzelf instort. Het verbaast me dat mijn moeder niet gevallen is, haar hoofd heeft gestoten en is verdronken. Zij komt daar vaker dan Ian.'

McGhie zei niets, maar zijn gezichtsuitdrukking veranderde, een subtiele overgang waarbij zijn kaak iets zakte maar zijn lippen op elkaar bleven. Door de woorden van zijn vrouw was hem iets te binnen geschoten, iets waar hij wellicht met een beetje aanmoediging wel over wilde praten.

Lynley zei: 'Meneer McGhie?'

McGhie had zijn hand op tafel gelegd en zijn vingers vormden een losse vuist. Hij keek naar Manette, maar hij was ook iets aan het overwegen: wat het zou betekenen als hij vertelde wat hij wist, vermoedde Lynley.

Stilte was altijd ongelooflijk waardevol. Die werkte net zo op mensen in als een poosje alleen in een verhoorkamer zitten. Spanning had op iedereen dezelfde uitwerking. De meesten konden daar niet tegen, vooral niet wanneer ze zelf zo gemakkelijk de tikkende bom konden ontmantelen die erin lag besloten. Lynley wachtte af. Manettes blik ontmoette die van haar ex-man. Kennelijk las ze daarin iets wat ze niet wilde weten, want ze zei: 'We weten niet wat wát dan ook betekent, Freddie.'

Waarop hij antwoordde: 'Absoluut waar, meissie. Maar daar kunnen we gemakkelijk naar raden, nietwaar?' En zonder verdere aanmoedigingen begon hij te praten. Ze sputterde tegen, maar hij maakte duidelijk waar hij stond: als iemand inderdaad geknoeid had met het botenhuis om Ian Cresswell iets aan te doen of Manettes moeder, zoals ze al zei, dan moesten alle geheimen nu maar naar buiten komen.

Zoals Freddie McGhie het zag, had Bernard Fairclough een aantal jaren gesmeten met geld. Betalingen aan verschillende klinieken om Nicholas te laten afkicken, het fortuin dat in de tuinen van Ireleth Hall was gaan zitten, de aankoop van het huis in Arnside in een tijd waarin de huizenprijzen torenhoog waren, de renovatie van dat pand om het voor Nicholas Fairclough en zijn bruid bewoonbaar te maken, de folly om Mignon in te huisvesten, de operaties die ze daarna heeft ondergaan om eindelijk de vele kilo's kwijt te raken die ze sinds haar jeugd had verzameld, de daaropvolgende operaties om de overtollige huid die om haar heen lubberde te verwijderen...

'Ian heeft misschien de cheques uitgeschreven, maar hij heeft vast ook tegen Bernard gezegd dat hij daar nu eindelijk eens mee moest stoppen,' zo formuleerde McGhie het. 'Want een aantal van die onzindingen was al jaren aan de gang. Voor zover ik het kon beoordelen, hadden ze totaal geen zin. Het was alsof hij er niet mee op kon houden. Alsof hij het gevoel had dat hij er om de een of andere reden mee door móést gaan. Dat hij geld uit móést geven, dat bedoel ik.'

'Jarenlang?' vroeg Lynley ter verduidelijking.

'Nou, Nick was heel lange tijd een probleem en dan was er...'

'Freddie. Zo is het genoeg.' Manettes stem klonk scherp.

Freddie zei: 'Hij moet alles weten. Sorry, liefje, maar als het uiteindelijk op de een of andere manier om Vivienne draait, dan moet ze hier genoemd worden.'

'Vivienne Tully?' vroeg Lynley.

'Weet u dan iets van haar?'

'Steeds meer.'

'Weet u waar ze is?' vroeg Manette. 'Weet pa dat?'

'Nou, dat moet haast wel, hè?' zei McGhie op redelijke toon tegen haar. 'Tenzij Ian haar elke maand zonder medeweten van je vader heeft betaald. Maar waarom zou hij dat in godsnaam doen?'

'Om de voor de hand liggende reden: omdat ze het van hem wist wat hij voor Niamh en verder iedereen verborgen heeft gehouden. Ze heeft hem het vuur na aan de schenen gelegd. Chantage, Freddie.'

'Kom nou toch, meissie, dat geloof je toch zelf niet. Er is maar één goede reden voor de betalingen aan Vivienne Tully en we weten allebei wat die waarschijnlijk is.'

Ze waren bijna vergeten dat hij ook aanwezig was, besefte Lynley, zo wanhopig graag wilden ze geloven wat ze allemaal wilden geloven: over Ian Cresswell, over Vivienne Tully, over het geld dat Cresswell links, rechts en door het midden had betaald, uit naam van Bernard Fairclough of zonder dat die het wist.

Afgezien van de anderen die geld kregen uit de koker van Bernard Fairclough, zo vertelde Freddie McGhie aan Lynley, had Vivienne Tully – een ex-werkneemster van lang geleden, zoals Lynley al wist – jarenlang een maandelijkse toelage gekregen, ook al was ze in die tijd niet bij Fairclough Industries in dienst. Dit geld had niets te maken met winstdeling of een pensioenregeling, voegde Freddie eraan toe.

'Dus die bedragen kunnen een aantal dingen betekenen,' besloot hij. 'Een aanklacht tot seksuele intimidatie die Bernard wilde ontlopen, een onrechtmatig ontslag...' Hij keek naar zijn ex-vrouw alsof hij bij haar bevestiging zocht.

'Of pa wist het niet,' zei ze. 'Je hebt het zelf al gezegd: Ian heeft misschien al die tijd met de boeken geknoeid.'

Voor Lynley duidde deze informatie op een verdachte dood en niet op een ongeluk. Maar het was nog altijd niet duidelijk wie nou eigenlijk het beoogde slachtoffer was.

Hij bedankte Manette en haar ex-man. Hij liet ze achter en vermoedde dat er een felle discussie over de familie zou volgen. Hij zag aan Manettes reactie op het feit dat McGhie hem had geïnformeerd, dat ze dit niet over haar kant zou laten gaan.

Hij liep naar de Healey Elliot toen zijn telefoon ging. Havers, dacht hij. Eindelijk duidelijkheid. Maar hij zag aan het inkomende nummer dat het Isabelle was.

Hij zei tegen haar: 'Hé, jij. Dat is een aangename verrassing.'

Ze zei: 'Ik ben bang dat we moeten praten, Thomas.'

Ook al had ze hem geen Thomas genoemd, dan had hij aan Isabelles toon ook al kunnen horen dat dit niet de vrouw was wier zachte welvingen en warme lichaam hij met zijn handen aanraakte en ervan genoot. Dit was zijn baas en ze was niet blij. En ze was volkomen nuchter, dat hoorde hij ook.

Hij zei: 'Natuurlijk. Waar ben je?'

'Waar jij zou moeten zijn. Aan het werk.'

Hij wachtte tot er meer kwam. Dat kwam gauw genoeg.

'Waarom kun je Barbara Havers wel informatie toevertrouwen en mij niet? Wat had ik volgens jou met die kennis gedaan? Wat zóú ik ermee hebben kunnen doen? Hilliers kantoor binnenmarcheren en roepen: "Ik weet 't, ik weet 't, ik wéét 't verdomme"?'

'Barbara doet wat speurwerk voor me, Isabelle. Meer niet.'

'Je hebt tegen me gelogen, hè?'

'Waarover?'

'Dat alles zo supergeheim moet blijven. Het kan amper een vertrouwelijke kwestie zijn als brigadier Havers er met een moker in tekeergaat.'

'Barbara weet niet meer dan een paar namen. Een aantal zaken kon ik hier niet regelen, maar ik wist dat zij dat wel kon. Ze doet onderzoek.'

'O, alsjeblieft. Ik ben niet achterlijk, Tommy. Ik weet hoe dik je met Barbara bent. Op jouw verzoek zou ze nog een kuisheidsgordel dragen. Als jij tegen Barb zegt dat iets mondje dicht is, dan bijt ze haar tong af. Dit heeft zeker iets met Bob te maken, hè?'

Lynley was verbijsterd. Bob? Even had hij geen idee over wie ze het had. Toen voegde ze eraan toe: 'Bob, zijn vrouw, de tweeling. Je straft me omdat er in mijn leven compromitterende situaties zijn en in dat van jou niet, en soms zitten die je in de weg.'

'Heb je het over die avond?' vroeg hij. 'Toen ik bij je langskwam? Toen ze daar allemaal waren? Isabelle, goeie god. Dat is gebeurd en geweest. Ik heb geen...'

'Rancune? Nee, die heb je niet, hè? Daarvoor ben je veel te goed opgevoed.'

'Echt, Isabelle, liefje, je maakt je druk om niks. Het is precies zoals ik zei. Hillier wil dat dit op de Met niet bekend wordt en daar heb ik gevolg aan gegeven.'

'Het gaat om vertrouwen, weet je. En ik heb het niet alleen over deze situatie. Ik heb het ook over die andere. Je zou me kunnen ruïneren, Tommy. Eén woord en het is met me gedaan. Weg. Klaar. Als je me niet vertrouwt, hoe kan ik jou dan vertrouwen? Godallemachtig, wat heb ik mezelf aangedaan?'

'Wat jij hebt gedaan is dat je je om niets opwindt. Wat zou ik jou dan aan moeten doen?'

'Ik ga mijn boekje te buiten, ik werk niet mee, ik ben niet de vrouw die ik volgens jou zou moeten zijn...'

'En dan? Dan marcheer ik naar Hilliers kantoor en zeg dat ik in de afgelopen vier, zes maanden, twee jaar, wat dan ook, de geheime minnaar van mijn baas ben geweest? Denk je dat soms?'

'Je zou me kunnen vernietigen. Ik heb die macht niet over jou. Jij hebt de baan niet nodig, je wílt die baan verdomme niet eens. Tel daarbij op dat er geen vertrouwen is, en wat hebben we dan nog over?'

'Wat bedoel je dat er nu geen vertrouwen is? Dat is belachelijk. Dat is volkomen absurd.' En toen vroeg hij het, want hij wist plotseling – hij was er zeker van – dat hij zich in eerste instantie had vergist in hoe ze eraan toe was. 'Heb je gedronken?'

Stilte. Dit was het ergste wat hij haar had kunnen vragen. Hij wilde dat hij het terug kon nemen. Maar dat kon niet en haar antwoord klonk zachtjes. 'Dankjewel, Tommy,' zei ze en ze verbrak de verbinding. En hij bleef over het meertje van Great Urswick staan kijken, waar een zwanengezin vredig op het kalme water dreef.

Lake Windermere

Cumbria

Nadat de rechercheur was vertrokken, reed Manette regelrecht naar Ireleth Hall. Ze parkeerde op de oprijlaan en beende naar de folly. Ze was weggegaan nadat Freddie haar had gezegd dat hij geen andere keus had dan de waarheid te vertellen, maar als Ians dood inderdaad geen ongeluk was geweest, dan moesten ze dat tot op de bodem uitzoeken. Hoe dan ook, had hij gezegd, het was duidelijk dat ook andere zaken tot op de bodem uitgezocht moesten worden. Mij best, had Manette geantwoord. De zaken tot op de bodem uitzoeken, dat was precies wat ze van plan was te doen.

Mignon was thuis. Wanneer was Mignon níét thuis? Maar ze was niet alleen, wat normaal gesproken wel het geval was, dus Manette moest wachten tot haar zus klaar was met de hoofd- en voetmassage die ze drie keer per week kreeg. Die werd uitgevoerd door een ernstige, Chinese man die hiervoor uit Windermere kwam: een uur hoofdmassage en een uur voetmassage. Wat uiteraard door hun vader werd betaald.

Mignon lag met haar ogen dicht in een ligstoel terwijl haar voeten verzorgd werden: drukken, masseren, wist zij veel hoe het verdomme allemaal heette en het kon haar niet schelen ook. Maar ze kende haar tweelingzus wel zo goed dat ze zich in een stoel wierp en wachtte, want dat was de enige manier waarop haar zus zou meewerken. Als je haar bij haar pleziertjes stoorde, dan moest je daarvoor boeten.

Het duurde al met al een vervelend halfuur. Zo nu en dan mompelde Mignon: 'Heerlijk,' of: 'Ja,' of: 'Iets meer druk links, liefje.' De ernstige Chinese man deed wat hem werd gevraagd. Manette vroeg zich af wat hij zou doen als haar zus hem beval aan haar tenen te zuigen.

Uiteindelijk wikkelde de masseur Mignons voeten zachtjes in een warme handdoek. Ze kreunde en zei: 'Nu al? Het leken maar vijf minuutjes.' Langzaam opende ze haar ogen en ze schonk de man een stralende glimlach. 'U bent een vleesgeworden wonder, meneer Zhao,' murmelde ze. 'U weet natuurlijk waar u de rekening naartoe moet sturen.'

Natuurlijk, dacht Manette.

Meneer Zhao knikte en pakte zijn spullen bij elkaar. Oliën en smeersels en wat niet al. Hij verdween geruisloos.

Mignon rekte zich in haar stoel uit, stak haar armen boven haar hoofd in de lucht, strekte haar tenen, allemaal als een genietende kat. Toen haalde ze de handdoek om haar voeten weg, stond op en kuierde naar het raam, waar ze zich nog wat verder uitrekte. Ze boog zich voorover om haar tenen aan te raken en maakte haar lichaam los in de heupen en het middel. Manette verwachtte half en half dat ze springoefeningen zou gaan doen. Ze deed alles om erin te wrijven dat Mignon haar ouders voortdurend een streek leverde.

'Ik snap niet hoe jij jezelf kunt verdragen,' zei Manette.

'Het is één eeuwigdurende cirkel van folterende pijn,' zei Mignon tegen haar met een sluwe blik. Als iemand opgewekte ellende kon uitstralen, besloot Manette, dan kwam dat in de buurt van een omschrijving van de blik van haar zus. 'Je hebt er geen idee van hoezeer ik lijd.' Ze liep naar haar computer, uiteraard met haar looprekje voor het geval haar ouders onverwacht langskwamen. Ze tikte op een paar toetsen en las even iets wat waarschijnlijk een e-mailbericht was. Ze zei: 'O jeetje. Deze begint vervelend te worden. We zijn nu in het stadium van een onmogelijke liefde aangeland, liefje, en dat wordt dan bedorven door alle ellende en tandengeknars.' Ze zuchtte. 'Ik had mijn hoop nog zo op hem gevestigd. In mijn ogen kon hij wel een jaar mee, minstens, vooral toen hij met foto's van geslachtsdelen begon. Maar wat moet ik ervan zeggen? Als ze vallen, vallen ze zo hard.' Ze drukte weer op een paar toetsen en mompelde: 'Vaarwel, liefje. Helaas pindakaas, et cetera. Liefde vernieuwt zich steeds weer. Of zoiets.'

'Ik moet met je praten,' zei Manette tegen haar tweelingzus.

'Dat had ik al begrepen, Manette. Gezellige bezoekjes aan je broer of zus is bepaald niet jouw stijl. Althans, als het om mij gaat. Daar maak ik me zorgen over, weet je. Vroeger waren we zo dik met elkaar, jij en ik.'

'Vreemd,' zei Manette. 'Dat stukje kan ik me van onze geschiedenis niet herinneren.'

'Nee, dat is ook logisch, hè? Toen Freddie eenmaal in beeld kwam, draaide alles om hem en hoe je de arme man wilde strikken. Hij stond natuurlijk op de tweede plaats, maar dat wist hij niet. Tenzij je op een ongelegen moment de verkeerde naam hebt gekreund. Heb je dat trouwens gedaan? Is het daardoor tussen jou en Freddie stukgelopen?'

Manette vertikte het om toe te happen. Ze zei: 'Pa geeft al zijn geld uit. Ik weet dat hij je toelage heeft verhoogd. Daar moeten we het over hebben.'

'Ach, de economie,' zei Mignon stichtelijk. 'Die is altijd zo kwetsbaar, vind je niet?'

'Laten we geen spelletjes spelen. Wat er met de zaak en pa gebeurt heeft niets te maken met een plotselinge en onverwachte terugloop in de behoefte aan toiletten, wastafels en baden, aangezien dat nou juist het mooie van die business is: daar is altijd behoefte aan. Maar misschien wil je wel weten dat Freddie sinds Ians dood de boekhouding doet. Er moet een eind komen aan die betalingen.'

'O ja? En waarom dan wel? Bang dat ik al het geld erdoorheen jaag? Dat er voor jou niets overblijft?'

'Volgens mij ben ik duidelijk genoeg geweest: ik weet dat pa je toelage heeft verhoogd, Mignon. Het staat in de boeken. Dat is belachelijk. Je hebt het geld niet nodig. Je wordt volledig verzorgd. Je moet hem loslaten.'

'En heb je ditzelfde gesprek met Nick gehad, de dierbare oogappel van onze vader, omdat die zo'n puinhoop van zijn leven heeft gemaakt?'

'O, hou toch op. Jij was niet de zoon die pa wilde en ik ook niet. Houdt dat je soms voortdurend bezig? Laat je je hele bestaan op aarde tot in de eeuwigheid bepalen door pappie-houdt-niet-genoeg-van-me? Sinds de dag dat Nick werd geboren ben je al jaloers op hem.'

'En jij hebt zeker nooit last gehad van jaloezie?' Mignon liep naar het zitgedeelte terug, baande zich een weg tussen de dozen, kratten en de eindeloze rij spullen door, die ze mooi vond en via internet had gekocht. 'Ik heb tenminste nog een uitlaatklep gevonden voor mijn "jaloezie", zoals jij het formuleert.'

'Waar heb je het over?' Manette zag de val te laat.

Mignon glimlachte, de succesvolle zwarte weduwe die haar liefje opwachtte. 'Ian, natuurlijk. Je hebt Ian altijd gewild. Dat wist iedereen. Iedereen heeft jarenlang achter je rug om meewarig het hoofd geschud. Freddie was je tweede keus en dat wist ook iedereen, inclusief de arme Freddie. De man moet een heilige zijn. Of zoiets.'

'Kletskoek.'

'Wat is kletskoek? De heilige? "Of zoiets"? Dat je Ian wilde of dat Freddie het wist? Dat je Ian wilde, kan het niet zijn, Manette. God, je moet je rot geschrokken zijn toen Niamh op het toneel verscheen. Ik vermoed dat je nu zelfs denkt dat Niamh, stuk vreten dat ze is, Ian in de armen van mannen heeft gedreven.'

'Als je heel goed terugdenkt,' zei Manette kalm, hoewel ze witheet was, 'zit er een klein foutje in je scenario.'

'En dat is?'

'Dat Ian voor Niamh koos nadat ik al met Freddie getrouwd was. Nou, dat klopt niet helemaal, toch?'

'Dat is een detail,' zei Mignon. 'En dat doet er helemaal niets toe. Je wilde trouwens niet met Ian tróúwen. Je wilde alleen maar... nou ja, je weet wel. Een beetje in het geniep bonken.'

'Doe niet zo absurd.'

'Jij mag het zeggen.' Ze gaapte. 'Zijn we klaar? Ik wil graag even liggen. Ik word doodmoe van massages, begrijp je? Dus als er niets anders is...'

'Hou op met die onzin met pa. Ik zweer het, Mignon, als je niet...'

'Alsjeblieft zeg. Doe niet zo belachelijk. Ik neem wat me toekomt. Dat doet iedereen. Ik begrijp niet waarom jij dat niet doet.'

'Iedereen? Zoals Vivienne Tully, bijvoorbeeld?'

Heel even versteende Mignons gezichtsuitdrukking, maar alleen voor die paar seconden die ze nodig had om nonchalant te reageren. 'Je moet pa maar naar "Vivver" vragen.'

'Wat weet jij van haar?'

'Wat ik weet doet er niet toe. Het gaat erom wat Ian wist, liefje. En het is zoals ik zei: mensen nemen uiteindelijk wat hun toekomt. Dat wist Ian beter dan wie ook. Waarschijnlijk heeft hij zelf ook wel wat pegels gescoord. Het zou me niet verbazen. Het zou kinderspel zijn geweest. Hij had tenslotte de financiële touwtjes in handen. Als je met dat soort bedrog begint, kun je dat niet eeuwig volhouden. Iemand krijgt het een keer in de gaten. Iemand zal je tegenhouden.'

'Dat lijkt me een waarschuwing die je zelf ter harte zou moeten nemen,' zei Manette tegen haar zus.

Mignon glimlachte. 'O, ik ben de uitzondering op elke regel die er is,' antwoordde ze luchtigjes.

Lake Windermere

Cumbria

Er zat wel iets van waarheid in wat Mignon had gezegd. Manette was ooit verliefd op Ian geweest, maar dat was een kalverliefde geweest, die niets om het lijf had gehad en van voorbijgaande aard was geweest. Maar het was wel overduidelijk te zien geweest door de verlangende blikken die ze tijdens familiediners in zijn richting wierp en de wanhopige brieven die ze schreef en aan het einde van de vakanties in zijn handen drukte wanneer hij weer naar school vertrok.

Ian had die liefde helaas niet beantwoord. Hij was dol op Manette, maar uiteindelijk was daar dat akelige moment gekomen dat ze nooit zou vergeten, het moment waarop hij haar tijdens een schoolvakantie apart had genomen, haar een schoenendoos met ongeopende brieven had overhandigd en tegen haar had gezegd: 'Luister. Je moet deze verbranden, Manette. Ik weet wat erin staat, maar vergeet het.' Hij had het niet onvriendelijk gezegd, want zo zat hij niet in elkaar. Maar resoluut was hij wel geweest.

Nou, we overleven die dingen allemaal, had Manette uiteindelijk gedacht. Maar nu vroeg ze zich toch af of er vrouwen waren die niet zo in elkaar staken.

Ze ging op zoek naar haar vader. Ze vond hem aan de westkant van Ireleth Hall, helemaal aan het eind van het grasveld en vlak bij het meer. Hij had iemand aan de telefoon, zijn hoofd gebogen alsof hij zich concentreerde. Ze overwoog hem heimelijk te besluipen, maar voordat ze dat kon doen, beëindigde hij het gesprek. Hij wendde zich van het water af om naar het huis te lopen, maar toen hij zag dat ze naar hem toe liep, bleef hij staan en wachtte tot ze bij hem was.

Manette probeerde iets uit zijn gezichtsuitdrukking op te maken. Het was vreemd dat hij buiten stond te telefoneren. Hij kon natuurlijk een wandelingetje zijn gaan maken en intussen zijn gebeld. Maar op de een of andere wijze betwijfelde ze dat. Er was iets steels aan de manier waarop hij zijn telefoon in zijn zak liet glijden.

'Waarom heb je dit allemaal laten gebeuren?' vroeg ze haar vader toen ze naast hem stond. Ze was langer dan hij, net als haar moeder.

Fairclough zei: 'Welk gedeelte van "dit allemaal" bedoel je?'

'Freddie heeft Ians boekhouding bekeken. Hij heeft de spreadsheets uitgeprint. Hij heeft de programma's. Je moet geweten hebben dat hij na Ians dood orde op zaken zou stellen.'

'Hij laat zien dat hij goed is, die Freddie. Hij zou graag de leiding over het bedrijf op zich nemen.'

'Dat is niet zijn stijl, pa. Hij zou de leiding over het bedrijf op zich nemen als jij hem dat zou vragen, maar daarmee houdt het op. Freddie voert niets in zijn schild.'

'Weet je dat wel zeker?'

'Ik ken Freddie.'

'We denken altijd dat we onze partners kennen. Maar we kennen ze nooit goed genoeg.'

'Ik mag hopen dat je Freddie nergens van beschuldigt. Dat zou wel heel ver gaan.'

Bernard glimlachte dunnetjes. 'Toevallig doe ik dat niet. Hij is een geweldige vent.'

'Toevallig is hij dat inderdaad.'

'Je scheiding... Dat is me altijd een raadsel gebleven. Nick en Mignon...' Fairclough gebaarde vaag in de richting van de folly, '... zij hadden hun demonen, maar daar leek jij geen last van te hebben. Ze heeft een goede keus gemaakt, dacht ik. En dan toe te moeten zien dat daar een einde aan kwam, het zo uit elkaar te zien vallen... Je hebt maar weinig fouten gemaakt in je leven, Manette, maar dat je Freddie hebt laten gaan was er een van.'

'Die dingen gebeuren nou eenmaal,' zei Manette kortaf.

'Wel als je ze laat gebeuren,' antwoordde haar vader.

Hoe durfde hij dat te zeggen, dacht Manette, alles bij elkaar genomen. 'Zoals jij Vivienne Tully hebt laten gebeuren?' vroeg ze.

Bernard bleef haar aankijken. Manette wist wat er in zijn hoofd omging. Hij schatte razendsnel in door wie zijn dochter mogelijk op deze vraag was gekomen. Hij vroeg zich bovendien af hoeveel Manette wist.

Hij zei: 'Vivienne Tully is verleden tijd. Ze is al heel lang weg.'

Hij gooide zijn lijntje uiterst voorzichtig uit. Ze konden best met zijn tweeën in dit water vissen, dus Manette wierp het hare uit. 'Het verleden ligt nooit zo ver weg als we wel zouden willen. Op de een of andere manier haalt het ons altijd in. Zoals Vivienne jou heeft ingehaald.'

'Ik geloof niet dat ik je begrijp.'

'Ik bedoel dat Ian haar jarenlang heeft betaald. Klaarblijkelijk elke maand. Jaren- en jarenlang een maandelijkse toelage. Maar dat weet je natuurlijk wel.'

Hij fronste zijn wenkbrauwen. 'Eerlijk gezegd weet ik daar helemaal niets van.'

Manette probeerde hem te peilen. Zijn huid glansde van het zweet en ze wilde maar dat dat iets te betekenen had, dat het iets zei over wie hij was en wat hij wellicht had gedaan. Ten slotte zei ze: 'Ik geloof je niet. Er was altijd iets tussen jou en Vivienne Tully.'

Hij zei: 'Vivienne maakte deel uit van een verleden dat ik heb laten gebeuren.'

'Wat bedoel je daarmee?'

'Dat ik in een menselijk moment mijn hoofd ben kwijtgeraakt.'

'Ik begrijp het,' zei Manette.

'Niet alles,' kaatste haar vader terug. 'Ik wilde Vivienne en daar ging ze in mee. Maar geen van ons heeft ooit de bedoeling gehad...'

'O, dat hebben mensen nooit, toch?' Manette hoorde de bittere klank in haar stem. Daar was ze verbaasd over. Want vertelde haar vader tenslotte niet iets wat ze in haar hart al jarenlang had vermoed? Een affaire, lang geleden, met een heel jonge vrouw. Wat betekende dat voor haar, zijn dochter? Helemaal niets en toch tegelijkertijd alles, en het allerergste was dat Manette niet wist waarom.

'Mensen doen dat níét vooropgezet,' zei Fairclough. 'Ze raken erin verstrikt. Ze zijn zo stompzinnig om te denken dat het leven ze meer verschuldigd is dan ze al hebben, en wanneer ze in gedachten die kant op gaan, is het gevolg...'

'Jij en Vivienne Tully. Ik wil je niet kwetsen, maar eerlijk gezegd begrijp ik niet dat Vivienne met je naar bed wilde.'

'Dat is ook niet zo.'

'Ze is niet met je naar bed geweest? O, alsjeblieft, zeg.'

'Nee. Dat bedoel ik niet.' Fairclough keek naar de Hall en wendde zijn blik toen weer af. Er liep een pad langs Lake Windermere, dat naar een bos omhoogklom dat de verre noordgrens van het terrein markeerde. Hij zei: 'Loop met me mee. Ik zal het proberen uit te leggen.'

'Ik wil geen uitleg.'

'Nee. Maar je maakt je zorgen. Je maakt je ook zorgen over mij. Loop met me mee, Manette.' Hij nam haar bij de arm en Manette voelde de druk van zijn vingers door de wollen trui die ze aanhad. Ze wilde zich uit zijn greep losmaken en bij hem weglopen, en wel voorgoed, maar ze zat evenals haar zus in de val door het feit dat Bernard zo wanhopig graag een zoon had gewild. In tegenstelling tot Mignon, die hem haar hele leven voor dat verlangen had gestraft, had Manette haar best gedaan een zoon voor hem te zijn. Ze had zijn manieren overgenomen, zijn houding, zijn gewoonten, zijn manier van praten en die intense blik wanneer hij met iemand stond te praten. Zodra het kon was ze zelfs in zijn bedrijf gaan werken, allemaal om hem te laten zien dat ze evenveel waard was als een zoon. Maar dat lukte natuurlijk niet. Vervolgens was de zoon die hij wel kreeg van begin af aan waardeloos geweest, hoezeer hij de laatste tijd zijn leven ook had gebeterd. En zelfs dat was niet voldoende geweest om de aandacht van haar vader te krijgen, zodat hij zag wat zíj waard was. Dus wilde ze niet met de klootzak meelopen en zijn leugens over Vivienne Tully aanhoren, wat hij ook over haar te zeggen had.

Hij zei: 'Kinderen willen de seksuele ervaringen van hun ouders niet aanhoren. Dat is ongepast.'

'Als dit over mama gaat... dat je bent afgewezen of zo...'

'God nee. Je moeder heeft nooit... Maakt niet uit. Het gaat om mij. Ik wilde Vivienne om geen andere reden dan dat ik haar wilde. Omdat ze jong was, fris.'

'Ik wil niet...'

'Jij hebt haar ter sprake gebracht, liefje. Dan zul je het ook moeten aanhoren. Ik heb haar niet verleid. Dacht je soms van wel?' Hij keek haar aan. Manette zag zijn blik, maar bleef strak naar voren kijken, naar het grindpad, zoals dat naar de oevers liep, zoals het omhoogklom naar het bos dat zich leek terug te trekken, ook al kwamen haar vader en zij er steeds dichterbij. 'Ik ben van nature geen casanova, Manette. Ik heb haar benaderd. Op dat moment had ze misschien twee maanden voor me gewerkt. Ik was eerlijk, net zo eerlijk als ik tegen je moeder ben geweest op de avond dat ik haar ontmoette. Een huwelijk met Vivienne was uitgesloten, kwam zelfs niet in me op. Dus ik vertelde haar dat ik haar als mijn minnares wilde, een discrete regeling waar niemand iets van zou weten, iets wat haar carrière nooit in de weg zou staan, want ik wist dat die belangrijk voor haar was. Ze is heel intelligent en had een schitterende toekomst voor zich. Ik verwachtte niet dat ze die scherpe geest zou verspillen aan een leven in Barrow-in-Furness, of die toekomst zou opgeven omdat ik haar in bed wilde zolang ze in Cumbria verbleef.'

'Ik wil dit helemaal niet weten,' zei Manette tegen haar vader. Ze had zo'n pijn in haar keel dat ze met moeite kon praten.

'Jij bent over haar begonnen, dus zul je luisteren ook. Ze vroeg of ze er een tijdje over mocht nadenken, om alle aspecten van mijn voorstel te bekijken. Ze dacht twee weken na. Toen kwam ze met een eigen voorstel naar me toe. Ze zou het als minnares met me proberen, zei ze. Ze had zichzelf nooit als iemands minnares voorgesteld en zeker nooit als een vrouw die het aanlegde met een man die ouder was dan haar eigen vader. Ze zei eerlijk dat ze het een beetje onsmakelijk vond, want ze was niet het soort vrouw dat geld opwindend vond. Ze hield van jonge mannen, mannen van haar eigen leeftijd en ze wist niet eens of ze er wel tegen kon me in haar bed te hebben. Ze kon zich niet voorstellen dat ik haar zou opwinden, zei ze. Maar als ze als minnaar van me kon genieten, wat ze eerlijk gezegd niet verwachtte, ging ze met de regeling akkoord. Als dat niet het geval was, dan zou er geen – zoals zij het uitdrukte – rancune zijn tussen ons.'

'God. Ze had je voor de rechter kunnen slepen. Het had je een fortuin kunnen kosten. Seksuele...'

'Dat wist ik. Maar het ging om dat waanzinnige verlangen waar ik het eerder over had. Het is niet uit te leggen als je het zelf niet hebt meegemaakt. Alles lijkt dan zo logisch, zelfs een werkneemster een voorstel doen en haar tegenvoorstel accepteren.' Ze liepen langzaam verder terwijl vanaf het meer de wind begon op te steken. Manette huiverde en haar vader legde zijn arm om haar middel en trok haar dichter tegen zich aan. Hij zei: 'Het gaat straks vast regenen.' En daarna: 'Dus een tijdje speelden we twee verschillende rollen, Vivienne en ik. Op het werk waren we de werkgever en zijn directieassistente, zonder dat er ook maar iets van te merken was dat er meer tussen ons speelde; op andere momenten waren we een man en zijn minnares, en doordat we overdag uit alle macht de schijn moesten ophouden, was het 's avonds des te opwindender. Maar uiteindelijk had ze er genoeg van. Haar carrière lonkte en ik was niet zo dwaas om haar tegen te houden. Ik moest haar laten gaan en ik deed wat ik in het begin had beloofd, er zat niets anders op dan haar geluk te wensen.'

'Waar is ze nu?'

'Ik heb geen idee. Ze kreeg in Londen een baan aangeboden, maar dat was alweer en tijdje geleden. Ik denk dat ze daar alweer weg is.'

'En mama? Hoe kon je...'

'Je moeder heeft het nooit geweten, Manette.'

'Maar Mignon weet het wel, hè?'

Fairclough wendde zijn blik af. Een ogenblik verstreek waarin een vlucht eenden in een V-vorm overvloog, naar het meer dook en weer oprees. Ten slotte zei hij: 'Inderdaad. Ik weet niet hoe ze erachter is gekomen, maar wie weet hoe Mignon achter dingen komt?'

'Dus daarom kan ze...'

'Ja.'

'En hoe zit het dan met Ian? Die betalingen die hij aan Vivienne heeft gedaan?'

Fairclough schudde zijn hoofd en keek haar toen weer aan. Hij zei: 'Ik zweer het, Manette, ik weet het niet. Als Ian Vivienne betaalde, kan dat alleen maar zijn gebeurd omdat hij me tegen iets wilde beschermen. Ze moet contact met hem gehad hebben, hem met iets hebben gedreigd...? Ik weet het gewoon niet.'

'Misschien dreigde ze het aan mama te vertellen. Net als Mignon. Want dat doet ze, hè? Mignon dreigt het aan mama te vertellen als je niet doet wat ze vraagt. Wat zou mama doen als ze het wist?'

Fairclough wendde zich naar haar toe en voor het eerst viel het Manette op dat haar vader er oud uitzag. Kwetsbaar zelfs. 'Je moeder zou in alle staten zijn, liefje,' zei hij. 'Na al die jaren zou ik haar dat graag willen besparen.'

Bryanbarrow

Cumbria

Tim kon vanuit zijn raam Gracie op de trampoline zien springen. Ze sprong nu al ruim een uur achter elkaar, haar gezicht een toonbeeld van concentratie. Soms viel ze op haar achterste en rolde over de mat. Maar ze stond altijd weer op en begon dan weer te springen.

Eerder had Tim haar in de tuin gezien, achter het huis. Ze groef een gat en naast haar zag hij een kleine kartonnen doos met een rood lint. Toen het gat diep en breed genoeg was, zette ze de doos erin en begroef die. De overtollige aarde deed ze in een emmer en die verspreidde ze netjes door de hele tuin, ook al was de tuin in deze tijd van het jaar zo'n puinhoop dat dit helemaal niet nodig was geweest. Maar voordat ze de aarde verspreidde, knielde ze neer en kruiste ze haar armen voor haar borst: de rechtervuist op de linkerschouder en de linkervuist op de rechterschouder, en het hoofd een beetje gebogen. Het kwam opeens in Tim op dat ze er een beetje uitzag als een engel die je wel op oude victoriaanse begraafplaatsen zag, en toen begreep hij wat ze aan het doen was. Ze was Bella aan het begraven, gaf de pop een fatsoenlijke begrafenis.

Bella had gerepareerd kunnen worden. Tim had haar grondig vernield, maar haar armen en benen hadden er weer aangezet kunnen worden en de krassen die zijn uitval op haar hadden veroorzaakt, hadden weggepoetst kunnen worden. Maar dat wilde Gracie allemaal niet, net zoals ze niets meer met Tim te maken wilde hebben sinds hij was teruggekomen na zijn natte pak in de beek de Bryan. Hij had zich verkleed en was naar Gracie gegaan, had haar aangeboden haar haren te borstelen en een Franse vlecht te maken, maar ze wilde hem niet bij zich in de buurt hebben. 'Raak me niet aan en blijf met je handen van Bella af, Timmy,' had ze tegen hem gezegd. Ze klonk niet verdrietig, alleen maar gelaten.

Nadat ze de pop had begraven, was ze naar de trampoline gegaan. En daar was ze al die tijd gebleven. Tim wilde dat ze ermee ophield, maar hij wist niet hoe hij dat voor elkaar moest krijgen. Hij overwoog hun moeder te bellen, maar dat idee verwierp hij zodra het in hem was opgekomen. Hij wist wat ze zou zeggen: 'Ze houdt wel op met springen als ze moe wordt. Ik rij niet helemaal naar Bryanbarrow om je zus van die trampoline te halen. Als je er last van hebt, vraag je het maar aan Kaveh. Hij vindt het vast heerlijk dat hij even vadertje mag spelen.' Ze zou dat laatste min of meer snerend zeggen. En dan zou ze weer vertrekken naar die rukker van een Wilcox om zich te laten verwennen door een échte man. Zo zou zij erover denken. Charlie Wilcox wilde het met haar doen, dus hij was het echte werk. En iedereen die het níét met haar wilde doen – zoals Tims vader, bijvoorbeeld – was shit met peren. Nou, zo was het toch ook, nietwaar? zei Tim tegen zichzelf. Zijn vader was shit en Kaveh ook, en Tim begon te ontdekken dat verder iedereen shit was.

Nadat hij in de beek achter de eenden aan was gegaan, was hij teruggekeerd naar huis. Kaveh was achter hem aan gelopen en had geprobeerd met hem te praten, maar Tim wilde níéts met die kerel te maken hebben. Het was al erg genoeg dat die rukker met zijn smerige poten aan hem had gezeten. En dan ook nog met hem te moeten praten... Dat ging gewoon niet gebeuren.

Tim dacht echter dat Kaveh Gracie misschien wel van de trampoline zou weten te krijgen. Misschien kreeg hij Gracie ook wel zover dat Tim de pop mocht opgraven en naar Windermere mocht brengen om hem te laten repareren. Gracie mocht Kaveh graag, omdat Gracie nou eenmaal zo was. Ze mocht iedereen graag. Dus zou ze naar hem luisteren, toch? Bovendien had Kaveh haar nooit kwaad gedaan, los van het feit dat hij haar hele familie had geruïneerd, natuurlijk.

Maar dan moest Tim zelf ook met Kaveh gaan praten. Hij zou naar beneden moeten gaan, hem moeten opzoeken en hem moeten vertellen dat Gracie buiten aan het springen was. Maar als hij dát deed, dan zou Kaveh waarschijnlijk alleen maar uitleggen dat er niets mis was met springen op de trampoline. Daar zijn trampolines voor, en dat was toch ook de reden waarom we er een voor Gracie hadden gekocht, omdat ze zo graag springt? Dan zou Tim moeten uitleggen dat wanneer ze een uur lang sprong, zoals nu het geval was, ze dat deed omdat ze vanbinnen pijn had. Dan zou Kaveh het voor de hand liggende zeggen: nou, we weten allebei waarom ze vanbinnen pijn heeft, hè?

Het was Tims bedoeling niet geweest. Dat was het probleem. Hij had Gracie niet aan het huilen willen maken. Gracie was de enige die werkelijk iets voor hem betekende. Het punt was dat ze hem op dat moment voor de voeten liep. Hij had niet nagedacht over de gevolgen toen hij Bella weggriste en haar armen en benen lostrok. Hij had alleen maar iets willen dóén om dat kokende gevoel vanbinnen te laten ophouden.

Maar hoe kon Gracie dat nou begrijpen als ze zelf niet vanbinnen kookte? Ze zag alleen maar dat hij gemeen was doordat hij Bella had weggegrist en haar armen en benen had losgerukt.

Buiten was Gracie even met springen opgehouden. Tim zag dat ze hijgde. Hij zag ook iets nieuws aan Gracie, wat hem de adem benam. Ze kreeg borsten en hij zag de knopjes door het truitje dat ze droeg.

Daardoor voelde hij een verschroeiend verdriet. Zijn ogen vertroebelden en toen het waas was weggetrokken, was Gracie weer gaan springen. En nu keek hij tijdens dat springen naar haar borstjes. Hij wist dat daar iets aan gedaan moest worden.

Hoeveel zin zou het hebben om de telefoon te pakken en hun moeder te bellen? vroeg hij zich opnieuw af. Als Gracie borsten kreeg, had ze haar moeder nodig om te gaan winkelen en een meisjesbeha te kopen, of wat kleine meisjes dan ook droegen als ze borsten kregen. Dit ging om veel meer dan Gracie van die verdomde trampoline weghalen, toch? Ja, maar was het niet zo dat Niamh dit net zo zou zien als al het andere? Zeg het maar tegen Kaveh, zou ze zeggen. Kaveh zou dit probleempje wel oplossen.

Zo stonden de zaken ervoor: wat Gracie ook in de jaren dat ze opgroeide tegen zou komen, ze zou ermee om moeten leren gaan zonder de helpende hand van een moeder, want één ding was in het leven volstrekt duidelijk: Niamh Cresswell had plannen voor zichzelf en daar pasten niet de kinderen in die ze met die klootzak van een man van haar had gekregen. Dus wist Tim dat het op hem of Kaveh aankwam om Gracie bij het opgroeien te begeleiden. Of het kwam op hen allebei aan.

Tim liep zijn kamer uit. Kaveh was ergens in huis en Tim bedacht dat hij hem net zo goed nu kon vertellen dat Gracie naar Windermere moest om te kopen wat ze nodig had. Als ze dat niet deden, dan zouden de jongens op school haar gaan plagen. Uiteindelijk zouden ook de meisjes dat gaan doen. Plagen ging zomaar over in pesten en Tim was niet van plan zijn zus dat te laten overkomen.

Toen hij de trap af liep hoorde hij Kavehs stem. Die leek uit het stookhuis te komen. De deur naar de kamer stond op een brede kier, maar een straal licht viel door de deuropening op de vloer en hij hoorde dat er in de kolenhaard werd gepookt.

'... strookt niet bepaald met mijn plannen,' zei Kaveh beleefd tegen iemand.

'Maar je denkt er toch zeker niet over om te blijven nu Cresswell dood is?' Tim herkende George Cowleys stem. Hij wist ook waar het over ging. 'Blijven' betekende dat ze het over de Bryan Beck-farm hadden.

George Cowley zag de dood van zijn vader als zijn kans om in te grijpen en de farm te kopen. Maar het was duidelijk dat Kaveh dat niet wilde.

'Jazeker,' zei Kaveh.

'Dan ga je zeker schapen fokken, hè?' Cowley klonk geamuseerd bij het idee. Hij stelde zich Kaveh waarschijnlijk voor zoals die in roze kaplaarzen en een lavendelkleurige waxjas of zoiets over het boerenerf zou trippelen.

'Ik had eigenlijk gehoopt dat je pachter wilde blijven, zoals je tot dusverre bent geweest,' zei Kaveh. 'Tot nu toe is dat goed gegaan. Ik zie niet in waarom je dat niet kunt blijven doen. Bovendien is het land behoorlijk wat waard als het ooit te koop wordt aangeboden.'

'En jij denkt dat ik niet genoeg geld heb om het te kopen?' zei Cowley. 'Nou, heb jíj het geld dan wel, kereltje? Vast niet. Over een paar maanden gaat dit hele pand onder de hamer en leg ik m'n geld op tafel.'

'Ik ben bang dat het helemaal niet onder de hamer komt,' zei Kaveh.

'En waarom niet? Je wilt toch zeker niet beweren dat hij het jou heeft nagelaten?'

'Toevallig heeft hij dat wel gedaan.'

George Cowley viel stil, liet dit onverwachte nieuws tot zich doordringen. 'Je neemt me in de maling.'

'Toevallig doe ik dat niet.'

'O nee? En waar ga je de successierechten dan vandaan halen? Dat is een bom duiten.'

'De successierechten zijn geen probleem, meneer Cowley,' zei Kaveh.

Er viel opnieuw een stilte. Tim vroeg zich af hoe George Cowley dit zou opvatten. Voor het eerst vroeg hij zich ook af waar Kaveh Mehran in het plaatje van zijn vaders dood paste. Het was toch een ongeluk geweest, en niks anders? Iédereen had dat gezegd, inclusief de onderzoeksrechter. Maar nu leek dat allemaal niet meer zo simpel. En wat Kaveh daarna zei, maakte de zaak nog ingewikkelder dan Tim voor mogelijk had gehouden.

'Mijn familie komt hier namelijk ook wonen, ziet u. Met zijn allen zullen we de successierechten...'

'Familie?' spotte Cowley. 'Wat heeft voor jouw soort familie nou te betekenen, hè?'

Kaveh zweeg even. Maar toen hij weer sprak, deed hij dat op dodelijk formele toon. 'Familie betekent mijn ouders, om te beginnen. Ze komen uit Manchester om hier te wonen. Samen met mijn vrouw.'

De muren leken om Tim heen te dansen. De hele aarde leek te kantelen. Alles wat hij voor waar had aangenomen werd plotseling in een maalstroom gegooid, waar woorden veel meer betekenden dan ze in al die veertien jaar voor hem hadden betekend. En alles waarvan hij had gedacht dat hij het echt had begrepen, werd nu door één enkele verklaring weggevaagd.

'Je vrouw.' Cowley zei het op effen toon.

'Mijn vrouw. Ja.' Het geluid van beweging, Kaveh die misschien door de kamer liep, of naar het bureau aan de zijkant van het vertrek. Of misschien ging hij wel bij de haard staan, met een arm op de schoorsteenmantel, met de houding van iemand die wist dat hij alle troeven in handen had. 'Ik ga volgende maand trouwen.'

'Ja, hoor.' Cowley snoof. 'Weet ze van je kleine "toestand" hier, die vróúw van je met wie je volgende maand gaat trouwen?'

'Toestand? Waar hebt u het in hemelsnaam over?'

'Je ondeugden. Je weet precies wat ik bedoel. Jullie waren twee kontbandieten, jij en Cresswell. Kom op, denk je dat het hele dorp daar niet van wist?'

'Als u bedoelt dat het dorp wist dat Ian Cresswell en ik dit huis deelden, dan was dat natuurlijk bekend. Maar wat is er verder dan nog?'

'Nou, kleine kontneuker die je bent. Probeer je soms te zeggen...'

'Ik bedoel te zeggen dat ik ga trouwen, mijn vrouw komt hier samen met mijn ouders wonen, en daarna onze kinderen. Als u het dan nog steeds niet begrijpt, dan weet ik het ook niet meer.'

'En hoe zit het dan met de kinderen? Geloof je dan dat zij de volgende maand je vrouw niet gaan vertellen wat er met je aan de hand is?'

'Hebt u het soms over Tim en Gracie, meneer Cowley?'

'Dat weet je donders goed.'

'Los van het feit dat mijn verloofde geen Engels spreekt en geen woord zal verstaan van wat ze tegen haar zouden zeggen, hebben ze niemand iets te vertellen. En Tim en Gracie gaan naar hun moeder terug. Dat is al in gang gezet.'

'Dus dat is dat?'

'Ik vrees van wel.'

'Je bent echt een slimmerik, hè, kerel? Je zult dit wel vanaf het begin hebben bekokstoofd.'

Tim hoorde niet wat Kaveh hierop antwoordde. Meer hoefde hij niet te horen. Hij strompelde door de gang naar de keuken en daarna het huis uit.

Lake Windermere

Cumbria

St. James had bedacht dat er nog een laatste mogelijkheid was als het ging om Ian Cresswells verdrinkingsdood. Het was op zijn zachtst gezegd onwaarschijnlijk, maar als het een mogelijkheid was, dan wist hij dat hij die moest onderzoeken. Daar had hij alleen een attribuut voor nodig.

Gek genoeg was er in Milnthorpe noch in Arnside een hengelsportwinkel, dus hij reed naar Grange-over-Sands en deed zijn aankoop bij een bedrijf dat Lancasters heette. Lancasters verkocht alles, van babykleren tot tuingereedschap, en het complex aan de glooiende hoofdstraat bestond uit een reeks winkels die kennelijk in de afgelopen honderd jaar door de ondernemende familie Lancaster was overgenomen en uitgebouwd tot een opmerkelijke en succesvolle keten, waarbij de ene winkel overging in de andere. Achter dit alles leek de filosofie te overheersen dat alles wat daar niet werd verkocht, ook niet gekocht hoefde te worden. Dit gold ook voor de viswereld, maar wat ze wel hadden, was precies zo'n fileermes als het mes dat Lynley in het botenhuis bij Ireleth Hall uit het water had gevist.

St. James kocht het, belde Lynley en zei tegen hem dat hij naar Ireleth Hall ging. Hij belde ook Deborah, maar die nam niet op. Dat verbaasde hem niet, want ze kon zien wie er belde en ze was momenteel niet blij met hem.

En dat was hij trouwens ook niet met haar. Hij hield heel veel van zijn vrouw, maar op de momenten dat ze het over iets fundamenteels oneens waren, was hij de wanhoop nabij en vreesde hij voor zijn huwelijk. Die wanhoop ging altijd snel weer over, het was een gevoel waar hij later, zodra hun wederzijdse drift was bekoeld, grinnikend op terugkeek. Waarom raakten ze daar zo in verstrikt? vroeg hij zich dan af. De ene dag waren sommige zaken van levensbelang en de volgende deden ze er amper meer toe. Maar dit deed er wel degelijk toe.

Hij nam de kortste weg naar Lake Windermere, hoewel hij op een ander moment het heerlijk zou hebben gevonden om een omweg te maken en door Lyth Valley te toeren. In plaats daarvan stoof hij over de noordoostelijke route en eindigde aan het uiterste puntje van Lake Windermere, waar de opeenhoping van puin bij Newby Bridge duidde op gletsjers, een ijstijd en een ver verleden, toen het dorp zich nog aan het zuidelijkste puntje van het meer bevond, maar dat nu een stukje verderop lag. Toen haastte hij zich naar het noorden. Algauw kwam Lake Windermere in zicht: een breed, spiegelglad grijsblauw scherm met daarin de weerspiegeling van de in herfstkleuren getooide bomen van de bossen langs de oevers.

Ireleth Hall stond daar niet ver vandaan, een paar kilometer verder dan de victoriaanse schoonheid van Fell Foot Park, een wandelgebied waar je kon genieten van vergezichten, die in deze tijd van het jaar steeds kouder en onheilspellender werden, maar die in de lente een palet vormden van wuivende narcissen en kleurige rododendrons die op de bebouwde heuvels groeiden. Hij reed daar voorbij en dook een van de tientallen boomtunnels in die de weg rijk was: kastanjebruin waar nog bladeren aan de bomen zaten en okerkleurige, skeletachtige takken waar ze al waren gevallen.

Bij Ireleth Hall waren de hekken gesloten, maar tussen de klimop die langs de stenen plint groeide en deel uitmaakte van de muur die de grens vormde, zat een bel. St. James stapte uit zijn huurauto en belde aan. Op dat moment verscheen achter hem Lynley in de Healey Elliot.

Toen was het zo gepiept. Er was even een gesprekje met degene die op de bel had gereageerd, en Lynley zei over St. James' schouder: 'Thomas Lynley,' en dat was dat. Ze waren binnen, de hekken gingen piepend open alsof ze uit een oude griezelfilm kwamen en gingen daarna knarsend achter hen dicht.

Ze gingen rechtstreeks naar het botenhuis. Dit was, zo vertelde St. James zijn vriend, nog de enige mogelijkheid voor wat betreft zijn aandeel in het onderzoek. Dit was de laatste kans om de onderzoeksrechter ervan te overtuigen de zaak te heropenen, hoewel niemand ooit zou kunnen aantonen dat alle omstandigheden rondom Ian Cresswells dood helemaal duidelijk waren. En zelfs dit garandeerde niets, zei hij.

Lynley verklaarde dat hij er heel blij mee zou zijn als de zaken konden worden afgerond en hij snel naar Londen kon terugkeren. St. James keek hem bij die opmerking vragend aan. Lynley zei: 'De baas is niet blij met me.'

'Hoopte Hillier dat je met wat anders op de proppen zou komen?'

'Nee. Isabelle. Ze is er niet blij mee dat Hillier me in deze situatie heeft gemanoeuvreerd.'

'Aha. Niet goed.'

'Absoluut niet goed.'

Ze lieten de kwestie verder rusten, maar St. James vroeg zich wel af hoe Lynleys relatie met Isabelle Ardery in elkaar stak. Ze hadden eerder samen aan een zaak gewerkt en waren in dat kader bij hem langs geweest, en St. James was ook weer niet zo wereldvreemd dat hij niet doorhad dat er tussen hen een vonk was overgesprongen. Maar het was gevaarlijk om iets met een meerdere te beginnen. Sterker nog, het zou altijd gevaarlijk zijn als Lynley met wie dan ook op de Met iets begon.

Terwijl ze naar het botenhuis liepen, vertelde Lynley over zijn ontmoeting met Bernard Faircloughs dochter Manette en haar man, en hij deed uit de doeken wat ze hadden onthuld over het geld dat Ian Cresswell had betaald. Of Bernard Fairclough wist daarvan, of hij wist er niets van, zei Lynley. Hoe dan ook, Cresswell leek dingen te hebben geweten die weleens riskant voor hem konden zijn geweest. Als Fairclough niets van die betalingen wist, of maar een deel ervan, dan vormde hij een gevaarlijke factor zodra hij het eenmaal had ontdekt. Als Ian had geprobeerd om een aantal van de betalingen stop te zetten, dan lag de verdenking bij degenen die het geld ontvingen.

'Uiteindelijk lijkt het toch op geld neer te komen,' zei Lynley.

'Dat is vaker wel dan niet het geval, hè?' merkte St. James op.

In het botenhuis was geen extra licht nodig voor wat St. James wilde gaan doen en het omgevingslicht dat op deze heldere dag op het meer reflecteerde, was voldoende. St. James wilde de andere stenen van de kade onderzoeken. Als er meer stenen loslagen dan alleen de twee die uit hun voegen waren geraakt, dan was hij van mening dat Ian een ongeluk had gehad.

De scull lag er wel, maar de roeiboot niet. Kennelijk was Valerie weer op het meer. St. James liep naar de plek waar haar boot aangemeerd had gelegen. Het leek hem verstandig om daar eerst te gaan kijken.

Op handen en knieën wilde hij de plek afwerken. Hij knielde onbeholpen neer en zei tegen Lynley toen die hem te hulp wilde schieten: 'Ik red het wel.' De stenen lagen allemaal stevig vast tot hij bij de vijfde grote steen kwam, die even loszat als de tand in het melkgebit van een zevenjarig kind. Met de zesde en zevende was het al net zo gesteld. De volgende vier stenen waren weer in orde, maar de twaalfde dreigde het te begeven. Op deze twaalfde steen liet St. James het fileermes los dat hij in Grange-over-Sands had gekocht. Hij werkte het restant van het voegsel los om de steen in zo'n positie te brengen dat die bij de minste of geringste beweging gemakkelijk in het water zou tuimelen. St. James dreef het lemmet ertussen, wrikte er een beetje mee en klaar was Kees. Je hoefde er maar één voet op te zetten – in dit geval nam Lynley de honneurs waar – en je kukelde in het water. Het was niet heel moeilijk je voor te stellen hoe iemand uit een scull klom, zijn hele gewicht op een steen liet rusten die net zo was geforceerd, waardoor zou gebeuren wat Ian Cresswell was overkomen. Waar het nu om ging was of de andere losse stenen onder Lynleys gewicht, maar niet geholpen door het fileermes van St. James, ook in het water zouden vallen. Een ervan deed dat inderdaad. De drie andere niet. Lynley zuchtte, schudde zijn hoofd en zei: 'Ik sta open voor suggesties. Als een daarvan een terugkeer naar Londen is, dan spreek ik die niet tegen.'

'We hebben echt licht nodig.'

'Waarom nu wel?'

'Niet hier. Kom mee.'

Ze verlieten het botenhuis. St. James stak het fileermes tussen hen in omhoog. Ze keken er beiden naar en voor de conclusie was geen microscopisch onderzoek in een forensisch lab nodig. Door het wrikken in de specie waren er diepe krassen en groeven in ontstaan. Maar het mes dat Lynley eerder uit het water had gevist was helemaal gaaf geweest.

Lynley zei: 'Aha. Nu begrijp ik 't.'

'Volgens mij is het hiermee wel duidelijk, Tommy. Het wordt tijd dat Deborah en ik naar Londen teruggaan. Ik zeg op dit moment niet dat de stenen níét op een andere manier zijn losgewerkt. Maar het feit dat het mes dat je uit het water hebt gehaald geen enkel krasje vertoont, geeft aan dat zijn dood inderdaad een ongeluk is geweest, tenzij die stenen met iets anders zijn bewerkt. En tenzij je van plan bent om het hele terrein te laten onderzoeken of er iets te vinden is wat kan zijn gebruikt om de stenen te bewerken die in het water zijn gevallen...'

'... moet ik iets anders verzinnen.' Lynley maakte de zin voor hem af. 'Of ik moet de zaak afsluiten en zelf ook teruggaan.'

'Als Barbara Havers niet met nog iets komt, durf ik wel te beweren dat de zaken er zo voor staan. Maar dat is toch niet per se een slecht resultaat? Het is gewoon een resultaat.'

'Inderdaad.'

Ze bleven zwijgend over het meer uitkijken. Er kwam een roeiboot naar ze toe met daarin een vrouw die vaardig de roeispanen hanteerde.

Valerie Fairclough was op vissen gekleed, maar ze had duidelijk geen geluk gehad. Toen ze dichterbij kwam, liet ze haar lege emmer zien en riep opgewekt: 'Het is maar goed dat we hier geen honger lijden. In de afgelopen paar dagen was het hopeloos.'

'Op de kade in het botenhuis liggen nog meer losse stenen,' riep Lynley terug. 'Met een paar hebben we het nog erger gemaakt. Wees voorzichtig. We helpen je wel.'

Ze gingen weer naar binnen. Ze gleed in stilte door en meerde de roeiboot precies op de plek waar de stenen loslagen. Lynley zei: 'Je weet hem precies op de ergste plek neer te leggen. Ben je ook vanaf deze plek vertrokken?'

'Ja,' zei Valerie. 'Ik heb het niet gemerkt. Zijn ze er zo slecht aan toe?'

'Uiteindelijk gaat het wel mis.'

'Net als de andere?'

'Net als de andere.'

Haar gezicht ontspande. Ze glimlachte niet, maar haar opluchting was voelbaar. St. James merkte dit op en hij wist dat het Lynley ook was opgevallen toen Valerie Fairclough hem haar vistuig gaf. Lynley legde dat opzij, stak toen zijn hand uit en hielp Valerie Fairclough uit de boot. Hij stelde St. James en de vrouw aan elkaar voor.

St. James zei: 'Ik heb begrepen dat u Ian Cresswells lichaam hebt gevonden.'

'Dat klopt, ja.' Valerie zette de pet die ze droeg af, een baseballpet die haar mooie grijze haar bedekte. Dat was jeugdig gekapt en ze woelde er met haar vingers doorheen.

'En u hebt ook de politie gebeld,' zei St. James.

'Dat klopt.'

'Daar kijk ik een beetje van op,' zei St. James. 'Gaat u naar het huis? Mogen we met u meelopen?'

Valerie keek naar Lynley. Ze maakte niet de indruk dat ze op haar hoede was. Daarvoor had ze de situatie te goed in de hand. Maar ze zou zich afvragen waarom Lynleys getuige-deskundige uit Londen een praatje met haar wilde maken, en ze zou ook weten dat het niet zou gaan over de pech bij het vissen. Ze zei elegant: 'Natuurlijk mag u dat,' maar die snelle beweging van haar blauwe ogen vertelde een ander verhaal, over hoe ze er werkelijk over dacht.

Ze liepen het pad op. St. James zei tegen haar: 'Hebt u die dag ook gevist?'

'Toen ik hem vond? Nee.'

'Waarom ging u dan naar het botenhuis?'

'Ik maakte een ommetje. Dat doe ik 's middags meestal. Als het 's winters slechter weer wordt ben ik meer aan huis gebonden dan me lief is, wat voor ons allemaal geldt, dus nu de dagen nog mooi zijn probeer ik er zo veel mogelijk op uit te gaan.'

'Op het landgoed? Door de bossen? Op de hoogvlakten?'

'Ik woon hier al mijn hele leven, meneer St. James. Ik loop waar ik het prettig vind.'

'En op die dag?'

Valerie Fairclough wierp even een blik op Lynley. Ze zei tegen hem:

'Zou jij dat willen uitleggen?' wat uiteraard een welopgevoede manier was om te vragen waarom zijn vriend haar de duimschroeven aandraaide.

St. James zei: 'Daar ben ik meer in geïnteresseerd dan Tommy. Ik heb met agent Schlicht gesproken over de dag dat Ian Cresswell werd gevonden. Hij vertelde me twee merkwaardige dingen over het telefoontje naar het alarmnummer, en dat heb ik al die tijd geprobeerd te begrijpen. Nou ja, eigenlijk hield één ding verband met het telefoontje. Het andere ging over u.'

Nu was ze duidelijk wel op haar hoede. Valerie Fairclough bleef op het pad staan. Ze streek haar handen langs de zijkanten van haar broek en St. James dacht dat ze daarmee haar zenuwen tot bedaren wilde brengen. Aan de blik waarmee Lynley hem aankeek, zag hij dat hij dat ook in de gaten had en hem aanmoedigde verder te gaan om te kijken wat hij uit haar kon krijgen.

'En wat heeft de agent u verteld?' vroeg Valerie.

'Hij had gesproken met de dienstdoende agent die het alarmtelefoontje over Ian Cresswells verdrinking heeft aangenomen. Het viel hem op dat degene aan de telefoon gezien de omstandigheden opmerkelijk kalm was.'

'Ik begrijp het.' Valerie zei het schertsend, maar het feit dat ze op het pad was blijven staan, duidde erop dat ze niet wilde dat St. James en Lynley bepaalde omstandigheden die aan Ian Cresswells dood kleefden te weten kwamen. Een ervan, zo wist St. James, was nu buiten hun gezichtsveld. De folly die ze voor hun dochter Mignon hadden laten bouwen, was niet langer te zien.

'Er werd zoiets gezegd als: "Er schijnt een dode man in mijn botenhuis te drijven",' zei St. James tegen Valerie.

Ze keek de andere kant op. Er gleed een rimpeling over haar gezicht die leek op een rimpeling op het meeroppervlak achter hen. Er zwom iets onder het wateroppervlak of er schoot een windvlaag overheen, maar hoe dan ook, op dat moment raakte ze even uit haar evenwicht. Ze bracht een hand naar haar voorhoofd en veegde een haarlok weg. Ze had de baseballpet niet weer opgezet. Het zonlicht viel op haar gezicht, waardoor de fijne lijntjes zichtbaar werden van de ouderdom die ze zo graag op afstand wilde houden.

Ze zei: 'Niemand weet precies hoe je in zo'n situatie reageert.'

'Helemaal mee eens. Maar het andere curieuze op die dag was dat toen u de politie en ambulance op de oprit tegemoet liep, u niet gekleed was om uit te gaan. Niet om te gaan wandelen, zeker niet voor een herfstwandeling; u was gekleed alsof u slechts door de kamers van uw huis zou lopen, zo vermoed ik.'

Lynley had in de gaten welke kant St. James op wilde en zei: 'Zie je, er zijn verschillende mogelijkheden die om nader onderzoek vragen.' Hij liet dat even bij haar bezinken en vervolgde toen: 'Je bent helemaal niet in het botenhuis geweest, hè? Jij hebt het lichaam niet gevonden en jij hebt het alarmnummer niet gebeld.'

'Volgens mij heb ik mijn naam genoemd toen ik belde.' Valerie zei het stijfjes, maar ze was niet achterlijk. Ze wist dat in elk geval dit gedeelte van het spel uit was.

'Iedereen kan elke naam opgeven die hij maar wil,' zei St. James.

'Misschien wordt het tijd dat je de waarheid vertelt,' voegde Lynley eraan toe. 'Het gaat om je dochter, hè? Ik durf te beweren dat Mignon het lichaam heeft gevonden en dat Mignon heeft gebeld. Vanuit de folly kan ze het botenhuis zien. Ik durf te beweren dat ze vanaf de bovenste verdieping van de folly alles kan zien, vanaf de deur tot aan de boten die het meer op gaan. De werkelijke vraag waar een antwoord op moet komen is of zij ook een reden had om Ian Cresswell uit de weg te ruimen. Want ze wist dat hij die avond op het meer was, hè?'

Valerie sloeg haar ogen ten hemel. Wonderlijk genoeg moest St. James denken aan een lijdende Madonna, aan wat moederschap inhield voor een vrouw die dapper genoeg was om met alles daaromheen om te gaan. Dat eindigde niet wanneer het kind eenmaal volwassen was. Dat ging door tot moeder of kind zou sterven. Valerie zei: 'Geen van hen...' Ze weifelde. Ze keek St. James en Lynley allebei aan en zei toen: 'Mijn kinderen zijn in alle opzichten onschuldig.'

St. James zei: 'We hebben een fileermes in het water gevonden.' Hij liet haar het mes zien waarmee hij de stenen had bewerkt. 'Deze niet, natuurlijk, maar eentje die er heel erg op lijkt.'

'Die ben ik een paar weken geleden kwijtgeraakt,' zei ze. 'Per ongeluk, eigenlijk. Ik was een behoorlijk grote forel aan het schoonmaken, maar ik liet het mes vallen en dat glipte het water in.'

'O ja?' zei Lynley.

'Ja,' antwoordde ze. 'Onhandig, maar het gebeurde gewoon.'

Lynley en St. James keken elkaar aan. Dit was een aperte leugen, want de werkbank waarop de vis werd schoongemaakt stond aan de andere kant van het botenhuis, en niet waar het fileermes in het water was gevallen. Tenzij St. James zich ernstig vergiste in de eigenschappen van het werktuig, had het mes moeten zwemmen om onder Ian Cresswells scull te belanden.

Kensington

Londen

Vivienne Tully zag er net zo uit als op de foto's die Barbara Havers van haar op internet had gezien. Ze waren ongeveer even oud, zij en Vivienne, maar daar hield ook elke overeenkomst op. Vivienne, zo bedacht Barbara, was precies wat plaatsvervangend hoofdinspecteur Ardery van háár wilde maken: slank, elegant gekleed met alle bijpassende accessoires, en de ultra-elegante kroon op haar werk waren haar kapsel en make-up. Als er inderdaad gradaties bestonden in elegantie – en Barbara vermoedde dat dit inderdaad het geval was – dan had Vivienne Tully zich op de een of andere manier een weg naar de top weten te banen. Alleen al daarom had Barbara onmiddellijk een hekel aan haar.

Ze had besloten om naar Rutland Gate te gaan als degene die ze was en niet als degene voor wie ze zich eerder had uitgegeven: iemand die op zoek was naar een prijzig stuk onroerend goed in Kensington. Ze belde bij flat nummer 6 aan, en zonder te vragen wie er aan de deur was, deed Vivienne Tully – of wie er ook in haar flat was – de deur open. Om die reden vermoedde Barbara dat ze iemand verwachtte. Heel weinig mensen waren zo dom om bezoekers binnen te laten zonder ze aan een fatsoenlijk verhoor te onderwerpen. Zo werden mensen nou beroofd. Zo vonden mensen de dood.

Het bleek dat Vivienne een makelaar verwachtte. Barbara ontdekte dat binnen drie seconden nadat Vivienne Tully een blik op haar had geworpen. Van top tot teen en zo'n dit-kan-niet-wáár-zijn blik, waarna Vivienne zei: 'Ben jíj van Foxton?' Barbara had zich beledigd kunnen voelen, maar ze was daar niet voor een schoonheidswedstrijd. Ze was er ook niet om van dat moment te profiteren en erop voort te borduren, want Vivienne Tully zou volstrekt niet geloven dat een makelaar die erop gebrand was haar flat te verkopen zou komen opdagen in rode gympen, een oranje corduroybroek en een marineblauwe, duffelse jas.

Dus zei ze: 'Brigadier Havers, New Scotland Yard. Ik moet met u praten.'

Barbara merkte op dat Vivienne bepaald niet omviel van de schrik. Ze zei: 'Kom binnen. Ik heb niet veel tijd, ben ik bang. Ik heb een afspraak.'

'Met Foxton. Dat had ik al begrepen. Gaat u verkopen?' Barbara keek om zich heen terwijl Vivienne de deur achter hen sloot. Het was in alle opzichten een schitterende flat: hoge plafonds, prachtig pleisterwerk, hardhouten vloeren met Perzische tapijten, hier en daar smaakvol antiek, een marmeren schoorsteenmantel. Het appartement moest om te beginnen al bakken met geld hebben gekost, maar nu zouden er wagonladingen nodig zijn om hem aan te schaffen. Het merkwaardige echter was dat er niets persoonlijks aanwezig was. Je zou een paar zorgvuldig uitgekozen stukken Duits porselein persoonlijk kunnen noemen, veronderstelde Barbara, maar de verzameling antiquarische boeken op de boekenplank zag er niet bepaald uit alsof iemand daar op een regenachtige dag doorheen bladerde.

'Ik ga naar Nieuw-Zeeland verhuizen,' zei Vivienne. 'Tijd om naar huis te gaan.'

'Daar geboren?' vroeg Barbara, hoewel ze het antwoord wel wist. De vrouw had geen duidelijk accent; als ze wilde kon ze erom liegen.

Dat deed ze niet. 'In Wellington,' zei ze. 'Mijn ouders wonen daar. Ze worden ouder en willen me graag weer in de buurt hebben.'

'Dan bent u zeker al een tijdje in Engeland, hè?'

'Mag ik vragen waarom u hier bent, brigadier Havers? Wat kan ik voor u doen?'

'Om te beginnen door me over uw relatie met Bernard Fairclough te vertellen.'

Viviennes gezichtsuitdrukking bleef allerbeminnelijkst. 'Ik geloof niet dat u dat wat aangaat. Waar gaat dit precies over?'

'De dood van Ian Cresswell. Die wordt onderzocht. Ik neem aan dat u hem kende, aangezien u een tijdje bij Fairclough Industries voor hem hebt gewerkt.'

'Zou het dan niet logischer zijn als u me vroeg wat mijn relatie met Ian Cresswell was?'

'Daar komen we straks op. Op dit moment ben ik vooral geïnteresseerd in de Fairclough-invalshoek.' Barbara keek met een goedkeurend knikje de kamer rond. Ze zei: 'Prachtig optrekje. Vindt u het erg als ik ergens ga zitten?' Ze wachtte het antwoord niet af, maar liep naar een fauteuil, liet haar schoudertas ernaast vallen en ging in de comfortabele diepe stoel zitten. Ze streek met een hand over de fijne bekleding. Allejezus, was dat zijde? vroeg ze zich af. Het was duidelijk dat Vivienne Tully niet bij de IKEA winkelde.

Vivienne zei: 'Ik geloof dat ik al heb gezegd dat ik iemand...'

'Iemand van Foxton. Ja, dat heb ik begrepen. Daar ben ik goed in. Een geheugen als de spreekwoordelijke olifant, als u begrijpt wat ik bedoel.

Of is het de metaforische olifant? Ik weet nooit welke van de twee. Nou ja, maakt niet uit. Ik neem aan dat u graag wilt dat ik hem ben gesmeerd voordat die vent van Foxton opduikt, hè?'

Vivienne was niet dom. Ze wist dat ze met informatie op de proppen moest komen om ervoor te zorgen dat Barbara zou vertrekken. Ze liep naar een kleine bank en zei: 'Ik heb een tijdje bij Fairclough Industries gewerkt, zoals u al hebt opgemerkt. Ik was Bernard Faircloughs directieassistente. Het was mijn eerste baan nadat ik van de London School of Economics kwam. Na een paar jaar ben ik naar een andere baan overgestapt.'

'Types als u roeren zich behoorlijk in banenland,' zei Barbara bevestigend. 'Dat snap ik. Maar in uw geval ging het om Fairclough Industries, een plotselinge overstap naar de particuliere consultancy en daarna dit baantje bij dat tuinbedrijf, en daar zit u nu nog steeds.'

'En wat dan nog? Ik wilde meer zekerheid dan je in de consultancy krijgt, en toen ik eenmaal bij Precision Gardening terechtkwam, had ik dat voor elkaar. Daar heb ik carrière gemaakt, ik was de juiste persoon op de juiste plek in een periode waarin het van belang was te laten zien dat op de werkvloer mannen en vrouwen gelijk zijn. Ik ben daar bepaald niet als algemeen directeur begonnen, brigadier.'

'Maar u hebt uw banden met Fairclough aangehouden.'

'Ik verbrand geen schepen achter me. Ik vind het verstandig om contacten te onderhouden. Bernard vroeg me om zitting te nemen in het bestuur van de Fairclough Foundation. Daarin heb ik met alle plezier toegestemd.'

'Hoe dat zo?'

'Wat bedoelt u? Bent u soms op zoek naar narigheid? Hij heeft me gevraagd en ik heb ja gezegd. Ik geloof in hun doelstellingen.'

'En hij heeft u gevraagd omdat...'

'Ik neem aan dat ik in zijn ogen in Barrow goed werk heb verricht en zodanig flexibel was dat ik ook voor andere zaken kon worden ingezet. Toen ik bij Fairclough Industries wegging...'

'Waarom eigenlijk?'

'Waarom ik daar weg ben gegaan?'

'Volgens mij had u daar net zo goed carrière kunnen maken als waar dan ook.'

'Bent u weleens in Barrow geweest, brigadier Havers? Nee? Nou, ik vond het er maar niets. Ik kreeg de kans om naar Londen te gaan en die heb ik aangegrepen. Dat doen mensen nou eenmaal. Ik kreeg een aanbieding van het soort waar ik in Barrow jaren over zou moeten doen, ook al hád ik er willen blijven, en geloof me, dat wilde ik niet.'

'En hier bent u dan, in lord Faircloughs flat...'

Vivienne ging iets verzitten, wist haar houding, die om te beginnen al volmaakt was geweest, zelfs nog te perfectioneren. 'Wat u ook mag denken, u bent verkeerd geïnformeerd.'

'Dus Fairclough is niet de eigenaar van dit appartement? Maar hij heeft wel een sleutel, toch? Ik dacht dat hij hier was om te controleren of u er geen bende van maakte. Een beetje de huisbaas spelen, als u begrijpt wat ik bedoel.'

'Wat heeft dit alles met Ian Cresswell te maken, de zogenaamde reden voor uw bezoek?'

'Dat weet ik nog niet precies,' zei Barbara opgewekt. 'Wilt u die situatie met de sleutels niet uitleggen? Vooral omdat Fairclough niet de eigenaar van deze plek is, wat ik overigens wel had gedacht. En hij is trouwens heel mooi. Moet een hoop geld hebben gekost. Dat wilt u vast wel houden, zou ik zo denken. Dus ik vraag me af of u aan Jan en alleman sleutels uitdeelt of ze alleen maar aan speciale mensen geeft.'

'Ik ben bang dat u dat niets aangaat.'

'Waar verblijft onze Bernard wanneer hij in Londen is, miss Tully? Of moet ik mevrouw zeggen? Ik heb navraag gedaan bij de Twins en het schijnt dat ze daar geen eennachtsvliegen accepteren. Bovendien komen er geen vrouwen de drempel over, behalve dat ouwe mens aan de deur – geloof me, dat heb ik onmiddellijk ontdekt – tenzij ze in gezelschap zijn van een lid. Nu blijkt dat u voortdurend aan Faircloughs arm in en uit loopt, dat heb ik althans gehoord. Lunch, diner, een borrel, noem maar op, en vervolgens vertrekken jullie per taxi en die taxi brengt u altijd hiernaartoe. Soms doet u de voordeur open. Soms doet hij dat met zijn eigen sleutel. En dan gaat u naar deze... nou, ik kan wel stellen dat dit een verdomd fantastische plek is... en daarna... Waar parkéért Fairclough zijn ouwe lijf eigenlijk wanneer hij in Londen is? Dat is eigenlijk de hamvraag.'

Vivienne stond op. Dat moest ze ook wel, dacht Barbara. Ze naderden het punt waarop de andere vrouw op ceremoniële wijze Barbara's mollige lijf de voordeur uit zou gooien. Intussen wilde Barbara de zaken zo ver mogelijk op de spits drijven. Ze zag dat Viviennes zelfbeheersing barsten ging vertonen en dat gaf haar enorm veel voldoening. Tenslotte ervoer je een zekere egoïstische opwinding als je iemand die ogenschijnlijk volmaakt was, van zijn stuk kon brengen.

'Nee, dat is niet de hamvraag,' zei Vivienne Tully. 'De hamvraag is hoe lang u erover doet om naar de deur te lopen, die ik voor u zal openen en hem vervolgens na uw vroegtijdige vertrek zal sluiten. Ons gesprek is ten einde.'

'Punt is,' zei Barbara, 'Dan moet ik er inderdaad naartoe lopen, hè? Naar de deur, bedoel ik.'

'U kunt er ook naartoe gesleept worden, uiteraard.'

'Schoppend, schreeuwend en huilend zodat de buren het horen? Stampij maken waardoor u de aandacht trekt, terwijl u dat liever niet hebt?'

'Ik wil dat u verdwijnt, brigadier. Ik zie niet in wat het feit dat ik met Bernard Fairclough lunch, dineer, een drankje drink of wat dan ook doe, te maken heeft met Ian Cresswell, tenzij Bernard de bonnetjes aan Ian heeft gegeven en Ian de rekeningen niet wilde betalen. Maar om zoiets zou hij vast niet hoeven sterven, wel?'

'Zat Ian zo in elkaar? Hield hij de hand op de knip?'

'Dat weet ik niet. Ik had geen contact meer met Ian toen ik eenmaal bij het bedrijf weg was, en dat is jaren geleden. Is dat alles wat u wilde weten? Want, zoals ik u al heb verteld, ik heb een afspraak.'

'We moeten nog steeds de kwestie van de sleutel ophelderen.'

Vivienne glimlachte vreugdeloos. 'Daarmee wens ik u veel succes.' Daarna liep ze naar de voordeur van het appartement, deed die open en zei: 'Als u zo vriendelijk wilt zijn...' en er zat toen voor Barbara werkelijk niets anders op dan mee te werken. Ze had alles uit Vivienne gekregen wat mogelijk was, en het feit dat ze om te beginnen niet verbaasd was geweest dat Scotland Yard bij haar op de stoep stond – nog los van het feit dat ze een knap stukje werk had geleverd door tijdens hun gesprek geen enkele faux pas te maken – vertelde Barbara dat Vivienne van tevoren was gewaarschuwd en er op voorbereid was geweest. Er zat dus niets anders op dan een andere route te volgen. Tenslotte was niets onmogelijk.

Ze ging liever met de trap naar beneden dan met de lift. Die kwam tegenover de tafel met de postvakjes uit. Daar stond de conciërge. Hij had de post verzameld uit de postbus aan de voorkant van het gebouw en was die aan het verdelen. Hij hoorde haar en draaide zich om.

'Weer terug, hè?' zei hij bij wijze van groet. 'Nog steeds hoop op een flat?'

Barbara liep naar hem toe, zo kon ze een nadere blik werpen op wat hij in de vakjes stopte. Als er een getekende verklaring met 'ze is ergens schuldig aan' in Vivienne Tully's vakje zou worden geschoven, zou dat wel een traktatie zijn of, nog beter, als die aan Barbara zou worden overhandigd om aan Lynley door te geven. Maar aan de afzenders te zien: British Telecom, Thames Water, Television Licensing en zo meer, zat er weinig boeiends tussen.

Ze zei: 'Er komt iemand van Foxton. Zoals dat nu eenmaal gebeurt in makelaarsland, zal flat 6 gauw genoeg te koop worden aangeboden. Ik wilde even snel een kijkje nemen.'

'Miss Tully's flat?' zei de conciërge. 'Daar heb ik niets over gehoord. Vreemd, meestal vertellen ze me dat wel, want als er eenmaal iets te koop staat, is het een komen en gaan van mensen.'

'Misschien is het plotseling bij haar opgekomen,' zei Barbara.

'Zal wel. Maar ik had nooit gedacht dat ze zou verkopen. Het is niet gemakkelijk om een mooie plek te vinden waar om de hoek een goeie school zit.'

Barbara voelde een koude rilling van opwinding door zich heen gaan. 'School?' zei ze omzichtig. 'Over welke school hebben we het precies?'

9 november

Windermere

Cumbria

Zed Benjamin merkte dat hij uitkeek naar zijn ochtendbabbeltje met Yaffa Shaw en hij vroeg zich af of een oprechte relatie tussen een man en een vrouw er zo uitzag. Als dat zo was, snapte hij niet waarom hij dit jarenlang uit de weg was gegaan zoals een zigeunerbedelaar zich niet in de buurt van een kerk waagde.

Toen hij haar belde, liet ze merken dat zijn moeder binnen gehoorsafstand was door te zeggen: 'Zed, hondje van me, ik heb je alweer zó gemist,' en ze blies de loftrompet over zijn intelligentie, zijn gevatheid, hoe vriendelijk hij wel niet was en omhelsde hem als klap op de vuurpijl nog eens hartelijk.

Zed bedacht dat zijn moeder hiermee in de wolken zou zijn. 'Hmm, ik mis jou ook,' antwoordde hij, zonder erbij na te denken wat de gevolgen van zo'n ontboezeming konden zijn. Hij had tenslotte alleen maar hoeven reageren met een geamuseerd bedankje omdat Yaffa tijdens hun dagelijkse gesprekjes steeds maar weer zijn moeder om de tuin leidde. 'Als ik bij je was, zou ik je verwarmen zoals je nog nooit hebt meegemaakt.'

'En met heel wat meer dan een paar knuffels, hoop ik,' zei Yaffa.

'Reken daar maar op,' zei Zed tegen haar.

Ze lachte. 'Je bent een heel ondeugende jongen.' En toen tegen zijn moeder: 'Mama Benjamin, onze Zed is weer heel ondeugend.'

'"Mama Benjamin"?'

'Ze stond erop,' zei Yaffa, en voordat hij daar iets op kon zeggen, vervolgde ze: 'Vertel me wat je hebt ontdekt, liefje. Je bent een grote stap verder gekomen met je verhaal, hè? Ik hoor het aan je stem.'

In werkelijkheid gaf Zed aan zichzelf toe dat dát de ware reden was voor zijn telefoontje. Hij wilde opscheppen tegen de vrouw die deed alsof ze zijn grote liefde was, zoals elke man zou wensen wanneer hij zogezegd in de draden der bewondering verstrikt zat. Hij zei: 'Ik heb de politieman gevonden.'

'Echt? Dat is geweldig, Zed. Ik wíst dat het je zou lukken. En ga je nu je hoofdredacteur met dit nieuws bellen? Ga je...' Ze zette een gepast gretige stem op. 'Kom je nu naar huis?'

'Dat kan nog niet. En ik wil Rod ook niet bellen. Ik wil dit verhaal helemaal rond hebben zodat ik het hem kan overhandigen met de mededeling dat het zo gedrukt kan worden. Woord voor woord, waarbij elk detail is nagetrokken. Ik heb met die rechercheur gesproken en een deal gesloten. We gaan er als een team op af.'

'Mijn god.' Yaffa was een en al ademloze bewondering. 'Briljant, Zed.'

'Ze gaat me helpen zonder dat ze dat in de gaten heeft. Wat haar betreft gaan we achter één verhaal aan, maar ik heb er uiteindelijk twee en een ervan gaat over haar.'

'Is de rechercheur dan een vrouw?'

'Inspecteur Cotter, zo heet ze. Voornaam Deb. Ik heb haar betrapt. Ze maakt deel uit van het verhaal, maar dat is niet alles. Het blijkt dat ze achter de vrouw aan zit, Alatea Fairclough. Ze is helemaal niet geïnteresseerd in Nick Fairclough. Nou ja, eerst wel, maar nu blijkt dat er iets uitermate eigenaardigs met de vrouw is. Ik moet zeggen dat ik dat vanaf het begin al vond. Ik heb nooit begrepen hoe iemand als Nick Fairclough bij iemand als Alatea terechtkomt.'

'O ja?' Yaffa klonk geïnteresseerd. 'Hoezo, Zed?'

'Hij deugt wel, hoor, maar ze... Zijn vrouw is echt beeldschoon, Yaf. Ik heb van m'n leven nog nooit iemand gezien zoals zij.'

Aan de andere kant viel een stilte. Haar enige reactie was: 'Jeetje,' meer niet en Zed kon zichzelf wel slaan. Wat een lulkoek, dacht hij. Hij zei: 'Ze is totaal niet mijn type, natuurlijk. Koel en afstandelijk. Het soort vrouw die mannen voor haar karretje spant, als je begrijpt wat ik bedoel. Een soort zwarte weduwe die een man vangt in haar web? Je weet wat zwarte weduwes doen, hè, Yaffa?'

'Volgens mij lokken ze mannetjes om ermee te paren, als ik me het goed herinner,' zei ze.

'Oké. Natuurlijk. Maar het punt is dat ze dodelijk zijn. Ze paren en hij gaat dood. Of liever gezegd, ze paren en hij wordt vermoord. Ik krijg hier echt de kriebels van, Yaffa. Ze is prachtig, maar er is iets vreemds aan haar. Dat ziet iedereen.'

Yaffa leek daar troost uit te putten, hoewel Zed zich afvroeg wat het betekende dat ze troost nodig had. Hoe zat het dan met de vreselijke Micah die in Tel Aviv voor arts studeerde, die zowel nucleair geneeskundige, neurochirurg als financieel tovenaar zou worden. Ze zei: 'Dan moet je voorzichtig zijn, Zed. Dit kan gevaarlijk worden.'

'Maak je geen zorgen,' zei hij tegen haar. 'Ik heb bovendien de Scotland Yard-rechercheur die me kan beschermen.'

'Ook een vrouw.' Klonk Yaffa verdrietig?

'Met rood haar, net als ik, maar ik hou van donkere vrouwen.'

'Zoals die Alatea?'

'Nee,' zei hij. 'In de verste verte niet zoals Alatea. Hoe dan ook, lieveling, die rechercheur heeft emmers vol informatie. Die gaat ze me geven als ik het verhaal nog een paar dagen onder m'n pet houd.'

'Maar wat ga je dan tegen je hoofdredacteur zeggen, Zed? Hoe lang kun je zoiets nog onder je pet houden?'

'Geen probleem. Ik heb Rodney precies waar ik hem hebben wil als hij eenmaal weet over de deal die ik met de Met heb gesloten. Daar is ie dol op. Past precies in zijn straatje.'

'Wees maar voorzichtig.'

'Ben ik toch altijd.'

Yaffa hing daarna op. Zed bleef letterlijk met de telefoon in zijn handen zitten. Hij haalde zijn schouders op en stopte de telefoon in zijn zak. Pas toen hij op weg was naar zijn ontbijt drong het tot hem door dat Yaf haar gebruikelijke kusgeluidjes niet had gemaakt. En pas toen hij van zijn bord waterige roereieren zat te smullen, besefte hij dat hij wilde dat ze dat wel had gedaan.

Milnthorpe

Cumbria

Ze hadden allebei een ellendige nacht gehad. Deborah wist dat Simon niet gelukkig met haar was. Tijdens het eten was het gesprek van de hak op de tak gegaan, in het restaurant van de Crow & Eagle, een etablissement dat bepaald niet in aanmerking kwam om ook maar aan een Michelinster te ruiken. Tijdens het eten had hij heel weinig over de adoptiekwestie gezegd. Deborah wist dat hij daarover ontstemd was, want hij had zacht gezegd: 'Ik had liever gehad dat je niet zo overhaast David had gebeld,' dat was alles. Hij bedoelde natuurlijk dat hij liever had gehad dat ze had gewacht tot hij haar tot iets kon overhalen wat ze helemaal niet wilde.

Deborah had aanvankelijk niet gereageerd. In plaats daarvan was ze tegen hem over andere dingen begonnen en had ze gewacht tot ze weer in hun kamer waren. Daar had ze gezegd: 'Het spijt me dat je zo ongelukkig bent met die adoptietoestand, Simon. Maar jij zei tegen me dat het meisje het wilde weten,' waarop hij haar met zijn grijsblauwe ogen taxerend had opgenomen, zoals hij dat kon doen. Hij had gezegd: 'Maar daar gaat het niet echt om, geloof ik.'

Het was het soort opmerking waar ze ellendig van werd, of woedend, dat hing af van in welke rol ze het opvatte in haar geschiedenis met Simon. Ze kon het opvatten als zijnde de vrouw van een dierbare echtgenoot die ze onbedoeld had gekwetst. Of het uitleggen als het kind dat in zijn huis en onder zijn toeziend oog was opgegroeid en dat in zijn stem de toon van een teleurgestelde vader herkende. Ze wíst dat het om het eerste ging, maar het vóélde als het laatste. En soms was het zo heerlijk om je gevoelens gewoon de vrije loop te laten.

Dus had ze gezegd: 'Weet je, ik heb er echt een bloedhekel aan als je zo tegen me praat.'

Hij had verbaasd gekeken, waarmee hij olie op het vuur gooide. Hij had gezegd: 'Hoe praat ik dan tegen je?'

'Dat weet je best. Je bent mijn vader niet.'

'Geloof me, Deborah, dat weet ik heel goed.'

En dat was de druppel geweest: dat hij zich niet kwaad wilde laten maken, dat woede eenvoudigweg niet bij hem paste. Daar was ze gek van geworden en dat was altijd al zo geweest. Ze kon zich niet anders herinneren.

Vanaf dat moment rolde het verder zoals dat met alle ruzies gebeurt. Eerst ging het over de manier waarop ze een punt had gezet achter David en het meisje uit Southampton, daarna over de talloze manieren waarop ze kennelijk heel lang zijn goedbedoelde tussenkomst in haar leven nodig had gehad. Vervolgens belandden ze bij het parkeerterrein en zoals hij haar tijdens hun gesprek met Tommy had afgescheept. Dit was nou een typisch voorbeeld van de reden waarom hij over haar moest waken, had hij uitgelegd, aangezien ze niet inzag wanneer ze, zo eigenwijs als ze was, zichzelf in gevaar bracht.

Natuurlijk had Simon niet het woord eigenwijs gebruikt. Dat was zijn stijl niet. In plaats daarvan had hij gezegd: 'Soms zie je de zaken gewoon niet zo helder en wil je ze ook niet helder zien. Dat moet je toch toegeven,' en nu doelde hij erop dat ze op de parkeerplaats halsstarrig had volgehouden dat het onderzoekstraject te maken had met het feit dat Alatea Fairclough een tijdschrift met de titel *Conceptie* in haar bezit had. 'Je hebt op basis van je eigen aannames een conclusie getrokken,' zei hij. 'Je laat je oordeel vertroebelen door wat je wenst en niet door wat je weet. Zo kun je geen doelmatig onderzoek doen. En trouwens, niets van dat alles doet ertoe, want je zou hier helemaal niet bij betrokken moeten zijn.'

'Tommy heeft me gevraagd...'

'Wat Tommy betreft, hij heeft aangegeven dat jouw werk erop zit en dat je waarschijnlijk gevaar loopt als je verdergaat.'

'Gevaar? Van wie? Waarvan? Er ís geen gevaar. O, dit is absurd.'

'Daar ben ik het helemaal mee eens,' antwoordde hij. 'Dus we zijn hier klaar, Deborah. We moeten terug naar Londen. Daar ga ik voor zorgen.'

Hierdoor ontplofte ze, zoals hij wel had verwacht. Hij was de kamer uit gelopen om hun vertrek te gaan regelen, en toen hij weer terug was, was ze zo ijzig kwaad dat ze geen woord meer tegen hem zei.

De volgende ochtend pakte hij zijn spullen. Zij pakte ostentatief die van haar niet in. In plaats daarvan deelde ze hem mee dat ze in Cumbria bleef, tenzij hij van plan was haar over zijn schouder naar haar huurauto te dragen. Ze zei: 'We zijn hier nog niet klaar mee, Simon,' en toen hij 'Nee,' zei wist ze dat hij daar meer mee bedoelde dan alles wat er rond de verdrinkingsdood van Ian Cresswell speelde.

Ze zei: 'Ik wil dit helemaal afmaken. Kun je dan niet minstens probéren te begrijpen dat ik dit moet doen? Ik wéét dat het een en ander in verband staat met deze vrouw...'

Dit werkte alleen maar averechts. Bij elke nieuwe verwijzing naar Alatea Fairclough raakte Simon er meer van overtuigd dat Deborah door haar eigen verlangens verblind werd. Hij zei rustig: 'Dan zie ik je wel in Londen. Wanneer je ook terugkomt.' Hij schonk haar een half glimlachje dat haar als een pijl in haar hart trof. Hij voegde eraan toe: 'Goede jacht,' en dat was dat.

Al die tijd wist Deborah dat ze hem had kunnen vertellen over haar plannen met de verslaggever van *The Source*. Maar als ze dat had gedaan, zou aan het licht zijn gekomen dat zij en Zed Benjamin in het onderzoek de krachten gingen bundelen. Simon zou dan zeker iets ondernemen om dat te voorkomen, en als hij het aan Tommy zou vertellen, was de boot helemaal aan. Door Simon niet de waarheid te vertellen, beschermde ze Tommy eigenlijk, want anders zou bekend worden dat hij de Scotland Yard-inspecteur was. Feitelijk gaf zij hem meer tijd om de zaak tot op de bodem uit te zoeken. Als Simon niet kon inzien dat ze nu een cruciale plek in dit onderzocht innam, dan was daar simpelweg niets aan te doen.

Terwijl zij en haar man in de herberg in Milnthorpe hun laatste woorden wisselden, bevond Zed Benjamin zich op de weg in Arnside, waar hij vanaf zijn positie het komen en gaan rondom Arnside House in de gaten hield. Hij zou haar sms'en als Alatea Fairclough het terrein zou verlaten. 'Op weg' betekende dat Alatea met de auto ergens naartoe ging. 'Jouw kant op' betekende dat ze naar Milnthorpe ging.

Dat was het mooie van Arnside, hadden Deborah en Zed Benjamin de vorige dag geconcludeerd. Hoewel je via smalle paadjes het dorp uit kon komen om naar de andere kant van Arnside Knot en naar de dorpjes daar voorbij te komen, was er maar één enkele goede weg waarmee je snel het dorp uit kon komen. En die weg leidde naar Milnthorpe. Die weg kwam langs de Crow & Eagle.

Toen het sms'je kwam, was Simon al een halfuur weg. Deborah keek op haar telefoon en er ging een golf van opwinding door haar heen. Er stond: 'op weg' en 'jouw kant op'.

Ze had de spullen die ze nodig had al verzameld. Minder dan een minuut later stond Deborah onder aan de trap en ging bij de voordeur van de herberg staan wachten waar ze uitzicht op de weg had. Door de glazen deur zag ze Alatea Fairclough langsrijden en rechts afslaan naar de A6. Drie auto's daarachter reed Zed Benjamin. Deborah stond klaar toen hij bij de stoeprand stilhield.

'Naar het zuiden,' zei ze.

'Ik zit erbovenop,' antwoordde hij. 'Nick is ook vertrokken, hij zag er aangeslagen uit. Ik denk dat hij bij het familiebedrijf zijn aandeel gaat leveren om het land royaal van wc's te voorzien.'

'Wat denk je? Had een van ons achter hem aan moeten gaan?'

Hij schudde zijn hoofd. 'Nee. Ik denk dat je gelijk hebt. Het draait allemaal om dit dametje.'

Lancaster

Lancashire

De man was enorm, dacht Deborah. Hij paste nauwelijks in de auto. Hij was niet dik, alleen maar reusachtig. Hij had zijn stoel zo ver mogelijk naar achteren geschoven, maar hij had nog steeds moeite om zijn knieën uit de buurt van het stuur te houden. Maar al was hij enorm, hij was niet intimiderend. Hij straalde een merkwaardig soort goedmoedigheid uit en ze vermoedde dat hij zich dan ook in het door hem gekozen werk als een vis op het droge voelde.

Ze wilde daar net iets over zeggen, toen hij over haar werk begon, althans het werk dat ze volgens hem deed. Met zijn blik op Alatea's auto ver vóór hen zei hij tegen Deborah: 'Ik had nooit gedacht dat je bij de politie was. Ik had geen idee wie je was geweest als ik je niet bij Arnside House had zien rondneuzen.'

'Waardoor heb ik mezelf dan verraden, als ik vragen mag?'

'Ik heb daar gewoon een zesde zintuig voor.' Hij tikte tegen de zijkant van zijn neus. 'Ik kan ze ruiken, als je snapt wat ik bedoel. Zal wel door m'n werk komen. Moet wel, toch?'

'En over welk werk hebben we het dan?'

'Journalistiek. Het punt is,' zei hij openhartig, 'dat je in mijn soort werk verder moet kijken dan je neus lang is. Onderzoeksjournalistiek is meer dan achter je bureau blijven zitten en wachten totdat een aartsvijand van een of andere vent opbelt en met een heel verhaal komt waardoor de regering valt. Je moet goed zijn in graven. Je moet op jacht gaan.'

Deborah kon onmogelijk weerstand bieden aan deze lariekoek. 'Onderzoeksjournalistiek,' zei ze peinzend. 'Dus zo noemen ze dat, hè, als je voor *The Source* werkt? Volgens mij komen ze niet vaak met onderzoeksverhalen over de regering, toch? Als dat überhaupt al gebeurt.'

'Bij wijze van spreken dan,' zei hij.

'Aha.'

'Hé, het brengt brood op de plank,' verklaarde hij, toen hij ongetwijfeld de ironie in haar stem bespeurde. 'Hoe dan ook, eigenlijk ben ik een dichter. En tegenwoordig kan niemand leven van poëzie.'

'Nee, dat zal wel niet,' zei Deborah.

'Moet je horen, ik weet heus wel dat het een snotkrant is, brigadier Cotter. Maar ik heb graag te eten en een dak boven mijn hoofd, en daar zorg ik op deze manier voor. Het lijkt me dat jouw werk niet veel beter is, door onderste stenen boven te halen en naar het uitschot van de maatschappij te graven, toch?'

Slordig taalgebruik, dacht Deborah. Vreemd voor een dichter, maar ja. 'Zo zou je het inderdaad kunnen zien,' zei ze.

'Je kunt alles op verschillende manieren bekijken.'

Verderop reed Alatea maar door. Het werd al snel duidelijk dat ze naar Lancaster ging. Toen ze eenmaal in de buurt van de stad kwamen, moesten ze oppassen dat ze hen niet zou zien, dus lieten ze zich achter vijf auto's terugvallen.

Ze slingerden door de straten. Het was zonneklaar dat Alatea precies wist waar ze naartoe ging. Ze belandde uiteindelijk in het stadscentrum, op een kleine parkeerplaats naast een massief bakstenen gebouw, terwijl Deborah en Zed Benjamin doorreden. Dertig meter verderop zette Zed de auto langs de stoeprand stil. Deborah draaide zich in haar stoel om en keek achter zich naar het gebouw. Minder dan een minuut later kwam Alatea om de hoek vanaf het parkeerterrein tevoorschijn en ging naar binnen.

'We moeten uitzoeken wat dat voor een gebouw is,' zei Deborah. Zed was zo groot dat hij die taak bepaald niet onopvallend op zich kon nemen. Deborah stapte uit en zei: 'Wacht hier,' en ze stoof naar de overkant van de straat, waar ze tussen de daar geparkeerde auto's enigszins uit het zicht kon blijven.

Ze liep zo ver door dat ze de letters boven de ingang van het gebouw kon lezen. KENT-HOWATH FOUNDATION VOOR OORLOGSINVALIDEN stond er. Een tehuis voor veteranen die in de oorlog gewond waren geraakt.

Deborah dacht na over Alatea's geboorteplaats, ze wist dat die in Argentinië lag. Daarmee kwam ze onvermijdelijk bij de Falklandoorlog terecht. Ze vroeg zich af hoe waarschijnlijk het was dat hier een Argentijnse soldaat terecht was gekomen, iemand bij wie Alatea op bezoek ging.

Ze dacht nog aan mogelijke andere oorlogen, de Golfoorlogen waren het recentst geweest, toen Alatea weer tevoorschijn kwam. Ze was niet alleen, maar ook niet in het gezelschap van iemand die maar in de verste verte op een oorlogsveteraan leek. Ze liep daar met een andere vrouw, even lang als Alatea, maar steviger. Haar voorkomen en het gemak waarmee ze zich bewoog duidden erop dat ze de kleren aanhad die ze het liefst droeg: een kleurrijk, lang shirt, een wijde trui en laarzen. Haar lange haar was niet gekapt, donker van kleur maar met wat grijs erdoorheen, en dat had ze met een haarspeldje naar achteren vastgezet.

Ernstig met elkaar in gesprek liepen ze naar de parkeerplaats van de stichting. Deborah dacht na over wat dit betekende en haastte zich weer terug naar de plek waar Zed geparkeerd stond. Ze stapte in de auto en zei: 'Ze gaat weer op pad. Ze heeft iemand bij zich.'

Daarop startte hij de motor, klaar om achter haar aan te gaan. Hij zei: 'Wat is dat voor iets?'

'Tehuis voor oorlogsinvaliden.'

'Heeft ze een invalide bij zich?'

'Nee. Ze is met een vrouw. Die zou best een soldaat kunnen zijn, maar voor zover ik kan zien is ze niet invalide. Ze komen eraan. Snel.' Deborah dook op Zed af. Ze sloeg haar armen om hem heen en trok hem naar zich toe in de hoop dat het voor een voorbijganger een hartstochtelijke omhelzing zou lijken. Toen ze over Zeds schouder de auto langs zag rijden, liet ze hem weer los en zag dat zijn gezicht vuurrood was. 'Sorry,' zei ze. 'Dat leek me nu even de beste oplossing.'

Hij stamelde: 'Ja. Oké. Tuurlijk.' Toen trok hij op en begon Alatea Fairclough weer te volgen.

Ze verlieten het stadscentrum. Het was druk op de weg, maar ze wisten Alatea's auto in het oog te houden. Zed had als eerste in de gaten waar Alatea naartoe ging. Toen ze het centrum van Lancaster uit reden, duurde het niet lang voordat een heuvelrug met daarop een aantal moderne gebouwen in het zicht kwam.

'Ze gaat naar de universiteit,' zei hij. 'Daarmee belanden we op een dood spoor.'

Maar daar was Deborah het niet mee eens. Alatea ging niet voor niets met iemand naar de universiteit van Lancaster. Ze had wel een idee wat de reden was en vermoedde dat het niets met studeren te maken had.

Het zou geen sinecure zijn om op dit terrein ongezien voor hun prooi te parkeren. Auto's die naar de universiteit reden, werden naar een rondweg geleid en als ze daar eenmaal op waren, zo ontdekten Deborah en haar metgezel, kon je niet zomaar overal parkeren. Dat moest in kleine parkeerhaventjes, en daar kon je je bepaald niet goed verbergen. Klaarblijkelijk had de universiteit er niet aan gedacht dat het weleens kon gebeuren dat mensen anderen moesten schaduwen, dacht Deborah.

Toen Alatea zo'n parkeerhaven in draaide, zei Deborah dat Zed haar moest laten uitstappen. Toen hij begon te protesteren – ze zouden tenslotte samen achter Alatea Fairclough aan gaan en hij was er niet zeker van of Scotland Yard wel zou meewerken, zo legde hij uit – zei ze: 'Moet je horen. We kunnen niet plompverloren achter ze aan naar binnen gaan, Zed. Zet me af en rij door. Zet de auto ergens neer. Bel me op m'n mobiel, dan vertel ik je waar ik ben. Dat is het enige wat erop zit.'

Ze zag dat hij daar niet gelukkig mee was en dat hij het voor geen cent vertrouwde. Maar daar was niets aan te doen. Ze was daar niet om zijn vertrouwen te winnen. Ze was daar om alles over Alatea Fairclough uit te zoeken wat er over haar uit te zoeken viel. Hij trapte op de rem, en meer had Deborah niet nodig. Ze sprong uit de auto en zei: 'Bel me zo op m'n mobiel,' en ze stoof de parkeerhaven in voordat hij kon tegenstribbelen.

Hij was niet achterlijk. Hij wist dat als Alatea Fairclough hem in de smiezen kreeg, alles verloren was. Deborah mocht ook niet gezien worden, maar zij kon zich gemakkelijker voor de Argentijnse vrouw en haar metgezel verbergen dan Zed.

Het was veel eenvoudiger om ze te volgen dan Deborah had gedacht. De voorzienigheid hielp een handje. Het begon te regenen. En plotseling begon het zo hard te plenzen dat een paraplu nodig was. Hoe kon je je beter verschuilen dan daarmee? Deborah viste die van haar uit haar schoudertas en kon op die manier haar gezicht afschermen en, belangrijker nog, haar koperkleurige haar.

Ze bleef op gepaste afstand achter de andere vrouwen, die op weg waren naar de universiteitsgebouwen. Op dit uur van de dag liepen er goddank meer dan genoeg studenten op de campus rond. En goddank concentreerde de universiteit zich, in tegenstelling tot de oudere instellingen in het land, op één locatie, boven op die heuvel buiten de eigenlijke stad.

De twee vrouwen praatten onder het lopen samen onder één paraplu, de hoofden naar elkaar toe gebogen. Alatea had haar arm door die van de andere vrouw gestoken. Ze gleed een keer bijna uit en haar metgezel ving haar net op tijd op. Ze leken vriendinnen te zijn.

Terwijl ze de campus overstaken, bleven ze niet één keer staan. Ze keken niet op een plattegrond. Ze vroegen niet naar de weg. En Deborah voelde daar een steekje opwinding over.

Haar mobieltje ging. Ze zei haastig: 'We zijn op een hoofdpad, een soort wandelweg. Die loopt regelrecht over de campus.'

'Deb?'

Het was Tommy. Deborah kromp ineen en schold zichzelf de huid vol omdat ze niet naar haar display had gekeken. Ze zei: 'O, Tommy. Ik dacht dat het iemand anders was.'

'Dat is duidelijk. Waar ben je?'

'Waarom wil je dat weten?'

'Omdat ik je ken. Ik zag gisteren op het parkeerterrein die uitdrukking op je gezicht, en ik weet precies wat die betekent. Je bent vast en zeker iets aan het doen waarvan we je hebben gevraagd dat niet te doen?'

'Simon is mijn vader niet, Tommy. Is hij bij jou?'

'Hij heeft me gevraagd koffie met hem te gaan drinken in Newby Bridge. Deb, wat ben je aan het doen? Waar zit je? Van wie verwachtte je een telefoontje?'

Deborah overwoog een leugen op te dissen, maar ook of ze ermee weg kon komen. Ze zuchtte en zei: 'De universiteit van Lancaster.'

'De universiteit van Lancaster? Wat is er aan de hand?'

'Ik ben Alatea Fairclough gevolgd. Ze is er met een vrouw uit het tehuis voor oorlogsinvaliden naartoe gereden. Ik wil kijken wat ze gaat doen.' Ze gaf hem niet de tijd om te bedenken wat dit misschien betekende, maar vervolgde: 'Deze hele toestand heeft met Alatea Fairclough te maken. Er klopt iets niet, Tommy. Ik weet dat jij het ook voelt.'

'Volgens mij voel ik op dit moment alleen maar dat de kans groot is dat je je moeilijkheden op de hals haalt, wel of geen Alatea Fairclough.'

'Ik kan moeilijk in de problemen komen door alleen maar achter ze aan te gaan. Ze weten niet dat ik ze volg. En zelfs als ze daarachter komen...' Ze aarzelde. Als ze hem meer vertelde, riskeerde ze dat hij het aan Simon zou vertellen.

Hij was een sluwe vos. Hij zei: 'Je hebt mijn andere vraag niet beantwoord, Deb. Op wiens telefoontje wacht je?'

'Van de journalist.'

'Die kerel van *The Source*? Deb, je begeeft je op glad ijs. Er kan van alles gebeuren.'

'Volgens mij kan er niets ergers gebeuren dan dat mijn foto met een verkeerd bijschrift op de voorpagina van *The Source* verschijnt, dat ik rechercheur Cotter ben. En dat vind ik eigenlijk wel grappig, Tommy. Maar gevaarlijk is het niet.'

Hij zweeg even. Deborah zag verderop dat de vrouwen bij hun bestemming waren aangekomen, een moderne, soort omgekeerde doos van een gebouw, opgetrokken uit baksteen en beton in de weinig aantrekkelijke stijl uit de jaren zestig van de vorige eeuw. Deborah wachtte even tot ze binnen waren en door de hal naar de lift waren gelopen. Intussen zei Tommy: 'Deb, heb je enig idee hoe het voor Simon zal zijn als jou iets overkomt? Want geloof me, ik wel.'

Ze bleef voor de voordeur van het gebouw staan. Ze zei vriendelijk: 'Allerliefste Tommy.' Hij gaf geen antwoord. Ze wist dat de vraag hem moeite had gekost. Ze zei: 'Maak je geen zorgen. Mij kan niks overkomen.'

Ze hoorde hem zuchten. 'Wees voorzichtig,' zei hij.

'Natuurlijk,' antwoordde ze. 'En alsjeblieft. Geen woord tegen Simon.'

'Als hij me ernaar vraagt...'

'Dat doet hij niet.' Ze verbrak de verbinding.

Onmiddellijk daarna ging haar telefoon weer. Zed Benjamin vroeg geagiteerd: 'Met wie was je verdomme aan de lijn? Ik probeerde je te bellen. Waar ben je verdomme?'

Deborah vertelde hem de waarheid. Dat ze met een inspecteur van de Met had gesproken. Ze stond voor... Nou ja, het gebouw heette George Childress Centre en ze stond op het punt naar binnen te gaan om te kijken wat daar gevestigd was. Hij kon naar haar toe komen, maar als ze hem was zou ze dat niet doen, aangezien hij evenals daarstraks niet zo gemakkelijk over het hoofd zou worden gezien als zij.

Dat leek hem wel logisch. Hij zei: 'Bel me dan als je iets weet. En haal het niet in je hoofd me te bedonderen, want anders sta je morgen in de krant en ligt je dekmantel aan diggelen.'

'Volkomen begrepen.'

Ze klapte de telefoon dicht en liep het gebouw binnen. In de hal waren vier liften en een bewaker. Ze wist dat ze nooit zomaar langs hem kon komen, dus keek ze om zich heen en zag dat er aan één kant van de hal, tussen twee weelderige bamboeplanten in, aan de muur een achter glas ingelijst mededelingenbord hing. Ze liep ernaartoe en bestudeerde de informatie.

Er stonden kantoren, spreekkamers en zo te zien laboratoria op, en toen viel haar oog op iets, en ze fluisterde: 'Ja!' Want het gebouw viel onder auspiciën van de faculteit der Exacte Wetenschappen en Technologie. Toen ze dat zag, zocht Deborah koortsachtig de lijst af en vond middenin wat ze zocht. Een van de laboratoria hield zich bezig met onderzoek naar de voortplanting. Haar intuïtie had haar al die tijd niet bedrogen. Ze zat op het juiste spoor. Simon had het mis.

Newby Bridge

Cumbria

Toen Lynley had opgehangen, keek hij naar zijn vriend. St. James had hem de hele tijd gadegeslagen terwijl hij aan de telefoon was met Deborah, en er bestonden maar weinig mensen die bedrevener waren in het tussen de regels door lezen dan St. James, wist Lynley, hoewel er nu feitelijk niet veel tussen de regels te lezen viel. Lynley had het gesprek met Deborah zo gevoerd dat haar man zou begrijpen waar ze was en met wie, zonder dat Lynley haar openlijk hoefde te verraden.

St. James zei: 'Ze kan iemand werkelijk tot waanzin drijven.'

Lynley stak even zijn hand op, een gebaar dat hij het daarmee eens was. 'Ligt dat niet in de aard van de vrouw over het algemeen?'

St. James zuchtte. 'Ik had op de een of andere manier mijn poot stijf moeten houden.'

'Goeie hemel, Simon. Ze is volwassen. Je kunt haar moeilijk schoppend en gillend mee naar Londen terug sleuren.'

'Dat was precies haar punt.' St. James wreef over zijn voorhoofd. Hij zag eruit alsof hij de hele nacht niet had geslapen. Hij vervolgde: 'Jammer dat we twee huurauto's nodig hadden. Ik had haar duidelijk voor de keus moeten stellen: je gaat met me mee naar het vliegveld van Manchester of je ziet maar hoe je thuiskomt.'

'Ik betwijfel of dat goed had uitgepakt. En je weet hoe ze daarop had gereageerd.'

'O ja. Dat is nog het ergste. Ik ken mijn vrouw.'

'Bedankt dat je met me mee bent gekomen, Simon, en dat je me hebt geholpen.'

'Ik had je liever een meer bevredigend antwoord gegeven. Maar het wijst allemaal op één ding, hoe je de feiten ook wendt of keert: een onfortuinlijk ongeluk.'

'Hoewel het wemelt van de motieven? Iedereen lijkt er een te hebben. Mignon, Freddie McGhie, Nick Fairclough, Kaveh Mehran. En Joost mag weten wie nog meer.'

'Maar dan nog,' zei St. James.

'Dus toch niet de perfecte misdaad?'

St. James keek uit het raam naar een in herfstvlammen uitgebarsten, koperkleurige beukenheg terwijl hij dit in overweging nam. Ze zaten in een nogal vervallen victoriaans hotel niet ver van Newby Bridge, waar ze 's ochtends in de lobby een kop koffie konden krijgen. Het was het soort plek waarover Helen opgewekt opgemerkt zou hebben: '*Hemel, wat ademt dit een verrukkelijke sfeer, Tommy,*' om de afzichtelijke tapijten, de stoflagen op de aan de muur bevestigde hertenkoppen en de uitgewoonde sofa's en fauteuils te vergoelijken. Even miste Lynley zijn vrouw zo erg dat het hem verpletterde. Hij haalde diep adem om door dit moment heen te komen, zoals hij dat had geleerd. Alles ging voorbij, dacht hij. Dit ook.

St. James verschoof in zijn leunstoel en zei: 'Ooit waren er natuurlijk echt perfecte misdaden. Maar tegenwoordig is dat zo moeilijk dat bijna niemand er meer mee wegkomt. Daarvoor is de forensische wetenschap te ver gevorderd, Tommy. Er zijn nu manieren om sporen van bewijs op te pikken die vijf jaar geleden niemand voor mogelijk had gehouden. Vandaag de dag moet een perfecte misdaad eruitzien alsof er helemaal geen sprake is van een misdaad.'

'Maar dat is hier toch ook zo?'

'Niet nu het gerechtelijk onderzoek is afgerond. Niet nu Bernard Fairclough naar Londen is gegaan om jou erbij te betrekken. Bij de perfecte misdaad mag er geen enkele verdenking bestaan dat het een misdaad is geweest. Een onderzoek wordt bevolen noch noodzakelijk geacht, de lijkschouwer tekent ter plekke voor de doodsoorzaak, het slachtoffer wordt gemakshalve binnen achtenveertig uur gecremeerd, en klaar is Kees. Maar met wat we nu aan de hand hebben, is overal aan voldaan en uiteindelijk wijst niets erop dat Ian Cresswells dood iets anders is geweest dan wat de lijkschouwer al concludeerde: een ongeluk.'

'En als ze het op Valerie en niet op Ian hadden gemunt?'

'Dan blijft het probleem precies hetzelfde, dat weet je best.' St. James pakte zijn koffiekopje. 'Als dit met opzet is gebeurd, Tommy, en als Valerie en niet Ian het beoogde slachtoffer was, dan moet je toch toegeven dat er veel betere manieren zijn om van haar af te komen. Iedereen wist dat Ian het botenhuis net zo goed gebruikte als Valerie. Waarom zou je het risico nemen hem te vermoorden in plaats van haar? En hoe zit het trouwens met het motief? Zelfs als er een motief voor haar dood zou zijn, dan loopt het nog op niets uit als je dat probleem via forensische bewijzen wilt aanpakken.'

'Omdat er geen forensische bewijzen zijn.'

'Geen die erop wijst dat het iets anders was dan het lijkt: een ongeluk.'

'Ze hadden met iets anders dan het fileermes de stenen kunnen loswrikken, Simon.'

'Natuurlijk. Maar dan zouden de stenen krassen moeten vertonen van het stuk gereedschap waarmee ze zijn bewerkt. En dat was niet zo. Dat heb je gezien. Bovendien heb je gezien hoeveel er loslagen. Met dat botenhuis moest er gewoon ooit een ongeluk gebeuren, daar kon je op wachten.'

'Dus geen zaak.'

'Dat is mijn conclusie.' St. James glimlachte spijtig. 'Dus moet ik tegen jou hetzelfde zeggen wat ik, volslagen vergeefs, tegen Deborah heb gezegd. Het is tijd om naar Londen terug te gaan.'

'En hoe zit het met voorbedachten rade?'

'Wat bedoel je?'

'Ik bedoel dat iemand een ander dood wénst. Iemand hoopt daarop. Iemand plánt het zelfs. Maar voordat het plan kan worden uitgevoerd, komt er een ongeluk tussendoor. Het beoogde slachtoffer sterft evengoed. Zou dat hier gebeurd kunnen zijn?'

'Dat is zeker mogelijk. Maar zelfs als dat zo is, kan er in deze zaak geen schuldige worden aangewezen, en niemand gedraagt zich ook schuldig.'

Lynley knikte bedachtzaam. 'Maar toch...'

'Wat?'

'Ik heb dat knagende gevoel...' Lynleys telefoon ging. Hij keek naar het nummer en zei tegen St. James: 'Havers.'

'Misschien heeft ze nieuws.'

'Dat kan ik alleen maar hopen.' Lynley nam op met: 'Vertel op, brigadier. Maakt niet uit wat.'

Chalk Farm

Londen

Barbara belde Lynley vanaf haar huis. Ze was voor dag en dauw naar de Met gegaan om met de uitgebreide hulpmiddelen daar nader onderzoek te doen. Daarna wenste ze absoluut niet in de buurt te zijn wanneer plaatsvervangend hoofdinspecteur Ardery haar gezicht liet zien, dus was ze hem naar huis gesmeerd. Ze was met twaalf koppen koffie de vroege ochtend doorgekomen en op dat moment stuiterde ze zodanig van de cafeïne dat ze betwijfelde of ze de komende nachten de slaap nog wel zou kunnen vatten. Bovendien rookte ze als een schoorsteen op vol vermogen. In haar hoofd voelde het alsof haar hersens op het punt stonden torpedo's af te vuren.

Als eerste vertelde ze Lynley: 'Er is één kind, inspecteur. Dat kan van belang zijn. Misschien ook niet. Maar het blijkt dat Vivienne Tully een achtjarige dochter heeft die Bianca heet. Volgens mij wist ze ook dat ik bij haar zou opduiken. Er was niets persoonlijks in de flat te zien, en ze schrok zich niet bepaald dood toen ik zei dat ik van de Londense politie was. Ik ontdekte het van het kind omdat ik dikke maatjes ben geworden met de conciërge van het pand. Ik verwacht van die afdeling binnenkort nader bericht.'

'Je bent dus binnen geweest.'

'Ik ben van alle markten thuis, sir. Ik leef ervoor om u te imponeren.' Barbara vertelde aan Lynley wat ze verder van Vivienne te weten was gekomen. Ze lichtte hem over alles in, van de opleiding van de vrouw tot en met haar werkkringen en haar intenties om naar haar geboorteland Nieuw-Zeeland terug te keren. 'Ze ontkende niets over Fairclough: ja, ze kende hem, ze was bestuurslid van zijn stichting, ze at regelmatig met hem in de Twins. Maar ze wierp een wegversperring op toen ik vroeg waarom hij een sleutel van haar appartement heeft.'

'Dit kind, Bianca. Kan ze van Fairclough zijn?'

'Mogelijk. Maar ze kan net zo goed van zijn zoon, Ian Cresswell, de premier of de prins van Wales zijn. Ze kan een wilde nacht in de stad hebben gehad, een beetje hebben gerotzooid, als u snapt wat ik bedoel. Hoe dan ook, Vivienne heeft in geen jaren voor Fairclough gewerkt.

Zelfs niet in de tijd voordat ze het kind kreeg. Het lijkt me onwaarschijnlijk dat ze een latrelatie met hem heeft gehad, denkt u niet, een latrelatie die zo lang heeft geduurd dat ze zijn kind heeft gekregen?'

'Misschien is het geen jarenlange relatie, Barbara. Misschien is Bianca het gevolg van een toevallige ontmoeting waardoor Vivienne op een bepaald moment weer in Faircloughs leven is teruggekeerd.'

'Wat? Alsof ze elkaar ergens in een lift zijn tegengekomen, hun blikken elkaar kruisten en het gevolg is Bianca? Nou, dat is pas onwaarschijnlijk.'

'Hij heeft een stichting opgericht,' legde Lynley uit. 'Hij had bestuursleden nodig, en zij is een van hen.'

'Dat kan het niet zijn. De stichting bestond al lang voordat Bianca de vonk in iemands ogen kon zijn. Hoe dan ook, het is één ding om een functie in een stichtingsbestuur te accepteren. Het is iets anders om het met Fairclough aan te leggen en dat ook vol te houden. Waarom zou ze dat willen? Hij is tientallen jaren ouder dan zij. Ik heb zijn foto ook gezien en geloof me, ze passen fysiek voor geen meter bij elkaar. Waarom heeft ze niet liever een vent van haar eigen leeftijd die bovendien beschikbaar is? Zich laten strikken door een getrouwde kerel is over het algemeen hetzelfde als op een trein naar nergensland springen, en daar lijkt ze me veel te slim voor.'

'In een verstandige wereld zou ze je punt begrijpen en een andere beslissing hebben genomen. Maar als ze dat niet heeft gedaan, zul je het toch met me eens moeten zijn dat er altijd situaties zijn waarin mensen verre van verstandig zijn, brigadier.'

Barbara hoorde iemand op de achtergrond mompelen. Lynley liet weten wie dat was door te zeggen: 'Simon zegt dat als het om grote geldbedragen gaat, mensen aan de lopende band in de verste verte niet verstandig zijn.'

'Oké. Juist. Maar als het kind van Fairclough is, en als hij de horizontale rumba met Vivienne Tully heeft gedanst, Joost mag weten hoe lang, waarom haalt hij dan Scotland Yard in huis om de dood van zijn neef te onderzoeken, terwijl al was geconcludeerd dat het om een ongeluk ging? Hij had moeten weten dat iedereen nagetrokken zou worden, hij ook. Waarom zou hij verdomme zo'n risico nemen?'

'Als het niets te maken heeft met Cresswells dood, heeft hij er misschien op gerekend dat dit specifieke deel van zijn privéleven buiten schot zou blijven.'

'Als het er niets mee te maken heeft,' zei Barbara. 'En als dat zo is, verklaart dat verdomd goed waarom Hillier uitgerekend u voor deze klus heeft uitgekozen, hè? De graaf dekt de rug van de baron. Dat is precies in Hilliers straatje.'

'Daar zit wel wat in. Dat heeft hij al vaker gedaan. Verder nog iets?' informeerde Lynley.

'Ja. Ik heb niet stilgezeten. Kaveh Mehran liegt niet over het feit dat hij eigenaar is van de farm. Cresswell heeft die aan hem nagelaten. De interessante vraag is wanneer hij dat heeft gedaan. Zet je schrap voor het tromgeroffel: hij heeft het testament een week voor zijn dood getekend.'

'Dat zegt een hoop,' zei Lynley instemmend. 'Hoewel het wel heel doorzichtig is om iemand te vermoorden die een week eerder ten gunste van jou een testament heeft getekend.'

'Inderdaad,' gaf Havers toe.

'Nog meer?'

'O, ik ben echt een vroege vogel. Ik ben vanochtend op een goddeloos uur opgestaan zodat ik een internationaal telefoontje heb kunnen plegen naar iemand die gemakkelijk te bereiken was omdat hij nog in bed lag.'

'Argentinië?' raadde Lynley.

'Bingo. Ik heb weten door te dringen tot het huis van de burgemeester van Santa María di al di la strada et cetera. Ik heb eerst zijn kantoor geprobeerd, maar toen kreeg ik iemand aan de lijn die *quién* en *qué* zei en toen hoorde ik mezelf aan deze kant schreeuwen: "Laat me verdomme met de burgemeester spreken," en toen had ik eindelijk het tijdverschil in de gaten en kwam ik erachter dat ik de schoonmaker aan de telefoon had. Dat idee moest ik dus overboord gooien, maar ik heb wel het huis weten te bereiken. En ik zal u vertellen dat dat geen sinecure was.'

'Ik ben sprakeloos van bewondering, Barbara. Wat heb je ontdekt?'

'Dat in Argentinië niemand een woord Engels spreekt. Of iedereen doet alsof hij geen woord Engels spreekt. Maakt niet uit. Ik heb wel iemand weten te strikken die volgens mij Dominga Padilla y del Torres de Vásquez heet. Ik bleef de naam maar herhalen en zij bleef maar *sí* zeggen wanneer ze tenminste geen *quién* zei. Ik liet Alatea's naam vallen en toen begon Dominga te babbelen. Er zaten heel veel *díos míos* in en *dóndes* en *gracias*. Dus ik durf te wedden dat ze weet wie Alatea is. Ik heb alleen iemand nodig die met haar kan praten.'

'Ben je daar al mee bezig?'

'Zoals ik al eerder heb gezegd, weet Azhar vast wel iemand op de universiteit.'

'Er is ook vast wel iemand op de Yard, Barbara.'

'Vast wel. Maar als ik dat doe, krijg ik de baas over me heen als een stel groupies in het kielzog van een rockster. Ze heeft me al gevraagd...'

'Ik heb haar gesproken. Ze weet waar ik ben, Barbara, en ik moet je dit vragen. Heb jij het haar verteld?'

Barbara voelde zich diep gekrenkt. Ze hadden een jarenlange geschiedenis, zij en de inspecteur. Al haar stekels gingen overeind staan als hij dacht dat ze al die jaren zou verraden. 'Om de dooie dood niet.' Want dat was de hele waarheid. Het feit dat Isabelle Ardery het zelf had uitgevogeld zonder dat Barbara haar met een of andere truc op een vals spoor had gezet, was niet haar probleem.

Lynley zweeg. Barbara kreeg plotseling het verdrietige gevoel dat dit zo'n moment was van zij-of-ik. Dat was wel het laatste wat ze wilde, want als het aankwam op de hoofdinspecteur of zijzelf, wist ze dat het zeer onwaarschijnlijk was dat Lynley een keus zou maken waardoor hij ruzie zou krijgen met zijn eigen minnares. Hij was ten slotte, en daar moest ze reëel in zijn, een kerel.

Dus ze ging terug naar het moment waarop het misging en zei: 'Hoe dan ook, ik was van plan om met Azhar te gaan praten. Als hij met iemand op de proppen komt die goed Spaans spreekt, dan is dat probleem opgelost en komen we tot de kern van Alatea Fairclough.'

'Nu je het erover hebt, er is nog iets.' Lynley vertelde haar over Alatea Faircloughs modellencarrière in het pre-Nicholas Fairclough-tijdperk. Hij eindigde met: 'Hij zei tegen Deborah dat het om "ondeugend ondergoed" ging, dat ze zich ervoor schaamt en dat ze bang is dat het wordt ontdekt. Ondeugend ondergoed kan amper een verpletterend feit zijn, tenzij ze een non is of iemand die getrouwd is met een lid van de koninklijke familie, dus we denken eerder dat het iets pornografisch is geweest.'

'Ik zal ook kijken wat ik daarmee kan doen,' zei Barbara tegen hem.

Ze wisselden nog een paar woorden, waarbij Barbara aan zijn toon zijn stemming probeerde in te schatten. Geloofde hij wat ze had gezegd over Isabelle Ardery en het feit dat hij in Cumbria zat, of niet? En was het eigenlijk wel van belang wat hij geloofde? Toen hij het gesprek beëindigde, had ze daar geen antwoord op. Maar haar vragen stonden haar ook niet aan.

Chalk Farm

Londen

Barbara hoorde opgewonden stemmen toen ze dichter bij het appartement op de begane grond van het terrein kwam. Ze stak net het grasveldje voor de voordeuren van de flat over toen ze de onmiskenbare stem van Taymullah Azhar woedend hoorde roepen: 'Ik zál stappen ondernemen, Angelina. Dat zweer ik je!' Barbara verstarde onmiddellijk. Angelina schreeuwde: 'Is dat soms een bedreiging?' en Azhar schakelde weer op topvolume terug. 'Kun je me dat nog vragen? Hierover zijn we uitgepraat.'

Barbara draaide zich om voor een snelle terugtrekkingsmanoeuvre, maar ze was te laat. Azhar beende de deur uit, zijn gezicht stond zo somber als nooit tevoren. Hij kreeg haar in de gaten, want geen van beiden kon zich ergens verstoppen. Hij draaide zich om en haastte zich het terrein af, naar Eton Villas in de richting van Steels Road.

Het was een verdomme-wat-kan-mij-'t-ook-schelen moment dat prompt nog erger werd. Want Angelina Upman stormde ook de flat uit, alsof ze achter haar partner aan wilde gaan en sloeg een hand voor haar mond toen ze Barbara zag. Hun blikken ontmoetten elkaar. Angelina draaide zich om en trok zich terug.

Daarmee zagen de zaken er voor Barbara slecht uit. Ze zat vast. Angelina had haar vriendschap betoond. Barbara kon niet zomaar wegsluipen zonder te vragen of ze iets kon doen. Dit was eigenlijk het laatste wat ze wilde van de lijst alternatieven die razendsnel door haar hoofd gingen. Maar ze koos er toch voor.

Angelina deed onmiddellijk open toen Barbara op de openslaande deuren klopte. Barbara zei tegen haar: 'Sorry, ik wilde aan Azhar vragen...' Ze woelde met haar hand door haar haar en was zich er meteen van bewust hoe anders dit voelde nu haar grove haarbos weg was. Daardoor leek ze opeens te weten wat ze moest doen. Ze zei: 'Verdomme nog aan toe, ik vind het verschrikkelijk dat ik jullie ruzie heb gehoord. Maar het was niet veel, alleen het staartje. Ik wilde Azhar om een gunst vragen.'

Angelina liet haar schouders zakken. 'Het spijt me heel erg, Barbara.

We hadden zachter moeten praten, maar we zijn allebei nogal opgewonden standjes. Ik bracht iets ter sprake wat ik beter achterwege had kunnen laten. Er zijn onderwerpen waar Hari het niet over wil hebben.'

'Aanleiding voor herrie?'

'Inderdaad, ja.' Ze slaakte een zucht van spijt. 'Hoe dan ook. Dit waait wel weer over. Dat gebeurt altijd.'

'Kan ik iets doen?'

'Als je niet op de rommel let, kom dan een kop thee met me drinken...' Angelina grijnsde en voegde eraan toe: 'Of een glas gin, dat kan ik wel gebruiken, kan ik je verzekeren.'

'Ik ga voor de thee,' zei Barbara. 'Bewaar de gin maar voor een volgende keer.'

In de flat zag Barbara wat Angelina had bedoeld met de rommel. Het zag eruit alsof Azhar en zijn partner in het heetst van de strijd elkaar dingen naar het hoofd hadden gesmeten. Dat vond Barbara zo helemaal niets voor Azhar dat ze vanuit de zitkamer naar Angelina keek en zich afvroeg of zij al het gooi- en smijtwerk op haar geweten had. Er lagen overal tijdschriften, een kapot beeldje, een lamp lag ondersteboven, een vaas was aan diggelen en bloemen lagen in een plas water op de vloer.

Barbara zei: 'Ik kan wel helpen opruimen, hoor.'

'Eerst thee,' zei Angelina.

In de keuken was niets gebeurd. Angelina zette thee en plaatste die op een kleine tafel onder een hoog raam waar een glanzende zonnestraal doorheen scheen. Ze zei: 'Goddank is Hadiyyah op school. Ze zou doodsbang zijn geweest. Ik denk niet dat ze Hari ooit zo heeft meegemaakt.'

Barbara leidde daar iets uit af. Angelina had dus 'Hari wel zo meegemaakt'. Ze zei tegen haar: 'Zoals ik al zei, ik was op weg om zijn hulp in te roepen.'

'Van Hari? Waarvoor dan?'

Barbara legde het uit. Terwijl ze luisterde pakte Angelina haar theekopje. Ze had prachtige handen, net zoals alles prachtig aan haar was, en de nagels aan haar spits toelopende vingers waren allemaal even lang. Ze zei: 'Hij kent wel iemand. Hij wil je vast helpen. Hij mag je heel graag, Barbara. Je moet niet denken...' Ze gebaarde met haar hoofd in de richting van de zitkamer, '... dit is niet meer dan twee mensen met hetzelfde temperament die met elkaar in botsing komen. We komen er wel overheen. Dat gebeurt meestal.'

'Gelukkig maar.'

Angelina nam een slokje thee. 'Idioot hoe ruzies tussen partners uit het niets kunnen ontstaan. De een maakt een opmerking die de ander niet aanstaat en voor je het weet laait de woede op. Slingeren ze dingen naar elkaars hoofd. Belachelijk gewoon.'

Barbara wist niet wat ze hierop moest zeggen. Ze had geen partner, had er nooit een gehad en de mogelijkheid dat ze er een zou tegenkomen was te verwaarlozen. Dus ruziemaken? Spullen naar elkaars hoofd gooien? De kans dat ze in de nabije toekomst zoiets zou meemaken, was niet erg waarschijnlijk. Toch mompelde ze: 'Zo gaat dat, hè?' en ze hoopte dat dat genoeg was.

'Je weet het toch van Hari's vrouw, hè?' vroeg Angelina. 'Ik neem aan dat hij je het heeft verteld: hij heeft haar verlaten maar is nooit van haar gescheiden.'

Barbara werd een beetje kregelig omdat het gesprek die kant opging. 'Nou ja. Oké. Ja. Ik bedoel, min of meer.'

'Hij heeft haar voor mij verlaten. Ik was een student. Niet van hem, uiteraard. Ik heb geen wiskundeknobbel. Maar we ontmoetten elkaar een keer tijdens de lunch. Het was propvol en hij vroeg of hij bij mij aan tafel mocht komen zitten. Ik hield van zijn... nou ja, ik hield heel erg van zijn ernst, zijn bedachtzaamheid. En ik hield van zijn vertrouwen, dat hij niet het gevoel had dat hij in een gesprek snel met een antwoord klaar hoefde te staan of onderhoudend hoefde te zijn. Hij was heel authentiek. Dat trok me aan.'

'Dat kan ik me wel voorstellen.' Want dat trok Barbara ook in hem aan, al heel lang. Het leek alsof Taymullah Azhar vanaf het begin precies degene was die hij ook leek te zijn.

'Ik wilde niet dat hij haar in de steek liet. Ik hield van hem – hou van hem – maar om een gezin te verwoesten... Ik beschouwde mezelf niet als zo'n vrouw. Maar toen kwam Hadiyyah. Toen Hari wist dat ik zwanger was, wilde hij van niets anders horen dan dat we samen zouden zijn. Ik had de zwangerschap natuurlijk kunnen afbreken. Maar dit was van óns, begrijp je, en ik kon het niet verdragen om haar niet te laten komen.' Ze boog zich naar voren en raakte Barbara's hand even aan. 'Kun je je een wereld zonder Hadiyyah voorstellen?'

Het was een simpele vraag met een even simpel antwoord. 'Nee,' zei Barbara.

'Maar goed, ik wilde dat ze kennismaakte met haar broertje en zusje, Hari's andere kinderen. Maar daar wilde hij niet van horen.'

'Ging de ruzie daarover?'

'We hebben het er al eerder over gehad. Het is het enige waar we ooit ruzie over maken. Het antwoord is altijd hetzelfde. "Dat gebeurt niet," alsof hij van iedereen de levenskoers wil bepalen. Als hij dat soort dingen zegt, reageer ik zo onhandig. Ik reageer ook niet goed wanneer hij heel stellig zegt dat we haar óók geen broertje of zusje geven. "Ik heb drie kinderen," zegt hij. "Meer wil ik niet."'

'Misschien verandert hij nog van gedachten.'

'Dat is al die jaren niet gebeurd en ik kan geen enkele reden bedenken waarom dat nu wel zou gebeuren.'

'Achter zijn rug om? Zonder dat hij het weet?'

'Dat ik Hadiyyah laat kennismaken met haar halfzus en -broer bedoel je?' Angelina schudde haar hoofd. 'Ik heb geen idee waar ze zijn. Ik weet niet hoe ze heten en wie hun moeder is. Hij heeft me zo weinig over haar verteld. Ze kan net zo goed weer in Pakistan zitten.'

'Je kunt ook per ongeluk zwanger worden. Maar dat is wat achterbaks, hè?'

'Dat zou hij me nooit vergeven. En hij heeft me al zo veel moeten vergeven.'

Barbara dacht dat Angelina daarop verder zou borduren en vertellen waarom ze Azhar en Hadiyyah in de steek had gelaten voor haar 'reis naar Canada', zoals het lange tijd heette. Maar dat deed ze niet. In plaats daarvan zei ze: 'Ik hou zoveel van Hari, weet je. Maar soms haat ik hem evenveel.' Ze glimlachte om de ironie van haar eigen opmerking. Toen leek ze het van zich af te schudden en zei: 'Wacht nog een uur en bel hem dan op zijn mobiel. Hari zal alles in het werk stellen om jou een plezier te doen.'

Lake Windermere

Cumbria

Manette vermoedde dat haar vader de dag ervoor niet de waarheid over Vivienne Tully had gesproken. En ze vond dat ze zelf emotioneel te laf was geweest om over het onderwerp door te vragen. Het was eigenlijk stom, maar feit was dat ze haar vader geen spoortje zwakheid had willen tonen. Ze was nog steeds dat woedende kleine meisje dat zichzelf kon omvormen tot de zoon van Bernard Fairclough, als ze maar hard genoeg haar best deed. Grote jongens huilden niet, dus zij ook niet. Zodoende moest alles wat emotionele uitbarstingen kon veroorzaken terwijl haar vader haar observeerde, beoordeelde en weer wegstuurde, te allen tijde worden voorkomen.

Maar het onderwerp was nog niet afgesloten. Hoe kon dat ook? Als Ian jarenlang Vivienne Tully een maandelijks bedrag had overgemaakt, was er meer dan één reden waarom Manette het verhaal erachter moest zien te ontdekken: haar moeder was er ook nog. Haar moeder was per slot van rekening eigenaar van Fairclough Industries. Het was haar erfenis geweest. Haar vader mocht het bedrijf dan tientallen jaren uitermate succesvol hebben geleid, het was een particulier bedrijf met een kleine, maar machtige raad van bestuur. Haar moeder was daar voorzitter van en niet haar vader. Want Valeries vader was niet achterlijk geweest. Bernie Dexter was dan wel Bernard Fairclough geworden, maar dat betekende nog niet dat er Fairclough-bloed door zijn aderen stroomde. Dus er was geen sprake van geweest dat Valeries vader had willen riskeren dat Fairclough Industries in handen van iemand zou vallen die niet van geboorte een Fairclough was.

Ze had alles met Freddie besproken. Goddank had hij de vorige avond geen afspraakje met Sarah gehad, hoewel hij een lang telefoongesprek met de vrouw had gevoerd, waarbij zijn fluisterstem geamuseerd en liefdevol had geklonken. Manette had dat tandenknarsend uitgezeten en toen haar kaken pijn begonnen te doen en er maar geen einde aan het gesprek kwam, was ze naar de zitkamer gegaan en had ze zich op de loopband afgebeuld tot het zweet over haar borst stroomde en haar sweater doorweekt raakte. Eindelijk was Freddy de kamer binnengekomen. Hij bloosde licht en de puntjes van zijn oren waren heel roze. Het kwam even in haar op dat ze misschien telefoonseks hadden gehad, maar dat vond Manette niets voor Freddie.

Ze bleef nog een paar minuten doorrennen om het op een normale work-out te laten lijken. Freddie mimede zichtbaar bewonderend 'wauw' vanwege haar uithoudingsvermogen en liep toen naar de keuken. Daar trof ze hem aan terwijl hij over een kruiswoordpuzzel gebogen zat. Hij keek nadenkend en tikte met het uiteinde van een balpen tegen zijn lip.

Ze zei tegen hem: 'Ga je vanavond niet uit?'

Hij zei: 'Ik neem even adempauze.'

'Wordt de oude roede een beetje moe?'

Freddie bloosde. 'O nee. Hij staat te springen.'

'Freddie McGhie!'

Freddie zette grote ogen op en toen snapte hij de toespeling. 'Hemel. Zo bedoelde ik het niet,' lachte hij. 'We hebben besloten...'

'Jij en de dame of jij en de roede?'

'Sarah en ik hebben besloten het wat rustiger aan te doen. Het lijkt erop dat er meer bij een relatie komt kijken dan binnen tien minuten na binnenkomst elkaar de kleren van het lijf te rukken.'

'Goed om te horen,' zei Manette zonder nadenken.

'O ja? Waarom?'

'O, nou ja... Ik...' Ze dacht even na en zei toen: 'Ik wil niet dat je een vergissing maakt. Dat je gekwetst wordt. Je weet wel.'

Hij staarde haar aan. Ze voelde een hitte naar haar borst kruipen en zich een weg banen naar haar hals. Ze moest van onderwerp veranderen en haar gesprek met Bernard was daar uitermate geschikt voor.

Freddie had op die Freddie-manier van hem geluisterd; was een en al aandacht geweest. Toen ze klaar was, zei hij: 'Ik denk dat we hierover met hem moeten praten, Manette.'

Het verbaasde Manette hoe dankbaar ze daarvoor was. Maar toch wist ze dat er maar één mogelijkheid was om informatie uit haar vader los te krijgen. Wat Mignon dan ook te weten mocht zijn gekomen, het was haar gelukt doordat ze zo geweldig handig met internet kon omgaan, of omdat ze handig op het schuldgevoel van haar vader had weten in te spelen. Mignon had gelijk gehad toen ze vroeger al had beweerd dat Nicholas haar vaders lievelingetje was. In het begin was ze daarmee omgegaan zoals het haar het beste uitkwam, en naarmate ze ouder werd, was ze daar steeds beter in geworden. Maar Manette noch Freddie was goed in dat soort manipulatie. Volgens Manette zou Bernard nu alleen nog in beweging komen door Valeries aanwezigheid en als die op de hoogte zou raken van het weglekkende geld. Er stond gewoon te veel op het spel – om te beginnen kon de hele firma instorten – om de zaken maar op hun beloop te laten. Als Manettes vader niet bereid was de financiële situatie te bekijken, uit te zoeken en er een eind aan te maken, wist ze zeker dat haar moeder dat wel zou doen.

Halverwege de ochtend vertrokken ze naar Ireleth Hall. Algauw begon het te regenen. Aan het eind van de herfst kwam in Cumbria de regen met bakken uit de hemel. Over een maand zou het gaan sneeuwen. In hun woonplaats Great Urswick zou maar een beetje vallen. Verder naar het noorden zouden de steile, smalle passen over de hoogvlakten tot de volgende lente worden gesloten.

Toen Freddie de auto naast de brede voordeur van Ireleth Hall parkeerde, draaide Manette zich naar hem toe. 'Dankjewel, Freddie,' zei ze.

Hij zei: 'Eh?' en hij leek oprecht verbaasd.

'Dat je met me meegaat. Dat waardeer ik echt.'

'Onzin. We zitten hier samen in, meissie.' En voordat ze kon reageren, was Freddie uitgestapt en omgelopen om voor haar het portier te openen. 'Laten we de leeuw trotseren voordat we niet meer durven. Als de zaken de verkeerde kant opgaan, kunnen we altijd je zus nog bellen en haar vragen een interessante afleidingsmanoeuvre uit te voeren.'

Manette grinnikte. Freddie kende haar familie per slot van rekening. Nou, logisch natuurlijk. Hij had er bijna zijn halve leven deel van uitgemaakt. Ze zei zonder over de implicaties na te denken: 'Waarom zijn we in hemelsnaam ooit gescheiden, Freddie?'

'Wat ik me ervan herinner was dat omdat iemand stelselmatig weigerde de dop op de tandpasta te doen,' zei hij luchtig.

Ze klopten niet op de deur, maar liepen de lange, rechthoekige hal in waar de herfstkilte vroeg om een enorm vuur in de open haard. Manette riep een groet, die tegen de muren leek te weerkaatsen. Freddie deed hetzelfde en riep Bernards en Valeries naam.

Valerie antwoordde. Ze hoorden haar boven door de gangen lopen. Even later kwam ze naar beneden. Ze glimlachte en zei: 'Wat een leuke verrassing dat jullie er zijn. En samen nog wel.' Ze zei dat laatste alsof ze verwachtte dat ze met een blijde boodschap waren gekomen, over verzoening bijvoorbeeld. Niet erg waarschijnlijk, dacht Manette. Haar moeder wist niets van Freddies stormachtige, succesvolle veroveringen in de internetdatewereld.

Maar Manette zag wel in dat Valeries veronderstelling op dit moment heel handig uitkwam. Ze pakte de hand van haar ex-man en zei ingetogen: 'We wilden graag met jou en pa praten. Is hij in de buurt?'

Valerie keek nu nog blijer. Ze zei: 'Hemeltje. Volgens mij wel. Ik zal kijken of ik hem kan vinden. Freddie, liefje, wil jij de haard aansteken? Zullen we hier gaan zitten, of gaan jullie liever...'

'Hier is prima,' zei Manette. Ze bleef Freddies hand vasthouden en keek hem aan. 'Toch, Freddie?'

Zoals gebruikelijk bloosde Freddie, een in Manettes ogen perfect detail. Toen haar moeder de hal uit liep, zei hij: 'Nou, meissie,' waarop Manette antwoordde: 'Bedankt dat je het meespeelt,' waarna ze zijn hand pakte en er snel een liefdevolle kus op drukte. 'Je bent een kanjer. Laten we dat vuur aan gaan steken. Zorg er wel voor dat de schoorsteenklep openstaat.'

Tegen de tijd dat Valerie met Bernard terugkwam, laaide het vuur hoog op en stonden Manette en Freddie met hun rug ernaartoe om warm te worden. Aan de gezichtsuitdrukking van haar vader te zien was het glashelder voor Manette dat ze even met elkaar hadden gepraat over waar Freddie en zij over kwamen praten. Haar vader had net zo'n verwachtingsvolle blik als haar moeder. Dat was niet echt verbazingwekkend. Beiden hadden aan Freddies voeten gelegen vanaf de dag dat Manette hem thuis aan hen had voorgesteld.

Haar vader bood koffie aan. Haar moeder kwam met krokante theecakejes, chocoladegateau en biscotti van een bakker in Windermere. Zowel Manette als Freddie weigerde beleefd. Manette zei: 'Laten we gaan zitten,' en ze leidde Freddie naar een van de banken die haaks op de haard stonden. Haar ouders gingen op de andere zitten. Het was interessant dat ze allebei op het randje zaten, alsof ze elk moment konden opspringen om bij de minste of geringste provocatie weg te rennen. Of om een fles champagne te gaan halen. Hoop doet leven, dacht Manette, als het ging om wat mensen wilden geloven.

Ze zei: 'Freddie?' om aan te geven dat hij de koe maar bij de hoorns moest vatten.

Hij zei, terwijl hij beurtelings haar vader en haar moeder aankeek: 'Bernard, Valerie, het gaat om Ian en de boekhouding.'

Aan Bernards gezicht te zien sloeg de schrik hem om het hart. Hij keek naar zijn vrouw alsof hij concludeerde dat ze met hun dochter had samengespannen om hem in de val te lokken, maar Valerie leek volkomen in het duister te tasten. Ze zei niets en wachtte tot er meer kwam. Manette wist niet of Freddie dat had opgemerkt. Maar dat deed er niet veel toe, want hij vervolgde meteen: 'Ik weet dat dit niet bij iedereen in goede aarde zal vallen, maar we moeten kijken wat we met Mignons maandelijkse toelage gaan doen. Of liever gezegd, die zou helemaal stopgezet moeten worden. En we moeten de kwestie Vivienne Tully tot op de bodem uitzoeken. En wat te doen met het geld dat in Arnside

House is gaan zitten, de toelage van Mignon én die van Vivienne... Ik wil je met alle plezier voorspiegelen dat Fairclough Industries zwemt in het geld, maar samen met de uitgaven voor de kindertuin van de Hall zullen we in de praktijk ergens op moeten bezuinigen. En liever vandaag dan morgen.'

Dit was zo typisch de goeie ouwe Freddie, dacht Manette. Hij was eerlijk en oprecht, bijna overdreven naïef. Haar vader kon er onmogelijk tegen inbrengen dat het Freddies zorg niet was dat er zo met geld werd gesmeten. Freddie beschuldigde hem nergens van. En trouwens, bovendien was Freddie de aangewezen persoon om na Ians dood de boeken door te spitten om te kijken hoe de zaken ervoor stonden.

Ze wachtte op haar vaders reactie. Evenals Freddie. Evenals Valerie. Het vuur knapte en knisperde en een houtblok viel van het rooster. Bernard greep deze gelegenheid aan om tijd te winnen. Hij pakte de tang en de haardveger en ruimde de boel op terwijl ze hem met zijn drieën gadesloegen.

Toen hij weer was gaan zitten, zei Valerie: 'Vertel me eens over het geld dat aan Vivienne Tully wordt uitbetaald, Freddie,' hoewel ze intussen haar blik op haar man gericht hield.

Freddie zei welwillend: 'Nou, het is een beetje vreemd. Dit is duidelijk al jaren aan de gang, en in stijgende lijn. Ik moet nog meer gegevens uit Ians computer natrekken, maar wat ik tot nu toe heb verzameld, lijkt het erop dat er een aantal jaren geleden een groot bedrag, via een bankoverschrijving, naar haar is overgemaakt, en vanaf die tijd is de maandelijkse toelage begonnen.'

'Wanneer speelde dit?' vroeg Valerie onbewogen.

'Ongeveer achtenhalf jaar geleden. Welnu, ik weet dat ze in het bestuur van de stichting zit, Bernard...'

'Pardon?' Valerie draaide zich nu helemaal naar haar man toe: 'Bernard?' Freddie vervolgde: 'Maar dat is een onbezoldigde functie, wat voor alle liefdadigheidsbesturen geldt, los van onkosten, natuurlijk. Alleen, wat zij krijgt overschrijdt die onkosten, tenzij' – hij grinnikte en Manette kon hem wel zoenen omdat dat zo volmaakt onschuldig klonk – 'ze elke avond met mogelijke sponsors uit eten gaat en bovendien hun kinderen naar een particuliere school stuurt. Aangezien dat niet het geval is...'

'Ik begin het plaatje voor me te zien,' zei Valerie. 'Jij ook, Bernard? Of kende jij het plaatje al?'

Bernard keek naar Manette. Natuurlijk wilde hij weten wat ze aan Freddie had verteld en welk spelletje ze nu met hem speelden. Hij zou zich bovendien ongetwijfeld verraden voelen. Wat hij haar de vorige dag had verteld, was in vertrouwen gezegd. Nou ja, als hij haar echt alles had verteld, dacht Manette, dan had ze misschien de waarheid onder haar pet gehouden. Maar dat had hij dus niet gedaan. Hij had haar precies genoeg verteld om haar op dat moment tevreden te stellen, tenminste, dat had hij gedacht.

Bernard probeerde het met zijn eerdere excuus en zei: 'Ik heb geen idee dat dit betalingen aan Vivienne waren. Misschien had Ian het gevoel dat hij...' Hij begon te stamelen, zocht naar een reden. 'Misschien wilde hij me beschermen.'

'En waartegen dan wel?' vroeg Valerie. 'Wat ik me ervan kan herinneren, heeft Vivienne een hoge functie geaccepteerd bij een bedrijf in Londen. Ze is niet ontslagen, toch? Is er soms iets wat ik niet weet?' En toen tegen Freddie: 'Over hoeveel geld hebben we het eigenlijk precies?'

Freddie noemde het bedrag. Freddie noemde de bank. Valeries lippen weken uiteen. Manette zag dat ze haar witte tanden op elkaar klemde. Ze keek Bernard met een intense blik aan. Hij wendde zijn blik af.

Valerie vroeg aan hem: 'Hoe zou ik dit volgens jou moeten interpreteren, Bernard?'

Bernard zweeg.

Ze zei: 'Moet ik geloven dat ze Ian om de een of andere reden heeft gechanteerd? Misschien heeft hij met de boeken geknoeid en wist zij daarvan, dus heeft hij nog wat meer geknoeid, ten gunste van haar? Of misschien heeft ze beloofd van het toneel te verdwijnen en niets over zijn seksuele escapades tegen Niamh te zeggen, zolang hij maar betaalde... hoewel dat niet zou verklaren waarom hij doorging met de betalingen toen hij Niamh voor Kaveh verliet, toch, liefje? Dus laten we op het eerste idee verdergaan. Freddie, is er enige aanwijzing dat Ian met de boeken heeft geknoeid?'

'Nou, de toelage van Mignon is ook verhoogd. Maar aangezien geld zijn eigen weg gaat, is er niets...'

'Mignón?'

'Ja. Haar toelage is zelfs behoorlijk verhoogd,' zei Freddie. 'Het probleem daarmee is, zo zie ik het tenminste, dat dat niet echt overeenkomt met haar noodzakelijke uitgaven, als je begrijpt wat ik bedoel. Natuurlijk heeft ze die operatie gehad, maar dan zou het maar om één betaling moeten gaan, hè? En als je bedenkt dat ze hier op het landgoed woont, welke onkosten heeft ze dan verder nog? Ik weet dat ze geld uitgeeft aan internetshoppen, maar werkelijk, hoeveel zou dat nou kosten? Nou ja, misschien wel een fortuin, veronderstel ik, als je verslaafd bent aan internetshoppen of zoiets, maar...'

Freddie babbelde nog een tijdje door. Manette wist dat hij de spanning tussen haar ouders voelde en zij wist dat zijn gebabbel daar een reactie op was. Hij moest geweten hebben dat ze een mijnenveld zouden betreden als ze met haar beide ouders samen zouden praten over geld dat aan Vivienne en Mignon werd betaald, maar Freddie had in zijn onschuld niet kunnen vermoeden hoeveel mijnen er in dat veld lagen te wachten die tot ontploffing konden komen.

Toen Freddie zweeg, viel er een stilte. Valerie hield Bernard met een ijzeren blik gevangen. Bernard wreef met zijn hand over zijn achterhoofd. Hij probeerde een afleidingsmanoeuvre door tegen Manette te zeggen: 'Ik had niet gedacht dat je dit zou doen.'

'Wat?' zei Manette.

'Dat weet je heel goed. Ik dacht dat onze relatie anders in elkaar stak. Mijn fout, dat zie ik nu.'

Waarop Freddie zich haastte te zeggen: 'Nou, Bernard, dit heeft niets met Manette te maken,' en hij zei het zo resoluut dat Manette haar exman aankeek. Freddie legde zijn hand op de hare en kneep erin terwijl hij vervolgde: 'Haar bezorgdheid is in deze omstandigheden volkomen terecht. En ze weet alleen van de betalingen omdat ik het haar heb verteld. Dit is een familiebedrijf...'

'En jij bent geen familie,' snauwde Bernard. 'Vroeger wel, maar je bent er zelf uitgestapt en als je denkt...'

'Zo praat je niet tegen Freddie,' kwam Manette tussenbeide. 'Je mag van geluk spreken dat je hem hebt. We mogen allemaal van geluk spreken dat we hem hebben. Hij lijkt de enige eerlijke persoon te zijn die in het bedrijf een verantwoordelijke positie heeft.'

'Geldt dat dan ook voor jou?' vroeg haar vader.

'Volgens mij doet dat er niet toe,' zei Manette, 'maar het geldt zeker voor jou.' Misschien, dacht ze, had ze uiteindelijk niets moeten zeggen, want ze wilde haar moeder niet van streek maken. Maar wat Manette betrof gingen haar vaders opmerkingen over Freddie te ver, hoewel ze er niet bij stilstond om te bedenken waarom dat eigenlijk was. Het enige wat haar vader feitelijk had gezegd was een waarheid als een koe: Freddie was niet langer lid van de familie. Daar had zij voor gezorgd. Ze zei tegen haar moeder: 'Volgens mij wil pa iets vertellen, hij wil iets uitleggen over hemzelf en Vivienne Tully.'

'Dat heb ik uitstekend begrepen, Manette,' zei Valerie. En tegen Freddie: 'Stop onmiddellijk de betalingen aan Vivienne. Neem contact met haar op via de bank waar de betalingen naartoe zijn gegaan. Zeg ze haar te informeren dat het mijn beslissing is.'

Bernard zei: 'Dat is niet...'

'Het maakt me niet uit wat het wel of niet is,' zei Valerie. 'En dat zou voor jou ook moeten gelden. Of wil je soms uitleggen waarom je haar betaalt?'

Bernard had een gekwelde uitdrukking op zijn gezicht. Als de zaken anders hadden gelegen, had Manette misschien nog wel medelijden met hem gekregen. Even ging door haar heen dat mannen hufters waren en ze wachtte tot haar vader een poging zou doen zich uit deze situatie te liegen, in de hoop dat zij niets over hun gesprek zou zeggen en over wat hij tegenover haar had toegegeven over zijn affaire met Vivienne Tully.

Maar Bernard Fairclough had altijd al het geluk van de wereld gehad en dat werd op dat moment maar weer eens bewezen. Want terwijl ze wachtten tot Bernard iets zou zeggen, ging de deur met een klap open en waaide de wind naar binnen. Manette draaide zich om en bedacht net dat Freddie en zij de deur niet hadden vergrendeld, toen haar broer Nicholas de kamer binnenkwam.

Lancaster

Lancashire

Deborah wist dat ze met de vrouw moest gaan praten die bij Alatea Fairclough was, ze zag geen andere weg. Als het inderdaad klopte wat ze al dacht: dat wat er met Alatea aan de hand was iets van doen had met zwanger worden, dan zou Alatea daar niet over willen praten, en al helemaal niet met iemand van wie ze had ontdekt dat ze onder valse voorwendsels in Cumbria was. Evenmin was het waarschijnlijk dat ze haar hart zou uitstorten bij een tabloidjournalist. Dus leek het benaderen van de andere vrouw de enige mogelijkheid om tot op de bodem uit te zoeken waarom Alatea zich zo vreemd gedroeg, en om erachter te komen of dit iets te maken had met Ian Cresswells dood.

Ze belde Zed. Hij blafte: 'Je hebt goddomme wel je tijd genomen. Waar zit je verdomme? Wat is er gaande? We hadden een deal en als je je niet aan je belofte houdt...'

Ze zei: 'Ze zijn het wetenschapsgebouw ingegaan.'

'Nou, wat hebben wij daar nou aan. Misschien volgt ze wel een cursus. Volwassenenonderwijs, ja? De ander doet misschien hetzelfde.'

'Ik moet met haar praten, Zed.'

'Ik dacht dat je dat al had gedaan en dat dat niks had opgeleverd.'

'Ik heb het niet over Alatea. Het is wel duidelijk dat ze met mij net zomin wil praten als met jou. Ik bedoel die andere, de vrouw die ze bij het tehuis voor oorlogsinvaliden heeft opgehaald. Met haar moet ik praten.'

'Waarom?'

Bij dit gedeelte werden de zaken precair. 'Het lijkt wel alsof er sprake is van een of andere relatie. Ze waren heel vriendschappelijk aan het praten toen ze van het parkeerterrein naar het wetenschapsgebouw liepen. Vriendinnen, en vriendinnen nemen elkaar in vertrouwen.'

'Dat betekent ook dat ze die vertrouwelijkheden niet doorvertellen.'

'Uiteraard. Maar ik heb ontdekt dat de Met buiten Londen een zeker effect op mensen heeft. Zeg "Scotland Yard CID", laat je badge zien en plotseling wordt iets wat eerst een diep geheim was, op een presenteerblaadje aan de politie aangeboden.'

'Dat geldt ook voor verslaggevers,' merkte Zed op.

Maakte hij soms een grapje? vroeg Deborah zich af. Waarschijnlijk niet. Ze zei: 'Dat snap ik, natuurlijk.'

'Dan...'

'Volgens mij kom ik minder dreigend over.'

'Hoezo?'

'Dat lijkt me duidelijk. Ten eerste is het dan twee tegen één: twee volslagen vreemden die een vrouw confronteren met haar vriendschap met een andere vrouw. Ten tweede... Nou ja, je bent zo groot, Zed. Je moet toch toegeven dat dat behoorlijk intimiderend kan overkomen.'

'Ik ben als een lammetje. Dat ziet ze zo.'

'Misschien wel. Maar dan is er nog de kwestie van wie we zijn. Ze zal je identiteitsbewijs willen zien. Stel je het resultaat eens voor. Ik laat haar het mijne zien, jij het jouwe en wat zal ze dan wel niet denken, laat staan doen, wanneer ze ziet dat de Met onder een hoedje speelt met *The Source*? Dat gaat niet werken. De enige oplossing is dat ik onder vier ogen met deze vrouw ga praten, kijken waar dat toe leidt en daarna vertel ik het jou.'

'En hoe moet ik weten dat je dat inderdaad zult doen? Volgens mij is dit de perfecte manier om de boel te belazeren.'

'Terwijl jij wanneer je maar wilt het verhaal dat Scotland Yard hier is breed uit kan meten op de voorpagina van *The Source*? Geloof me, Zed, ik zal heus geen spelletjes met je spelen.'

Hij zweeg. Deborah had zich op veilige afstand van het George Childress Centre teruggetrokken. Ze had het in beeld, maar wilde niet riskeren dat Alatea Fairclough haar zou zien voor het geval zij en de andere vrouw weer tevoorschijn kwamen. Ze vond het op dat moment het veiligst om terug te keren naar het tehuis voor oorlogsinvaliden en daar te wachten totdat Alatea en haar vriendin zouden komen opdagen. Dat kon duidelijk nog uren duren, maar er zat kennelijk niets anders op dan een lange zit in Zeds auto.

En dat vertelde ze hem ook. Ze zei erbij dat als hij andere ideeën had, ze daar met alle plezier in mee zou gaan.

Gelukkig had hij die niet. Hij was niet stom. Hij begreep inderdaad dat ze met een rechtstreekse confrontatie met beide vrouwen, hier op de campus van de universiteit van Lancaster, geen stap verder kwamen. Zo op het oog deden de vrouwen in elk geval niets wat dan ook maar in de verste verte verdacht leek. 'Aha! Wat doen jullie daar met zijn tweeën?' zou heel goed kunnen leiden tot: 'Dat gaat je niets aan.'

Zed zag dat wel in, maar hij maakte Deborah ook duidelijk dat hem dat niet aanstond. Het was niet zijn stijl, zei hij tegen haar, om te zitten wachten. Dat deden journalisten niet. Journalisten groeven en confronteerden en maakten hun verhaal. Dat was de kern van de journalist. Dat was onderdeel van de rijke traditie van dat beroep.

Deborah wilde daar spottend op reageren, maar toen mompelde ze een paar min of meer instemmende woorden. Maar al te waar, ja, inderdaad, ik begrijp het. Op dat moment wisten ze niet eens hoe de vrouw heette met wie Alatea naar de universiteit was gegaan, en dat was toch wel het minste wat ze nodig hadden om ergens te gaan graven.

Ze overtuigde Zed van haar standpunt, hoewel hij twijfelde. Hij zei ten slotte dat hij haar op dezelfde plek zou treffen als waar ze eerder uit de auto was gesprongen. Ze zouden naar het tehuis voor oorlogsinvaliden teruggaan en daar op de terugkeer van Alatea Fairclough en haar metgezel wachten. Terwijl ze wachtten zouden ze hun plannen ontvouwen, zei hij. Er moet wél een plan komen, brigadier Cotter. Het zou hem niet gebeuren dat hij dit verhaal zou mislopen vanwege dubbelspel van haar kant.

'Er is geen sprake van dubbelspel,' zei Deborah. 'Ik weet heus wel dat ik in een lastig parket beland als ik niet met je samenwerk, Zed.'

Hij grinnikte. 'Zo doen verslaggevers dat.'

'Ja, dat begin ik absoluut door te krijgen,' zei ze tegen hem.

Ze hingen op. Deborah wachtte nog een paar minuten om te kijken of Alatea en haar vriendin naar buiten zouden komen. Dat gebeurde niet. Van het mededelingenbord in de hal van het gebouw kon Deborah zich herinneren dat hier geen collegezalen waren. Er waren louter kantoren en laboratoria. Dit betekende dat Alatea en de andere vrouw hier waarschijnlijk geen colleges volgden, zoals Zed had opgemerkt. En aangezien hier onder andere voortplantingswetenschap was gehuisvest, was Deborah er zeker van dat ze op het spoor zat van wat Alatea Fairclough te verbergen had.

Victoria

Londen

Barbara Havers moest wel terug naar de Yard. Ze had Winston Nkata's expertise nodig, en daarvoor moest ze naar Victoria Street om hem over te halen een paar uur te verdwijnen en ergens af te spreken waar ze toegang tot internet hadden. In haar bungalowtje had ze geen internet. Ze had niet eens een laptop, die had ze altijd als een tijdverslindend apparaat beschouwd. Die hele wereld van de informatiesupersnelweg ging haar verdomme boven de pet. Ze vond het prettiger toen alles nog gewoon werd bediend met een aan- en uitknop, en de technologie niet verder ging dan de toetstelefoon en afstandsbediening voor de tv. Gewoon een paar telefoontjes plegen en iemand anders opzadelen met het verzamelen van informatie. Zo deed je dat.

Maar nu lagen de zaken anders en moest ze zelf in actie komen.

Maar hoewel ze uiteindelijk, zij het schoorvoetend, steeds beter leerde hoe ze het world wide web moest doorzoeken, kwam ze nog niet in de buurt van Winstons niveau. Hoe spoorde je advertenties van een specifiek model in ondeugend ondergoed op? Dat was de vraag. En hij zou het antwoord weten.

Ze bedacht dat ze hem ook kon bellen, maar dat was niet hetzelfde. Ze moest zien wat er op het scherm gebeurde terwijl hij hardnekkig zat te googelen, klikken en dubbelklikken.

Dus sleepte ze zich naar New Scotland Yard. Ze belde hem vanuit de hal. Tref me in de bibliotheek, zei ze tegen hem. Ze hadden te maken met een zaak vol intriges. De baas moest erbuiten blijven.

'Barb...' antwoordde hij.

Barbara wist precies wat het betekende wanneer Winston die toon gebruikte. Maar ze wist ook hoe ze zijn zorgen de kop in kon drukken.

'De inspecteur heeft informatie nodig,' zei ze. Winnie, zo wist ze, deed alles voor Lynley. 'Je kunt zeker niet even weg, hè? Het duurt niet lang.'

'Wat ben je aan het doen?'

'Vieze plaatjes opzoeken.'

'Op een Met-computer? Ben je gek geworden?'

'Op bevel van Hillier,' zei ze. 'Echt, Winnie, denk je dat ik hierom heb gevraagd? De inspecteur volgt een spoor. Waarschijnlijk blijkt het uiteindelijk een dik oud wijf in beha en onderbroek.'

Hij zei dat hij haar in de bibliotheek zou treffen. Maar hij zei ook – en dit was Winston ten voeten uit – dat als hij de baas tegen het lijf zou lopen en die hem zou vragen waar hij naartoe ging, hij er niet om zou liegen.

'Maar je probeert wel uit haar buurt te blijven, hè?' zei Barbara duidelijk. 'De inspecteur zit al in de problemen omdat hij mij erbij heeft betrokken. Als ze erachter komt dat ik jou er ook nog bij haal, lust ze hem rauw.'

Dat gaf hem het laatste zetje, zoals ze al had gehoopt. Hij zou zo ver mogelijk uit de buurt van Isabelle Ardery blijven.

En dat was hem kennelijk gelukt. Toen Barbara op de twaalfde verdieping in de bibliotheek van de Met aankwam, stond Nkata al te wachten. Hij bekende echter dat hij wel Dorothea Harriman was tegengekomen, en dat was slecht nieuws. De afdelingssecretaresse had zulke gehaaide methoden om geheimen te ontdekken dat ze Winstons bedoelingen waarschijnlijk aan zijn schoenveters kon aflezen. Nou, daar was dan niets aan te doen.

Ze togen aan het werk. Winstons vaardige vingers vlogen over het toetsenbord. Toen hij eenmaal Alatea Fairckoughs lange geboortenaam had ingetoetst, was hij niet meer te houden. Scherm na scherm flitste voorbij. Barbara deed geen poging hem bij te houden. Winston legde niet uit wat hij aan het doen was of waar ze op het net naartoe gingen. Hij keek er gewoon naar, nam een bepaalde beslissing, sloeg nog een paar toetsen aan en daar gingen ze weer. Hij zou het prima doen bij de forensische computerafdeling, bedacht Barbara. Ze wilde hem dat net vertellen toen een woedend uitgeroepen: 'Brigadiers Havers en Nkata!' haar duidelijk maakte dat Dorothea Harriman iets had laten vallen en dat Isabelle Ardery ze op het spoor was gekomen.

Nkata draaide zich vliegensvlug van de computer om. Als je van een zwarte man kon zeggen dat hij kon verbleken, dan was dat op dat moment het geval. Barbara kreeg een hol gevoel in haar maag. Wat hád de hoofdinspecteur verdomme toch? vroeg ze zich af. Ging het soms om Lynley? Waar hij uithing en waarom hij 's nachts niet tussen haar benen in de weer was? Of wilde ze iedereen als insecten op een prikbord onder de duim houden?

Winston stond langzaam op. Hij keek naar Barbara. Die zei: 'Ik heb Winston een paar minuutjes geleend, baas. Ik moest iets opzoeken en hij is hier zo handig mee. Ik kan het ook doen, maar mij kost het uren en ik ben hopeloos als ik de volgende stap moet uitvogelen.'

Isabelle nam haar van top tot teen op. Ze liet haar blik betekenisvol rusten op Barbara's T-shirt, dat goed leesbaar was, want ze had haar duffelse jas over een stoel in de buurt gegooid. CHRISTUS IS VOOR ONZE ZONDEN GESTORVEN... LATEN WE HEM NIET TELEURSTELLEN kon haar niet amuseren.

Ardery zei: 'De vakantie is voorbij, brigadier Havers. Ik wil dat je binnen een uur iets fatsoenlijks aantrekt en weer aan het werk gaat.'

Barbara zei: 'Met alle respect, baas...'

'Drijf het niet op de spits, Barbara,' zei Isabelle tegen haar. 'Voor mijn part heb je zes dagen of zes maanden vakantie te goed, maar het lijkt me nogal duidelijk dat je niet op vakantie bent. In dat geval kun je net zo goed weer aan het werk gaan.'

'Ik wilde alleen maar zeggen...'

'Brigadier Havers!' Nu blafte Isabelle. 'Schiet op.'

Barbara zei haastig: 'Baas, ik kan niet naar huis gaan, me omkleden en binnen een uur weer terug zijn. Dat is onmogelijk. Bovendien moet ik naar de universiteit. Als ik nog een dag krijg – vandaag, deze ene dag meer, dat zweer ik – ben ik hier binnen een halve minuut weg en kom ik morgen weer gekleed als...' Ze kon zo gauw niet op een naam komen. 'Als wie dan ook terug.' Ze wilde eraan toevoegen: 'als een adembenemend plaatje' maar ze bedacht dat de hoofdinspecteur dan zou antwoorden met: 'eerder als een dood plaatje', dus dat liet ze maar zitten. Ze zei wel: 'Ik heb Winston gedwongen, baas. Reageer het niet op hem af, alstublieft.'

'Het?' snauwde de hoofdinspecteur. 'Wát zou ik dan op hem moeten afreageren, brigadier Havers?'

Barbara hoorde Winston naast zich kreunen, een zacht geluidje dat de hoofdinspecteur goddank niet hoorde. Ze zei: 'Dat weet ik niet. Gewoon... wat dan ook... het. De stress van de baan. Het leven.'

'En wat bedoel je daar nou weer mee?' Isabelle was ziedend nu. Barbara vroeg zich af hoeveel verkeerde dingen ze nog zou zeggen.

'Dat weet ik niet, baas,' zei ze, hoewel 'dat Lynley er niet is om je te neuken' behoorlijk hoog op haar lijstje stond. 'Ik bedoelde er niets mee. Ik wilde gewoon iets zeggen.'

'O ja? Nou, speel geen spelletjes met "ik wilde gewoon iets zeggen", oké? Maak af wat je hier aan het doen was en verdwijn dan uit het gebouw. Ik zie je hier morgenochtend en zo niet, dan ben je morgenmiddag verkeersagent in Oezbekistan. Duidelijk?'

'Ik zou niet weten hoe het nog duidelijker moest,' zei Barbara.

'En jij,' zei Isabelle tegen Winston, 'komt met mij mee.'

'Geen spoor van slipjes,' antwoordde Nkata, en voor hij wegliep voegde hij er haastig aan toe: 'Zoek naar Raul Montenegro.'

Barbara wachtte tot de hoofdinspecteur en Nkata de Met-bibliotheek verlieten. Ze vond het waardeloos dat het met Ardery steeds zo ongelukkig uitpakte. Als het op de hoofdinspecteur aankwam, moest ze vanaf nu op haar tellen passen. Als ze daar niet in slaagde, twijfelde ze er niet aan dat Isabelle haar met alle plezier een schop naar een andere tijdzone zou geven.

Ze ging op Winstons plaats achter de computer zitten. Ze staarde naar het scherm, las wat er stond – verdomme alweer in het Spaans – maar vond toch de naam die Winston had genoemd voordat hij werd afgevoerd. Raul Montenegro sprong naar voren uit een ratjetoe aan andere woorden. Oké, dacht Barbara, laten we dat spoor maar eens volgen.

Lake Windermere

Cumbria

Manette had door de jaren heen haar jongere broer in verschillende gemoedstoestanden meegemaakt. Van steenkoud tot amper bij bewustzijn. Ze had hem berouwvol gezien. Oprecht. Ze had hem manipulatief, bedroefd, geagiteerd, angstig, prettig high en onaangenaam paranoïde meegemaakt. Maar ze had hem nog nooit zo boos gezien als toen hij door de deur van Ireleth Hall stormde, die met een dreun achter hem dichtviel.

Zoals dat wel vaker gaat met een theatrale entree, was het verdomd effectief. Ze zaten hem allemaal met open mond aan te staren. Voor Bernard Fairclough kwam het heel goed uit dat hij nu verder geen vragen hoefde te beantwoorden over Vivienne Tully en haar bankrekening.

'Nicky, wat is er aan de hand?' vroeg Valerie op dwingende toon.

'Gaat het wel?' zei Bernard. 'Waar is Alatea? Is er iets met haar gebeurd?'

'Er is niets met Alatea gebeurd.' Nicholas zei het bruusk. 'Laten we het over Scotland Yard hebben, oké? Dat vind je toch niet erg, wel? Jij, Manette? En hoe zit het met jou, Freddie? Ik ga ervan uit dat jullie allemaal onder één hoedje spelen?'

Manette keek naar haar vader. Ze was niet van plan hierin mee te gaan. Ze sloot haar vingers om Freddies hand, om hem te laten weten dat hij ook niets moest zeggen. Ze voelde dat hij naar haar keek, maar hij zweeg en vlocht zijn vingers door die van haar.

Bernard zei: 'Waar heb je het over, Nick? Ga zitten. Je ziet er verschrikkelijk uit. Slaap je soms slecht?'

'Begin niet met die zogenaamde bezorgdheid van je!' riep hij uit. 'Er is hier iemand uit Londen die onderzoek naar me doet, en als je durft te beweren dat je daar niets van af weet, dan is dat gelul.' Hij beende naar de open haard en torende boven zijn vader uit. 'Wat dácht je wel niet, verdomme? Dat ik het niet zou merken? Dat ik er niet achter zou komen? Dat mijn hersens verdomme door drugs en drank zodanig zijn verteerd dat ik me niet zou afvragen waarom... Jezus christus, ik zou je moeten vermoorden. Dat is makkelijk zat, toch? Ik heb op het gebied van moorden kennelijk zoveel talenten dat een tweede lijk in het botenhuis er ook nog wel bij kan.'

'Nicholas!' Valerie stond van de bank op. 'Hou daar onmiddellijk mee op.'

'O, jij zit er ook in, hè?' Hij sneerde naar haar. 'Ik dacht nog wel dat je...'

'Dat ik niets wist? Maar ik wist alles,' zei Valerie. 'Sterker nog, ik heb alles in gang gezet.'

Dat bracht hem tot zwijgen. Manette voelde hoe de schok van haar moeders woorden zich als een ijsbal in haar maag nestelde. Maar dat werd al snel gevolgd door verwarring. Het was makkelijker om van die verklaring in de war te raken dan er een logische conclusie aan te verbinden.

'Valerie,' zei haar man rustig. 'Dit is niet nodig.'

'Ik ben bang van wel.' Ze zei het tegen Nicholas. 'De politie is hier omdat ik dat wilde. Je vader heeft ze er op mijn verzoek bij gehaald. Het was niet zijn idee. Begrijp je dat? Hij is naar Londen gegaan. Hij is gegaan omdat hij iemand bij New Scotland Yard kent. Maar het was net zomin zijn idee' – ze gebaarde naar Manette en Freddie, die nog altijd op de bank elkaars hand vasthielden – 'als van je zus. Of van Mignon. Of van wie dan ook. Ik wilde dit, Nicholas. Niemand anders.'

Nicholas was met stomheid geslagen en zag eruit alsof hij een doodsklap had gekregen. Ten slotte zei hij: 'Mijn bloedeigen moeder. Dacht je nou werkelijk... Dacht je...?'

'Het is anders dan je denkt,' zei ze.

'Dat ik misschien... dat ik zou kunnen...' Toen sloeg hij met zijn vuist op de schoorsteenmantel. Dat deed hij zo hard dat Manette ervan ineenkromp. 'Ik zou Ian hebben vermoord? Denk je dat echt? Dat ik tot moord in staat was? Wat mankeert je?'

'Nick. Genoeg,' zei Bernard. 'Laten we wel wezen, je hebt een geschiedenis...'

'Ik ken verdomme m'n eigen geschiedenis. Die heb ik zelf geleefd. Dat hoef je heus niet voor me uit te spellen. Maar ik mag dan een jaar of twintig van mijn geschiedenis in een soort schemertoestand hebben verkeerd, maar ik kan me niet herinneren dat ik ooit een vinger naar iemand heb uitgestoken.'

'En niemand...' zei Valerie, '... heeft een vinger naar Ian uitgestoken. Zo is hij niet gestorven.'

'Wat is er dan verdomme...'

'Valerie,' zei Bernard. 'Dit maakt het alleen nog maar erger.'

'Het kan niet nog erger,' zei Nicholas. 'Tenzij moeder om een andere reden Scotland Yard hier wilde hebben. Dat wil je me zeker laten geloven, hè? Onderzoeken ze Manette? En hoe zit het met Mignon? En Fred? Of is hij alleen maar Manettes loopjongen gebleven en heeft hij gedaan wat zij wilde?'

Manette zei: 'Waag het niet om dit op Freddie af te reageren. En ja, de rechercheur is ons komen opzoeken. En we hoorden pas voor het eerst dat er überhaupt een rechercheur was toen hij zijn Scotland Yard-badge onder onze neus duwde.'

'Nou, dat is bij jullie tenminste nog gebeurd,' zei hij. En tegen zijn moeder: 'Heb je enig idee... heb je verdomme ook maar enig idee...'

'Het spijt me,' zei ze. 'Ik heb je gekwetst en dat spijt me. Maar er zijn dingen die verder reiken dan dat...'

'Dan wat?' schreeuwde hij. En toen leken plotseling de stukjes op hun plaats te vallen. 'Gaat het over het familiebedrijf? Wie wat krijgt? Wie de leiding krijgt? Wie de macht krijgt? En wanneer en hoe?'

'Nicholas, alsjeblieft. Het gaat om andere dingen...'

'Denk je dat dat me ook maar iets kan schelen? Denk je soms dat ik het bedrijf wil? Denk je dat ik daarom hier weer ben, dat ik daarom weer thuis ben? Het kan me geen donder schelen wie de zaak runt. Geef hem aan Manette. Geef hem aan Freddie. Voor mijn part aan zomaar iemand op straat. Heb je enig idee wat dit met Alatea heeft gedaan, dat iemand letterlijk in ons huis is geweest, iemand die rondneusde en deed alsof... Die... die rechercheur van je heeft vanaf het begin gelogen, moeder. Begrijp je dat? Ze is naar ons huis toegekomen, heeft een of ander onzinverhaal opgehangen waarom ze daar was, heeft Allie de stuipen op het lijf gejaagd die nu, kennelijk, denkt... O god, ik weet niet wat ze denkt, maar ze is in alle staten en als zij denkt dat ik gebruik... Zie je dan niet wat je hebt gedaan? Mijn eigen vrouw... Als zij me in de steek laat...'

'Zij?' vroeg Bernard. 'Is zij naar je huis toegekomen? Nick, over wie heb je het eigenlijk?'

'Over wie denk je verdomme dat ik het heb? Die achterlijke Scotland Yard-onderzoeker van je.'

'Dat is een man,' zei Valerie. 'Nicholas, dat is een man, geen vrouw. Het is echt een man... Ik weet niets van...'

'Ja hoor, mam.'

'Het is echt zo,' zei Manette tegen haar broer.

'Hij heeft wel iemand bij zich,' voegde Bernard eraan toe. 'Maar dat is ook een man, Nick, een forensisch specialist. Een andere man. Als een vrouw bij Arnside House is geweest om met jou en Alatea te praten, dan heeft dat hier niets mee te maken.'

Nicholas verschoot van kleur. Hij associeerde razendsnel. Manette zag aan hem dat de gedachten door zijn hoofd vlogen.

Uit het niets zei hij: 'Montenegro.'

'Wie?' vroeg Bernard.

Maar zo snel als Nicholas Ireleth Hall binnen was gestormd, zo snel was hij ook weer verdwenen.

Lancaster

Lancashire

De twee uren die Deborah met Zed Benjamin in de auto doorbracht, werden alleen onderbroken door een enkel telefoontje. Ze dacht dat het Simon kon zijn en keek naar de display, terwijl ze snel bedacht of ze zou opnemen of hem zou laten overgaan op de voicemail. Ze kon niet een 'officieel' gesprek riskeren in het bijzijn van de journalist. Maar het was Tommy. Ze dacht dat dat wel kon.

Ze zei tegen Zed: 'Mijn baas,' en toen ze opnam, zei ze: 'Hallo, inspecteur Lynley.'

'Wat zeg je dat formeel.'

'Met alle respect,' zei Deborah opgewekt tegen hem. Ze voelde Zeds ogen op haar gericht. Ze hield haar eigen blik op het tehuis voor oorlogsinvaliden gericht.

'Het zou wat zijn als ik dat op mijn werk kreeg,' zei Tommy. Daarna: 'Ik heb Simon gesproken.'

'Dat dacht ik al.'

'Hij is niet blij met ons. Niet met mij omdat ik je hierin heb meegesleept. En niet met jou omdat je er niet uit te slepen bent. Waar zit je nu?'

'Nog steeds in Lancaster.'

'Hoe ben je daar gekomen?'

'Wat bedoel je?'

'Deborah, Simon heeft me vanuit jullie hotel gebeld.'

'Je zei dat je met hem had afgesproken?'

'Dit was daarna. Hij is weer in het hotel, jij was weg, maar je huurauto staat er nog wel. Hij is duidelijk ongerust.'

'Niet zo erg dat hij me belt.'

'O, in godsnaam, Deb. Voel een beetje mee met de man. Hij weet dat je kwaad bent. Hij weet dat je de telefoon niet opneemt als je ziet wie er belt. Hoe ben je in Lancaster terechtgekomen?' Ze had geen keus, maar moest haar woorden voorzichtig kiezen. 'Meneer Benjamin van *The Source* werkt momenteel met me samen, sir.'

Ze hoorde hem zacht vloeken, dus vervolgde ze snel: 'Alatea is hier met een andere vrouw. Met haar wil ik praten. Ze zijn bij iemand geweest op de faculteit voor Wetenschap en Technologie en we willen weten waarom.'

'Deb.' Ze hoorde aan zijn stem dat hij niet precies wist hoe hij het nu verder met haar moest aanpakken. Wat zou wel of niet lukken? vroeg hij zich af. Een beroep op haar verstandiger ik? Een bedekte toespeling op hun eigen amoureuze verleden? Hij zat in een interessante positie, bedacht ze.

Hij zei: 'Je weet dat Simon wil dat je mee teruggaat naar Londen. Hij maakt zich zorgen.'

'Ik geloof niet dat Londen op dit moment verstandig is. Ik kom er hier nu heel dichtbij.'

'Daarom is hij juist zo bezorgd. Je bent al eerder te dicht in de buurt van een moord geweest.'

Guernsey, dacht ze. Zoals Bogart en Bergman altijd Parijs hadden, zo zouden Simon en zij altijd aan Guernsey herinnerd worden. Oké, ze was gewond geraakt. Maar ze was niet doodgegaan. Er was niet eens sprake geweest van levensgevaar. En dit was anders, want ze was niet van plan in een aarden kamer te belanden met een antieke handgranaat in haar bezit. Ze zei: 'Dit is op de een of andere manier van belang. Een los eindje dat vastgezet moet worden.'

'Je kunt het moeilijk oneens zijn met de wetenschap rondom iemands dood, Deb. Simons conclusies kloppen.'

'Zou kunnen. Maar er is meer dan zijn conclusies,' zei ze.

'Dat ben ik niet met je oneens. En je vindt duidelijk dat Alatea Fairclough daar een van is. Havers onderzoekt haar in Londen, trouwens.'

'Dus je begrijpt...'

'Zoals ik al zei, ben ik het niet met je oneens. Eerlijk gezegd maak ik me zorgen om Simon.'

'Denk je dan dat hij zich kan vergissen?'

'Hij is veel te veel met jou bezig. Soms raakt iemand dan verblind voor wat vlak voor zijn neus ligt. Maar evengoed kan ik niet toestaan dat...'

'Niemand staat iemand iets toe.'

'Ongelukkige woordkeus. Ik zie wel dat we in kringetjes ronddraaien. Maar ik ken je. Oké, wees voorzichtig. Ben je dat dan tenminste wel?'

'Zal ik doen. En jij?'

'Aan mijn kant zitten ook nog wat losse eindjes. Die ga ik vastknopen. Maar je belt me als er iets is, hè?'

'Absoluut, inspecteur.' En toen hing ze op. Ze keek naar Zed Benjamin om te zien of hij tijdens haar gesprek niet wantrouwig was geworden.

Maar hij was druk doende zich zo goed mogelijk in zijn stoel te installeren. Toen knikte hij in de richting van het tehuis voor veteranen. Alatea Fairclough en haar metgezel draaiden net de parkeerplaats op.

Deborah en Zed bleven wachten en in minder dan een minuut kwam de andere vrouw om de hoek van het gebouw tevoorschijn en ging naar binnen. Even daarna reed Alatea van de parkeerplaats weg, kennelijk in de richting van Arnside. Allemaal prima, dacht Deborah. Het werd tijd om te kijken wat ze uit die andere vrouw los kon krijgen.

Ze zei tegen Zed: 'Ik ben weg.'

Hij zei: 'Een kwartier, dan bel ik je op je mobiel.'

Ze zei: 'Dat zou je natuurlijk kunnen doen. Maar bedenk wel dat je mijn lift terug naar Milnthorpe bent, dus die zal ik heus niet op het spel zetten.'

Zed gromde wat. Hij zei dat hij dan in elk geval de auto uit kwam om zijn benen te strekken, want twee uur letterlijk opgevouwen zitten wachten had verdomme zijn tol geëist. Deborah vond het best, een goed idee, en ze zei dat ze hem zou bellen als ze weer naar buiten kwam, mocht hij een beetje afdwalen.

'O, nee,' zei Zed, 'maak je daarover maar geen zorgen. Ik blijf wel in de buurt.'

Daar twijfelde Deborah niet aan. Hij zou zich nog in de bosjes verschuilen en als het lukte zijn oor tegen een raam te luisteren leggen. Maar ze wist dat er met de man geen ander compromis te sluiten viel, dus ze zei dat ze haar best zou doen het zo kort mogelijk te houden, waarna ze de straat overstak.

In de Kent-Howath Foundation voor Oorlogsinvaliden besloot ze de directe benadering toe te passen, ze had immers weinig keus omdat ze geen politiebadge had. Ze liep naar een receptiebalie en zette haar beminnelijkste glimlach op. Ze zei tegen de receptionist, zo te zien zelf een veteraan, dat ze daarstraks een vrouw het gebouw binnen had zien gaan: 'Nogal lang, naar achteren gespeld haar, lange rok, laarzen...?' Ze was er zeker van dat de vrouw een klasgenootje van haar oudere zus was geweest en ze wilde haar heel graag even spreken. Ze zei dat ze wist dat dit een malle vraag was. Tenslotte kon de vrouw wel een volslagen vreemdeling blijken. Maar aan de andere kant, als ze inderdaad degene was die Deborah in gedachten had...

'U bedoelt Lucy zeker,' zei de oude man. Hij droeg een legeruniform. Dat plakte aan hem vast als een bruid tijdens haar huwelijksnacht aan haar echtgenoot. Zijn hals golfde in plooien over zijn kraag. 'Ze is onze gastvrouw. Ze doet spelletjes en oefeningen met de groepen en zo. En een uitvoering tijdens kerst. Dat soort dingen.'

'Lucy, ja. Zo heette ze inderdaad,' zei Deborah. 'Is er misschien een kans...' Ze keek hem hoopvol aan.

'Altijd een kans voor een mooie meid,' zei hij. 'Hoe komt u aan al dat mooie haar, hé?'

'Grootmoeder van vaderskant,' zei Deborah tegen hem.

'Hebt u even geluk. Ik viel altijd al op roodbruin.' Hij pakte de telefoon en toetste een nummer in. Hij zei: 'Een schitterende vrouw vraagt hier naar je, liefje,' toen luisterde hij even en voegde eraan toe: 'Nee, ze is nieuw. Hoe kom je toch zo populair?' Hij grinnikte om haar reactie aan de andere kant, hing op en zei tegen Deborah dat ze er zo aankwam.

Deborah zei op vertrouwelijke toon: 'Het is verschrikkelijk, maar ik kan me haar achternaam niet meer herinneren.'

'Keverne,' zei hij. 'Lucy Keverne. Zo heette ze toen en zo heet ze nog steeds want ze is niet getrouwd. Heeft niet eens een vriend. Ik doe m'n best, maar ze zegt dat ik te jong voor haar ben, echt.'

Zoals van haar werd verwacht maakte Deborah de nodige bevestigende geluiden en ging toen op een houten bank tegenover de receptiebalie zitten wachten. Ze dacht verstrooid na over wat ze in hemelsnaam tegen Lucy Keverne zou gaan zeggen, maar daar had ze niet veel tijd voor. Nog geen minuut later kwam de vrouw die ze met Alatea Fairclough samen had gezien de receptieruimte in. Ze leek wat in verwarring gebracht, wat logisch was. Deborah vermoedde dat ze vast niet vaak onverwachte bezoekers op haar werkplek ontving.

Nu zag Deborah dat de vrouw jonger was dan ze aanvankelijk had gedacht toen ze haar van veraf zag. Er zaten grijze strepen door haar haar, maar ze werd kennelijk jong grijs, want ze had het gezicht van een vrouw van in de twintig. Ze droeg een modieuze bril die paste bij haar vriendelijke gelaatstrekken. Bovendien, zag Deborah, droeg ze een modern soort gehoorapparaatjes. Achter elk oor verdween een dun draadje. Als ze haar lange haar anders had gedragen, zouden ze helemaal onzichtbaar zijn geweest.

Ze hield haar hoofd schuin naar Deborah en vroeg: 'Wat kan ik voor u doen?' Toen stak ze haar hand uit. 'Lucy Keverne.'

'Kunnen we ergens praten?' vroeg Deborah. 'Het gaat om een nogal persoonlijke zaak.'

Lucy Keverne fronste haar wenkbrauwen. 'Een persoonlijke zaak? Als u hier bent om een plekje voor een familielid, dan moet u niet bij mij zijn.'

'Nee, daar gaat het niet om. Dit heeft eerder met de universiteit van Lancaster te maken,' zei Deborah. Het was een schot in het halfduister, omdat het George Childress Centre, waar zij en Alatea naar binnen waren gegaan, het enige lichtpuntje was.

Het bleek een schot in de roos. 'Wie bent u?' Lucy klonk een beetje gealarmeerd. 'Door wie bent u gestuurd?'

'Kunnen we ergens naartoe?' vroeg Deborah. 'Hebt u een kantoor?'

Lucy Keverne keek naar de receptionist en leek de verschillende mogelijkheden te overwegen. Ten slotte zei ze tegen Deborah: 'Kom dan maar mee.' En ze nam haar mee naar de achterkant van het gebouw waar een serre op een verrassend grote tuin uitkeek. Ze gingen echter niet in de serre zitten. Die was al bezet. Verscheidene oudere heren zaten boven hun krant te knikkebollen en twee anderen zaten in een hoek te kaarten.

Lucy nam haar mee door de glazen deuren de tuin in. Ze zei: 'Hoe komt u aan mijn naam?'

'Is dat belangrijk?' vroeg Deborah. 'Ik ben op zoek naar hulp. Ik dacht dat ik daarvoor bij u aan het juiste adres was.'

'Dan zult u iets specifieker moeten zijn.'

'Uiteraard,' zei Deborah. 'Ik heb het over conceptie. Ik probeer al jaren zwanger te worden. Het blijkt dat ik een aandoening heb waardoor ik de zwangerschap niet kan voldragen.'

'Wat vreselijk voor u. Dat moet heel moeilijk voor u zijn. Maar waarom denkt u dat ik u kan helpen?'

'Omdat u met een andere vrouw naar het George Childress Centre bent geweest en daar was ik ook. Toen u van de campus vertrok, ben ik achter u aan gereden in de hoop met u te kunnen praten.'

Lucy kneep haar ogen tot spleetjes toen ze dit tot zich liet doordringen. Ze dacht vast na over een mogelijk risico. Ze spraken in bedekte termen, wat ze op dat moment zeiden was allemaal volstrekt legaal. Als ze echter een paar stappen de verkeerde kant op deden, konden ze zomaar aan de verkeerde kant van de juridische grens zitten.

'We waren met zijn tweeën,' zei Lucy, niet onterecht. 'Waarom bent u achter mij aan gekomen? Waarom hebt u haar niet benaderd?'

'Een gok.'

'En? Kwam ik vruchtbaarder op u over?'

'Meer op uw gemak. Veel minder wanhopig. Na een paar jaar herken je dat. Er is een soort gretigheid. Dat brengt de ene vrouw op de andere over, als een soort biologische code. Ik weet niet hoe ik het anders moet uitleggen. Als je het nooit hebt meegemaakt, herken je het niet. Dat doe ik wel.'

'Oké, misschien hebt u gelijk, ja, maar ik weet niet wat u van me wilt.'

Ze wilde de waarheid. Maar Deborah wist niet zo goed hoe ze dat moest aanpakken. Ze koos opnieuw voor een variant van haar eigen waarheid. 'Ik ben op zoek naar een draagmoeder,' zei ze. 'Ik hoopte dat u me zou kunnen helpen er een te vinden.'

'Wat voor soort draagmoeder?'

'Zijn er dan verschillende soorten?'

Lucy sloeg Deborah gade. Ze hadden over een van de tuinpaden gewandeld, die leidde naar een grote urn die een grens van de tuin markeerde, maar nu keek Lucy Deborah aan en sloeg haar armen over elkaar. Ze zei: 'U hebt bepaald niet uw huiswerk gedaan op dit terrein, wel?'

'Kennelijk niet.'

'Nou, ik stel voor dat u dat wel doet. Er zijn eiceldonors, spermadonors, draagmoederschap met de eicel van de moeder met donorsperma, de eicel van de draagmoeder en het sperma van de biologische vader, de eicel van de biologische moeder en donorsperma, de eicel van de biologische moeder en het sperma van de biologische vader. Als je die weg wilt bewandelen, moet je eerst snappen hoe het allemaal in zijn werk gaat. En,' voegde ze eraan toe, 'alle wettelijke bepalingen weten die ermee gemoeid zijn.'

Deborah knikte, hoopte dat ze er bedachtzaam uitzag. 'Bent u... Kunt u... Ik bedoel, ik weet niet zo goed hoe ik dit moet vragen, maar welke route neemt u meestal?'

'Ik ben een eiceldonor,' zei ze. 'Meestal wordt die bij mij geoogst.'

Deborah huiverde bij de term, zo onpersoonlijk, zo klinisch, zo... landbouwachtig. Maar 'meestal' suggereerde dat Lucy Keverne ook openstond voor andere mogelijkheden. Ze zei tegen haar: 'En als het om draagmoederschap gaat?'

'Ik ben nog nooit eerder draagmoeder geweest.'

'Eerder? Dus voor de vrouw met wie u naar de universiteit bent geweest...?'

Lucy gaf niet meteen antwoord. Ze keek naar Deborah alsof ze haar probeerde in te schatten. Ze zei: 'Over haar wil ik niet praten. Dat is een vertrouwelijke kwestie. Dat begrijpt u zeker wel.'

'Natuurlijk begrijp ik dat.' Deborah dacht dat op dat moment een beetje handenwringen wel op zijn plaats was, plus een wanhopige uitdrukking op haar gezicht die ze zonder moeite tevoorschijn toverde. Ze zei: 'Ik heb natuurlijk met artsen gesproken. Zij hebben me verteld dat als het op draagmoederschap aankomt, ik volkomen op mezelf ben aangewezen. Ik bedoel, bij het vinden van een draagmoeder.'

'Ja,' zei Lucy. 'Zo is het nu eenmaal.'

'Ze hadden het over een vriendin, een zus, een nicht, zelfs over je eigen moeder. Maar hoe pak je zoiets aan? Wat moet ik doen? Een gesprek beginnen met: "Hallo, voel je er misschien voor om mijn baby te dragen?"' En tot haar verbazing voelde Deborah werkelijk hoe wanhopig haar toestand was, en dat was precies wat ze op Lucy Keverne wilde overbrengen. Ze knipperde heftig met haar ogen, en voelde tranen in haar ogen prikken. Ze zei: 'Sorry. Neem me niet kwalijk.'

En hierdoor werd Lucy Keverne kennelijk geraakt, want ze legde een hand op Deborahs arm en trok haar in de richting van een bank waarop een laag herfstbladeren lag. Ze zei: 'Het is zo'n stomme wet. Die moet voorkomen dat vrouwen uit winstbejag draagmoeder worden. Die zou vrouwen moeten beschermen. Natuurlijk is die wet door mannen gemaakt. Eerlijk gezegd vind ik dat altijd nogal ironisch: mannen die wetten maken voor vrouwen. Alsof ze er ook maar een greintje verstand van hebben hoe ze ons moeten beschermen tegen wat dan ook, terwijl zíj om te beginnen meestal onze problemen veroorzaken.'

'Mag ik vragen...' Deborah zocht in haar tas naar een zakdoekje. 'U zei dat u een eiceldonor bent... Maar als u iemand kende... Iemand in uw naaste omgeving... Iemand in nood... Als iemand u vroeg... Zou u dan...' Vertwijfelde vrouw zoekt hulp, dacht ze. Waarschijnlijk zou niemand anders deze vraag rechtstreeks aan een volslagen vreemde stellen.

Lucy Keverne leek niet op haar hoede, maar ze aarzelde wel. Het was duidelijk dat ze in de buurt kwamen van de relatie die ze met Alatea Fairclough had, dacht Deborah. Naar Deborahs idee had Lucy zelf de mogelijkheden al opgesomd: Alatea had haar nodig vanwege haar eicellen of om draagmoeder voor haar te zijn. Als er al een andere mogelijkheid was, dan kon Deborah die niet bedenken. Ze waren vast niet voor de gezelligheid samen naar het George Childress Centre van de universiteit van Lancaster gegaan.

Lucy zei: 'Zoals ik al zei, ik ben eiceldonor. Al het andere kan ik niet aan.'

'U wilt dus geen draagmoeder zijn?' Hoopvol, hoopvol, uitstralen dat je het meent, dacht Deborah.

'Sorry. Nee. Dat is gewoon... Dat ligt te dicht bij het hart, als u begrijpt wat ik bedoel. Ik geloof niet dat ik dat zou kunnen.'

'Kent u misschien iemand? Iemand met wie ik zou kunnen praten? Iemand die er misschien over zou willen...?'

Lucy keek naar haar laarzen. Het waren mooie laarzen, dacht Deborah. Zo te zien Italiaans. Niet goedkoop. Lucy zei ten slotte: 'Misschien wilt u het tijdschrift *Conceptie* eens inzien.'

'Bedoelt u dat daar draagmoederschapadvertenties in staan?'

'Hemel nee. Dat is illegaal. Maar soms laat iemand weten... Je zou op die manier een donor kunnen opsporen. Als een vrouw bereid is om eicellen te doneren, is ze misschien tot meer bereid. Of wellicht weet zij iemand die u zou kunnen helpen.'

'Door een baby te dragen.'

'Ja.'

'Dat moet wel... nou ja, heel duur zijn.'

'Niet duurder dan zelf een kind krijgen, afgezien van het in-vitrogedeelte. De draagmoeder kan u wel om een redelijke onkostenvergoeding vragen. Alles wat meer wordt betaald, is vanzelfsprekend onwettig.'

'Dus het gaat er eigenlijk om dat je iemand met veel meegevoel moet zien te vinden,' zei Deborah, 'die dat om te beginnen wil doormaken. Om vervolgens afstand te doen van de baby. Dat moet wel een heel bijzondere vrouw zijn.'

'Inderdaad, ja. Daar komt het wel op neer.' Daarop stond Lucy Keverne op en stak Deborah haar hand toe. Ze zei: 'Ik hoop dat ik u van dienst heb kunnen zijn.'

In zekere zin had ze dat wel, dacht Deborah. Maar in andere opzichten had ze nog een lange weg te gaan. Niettemin stond ze op en bedankte haar. Ze was zeker wijzer geworden van dit gesprek. Maar hoe dat in verband stond met Ian Cresswells dood – als er al een verband was – was nog altijd onduidelijk.

Victoria

Londen

Met de naam Raul Montenegro kwam Barbara Havers een paar stapjes verder. Ze stuitte op een foto van de man, samen met een artikel dat helaas in het Spaans was geschreven. Ze volgde een paar links die uit dit artikel voortvloeiden en ten slotte kwam ze op een foto van Alatea Vásquez y del Torres. Ze was me het portret wel, zag eruit als een Zuid-Amerikaanse filmster. Het was niet duidelijk waarom ze op de foto aan de arm van een of andere vent hing die eruitzag als een pad, met wratten en al.

Dat was Raul Montenegro. Hij was zeker twintig centimeter korter dan Alatea en minstens dertig jaar ouder. Hij droeg een angstaanjagende Elvis Presley-omslagdoek en op zijn neus zat een groeisel zo groot als Portugal. Maar hij grijnsde van oor tot oor en Barbara had het gevoel dat die grijns alles te maken had met de vrouw die aan zijn arm hing. Natuurlijk wist Barbara dat niet zeker en er was maar één manier om er zekerheid over te krijgen.

Ze printte de bewuste pagina en diepte haar mobieltje uit haar schoudertas. Ze belde Azhar op de Londense universiteit.

Hij zou haar natuurlijk helpen, zei hij toen ze hem aan de lijn had. Het was geen enkel probleem om haar in contact te brengen met iemand die Spaans sprak.

Barbara vroeg of ze naar Bloomsbury moest komen. Azhar zei dat hij haar dat zou laten weten. Het zou enige tijd kosten om degene die hij in gedachten had om de vertaling te doen die ze nodig had, op te sporen. Waar was Barbara nu?

'In de krochten van het monster,' antwoordde ze hem.

'Aha,' zei hij. 'Dan ben je dus aan het werk? Is het beter als we naar jou toe komen?'

'Nee, juist niet,' zei Barbara tegen hem. 'Het is veiliger voor mijn leven als ik maak dat ik wegkom.'

Nu hij wist dat ze elkaar ergens anders zouden ontmoeten, zou hij haar zo snel mogelijk bellen, zei Azhar tegen haar. En toen zei hij voorzichtig: 'Ik moet ook mijn excuses aanbieden.'

'Hoezo?' vroeg Barbara. En toen wist ze het weer: de heibel die hij die ochtend met Angelina had gehad. Ze zei: 'O. Je bedoelt die ruzie. Nou, dat gebeurt weleens, hè? Ik bedoel, als twee mensen samenleven... Je denkt altijd dat liefde alles overwint. In boeken en films, en je leeft nog lang en gelukkig met je grote liefde. Ik weet daar niet zoveel vanaf, maar ik weet wel dat na dat lang en gelukkig de weg vol kuilen zit, wie je ook bent. Het lijkt mij de manier waarop de verstandige mens vasthoudt aan wat hij heeft, ook al is dat niet altijd gemakkelijk, hè? Ik bedoel, wat is er belangrijker dan de mensen met wie we samen zijn?'

Hij zweeg. Op de achtergrond hoorde Barbara geluid van serviesgoed en heftige gesprekken. Hij zat zeker in een snackbar of restaurant te bellen. Daardoor moest ze aan eten denken en het feit dat ze in geen uren iets had gehad.

Ten slotte zei hij: 'Ik bel je snel terug.'

'Klinkt goed,' zei ze tegen hem. 'En, Azhar...?'

'Hmm?'

'Bedankt dat je me uit de brand helpt.'

'Dat,' zei hij tegen haar, 'doe ik altijd met plezier.'

Ze hingen op en Barbara vroeg zich af hoe groot de kans was dat ze de hoofdinspecteur weer tegen het lijf zou lopen als ze op zoek ging naar iets te eten. Als ze iets voedzaams wilde halen, moest ze naar de kantine. Anders moest ze het met een automaat doen. Of ze vertrok van de Yard en ging ergens anders op Azhars telefoontje zitten wachten. Bovendien had ze op dat moment verdomd veel zin in een sigaret. Dus moest ze zich stiekem uit de voeten zien te maken en maar hopen dat ze in het trappenhuis niet werd betrapt. Of ze moest naar buiten. Besluiten, besluiten, dacht Barbara. Ze besloot te blijven en op te schieten, en te kijken of ze nog meer over Raul Montenegro wist op te diepen.

Bryanbarrow

Cumbria

Tim besloot zonder tegenstribbelen naar school te gaan, want Kaveh zou hem brengen. Het was de enige manier om Kaveh voor zich alleen te hebben. En dat wilde hij ook, want er kon geen sprake van zijn dat hij met die kerel zou kunnen praten met Gracie in de buurt. Gracie was al meer dan genoeg in de war. Ze hoefde niet te horen dat Kaveh toekomstplannen had met een vrouw, met ouders en met de Bryan Beckfarm waarbij ergerlijke obstakels als de achternaam Cresswell uit de weg geruimd zouden worden.

Dus verbaasde hij Kaveh door op tijd op te staan en zich voor te bereiden om af te reizen naar de Margaret Fox-school voor Terminale Halve Garen zoals hijzelf. Hij hielp Gracie door aan al haar ontbijtwensen tegemoet te komen, maakte een tonijn-maïssandwich voor haar klaar die hij samen met een appel, een zakje chips en een banaan in een lunchzakje deed. Ze bedankte hem met zo veel waardigheid dat hij wist dat ze nog altijd om Bella rouwde. Dus in plaats van zijn ontbijt op te eten ging hij naar de tuin en groef het kistje met de pop uit de aarde op, stopte de pop in zijn rugzak om die in Windermere te laten repareren. Hij legde het kistje terug, deed de aarde er weer overheen zodat het er weer precies zo uitzag als Gracie dat na Bella's begrafenis had achtergelaten. Toen ging hij op tijd naar het huis terug om nog een stuk toast met Marmite naar binnen te werken voordat ze weg moesten.

Zolang Gracie nog in de auto zat, zei hij niets tegen Kaveh. Hij wachtte tot ze haar bij de basisschool in Crosthwaite hadden afgezet en een eind op weg waren naar Lyth Valley. Op dat moment draaide hij zich naar de man toe, leunde tegen het portier en keek hem indringend aan. In zijn hoofd kwam een beeld op van Kaveh die het met zijn vader deed, en beiden transpireerden zo hevig dat het gedempte licht in de kamer olieachtig op hun huid glansde. Maar het was geen beeld, het was een echte herinnering, want hij had het allemaal gezien door een deur die op een kier stond, en hij was getuige geweest van het extasemoment en daarna het inzakken, terwijl zijn pa hees riep: 'O god, ja!' Tim was kotsmisselijk geworden van dat tafereel, was vervuld van afkeer, haat en afgrijzen. Maar het had ook iets in hem losgemaakt, onverwacht iets in hem beroerd, en de waarheid was dat zijn bloed heel even sneller was gaan stromen en verhit was geraakt. Dus na afloop had hij zich met een zakmes gesneden en azijn in de wond gedruppeld om zijn hete en zondige bloed te zuiveren.

Maar hij zag wel in hoe het allemaal zo was gekomen en in de auto viel het hem op dat Kaveh jong en knap was. Een homo als zijn vader was daar als een baksteen voor gevallen. Zelfs als Kaveh, zoals de zaken er inmiddels kennelijk voor stonden, geen nicht was.

Kaveh keek naar Tim terwijl ze in de richting van Minster reden. De weerzin die in de auto heerste was tastbaar. Kaveh zei nogal ongemakkelijk: 'Goed dat je vandaag naar school gaat, Tim. Daar zou je vader blij mee zijn geweest.'

'Mijn vader is dood,' zei Tim.

Kaveh zei niets. Hij keek nog een keer naar Tim, maar de weg was smal en bochtig en meer dan die blik kon hij zich niet veroorloven. Tim wist dat Kaveh daarmee probeerde te peilen wat hij voelde en wat hij misschien van plan was.

'En nu lacht de toekomst je toe,' voegde Tim eraan toe.

'Wat?' zei Kaveh.

'Nu pa dood is. Daarmee komen de zaken er heel rooskleurig voor je uit te zien.'

Toen verraste Kaveh hem. Ze kwamen bij een uitwijkplaats, hij trapte op de rem en zette de auto daar stil. Het was een drukke ochtendspits. Iemand toeterde en stak twee vingers naar Kaveh op, maar hij zag het niet of het kon hem niet schelen.

'Waar heb je het over?' vroeg Kaveh.

'Pa, dood, goed voor jou, bedoel je dat?'

'Ja. Dat is precies wat ik bedoel. Waar heb je het over?'

Tim keek uit het raam. Veel was er niet te zien. Naast de auto was een muur van gestapelde stenen en op de muur groeiden varens als veren op een dameshoed. Ergens achter die muur graasden waarschijnlijk schapen, maar die kon hij niet zien. In de verte zag hij alleen een heuvel van de hoogvlakten oprijzen met een kringelende kroon van wolken om de top.

'Ik heb je wat gevraagd,' zei Kaveh. 'Geef daar alsjeblieft antwoord op.'

'Ik hoef geen vragen te beantwoorden,' zei Tim. 'Niet van jou of van wie dan ook.'

'Dat moet je wel als je iemand ergens van beschuldigt,' zei Kaveh tegen hem. 'En dat deed je zojuist. Je kunt doen alsof het niet zo is, maar zo werkt het niet. Dus vertel me nou maar eens wat je bedoelt.'

'Waarom rijd je niet door?'

'Omdat ik dat niet hoef, net als jij.'

Tim had deze confrontatie uitgelokt, maar nu wist hij niet meer zo zeker of hij die nog wel wilde. Hij zat in een afgesloten auto met de man voor wie zijn vader hun hele gezin had verwoest, en bespeurde hij hier geen dreiging? Was het niet zo dat als Kaveh Mehran in staat was op Tims verjaardag binnen te lopen en de naakte feiten als een stel kaarten op tafel te leggen, hij ongeveer overal toe in staat was?

Nee. Tim zei tegen zichzelf dat hij niet bang was, want als iemand een reden had om bang te worden, dan was het Kaveh Mehran wel. Leugenaar, bedrieger, ellendeling en ga zo maar door.

Hij zei: 'En, wanneer is de bruiloft, Kaveh? En wat ga je de bruid vertellen? Ga je haar op de hoogte brengen van wat je in dit deel van de wereld hebt uitgespookt? Of is zij de reden waarom je Gracie en mij wegdoet? Ik neem aan dat wij niet op de bruiloft worden uitgenodigd. Dat is vast een beetje te veel van het goede. Maar Gracie had zeker graag bruidsmeisje willen zijn.'

Kaveh zei niets. Tim moest hem nageven dat hij eerst nadacht en niet meteen riep dat zijn plannen Tims zaken niet waren. Hij was waarschijnlijk koortsachtig naar antwoorden aan het zoeken, want hij wist om te beginnen natuurlijk niet hoe Tim de waarheid had weten te achterhalen.

Tim vervolgde: 'Heb je mam het nieuws al verteld? Ik zal je wel vertellen dat ze geen gat in de lucht zal springen van blijdschap.'

Terwijl Tim dit zei, was hij verbaasd door wat hij erbij voelde. Hij kon het niet benoemen. Het overspoelde hem en hij wilde iets doen waardoor het zou verdwijnen, maar hij wist niet precies wat het gevoel betekende en dat wilde hij ook niet weten. Hij vond het verschrikkelijk dat mensen een gevoel bij hem konden oproepen. Hij vond het verschrikkelijk dat hij op dingen reageerde. Hij wilde maar dat hij een glazen scherm was waardoor alles als regen van hem afgleed. Maar zo was het niet en niets wees erop dat het hem ooit zou lukken zich zo te beschermen. Die wetenschap was even erg als het gevoel zelf. Er sprak een zekere veroordeling uit: een eeuwige hel waarin hij overgeleverd was aan de genade van anderen en niemand aan zijn genade was overgeleverd.

'Jij en Gracie horen bij je moeder,' zei Kaveh, waarmee hij hun gesprek de gemakkelijkste wending gaf. 'Ik vond het fijn om jullie bij me te hebben. Ik zou het ook fijn vinden als jullie bij me bleven, maar...'

'Maar de bruid is er misschien niet zo gelukkig mee,' sneerde Tim. 'En dan ook nog de ouders, dan wordt het wel een beetje druk, vind je niet?

Man, dit komt perfect uit, hè? Alsof je het zo hebt gepland.'

Kaveh viel volkomen stil. Alleen zijn lippen bewogen. Ze vormden woorden en die waren: 'Waar heb je het precies over?'

Er zat iets onverwachts achter die woorden, het klonk als woede, maar het ging verder dan woede. Op dat moment bedacht Tim dat woede gevaar voortbracht en wat mensen zoals Kaveh zouden kunnen doen als ze woedend werden. Maar het kon hem niet schelen. Die vent kon doen wat hij wilde en wat maakte het nog uit? Het ergste had hij toch al gedaan.

'Ik heb het over je trouwplannen,' zei Tim, 'dat je eerst hebt besloten, denk ik zo, om het met een vent aan te leggen, te zorgen dat je vanaf het begin kreeg wat je wilde, en nu je het hebt kun je verdergaan met je leven. Je hebt bedacht dat de farm een mooie prijs is voor wat je er allemaal voor over moest hebben om hem te krijgen, dus nu is het tijd voor vrouw en kinders. Alleen zit je met het probleem dat ik er ben en wat ik in het bijzijn van je vrouw en je ouders zou kunnen zeggen, zoiets als: "Hoe zit het met jou en kerels, Kaveh? Hoe zit het met jou en mijn pa? Waarom ben je op de vrouwtjes overgestapt? Is een kontgat soms te wijd geworden of zoiets?"'

'Je weet niet waar je het over hebt,' zei Kaveh. Hij keek achterom naar het achteropkomende verkeer. Hij zette zijn richtingaanwijzer aan om zich weer in de verkeersstroom te voegen.

'Ik heb het erover dat jij het met m'n vader deed,' zei Tim. 'In z'n reet, elke avond weer. Denk je dat er nog een vrouw bestaat die met je wil trouwen als ze weet wat jij hebt uitgespookt, Kaveh?'

'Elke avond weer,' zei Kaveh met gefronst voorhoofd. 'Het met je vader gedaan. Waar héb je het over, Tim?' Hij reed langzaam naar de rand van de uitwijkplaats.

Tim stak zijn hand uit naar de contactsleutel en draaide de motor uit. 'Jij en mijn vader neukten elkaar,' zei Tim. 'Dáár heb ik het over.'

Kavehs mond viel open. 'Neuken... Wat mankeert je? Wat dacht je wel niet? Dat je váder en ik...?' Kaveh rommelde aan zijn stoel, alsof hij er eens goed voor ging zitten om met Tim te praten. Hij vervolgde: 'Je vader was me heel dierbaar, Tim, een goeie en lieve vriend. Ik achtte hem heel hoog en we hielden van elkaar zoals goede vrienden dat doen. Maar dat er meer zou zijn geweest... dat hij en ik... Denk je soms dat we minnaars waren? Hoe kom je daar nou bij? Ik had een kamer in zijn huis, maar als huurder. Dat weet je best.'

Tim staarde de man aan. Zijn gezicht stond volkomen ernstig. Hij zat zo doortrapt en zo charmant te liegen dat Tim bijna werkelijk in zijn ban raakte en haast zou geloven dat iedereen, hijzelf incluis, zich helemaal had vergist in Kaveh en in Tims vader, en in wat ze met elkaar hadden gedaan. Maar Tim was erbij geweest op de avond dat zijn vader ten overstaan van zijn vrouw en kinderen zijn liefde aan Kaveh had verklaard. En Tim had zijn vader met Kaveh gezien. Dus hij wist hoe het zat.

'Ik heb jullie gezien,' zei hij. 'Door de deur. Dat wist je niet, hè? Dat verandert de zaak, hè? Jij op je handen en knieën terwijl mijn vader in je kont naar binnen gaat, en jullie vonden het héél fijn. Ik heb jullie gezien. Oké? Ik heb jullie gezíén.'

Kaveh wendde even zijn blik af en slaakte een zucht. Tim dacht dat hij zou gaan zeggen dat hij klem zat en of Tim in de buurt van Kavehs familie alsjeblieft z'n mond wilde houden. Maar kennelijk zat Kaveh vol verrassingen. Om Tim te amuseren toverde hij er nog een uit zijn hoed. Hij zei: 'Toen ik zo oud was als jij had ik ook zulke dromen. Ze waren heel erg echt, hè? Dat noemen ze wakend dromen. Dat gebeurt meestal met je als het lichaam de overgang maakt van waken naar slapen, en dan lijken die beelden zo echt dat je werkelijk gelooft dat ze echt zijn. Mensen geloven allerlei dingen als het om wakend dromen gaat: dat ze door buitenaardse wezens zijn ontvoerd, dat er iemand bij ze in de slaapkamer is, dat ze een seksuele ervaring hebben met een ouder of onderwijzer, of dat ze een vriendje hebben, ga zo maar door. Maar al die tijd slapen ze. Net als jij, uiteraard, toen je dacht te zien wat er volgens jou tussen mij en je vader is gebeurd.'

Tims ogen werden groot. Hij bevochtigde zijn lippen om op Kaveh te reageren, maar die was hem voor.

'Het feit dat wat jij al dromend tussen ons zag gebeuren, was jouw eigen ontluikende seksualiteit die bij je leeftijd hoort, Tim. Een veertienjarige is een en al hormonen en verlangen. Dat komt doordat zijn lichaam aan het veranderen is. Hij heeft dromen over seks. Vaak. En heeft dan ook natte dromen, omdat hij klaarkomt in zijn slaap. En hij zou zich – en dat is waarschijnlijk ook zo – er heel erg voor schamen als niemand hem had uitgelegd dat het volkomen normaal is. Dat heeft je vader je toch wel uitgelegd, hè? Dat had hij echt moeten doen. Of je moeder misschien?'

Tims volgende ademhaling voelde aan als een steek, niet alleen in zijn longen maar ook in zijn hersens, en precies in het gedeelte van wie hij was en niet wat Kaveh van hem wilde maken. Hij zei: 'Gore leugenaar die je bent,' en tot zijn afgrijzen voelde hij tranen opkomen en god, hij wíst dat Kaveh daar misbruik van zou maken. Hij zag zelfs al voor zich hoe het zou eindigen, hoe het helemaal zou worden uitgespeeld. Het maakte niet uit wat hij deed of dat hij dreigde, of wat hij aan iemand zou vertellen, of wat hij wel of niet tegen Kavehs ouders en zijn aanstaande vrouw zou zeggen. Het maakte niet uit.

En niemand anders kon die mensen de waarheid over Kaveh vertellen. Niemand zou er een reden toe hebben, en zelfs al was dat wel het geval, dan zouden Kavehs familieleden geen enkele reden hebben om te geloven wat vreemden zouden beweren zonder ook maar een flintertje bewijs. Daar kwam bij dat Kaveh een doortrapte leugenaar was, nietwaar. Hij was de doortrapte oplichter en de doortrapte speler in het schaakspel van het leven. Tim kon wel de waarheid spreken, hij kon wel tekeergaan, schelden. Kaveh zou altijd zijn woorden weten te verdraaien.

Je moet het Tim maar niet kwalijk nemen, zou Kaveh ernstig verklaren. Maak je maar geen zorgen over wat hij zegt en doet. Hij gaat naar een speciale school, weet je, voor kinderen die op de een of andere manier problemen hebben. Soms roepen ze dingen, soms doen ze dingen... Hij heeft bijvoorbeeld de lievelingspop van zijn kleine zusje kapot getrokken, en gisteren of vorige week of vorige maand of zo heb ik gezien dat hij bij de dorpsbeek eenden probeerde te vermoorden.

En de mensen zouden hem natuurlijk geloven. Ten eerste omdat mensen altijd geloofden wat ze wilden en moesten geloven. En ten tweede omdat daarvan elk woord verdomme nog waar was ook. Het was alsof Kaveh dit hele spel van tevoren had gepland, vanaf het eerste moment dat hij zijn oog op Tims vader had laten vallen.

Tim reikte met zijn hand naar de deurgreep. Hij greep zijn rugzak en rukte de deur open.

'Wat doe je?' zei Kaveh dringend. 'Blijf in de auto. Je gaat naar school.'

'En jij gaat naar de hel,' zei Tim. Hij sprong uit de auto en sloeg het portier achter zich dicht.

Victoria

Londen

Het spoor van Raul Montenegro liep zeker niet dood, concludeerde Barbara Havers. Nadat ze een uur of langer verschillende links met zijn naam had gevolgd, kon ze met gemak een hele berg verhalen over die vent uitprinten, dus probeerde ze een selectie te maken. Het was allemaal in het Spaans, maar er waren wel zoveel woorden die met het Engels overeenkwamen dat Barbara eruit kon opmaken dat Montenegro een heel grote industriële pief was die zich bezighield met iets wat met aardgas in Mexico te maken had. Daaruit concludeerde ze dat Alatea Fairclough, geboren Alatea Vásquez y del Torres uit Argentinië, om onduidelijke redenen in Mexico terecht was gekomen. Ze was verhuisd uit een voor Barbara nog onbekende stad of, wat waarschijnlijker was in het licht van de reactie van de Argentijnse vrouw met wie Barbara geprobeerd had te praten, ze was domweg uit Santa María de la Cruz, de los Ángeles, y de los Santos verdwenen. Misschien maakte ze deel uit van de omvangrijke familie van de burgemeester van die stad, was ze een nicht, of was ze getrouwd met een van zijn vijf zoons. Dat zou tenminste al die opgewonden *quiéns* en *dóndes* verklaren die Barbara aan de andere kant van de lijn had gehoord toen ze iemand uit het burgemeestershuis te pakken had gekregen. Als Alatea voor haar huwelijk met een zoon van de burgemeester was weggelopen, dan wilde die burgemeesterszoon vast maar al te graag weten waar ze uithing. En al helemaal, dacht Barbara, als hij en Alatea nog steeds getrouwd waren.

Dit was natuurlijk allemaal giswerk. Ze wilde dat Azhar haar terugbelde met de boodschap dat hij iemand had gevonden die Spaans sprak, maar tot dusverre had ze nog niets van hem gehoord. Dus ploeterde ze verder, volgde links en zwoer dat ze bij Winston Nkata in de leer ging over gebruik en misbruik van internet.

Ze kwam ook te weten dat Raul Montenegro letterlijk schathemelrijk was. Dit haalde ze uit een online uitgave van *Hola!*, het journalistieke moederschip dat *Hello!* had gelanceerd. De twee tijdschriften stonden allebei vol glossy foto's van beroemdheden van allerlei pluimage, die allemaal het soort witte tanden hadden waarbij je een zonnebril nodig had, allemaal designerkleding droegen en in hun eigen paleisachtige onderkomen poseerden of – als dat voor de lezers van het tijdschrift te bescheiden was – in dure, trendy hotels. Alleen de personages uit de verhalen verschilden, aangezien *Hola!* voor het merendeel personen uit Spaanssprekende landen voor het voetlicht bracht, meestal uit Spanje zelf, met uitzondering van filmacteurs of leden van verschillende en soms obscure Europese koninklijke families. Ook Mexico kwam er meer dan eens in voor, en daar stond Raul Montenegro met zijn angstaanjagende neus op te scheppen over zijn landgoed, dat klaarblijkelijk ergens aan de kust van Mexico lag, met veel palmbomen, veel andere exotische begroeiing en een stoet aantrekkelijke meisjes en jongens die maar al te graag bij zijn zwembad wilden rondhangen. Bovendien was er een glanzende foto van Montenegro aan het roer van zijn jacht, samen met verschillende leden van zijn jongensachtige, stoere bemanning in opvallend strakke, witte broeken en even strakke blauwe T-shirts. Barbara maakte uit dit alles op dat Raul Montenegro zich graag omringde met jeugd en schoonheid, want zowel bij zijn huis als op zijn jacht was er niemand die niet hoog scoorde op de schaal tussen mooi en oogverblindend. Waar kwamen deze wonderbaarlijk ogende mensen vandaan, vroeg ze zich af. Ze bedacht dat ze nergens zoveel gebruinde, sierlijke, elegante en verrukkelijke mensen bij elkaar zou aantreffen, behalve misschien bij een grote auditie. Waardoor ze zich natuurlijk afvroeg of ze inderdaad bezig waren met een auditie. Als dat zo was, dacht ze ook te weten waarvoor. Geld had tenslotte een enorme aantrekkingskracht, nietwaar? En Raul Montenegro leek te zwemmen in het geld.

Het was echter interessant dat Alatea Fairclough, geboren met al die andere namen, niet op een van die *Hola!*-foto's voorkwam. Barbara vergeleek de datum van het tijdschrift met die van het artikel met de foto van Alatea die aan Montenegro's arm hing. De *Hola!*-foto's waren ouder en Barbara vroeg zich af of Montenegro was veranderd toen hij Alatea eenmaal aan zijn arm had. Alatea had het soort uiterlijk waarmee een vrouw alles kon eisen: wil je mij? Dan moet je de anderen laten vallen. Want echt, anders ben ik net zo gemakkelijk weer weg.

Waarmee Barbara weer terug was bij de situatie in Santa María de la Cruz, de los Ángeles, y de los Santos, hoe die situatie er dan ook uit mocht zien. Daar moest ze achter zien te komen, dus printte ze het *Hola!*-artikel en keerde terug naar burgemeester Esteban Vega y de Vásquez of Santa Maria di et cetera. Vertel me je verhaal, señor, dacht ze. Maakt niet uit wat.

Lake Windermere

Cumbria

'Ik heb Barbara Havers af gehaald van je... Moet ik dit "jouw zaak" noemen, of hoe zit het, Thomas?'

Lynley was naar de kant van de weg uitgeweken om zijn telefoon op te nemen. Hij was op de terugweg naar Ireleth Hall om St. James' conclusies met Bernard Fairclough te bespreken. Hij verzuchtte: 'Isabelle. Je bent boos op me. En heel terecht. Ik vind het heel vervelend.'

'Ja. Nou ja. Het spijt ons allebei, nietwaar. Barbara heeft Winston er trouwens bij betrokken. Komt dat ook voor jouw rekening? Ik heb er een eind aan gemaakt, want ik was er niet blij mee toen ik ze naast elkaar op de twaalfde verdieping voor een computerscherm aantrof.'

Lynley boog zijn hoofd en hij keek naar zijn hand die op het stuur van de Healey Elliot lag. Hij droeg nog altijd zijn trouwring en had er in de maanden sinds Helens dood niet eens over gedacht om hem af te doen. Het was een eenvoudige gouden ring, waar aan de binnenkant hun initialen en trouwdatum waren ingegraveerd.

Hij wilde haar meer dan wat ook ter wereld terug en dat verlangen zou aan elke beslissing die hij nam ten grondslag liggen. Tot het moment dat hij uiteindelijk in staat was haar helemaal los te laten, te aanvaarden dat ze dood was en niet meer dag in dag uit met de onverbiddelijke realiteit te worstelen. Zelfs bij Isabelle was Helen aanwezig: zowel haar geest als het verrukkelijke wezen dat ze was geweest. Daar had niemand schuld aan en Isabelle nog wel het minst. Zo stonden de zaken er nu eenmaal onvermijdelijk voor.

Hij zei: 'Nee. Ik heb niet Winstons hulp ingeroepen. Maar alsjeblieft, Isabelle, neem het Barbara niet kwalijk. Ze heeft alleen maar haar best gedaan informatie voor me te achterhalen.'

'Over die kwestie in Cumbria.'

'Over die kwestie in Cumbria. Ze had nog wat vrije dagen te goed, dus dacht ik...'

'Ja. Ik begrijp wat je dacht, Tommy.'

Hij wist dat Isabelle gekwetst was en dat ze het idee van gekwetst te zijn verschrikkelijk vond. Mensen wilden dan op hun beurt ook kwetsen, dat herkende hij en hij begreep het ook. Maar op dit moment was dat allemaal niet nodig, en in een vruchteloze poging haar dat te laten inzien, zei hij: 'Dit was allemaal echt niet bedoeld als verraad, hoor.'

'Hoe kom je erbij dat ik dat zo opvat?'

'Omdat ik het in jouw positie wel zo zou zien. Jij bent de baas. Niet ik. Ik mag je teamleden niets vragen, daar heb ik geen recht toe. En als er een andere manier was geweest om snel aan die informatie te komen, geloof me, dan had ik dat gedaan.'

'Maar er was wel een andere manier en dat baart me nou juist zorgen. Dat jij geen andere manier wist en dat je die kennelijk nog steeds niet weet.'

'Je bedoelt dat ik naar jou toe had moeten komen. Maar dat kon niet, Isabelle. Toen Hillier me de opdracht gaf, had ik geen keus. Ik was op de zaak gezet en niemand mocht er iets van weten.'

'Niemand.'

'Je hebt het over Barbara. Maar ik heb het haar niet verteld. Ze is erachter gekomen omdat het om Bernard Fairclough ging en ik van alles over hem te weten moest komen, zaken in Londen en niet in Cumbria. Zodra zij daar voor me indook, wist ze waar het over ging. Vertel eens, wat zou jij in mijn situatie hebben gedaan?'

'Ik mag graag denken dat ik je zou hebben vertrouwd.'

'Omdat we minnaars zijn?'

'Daar komt het volgens mij in wezen wel op neer.'

'Maar dat kan niet,' zei hij. 'Isabelle, denk eens na.'

'Ik heb weinig anders gedaan. En je kunt je wel voorstellen dat dat het echte probleem is.'

'O ja. Dat doe ik ook.' Hij wist wat ze bedoelde, maar hij wilde haar vóór zijn, ook al wist hij niet waarom. Hij dacht dat het iets te maken had met de gapende leegte in zijn leven zonder Helen, en dat een mens als sociaal dier zijn leven uiteindelijk niet in afzondering wilde doorbrengen. Maar hij wist ook dat dit de flagrantste vorm van zelfmisleiding was, gevaarlijk voor zowel hem als voor Isabelle. Maar hij zei toch: 'Er moet ergens een grens worden getrokken, vind je niet? Er moet een chirurgische snede worden gemaakt tussen wat we bij de Met doen en wie we zijn als we samen zijn. Als je hoofdinspecteur wilt blijven, zul je op bepaalde momenten in een positie terechtkomen waarin je bepaalde informatie – via Hillier of via iemand anders – niet aan mij mag doorgeven.'

'Ik zou er toch met je over praten.'

'Dat doe je niet, Isabelle. Dat wil je niet.'

'En jij?'

'En ik...? Wat bedoel je?'

'Ik bedoel Helen, Tommy. Heb je Helen vroeger wel dit soort dingen verteld?'

Hoe kon hij haar dat nou uitleggen, vroeg hij zich af. Hij had Helen dit soort dingen nooit hoeven vertellen omdat Helen het altijd had geweten. Dan was ze bij hem in bad gaan zitten, had wat olie op haar handen gedaan, zijn schouders gemasseerd en gemompeld: *'Ah, David Hillier weer, hè? Echt, Tommy. Ik ben geneigd te denken dat nooit eerder het ridderschap de eigenwaarde van een man zo heeft aangetast.'* Hij kon dan haar al of niet iets vertellen, maar dat maakte Helen helemaal niet uit. Ze was helemaal niet geïnteresseerd in wat hij te zeggen had. Het enige wat telde was wie hij was.

Maar het ergste vond hij dat hij haar zo miste. Hij kon leven met het feit dat hij had moeten beslissen of ze bleef leven of niet – want zo was het op dat moment geweest, haar leven werd in stand gehouden door de machines in het ziekenhuis – en er een eind aan had gemaakt. Hij kon ermee leven dat ze hun kind mee het graf in had genomen. Hij was in het reine gekomen met het afgrijselijke feit dat haar dood een zinloze straatmoord was geweest waar niets goeds uit voortgekomen was. Maar het gat dat haar verlies in hem had geslagen... Dat haatte hij zo hartgrondig dat er momenten waren dat hij bijna het gevoel kreeg dat hij haar begon te haten.

Isabelle zei: 'Hoe moet ik het opvatten dat je nu zwijgt?'

Hij zei: 'Dat heeft helemaal niets om het lijf. Ik denk alleen na.'

'En het antwoord?'

Hij was eerlijk gezegd de vraag vergeten. 'Waarop?'

'Helen,' zei ze.

'Ik wilde dat er een antwoord was,' antwoordde hij. 'Geloof me dat ik het je zou geven als ik het zou weten te vinden.'

Toen gooide ze het over een andere boeg, net als de rand van een munt, op die typische manier van haar, waardoor hij niet in balans met haar was maar wel met haar verbonden. Ze zei zachtjes: 'God. Vergeef me, Tommy. Ik maak je kapot. Dat kun je bepaald niet gebruiken. Ik bel jou terwijl ik eigenlijk andere dingen moet doen. Dit is niet het juiste moment voor dit gesprek. Ik was van streek over Winston en dat is niet jouw schuld. We hebben het er later over.'

'Ja,' zei hij.

'Heb je enig idee wanneer je weer terug bent?'

Dat was, dacht hij spottend, de hamvraag in een notendop. Hij keek uit het raam. Hij zat op de A592, in een bosrijk gebied waar de dicht opeen staande bomen zich rechtstreeks naar de oevers van Lake Windermere leken uit te strekken. Een paar laatste blaadjes klampten zich nog koppig vast aan de esdoorns en berken, maar bij de eerste de beste storm zou het met ze gedaan zijn. Hij zei: 'Binnenkort, denk ik. Misschien morgen. Overmorgen. Ik had Simon meegenomen en hij heeft zijn aandeel in het forensische stuk afgerond. Maar Deborah is nog iets op het spoor. Ik moet hier blijven om ook dat tot een goed einde te brengen. Ik weet niet zeker of het er iets mee te maken heeft, maar ze is koppig en ik kan haar niet alleen laten voor het geval de zaken een vervelende wending nemen.'

Ze zweeg even en hij wachtte af om te kijken hoe ze zou reageren nu hij Simon en Deborah ter sprake had gebracht. Toen ze weer sprak, wilde hij graag geloven dat het haar geen moeite kostte, maar dat was onwaarschijnlijk, wist hij. Ze zei: 'Fijn dat ze je hebben kunnen helpen, Tommy.'

'Inderdaad,' zei hij.

'We spreken elkaar als je weer terug bent.'

'Ja.'

Ze hingen op en hij bleef nog een tijdje op de uitwijkplaats in het niets zitten kijken. Er moesten feiten en gevoelens worden uitgeplozen en hij wist dat hij daarmee aan de gang moest. Maar voorlopig was daar eerst Cumbria, en wat daar allemaal moest worden uitgezocht.

Hij reed verder naar Ireleth Hall en zag dat de hekken openstonden. Toen hij bij het huis aankwam, zag hij dat er een auto geparkeerd stond. Hij herkende die als een van de twee voertuigen die hij in Great Urswick had gezien. Dan was Faircloughs dochter Manette er dus.

Hij ontdekte dat ze niet alleen was. Ze had haar ex-man bij zich en Lynley trof ze met Manettes ouders aan in de grote hal, klaarblijkelijk na een bezoek van Nicholas. Lynley en Fairclough wisselden een blik met elkaar en Valerie nam het woord.

'Ik ben bang dat we niet helemaal eerlijk tegen je zijn geweest, inspecteur,' zei ze. 'En het begint er steeds meer op te lijken dat dit het moment van de waarheid is.'

Lynley keek opnieuw naar Fairclough. Fairclough wendde zijn blik af. Lynley wist dat hij was gebruikt om een bepaalde reden die ze hadden verzwegen, en binnen in hem smeulde een machteloze woede. Hij zei tegen Valerie: 'Dan wil ik wel graag een verklaring.'

'Uiteraard. Je bent voor mij naar Cumbria gehaald, inspecteur. Behalve Bernard wist niemand ervan. En nu weten Manette, Freddie en Nicholas het ook.'

In een fractie van een seconde dacht Lynley dat de vrouw werkelijk de moord op de neef van haar man zou bekennen. Het decor was er tenslotte perfect voor, in de beste, ruim honderdjarige traditie van de miss

Marple- en Sherlock Holmes-paperbacks die je op elk treinstation kon kopen. Hij kon zich niet voorstellen waarom ze zou bekennen, maar hij had ook nooit begrepen waarom de personages in die paperbacks rustig in de salon, zitkamer of bibliotheek konden blijven zitten terwijl een detective aan de hand van alle bewijzen uiteindelijk de schuldige aanwees. Er was nooit iemand geweest die tijdens de uitleg van de detective om een advocaat had gevraagd. Dat had hij nooit kunnen begrijpen.

Toen Valerie de verwarde uitdrukking op zijn gezicht zag, haastte ze zich het uit te leggen. Het was eenvoudig genoeg: zij, en niet haar man, was degene geweest die nader onderzoek naar Ian Cresswells dood had gewild.

Dat verklaarde een hoop, dacht Lynley, vooral als je bedacht wat ze over Fairclougs privéleven hadden ontdekt. Maar daarmee was niet alles opgehelderd. Waarom wachtten ze nog steeds op een antwoord? En belangrijker nog: waarom Valerie en niet Bernard? En dé volgende vraag: waarom überhaupt? Want als het daadwerkelijk om moord ging, zou dat hoogstwaarschijnlijk hebben betekend dat een lid van haar eigen familie de dader was.

Lynley zei: 'Ik begrijp het. Ik weet alleen niet of het er eigenlijk wel iets toe doet.' Hij vertelde vervolgens over de resultaten van al het onderzoek dat hij in het kader van de dood in het botenhuis had verricht. Op basis van alles waar hij en Simon St. James naar hadden gekeken, waren ze het met de conclusie van de lijkschouwer eens. Ian Cresswell was door een tragisch ongeluk om het leven gekomen. Het had iedereen kunnen overkomen die van het botenhuis gebruikmaakte. De kadestenen waren oud, sommige lagen los. Met de losliggende stenen was niet geknoeid. Als Cresswell uit een ander soort boot was gestapt, was hij waarschijnlijk alleen gestruikeld. Maar uit een scull stappen was lastiger. De combinatie van de hachelijke balans en de losse stenen op de kade had hem de das omgedaan. Hij was naar voren geklapt, had zijn hoofd gestoten, was in het water beland en verdronken. Er was geen kwade opzet in het spel geweest.

Onder deze omstandigheden zou je toch verwachten dat er een algemene zucht van verlichting door de kamer zou gaan, dacht Lynley. Je zou van Valerie Fairclough zoiets verwachten als 'goddank'. Maar er viel een lange, gespannen stilte waarin hij ten slotte besefte dat iets anders de ware reden was voor het onderzoek naar Ian Cresswells dood. En in die stilte ging de voordeur open en kwam Mignon Fairclough de hal binnen.

Ze schoof haar looprekje voor zich uit. Ze zei: 'Freddie, wil jij de deur voor me dichtdoen, liefje? Dat gaat me niet zo goed af,' en toen Freddie

McGhie opstond om dat te doen, kwam Valerie scherp tussenbeide: 'Volgens mij kun je dat heel goed zelf, Mignon.'

Mignon hield haar hoofd schuin en keek haar moeder hooghartig aan. Ze zei: 'Ook goed.' Ze draaide zich theatraal met haar looprek om en sloot de deur. Toen die dicht was zei ze: 'Zo,' en ze draaide zich weer naar hen toe. 'Wat een opwinding met al dat leven in de brouwerij, schatten van me. Manette en Freddie *à deux*. Mijn hart springt op bij alle mogelijkheden die ik daarbij kan bedenken. En dan komt Nick als een dolle stier aanzetten. Vervolgens vertrekt Nick weer als een dolle stier. En nu is onze knappe Scotland Yard-inspecteur weer in ons midden, die ons aller hart doet fladderen. Vergeef me mijn ijdele nieuwsgierigheid, moeder en vader, maar ik hield het niet meer, ik móést kijken wat er allemaal aan de hand was.'

'Komt goed uit,' zei Valerie tegen haar. 'We zijn de toekomst aan het bespreken.'

'Wiens toekomst, als ik vragen mag?'

'Van iedereen. Ook die van jou. Ik heb vandaag pas gehoord dat je toelage al enige tijd verhoogd is. Dat is nu afgelopen. En dat geldt voor de rest van je toelage trouwens ook.'

Mignon keek geschokt. Deze wending in de gebeurtenissen had ze duidelijk niet verwacht. 'Moeder, liefje, het ligt toch voor de hand... Ik ben gehandicapt. Ik kan zo amper de deur uit en je kunt niet van me verwachten dat ik een goede baan weet te vinden. Dus je kunt niet...'

'Daar vergis je je dus in, Mignon. Dat kan ik wel. En dat zal ik doen ook.'

Mignon keek rond, kennelijk op zoek naar de reden waarom haar omstandigheden zo drastisch waren gewijzigd. Ze liet haar blik op Manette rusten. Ze kneep haar ogen tot spleetjes en zei: 'Jij, kleine heks. Ik had niet gedacht dat je het in je had.'

'Hoor eens, Mignon,' zei Freddie.

'Nee, moet jij eens horen,' zei Mignon tegen hem. 'Want we zullen het eens over haar en Ian hebben, Freddie.'

'Er is geen mij en Ian en dat weet je,' zei Manette.

'Ik heb een schoenendoos vol brieven, liefje, sommige ervan zijn verbrand, maar de rest is in uitstekende staat. Ik kan ze zo voor je halen. Geloof me, daar heb ik jaren op gewacht.'

'In mijn puberteit koesterde ik een kalverliefde voor Ian. Maak ervan wat je wilt, maar ver zul je er niet mee komen.'

'Zelfs niet met passages als: "ik wil je meer dan wie ook" en "liefste Ian, wil je alsjeblieft mijn eerste zijn?"'

'O, alsjeblieft, zeg,' zei Manette walgend.

'Ik kan nog wel even doorgaan, weet je. Ik heb eindeloos passages uit mijn hoofd geleerd.'

'En niemand wil ze horen,' snauwde Valerie. 'Er is genoeg gezegd. We zijn hier klaar mee.'

'Verre van dat.' Mignon zocht haar weg naar de bank waar haar zus en Freddie zaten. Ze zei: 'Als je het niet erg vindt, lieve Freddie...' en ze liet zich zakken. Hij had geen keus, ze zou op zijn schoot belanden als hij niet opstond. Hij koos voor het laatste en voegde zich bij zijn schoonvader bij de open haard.

Lynley zag dat iedereen in zijn hoofd de balans opmaakte. Allemaal leken ze te weten wat er komen ging, hoewel volgens hem niemand precies wist wat dat dan was. Het was duidelijk dat Mignon jarenlang informatie over haar familie had verzameld. In het verleden had ze die niet hoeven gebruiken, maar nu leek ze op het punt te staan dat wel te doen. Mignon keek eerst naar haar zus en toen naar haar vader. Ze hield haar ogen op hem gericht en zei glimlachend: 'Weet je, volgens mij gaan de zaken toch niet zo heel erg veranderen, moeder. En ik durf te beweren dat dat ook voor pa geldt.'

Valerie nam het stokje met gemak over. Ze zei: 'De betalingen aan Vivienne Tully zullen ook worden stopgezet, als je daarop doelt. En daar doel je toch op, Mignon? Je hebt Vivienne Tully jarenlang als een zwaard van Damocles boven je vaders hoofd gehouden, neem ik aan. Geen wonder dat er zoveel geld jouw kant op is gegaan.'

'En nu is het tijd om de andere wang toe te keren?' vroeg Mignon aan haar moeder. 'Zijn we daar aangeland? Ben jíj daar aangeland? Met hem?'

'Waar ik, zoals jij het uitdrukt, met je vader ben aangeland is jouw zaak niet.'

'Eens kijken of ik het goed begrijp,' zei Mignon. 'Hij verblijft in Londen bij Vivienne Tully, hij koopt een flat voor haar, hij heeft verdomme met haar een tweede léven... en ík moet boeten omdat ik zo fatsoenlijk ben geweest je dat niet te vertellen?'

'Speel alsjeblieft niet de vermoorde onschuld, zeg,' zei Valerie.

'Bravo,' mompelde Freddie.

'Je weet heel goed waarom je me er niet over hebt verteld,' vervolgde Valerie. 'Die informatie kon je heel goed gebruiken, het was gewoon ordinaire chantage. Je zou op die prima werkende knieën van je moeten vallen en God danken dat ik de inspecteur niet vraag je te arresteren. Verder is alles wat Vivienne Tully aangaat een zaak tussen je vader en mij. Jij hebt daar niets mee te maken. Je hebt niets met haar te maken. Het enige waar jij je zorgen over zou moeten maken is wat je met je eigen leven gaat doen, want dat begint morgenochtend en dat zal er heel anders uitzien dan nu, heb ik het vermoeden.'

Mignon wendde zich toen tot haar vader. Op dat moment was ze op en top de vrouw die alle troeven in handen had. Ze zei tegen Fairclough: 'Wil jij ook dat het zo zal gaan?'

'Mignon,' mompelde hij.

'Je moet het vertellen. Dit is het moment, pa.'

'Drijf het niet op de spits,' zei Bernard tegen haar. 'Dat is niet nodig, Mignon.'

'Ik ben bang van wel.'

'Valerie.' Bernard zei het smekend tegen zijn vrouw. Zo, dacht Lynley, zag een man eruit die het leven dat hij kende zag instorten. 'Volgens mij hebben we alles nu wel gehad. Als we het eens kunnen worden over...'

'Waarover?' Valerie onderbrak hem op scherpe toon.

'We kunnen toch wel een beetje genade tonen. Die verschrikkelijke val van jaren geleden. Launchy Gill. Ze is niet in orde geweest. Ze is nooit meer de oude geworden. Je weet dat ze zichzelf niet kan onderhouden.'

'Ze is daar even goed in als ik,' opperde Manette. 'Ze is daar even goed in als wie dan ook in deze kamer. Echt pa, mam heeft gelijk, in godsnaam. Het wordt tijd om een eind aan die onzin te maken. Dit moet wel de duurste schedelbasisfractuur zijn geweest in de geschiedenis, als je bedenkt hoe Mignon die heeft uitgespeeld.'

Maar Valerie keek naar haar man. Lynley zag dat er nu zweetdruppeltjes op Faircloughs voorhoofd parelden. Zijn vrouw zag dit kennelijk ook, want ze wendde zich tot Mignon en zei zachtjes: 'Vertel de rest dan ook maar.'

'Pa?' zei Mignon.

'In godsnaam, Valerie. Geef haar wat ze wil.'

'Dat doe ik niet,' zei ze. 'Zeer zeker niet.'

'Dan wordt het tijd dat we het over Bianca gaan hebben,' verklaarde Mignon. Haar vader sloot zijn ogen.

'Wie is Bianca?' vroeg Manette gealarmeerd.

'Zij blijkt ons jongste zusje te zijn,' antwoordde Mignon. Ze wendde zich tot haar vader. 'Heb je daar iets over te zeggen, pa?'

Arnside

Cumbria
Toen Lucy Keverne haar belde, schrok Alatea Fairclough zich een ongeluk. Ze hadden afgesproken dat Lucy haar nooit zou bellen, niet op Alatea's mobieltje, noch op de vaste lijn van Arnside House. Lucy had uiteraard de nummers wel, daardoor had Alatea op de een of andere manier een soort legitimiteit gebracht, in wat nooit wettig kon zijn. Maar ze was er van begin af aan doordrongen van geweest dat als het nummer werd gebeld, aan alles een einde zou komen, en geen van beiden wilde dat.

'Wat moet ik in geval van nood doen?' had Lucy gevraagd, wat niet onredelijk was.

'Dan moet je me natuurlijk bellen. Maar je begrijpt, hoop ik, dat ik je niet altijd te woord kan staan.'

'Dan moeten we een soort code afspreken.'

'Waarvoor?'

'Wanneer je me op een bepaald moment niet te woord kunt staan. Je kunt niet zomaar zeggen: "ik kan nu niet met je praten" als je man in de kamer is. Dat zou behoorlijk opvallen, denk je niet?'

'Ja. Natuurlijk.' Daar had Alatea over nagedacht. 'Dan zeg ik: "Nee, sorry. Ik heb geen pakje besteld." Dan bel ik je terug zodra ik kan. Maar dat hoeft niet meteen te zijn. Misschien pas de volgende dag.'

Ze waren het eens geworden en zoals de zaken zich lieten aanzien, had Lucy geen reden gehad om te bellen. Om die reden was het gevoel van onbehagen weggeëbd dat Alatea van nature had gehad toen ze met deze vrouw een vertrouwelijk traject was ingegaan. Dus toen Lucy niet heel lang na hun ontmoeting in Lancaster belde, wist Alatea dat er iets helemaal mis was.

Hoe mis werd binnen een paar tellen duidelijk. Ze waren samen bij de universiteit gezien, zo zei Lucy tegen haar. Ze waren in het George Childress Centre gezien. Waarschijnlijk had het niets om het lijf, maar een vrouw had hen vanaf de universiteit naar het tehuis voor oorlogsinvaliden gevolgd. Ze wilde het over draagmoederschap hebben. Ze was op zoek naar een draagmoeder voor haar kind. Nogmaals, misschien was het niets. Maar het feit dat deze vrouw met haar was gaan praten en niet met Alatea, die duidelijk in haar gezelschap was...

'Ze beweerde dat ze het aan je kon zien,' zei Lucy. 'Ze beweerde dat ze die uitstraling zo goed herkende omdat ze dat van zichzelf ook kende. En om die reden dacht ze dat ze met mij moest praten over de mogelijkheden van draagmoederschap en niet met jou, Alatea.'

Alatea had het telefoontje aangenomen in de hoek bij de open haard in de grote hal. Het was een beschutte plek, waarboven zich een typische minstreelgalerij bevond. Ze had de keus tussen de L-vormige vensterbank aan de ene kant van de hoek, die op het grasveld uitkeek, en de beschutting van een kerkbankachtige schuilplaats aan de andere kant van de open haard, waar ze zich uit het zicht kon verbergen voor wie er ook maar de hal in zou komen. En dat vond ze prettig.

Ze was alleen. Ze had in een designerboek zitten bladeren in verband met de restauratie van Arnside House, maar ze was er met haar hoofd niet bij, eerder bij de vorderingen die zij en Lucy maakten. Ze had nagedacht of elke stap in het proces goed werd uitgevoerd. Al heel gauw, had ze besloten, zou miss Lucy Keverne, een worstelend toneelschrijfster uit Lancaster die de eindjes aan elkaar knoopte als sociaal-directeur in de Kent-Howath Foundation voor Oorlogsinvaliden, als een nieuw verworven vriendin deel uitmaken van haar leven. Vanaf dat moment zouden de zaken gemakkelijker worden. Perfect kon het nooit zijn, maar dat maakte niet uit. Het leven was nu eenmaal niet volmaakt en daar moest je mee leren leven.

Toen Lucy vertelde over een vrouw die hen was gevolgd, wist Alatea meteen wie de vrouw moest zijn. Het was heel onaannemelijk dat een andere vrouw Lucy Keverne toevallig zou aanklampen. Dus puzzelde Alatea even en kwam toen tot de enig mogelijke conclusie: zij was vanaf Arnside gevolgd en de roodharige vrouw, die Deborah St. James heette – die van de zogenaamde documentaire – had het op haar gemunt.

Eerst was Alatea vooral bang geweest voor de krantenverslaggever. Ze had *The Source* gezien en wist dat die een onverzadigbare honger naar schandalen had. Het was al een beproeving voor haar geweest toen de man voor het eerst een bezoek aan Cumbria bracht, de tweede keer was een marteling geweest. Maar het ergste waartoe zijn komst had kunnen leiden was een foto waardoor ze misschíén ontdekt zou kunnen worden. Door de roodharige vrouw was ontdekking nog slechts een kwestie van tijd.

'Wat heb je haar verteld?' vroeg Alatea, zo kalm als ze kon opbrengen.

'Het draagmoederschapverhaal, maar daar wist ze het meeste al van.'

'Over welk verhaal hebben we het dan?'

'De verschillende manieren en methoden, de wettelijke aspecten, dat soort dingen. Ik zag er eerst geen kwaad in. Op een bizarre manier begreep ik het eigenlijk wel. Ik bedoel, wanneer vrouwen wanhopig zijn...' Lucy aarzelde.

Alatea zei zacht: 'Ga door. Wanneer ze wanhopig zijn...'

'Nou, dan gaan ze tot het gaatje, hè? Dus in dat licht bezien, was het misschien niet zo heel raar, dat een vrouw voor een consult naar het George Childress Centre is gegaan en ons op een bepaald moment in een of andere gang samen heeft gezien, misschien toen ze uit iemands kantoor kwam...'

'En dan?'

'En dat ze vervolgens heeft gedacht dat er nog ergens een kans is. Ik bedoel, in wezen hebben wij elkaar ook zo ontmoet.'

'Nee. Wij hebben elkaar via een advertentie ontmoet.'

'Ja, natuurlijk. Maar ik heb het over het gevoel. Dat wanhopige gevoel. En dat beschreef ze. Dus aanvankelijk geloofde ik haar.'

'Aanvankelijk. En toen?'

'Nou, daarom heb ik je gebeld. Toen ze wegging liep ik met haar mee naar de voordeur van het gebouw. Ik liet haar even uit, weet je wel. Ze liep de straat door en ik dacht er verder niet over na. Maar daarna kwam ik langs een raam in de gang en zag ik, puur toevallig, dat ze weer terugliep. Eerst dacht ik dat ze me nog iets wilde zeggen, maar ze liep voor het gebouw langs en stapte in een auto verderop in de straat.'

'Misschien was ze vergeten waar ze haar auto had neergezet,' zei Alatea, hoewel ze vermoedde dat er meer zou komen, iets wat Lucy verder nog was opgevallen. En daar kwam het.

'Dat dacht ik eerst ook. Maar toen ze bij de auto in kwestie aankwam, bleek dat ze niet alleen was. Ik kon niet zien wie er bij haar was, maar het portier zwaaide open alsof iemand het vanbinnen openduwde. Dus ik bleef kijken tot de auto langsreed. Er zat een man achter het stuur. Daardoor werd het allemaal nogal verdacht, zie je. Ik bedoel, als haar man bij haar was, waarom waren ze dan niet samen met me komen praten? Waarom heeft ze het niet over hem gehad? Waarom zei ze niet dat hij in de auto zat te wachten? Waarom zei ze niet dat hij het met de gang van zaken eens was? Of was hij er juist tegen? Of had hij er helemaal geen mening over? Maar ze zei niets. Dus afgezien van het verhaal dat ze ons was tegengekomen, was het feit dat er een man bij was...'

'Hoe zag de man eruit, Lucy?'

'Ik heb hem niet goed gezien, alleen een vluchtige glimp. Maar ik dacht dat ik je maar beter kon bellen, want... Nou, je weet wel. Zoals de zaken er nu voor staan, begeven we ons op heel glad ijs en...'

'Ik kan je meer betalen.'

'Daar gaat het niet om. Hemel. Daar zijn we het al over eens geworden. Ik ga je niet nog meer geld aftroggelen. Natuurlijk is geld altijd prettig, maar we zijn een bedrag overeengekomen en ik ben niet van het soort dat op zijn woord terugkomt. Maar ik wilde je toch laten weten...'

'Dan moeten we doorzetten. En snel ook. Het moet.'

'Nou, daar gaat het nou juist om, zie je. Ik wilde voorstellen het even op een laag pitje te zetten. Tot we er zeker van zijn dat deze vrouw – wie ze ook is – helemaal uit beeld is. Misschien over een maand of twee...'

'Nee! We hebben alles al voorbereid. Dat kan echt niet.'

'Ik denk toch van wel, Alatea. Volgens mij moeten we dat wel doen. Bekijk het eens zo: als we eenmaal weten dat dit niets betekende – dat deze vrouw uit het niets is opgedoken, gewoon door een vreemd toeval, dan gaan we ermee door. Per slot van rekening loop ik meer risico dan jij.'

Alatea voelde zich als verdoofd, iemand sloot haar aan alle kanten in, totdat ze bijna niet meer vrijuit kon ademen. Ze zei: 'Ik ben aan jouw macht overgeleverd, uiteraard.'

'Alatea. Liefje. Dit gáát niet om macht. Dit gaat om veiligheid. Dit gaat om het omzeilen van de wet. Ik durf zelfs te zeggen dat het ook om een aantal andere dingen gaat, maar daar hoeven we het niet over te hebben.'

'Welke dingen dan?' vroeg Alatea op dwingende toon.

'Niets. Niets. Ik zeg maar wat. Luister, ik moet weer aan het werk. We spreken elkaar over een paar dagen. Maak je tot die tijd geen zorgen, oké? Ik doe nog steeds mee. Alleen niet op dit specifieke moment. Niet tot we zeker weten dat het niets te betekenen heeft dat die vrouw plotseling in ons leven opdook.'

'Hoe weten we dat dan?'

'Zoals ik al zei. Als ze zich niet meer laat zien, dan weten we het.'

Lucy Keverne hing op, nadat ze nog eens had benadrukt dat Alatea zich geen zorgen hoefde te maken, dat ze kalm moest blijven en voorzichtig moest zijn. Zij, Lucy, zou contact opnemen. Zíj zouden contact houden. Alles zou volgens plan verlopen.

Alatea bleef een paar minuten in de hoek bij de haard zitten en deed haar best te begrijpen wat haar opties waren, of welke opties ze nog overhad. Ze had vanaf het begin geweten dat de roodharige vrouw een gevaar voor haar vormde, wat Nicholas ook over haar had gezegd. Nu Lucy haar in het gezelschap van een man had gezien, zag Alatea eindelijk waar het gevaar in school. Sommige mensen hadden geen recht op het leven dat ze graag wilden leiden, en zij had de pech dat ze als een van die ellendige mensen was geboren. Ze was beeldschoon, maar dat zei niets. Sterker nog, daardoor was ze van meet af aan verdoemd geweest.

Ze hoorde aan de andere kant van het huis een deur dichtslaan. Ze fronste haar wenkbrauwen, stond snel op en keek op haar horloge. Nicky zou op zijn werk moeten zijn. En daarna zou hij naar het burchttorenproject gaan. Maar toen hij haar naam riep en ze de paniek in zijn stem hoorde doorklinken, wist ze dat hij ergens anders was geweest.

Ze haastte zich naar hem toe. Ze riep: 'Hier, Nicky. Ik ben hier.'

Ze kwamen elkaar tegen in de lange eikenhouten gang, waar het licht het zwakst was. Ze kon zijn gezicht niet goed zien. Maar zijn stem joeg haar angst aan, die was zo emotioneel. 'Het is mijn schuld,' zei hij. 'Ik heb alles kapotgemaakt, Allie. Ik weet niet hoe ik met die wetenschap moet omgaan.'

Alatea dacht aan de vorige dag: Nicholas' verdriet en het feit dat Scotland Yard in Cumbria was om de omstandigheden van Ian Cresswells dood te onderzoeken. Een verschrikkelijke seconde lang dacht ze dat haar man de moord op zijn neef bekende, en ze voelde zich licht in het hoofd worden toen tot haar doordrong wat deze verschrikkelijke bekentenis voor gevolgen zou hebben als ze de waarheid niet zouden weten te verdoezelen. Als afgrijzen tastbaar kon zijn, dan was dat op dat moment bij hen in die schemerige gang het geval.

Ze pakte hem bij de arm en zei: 'Nicky, alsjeblieft. Je moet me duidelijk uitleggen wat er aan de hand is. Dan kunnen we besluiten wat we gaan doen.'

Tot haar verbazing welden er tranen in zijn ogen op. 'Ik geloof niet dat ik dat kan.'

'Hoezo? Wat is er gebeurd? Wat is er zo verschrikkelijk?'

Hij leunde tegen de muur. Ze klemde zich aan zijn arm vast en zei tegen hem: 'Gaat het om dat gedoe met Scotland Yard? Heb je met je vader gepraat? Denkt hij werkelijk...?'

'Dat doet er allemaal niet toe,' zei Nicholas. 'We zijn omringd door leugenaars, jij en ik. Mijn moeder, mijn vader, waarschijnlijk mijn zussen, die verdomde verslaggever van *The Source*, die filmmaakster. Ik heb het alleen niet gezien omdat ik zo druk bezig was mezelf te bewijzen.' Hij spuugde het laatste woord uit. 'Ego, ego, ego,' zei hij en met elke herhaling sloeg hij met zijn vuist tegen zijn voorhoofd. 'Mijn enige zorg was om aan iedereen te bewijzen, maar vooral aan hen, dat ik niet meer degene was die ze vroeger kenden. Geen drugs meer, geen alcohol meer; bewijzen dat dat voor altijd verleden tijd zou zijn. En zíj moesten en zouden dat zien. Niet alleen mijn familie, maar de hele verdomde wereld. Dus heb ik elke gelegenheid aangegrepen om met mezelf te koop te lopen, en dat is de enige reden waarom we nu in deze puinhoop zitten.'

Toen hij het over de filmmaakster had, schoot de angst langs Alatea's rug omhoog.

Steeds weer kwam alles neer op die vrouw die ze naïef met camera en al in hun huis hadden toegelaten, met al haar vragen en schijnbare bezorgdheid. Vanaf het begin had Alatea geweten dat er iets helemaal mis was met haar aanwezigheid. En nu was ze naar Lancaster gegaan om met Lucy Keverne te praten. En hoe snel zij de ene na de andere aanwijzing had opgevolgd. Dat had Alatea gewoon niet voor mogelijk gehouden. Ze zei: 'In welke puinhoop zitten we dan, Nicky?'

Hij vertelde het haar en ze probeerde het te begrijpen. Hij had het over de journalist van *The Source* en dat volgens die man de roodharige vrouw die hen was komen opzoeken van New Scotland Yard was. Hij had het over zijn ouders en dat hij ze daar vandaag in het bijzijn van zijn zus Manette en Freddie McGhie mee had geconfronteerd. Hij vertelde dat zijn moeder had toegegeven dat zij Scotland Yard erbij had gehaald. Hij had het over het feit dat ze allemaal zo verbaasd waren toen hij tekeerging over de rechercheur die naar hem toe was gestuurd, de vrouw die Alatea zo van streek had gemaakt... En op dat punt zweeg hij.

Alatea zei omzichtig: 'En toen, Nicky? Hebben ze iets gezegd? Is er iets gebeurd?'

Zijn woorden klonken hol. 'Zij is helemaal geen rechercheur van Scotland Yard. Ik weet niet wie ze wel is. Maar omdat ze is ingehuurd om naar Cumbria te komen... om die foto's te maken... O, ze bewéérde wel dat ze niets van je wilde, dat je niet in die verdomde film zou voorkomen, maar íémand moet haar hebben ingehuurd, want ze ís geen filmmaker en ze is níét van Scotland Yard, en begrijp je nu waarom het mijn schuld is, Allie? Wat er ook gaat gebeuren, het is mijn schuld. Ik vond het al erg genoeg dat mijn ouders vanwege mij de politie wilden inschakelen om Ians dood te onderzoeken. Maar toen ik besefte dat wat er met die vrouw in dit huis is voorgevallen helemaal niets te maken heeft met Ians dood, maar vooral omdat ik ermee heb ingestemd, vanwege van mijn ego... omdat door een stom verhaal in een stom tijdschrift iemand er lucht van heeft gekregen, een aanwijzing...'

Toen wist ze opeens waar hij op doelde. Ze vermoedde dat ze al die tijd had geweten waar het naartoe zou gaan. Ze mompelde de naam: 'Montenegro. Denk je dat ze door Raul is ingehuurd?'

'Wie kan het verdomme anders zijn? En ik heb je dit aangedaan, Allie. Dus vertel me: hoe moet ik daarmee leven?'

Hij drong zich langs haar heen. Hij baande zich een weg door de gang naar de zitkamer. Daar kon ze hem in het wegstervende daglicht duidelijker zien. Hij zag er verschrikkelijk uit, en een volslagen krankzinnig moment had ze het gevoel dat dit allemaal haar schuld was, hoewel hij, en niet zij, het was geweest die de zogenaamde documentaireonderzoekster in hun leven had toegelaten. Maar ze kon er niets aan doen. Die rol speelde ze nu eenmaal in hun relatie, net zoals het bij zijn rol hoorde dat hij haar zo wanhopig nodig had. Hij had haar vanaf het allereerste begin nooit in twijfel getrokken, zolang hij maar van haar liefde verzekerd was. En daar was ze zelf ook op zoek naar geweest: een plek om te kunnen blijven, waar niemand het soort gevaarlijke vragen zou stellen dat voortkwam uit een kortstondig moment van verwondering.

Alatea keek naar buiten en zag dat de middag een herfstige mist zou brengen. De kleuren van de lucht en de baai eronder liepen naadloos in elkaar over, waarbij de grijze wolken oprukten naar de abrikooskleurige strepen die de ondergaande zon in de lucht en op het water trok.

Nicholas liep naar de erker. Hij zonk neer op een van de twee kussens en liet zijn hoofd in zijn handen zakken.

'Dus eerst heb ik jou in de steek gelaten,' zei hij. 'En nu heb ik mezelf in de steek gelaten.'

Alatea kon haar man wel door elkaar schudden. Ze wilde hem vertellen dat met al die problemen die om hen heen opdoemden dit níét het moment was voor zelfmedelijden. Ze wilde het wel uitschreeuwen dat hij in de verste verte niet begreep hoe slecht de zaken voor hen beiden zouden uitpakken. Maar als ze dat deed, zou ze helemaal niet meer in staat zijn op wat voor manier dan ook de onvermijdelijke uitkomst, waar hij nog steeds helemaal niets van wist, te voorkomen.

Nicholas dacht dat wanneer Raul Montenegro in haar leven terugkeerde, dat voor haar het einde van alles betekende. Hij kon met geen mogelijkheid weten hoe de vork werkelijk in de steel zat: dat Raul Montenegro nog maar het begin was.

Bloomsbury

Londen
Barbara ging naar Bloomsbury zodat ze in de buurt was als Taymullah Azhar eindelijk iets van zich zou laten horen. Omdat ze meer informatie over Raul Montenegro moest zien te krijgen, en ook zo veel mogelijk moest zien te vinden over Santa María de la Cruz, de los Ángeles, y de los Santos, bedacht ze dat een internetcafé wel zo handig was. Dan sloeg ze twee vliegen in één klap terwijl ze wachtte tot Azhar met een Spaanse vertaler op de proppen kwam.

Voordat Nkata de bibliotheek van de Met uit was gelopen, had hij ook nog zachtjes gezegd: 'Kijk naar keywords en volg het spoor. Het is geen hersenchirurgie, Barb. Gaandeweg word je er steeds handiger in.' Daaruit begreep Barbara dat ze moest doorzoeken op de namen die ze al in de artikelen had gevonden, in welke taal dan ook. En toen ze niet ver van het British Museum een internetcafé had gevonden, ging ze daarmee aan de gang.

Het was niet de plezierigste omgeving voor een internetzoektocht. Ze had onderweg een Spaans-Engels woordenboek gekocht en nu zat ze ingeklemd tussen een te dikke astmalijder in een mohair trui en een kauwgum kauwende gothic met neusring en een hele rits wenkbrauwpiercings, die steeds maar op haar mobieltje werd gebeld door iemand die klaarblijkelijk niet geloofde dat ze aan een computer zat, want elke keer dat hij belde, blafte ze: 'Nou, kom dan verdomme hiernaartoe als je me niet gelooft, Clive... Doe niet zo áchterlijk idioot. Ik zit niet met iemand te mailen. Dat gaat niet eens, als jij me om de halve minuut belt.'

Barbara deed haar best zich in deze omgeving te concentreren. Ze deed ook haar best te negeren dat de muis eruitzag alsof die sinds mensenheugenis niet was schoongemaakt. Ze deed een poging zo te typen dat ze de toetsen niet echt hoefde aan te raken, alleen met haar vingernagels, hoewel die voor het merendeel te kort waren. Maar ze vermoedde dat het op het toetsenbord krioelde van allerlei ongedierte die zowel de builenpest als genitale wratten kon veroorzaken, en ze was niet van plan om daar weg te gaan en een enge ziekte mee te nemen.

Na een paar missers stuitte ze op een artikel over de burgemeester van

Santa María et cetera waar ook een foto bij stond. Daarop leek iets gevierd te worden – misschien was iemand voor een examen geslaagd? – maar het had in elk geval te maken met het gezin, want ze poseerden allemaal op de trap van een onduidelijk gebouw: de burgemeester, zijn vrouw en hun vijf zoons. Barbara bestudeerde de foto.

Eén feit viel haar ook zonder vertaling onmiddellijk op: bij het rollen van de genetische dobbelstenen hadden de vijf zoons van Esteban en Dominga de jackpot gewonnen. Barbara las hun namen: Carlos, Miguel, Ángel, Santiago en Diego. Ze waren een knap stel, op de foto varieerde hun leeftijd van zeven tot negentien. Maar een nadere blik op het artikel vertelde Barbara dat de foto twintig jaar geleden was genomen, dus de drie oudste zoons zouden inmiddels allang getrouwd kunnen zijn, misschien een van hen met Alatea. Nu moest ze, zoals Nkata haar had uitgelegd, de vijf zoons natrekken. Carlos was de eerste. Nu hoefde Barbara alleen maar te duimen.

Met een huwelijk had ze helaas geen geluk. Ze vond Carlos veel gemakkelijker dan ze had gedacht, maar hij bleek een katholieke priester te zijn geworden. Een artikel scheen over zijn wijding te gaan, en het hele gezin poseerde met hem mee, deze keer op de trap van een kerk. Zijn moeder hing aan zijn arm en staarde in aanbidding naar hem omhoog; zijn vader grijnsde en had een sigaar in zijn hand geklemd; zijn broers zagen er bij al die godsdienstige heisa enigszins gegeneerd uit. Exit Carlos, dacht Barbara.

Dus ze ging met Miguel verder. Opnieuw duurde het niet lang. Sterker nog, het ging zo gemakkelijk dat Barbara zich afvroeg waarom ze in al die jaren haar buren niet had nagetrokken. In het geval van Miguel vond ze zijn verlovingsfoto. De aanstaande vrouw leek in de verte op een Afghaanse hond, een en al haar, met een spits gezicht en verdacht weinig voorhoofd, wat erop duidde dat er bedroevend weinig weefsel in de prefrontale kwab aanwezig was. Miguel was waarschijnlijk tandarts, besloot Barbara. Of hij had een gebitsbehandeling nodig. Haar Spaanse woordenboek leverde op dit gebied weinig duidelijkheid op. Hoe dan ook, het leek er niet toe te doen. Een link naar Alatea Fairclough vond ze niet.

Ze stond net op het punt met Ángel te beginnen, toen haar mobieltje de eerste twee regels van *Peggy Sue* jengelde. Ze klapte haar telefoon open en zei: 'Havers,' en hoorde Azhar – eindelijk! – zeggen dat hij iemand had gevonden die Spaans kon vertalen. 'Waar ben je op dit moment?' vroeg hij.

'In een internetcafé,' zei ze tegen hem. 'In de straat naar het British Museum. Ik kan naar jou toe komen. Dat is wel zo gemakkelijk. Is de broodjeszaak naast je kantoor iets?'

Hij zweeg even, misschien dacht hij hierover na. Ten slotte zei hij dat er een wijnbar was op Torrington Place, vlak bij Chenies Mews en Gower Street. Ze zouden haar daar over een kwartier treffen.

'Oké,' zei ze. 'Ik vind het wel.' Ze printte de documenten die ze tot dat moment had gevonden en liep naar de kassa, waar de winkelbediende een exorbitant bedrag rekende. Toen Barbara protesteerde zei ze: 'Kleurenprints, schatje.'

'Kleurendiefstal, zul je bedoelen,' zei Barbara. Ze stopte haar kopieën in een papieren zak en liep naar Torrington Street. Ze kon de wijnbar gemakkelijk vinden en Azhar zat al te wachten met een langbenig meisje in een kasjmier jasje, en met op haar schouders een uitbundige bos donkere krullen.

Ze heette Engracia, geen achternaam, en ze was een doctoraalstudente uit Barcelona. Het meisje glimlachte naar Azhar toen hij dat aan Barbara vertelde. 'Ik zal mijn best doen om je te helpen,' zei ze, hoewel Barbara vermoedde dat ze vooral Azhar een dienst wilde bewijzen, en wie kon haar dat nou kwalijk nemen. Ze vormden een aantrekkelijk paar. Maar dat gold ook voor Azhar en Angelina Upman. En dus voor Azhar en ongeveer verder iedereen.

Ze zei: 'Bedankt,' tegen het meisje. 'In een volgend leven word ik tweetalig.'

'Dan laat ik jullie nu maar alleen,' zei Azhar.

'Weer terug naar je werk?' vroeg Barbara.

'Naar huis,' antwoordde hij. 'Engracia, bedankt.'

'*De nada*,' mompelde ze.

Aan een tafeltje in de wijnbar overhandigde Barbara haar de documenten. Ze begon met het artikel met de foto van de burgemeester en zijn gezin. Ze zei: 'Ik heb wel een Spaans-Engels woordenboek, maar daar heb ik niet veel aan gehad. Ik bedoel, wel een beetje, hoor... Maar om nou elk woord op te moeten zoeken...'

'Natuurlijk.' Engracia las even, hield het artikel in de ene hand terwijl de andere met een gouden oorring speelde. Na een ogenblik zei ze: 'Dit heeft met een verkiezing te maken.'

'Voor burgemeester?'

'*Sí*. De man, Esteban, wil burgemeester van de stad worden en in dit artikel wordt hij aan de mensen voorgesteld. Het is een artikel zonder belang... hoe noem je dat?'

'Een opgeklopt verhaal?'

Ze glimlachte. Ze had heel mooie tanden en een gladde huid. Ze had lippenstift op, maar dat was nauwelijks te zien, zo perfect was die gekozen. 'Ja. Een opgeklopt verhaal,' antwoordde ze. 'Er staat dat de familie van de burgemeester zo groot is dat hij de verkiezingen zou winnen als al zijn familieleden op hem zouden stemmen. Maar dat is vast een grap, want er staat ook dat de stad vijfenzeventigduizend inwoners heeft.' Engracia las nog een stukje door en zei: 'Er staat hier informatie over zijn vrouw, Dominga, en over haar familie. Beide families wonen al vele jaren, vele generaties, in Santa María de la Cruz, de los Ángeles, y de los Santos.'

'En de jongens?'

'De jongens... Ah. Carlos is een priester. Miguel wil graag tandarts worden. Ángel...' Ze sprak dit uit als *Ahnhaíl*, '... wil architectuur gaan studeren en de andere twee jongens zijn nog te jong, die weten het nog niet, hoewel Santiago zegt dat hij acteur wil worden en Diego...' Ze las verder en grinnikte. 'Er staat dat hij astronaut wil worden in het onwaarschijnlijke geval dat Argentinië een ruimteprogramma gaat ontwikkelen. Dat is ook een grapje, denk ik. De verslaggever plaagt hem een beetje.'

Veel had het allemaal niet om het lijf, bedacht Barbara. Ze haalde de volgende artikelen tevoorschijn, allebei over Raul Montenegro. Ze gaf ze aan haar en zei: 'En deze?' Ze vroeg Engracia of ze een glas wijn of zo wilde, ze zaten tenslotte in een wijnbar en ze zouden zich bepaald niet populair maken als ze niets bestelden.

Engracia zei dat ze graag mineraalwater wilde. Barbara ging dat voor haar halen, evenals een glas goedkope huiswijn voor zichzelf. Toen ze met de drankjes terugkwam, zag ze dat Engracia geconcentreerd het artikel las waar de foto bij stond van Alatea aan Montenegro's arm. Dit, verklaarde ze, was een artikel over een heel belangrijke fondsenwerver in Mexico City, die te maken had met de bouw van een concertzaal. De man was de grootste sponsor van het project en om die reden mocht hij bedenken hoe de concertzaal moest gaan heten.

'En?' zei Barbara, in de verwachting dat de zaal naar Alatea genoemd zou worden, omdat ze zo gelukkig aan zijn arm hing.

'Magdalena Montenegro Muziekcentrum,' zei Engracia. 'Genoemd naar zijn mama. Latijns-Amerikaanse mannen zijn in de regel heel dik met hun moeder.'

'En hoe zit het met de vrouw op de foto?'

'Zij wordt alleen als zijn metgezel genoemd.'

'Niet als zijn vrouw? Minnares? Partner?'

'Alleen metgezel, ben ik bang.'

'Kan dat een eufemisme zijn voor minnares of partner?'

Engracia bestudeerde de foto even. 'Moeilijk te zeggen. Maar ik denk het niet.'

'Dus ze had net zo goed gezelschap voor één avond kunnen zijn geweest? Zelfs een escortmeisje dat hij voor een avond heeft ingehuurd?'

'Dat zou kunnen,' zei Engracia. 'Misschien zelfs iemand die voor de gelegenheid met hem op de foto is gezet.'

'Verdomme, verdomme, verdomme,' mompelde Barbara. En toen Engracia berouwvol keek, alsof ze iets verkeerds had gedaan, zei Barbara: 'O, sorry. Ik heb het niet over jou. Alleen over het leven.'

'Ik begrijp dat het belangrijk voor je is. Kan ik je ergens anders mee helpen?'

Daar dacht Barbara over na. Er was inderdaad iets anders. Ze berekende het tijdsverschil en zei: 'Ik moet even een telefoontje plegen,' en ze haalde haar mobieltje tevoorschijn. 'Aan de andere kant spreken ze geen Engels, dus als je wilt praten met degene die opneemt...'

Ze legde aan Engracia uit dat ze het huis van de burgemeester van Santa María et cetera belden. Met het vier uur tijdsverschil zou het daar vroeg in de middag zijn. Als iemand de telefoon opnam, moest ze zien uit te vissen of er informatie te krijgen was over ene Alatea Vásquez y del Torres.

'De vrouw op de foto?' zei Engracia met een knikje naar het artikel over Raul Montenegro.

'Inderdaad,' zei Barbara.

Toen ze de telefoon hoorde overgaan, gaf ze hem aan het Spaanse meisje. Daarna vond er een spervuur aan rap Spaans plaats, waarin Barbara alleen Alatea's naam opving. Maar ze hoorde wel dat de stem in Argentinië van een vrouw was. Die klonk schril en opgewonden, en ze zag aan Engracia's gespannen gezichtsuitdrukking dat ze met dit telefoontje naar Santa María de la Cruz, de los Ángeles, y de los Santos verder zou komen.

Er viel een stilte in de dialoog en Engracia keek naar Barbara. Ze zei: 'Dat was een nicht, Elena María.'

'Hebben we dan het verkeerde nummer?'

'Nee, nee. Ze is daar op bezoek. Dominga, de vrouw van de burgemeester, is haar tante. Ze is haar aan het halen. Ze was heel opgewonden toen ze Alatea's naam hoorde.'

'Krijg nou wat,' mompelde Barbara.

'En dat is...?'

'Sorry. Gewoon een uitdrukking. Misschien komen we ergens.'

Ze glimlachte. 'Ah. Krijg nou wat. Dat vind ik wel mooi.' Haar uitdrukking veranderde toen een verre stem de duizenden kilometers tussen Londen en Argentinië overbrugde. Het rappe Spaanse spervuur begon weer. Er klonken vele *comprendo's* en nog meer *sí's*. Een paar *sabes*? en verschillende keren *no sé* en toen steeds maar weer *gracias*.

Na afloop van het telefoontje zei Barbara: 'En? Ja? Wat is er gezegd?'

'Een boodschap voor Alatea,' zei Engracia. 'Deze vrouw, Dominga, zegt dat Alatea naar huis moet komen. We moeten tegen haar zeggen dat haar vader het begrijpt. Ze zegt dat de jongens het ook begrijpen. Carlos, zo zegt ze, heeft de hele familie om haar veilige terugkeer laten bidden.'

'Heeft ze toevallig ook verteld wie ze verdomme is?'

'Kennelijk een lid van de familie.'

'Een zus die niet op die oude foto stond? Een zus die na de foto was geboren? Een vrouw van een van de jongens? Een nicht van de burgemeester? Van de jongens? Wat?'

'Dat heeft ze niet gezegd, althans niet met zoveel woorden. Maar ze zei dat het meisje op haar vijftiende van huis is weggelopen. Ze dachten dat ze naar Buenos Aires was gegaan en hebben daar jarenlang naar haar gezocht. vooral Elena María heeft naar haar gezocht. Dominga zei dat Elena María er kapot van was en dat Alatea dat ook moest weten.'

'Hoeveel jaar is ze dan nu weg?'

'Alatea? Dertien jaar,' zei Engracia.

'En uiteindelijk is ze in Cumbria terechtgekomen,' mompelde Barbara. 'Via welke weg en hoe verdomme...?'

Ze sprak in zichzelf, maar Engracia reikte naar een van de geprinte artikelen die ze al had gelezen. Barbara zag dat het 't stuk was over Raul Montenegro. Engracia zei: 'Misschien heeft deze man haar geholpen. Als hij zoveel geld heeft dat hij een concertzaal kan betalen, dan heeft hij meer dan genoeg geld om voor een beeldschone vrouw een ticket naar Londen te kopen, *no*? Of een ticket naar een andere plaats. Zelfs naar elke plaats waar ze maar naartoe zou willen.'

Lake Windermere

Cumbria

Ongeveer een halve minuut vormden ze een tableau vivant, hoewel het veel langer leek te duren. In die tijd keek Mignon iedereen beurtelings aan en haar gezicht straalde van triomf. Op dit moment had ze duidelijk jaren gewacht. Manette had het gevoel dat ze midden in een toneelstuk was beland. Dit was de climax van een tragedie, en alles wat daarna gebeurde, zou gegarandeerd naar de catharsis leiden waarmee alle Griekse tragedies eindigden.

Valerie kwam als eerste in beweging. Ze stond op en zei op die welopgevoede manier van haar die Manette zo goed kende: 'Verontschuldig me even, alsjeblieft,' en ze wilde de grote hal verlaten.

Mignon barstte in lachen uit en zei: 'Wil je niet nog meer horen, mam? Je kunt nu niet weggaan, hoor. Wil je nu niet alles weten?'

Valerie aarzelde, draaide zich toen om en keek Mignon aan. 'Je bent typisch zo iemand die haar kinderen na de geboorte wurgt,' zei ze en toen liep ze weg.

De inspecteur liep achter haar aan. Het was duidelijk dat alles in een nieuw licht was komen te staan, en nu was de kans groot, dacht Manette, dat hij zijn conclusies over Ians dood opnieuw in overweging zou nemen. Zij deed hetzelfde, want als Ian van dit kind van haar vader had geweten... als hij over dit kind een dreigement had geuit en over wat hij wist... Als het inderdaad zover was gekomen dat er een keuze gemaakt moest worden tussen de waarheid naar buiten brengen of de leugen in stand houden... Manette begreep dan wel dat het leven van haar neef gevaar had gelopen, en ze vermoedde dat de rechercheur dat ook wel zag.

Ze wilde niet geloven wat Mignon over deze Bianca had onthuld, maar aan de gezichtsuitdrukking van haar vader zag ze dat Mignons onthulling klopte. Ze wist niet wat ze ervan moest denken, en ze wist zelfs niet of ze in staat zou zijn deze gevoelens te overzien. Maar ze zag wel hoe Mignon erover dacht: gewoon de zoveelste reden om haar vader de schuld te geven van wat ze in haar ogen in haar leven tekortkwam.

Mignon zei opgewekt tegen hem: 'O jeetje, pap. Nou, we zitten tenminste in hetzelfde zinkende schuitje, hè? Daar put je vast wel een beetje troost uit. Dat je gedoemd bent om toe te zien dat je lievelingskind – want dat bén ik toch? – samen met jou wordt vervloekt? Net als King Lear en Cordelia. Alleen... Wie speelt de nar?'

Bernards lippen vormden een flinterdunne streep. 'Ik vrees dat je je behoorlijk vergist, Mignon, hoewel je met je gedram om geld de rol van addergebroed volmaakt hebt vertolkt.'

Ze was niet in het minst uit het veld geslagen. 'Denk je dat de huwelijkse vergevingsgezindheid echt zo ver reikt?'

Hij zei: 'Ik geloof niet dat je ook maar iets weet over het huwelijk of over vergevingsgezindheid.'

Daarop keek Manette naar Freddie. Hij keek haar met zijn donkere ogen bezorgd aan. Ze begreep dat hij zich zorgen om haar maakte, want hij wist niet hoe ze het feit dat ze getuige was van de neergang van haar familie zou opnemen. De wereld zoals zij die kende werd catastrofaal op z'n kop gezet. Ze wilde tegen hem zeggen dat ze het wel aankon, maar ze wist dat ze het niet in haar eentje aan zou kunnen.

Mignon zei tegen haar vader: 'Dacht je nou werkelijk dat je Bianca voor eeuwig geheim kon houden? Mijn god, wat heb je toch een enorm ego. Vertel me eens, pa, wat moet die arme kleine Bianca wel niet denken wanneer ze alles over haar vader en zijn andere gezin te horen krijgt? Zijn wéttige gezin. Maar zo ver had je nog niet nagedacht, hè? Zolang "Vivver" bereid was jouw spelletje mee te spelen, heb je waarschijnlijk geen moment verder gedacht dan dat ze een lekker wijf was en hoe vaak je het nog voor elkaar kreeg.'

'Vivienne,' antwoordde haar vader, 'gaat terug naar huis, naar Nieuw-Zeeland. En hiermee is dit gesprek ten einde.'

'Ik zeg je wanneer het is afgelopen,' zei Mignon tegen hem. 'Niet jij. Jij nooit. Ze is zelfs nog jonger dan wíj, die Vivienne van je. Ze is jonger dan Nick.'

Bernard liep naar de voordeur en moest daarvoor langs Mignon. Ze probeerde zijn arm te grijpen, maar hij schudde haar van zich af. Manette verwachtte dat haar zuster dat gebaar zou aangrijpen om van de bank op de grond te vallen en uit te roepen dat ze slachtoffer was van misbruik, maar in plaats daarvan sprak ze verder. Ze zei: 'Ik ga met moeder praten. Ik zal haar de rest vertellen. Hoe lang ben je met Vivienne Tully geweest: een jaar of tien, pa? Langer nog? Hoe oud was ze toen het allemaal begon: vierentwintig, hè? Of nog jonger? En hoe kwam het dat Bianca werd geboren: zij wilde haar, hè? Zij wilde een baby en jíj ook, hè, pa? Want toen Bianca werd geboren deed Nick nog altijd zijn Nick-dingen en je hoopte nog steeds dat er verdomme iemand zou zijn, ergens, die jou een fatsoenlijke zoon zou geven, zo is het toch, pa? En denk je niet dat ma dat heel graag wil horen?'

Bernard zei: 'Doe wat je wilt, Mignon, doe het ergste van het ergste. Dat heb je volgens mij altijd gewild.'

'Ik haat je,' zei ze.

'Zoals altijd,' antwoordde hij.

'Heb je me gehoord? Ik háát je.'

'Vanwege mijn zonden,' zei Bernard. 'Geloof me, ik weet het. En misschien verdien ik het wel. En nu mijn huis uit.'

Even was er een moment waarop Manette dacht dat haar zus dat zou weigeren. Mignon staarde naar haar vader alsof ze nog iets verwachtte, maar waarvan Manette heel goed wist dat dat nooit zou gebeuren. Ten slotte schoof ze haar looprek opzij. Ze glimlachte, stond op en wandelde moeiteloos haar vaders leven uit.

Toen de deur achter haar dicht was, haalde Bernard een linnen zakdoek uit zijn zak. Hij veegde zijn bril ermee schoon en wreef er toen mee over zijn gezicht. Manette zag dat zijn handen trilden. Voor hem stond alles op het spel, en dat behelsde ook een huwelijk van ruim veertig jaar.

Ten slotte keek hij van Manette naar Freddie en weer naar Manette. Hij zei: 'Het spijt me verschrikkelijk, liefje. Er zijn zo veel dingen...'

'Ik geloof niet dat die er nog toe doen.' Wat merkwaardig, dacht Manette. Ze had bijna haar hele leven op dit moment gewacht: zij in een superieure positie en Bernard kwetsbaar; Bernard die naar haar keek en haar ook daadwerkelijk zag, niet als een dochter, niet als een substituut voor het soort zoon dat hij had gewild, maar als een onafhankelijke vrouw, volkomen in staat tot alles wat hij zelf ook kon. Ze wist niet meer waarom dat allemaal zo belangrijk voor haar was geweest. Ze wist alleen dat ze niet voelde wat ze had verwacht te zullen voelen nu ze eindelijk zijn erkenning kreeg.

Bernard knikte. Hij zei: 'Freddie...'

Freddie zei: 'Als het mij was verteld, had ik dit misschien kunnen voorkomen. Maar ja, ik weet het niet, hè? Ik weet 't gewoon niet.'

'Je bent een goeie, eerlijke vent, Fred. Blijf zo.' Bernard verontschuldigde zich en liep naar de trap. Hij klom met moeite naar boven en Manette en Freddie luisterden naar zijn wegstervende voetstappen. Ergens boven hen ging zachtjes een deur dicht.

'We moesten maar eens gaan, meissie,' zei Freddie tegen Manette. 'Als je daartoe in staat bent, tenminste.'

Hij liep naar haar toe en ze liet toe dat hij haar overeind hielp, niet omdat ze dat nodig had, maar omdat het goed voelde om een stevig mens naast zich te hebben. Ze liepen de grote hal uit naar de voordeuren. Pas toen ze in de auto zaten en over de oprit naar de hekken reden, begon ze te huilen. Ze probeerde dit stilletjes te doen, maar Freddie keek naar haar. Hij zette de auto onmiddellijk aan de kant. Teder nam hij haar in zijn armen.

Hij zei: 'Het is niet niks om je ouders zo te zien. Te ontdekken dat de een de ander te gronde heeft gericht. Ik vermoed dat je moeder wel wist dat er iets niet in de haak was, maar misschien was het gemakkelijker om het maar te negeren, zo gaan die dingen soms.'

Ze huilde tegen zijn schouder maar schudde haar hoofd.

Hij zei: 'Wat? Nou, natuurlijk is je zus zo gek als een hondsdolle hond, maar dat is niet nieuw, wel? Ik vraag me echter wel af hoe jij er zo... nou ja, normaal uitgekomen bent, Manette. Als je erover nadenkt mag dat een wonder heten.'

Nu ging ze zelfs nog harder huilen. Het was allemaal te laat: wat ze nu wist, wat ze had moeten zien en wat ze nu eindelijk begreep.

Lake Windermere

Cumbria

Lynley trof Valerie Fairclough aan in de nog in aanbouw zijnde kindertuin, waar ze over een van de paden dwaalde. Toen hij naast haar ging lopen, begon ze te praten alsof ze midden in een gesprek over deze plek waren onderbroken. Ze wees hem waar ze al met het scheepswrak waren begonnen en vertelde hem dat de touwen, schommels en het zand een hoogtepunt vormden. Ze gaf de plek aan waar de klimrekken zouden komen en een draaimolen. Ze nam hem mee langs het gedeelte voor de kleintjes, waar paarden, kangoeroes en grote kikkers al op hun zware veren klaarstonden, wachtend tot de ruiters hen zouden beklimmen en zouden lachen en kraaien van dat simpele plezier. Er zou ook een fort komen, zei ze, want jongens vonden het heerlijk om soldaatje te spelen, toch? En voor de meisjes zou er een miniatuurhuis zijn, vol met allemaal miniatuurspulletjes die je in een echt huis ook aantrof, want het was toch zeker zo – en dan laten we het seksisme voor het gemak maar buiten beschouwing – dat meisjes het leuk vonden vadertje en moedertje te spelen, spelletjes te verzinnen waarin ze deden alsof ze getrouwd waren, kinderen hadden en een echtgenoot die 's avonds thuiskwam en tijdens het eten aan het hoofd van de tafel zat?

Ze lachte vreugdeloos toen ze dat laatste zei. Daarna zei ze dat de kindertuin een speelplek zou worden waar ieder kind van droomde.

Lynley vond het allemaal heel merkwaardig. Wat zij aan het bouwen was, paste eerder in een openbaar park dan bij een privéhuis. Hij vroeg zich af wat haar verwachtingen hier werkelijk bij waren, of ze een groter plaatje in gedachten had, dat ze Ireleth Hall voor het publiek zou openstellen, zoals dat bij zoveel grote huizen in het land gebeurde. Het was bijna alsof ze had geweten dat er grote veranderingen op til waren en ze zich daarop voorbereidde.

Hij zei tegen haar: 'Waarom heb je me nou echt naar Cumbria laten komen?'

Valerie keek hem aan. Met haar zevenenzestig jaar was ze een opvallende vrouw. Ze moest in haar jeugd beeldschoon zijn geweest. Schoonheid en geld: een machtige combinatie. Ze had uit een hele rij mannen kunnen kiezen met eenzelfde achtergrond als zij, maar dat had ze niet gedaan.

Ze zei: 'Ik heb je naar Cumbria laten komen omdat ik al enige tijd verdenkingen had.'

'Wat?'

'Bernard. Wat hij in zijn schild voerde. Ik wist niet zeker of hij "iets" met Vivienne Tully had, uiteraard, maar dat had ik waarschijnlijk wel moeten beseffen. Toen hij het niet meer over haar had nadat zij en ik elkaar voor de tweede keer hadden ontmoet, ging hij steeds vaker naar Londen, de stichting vergde zoveel van zijn aandacht... Er zijn altijd signalen, inspecteur. Er zijn altijd aanwijzingen, kleine lampjes die gaan branden. Maar over het algemeen is het gemakkelijker ze te negeren dan het onbekende tegemoet te treden: wat er tevoorschijn komt uit de puinhopen na een huwelijk van tweeënveertig jaar.'

Ze raapte een weggegooide plastic koffiebeker op, die door een van de tuinlieden was achtergelaten. Ze fronste haar wenkbrauwen en plette de beker in haar zak. Ze schermde haar ogen af en keek over het meer uit, naar de stormwolken die zich boven de westelijke heuvels samenpakten. 'Ik ben omringd door leugenaars en schurken. Ik wilde ze uit hun schuilplaatsen roken. Jij,' en ze wierp hem een glimlachje toe, 'jij was mijn vuur, inspecteur.'

'Hoe zit het met Ian?'

'Arme Ian.'

'Mignon had hem kunnen doden. Ze had een motief, een heel sterk motief als het daarom gaat. Je hebt zelf toegegeven dat ze in het botenhuis was. Ze had er eerder naartoe kunnen gaan en de stenen zonder een spoor los kunnen maken. Ze had er zelfs kunnen zijn toen hij terugkeerde. Ze had hem uit de scull kunnen trekken, hem eruit kunnen duwen...'

'Inspecteur, het plannen van dat soort wraak gaat Mignons talenten ver te boven. Bovendien zou ze daar financieel niet beter van worden. En het enige wat Mignon ooit duidelijk heeft kunnen zien is kortstondig geldelijk gewin.' Ze draaide zich van het meer af en keek Lynley aan. Ze zei: 'Ik wist dat de stenen er slecht aan toe waren. Dat had ik Ian ook verteld, meer dan eens. Hij en ik waren de enigen die het botenhuis regelmatig gebruikten, dus ik heb het verder niemand verteld. Dat was niet nodig. Ik waarschuwde hem dat hij voorzichtig in en uit de scull moest stappen. Hij zei dat ik me geen zorgen hoefde te maken, dat hij de kade zou laten repareren zodra hij tijd had. Maar ik denk dat hij die avond andere dingen aan zijn hoofd had. Dat kan niet anders. Het was sowieso heel ongebruikelijk dat hij zo laat is gaan roeien. Volgens mij heeft hij niet goed genoeg opgelet. Het was een ongeluk, inspecteur. Dat wist ik vanaf het begin.'

Lynley dacht daarover na. 'En dat fileermes dat ik bij de stenen in het water heb gevonden?'

'Dat heb ik erin gegooid. Alleen maar om je hier te houden, voor het geval je te snel zou concluderen dat het om een ongeluk ging.'

'Ik begrijp het,' zei hij.

'Ben je nu verschrikkelijk boos?'

'Dat zou ik wel moeten zijn.' Ze draaiden zich om en liepen naar het huis terug. Boven de muren van de sculptuurtuin doemde de uittorenende massa van het in vormen geknipte struikgewas op en daarachter Ireleth Hall zelf, zandkleurig en loodzwaar met historie. Hij zei: 'Vond Bernard het niet vreemd?'

'Wat?'

'Dat je de dood van zijn neef nader wilde laten onderzoeken?'

'Misschien wel, maar wat kon hij zeggen? "Dat wil ik niet?" Dan had ik naar het waarom gevraagd. Hij zou zijn best hebben gedaan het uit te leggen. Misschien zou hij hebben gezegd dat het oneerlijk was om Nicolas, Manette en Mignon te verdenken, maar ik zou daar tegen in hebben gebracht dat het beter was om de waarheid over je kinderen te weten dan met een leugen te moeten leven. En dat, inspecteur, zou ons veel te dicht bij een waarheid hebben gebracht waarvan Bernard niet wilde dat ik die wist. Hij moest het risico nemen dat je niet op Vivienne zou stuiten. Hij had werkelijk geen andere keuze.'

'Voor wat het waard is, ze gaat terug naar Nieuw-Zeeland.'

Daar reageerde ze niet op. Ze pakte hem bij de arm terwijl ze zich een weg over het pad zochten. Ze zei: 'Weet je wat hier nou zo vreemd aan is? Dat na ruim veertig jaar huwelijk een man vaak een gewoonte wordt. Ik moet besluiten of Bernard een gewoonte is waarmee ik liever wil breken.'

'Zou je dat doen?'

'Misschien wel. Maar eerst wil ik de tijd nemen om daarover na te denken.' Ze kneep hem in de arm en keek naar hem op. 'Je bent een heel knappe man, inspecteur. Ik vind het erg dat je je vrouw hebt verloren, maar ik hoop dat je niet van plan bent alleen te blijven. Wil je dat?'

'Daar heb ik nog niet zoveel over nagedacht,' gaf hij toe.

'Nou, denk er toch maar over na. Uiteindelijk moeten we allemaal kiezen.'

Windermere

Cumbria

Tim wachtte urenlang in het businesscentrum tot het moment daar was. Nadat hij Kaveh die ochtend had laten zitten, had hij niet lang nodig gehad om in de stad te komen. Hij was over een muurtje gesprongen en over een hobbelig, omheind weiland naar het dichte bos met zijn naaldbomen en berken gerend. Daar had hij zich verschanst, in een schuilplaats van herfstkleurige varens rondom de stronk van een omgevallen spar, tot hij zeker wist dat Kaveh was weggereden. Daarna was hij naar de verkeersweg in de richting van Windermere gelopen, waar hij met twee liften het centrum van de stad had bereikt en waar zijn zoektocht begon.

Hij vond geen winkel die de kapotte pop kon repareren. Uiteindelijk kwam hij bij een bedrijfje terecht dat J. Bobak & Son heette, een winkel die zich bezighield met de reparatie van alles wat maar met elektriciteit te maken had. In de winkel leidden drie gangpaden vol kapotte keukenspullen naar achteren, waar J. Bobak een vrouw bleek te zijn, met grijze vlechten, een gerimpeld gezicht en felroze lippenstift die doorliep in de rimpels boven haar lippen. En Son bleek een knul van in de twintig met het syndroom van Down te zijn. Ze was aan het prutsen aan iets wat op een miniwafelijzer leek. Hij werkte aan een ouderwetse radio die bijna zo groot was als een Austin Mini. Om hen heen stonden overal apparaten in verschillende reparatiefasen: tv's, magnetrons, mixers, broodroosters en koffiezetapparaten, waarvan sommige eruitzagen alsof ze al een jaar of tien, of nog langer, op vakkundige reparatie stonden te wachten.

Toen Tim Bella aan J. Bobak liet zien, had ze haar hoofd geschud. Dat zielige hoopje armen, benen en romp kon echt niet meer gerepareerd worden, zo werd hem verteld, ook al zouden J. Bobak & Son wel speelgoed oplappen, maar dat deden ze niet. In elk geval kon ze niet weer zo opgeknapt worden dat de eigenaar daar blij mee zou zijn. Hij kon beter zijn geld opsparen om een nieuwe pop te kopen. Er was een speelgoedwinkel...

Het moest déze pop zijn, zei hij tegen J. Bobak. Hij wist dat het onbeleefd was om haar te onderbreken en aan de gezichtsuitdrukking van J. Bobak te zien stond ze ook op het punt hem dat te vertellen. Hij legde uit dat de pop van zijn kleine zusje was en dat hun pa die aan haar had gegeven en dat hun vader dood was. Dat ontroerde J. Bobak. Ze spreidde de stukken van de pop op de toonbank uit en tuitte bedachtzaam haar felroze lippen. Haar zoon kwam erbij staan. Hij zei: 'Hoi,' tegen Tim, en: 'Ik ga niet meer naar school, maar jíj hoort wel op school te zitten, hè? 'k Wed dat je vandaag spijbelt, hè?' Zijn moeder zei: 'Trev, ga aan je eigen werk, liefje. Brave jongen,' en ze klopte hem op zijn schouder toen hij luidruchtig met zijn neus tegen zijn arm snoof. Daarna liep hij terug naar zijn enorme radio.

Ze zei tegen Tim: 'Weet je zeker dat je geen nieuwe pop wilt kopen, liefje?'

Wilde ze de pop, vroeg Tim aan haar, als het even kon toch repareren? Er was geen andere winkel. Hij had de hele stad afgezocht.

Ze zei weifelend dat ze zou kijken wat ze kon doen, en Tim vertelde haar het adres waar de pop naartoe moest als hij klaar was. Hij haalde een verkreukeld bundeltje bankbiljetten en wat munten tevoorschijn, die hij allemaal bij gelegenheden had gejat: uit zijn moeders tas, zijn vaders portefeuille en het blikje in de keuken waar Kaveh munten van een pond bewaarde voor het geval hij geen geld meer had en er niet aan had gedacht om onderweg naar huis in Windermere te pinnen.

J. Bobak zei: 'Wat? Kom je hem dan niet zelf ophalen?'

Hij zei van niet. Hij zou niet meer in Cumbria zijn als de pop gerepareerd was. Hij zei dat ze zoveel geld mocht pakken als ze wilde. Ze kon wat over was met de pop mee terugsturen. Toen gaf hij haar Gracies naam en adres, wat gemakkelijk genoeg was. Bryan Beck-farm, Bryanbarrow, vlak bij Crosthwaite. Gracie was dan misschien ook al weg, maar zelfs al zou ze weer bij hun moeder terug zijn, dan zou Kaveh de pop zeker doorsturen. Dat zou hij wel doen, ondanks het leugenachtige leven dat hij met zijn zielige vrouwtje leidde. En Gracie zou blij zijn. Misschien zou ze Tim zelfs wel vergeven dat hij de arme pop zo had toegetakeld.

Toen dat geregeld was, ging hij op weg naar het businesscentrum en daar bleef hij. Onderweg kocht hij van het geld dat over was een pakje jamcakes, een reep KitKat, een appel, een zak nacho's met salsasaus en dubbelgeroosterde pinda's. En gehurkt tussen een smerige witte Ford Transit en een container waar piepschuim uit puilde, at hij het allemaal op.

Toen het parkeerterrein begon leeg te raken omdat de dag erop zat voor de mensen uit de verschillende bedrijven, dook hij achter de container weg en bleef uit het zicht. Hij hield de fotowinkel in de gaten en vlak voordat die zou sluiten, liep hij ernaartoe en opende de deur.

Toy4You haalde net de geldlade uit de kassa. Hij had zijn handen vol en zag geen kans zijn naambordje weg te halen. Tim zag er een gedeelte van – William Con... – voordat de man wegschoot. Hij dook naar achteren en kwam even later terug zonder de geldla en zonder het naamplaatje. Hij was ook zijn goede humeur kwijt.

Hij zei: 'Ik heb je gezegd dat ik zou sms'en. Wat doe je hier?'

Tim zei: 'Het gaat vanavond gebeuren.'

Toy4You zei: 'Begrijp me goed: ik speel geen machtsspelletjes met een of andere veertienjarige. Ik heb je gezegd dat ik je het laat weten als ik de boel op de rails heb.'

'Regel het nu maar. Je zei dat je niet alleen zou zijn en dat betekent dat je iemand kent. Haal hem maar hiernaartoe. We doen het nu.' Tim gaf de man een duw. Hij zag het gezicht van Toy4You verdonkeren. Het kon Tim niet schelen als hij klappen kreeg. Hij hield van klappen. Klappen waren prima. Maar de zaak moest nu maar eens voor elkaar komen.

Hij ging naar de achterkamer. Daar was hij vaker geweest, dus verbaasde het Tim niet wat hij daar aantrof. Het was er niet groot, maar de ruimte was verdeeld in twee duidelijke gedeelten. In het eerste werden digitaal printen uitgedraaid en er stonden voorraden en spullen die met fotografie te maken hadden. Het andere deel van de ruimte was een studio waar mensen tegen verschillende achtergronden geportretteerd konden worden.

Op dat moment was de studio ingericht als een fotografische salon uit een andere eeuw, het soort plek waar mensen stijf rechtop zaten, of stonden, of allebei. Er stonden een verschoten bank, twee sokkels met kunstvarens erop, verschillende dik gestoffeerde stoelen; aan weerskanten van een achtergrond hingen dikke nepgordijnen met koorden met mooie kwasten. Door dit decor leek het alsof degene die daar poseerde zijn meubels boven op een klif had neergezet: een geschilderde landmassa die overging in een donkere hemel met stapelwolken.

Tim had geleerd dat het bij deze set-up allemaal om het contrast draaide. En contrast, zo had hij ook geleerd, had weer te maken met twee tegenstellingen. Toen hem dat tijdens zijn eerste bezoekje was uitgelegd, had hij onmiddellijk gedacht aan het contrast tussen wat hij ooit als zijn leven had beschouwd – een moeder, een vader, een zus en een huis in Grange-over-Sands – en tot wat zijn leven nu was teruggebracht, tot niets dus. Terwijl hij nu de ruimte binnenliep, dacht hij na over het contrast tussen de wijze waarop Kaveh Mehran met zijn vader op de Bryan Beck-farm had geleefd en hoe Kaveh Mehran van plan was een nieuw leven te leiden in wat door moest gaan voor de volgende fase van zijn ellendige, leugenachtige leven. Toen die gedachte bij hem opkwam, dwong Tim zichzelf te denken aan het werkelijke contrast waarvoor hij zich geplaatst zag, namelijk het contrast tussen deze schijnbaar onschuldige fotosetting en de foto's die er werden genomen.

Toy4You had hem dit de eerste keer allemaal uitgelegd, toen hij precies volgens diens instructies voor de foto's had geposeerd. Sommige mensen, zo was hem verteld, hielden ervan om naar foto's van naakte jongens te kijken, of die te kopen. Ze hielden ervan als de jongens op een bepaalde manier poseerden. Ze vonden het fijn om bepaalde lichaamsdelen te zien. Soms was het alleen maar de suggestie van een lichaamsdeel, en dan weer was het 't lichaamsdeel zelf.

Zo nu en dan wilden ze dat er ook een gezicht op de foto stond. Maar soms ook niet. Een pruilmondje was goed. Of iets wat Toy4You een verleidelijke blik noemde. Als je een stijve voor de camera had, was het nog beter. Sommige mensen betaalden grif voor een foto van een jongen, een pruilmondje, verlangende ogen en ook nog een heuse stijve.

Tim was erin meegegaan. Hij was het tenslotte zelf geweest die de bal aan het rollen had gebracht die naar zijn lotsbestemming voerde. Maar hij hoefde er geen geld voor. Hij had actie gewild en tot dan toe was die actie hem geweigerd. Maar dat zou nu gaan veranderen.

Toy4You was hem naar de achterkamer gevolgd. Hij zei tegen Tim: 'Je moet weg. Ik kan je hier niet hebben.'

Tim zei: 'Wat heb ik nou net gezegd? Bel je vriend, of wie het ook is. Zeg tegen hem dat ik er klaar voor ben. Zeg dat hij hiernaartoe moet komen. We doen de foto's nu.'

'Dat doet hij niet. Geen enkele veertienjarige vertelt hem hoe hij zijn zaken moet regelen. Hij vertelt ons wanneer de tijd daar is. Wij hebben dat niet tegen hem te zeggen. Waarom snap je dat nou niet?'

'Ik héb geen tijd,' protesteerde Tim. 'Het is nú tijd. Ik wacht niet langer. Als je wilt dat ik het met een of andere vent doe, dan is dit je kans, want een volgende krijg je niet.'

'Dan is dat maar zo,' zei Toy4You en hij haalde zijn schouders op. 'Sodemieter nou maar op.'

'Wát? Denk je dat je hier iemand anders voor vindt? Denk je dat het zo gemakkelijk gaat?'

'Er zijn altijd kinderen die op zoek zijn naar een manier om geld te verdienen,' zei hij.

'Voor een foto misschien. Ze pakken je geld aan voor een foto. Ze gaan hier naakt staan en misschien krijgen ze zelfs wel een stijve. Maar verder? Denk je dat ze de rest ook doen? Iemand anders dan ik?'

'En denk jíj dat jij de enige bent die me online heeft gevonden? Denk je dat ik met dit soort werk soms pasgeleden voor m'n gezondheid ben begonnen of zo? Denk je dat je de eerste bent? De enige? Buiten lopen er tientallen rond zoals jij en die zijn bereid te doen wat ik ze vraag, want ze willen geld. Zij maken de regels niet, ze volgen de regels. En een van die regels is dat ze niet zomaar opduiken – en jij bent hier nu al voor de tweede keer, opsodemietertje – en eisen komen stellen.'

Toy4You had tussen de voorraden gestaan, maar terwijl hij sprak liep hij naar voren. Hij was niet groot en Tim had altijd gedacht dat hij hem wel kon neerslaan als dat nodig was, maar toen de man hem bij de arm greep, merkte Tim dat hij sterker was dan hij had verwacht.

'Ik speel geen spelletjes,' zei Toy4You tegen hem. 'Ik laat me niet manipuleren door kleine onderkruipsels als jij.'

'We hadden een deal, en...'

'Je deal kan me de rug op. Het is voorbij. Het gaat niet door.'

'Je hebt het beloofd. Je hebt het gezégd.'

'Ik heb geen zin in die shit.'

Toy4You begon hem mee te trekken. Tim zag dat hij hem de zaak uit wilde gooien. Dat mocht niet gebeuren. Daarvoor had hij te hard gewerkt en te veel gedaan. Hij trok zich los.

Hij schreeuwde: 'Nee! Ik wil dat het gebeurt en ik wil het nu,' en hij begon aan zijn kleren te rukken. Hij trok zijn anorak uit, zijn zware sweater. De knopen vlogen van zijn shirt toen hij dat losscheurde. Hij begon te schreeuwen. 'Je hebt 't beloofd. Als je het niet doet, ga ik naar de politie. Ik zweer 't. Dat doe ik. Ik ga 't ze vertellen. Wat ik heb gedaan. Wat ik van jou moest doen. De foto's. Je vrienden. Hoe ze je kunnen vinden. Het staat allemaal op mijn computer en dan weten ze het en...'

'Hou je kop! Hou je kóp!' Toy4You keek achterom in de richting van de winkel. Hij beende naar de deuropening van de achterkamer en sloeg de deur dicht. Hij draaide zich weer naar Tim. Hij zei: 'Christus, kalmeer een beetje. Oké. Het kan niet nu. Snap je dat niet?'

'Ik wil... Ik zweer het... Ik haal de politie erbij.'

'Oké. De politie. Ik snap het. Ik geloof je. Bedaar verdomme een beetje, ja. Ik regel het voor morgen. Dan doen we de foto's.' Hij leek even na te denken en keek toen weer naar Tim. Hij zei: 'Maar dan wordt het film. *Live action*. En deze keer met alles erop en eraan. Begrijp je dat?'

'Maar je zei...'

'Ik neem hier het risico!' brulde Toy4You. 'En jij zorgt maar dat het de moeite waard is. Wil je het nou of niet?' Zijn angst duurde maar een ogenblik en hij zei: 'Ja.'

'Mooi zo. En twee kerels. Gesnopen? Jij, twee kerels en alles erop en eraan, live op film. Weet je wat dat betekent? Want we gaan hier verdomme niet aan beginnen als je halverwege van gedachten verandert. Jij en twee kerels. Zeg dat je het snapt.'

Tim likte langs zijn lippen. 'Ik en twee kerels. Ik snap 't.'

Toy4You bekeek hem van top tot teen, alsof hij verwachtte dat er iets uit zijn poriën zou wasemen waardoor hij wist wat hem te wachten stond. Tim gaf geen krimp. Toy4You knikte even en toetste een paar nummers op zijn telefoon in.

Tim zei: 'En daarna... als het achter de rug is... je hebt beloofd...'

'Ik beloof het. Als het achter de rug is, sterf je. Precies zoals jij dat wilt. Op wat voor manier dan ook. Dat bepaal jij.'

10 november

Milnthorpe

Cumbria

Toen Lynley haar 's ochtends vroeg belde, was hij wel zo slim om naar de herberg te bellen en niet haar mobieltje. En daarom nam Deborah op. Simon of Tommy, dacht ze, zou haar mobiel bellen. Dan kon ze het nummer van de beller zien en besluiten of ze wel of niet zou opnemen. Zelfs de verslaggever van *The Source* zou haar mobiel bellen. Een telefoontje naar haar kamer betekende alleen maar dat de receptie waarschijnlijk wilde weten hoe lang ze nog zou blijven.

En dus kromp Deborah ineen toen Lynleys aangename bariton door de telefoon klonk. Hij zei: 'Simon is niet blij met ons,' waarna ze bepaald niet meer kon doen alsof hij verkeerd verbonden was.

Het was heel vroeg en ze lag nog in bed. Slimme Tommy, daar had hij ook aan gedacht: zorg dat je haar te pakken krijgt voordat ze uit de herberg weg is, en dus kon ze niet om hem heen.

Ze ging rechtop zitten, trok de dekens dichter om zich heen tegen de kou en zei terwijl ze de kussens opschudde: 'Nou, ik ben ook niet blij met Simon.'

'Dat weet ik. Maar toevallig heeft hij gelijk gehad. Vanaf het begin.'

'O, dat heeft hij toch altijd?' zei ze vinnig. 'Waar hebben we het trouwens over?'

'De dood van Ian Cresswell. Hij had het kunnen voorkomen als hij beter had opgelet waar hij die avond zijn scull aanmeerde.'

'En we zijn tot die conclusie gekomen door...?' Deborah verwachtte dat hij zou zeggen dat hij tot die conclusie was gekomen door Simons onuitstaanbare, logische presentatie van de feiten, maar dat deed hij niet. In plaats daarvan vertelde hij haar over een tumultueuze familietoestand bij de Faircloughs waarvan hij getuige was geweest en over het gesprek dat hij daarna met Valerie Fairclough had gehad.

Hij besloot met: 'Dus het lijkt erop dat ik hierheen ben gehaald zodat Valerie kon achterhalen wat haar man uitspookte. Ik ben hier voor niets gekomen en voor het karretje gespannen. Hillier ook. Ik durf wel te zeggen dat hij niet blij zal zijn als ik hem vertel hoe ze ons allebei hebben gebruikt.'

Deborah schoof de dekens opzij, zwaaide haar benen over de zijkant van het bed en keek op de klok. Ze zei: 'En jij gelooft haar?' Een telefoontje van Tommy om halfzeven 's ochtends kon maar één ding betekenen en ze wist vrij zeker wat dat was.

Hij zei: 'Normaal gesproken niet. Maar met de conclusie van de lijkschouwer en Simons mening, in combinatie met wat Valerie me heeft verteld...'

'Misschien liegt ze wel. Er zijn motieven, Tommy.'

'Met alleen maar een paar motieven is er geen zaak, Deb. Zo werkt het nou eenmaal. Eerlijk gezegd hebben mensen zo vaak motieven om andere mensen uit de weg te ruimen. Het gebeurt zo vaak dat iemand een ander dood wenst. En toch steken ze geen vinger naar hen uit. Dat is hier kennelijk gebeurd. Het is tijd om naar Londen terug te gaan.'

'En zelfs de kwestie Alatea Fairclough met rust te laten?'

'Deb...'

'Nou moet je even naar me luisteren: alles aan Alatea ademt geheimzinnigheid uit. Mensen met geheimen zijn tot alles in staat om die geheimen te beschermen.'

'Dat kan wel zijn, maar wat ze ook heeft gedaan of nog gaat doen om haar geheimen te beschermen – aangenomen dat ze die heeft – ze heeft Ian Cresswell niet vermoord. En dat was de reden waarom we hier zijn. We weten de waarheid nu. Zoals ik al zei, het is tijd om naar huis te gaan.'

Deborah stapte uit bed. Het was koud in de kamer. Ze huiverde en liep naar de elektrische kachel. Die was 's nachts uitgegaan en ze zette hem aan. Het raam was vochtig en ze veegde er met haar hand overheen om naar buiten te kijken. Ze zag dat het nog behoorlijk donker was, de weg en de stoep waren nat. De glinstering van de straatlantaarns en de verkeerslichten op de hoek knipoogden in de reflectie.

Ze zei: 'Tommy, die ontbrekende bladzijden uit het tijdschrift *Conceptie* wijzen er vanaf het begin op dat er iets met Alatea aan de hand is.'

'Dat ben ik niet met je oneens,' antwoordde hij volkomen redelijk. 'En ik denk dat we wel weten wat dat kan betekenen. Zwanger worden. Maar dat wist je al. Heeft Nicholas Fairclough je dat niet bij jullie eerste ontmoeting verteld?'

'Ja. Maar...'

'Het is heel logisch dat ze daar niet met een vreemde over wil praten, Deborah. Wilde jij er met iemand over praten?'

Dat was een steek onder de gordel en dat wist hij. Maar Deborah was verstandig genoeg om niet op die vraag te reageren. Ze zei: 'Dit slaat helemaal nergens op, of we het nou over zwanger worden hebben of niet. Als Lucy Keverne alleen maar in *Conceptie* adverteerde om haar eicellen af te staan, zoals ze beweerde, wat deed ze dan in het gezelschap van Alatea Fairclough op de universiteit van Lancaster? Waarom was ze samen met haar in het George Childress Centre?'

'Misschien om een eicel aan Alatea te doneren,' zei Lynley.

'De eicel moet bevrucht worden. Zou Nicholas er dan ook niet bij geweest moeten zijn?'

'Misschien had Alatea sperma bij zich.'

'In een condoom, bedoel je?' vroeg Deborah gevat. 'Waarom zou Lucy er dan bij moeten zijn?'

'Om ter plekke eicellen af te staan?'

'Echt? Prima. Oké. Waarom zou Nicholas er dan niet bij zijn om zo vers mogelijk sperma te leveren, fanatieke kikkervisjes, zeg maar?'

Lynley zuchtte. Deborah vroeg zich af waar hij was. Ergens bij een vaste telefoon, want de zucht was duidelijk hoorbaar. Dat duidde erop dat hij nog steeds in Ireleth Hall was. Hij zei: 'Deb, ik weet het niet. Ik weet niet hoe dat in zijn werk gaat. Ik weet niet hoe ze dat doen.'

'Ik weet dat je dat niet weet. Maar ik wel, geloof me. Ik weet nog iets, ook al halen ze één eicel of een stuk of twintig eicellen bij Lucy weg en hebben ze Nicholas' sperma, dan wordt dat heus niet meteen bij Alatea ingebracht. Dus áls Lucy al donor is, zoals ze beweert te zijn, en áls ze al om de een of andere reden eicellen aan Alatea afstaat en áls er sperma van Nicholas wordt gebruikt...'

'Dat doet er allemaal niet toe,' onderbrak Lynley haar resoluut. 'Want het heeft niets met Ian Cresswells dood te maken en we moeten terug naar Londen.'

'Jij misschien. Maar ik niet.'

'Deborah.' Zijn stem klonk minder geduldig. Deborah hoorde iets van Simon erdoorheen. Wat leken hij en Tommy uiteindelijk veel op elkaar. Ze vertoonden alleen maar oppervlakkige verschillen.

'Wat?' vroeg ze scherp.

'Ik ga vanochtend naar Londen terug. Je weet dat ik je om die reden bel. Ik zou graag een tussenstop maken in Milnthorpe, achter je aan rijden naar het autoverhuurbedrijf zodat je je auto kunt inleveren en met mij mee terug kunt rijden naar Londen.'

'Omdat je bang bent dat ik niet in staat ben daar in m'n eentje te komen?' vroeg ze geïrriteerd.

'Ik vind het fijn om gezelschap te hebben,' antwoordde hij. 'Het is een lange rit.'

'Ze zéí dat ze nooit aan draagmoederschap zou doen, Tommy. Als ze alleen maar eicellen aan Alatea doneert, waarom zei ze dat dan niet gewoon? Waarom zei ze dan dat ze er niet met me over wilde praten?'

'Ik heb geen idee. En het is niet van belang. Het maakt niet uit. Ian Cresswell is door zijn eigen schuld om het leven gekomen, klaar. Hij wist van de losse stenen in het botenhuis. Hij was niet voorzichtig. Zo liggen de zaken, Deb, en die vrouw uit Lancaster verandert daar niets aan. Dus de vraag is: waarom kun je het niet laten rusten? En ik denk dat we daar beiden het antwoord wel op weten.'

Hij zei het zachtjes, maar het was niets voor Tommy. In zekere zin schemerde in zijn woorden door dat Simon hem had overgehaald zijn kant te kiezen. En waarom ook niet? vroeg Deborah zich af. Ze hadden een jarenlange geschiedenis met elkaar, Tommy en Simon. Ze hadden samen dat verschrikkelijke auto-ongeluk meegemaakt en bovendien hadden ze allebei van een vrouw gehouden die vermoord werd. Dit schiep een band tussen hen waar zij nooit aan zou kunnen tippen. Aangezien dat het geval was, restte haar maar één alternatief.

Ze zei: 'Goed dan. Jij wint, Tommy.'

'Wat bedoel je?'

'Ik bedoel dat ik met je naar Londen terugga.'

'Deborah...'

'Nee.' Ze slaakte een diepe zucht, waarvan ze wist dat hij die kon horen. 'Ik meen het echt, Tommy. Ik geef het op. Hoe laat zullen we vertrekken?'

'Meen je dat serieus?'

'Natuurlijk. Ik mag dan koppig zijn, maar ik ben geen dwaas. Als het geen zin heeft om hiermee door te gaan, dan heeft het geen zin, dus.'

'Dus je begrijpt...'

'Ja. Tegen forensisch bewijs valt niets in te brengen. Zo is het nu eenmaal.' Ze wachtte even zodat dit tot hem doordrong. Toen zei ze nogmaals: 'Wanneer vertrekken we? Jij hebt me trouwens wakker gemaakt, dus ik heb tijd nodig om te pakken. Om te douchen. Mijn haar te doen. Wat niet al. Ontbijten wil ik ook.'

'Tien uur?' zei hij. 'Dankjewel, Deb.'

'Zo is het beter, dat begrijp ik best,' loog ze.

Windermere

Cumbria
Zed Benjamin had amper geslapen. Zijn verhaal brokkelde af. Wat was begonnen als iets wat te heet was om zonder ovenwanten aan te pakken, werd razendsnel oude koude vis. Hij had geen flauw idee wat hij met de informatie aan moest, want hij had geen informatie die een verhaal tot een kassucces kon maken. In zijn dagdromen was het een onthulling, voorpaginamateriaal waarin werd onthuld dat New Scotland Yard een geheim onderzoek was begonnen om stront over Nicholas Fairclough op te graven en over wat er wérkelijk terecht was gekomen van zijn herstel na jaren drugsmisbruik, namelijk de moord op een neef die zijn succes in de weg stond. Het was het verhaal van een vent die zijn ouders, zijn familie en kameraden zand in de ogen had gestrooid door zich voor te doen als een weldoener, terwijl hij al die tijd bezig was met vileine manipulaties om iemand te elimineren die hem in de weg stond op weg naar het familiefortuin. Bij het verhaal waren foto's geplaatst – brigadier Cotter, Fairclough, zijn vrouw, het burchttorenproject en onder andere Fairclough Industries – en het verhaal zou zo lang en goed zijn dat het smeekte om een vervolg op pagina drie en daarna ook nog op pagina vier en vijf. En dat alles op naam van Zedekiah Benjamin. Zijn naam in de journalistieke schijnwerpers.

Maar om dat te bereiken, moest het verhaal wel over Nicholas Fairclough gaan. En deze dag met brigadier Cotter had bewezen dat de Met geen enkele interesse in Nick Fairclough had. Deze dag had ook bewezen dat Faircloughs vrouw een volslagen doodlopende weg was.

'Niets, ben ik bang,' had de roodharige brigadier gezegd na haar gesprek met de vrouw die ze van de Kent-Howath Foundation voor Oorlogsinvaliden naar de universiteit van Lancaster en weer terug hadden gevolgd, allemaal in gezelschap van Alatea Fairclough.

'Wat bedoel je met niets?' had Zed scherp gevraagd.

Ze had gezegd dat de vrouw – ze heette Lucy Keverne – en Alatea een specialist op de universiteit hadden bezocht vanwege 'vrouwenproblemen'. Het waren kennelijk Lucy's 'vrouwenproblemen', en Alatea was als vriendin met haar meegegaan.

'Shit,' had hij gemompeld. 'Dan zijn we nergens, hè?'
'We zijn weer terug bij af,' antwoordde ze.
Nee, dacht hij. Zíj is weer terug bij af. Hij liep het gevaar zijn baan te verliezen.
Hij wilde met Yaffa praten. Zij was verstandig en als er iemand was die kon verzinnen hoe hij zich uit deze puinhoop kon werken en een verhaal in elkaar kon flansen dat Rodney Aronson goed genoeg vond zodat de kosten die door *The Source* waren gemaakt, werden terugverdiend, dan was het Yaffa wel.
Dus belde hij haar. Toen hij haar stem hoorde, werd hij bijna overspoeld door opluchting. Hij zei: 'Goedemorgen, lieveling.'
Ze zei: 'Zed, halló,' en: 'Mama Benjamin, onze heerlijke man belt,' om hem te laten weten dat Susanna ergens in de buurt was. 'Ik mis je, liefste.' En ze lachte om iets wat Susanna in de verte zei. Ze zei: 'Mama Benjamin zegt tegen me dat ik moet ophouden haar zoon te strikken. Hij is een niet te vangen vrijgezel, dat zegt ze tegen me. Is dat zo?'
'Niet als jij me probeert te vangen,' antwoordde hij. 'Ik heb nog nooit zulk aas voor m'n neus gehad, waarin ik het liefst meteen zou willen bijten.'
'Ondeugd!' En terzijde: 'Nee, nee, mama Benjamin. Ik vertel zeer zeker níét wat je zoon zegt. Ik zeg wel dat hij ervoor zorgt dat ik sta te trillen op m'n benen.' En tegen Zed: 'En dat is zo, weet je. Ik ben behoorlijk licht in het hoofd.'
'Nou, het is maar goed dat ik niet geïnteresseerd ben in je hoofd.'
Ze lachte. Toen zei ze met een heel andere stem: 'O, ze is naar de wc. We zijn veilig. Hoe gaat het, Zed?'
Hij merkte dat hij niet klaar was voor de overgang van Yaffa de vermeende minnares naar Yaffa de medesamenzweerder. Hij zei: 'Ik mis je, Yaf. Ik wilde dat je bij me was.'
'Laat me je dan op afstand helpen. Dat doe ik heel graag.'
Een fractie van een seconde dacht Zed werkelijk dat ze het over telefoonseks had, en in zijn huidige toestand was dat als afleiding niet half zo erg. Maar toen zei ze: 'Zit je dicht op de informatie die je nodig hebt? Je maakt je vast zorgen over het verhaal.'
Dat bracht hem weer met beide benen op de grond, een koude douche die zijn hartstocht bluste. Hij kreunde: 'Dat verdomde verhaal.' Hij vertelde haar in welk stadium hij zat. Hij vertelde haar alles, zoals hij dat steeds had gedaan. En zij luisterde, zoals zij steeds had gedaan. Hij sloot af met: 'En meer valt er niet te melden. Ik kan de feiten een beetje masseren en schrijven dat Scotland Yard hier is om Nick Fairclough te onderzoeken in verband met de vroegtijdige en verdachte dood van

zijn neef, die toevallig ook nog aan de financiële touwtjes van Fairclough Industries trok, en we weten allemaal wat dat betekent, hè, waarde lezers? Maar in werkelijkheid lijkt het erop dat Scotland Yard Alatea Fairclough onderzoekt en met haar net zover komt als ik met haar man. We zitten in hetzelfde schuitje, de Met en ik. Het enige verschil is dat deze rechercheur weer naar Londen kan terugkuieren om aan haar superieuren te vertellen dat alles in orde is. En als ik zonder verhaal thuiskom, is het met me gedaan.' Hij hoorde hoe die laatste woorden eruit kwamen en haastte zich te zeggen: 'Sorry. Ik zit een beetje te zeuren.'

'Zed, je mag zoveel zeuren als je wilt.'

'Dank je, Yaf. Je bent... Nou ja, je bent die je bent.'

Hij hoorde de glimlach in haar stem toen ze zei: 'Dankjewel, geloof ik. Nou, laten we de koppen bij elkaar steken. Als hier een deur dichtgaat gaat er ergens anders een raam open.'

'En dat betekent?'

'Dat het misschien tijd wordt om te doen wat je al van plan was. Je bent een dichter, Zed, geen riooljournalist. Als je dat blijft, wordt de creatieve kracht uit je ziel gezogen. Het wordt tijd dat je gedichten gaat schrijven.'

'Niemand kan van poëzie leven,' lachte Zed vol zelfspot. 'Moet je me zien. Ik ben vijfentwintig en woon nog bij m'n moeder. Als journalist kan ik mezelf niet eens onderhouden, godbetert.'

'Ach, Zed. Zo moet je niet praten. Je hebt iemand nodig die in je gelooft. Ik geloof in je.'

'Nou, daar heb ik veel aan. Jij gaat terug naar Tel Aviv.'

Aan de andere kant viel een stilte. Op hetzelfde moment hoorde Zed dat er een ander telefoontje op zijn mobieltje binnenkwam. Hij zei: 'Yaffa? Ben je er nog?'

'O ja. Ik ben er nog,' zei ze.

Het andere telefoontje hield aan. Rodney waarschijnlijk. Het duurde niet lang meer of hij moest de zaken onder ogen zien. Hij zei: 'Yaffa, ik krijg nog een telefoontje. Ik moet waarschijnlijk...'

'Ik hoef niet terug,' zei ze snel. 'Het is niet nodig. Denk daarover na, Zed.' En toen hing ze op.

Even staarde hij in het niets. Toen nam hij het andere telefoontje aan.

Het was de rechercheur van Scotland Yard. Ze zei: 'Ik ga nog een keer met die vrouw in Lancaster praten. Het wordt tijd dat jij en ik gaan samenwerken om haar het vuur na aan de schenen te leggen.'

Barrow-in-Furness en Grange-over-Sands

Cumbria
Kaveh Mehran was wel de laatste persoon die Manette op het terrein van Fairclough Industries had verwacht. Voor zover ze het zich kon herinneren was hij daar nooit eerder geweest. Ian had hem zeer zeker nooit een rondleiding gegeven om hem formeel kennis te laten maken, en Kaveh was niet uit zichzelf langsgekomen om te worden voorgesteld. De meesten wisten natuurlijk wel dat Ian zijn huwelijk aan de wilgen had gehangen vanwege een jonge man. Maar daar bleef het bij. Dus toen Kaveh in haar kantoor werd gelaten, knipperde ze verward met haar ogen en besefte toen dat hij er waarschijnlijk was om Ians persoonlijke bezittingen op te halen. Dat moest gebeuren en niemand had eraan gedacht daar iets aan te doen.

Maar hij bracht het bedrijf om een heel andere reden een bezoekje. Tim werd vermist. Hij was de vorige ochtend op weg naar school uit Kavehs auto gesprongen en 's avonds niet thuisgekomen.

Manette zei: 'Is er iets gebeurd? Waarom is hij uit de auto gesprongen? Is hij wel naar school geweest? Heb je de school gebeld?'

De school, zo zei Kaveh, had gisteren naar huis gebeld. Tim was niet komen opdagen en wanneer een van de dagleerlingen niet kwam, belde de school naar huis omdat... nou ja, omdat het zo'n soort school was, als Manette snapte wat hij bedoelde.

Nou, natuurlijk snapte ze verdomme wat hij bedoelde. De hele familie wist wat voor school de Margaret Fox-school was. Dat was bepaald geen geheim.

Kaveh zei toen dat hij die ochtend de hele route van Bryanbarrow naar de Margaret Fox-school had gereden om te kijken of Tim daar misschien stond te liften. Onderweg was hij in Great Urswick gestopt om te kijken of hij misschien naar Manettes huis was gegaan om te blijven slapen, of dat hij zich zonder dat ze het wist op haar terrein schuilhield. Daarna was hij bij de school langsgegaan. En nu was hij hier. Was Tim hier misschien?

'Hier?' vroeg Manette. 'Bedoel je in de fabriek? Natuurlijk is hij niet hier. Wat heeft hij hier nou te zoeken?'

'Heb je hem dan misschien gezien? Heeft hij gebeld? Je begrijpt wel dat ik niet bij Niamh ben geweest.' Kaveh maakte de indruk dat hij slecht op zijn gemak was, maar Manette voelde ook dat hij iets belangrijks verzweeg.

'Ik heb niets van hem gehoord. En hij is niet in Great Urswick geweest. Waarom is hij eigenlijk uit de auto gesprongen?'

Kaveh keek achterom, alsof hij de deur van haar kantoor wilde dichtdoen. Alleen al door die beweging zette Manette zich schrap voor iets wat ze niet wilde horen.

Hij zei: 'Ik denk dat hij een gesprek heeft afgeluisterd dat ik met George Cowley had.'

'De boer? Wat in hemelsnaam...?'

'Dat ging over de toekomst, over de boerderij. Ik neem aan dat je weet dat Cowley de farm wil hebben.'

'Dat heeft Ian me verteld, ja. En wat is er met de farm en meneer Cowley?' En waarom zou het Tim een snars kunnen schelen? vroeg ze zich af.

'Ik heb aan meneer Cowley verteld wat ik met de Bryan Beck-farm van plan ben,' zei hij. 'Ik denk dat Tim dat gehoord heeft.'

'En wat ben je dan van plan? Denk je erover om zelf schapen te gaan fokken?' Manette klonk ongewild sarcastisch. De farm zou naar Tim en Gracie moeten gaan. Deze man, die alles in het werk had gesteld om hun levens te verwoesten, zou daar geen eigenaar van mogen zijn.

'Ik hou de farm, natuurlijk. Maar ik heb hem ook... verteld dat Tim en Gracie naar hun moeder terug moeten. Dat heeft Tim waarschijnlijk gehoord.'

Manette fronste haar wenkbrauwen. Ze wist natuurlijk dat dit een logische gang van zaken was. Farm of geen farm, Tim en Gracie konden nu hun vader dood was natuurlijk niet bij de minnaar van hun vader blijven wonen. Het zou niet gemakkelijk zijn om naar hun moeder te verhuizen – Niamh was nu eenmaal Niamh – maar zolang ze nog minderjarig waren, zat er voor hen niets anders op. Dat zou Tim wel begrijpen. Hij zou het ongetwijfeld hebben verwacht, en ongetwijfeld zou hij dat ook het liefste willen. En Gracie ook. Dus waarom zou dat verhaal hem zo van zijn stuk hebben gebracht dat hij uit Kavehs auto was gesprongen en de benen had genomen...? Dit sloeg nergens op.

Ze zei: 'Ik wil je niet beledigen, Kaveh, maar ik kan me niet voorstellen dat de kinderen bij jou willen wonen nu hun vader dood is. Dus is er misschien nog iets anders...? Is er soms iets wat je me niet vertelt?'

Kaveh keek haar strak aan. 'Als dat al zo is, kan ik je dat niet vertellen. Wil je me helpen, Manette? Ik weet niet wat ik anders...'

'Ik regel het wel,' zei ze.

Toen hij vertrokken was, belde ze de school. Om gemakkelijker de informatie te krijgen die ze nodig had, deed ze alsof ze Niamh was. Ze hoorde onmiddellijk dat Tim al twee dagen niet op school was geweest. Op school maakte men zich zorgen, en dat hoorde ook zo. Als een van hun leerlingen werd vermist, kon dat van alles en nog wat betekenen en zeker geen goed nieuws.

Daarna belde Manette Niamh. Ze kreeg het antwoordapparaat met Niamhs irritante spinnende stem, ongetwijfeld bedoeld als het lied van een sirene om mogelijke minnaars te lokken. Manette liet een bericht achter, maar zei toen: 'Tim? Ben je daar, hoor je dit? Als je er bent, neem dan op, liefje. Ik ben het, Manette.'

Niets, natuurlijk, maar dat zei niet veel. Als hij zich verstopte, zou hij zich niet verraden aan iemand die naar hem op zoek was. En hij zou weten dat Manette hem zou zoeken. Hij zou beslist weten dat iedereen naar hem op zoek was.

Er zat niets anders op dan zelf te gaan zoeken. Maar Manette wilde dat niet in haar eentje doen. Ze liep naar Freddies kantoor. Daar was hij niet. Ze ging naar Ians kantoor, en daar zat Freddie. Hij was druk in de weer met Ians computer, terwijl hij probeerde wijs te worden uit alle geldstromen. Ze sloeg hem even gade voordat ze iets zei. Ze dacht: lieve Freddie, en haar hart deed even pijn, alsof ze zich daar voor het eerst in jaren van bewust werd.

Ze zei: 'Heb je even, Fred?'

Hij keek glimlachend op. 'Wat is er?' En toen: 'Wat is er gebeurd?' Want hij voelde haar nu nog even goed aan als op de dag dat ze trouwden.

Ze vertelde het hem in een notendop: Tim werd vermist en ze moest naar Niamh rijden, want dat leek nog de enige plek waar hij zich zou kunnen verschuilen. Maar ze wilde de rit niet in haar eentje maken. Of beter gezegd: ze wilde niet alleen tegenover Tim komen te staan. Er was iets verontrustends aan de jongen. Ze had een beetje... nou ja, ze had back-up nodig als het opnieuw tot een confrontatie met hem zou komen.

Natuurlijk, zei Freddie instemmend. Wanneer had Freddie niet ingestemd? 'Ik kom eraan. Zie je bij de auto,' en hij ging doen wat hij altijd deed als hij een poosje van kantoor wegging.

Hij hield woord. Binnen tien minuten stapte hij aan de passagierskant van haar auto in, en zei: 'Heb je niet liever dat ik rij?'

Ze zei: 'Een van ons moet er misschien uit springen en hem bij zijn lurven grijpen, en ik heb liever dat jij dat doet, als je het niet erg vindt.'

Ze waren algauw in Grange-over-Sands en namen de kustweg langs de verlaten baai. Toen ze bij Niamhs witte huis aankwamen, zagen ze dat ze op de drempel hartelijk afscheid stond te nemen van dezelfde vent die Manette de vorige keer tijdens haar bezoek aan Grange-over-Sands had gezien. De beroemde Charlie Wilcox van het Chinese afhaalrestaurant in Milnthorpe, dacht ze. Ze mompelde zijn naam tegen Freddie, maar ze hoefde niet uit te weiden over wat voor relatie de man met Niamh had. Dat maakte ze zelf wel zo duidelijk.

Ze droeg een ochtendjas en aan de hoeveelheid been die door de opening te zien was, was zonneklaar dat ze er niets onder aanhad. Charlie droeg zijn kleren van de vorige avond, een uitgaanskostuum bestaande uit een colbert en pantalon, wit overhemd en een losse, zwierige stropdas. Niamh wierp een vluchtige blik in de richting van Manettes auto, en wijdde zich vervolgens vol overgave aan een afscheidskus, terwijl ze haar been om dat van de arme Charlie krulde en zich kronkelend tegen hem aan drong. Ze hield haar mond zo wijd open tegen de zijne dat ze met haar tong zijn verstandskies had kunnen uitboren.

Manette zuchtte. Ze keek naar Freddie. Hij bloosde. Hij grimaste naar haar. Zij haalde haar schouders op.

Ze stapten uit de auto toen ze uitgezoend waren. Charlie liep verdwaasd naar zijn Saab die op de oprit stond en knikte ze zonder enige gêne begroetend toe. Hij had duidelijk het gevoel dat hij kind aan huis was en alles deed wat Niamh nodig had, dacht Manette. Net als de loodgieter die de leidingen naloopt. Ze snoof bij de gedachte en liep naar de voordeur.

Niamh had hem opengelaten. Ze was naar binnen gegaan en ging er hoogstwaarschijnlijk van uit dat Manette en Freddie dat ook zouden doen. Dat deden ze inderdaad en ze sloten de deur achter zich.

Niamh riep: 'Kom er zo aan. Ik trek even iets fatsoenlijks aan.'

Manette reageerde daar niet op. Freddie en zij liepen naar de zitkamer, waar de resten van een rendez-vous stonden uitgestald: een wijnfles, twee glazen, een bord met kruimels, stukjes kaas en chocola, bankkussens die op de vloer waren geschoven en daarnaast op een hoopje Niamhs kleren. Niamh had zonder meer de tijd van haar leven, dacht Manette.

'Sorry. Ben er nog niet aan toegekomen.'

Manette en Freddie draaiden zich om toen ze Niamhs stem hoorden. Haar 'iets fatsoenlijks' bleek een zwart tricot pakje te zijn, dat zich om elke welving van haar lichaam spande en al het mogelijke in het werk stelde om haar borsten zo goed mogelijk uit te laten komen. Die stonden in de houding, als twee infanteristen voor hun bevelvoerende generaal. De dunne stof spande over de tepels.

Manette keek naar Freddie. Hij keek uit het zitkamerraam naar het mooie uitzicht van de baai. Nu het eb was, liepen de plevieren en strandlopers er met duizenden rond. Freddie was geen vogelliefhebber, maar hij werd er behoorlijk door in beslag genomen. De puntjes van zijn oren kleurden zonder meer magenta.

Niamh glimlachte sluw naar Manette. Ze zei: 'Zo. Wat kan ik voor jullie doen?' en ze begon te redderen, al paste het woord redderen niet bepaald bij haar tricot pakje. Ze legde de kussens weer op de bank en schudde ze netjes op, pakte daarna de wijnfles en glazen op en bracht ze naar de keuken. Daar stonden op het aanrecht en de tafel de restanten van een Chinese afhaalmaaltijd. Zo te zien zorgde Charlie Wilcox voor proviand, dacht Manette. De arme sukkel.

Manette zei tegen haar: 'Ik heb je gebeld. Heb je dat niet gehoord, Niamh?'

Ze gebaarde verontschuldigend met haar handen. 'Ik neem nooit de telefoon op als Charlie er is,' zei ze. 'Zou jij dat doen? In mijn situatie?'

'Ik weet het eigenlijk niet. Wat is je situatie? O, laat maar. Ik wil het helemaal niet weten. Ja, ik zou de telefoon opnemen als ik een bericht over mijn zoon hoorde.'

Niamh stond bij het aanrecht en ruimde de kartonnen doosjes op nadat ze had geïnspecteerd of er nog bruikbare kliekjes in zaten. 'Wat is er dan met Tim?' vroeg ze.

Manette voelde dat Freddie ook de keuken binnen was gekomen. Ze deed een stap opzij om ruimte voor hem te maken. Ze keek naar hem. Hij stond met zijn armen over elkaar naar de rommel te kijken. Freddie hield er niet erg van als de restjes van het dagelijks leven overal rondslingerden.

Manette bracht Niamh beknopt op de hoogte. Een vermiste zoon, die twee dagen niet op school was komen opdagen. 'Is hij hier geweest?' vroeg ze ten slotte, terwijl ze het antwoord bijna zeker wist.

'Niet dat ik weet,' zei Niamh. 'Ik ben niet altijd thuis. Misschien is hij hier wel geweest maar weer weggegaan.'

'Dat willen we graag controleren,' zei Freddie.

'Waarom? Denk je dat hij onder het bed ligt? Denk je dat ik hem voor jullie verstop?'

'Wij denken dat hij zich misschien voor jóú verstopt,' opperde Manette. 'En wie kan hem dat kwalijk nemen? Laten we eerlijk zijn, Niamh. Er zijn grenzen aan wat een jongen in zijn leven kan verdragen, en ik denk dat hij die heeft bereikt.'

'Waar heb je het precies over?'

'Volgens mij weet je dat heel goed. En met wat jij in je schild voert...'

Freddie raakte even haar arm aan om haar woordenstroom in te dammen. Hij zei op redelijke toon: 'Tim is misschien het huis binnengeglipt terwijl jij lag te slapen. Hij zou ook in de garage kunnen zijn. Vind je het heel erg als we daar even kijken? Het duurt maar even en dan ben je weer van ons af.'

Aan Niamhs gezicht te zien wilde ze liever het gesprek voortzetten, maar Manette wist dat ze dat precies in de richting zou duwen die Niamh wilde inslaan. Wat Ian en de familie haar hadden aangedaan was als een kras op de elpee van haar leven, en die wenste ze niet te repareren. Charlie Wilcox en zijn Chinese afhaalrestaurant deden er niet toe. Niamh zou nooit over Ians verraad heen komen, omdat ze dat gewoonweg niet wilde.

Ze zei: 'Ga je gang, Freddie,' en ze keerde hen de rug toe om de keuken op te ruimen.

Het kostte hen nog geen vijf minuten om het huis te doorzoeken. Het was klein, en boven waren drie slaapkamers en een badkamer. Tim zou zich bepaald niet in zijn moeders kamer willen verstoppen, want dan zou hij de kans lopen te moeten luisteren naar Niamhs vrijpartijen, die waarschijnlijk gepaard gingen met veel lawaai en enthousiasme. Bleven zijn kamer en die van Gracie over. Manette nam die voor haar rekening terwijl Freddie Niamhs garage inspecteerde.

Ze troffen elkaar weer in de zitkamer. Ze schudden hun hoofd. Tijd om ergens anders naartoe te gaan. Maar Manette had het gevoel dat ze eerst nog een laatste woord met Tims moeder moest wisselen. Niamh kwam met een kop koffie uit de keuken tevoorschijn. Ze bood haar onwelkome bezoekers niets aan. Des te beter, dacht Manette, want ze wilde geen minuut langer blijven dan ze nodig had om te vertellen wat ze op haar hart had.

En dat was: 'Het wordt tijd dat de kinderen naar huis komen. Je hebt je punt gemaakt, Niamh, en er is werkelijk geen reden om het nog verder door te drijven.'

Niamh zei: 'O jeetje,' en ze liep naar een stoel waar iets onder lag. Ze raapte het op en wierp hen een zedig glimlachje toe. 'Charlie doet graag spelletjes,' zei ze.

Manette zag dat het een seksspeeltje was, zo te zien een vibrator, compleet met accessoires en verschillende opzetstukken die ook op de vloer lagen. Niamh raapte ze op en legde ze samen met de vibrator op de salontafel. Ze zei: 'Over welk punt heb je het eigenlijk, Manette?'

'Dat weet je heel goed. Hetzelfde punt waarom je naar een plastisch chirurg bent gerend en hetzelfde punt waarom die achterlijke vent je hier elke avond komt opwrijven.'

'Manette,' mompelde Freddie.
'Nee,' zei Manette. 'Het wordt hoog tijd dat iemand haar de les leest over die onzin. Je hebt twee kinderen en een plicht ten opzichte van die kinderen, en dát heeft niets te maken met Ian, zijn afwijzing van jou, met zijn liefde voor Kaveh, met...'
'Hou op!' siste Niamh. 'Ik wil niet hebben dat die naam in dit huis wordt uitgesproken.'
'Welke? Ian, de vader van je kinderen of Kaveh, de man voor wie hij je heeft verlaten? Je was gekwetst. Prima. Oké. Mooi. Iedereen weet het nu. Daar had je recht op en, geloof me, dat weet iedereen ook. Maar Ian is dood en de kinderen hebben je nodig, en als je dat niet kunt inzien, als je zo vol bent van jezelf, als je dan zo verdomd zielig bent, als je jezelf steeds maar weer moet bewijzen aan een of andere vent die – godbetert – je nog wil hebben ook... Wat mankeert je in godsnaam? Ben je eigenlijk ooit wel een moeder voor Gracie en Tim geweest?'
'Manette,' mompelde Freddie. 'Echt. Dit kan niet.'
'Hoe dúrf je.' Niamh ziedde van woede. 'Hoe durf je, verdomme. Om me hier te vertellen... Terwijl je zelf een man hebt wéggegooid voor...'
'Dit gaat niet over mij.'
'O, dat gaat het nooit, hè? Jij bent volmaakt, hè, terwijl je de rest van ons niet ziet staan. Wat weet jij van wat ik heb doorgemaakt? Wat weet jij ervan als je ontdekt dat je grote liefde het al jarenlang met mannen doet? Openbare toiletten, stadsparkeerplaatsen, nachtclubs waar ze elkaar betasten en hun lid in de reet van wildvreemden steken? Weet je hoe het voelt wanneer dat tot je doordringt? Dat je beseft dat je huwelijk een schijnvertoning is geweest en, erger nog, dat je aan elke mogelijke smerige ziekte blootgesteld bent geweest omdat de man aan wie je je leven hebt gegeven jarenlang een leven vol leugens heeft geleid? Ga jij me niet vertellen wat ik nu met mijn leven moet doen. Ga jij me verdomme niet de les lezen, hoe zielig ik ben, pathetisch, en wat er verder nog in dat godvergeten brein van je opkomt...'
Tijdens het praten was ze gaan huilen, en ze veegde de tranen driftig van haar gezicht. Ze zei: 'Sodemieter op en kom niet meer terug. En als je dat wel doet, Manette, dan zweer ik dat ik de politie bel. Ik wil dat je verdwijnt en dat je me met rust laat.'
'En Tim? En Gracie? Hoe zit het dan met hen?'
'Ik kan ze hier niet hebben.'
Freddie zei: 'Wat bedoel je?'
'Ze doen me eraan denken. Steeds weer. Ik kan het niet verdragen. Hen.'
Manettes mond viel open. Ze liet de betekenis achter Niamhs woorden tot zich doordringen. Ten slotte zei ze: 'Waarom heeft hij in gods-

naam ooit voor jou gekozen? Waarom heeft hij het niet gezien?'

'Wat?' zei Niamh dwingend. 'Wat? Wát?'

'Vanaf het allereerste begin was je alleen maar met jezelf bezig. Zelfs nu, Niamh. Zo zit het gewoon.'

'Ik weet niet waar je het over hebt,' zei Niamh.

'Dat maakt niet uit,' zei Manette. 'Ik weet het inmiddels wel.'

Lancaster

Lancashire

Deborah voelde even een steek van schuldgevoel ten opzichte van Lynley, maar meer stond ze zichzelf niet toe. Als hij bij de Crow & Eagle in Milnthorpe aankwam, zou ze er niet zijn, maar hij zou niet weten dat ze naar Lancaster was, omdat haar huurauto nog altijd op de parkeerplaats stond. Ze bedacht dat hij in eerste instantie zou denken dat ze nog een laatste wandeling door Milnthorpe maakte, misschien ging hij naar het marktplein of nog verder, naar de kerk, om op de begraafplaats te kijken. Of misschien dacht hij dat ze richting Arnside zou lopen om naar de moerasvogels te kijken. Want het was eb, en op de wadden wemelde het van alle vogelsoorten die ze maar kon bedenken die in Groot-Brittannië overwinterden. En dan had je de bank nog, aan de overkant van de weg tegenover het hotel. Hij zou misschien denken dat ze daar was. Of dat ze nog steeds aan het ontbijt zat. Maar het deed er ook niet toe. Wat er wel toe deed was dat ze was gevlogen als hij haar kwam ophalen om haar naar huis, naar Simon te brengen. Ze kon een briefje voor hem achterlaten, natuurlijk. Maar ze kende Tommy. Eén aanwijzing over het feit dat ze naar Lancaster onderweg was om opnieuw bij Lucy Keverne haar geluk te beproeven over Alatea Fairclough, en hij zou als een haas achter haar aan gaan.

Nadat ze Zed Benjamin had gebeld, was hij in een mum van tijd bij haar. Ze stond in de herberg bij de deur op hem te wachten – ze had nog voor minstens één nacht bijgeboekt – liep naar buiten en stapte in zijn auto vlak nadat hij de auto in de richting van Lancaster had gekeerd.

Ze vertelde hem niet dat ze eerder had gelogen over de reden waarom Lucy Keverne en Alatea Fairclough naar de universiteit van Lancaster waren gegaan. Wat haar betrof was ze geen enkele roddeljournalist ook maar iets verschuldigd: of het nou ging om de waarheid, een hele reeks leugens of zelfs maar om een vals excuus.

Ze legde de toestand aan Zed simpel uit: volgens haar had Lucy Keverne de vorige dag tegen haar gelogen. Hoe langer Deborah nadacht over dat verhaal dat ze door iemand van de universiteit een of ander vrouwenprobleem lieten onderzoeken, hoe minder aannemelijk ze dat vond. Tenslotte was Lucy naar een vruchtbaarheidscentrum gegaan en waarom had ze dan steun van een vriendin nodig gehad? Als voortplanting de reden was, zou je denken dat ze de steun van een echtgenoot of partner nodig had, maar een vriendin...? Nee, het leek waarschijnlijker dat er meer aan de hand was tussen Lucy Keverne en Alatea Fairclough, en Deborah had Zed nodig om daar achter te komen.

Zed dacht onmiddellijk in termen van *The Source* en ging zelfs zover dat Lucy Keverne en Alatea Fairclough misschien een geheime lesbische relatie hadden. Als je vervolgens een verband met Ian Cresswells dood wilde leggen, ging hij daar verder op door en vermoedde dat de dode man misschien wist van die geheime lesbische relatie en dat hij het Nicholas Fairclough dreigde te vertellen. Zed speelde met verscheidene variaties op dat thema, waarvan de meeste erop neerkwamen dat Lucy Keverne en Alatea Fairclough samen Ian Cresswell om zeep hadden geholpen. Deborah vond dat prima, want daardoor werd Zed afgeleid van de vraag waarom een zogenaamde rechercheur van Scotland Yard in godsnaam iemand van *The Source* bij een lopend onderzoek zou betrekken.

Ze vertelde hem wel dat het volgens haar om geld ging. Ze vertelde hem niet dat als Lucy Keverne een advertentie had gezet waarin ze zich als eiceldonor aanbood, zoals ze had beweerd, ze dat niet uit altruïsme had gedaan maar vanwege het geld. Zed zou roddelgeld voor haar verhaal moeten neertellen, welk verhaal ze ook had. Dat wist hij nog niet, maar dat kwam gauw genoeg.

Deborah dacht er alleen niet over na waarom dit deel van de Cresswellzaak voor haar zo belangrijk was. De plaatselijke lijkschouwer was ervan overtuigd geweest dat Ian Cresswell door een ongeluk om het leven was gekomen. Simon was daar ook absoluut zeker van en het was zijn werk om van dat soort dingen zeker te zijn. Tommy was het ermee eens geweest. Het zag er sowieso naar uit dat de reden waarom Tommy in Cumbria was zelfs relatief weinig met Ian Cresswells dood uit te staan had. Dus het feit dat zij zo hardnekkig vasthield dat er meer was dan op het eerste gezicht leek, vroeg om nader zelfonderzoek. In haar hart wist Deborah dat wel, maar ze wilde er niet over nadenken. Het zou bepaald niet aangenaam zijn als ze tijdens dat zelfonderzoek die gedachtegang zou moeten volgen.

Bij de Kent-Howath Foundation voor Oorlogsinvaliden zei ze: 'We gaan het als volgt doen,' waarop Zed antwoordde: 'Wacht verdomme even,' ongetwijfeld met de gedachte dat hij voor de zoveelste keer de chauffeur moest spelen terwijl zij informatie verzamelde die ze al of niet met hem zou delen. Nou, ze kon het hem niet kwalijk nemen dat hij op z'n teentjes getrapt was. De laatste keer dat ze zo te werk waren gegaan, had hem dat weinig meer dan een halflege benzinetank opgeleverd.

'Ik bel je zodra ik haar alleen te pakken krijg,' zei ze. 'Als ze ons meteen samen ziet, geef ik je op een briefje dat ze geen woord meer over Alatea Fairclough loslaat. En waarom zou ze ook? Als ze met iets onwettigs bezig is, zal ze dat heus niet toegeven, wel dan?'

Maar hij vroeg haar niet waarom ze daar in godsnaam waren, en dat was maar goed ook. Deborah wist dat ze Lucy Keverne omzichtig moest benaderen en daarbij had ze al haar verstand nodig, en niet om een of ander verhaaltje op te dissen om Zed tevreden te stellen. Ze wist niet of ze om te beginnen zo ver met Lucy Keverne zou komen. In dit geval was ze op zichzelf aangewezen.

Dezelfde oude heer die haar de vorige dag had verwelkomd, zat er vandaag weer. Door haar haar wist hij nog wie ze was, een van de weinige voordelen, zo bedacht ze, als je rood haar had. Hij vroeg of ze miss Lucy Keverne weer wilde spreken. Hij tilde een stapel papier op en zei: 'Ik zit haar toneelstuk te lezen, en ik zal je vertellen dat als dit geen West End-klapper wordt, ik de koningin van Sheba ben.'

Dus ze was toneelschrijver, dacht Deborah. Misschien voorzag ze in haar levensonderhoud met haar werk in het tehuis voor invalide soldaten, en vulde ze haar financiën aan door zo nu en dan een eicel af te staan. Dat was het beroerdste soort nieuws dat ze kon krijgen, omdat dat wat ze samen met Alatea Fairclough had gedaan iets met onderzoek te maken had. Nou, ze moest het hoe dan ook te weten zien te komen, dacht Deborah. Intussen was ze niet van plan te laten merken dat ze inmiddels wist dat ze toneelschrijver was. Het was niet nodig om de vrouw op voorhand een richting op te duwen waardoor ze een draai aan haar verhaal kon geven.

Op Lucy's gezicht was verbazing te lezen toen ze de hal in liep en zag wie er op haar zat te wachten. Daarna verscheen er onmiddellijk een achterdochtige blik in haar ogen.

Deborah voorkwam dat ze als eerste het woord nam. Ze zei zachtjes tegen haar: 'Het volgende moet u goed weten, miss Keverne. New Scotland Yard is in Cumbria, evenals een verslaggever van *The Source*. U gaat hoe dan ook uw verhaal vertellen – en deze keer het ware verhaal – en het is aan u hoe en wanneer.'

Lucy zei: 'Ik kan niet...'

'U hebt geen keuze. Ik heb u gisteren om de tuin geleid. Daar verontschuldig ik me voor, maar ik had gehoopt tot de kern van de zaak te komen zonder iemand erbij te halen bij wie u zich niet op uw gemak voelt. Het mag duidelijk zijn dat Alatea Fairclough wordt nagetrokken. Het spoor heeft direct naar u geleid.'

'Ik heb niets onwettigs gedaan.'

'Dat zegt u, ja,' zei Deborah. 'En als dat inderdaad zo is...'

'Dat ís zo.'

'... dan kunt u besluiten welke route u meer te bieden heeft.'

Lucy kneep haar ogen tot spleetjes. Het woord 'bieden' had effect. 'Waar hebt u het over?'

Deborah keek steels om zich heen en zei veelbetekenend: 'We kunnen niet hier in de hal praten.'

'Kom dan maar mee.'

Des te beter, dacht Deborah.

Deze keer gingen ze niet naar de tuin, maar naar een kantoor, dat van haar leek te zijn. Er stonden twee bureaus, maar eentje was onbezet. Lucy sloot de deur achter hen en bleef ervoor staan. Ze zei: 'Wie biedt wat?'

'Tabloids betalen voor hun verhalen. Dat weet u vast wel.'

'Bent u daar dan van?'

'Van de roddelpers? Nee. Maar ik heb wel iemand bij me, en als u met hem wilt praten, zal ik ervoor zorgen dat u betaald krijgt voor wat u te zeggen hebt. Mijn rol is om te bepalen hoeveel het verhaal waard is. U vertelt het mij, ik onderhandel met hem.'

'Zo werkt het vast niet,' zei Lucy sluw. 'Wat bent u dan? Een vertegenwoordiger van *The Source*? Een of andere... Wat? Een nieuwsverkenner of zoiets?'

'Het maakt niet uit wie of wat ik ben,' zei Deborah. 'Wat ik te bieden heb doet er veel meer toe. Ik kan de rechercheur van New Scotland Yard bellen die vanwege een moordzaak in Cumbria is, of ik kan een journalist bellen die hier binnen komt wandelen, naar uw verhaal luistert en ervoor betaalt.'

'Móórd? Wat is er aan de hand?'

'Dat is nu niet van belang. Die toestand tussen u en Alatea Fairclough is dat wel. U moet een besluit nemen. Wat gaat het worden? Een bezoek van New Scotland Yard of een journalist die met interesse naar uw verhaal wil luisteren?'

Lucy Keverne dacht hierover na terwijl buiten het kantoor een soort karretje door de gang ratelde. Ten slotte zei ze: 'Hoeveel?' en Deborah ademde een beetje gemakkelijker nu Lucy dichter naar het aas toe zwom.

Ze zei: 'Dat hangt ervan af, of het om een sensationeel verhaal gaat, vermoed ik.'

Lucy keek naar het raam dat op de tuin uitkeek waar zij en Deborah de dag tevoren hadden gepraat. Een windvlaag schudde aan de ranke takken van een Japanse esdoorn, waardoor de rest van de bladeren die zich nog halsstarrig hadden vastgeklampt, loswaaiden. Deborah wachtte terwijl ze in haar hoofd smeekte: alsjeblieft alsjeblieft alsjeblieft. Ze wist dat dit nog de enige mogelijkheid was om tot de waarheid door te dringen. Als Lucy Keverne er niet voor ging, zat er voor haar niets anders op dan naar Londen terug te keren, zoals haar was opgedragen.

Lucy zei ten slotte: 'Er is geen verhaal. Althans geen verhaal dat mogelijk interessant zou kunnen zijn voor *The Source*. Er is alleen een afspraak tussen twee vrouwen. Ik zou er meer van maken als ik kon, geloof me, want ik kan het geld goed gebruiken. Ik werk hier liever niet. Ik zit liever thuis aan mijn toneelstukken te werken, zodat ik ze naar Londen kan sturen om ze op het toneel uitgevoerd te zien worden. Maar dat gaat niet snel gebeuren, dus 's ochtends werk ik hier en 's middags schrijf ik. Soms vul ik m'n budget aan met het doneren van eicellen, om die reden heb ik de advertentie in *Conceptie* gezet. Dat heb ik u al verteld.'

'U hebt me ook verteld dat Alatea u heeft opgezocht om draagmoeder te worden, maar dat u dat hebt geweigerd.'

'Oké. Dat klopte niet. Daar heb ik wel mee ingestemd.'

'Waarom hebt u gisteren dan gelogen?'

'Het was duidelijk een privékwestie. Dat is het nog steeds.'

'En het geld?'

'Wat is daarmee?'

'Zoals ik het begrijp,' wees Deborah haar terecht, 'wordt u betaald om uw eicellen te laten wegnemen. Maar als u draagmoeder voor iemand bent, krijgt u niets. Alleen onkosten. Eicellen doneren levert wel wat op, terwijl je uit menslievendheid draagmoeder wordt. Zo werkt het toch?'

Lucy zweeg. In die stilte ging Deborahs telefoon. Ze griste het ding ongeduldig uit haar schoudertas en zag het nummer.

'Denk je soms dat ik helemaal idioot ben?' zei Zed verontwaardigd toen ze opnam. 'Wat is daar verdomme aan de hand?'

'Ik bel je zo terug,' zei ze.

'Vergeet het maar. Ik kom naar je toe.'

'Dat is geen goed idee.'

'O nee? Nou, ik kan niets beters bedenken. Je zorgt maar dat er een verhaal voor me klaarligt en dat het iets te maken heeft met de moord op Cresswell.'

'Ik kan niet beloven...' Maar hij had al opgehangen voordat ze de zin kon afmaken. Ze zei tegen Lucy: 'De journalist van *The Source* komt hiernaartoe. Daar kan ik niets aan veranderen, tenzij u me meer wilt vertellen, iets waarmee ik hem uit uw buurt kan houden. Ik neem aan dat het met geld te maken heeft. Alatea is bereid u meer te betalen dan alleen uw onkosten, nietwaar? En daarmee overtreedt u de wet. Dat verklaart waarom u me gisteren om de tuin hebt geleid.'

Lucy zei enigszins geëmotioneerd: 'Zie mij nou. Kijk naar deze baan. Ik hoef alleen mijn toneelstuk nog maar af te maken, te zorgen dat het bewerkt wordt, dat ik revisies kan doen en ik heb géén tijd en géén geld. De afspraak over het draagmoederschap biedt me beide. Dus als u wilt, kunt u daar een verhaal van maken, maar ik geloof bepaald niet dat je daar kranten mee verkoopt. U wel?'

Ze had natuurlijk volkomen gelijk. ERFGENAAM VAN FAIRCLOUGH-FORTUIN BETROKKEN BIJ ILLEGALE DRAAGMOEDERDEAL zou misschien een paar kranten verkopen, maar het verhaal zou pas handen en voeten krijgen als er een kraaiende baby was, wiens schattige foto bij de onthulling door het tabloid kon worden afgedrukt. In combinatie met een passend onderschrift als: DRAAGMOEDER VERKOOPT FAIRCLOUGH-BABY VOOR £ 50.000. Een verhaal over een illegale, mislukte deal zou je aan de straatstenen niet kwijt kunnen, omdat er geen enkel bewijs was voor Lucy's bewering, die Alatea Fairclough op haar beurt weer zou ontkennen. Het verhaal van een afspraak waarbij als bewijs een kind tevoorschijn kon worden getoverd, zou heet van de naald en springlevend zijn, maar aangezien er geen sprake was van een baby, was er ook geen verhaal.

Aan de andere kant wist Deborah nu waarom Alatea Fairclough zo in paniek over haar was. De enige vraag was of Ian Cresswell de toestand op de een of andere manier had ontdekt en Alatea had gedreigd op de enige manier waarmee hij haar kon bedreigen: door middel van geld. Als Lucy voor het draagmoederschap betaald werd en als het geld via Ian Cresswell betaald moest worden. Hij was de man die het Fairclough-kapitaal beheerde. Tenzij ze zelf over financiële middelen beschikte, zou Alatea een of andere deal met Ian gesloten moeten hebben.

En daarmee kwam de rol van Nicholas Fairclough in de draagmoederschapregeling in beeld. Hij zou ervan op de hoogte moeten zijn en ermee moeten instemmen, wat betekende dat hij mede een rol had moeten spelen bij het bij elkaar brengen van het geld om alles te kunnen betalen.

Ze zei tegen Lucy: 'En hoe zit het met Nicholas, Alatea's man?'

Lucy zei: 'Hij...' maar verder kwam ze niet.

De irritante Zed Benjamin stormde de kamer binnen. Hij zei tegen Deborah: 'Het is afgelopen met die slimme Scotland Yard-trucjes. We doen dit samen of helemaal niet.'

Lucy riep uit: 'Scotland Yard? Scotland Yárd?'

Zed zei tegen haar met een duimbeweging naar Deborah: 'Met wie heb je hier verdomme anders zitten praten, denk je? Lady Godiva?'

Arnside

Cumbria
Alatea had Nicholas zover gekregen dat hij naar zijn werk ging. Hij had niet willen gaan en ze wist dat de kans heel groot was dat hij er niet zou blijven. Maar het enige waaraan ze zich op dit moment nog kon vasthouden, was dat de zaken enigszins normaal hun gang gingen, en het was normaal dat Nicky naar Barrow vertrok en daarna naar het burchttorenproject.

Hij had opnieuw geen oog dichtgedaan. Hij liep over van wroeging, vond dat hij degene was die Raul Montenegro op haar af had gestuurd.

Nicky wist dat zij en Raul minnaars waren geweest. Daar had ze nooit over gelogen. Hij had ook geweten dat ze voor Montenegro op de vlucht was. In een wereld waarin stalken gewoon een van de problemen was waar een vrouw zich het hoofd over moest breken, had Nicky zonder meer geloofd dat ze beschermd moest worden tegen deze miljonair uit Mexico City, een machtig man die vastbesloten was te krijgen wat hem toekwam, en in wiens huis ze vijf jaar had gewoond.

Maar Nicky had nooit alles over haar geweten, over Raul, en over wat ze voor elkaar waren geweest. De enige man die het verhaal van begin tot eind kende, was Montenegro zelf. Hij had zijn leven veranderd om bij haar te kunnen zijn; hij had haar leven veranderd door haar te laten kennismaken met een wereld die ze zonder hem nooit had kunnen betreden. Maar sommige aspecten van Raul waren haar nooit helemaal duidelijk geworden, net zoals er aspecten van haar waren die ze hem nooit duidelijk had gemaakt. Gevolg was dat ze in een nachtmerrie was beland waaruit ze alleen maar kon ontwaken door op de vlucht te slaan.

Ze liep te ijsberen terwijl ze over haar laatste mogelijkheden nadacht toen Lucy belde. Kort en bondig kondigde ze aan dat de vrouw van de vorige dag terug was gekomen en ze was niet alleen geweest. 'Ik moest haar de waarheid wel vertellen, Alatea. Of in elk geval een versie ervan. Ze liet me geen andere keus.'

'Wat bedoel je? Wat heb je haar verteld?'

'Ik heb het eenvoudig gehouden. Ik heb verteld dat je moeilijk zwanger kon worden. Maar ze denkt wel dat je man ervan weet. Dat heb ik haar laten geloven.'

'Je hebt haar toch niet over het geld verteld, hè? Hoeveel ik je betaal... Of de rest... Weet ze de rest ook?'

'Ze weet van het geld. Daar kwam ze zelf gemakkelijk genoeg achter omdat ik haar gisteren had verteld dat ik eicellen afsta, en ze wist dat ik daarvoor word betaald. Dus bedacht ze dat er bij draagmoederschap ook geld in het spel was, en dat kon ik dus niet echt ontkennen.'

'Maar heb je haar verteld...'

'Meer weet ze niet. Dat ik het geld nodig had. Einde verhaal.'

'Niet over...'

'Ik heb haar niet verteld over het hoe, als je je daar zorgen over maakt. Ze weet niet – en ik zweer je dat níémand dat ooit te weten zal komen – dat je zou doen alsof je zwanger bent. Dat blijft onder ons: de "vriendschap" tussen ons, de vakantie die we vlak voor de uitgerekende datum zouden doen, de bevalling... Daar weet ze niets van en dat heb ik haar ook niet verteld.'

'Maar waarom heb je...'

'Alatea, ze liet me geen keus. Het was of haar dat vertellen of gearresteerd worden. En dan zou ik bepaald niet in de positie zijn om je later nog te helpen, wanneer dit allemaal achter de rug is. Als het al zover komt...'

'Maar als ze het weet en er komt later een baby...' Alatea liep naar de erker en ging zitten. Ze bevond zich in de gele kamer, maar de vrolijke kleur kon de doffe, grijze dag buiten niet verlichten.

'Er is nog meer, Alatea,' zei Lucy. 'Ik ben bang dat dit niet alles is.'

Alatea's lippen voelden stijf aan toen ze zei: 'Wat? Wat dan nog meer?'

'Ze had een journalist van de roddelpers bij zich. Ze stelde me voor de keus: of met hem praten of met Scotland Yard...'

'O, mijn god.' Alatea liet zich in de stoel terugvallen, boog haar hoofd en legde een hand op haar voorhoofd.

'... maar waarom is Scotland Yard in jou geïnteresseerd? En waarom wil *The Source* een verhaal over je schrijven? Ik moet je dat wel vragen, want je hebt één ding beloofd – je hebt het gegarandeerd, Alatea – dat het bedrog met geen mogelijkheid ontdekt kon worden. Nu we klem zitten tussen Scotland Yard en een roddelblad, zou het heel goed kunnen dat we...'

'Het gaat niet om jou. Het gaat niet om mij,' zei Alatea tegen haar. 'Het gaat om Nicky. Het feit dat zijn neef is verdronken.'

'Welke neef? Wanneer? Wat heeft dat met jou te maken?'

'Niets. Het heeft niets met mij en niets met Nicky te maken. Het is alleen maar de reden waarom Scotland Yard hier is. De journalist was hier om een verhaal over Nicky en het burchttorenproject te doen. Maar dat was weken geleden en ik weet niet waarom hij is teruggekomen.'

'Dit draait uit op een puinhoop,' zei Lucy. 'Dat weet je, hè? Moet je horen. Ik denk echt dat ik die verslaggever zover heb dat hij hier geen verhaal in ziet. Wat valt er ook te melden? Jij en ik die over een draagmoederschapregeling praten? Daar zit geen verhaal in. Maar wat de vrouw betreft... Zij beweerde dat ze de Scotland Yard-rechercheur met een vingerknip tevoorschijn kon toveren en hij zei dat zíj de rechercheur was, wat ze ontkende. Maar meer wilde ze niet kwijt en tegen die tijd zag ik het gewoon helemaal niet meer zitten en... Hemeltjelief, wie wás die vrouw, Alatea? Wat wil ze van me? Wat wil ze van jou?'

'Ze verzamelt informatie,' zei Alatea. 'Ze wil precies weten wie ik ben.'

'Hoe bedoel je, wie je bent?'

Het instrument van een ander, dacht ze, en nooit ofte nimmer degene die ik wil zijn.

Victoria

Londen

Barbara was weer aan het werk en zwoegde de hele ochtend aan wat Isabelle Ardery haar had opgedragen. Dat had voornamelijk te maken met een klerk van het Openbaar Ministerie, met wie ze de vrolijk stemmende taak had toebedeeld gekregen om de afgegeven verklaringen te vergelijken van iedereen die in de afgelopen zomer iets te maken had gehad met de dood van een jonge vrouw op een begraafplaats in Noord-Londen. Ze had een bloedhekel aan dit soort werk, maar ze deed alles wat Ardery haar zou vragen, behalve salueren. Ze bedacht dat ze zichzelf beter kon bewijzen door boven haar kledingstijl uit te stijgen, die vandaag trouwens tot in de puntjes verzorgd was. Ze droeg haar A-lijnrok, een marineblauwe panty en perfect gepoetste pumps – nou ja, er zat een slijtplekje op maar dat had ze met een beetje spuug weggewerkt – en op de rok droeg ze een nieuwe gebreide wollen trui en níét, let wel, van het oversized visserssoort dat ze normaal droeg. Daaroverheen droeg ze een subtiel geruit jasje en ze had zelfs het enige sieraad omgedaan dat ze bezat, een filigraan halsketting die ze de vorige zomer bij Accessorize in Oxford Street had gekocht.

Hadiyyah had die ochtend hartelijk ingestemd met haar outfit, waardoor Barbara dacht dat ze het warempel begon te leren hoe ze zichzelf moest uitdossen. Ze was naar Barbara's bungalow gekomen terwijl die zich te goed deed aan haar laatste stukje ontbijtcake, en ze had heroïsch de smeulende peuk in de asbak genegeerd, en in plaats daarvan Barbara gecomplimenteerd met haar toenemende gevoel voor mode.

Het viel Barbara op dat Hadiyyah haar schooluniform niet droeg en ze vroeg: 'Ben je vrij vandaag?'

Hadiyyah hupte van haar ene voet op de andere en liet haar handen rusten op de rugleuning van een van de twee stoelen aan Barbara's keukentafel, die iets groter was dan een snijplank, en vaak ook als zodanig dienstdeed. Het kleine meisje zei: 'Mammie en ik... Het is bijzónder, Barbara. Het is voor pap, en ik moest een dag vrij nemen van school. Mammie heeft gebeld en gezegd dat ik ziek was, maar dat was maar een héél klein leugentje om bestwil. Het is een verrassing voor pap.' Ze sloeg blij haar armen om zichzelf heen. 'O, je moest eens weten, je moest eens wéten!' riep ze uit.

'Ik? Waarom? Maak ik soms deel uit van de verrassing?'

'Dat wil ik graag. Maar mama zegt dat je het wel mag weten, maar dat je er met geen woord tegen pa over mag praten. Beloof je dat? Weet je, mammie zegt dat zij en pa ruzie hebben gemaakt – nou ja, grote mensen maken soms ruzie, hè? – en ze wil hem verrassen, hem opvrolijken. En dat gaan we vandaag doen.'

'Nemen jullie hem ergens mee naartoe? Gaan jullie hem op zijn werk verrassen?'

'O nee. De verrassing is voor als hij thuiskomt.'

'Een speciaal etentje, durf ik te wedden.'

'Veel, véél beter.'

In Barbara's beleving was er niet veel beters dan een speciaal etentje, vooral als zij niet hoefde te koken. Ze zei: 'Wat dan? Wil je het me vertellen? Ik zweer dat ik het geheim zal houden.'

'Beloof je dat?' vroeg Hadiyyah.

'Ik zweer het, echt.'

Hadiyyah straalde helemaal. Ze zette zich af van de tafel en maakte een pirouette zodat haar haren als een cape om haar schouders waaierden. Ze zei: 'Mijn broertje en zusje! Mijn broertje en zusje! Barbara, wist je dat ik een broertje en zusje heb?'

Barbara voelde dat de glimlach op haar gezicht verstarde. Ze plakte hem er met moeite weer op. 'Een broertje en zusje? Echt waar? Heb je een broertje en zusje?'

'Ja, ja,' riep Hadiyyah uit. 'Zie je, papa is al eens eerder getrouwd geweest en dat wilde hij me liever niet vertellen, want ik denk dat hij me nog te jong vond. Maar mammie heeft het me verteld en zij zei dat het helemaal niet érg is als je een keer eerder getrouwd bent geweest, toch? En ik zei van niet, natuurlijk niet, want op school ken ik zoveel kinderen van wie de ouders niet meer getrouwd zijn. Dus mammie zei dat dat ook met papa gebeurd is, alleen is zijn familie zo boos op hem dat ze niet willen dat hij zijn kinderen nog ziet. En dat is niet aardig, vind je wel?'

'Nee, dat zal wel niet,' zei Barbara, maar ze kreeg een heel akelig gevoel over waar dit naartoe ging en wat de mogelijke gevolgen zouden zijn. En ze vroeg zich af hoe Angelina die mensen verdomme had weten op te sporen.

'Dús...' en Hadiyyah liet een dramatische stilte vallen.

'Ja?' vroeg Barbara prompt.

'Dus gaan mammie en ik ze ophalen!' riep ze uit. 'Is dat geen geweldige verrassing! Ik ga ze ontmoeten, ik ben nog nooit zo opgewonden geweest. Dat ik een broertje en zusje heb! En papa gaat ze ook zien en híj zal vast net zo blij zijn, want mammie zegt dat hij ze in geen jaren heeft gezien en zij weet zelfs niet hoe oud ze zijn, behalve dat ze denkt dat de een twaalf en de ander veertien is. Stel je eens voor, Barbara, ik heb een óúdere broer en zus. Denk je dat ze me aardig vinden? Ik hoop het zo, want ik weet zeker dat ik hen wel aardig vind.'

Barbara's mond was zo droog geworden dat ze amper haar kaak kon bewegen, zo erg plakten haar wangen tegen haar kiezen. Ze nam een grote slok lauwe koffie en zei: 'Nou, nou, nou,' wat ongeveer het enige was wat ze uit kon brengen terwijl ze koortsachtig nadacht over de verschillende varianten van wat-moet-ik-hier-in-godsnaam-mee-aan. Vriendschap vereiste dat ze Azhar moest waarschuwen voor de naderende ramp die hem zou overkomen: Angelina die hem voor een fait accompli zou stellen terwijl hij noch de tijd noch de gelegenheid had om die te voorkomen. Maar reikte vriendschap zo ver, vroeg ze zich af. En als ze het hem zou vertellen, wat zou hij dan doen en welke uitwerking zou dat op Hadiyyah hebben, die voor zover Barbara kon zien de hoofdpersoon in het geheel was?

Uiteindelijk had Barbara niets gedaan omdat ze geen plan kon bedenken dat niet zou uitdraaien op een regelrechte ramp die te veel levens zou raken. Als ze met Angelina zou praten, voelde ze dat als verraad tegenover Azhar. Met Azhar gaan praten voelde als verraad ten opzichte van Angelina. Het leek haar maar het beste zich hier verre van te houden en de dingen – wat voor dingen dan ook – op hun beloop te laten. Ze zou in de buurt moeten zijn om puin te ruimen, maar misschien hoefde dat niet eens. Hadiyyah had er tenslotte recht op om haar broer en zus te leren kennen. Misschien zou het uiteindelijk uitdraaien op rozengeur en maneschijn. Misschien.

Dus was Barbara zoals altijd naar haar werk gegaan. Ze had ervoor gezorgd dat hoofdinspecteur Ardery haar in vol ornaat had gezien, hoewel ze zich eerst door Dorothea Harriman had laten complimenteren. Harriman had haar bewondering niet onder stoelen of banken gestoken – 'Brigadier Havers, je haar... je make-up... verbijsterend gewoon...' – maar Barbara had paal en perk moeten stellen toen Harriman was begonnen over een nieuwe, op mineralen gebaseerde foundation die Barbara móést uitproberen, en wilde de brigadier niet de lunch overslaan om te kijken of ze dat ergens in de buurt konden krijgen? Ze had bedankt, had haar opwachting gemaakt bij hoofdinspecteur Ardery, die haar de vragen van het Openbaar Ministerie had overhandigd terwijl ze met iemand aan de telefoon zat: 'Wat is dit trouwens voor puinhoop? Zitten jullie er eigenlijk wel bovenop?' waardoor Barbara veronderstelde dat het iets te maken had met de afdeling Ernstige en Georganiseerde Misdaad en relevante zaken voor de forensische afdeling. Ze zette zich aan het werk met de klerk van het Openbaar Ministerie en kon pas na een hele tijd haar werk voor Lynley weer oppakken.

Dit was gemakkelijker dan daarvoor, want Ardery moest kennelijk naar de puinhoop toe, en als de technische recherche het inderdaad had verprutst zou ze Joost mocht weten hoe lang wegblijven. Zodra Barbara wist dat ze het gebouw uit was – het loonde altijd om op vriendschappelijke voet te staan met de jongens die de ondergrondse parkeergarage van de Yard beheerden – was ze als een speer naar de bibliotheek van de Met vertrokken, maar pas nadat ze zich bij de jongen van het Openbaar Ministerie had verontschuldigd, die het geen straf vond om een lange lunchpauze te nemen.

Barbara nam haar Spaans-Engelse woordenboek mee. Pas nadat ze voldoende informatie had verzameld over de eerste twee zoons van Esteban Vega y de Vásquez en Dominga Padilla y del Torres de Vásquez – Carlos de priester en Miguel de tandarts – en genoeg foto's van Miguels vrouw had gezien om te weten dat geen plastische chirurgie ter wereld haar in Alatea Fairclough had kunnen veranderen, was Barbara zover om te kijken wat ze overÁngel, Santiago en Diego kon opdiepen. Als geen van hen in relatie stond met Alatea, dan moest ze in de rest van de uitgebreide familie duiken, en van wat ze de dag ervoor van de Spaanse studente had gehoord, konden dat wel honderden familieleden zijn.

Ze kwam over Ángel niet veel te weten, behalve dat hij ondanks zijn naam kennelijk het zwarte schaap van de familie was. Met haar woordenboek ging het allemaal zo langzaam dat ze dacht dat haar schandelijk dure Knightsbridge-kapsel uitgegroeid zou zijn voordat ze iets nuttigs had ontdekt. Maar uiteindelijk kwam ze er toch achter dat hij een auto-ongeluk had veroorzaakt waardoor zijn passagier voor het leven invalide was geraakt. Dat was een meisje van vijftien geweest.

Barbara volgde dat spoor – afgezien van Miguels onfortuinlijke vrouw was het vijftienjarige meisje de eerste vrouwspersoon die ze was tegengekomen – maar dat liep dood. Er was geen foto van haar te vinden, en van Ángel maar eentje, maar daarop leek hij een jaar of negentien te zijn en het maakte verder toch niets uit, want na het ongeluk verdween hij onmiddellijk van de radar. Als hij een Noord-Amerikaan was geweest en bij voorkeur iemand uit de Verenigde Staten, dan zou hij in een afkickprogramma terecht zijn gekomen of Jezus hebben ontdekt. Maar dit was Zuid-Amerika en wat er na het ongeluk ook met hem was gebeurd, de media hadden het niet meer over hem. Waarschijnlijk een te kleine vis. Ze stapten snel op andere zaken over.

En dat deed zij ook. Santiago. Ze vond een verhaal over de eerste communie van de jongen. Ze dacht althans dat het zijn eerste communie was, want hij stond in een keurige rij kinderen in pak (de jongens) en bruidsjurkjes (de meisjes), en ofwel de Moonies hadden besloten ze op achtjarige leeftijd uit te huwelijken of dit waren kinderen die, zoals alle katholieken in Argentinië, waren verheven tot waardige ontvangers van de sacramenten. Barbara vond het sowieso nogal vreemd dat er een verhaal was gewijd aan een groep die voor het eerst ter communie ging, dus ze worstelde zich een stukje door het artikel. Het kwam erop neer dat de kerk was afgebrand en dat ze hun eerste communie in een stadspark moesten doen. Dat maakte Barbara er althans met haar extreem beperkte kennis van het Spaans uit op. De kerk kon ook door een vloedgolf verwoest zijn. Of zelfs door een aardbeving. Of misschien hadden ze hun tenten elders opgeslagen vanwege termieten, want... god, god, gód, wat was het een saaie bedoening als je alles woord voor woord moest opzoeken.

Ze tuurde naar de foto met de kinderen en bekeek steeds één meisje tegelijk. Ze haalde de internetfoto van Alatea Fairclough tevoorschijn en vergeleek die met ieder meisje. Hun namen stonden erbij en er waren er maar vijftien. Ze zou ze allemaal op internet kunnen natrekken, maar dat zou uren duren en die had ze niet, want als ze niet zij aan zij met de klerk van het Openbaar Ministerie op de getuigenverklaringen aan het zweten was zodra hoofdinspecteur Ardery terug was, zou de pleuris uitbreken.

Ze overwoog om de meisjes die daarvoor het meest in aanmerking kwamen aan een leeftijdsontwikkeling te onderwerpen, maar daar had ze geen tijd voor en zéker niet de bevoegdheid. Dus keerde ze terug naar het spoor van Santiago, want als hij haar niets meer te bieden had, zat er niets anders op dan met Diego verder te gaan.

Ze vond een oudere foto van Santiago, waarop hij als jongvolwassene Othello speelde – zonder zwarte schoensmeer – in het gelijknamige toneelstuk. Er was nog een laatste foto van hem met het schoolfootballteam en een reusachtige beker, maar daarna was er niets meer. Net als Ángel van het auto-ongeluk viel hij van de radar. Het leek wel alsof de media hun belangstelling voor de jongens verloren zodra ze halverwege de puberteit waren en niets belangrijks hadden bereikt, bijvoorbeeld door zich voor te bereiden op het priesterschap of tandarts te worden. Of ze waren in politiek opzicht onbruikbaar geworden voor hun vader. Want per slot van rekening wás hij een politicus met die typische neiging om tijdens de verkiezingsjaren trots met de hele familie op de voorgrond te treden en aan de kiezers te laten zien hoe geweldig die wel niet was.

Barbara dacht daarover na: familie, politiek, de kiezers. Ze dacht aan Ángel. Ze dacht aan Santiago. Ze staarde naar elke foto die ze was tegengekomen en eindigde met de kinderen in het park tijdens hun eerste communie. Ten slotte pakte ze nogmaals de foto van Alatea Fairclough.

'Wat ís er toch met jou?' fluisterde ze. 'Vertel me je geheimen, liefje.'

Maar er was niets. Een hele rij nieten die zich tot in de eeuwigheid uitstrekte.

Ze mompelde een vloek en pakte de muis om internet af te sluiten en later op Diego, de laatste broer, terug te komen. Maar toen keek ze nog een laatste keer naar de footballfoto, daarna naar Othello. Toen keek ze naar Alatea Fairclough. Vervolgens naar Alatea aan Montenegro's arm. Toen weer terug naar de eerste communie. Vervolgens bladerde ze door de foto's uit de jaren waarin Alatea model was geweest. Ze bekeek steeds oudere foto's, ging terug in de tijd tot ze bij de eerste afbeelding kwam die ze kon vinden. Die bestudeerde ze en eindelijk zag ze het.

Met haar blik op het computerscherm gericht reikte ze naar haar mobieltje. Ze toetste Lynleys nummer in.

Bryanbarrow

Cumbria

'Kan ze gedwongen worden?' vroeg Manette aan Freddie. Freddie zat achter het stuur en ze reden met behoorlijke snelheid door Lyth Valley. Ze hadden net de bocht naar het zuidwesten gemaakt. Daar strekten de smaragdgroene velden zich uit achter brokkelige, droge stenen muren aan weerskanten van de weg, en de hoogvlakten rezen met hun pieken erboven op met grijze wolkensjaals om hun schouders gedrapeerd. Het was daar nevelig en de nevel zou algauw ook de bodem van het dal bereiken. Er zou zich gedurende de dag waarschijnlijk een dichte mist ontwikkelen.

Manette was nog vol van hun gesprek met Niamh Cresswell. Ze vroeg zich af hoe het mogelijk was dat ze in al die jaren waarin ze Niamh had gekend eigenlijk helemaal niet had geweten hoe ze werkelijk in elkaar stak.

Freddie had kennelijk aan andere dingen gedacht en niet aan Niamh en het beroep dat ze op haar hadden gedaan, want hij keek Manette aan en zei: 'Wie?'

'Niamh, Freddie. Wie anders? Kan ze worden gedwongen de kinderen terug te nemen?'

Freddie keek vertwijfeld. 'Ik ken de wet niet als het gaat om ouders en kinderen. Maar, echt, meissie, hoe stel je je dat voor, met het wetboek in de hand?'

'O hemel, ik weet het niet. Maar we moeten in elk geval uitzoeken wat de mogelijkheden zijn. Want alleen al het idee dat ze Tim en Gracie zomaar aan hun lot overlaat... vooral de kleine Gracie... Goeie god, Freddie, verwacht ze soms dat we ze in een pleeggezin stoppen? Kan zij ze in een pleeggezin stoppen? Kan niemand haar dan dwingen...?'

'Advocaten, rechters en jeugdzorg?' vroeg Freddie. 'En wat denk je welke invloed dat op de kinderen zal hebben? Tim is er al zo slecht aan toe, met die Margaret Fox-school en zo. Ik durf zonder meer te beweren dat als hij weet dat zijn moeder door een rechter moet worden gedwongen hem terug te nemen, dat voor de arme jongen de genadeslag zal zijn.'

'Misschien dan maar mijn vader en moeder...?' stelde Manette voor. 'Nu ze die enorme speeltuin aan het aanleggen zijn...? Mam en pap kunnen ze in huis nemen. Ze hebben ruimte genoeg, en de kinderen vinden het vast heerlijk om in de buurt van het meer en op het speelterrein te kunnen spelen.'

Freddie minderde vaart. Verderop werd een kudde schapen op die typische Cumbriaanse manier van de ene omheinde weide naar de andere gedirigeerd: de schapen stonden midden op de weg terwijl een bordercollie ze aanstuurde en de schaapherder erachteraan kuierde. Zoals gebruikelijk ging dat tergend langzaam.

Freddie schakelde terug en zei tegen Manette: 'Tim is een beetje oud voor speeltuinen, denk je niet, Manette? En hoe dan ook, met die toestand met Vivienne Tully zo vers in het geheugen zou het voor hen zelfs nog erger kunnen uitpakken als ze naar Ireleth Hall moeten verhuizen dan... nou ja, een eventuele andere regeling.'

'Natuurlijk, je hebt gelijk.' Manette zuchtte. Ze dacht aan alles wat ze in de afgelopen vierentwintig uur over haar ouders aan de weet was gekomen, en dan vooral over haar vader. Ze zei: 'Wat denk jij dat ze gaat doen?'

'Je moeder?' Hij schudde zijn hoofd. 'Geen idee.'

'Ik heb trouwens nooit begrepen wat haar in pap aantrok,' zei Manette. 'En geloof me, ik heb ook geen flauw idee wat Vivienne in hem zag. Of nog steeds in hem ziet, want kennelijk is ze jaren bij hem gebleven. Wat heeft zij in godsnaam ooit in pa gezien? Het gaat vast niet om het geld. Het geld is van ma, niet van hem, dus als ze zouden scheiden, zou hij het weliswaar prima kunnen redden, maar niet bepaald zwemmen in het geld. Ik bedoel, hij heeft er natuurlijk altijd over kunnen beschikken, misschien heeft Vivienne nooit geweten dat het eigenlijk zijn geld niet is...?'

'Het lijkt me niet waarschijnlijk dat geld een rol heeft gespeeld als het op je vader aankwam,' antwoordde Freddie. 'Ik denk dat het zijn zelfvertrouwen was. Vrouwen vinden dat aantrekkelijk in een man en je vader heeft altijd overgelopen van zelfvertrouwen. Ik durf te wedden dat je moeder daar ook voor is gevallen.'

Manette keek naar hem. Hij keek nog altijd naar de schapen op de weg, maar de puntjes van zijn oren verraadden hem. Er school een addertje onder het gras, dus ze zei: 'En...?'

'Hmm?'

'Dat gedeelte over zelfvertrouwen.'

'Juist. Nou. Dat heb ik altijd in je vader bewonderd. Echt waar. Ik wilde dat ik daar ook een beetje van had.' Zijn oren werden nog roder.

'Jij? Geen zelfvertrouwen? Hoe kun je dat nou zeggen? En kijk eens naar al die vrouwen die de laatste tijd zo hun best doen om maar bij je te kunnen zijn.'

'Dat soort dingen gaat gemakkelijk, Manette. Dat is een biologische wet. Vrouwen willen een man zonder te weten waarom. Het enige wat hij hoeft te doen is presteren. En als de man niet kan presteren zodra een vrouw zijn broek uittrekt om op de springstok te rijden...'

'Freddie McGhie!' Manette schoot ondanks alles in de lach.

'Het is echt zo, meissie. De hele soort sterft uit als de kerel niet in staat is om te doen waar een vrouw hem toe aanzet, meer is het niet. Biologie. Prestatie is een mechanisme. Er komt natuurlijk techniek bij kijken, maar elke kerel kan een fatsoenlijke techniek aanleren.' De schapen hadden nu het volgende weiland bereikt waar tussen de droge, stenen muren het hek openstond. De bordercollie manoeuvreerde ze er handig doorheen en Freddie zette zijn auto weer in de versnelling. Hij zei: 'Dus we kunnen gerust zeggen dat je vader een goeie techniek heeft ontwikkeld, maar hij had om te beginnen iets nodig wat hem voor vrouwen aantrekkelijk maakte, en dat is zijn zelfvertrouwen. Hij bezit het soort zelfvertrouwen waardoor een man gelooft dat hij alles kan. En hij gelooft niet alleen dat hij alles kan, hij bewijst het ook.'

Manette zag dat nu wel in, zeker als het ging om de relatie tussen haar ouders. Hun eerste ontmoeting was onderdeel van de familiegeschiedenis, die vijftienjarige jongen die naar de achttien jaar oude Valerie Fairclough beende en aankondigde wat hij met haar van plan was. Ze was geboeid geraakt door zijn brutaliteit in een wereld waarin zijn soort over het algemeen boog als een knipmes. En meer had Bernie Dexter niet nodig gehad. De rest was geschiedenis.

Ze zei: 'Maar Freddie, jij kunt ook alles. Heb je zo nooit over jezelf gedacht?'

Hij wierp haar een verlegen glimlachje toe. 'Ik heb jou niet kunnen houden, wel? En wat Mignon gisteren zei? Ik heb altijd geweten dat je Ian liever had. Misschien was dat wel de kern van onze problemen.'

'Dat is niet waar,' wierp Manette tegen. 'Het zeventienjarige meisje van toen had Ian misschien liever. De vrouw die ik ben geworden wilde jou.'

'O,' zei hij. Maar hij zei niets meer.

En zij evenmin, hoewel ze iets ongemakkelijks tussen hen voelde groeien, een spanning die er eerder niet was geweest. Ze zweeg tot ze de bocht namen naar het dorp Bryanbarrow en uiteindelijk de Bryan Beck-farm bereikten.

Toen ze daar aankwamen, zagen ze voor de cottage van George Cowley en zijn zoon Daniel een verhuiswagen staan. Nadat ze hadden geparkeerd en naar het oude landhuis liepen, kwam Cowley uit de cottage tevoorschijn. Hij zag ze en liep naar ze toe om ze te spreken. Hij viel meteen met de deur in huis: 'Nou, hij heeft eindelijk waar hij al die tijd zijn zinnen op heeft gezet.' Hij spuugde onsmakelijk op het stenen pad dat langs Gracies trampoline naar de voordeur leidde. 'Eens kijken hoe het is om een farm te hebben die verdomme geen cent opbrengt, dan zal hij wel een toontje lager zingen.'

'Sorry?' zei Freddie. Hij kende George Cowley niet en hoewel Manette hem wel van gezicht kende, had ze nooit met hem gesproken.

'Hij heeft gróte plannen, die daar,' zei Cowley nadrukkelijk. 'Wij hebben het hier gehad, Dan en ik. We nemen onze schapen mee, en dan zullen we weleens zien wat hij ervan bakt. En we zullen weleens zien of hij een andere boer weet te vinden die het land wil pachten en in dat krot wil wonen en zich voor z'n lol laat uitbuiten. Hij en zijn vrouw en zijn familie.'

Manette vroeg zich af of de cottage wel groot genoeg was voor een man, zijn vrouw en ook nog een gezin, maar dat zei ze niet. Alleen: 'Is Tim hier, meneer Cowley? We zijn naar hem op zoek.'

'Weet ik veel,' zei George Cowley. 'Er is hoe dan ook iets mis met dat jong. En die andere spoort ook niet. Springt uren op die trampoline. Ik ben verdomme blij dat ik uit dit gat weg kan. Als u die retenlikker ziet, zeg hem dat dan maar. Zeg hem dat ik zijn verdomde gelul voor geen meter geloof, wat hij ook in zijn schild voert.'

'Zeker. Doen we,' zei Freddie. Hij nam Manette bij de arm en dirigeerde haar naar de voordeur. Binnensmonds zei hij: 'Het is maar het beste als we hem een beetje uit de weg gaan, vind je niet?'

Manette stemde in. Werkelijk, de man was niet goed bij z'n hoofd. Waar had hij het in hemelsnaam over?

In het oude landhuis was niemand, maar Manette wist waar een reservesleutel lag: onder een met korstmos bedekte, betonnen paddenstoel, die half begraven in de tuin lag onder een oude blauweregen, nu zonder bladeren, terwijl zijn massieve stronk naar het dak reikte. Ze deden met de sleutel de deur open. Via de deur kwamen ze door een gang in de keuken, waar alles spic en span was en het oude houtwerk van de verzakte kasten glanzend gepoetst was. De plek zag er beter uit dan voor Ians dood. Het was duidelijk dat Kaveh of iemand anders zijn best erop had gedaan.

Manette werd er onrustig van. Ze geloofde dat een groot verdriet ook de gemoedsrust aantastte, waardoor je echt niet je huis zo kon schoonmaken alsof je bezoekers verwachtte. Maar in deze ruimte stond alles op zijn plaats, geen spinnenweb te bekennen aan de zware eiken plafondbalken en zelfs op de verborgen plek boven de oude open haard, waar ooit het vlees had gehangen om tijdens de lange winters gerookt en geconserveerd te worden, leek het alsof iemand de rokerige muren met een dweil en schoonmaakmiddel onder handen had genomen.

Freddie keek om zich heen en zei: 'Nou, niemand kan beweren dat hij de boel laat versloffen, hè?'

Manette riep: 'Tim? Ben je daar?'

Dit was vooral voor de vorm, want ze wist heel goed dat als Tim er zou zijn, hij zeker niet de trap af zou springen of vanuit het stookhuis naar hen toe zou komen rennen om ze met open armen te begroeten. Toch controleerden ze het huis systematisch: de hallan was leeg, het stookhuis eveneens. Evenals de keuken was elke kamer waar ze naar binnen keken smetteloos schoon. Het zag er allemaal net zo uit als toen Ian nog leefde, alleen beter, alsof er elk moment een fotograaf binnen kon komen om foto's te schieten voor een tijdschriftartikel over elizabethaanse gebouwen.

Ze liepen de trap op. In zo'n oud gebouw zou het wemelen van de verstopplekken, en ze deden hun best ze allemaal te doorzoeken. Volgens Freddie was Tim allang weg, en wie kon hem dat kwalijk nemen na wat hij allemaal had doorgemaakt. Maar Manette wilde er absoluut zeker van zijn. Ze keek onder bedden, doorzocht klerenkasten en duwde zelfs tegen een paar gelambriseerde muren om te zien of er verborgen ruimtes achter zaten. Ze wist dat het belachelijk was, maar ze kon er niets aan doen. Er was iets wezenlijks mis met het hele plaatje van de Bryan Beck-farm, en ze wilde erachter komen wat dat was, want zij wisten niet beter dan dat Kaveh Tim iets had aangedaan waardoor die was weggelopen waarna Kaveh hem na afloop voor de vorm was gaan zoeken.

Tims slaapkamer kwam als laatste aan de beurt en ook daar was alles in orde. Aan niets was te zien dat dit de slaapkamer van een veertienjarige jongen was, hoewel zijn kleren nog steeds in de kast hingen, en zijn T-shirts en truien opgevouwen in de ladekast lagen.

'Aha,' zei Freddie en hij liep naar een tafel die onder een raam als bureau dienstdeed. Daar stond Tims laptop, opengeklapt alsof hij onlangs was gebruikt. 'Misschien komen we hier wat verder mee,' zei hij tegen Manette. Hij ging zitten, bewoog zijn vingers en zei: 'Laten we eens kijken of we hier wijzer van worden.'

Manette ging naast hem staan en zei: 'We hebben zijn wachtwoord niet. Hoe kunnen we rondneuzen in andermans computer zonder wachtwoord?'

Freddie keek haar aan en glimlachte. 'Ach, jij kleine ongelovige,' zei hij. Hij zette zich aan het probleem dat geen echt probleem bleek te zijn. Tim had ervoor gezorgd dat zijn computer het wachtwoord onthield. Ze hadden alleen zijn gebruikersnaam nodig, en dat kende Manette omdat ze Tim regelmatig had gemaild. De rest was een kat in het bakkie, zoals Freddie het uitdrukte.

Hij grinnikte omdat het allemaal zo gemakkelijk ging en zei tegen Manette: 'Ik wou maar dat je er met je rug naartoe had gestaan, meissie. Dan had je echt gedacht dat ik een soort genie was.'

Ze kneep hem in zijn schouder. 'Ik vind je een genie, hoor.'

Terwijl Freddie e-mails en sporen naar verschillende websites onderzocht, keek Manette naar wat er naast de computer op het bureau lag. Schoolboeken, een iPod met speler en speakers, een blocnote met verontrustende potloodtekeningen van groteske buitenaardse wezens die verschillende menselijke lichaamsdelen verzwolgen, een vogelgids – waar kwam die nou vandaan, vroeg ze zich af – een zakmes dat ze openklapte en waar ze op het langste lemmet een griezelige bruine bloedkorst zag, en een geprinte plattegrond van internet. 'Freddie, zou dit iets kunnen...?'

Buiten werden autoportieren dichtgeslagen. Manette leunde over het bureau om uit het raam te kijken. Waarschijnlijk was het Kaveh, dacht ze, die Tim misschien zelf had gevonden en hem mee naar huis had genomen. In dat geval zouden Freddie en zij de computer van de jongen onmiddellijk met rust moeten laten. Het bleek Kaveh echter niet te zijn, maar een ouder Aziatisch echtpaar, mogelijk Iraans, net als hij. Bij hen was een tienermeisje dat naar het landhuis omhoogkeek terwijl ze een hand met lange vingers tegen haar lippen drukte. Ze wierp een blik op het oudere echtpaar. De vrouw nam haar bij de arm en met zijn drieën liepen ze naar de voordeur.

Op de een of andere manier hoorden ze bij Kaveh, dacht Manette. Er waren maar weinig Aziaten in dit deel van Cumbria, en al helemaal op het platteland. Misschien was het een verrassingsbezoek. Misschien waren ze onderweg van A naar B en kwamen ze even langs... Wie wist waarom ze hier waren? Het maakte niet uit, want ze zouden aankloppen en niemand zou opendoen. Dan zouden ze weer weggaan en konden Freddie en zij doorgaan met waar ze mee bezig waren.

Maar dat gebeurde niet. Kennelijk hadden ze een sleutel, want ze hoorde hoe ze binnenkwamen. Manette mompelde: 'Wat in hemelsnaam...?' en toen: 'Freddie, er is iemand. Het is een ouder echtpaar en een meisje. Ik denk dat ze bij Kaveh horen. Zal ik...'

Freddie zei: 'Verdomme. Net nu ik ergens kom. Kun je... Ik weet niet... Kun je ze even bezighouden?'

Manette verliet zachtjes de kamer en sloot de deur achter zich. Ze ging gepast luidruchtig de trap af. Ze riep: 'Hallo? Hallo? Kan ik u helpen?' En in de gang tussen de keuken en het stookhuis kwam ze oog in oog te staan met het gezelschap.

Manette besloot dat ze maar het beste kon bluffen. Ze glimlachte alsof ze kind aan huis was in het landhuis. Ze zei: 'Ik ben Manette McGhie. Ik ben Ians nicht. U bent zeker vrienden van Kaveh? Hij is er momenteel niet.'

Het bleek dat ze meer dan vrienden van Kaveh waren. Ze waren zijn ouders uit Manchester. Ze hadden zijn verloofde bij zich, net overgekomen uit Teheran, om te kijken naar wat over een paar weken haar nieuwe thuis zou worden. Zij en Kaveh hadden elkaar nog niet ontmoet. Het was niet gebruikelijk dat haar toekomstige schoonouders de bruid naar hem toebrachten, maar Kaveh had niet kunnen wachten – nou ja, welke bruidegom kon dat wel? – dus daar waren ze. Gewoon een verrassing voor het huwelijk.

Het meisje heette Iman en ze sloeg haar ogen aantrekkelijk verlegen neer terwijl deze informatie werd uitgewisseld. Haar haar, overvloedig, weelderig en zwart, viel voor haar ogen en verborg haar gezicht. Maar de glimp die Manette ervan had opgevangen was genoeg om te zien dat ze heel mooi was.

'Kavehs verloofde?' Manettes glimlach bevroor toen ze dit tot zich door liet dringen. Nu wist ze in elk geval waarom het huis zo smetteloos was. Maar net zoals meestal het geval was, hadden deze wateren diepe gronden en dit arme meisje zou er waarschijnlijk in verdrinken. Manette zei: 'Ik had geen idee dat Kaveh verloofd was. Dat heeft Ian me nooit verteld.'

Waarop de bodem nog verder wegzakte.

'Wie is Ian?' vroeg Kavehs vader.

Onderweg naar Londen

Toen zijn telefoon ging was Lynley bijna honderd kilometer van Milnthorpe verwijderd en hij naderde snel het kruispunt van de M56, en hij was verschrikkelijk uit zijn humeur. Deborah St. James had hem een loer gedraaid en daar was hij bepaald niet blij mee. Hij was zoals afgesproken om halfelf bij de Crow & Eagle gearriveerd in de verwachting dat ze bepakt en bezakt klaar zou staan voor de terugrit naar Londen. Aanvankelijk had hij zich niet ongerust gemaakt toen ze niet in de hal op hem wachtte, omdat hij haar huurauto op de parkeerplaats had zien staan, dus hij wist dat ze ergens in de buurt moest zijn.

'Wilt u alstublieft haar kamer bellen,' had hij tegen de receptioniste gezegd, een meisje in een gesteven, witte blouse en zware wollen rok, die dat bereidwillig had gedaan nadat ze had gevraagd: 'Wie zal ik zeggen...?'

'Tommy,' zei hij en hij zag een glimp van herkenning over haar gezicht schieten. Misschien fungeerde de Crow & Eagle als een uiterst populair liefdesnest – zo zou brigadier Havers het uitdrukken – als een centrale ontmoetingsplaats voor de dagelijkse rendez-voustjes van de landadel. Hij voegde eraan toe: 'Ik kom haar ophalen zodat we samen naar Londen kunnen terugrijden,' en meteen ergerde hij zich omdat hij het uitlegde. Hij liep weg en bestudeerde de obligate standaard met brochures over de toeristische trekpleisters in Cumbria.

Even later schraapte de receptioniste haar keel en zei: 'Er wordt niet opgenomen, sir. Misschien is ze in de eetzaal?'

Maar daar was ze niet. Evenmin was ze in de bar, hoewel het onwaarschijnlijk was dat Deborah om halfelf 's ochtends in de bar te vinden zou zijn. Aangezien haar auto hier stond, pal naast de plek waar hij de Healey Elliot had geparkeerd, ging hij zitten wachten. Aan de straat tegenover het hotel bevonden zich een bank, het marktplein, een oude kerk met een mooi kerkhof... Hij bedacht dat ze voor de lange rit misschien nog een laatste blik op die plek wilde werpen.

Het drong pas tien minuten later tot hem door dat als de receptioniste Deborahs kamer had gebeld, ze kennelijk nog niet was uitgecheckt. Toen het hem wél begon te dagen, kwam hij al snel uit op één conclusie: 'Een verdomd lastig portret, dat is ze.'

Hij belde onmiddellijk naar haar mobiel. Uiteraard schakelde die meteen op haar voicemail over. 'Je moet wel weten dat dit me helemaal niet aanstaat. We hadden een afspraak. Waar zit je verdomme?' maar verder had hij er niets aan toe te voegen. Hij kende Deborah. Het had geen zin om haar van haar hardnekkige standpunt af te brengen als het om de zaken in Cumbria ging.

Maar hij keek toch nog in de stad rond voordat hij vertrok, omdat hij zichzelf wijsmaakte dat hij Simon dat ten minste verschuldigd was. Dit nam nog meer van zijn dag in beslag en hij kwam er geen stap verder mee, behalve dat hij Milnthorpe uit en te na had bekeken en hij constateerde dat zich rondom het marktplein om de een of andere reden een hele serie Chinese afhaalrestaurants had verzameld. Ten slotte keerde hij naar de herberg terug, schreef een briefje voor haar dat hij bij de receptioniste achterliet en ging op weg.

Toen zijn telefoon ging terwijl hij de M56 naderde, dacht hij eerst dat het Deborah was, om zich in excuses uit te putten. Hij antwoordde zonder op de display te kijken en blafte: 'Wat?' en hoorde in plaats van Deborah de stem van brigadier Havers.

Ze zei: 'Juist. Oké. Ook hallo. Welke van de twee? Hebt u een persoonlijkheidsverandering ondergaan of een wilde nacht achter de rug?'

Hij zei: 'Sorry, ik zit op de snelweg.'

'Naar...?'

'Huis, waar anders naartoe?'

'Da's geen goed idee, sir.'

'Hoezo? Wat is er aan de hand?'

'Bel me als u kunt praten. Zoek een benzinestation. Ik wil niet dat u met die dure auto van u crasht. Ik heb de Bentley al op m'n geweten.'

Hij moest nog een aardig eindje rijden voor het volgende servicestation in zicht kwam. Het duurde een kwartier voordat hij er was, maar op het parkeerterrein was het niet druk en in het lelijke gebouw waarin zich een snackbar met een plakkerige vloer, winkels, kiosken en een kinderspeeltuin bevonden, was bijna niemand. Hij kocht een kop koffie en nam die mee naar een tafel. Hij belde Havers.

'Ik hoop dat u zit,' zei ze toen ze opnam.

'Daarstraks zat ik ook,' bracht hij haar in herinnering.

'Oké, oké.' Ze begon hem uitgebreid bij te praten over wat ze had gedaan. Kennelijk was ze vooral bezig geweest Isabelle Ardery te ontwijken om internetonderzoek te kunnen doen, waarvoor ze onmiskenbaar een voorliefde begon te ontwikkelen. Ze had het over een Spaanse doctoraalstudent, over haar buurman Taymullah Azhar die Lynley wel kende, de stad Santa María de la Cruz, de los Ángeles, y de los Santos, en ten slotte kwam ze bij de vijf zoons van de burgemeester van die stad. Ze eindigde met het doel van haar telefoontje en werkte als altijd naar het dramatische moment toe: 'En dat is de situatie in een notendop. Er bestaat geen Alatea Vásquez y del Torres. Of liever gezegd: er is wel en er is geen Alatea Vásquez y del Torres.'

'Had je niet al vastgesteld dat Alatea waarschijnlijk een familielid is?'

'Om schaamteloos uit de rock-'n-rollgeschiedenis te citeren, sir: *That was yesterday and yesterday's gone.*'

'En dat betekent?'

'Dat betekent dat Alatea wel lid is van de familie. Ze is alleen niet Alatea.'

'Wie is ze dan wel?'

'Santiago.'

Lynley liet dat op zich inwerken. Een schoonmaker was in zijn buurt met een dweilmachine de vloer aan het doen en wierp voortdurend betekenisvolle blikken in zijn richting, alsof hij hoopte dat hij het pand zou verlaten, waardoor hij de plek onder zijn stoel kon schoonmaken. Hij zei: 'Barbara, wat bedoel je in godsnaam?'

'Ik bedoel precies wat ik zeg, sir. Alatea is Santiago. Santiago is Alatea. Of ze zijn een eeneiige tweeling, en als ik me mijn biologielessen goed herinner, bestaat er geen eeneiige meisje-jongetjetweeling. Een biologische onmogelijkheid.'

'Dus we hebben het hier over... Waar hebben we het hier precies over?'

'Travestie, sir. Feilloze vrouwelijke personificatie. Een smakelijk geheim dat men wat graag voor de familie verborgen zou willen houden, wat u?'

'Dat zou ik wel denken, ja. In bepaalde omstandigheden. Maar in deze omstandigheden...'

Havers onderbrak hem. 'Sir, het zit als volgt: het spoor van Santiago loopt dood wanneer hij een jaar of vijftien is. Ik durf te beweren dat hij vanaf dat moment zich als iemand ging voordoen en zich Alatea noemde. Rond die tijd is hij ook van huis weggelopen. Dat weet ik uit een telefoongesprek met de familie, met nog een aantal andere details.'

Ze vertelde hem wat ze te weten was gekomen van haar eerdere ontmoeting met de doctoraalstudente Engracia, die met Argentinië had gebeld. De familie wilde dat Alatea naar huis kwam; haar vader en broers begrepen het nu; Carlos – hij is de priester, zei Havers nogmaals tegen Lynley – heeft gezorgd dat ze het begrepen; iedereen bidt dat Alatea terugkomt; ze hebben jarenlang gezocht; ze moet niet blijven vluchten; Elena María's hart was gebroken...

'Wie is Elena María?' Lynley had het gevoel alsof zijn hoofd vol zat met natte watten.

'Een nicht,' zei Havers. 'Wat ik eruit heb begrepen, is dat Santiago is weggelopen omdat hij zich graag als vrouw verkleedde, wat – laten we wel wezen – hoogstwaarschijnlijk niet in goede aarde viel bij zijn broers en vader. Latijns-Amerikaanse types, weet u wel? Macho en zo, neem me het stereotype niet kwalijk. Hoe dan ook, ergens onderweg kwam hij in contact met Raul Montenegro...'

'Wie is in godsnaam...'

'Rijke kerel uit Mexico City. Zit genoeg in de slappe was om een concertzaal te bouwen en die naar zijn moeder te noemen. Hoe dan ook, Santiago ontmoet hem en Raul vindt hem "leuk", want Raul raakt 'm graag aan dezelfde kant, als u begrijpt wat ik bedoel. En hij heeft bovendien zijn partners het liefst jong en aantrekkelijk. En wat ik op de foto's heb gezien, heeft hij ze ook lekker geolied, maar dat maakt niet zoveel uit, hè? Hoe dan ook, voor deze twee kerels is het hemel op aarde. Aan de ene kant hebben we Santiago die zich graag als vrouw uitdost en make-up gebruikt, wat hij trouwens gaandeweg verdomd goed heeft geleerd. Aan de andere kant hebben we Raul die Santiago ontmoet en totaal geen problemen heeft met Santiago's kledinggewoonten aangezien Raul zo gay is als een deur, maar liever niet wil dat iemand dat te weten komt. Dus hij neemt Santiago onder zijn hoede die, wanneer hij zichzelf helemaal optut, eruitziet als een beeldschoon wijf met wie Raul zich zelfs in het openbaar kan vertonen. Ze houden elkaar gezelschap, om het zo maar te zeggen, totdat er iets beters langskomt.'

'En dat iets beters is...?'

'Nicholas Fairclough, neem ik aan.'

Lynley schudde zijn hoofd. Dit was allemaal zo volslagen onwaarschijnlijk. Hij zei: 'Havers, vertel me, zijn dit allemaal veronderstellingen of heb je ook harde feiten?'

Ze was onaangedaan. 'Sir, het klopt allemaal. Santiago's moeder wist precies over wie we het hadden toen Engracia haar naar Alatea vroeg. Ze kende Engracia niet, wist alleen dat ze op zoek was naar Alatea, dus kon ze ook niet weten dat we al hadden ontdekt dat er alleen zoons in het gezin waren. Aangezien wij wisten dat er alleen maar zoons waren, dachten Engracia en ik allebei dat Alatea iemand anders uit de uitgebreide familie moest zijn – net zoals u – maar toen ik Santiago's spoor volgde, de oudste foto's uit de modellentijd van Alatea opdiepte en het vroegste exemplaar van haar vond... Echt, sir, zij is Santiago. Hij is weggelopen om als vrouw te gaan leven, en met zijn uiterlijk viel dat niemand op. En toen hij Raul Montenegro ontmoette, was het voor elkaar.

Waarschijnlijk liep alles tussen Alatea en Raul op rolletjes, tot Nicholas Fairclough op het toneel verscheen.'

Lynley moest toegeven dat het best zo kon zijn. Want Nicholas Fairclough, voormalig drugs- en alcoholverslaafde, wilde waarschijnlijk niet dat zijn ouders wisten dat hij nu met een man leefde die deed alsof hij een vrouw was, met een vals huwelijksboekje, het enige document waarmee deze persoon in het land mocht blijven.

'Kan Ian Cresswell dit op de een of andere manier ontdekt hebben?' vroeg Lynley, eerder aan zichzelf dan aan Havers.

'Als u dat maar weet,' zei Havers instemmend. 'Want alles bij elkaar genomen, sir, wie wist beter dan Ian Cresswell wat voor vlees hij in de kuip had toen hij haar voor het eerst ontmoette?'

Milnthorpe

Cumbria

Deborah voelde zich al ellendig voordat de receptioniste van de Crow & Eagle Tommy's boodschap aan haar overhandigde. Want alles wat ze had geprobeerd, was mislukt.

Ze had geprobeerd die afschuwelijke verslaggever van *The Source* ervan te overtuigen dat er geen verhaal zat in wat ze van Lucy Keverne in Lancaster te weten waren gekomen. Aangezien Zed Benjamin nog steeds dacht dat Deborah een rechercheur van Scotland Yard was, had ze gehoopt dat hij erin zou meegaan toen ze zei: 'Nou, mijn werk zit er hier op,' en zou concluderen dat zijn werk in Cumbria er ook op zat. Als de vermeende rechercheur per slot van rekening besloot dat er geen zaak was, was het redelijk dat er ook geen verhaal van te maken viel.

Maar zo dacht Zed er niet over, zo bleek. Hij zei dat het verhaal nog maar net begon.

Het idee waar ze Alatea en Nicholas Fairclough aan blootstelde, vervulde Deborah met afgrijzen, en ze had Zed gevraagd aan wat voor verhaal hij dan dacht. 'Twee mensen willen een vrouw meer betalen dan wettelijk mag om draagmoeder voor hun kind te worden,' verklaarde ze. 'Hoeveel van zulke mensen lopen er wel niet in dit land rond? Hoeveel mensen zijn er die een vriendin of familielid hebben die bereid is om alleen uit meegevoel gratis draagmoeder te zijn? Het is een belachelijke wet en er zit geen verhaal in.'

Maar opnieuw zag Zed Benjamin het anders. De wet zelf was het verhaal, verklaarde hij. Daardoor gingen wanhopige vrouwen op zoek naar wanhopige oplossingen en gebruikten ze wanhopige middelen om hun doel te bereiken.

Deborah zei: 'Neem me niet kwalijk dat ik het zeg, meneer Benjamin, maar ik kan me niet voorstellen dat *The Source* zich op uw aanwijzing opwerpt tot een pleitbezorger voor vrouwelijke voortplantingskwesties.'

'We zullen zien,' had hij gezegd.

Ze namen afscheid bij de deur van haar hotel en ze sjokte naar binnen, waarna ze een dichtgeplakte envelop kreeg overhandigd met daarop haar naam in schuinschrift, dat ze herkende van de brieven die ze jarenlang van Tommy had gekregen toen zij in Californië aan de fotoacademie studeerde.

Het was een kort bericht: 'Deb, wat moet ik ervan zeggen? Tommy.' En hij had groot gelijk. Wat móést hij er ook van zeggen? Ze had tegen hem gelogen, ze had zijn telefoontje genegeerd en nu was hij van streek, evenals Simon. Wat had ze er een puinhoop van gemaakt.

Ze ging naar haar kamer en begon haar spullen te pakken. Intussen overdacht ze hoe ze alles helemaal verknald had. Ten eerste de kwestie van Simons broer, David, die ze aan het lijntje had gehouden door steeds maar weer geen besluit te nemen over de open adoptie die hij probeerde te regelen, puur en alleen om ze te helpen. Dan Simon, die ze zo van zich had vervreemd, vooral door zo verdomde koppig in Cumbria te willen blijven terwijl het duidelijk was dat hun werkelijke doel in die streek – Tommy helpen met zijn onderzoek naar de dood van Ian Cresswell – was afgerond. Ten slotte was daar Alatea Fairclough die hoopte op een draagmoeder en wier hoop nu waarschijnlijk in rook was opgegaan doordat Deborah als een olifant in een porseleinkast in haar privézaken tekeer was gegaan terwijl ze alleen maar wilde wat Deborah ook wilde: de kans om een kind op de wereld te zetten.

Deborah stopte met inpakken en liet zich op het bed zakken. Ze bedacht hoeveel tijd ze zich in de afgelopen jaren van haar leven had laten regeren door iets waar ze totaal geen invloed op kon uitoefenen. Ze had gewoonweg de macht niet om haar eigen wensen te vervullen. Ze kon geen moeder worden, enkel en alleen omdat ze dat zo graag wilde. Alatea Fairclough had waarschijnlijk precies hetzelfde doorgemaakt als zij.

Deborah zag eindelijk in waarom de Zuid-Amerikaanse vrouw zo bang voor haar was en waarom ze liever niet met haar wilde praten. Zij en haar man stonden op het punt iemand te betálen die een baby voor hen zou dragen. Het enige wat Alatea wist, was dat Deborah door voortplantingswetenschappers van de universiteit van Lancaster naar Cumbria was gestuurd om de waarheid te achterhalen over haar regeling met Lucy Keverne, voordat ze de benodigde procedures voor een draagmoederzwangerschap in gang zouden zetten. En daar zouden ze ongetwijfeld hun handen vol aan hebben. Dat proces zou niet beginnen tot de wetenschappers en artsen zekerheid hadden over Alatea Fairclough en de draagmoeder.

Dus Deborah had vanaf het moment dat ze voet in Cumbria had gezet de arme vrouw in de weg gezeten, terwijl zij en Alatea Fairclough al die tijd een hels verlangen koesterden, iets wat andere vrouwen zo gemakkelijk in de schoot werd geworpen en vaak ook nog eens als een 'ongelukje' werd ervaren.

Deborah besefte dat ze zich bij iedereen moest verontschuldigen omdat ze zich in de afgelopen paar dagen zo had misdragen. Te beginnen bij Alatea Fairclough. Voordat ze uit Cumbria naar het zuiden zou wegrijden, dacht ze, ging ze dat doen.

Milnthorpe

Cumbria

Zed had eigenlijk gewoon tegen de Scotland Yard-rechercheur gebluft en dat wist hij best. Nadat hij haar bij haar hotel had afgezet, keerde hij niet naar Windermere terug. In plaats daarvan ging hij over de hoofdweg door Milnthorpe en zocht zijn weg naar de straat die van oost naar west langs het marktplein liep. Daar was bij een kruispunt een Spar, waar een andere straat naar een somber ogend huizenblok van massief grijs pleisterwerk leidde. Hij parkeerde daar vlakbij en ging naar binnen. Het was er rommelig en warm, en dat paste bij zijn stemming en zijn gedachten.

Hij bleef een paar minuten doelloos rondkijken, en liep toen verder en kocht een exemplaar van *The Source*. Daarmee overbrugde hij de korte afstand naar de Milnthorpe Snackbar, niet ver uit de buurt van een indrukwekkende slagerij waar in de etalage een rij hertenvleespasteitjes lag uitgestald.

In de snackbar kocht Zed een dubbele portie schelvis en frites en een Fanta orange. Toen hij zijn eten op de tafel had gezet vouwde hij *The Source* open en zette zich schrap voor het hoofdartikel van die dag en, erger nog, voor het onderschrift.

Beide behoorden aan die eikel van een Mitchell Corsico. Het was een verhaal van niks, echt bagger: een onbeduidend lid van de koninklijke familie was naar buiten gekomen met een buitenechtelijk kind van gemengd ras, met foto's en al. Het was een meisje. Ze was vijf jaar. Ze was bovendien knap, wat vaak het geval was bij mensen van gemengd ras, omdat die de beste chromosomen van hun voorvaderen erven. Haar koninklijke vader was geen troonopvolger, tenzij de huidige monarch met zijn gezin en verdere familie op de Atlantische Oceaan tijdens een feest op een partyschip op een ijsberg botste, en daardoor werd het verhaal niet alleen van zijn handen, maar ook van zijn voeten beroofd. Dit feit deed er voor Mitchell Corsico echter niet toe, en klaarblijkelijk ook niet voor Rodney Aronson, die de beslissing moest hebben genomen om het verhaal op de voorpagina te zetten, hoe onbeduidend dit lid van de koninklijke familie ook was.

Op de voorpagina werd gesuggereerd dat dit weleens de onthulling van het jaar kon zijn, van het decennium of zelfs van de eeuw, en dat werd door *The Source* uitgemolken als de uiers van een stervende koe. Rodney had alles uit de kast gehaald: schreeuwende koppen, korrelige en andere foto's, Mitch' naam prominent bij het artikel en een sprong naar pagina acht – nou dát sprak boekdelen over wat het publiek in Rodneys ogen werkelijk voorgeschoteld moest krijgen, nietwaar? – waar het verhaal vervolgde met de weinig inspirerende achtergrond van de moeder van het kind en de nog minder inspirerende achtergrond van het onbeduidende koninklijke familielid dat, in tegenstelling tot een groot aantal leden van het koningshuis, tenminste nog mét kin geboren was.

Natuurlijk moest de roddelkrant voorzichtig zijn, het was een en al politieke correctheid dat de klok sloeg. Maar echt, ze schotelden het publiek een flutverhaal voor. Zed kwam tot de conclusie dat het in het riool wel een heel lauw dagje moest zijn geweest als Rodney hiermee kwam aanzetten.

Zed bedacht ook dat hij hierdoor misschien zelf een goede kans maakte om de voorpagina weg te kapen wanneer hij de feiten uit Cumbria op een rij zette en er een verhaal van wist te maken. Dus hij schoof *The Source* opzij, overgoot zijn schelvis en frites royaal met moutazijn, maakte zijn blikje Fanta open en begon alles door te nemen wat hij over Nick Fairclough en de verrukkelijke Alatea had verzameld.

Het woord 'sensationeel' ging voor zijn verhaal bepaald niet op. Wat dat betrof had de Scotland Yard-rechercheur gelijk gehad. Nick Fairclough en zijn vrouw zouden een andere vrouw meer dan de onkosten betalen om een baby voor hen te dragen, en hoewel dat weliswaar onwettig was, leverde het ook geen verhaal op. Nu kwam het erop aan dat hij er een verhaal van maakte, er een sensatieverhaal van kon maken, of ten minste een verhaal dat zich kon meten met dat over de bastaarddochter van een lid van de koninklijke familie.

Zed dacht over zijn mogelijkheden na en welke details hij moest uitwerken. In wezen had hij eicellen, sperma, man, vrouw, nog een vrouw en geld. Eicel van wie, sperma van wie, welke man, welke vrouw en wiens geld? Dat waren de verschillende aspecten die moesten worden gemasseerd tot een episch journalistiek stuk.

Ook hier waren twee mogelijkheden. Misschien waren de eicellen van de arme Alatea niet goed genoeg – kon dat, vroeg hij zich af – om te doen wat ze moesten doen, zoals doorschuiven naar – schoven ze eigenlijk wel? – de plek waar ze Nicks je-weet-wel-wat moesten tegenkomen. Aangezien ze niet goed genoeg waren, moesten de eicellen van iemand anders worden gebruikt. Maar Nick en Alatea wilden dat niet aan de neus van de familie hangen vanwege... wat? Erfenis? Hoe zaten de erfwetten tegenwoordig in elkaar? Was er sowieso wel sprake van een erfenis, los van een bedrijf dat toiletten en andere onsmakelijke producten fabriceerde? En als hij dat bedrijf noemde liep hij ook het risico bespot te worden, en het onderwerp te worden van elke grap in Fleet Street. Of misschien waren Nicks kikkervisjes niet tegen de klus opgewassen? Door jaren van drugsgebruik waren ze misschien te zwak geworden om de reis te maken of veel uit te richten als ze eenmaal op de plaats van bestemming waren aangekomen. Dus moesten de kikkervisjes van iemand anders worden gebruikt met als resultaat een baby die moest doorgaan voor een heuse Fairclough? Dat zou nog eens leuk zijn.

Of draaide het misschien allemaal om het geld dat aan Lucy Keverne betaald zou worden? Met Nicks geschiedenis was het mogelijk dat hij zijdelings een beetje handelde, in iets anders dan toiletten, om genoeg geld te verzamelen zodat hij de vrouw kon betalen. Waren artsen ook omkoopbaar? Dat kon ook nog.

Tegen de tijd dat Zed zijn dubbele portie schelvis en frites achter de kiezen had, was hij tot de conclusie gekomen dat hij nog het beste het smakeloze verhaal over de aanschaf van een broedmachine – daarmee zou hij het aan Rodney verkopen – kon beginnen met Nick Fairclough als invalshoek. Zijn redenering hierachter was eenvoudig. Hij had misschien niet een enorme mensenkennis, maar genoeg om te weten dat zodra hij en de Scotland Yard-rechercheur bij Lucy Keverne waren vertrokken, ze de telefoon had gepakt om Alatea Fairclough te bellen en haar het ergste mee te delen.

Dus moest hij Nick nog een beetje onder druk zetten zodat hij het ware verhaal achter de deal met de vrouw uit Lancaster te horen kreeg.

Hij pakte zijn exemplaar van *The Source* en liep naar zijn auto. Hij keek op zijn horloge en veronderstelde dat Nicholas Fairclough waarschijnlijk op het burchttorenproject in Middlebarrow was. Dus daar zou Zed naartoe gaan.

De weg voerde hem langs de Crow & Eagle en leidde ook naar Arnside. Hij schoot langs Milnthorpe Sands, dat momenteel inderdaad uit zandvlakten bestond – hoewel zompig – want het water had zich nog zo ver teruggetrokken dat de Kent-rivier slechts een smalle glimp water was waar aan de rand wulpen, plevieren en tureluurs rondstapten in hun eeuwige zoektocht naar voedsel. Daarachter kroop uit de richting van Humphrey Head de mist naar de oevers toe. De mist was dicht en de lucht verzadigd. Vocht klampte zich vast aan cottageramen en drupte van de bomen. De weg was nat en glibberig.

Bij het burchttorenproject parkeerde Zed zijn auto niet ver van de toren. Hij zag dat er nu niemand aan het werk was. Maar nadat hij uit de auto de vochtige lucht in was gestapt, hoorde hij een man in een schorre lach uitbarsten. Hij ging op het geluid af en dat bleek uit de eettent te komen. Daar zaten alle mannen bij elkaar aan de tafels, maar ze waren niet aan het eten. Hun aandacht was gericht op een oudere vent die in een ongedwongen houding vóór hen stond, één voet op een stoel en een elleboog op zijn knie. Kennelijk vertelde hij de anderen een of ander verhaal en ze leken zich kostelijk te vermaken. Ze genoten ook van een kop thee of koffie en Zeds ogen prikten door de sigarettenrook in de lucht.

Zed en Nick Fairclough kregen elkaar op hetzelfde moment in de gaten. Hij zat aan het verste uiteinde van de tent, wipte met zijn stoel naar achteren en liet zijn voeten op het tafelblad rusten. Zodra hij Zeds blik opving, liet hij de stoelpoten op de grond terugvallen. Hij liep snel naar de ingang van de tent.

Daar greep hij Zed bij de arm en dirigeerde hem naar buiten. Hij zei: 'Dit is geen openbare bijeenkomst,' en hij klonk bepaald niet vriendelijk. Daarmee concludeerde Zed dat hij getuige was geweest van wat de mannen op het rechte pad hield: de Anonieme Alcoholisten, Jonesing Johnnies United, Hogs for Hope, of wat dan ook. Hij concludeerde ook dat hij niet nogmaals met open armen in Nicholas Faircloughs leven werd onthaald. Nou ja, jammer dan.

'Ik wil met je praten,' zei Zed tegen hem.

Fairclough hield zijn hoofd schuin naar de tent en antwoordde: 'Ik heb een bijeenkomst, zoals je hebt gezien. Je zult moeten wachten.'

'Ik vrees dat dat niet gaat.' Zed haalde zijn blocnote tevoorschijn om dat te benadrukken.

Fairclough kneep zijn ogen tot spleetjes. 'Waar gaat dit over?'

'Lucy Keverne.'

'Wie?'

'Lucy Keverne. Of misschien ken je haar onder een andere naam? Zij is de draagmoeder die jij en je vrouw in de arm hebben genomen.'

Fairclough staarde hem aan en Zed herkende onmiddellijk wat de uitdrukking op het gezicht van de ander betekende. Die uitdrukking zei: 'Ben je gek geworden?' Maar de reden voor de vraag had helemaal niets met waanzin te maken.

'Draagmoeder?' zei Fairclough. 'Waar heb je het over?'

'Wat denk je?' zei Zed. 'Ik wil graag met je praten over de deal die jij en je vrouw met Lucy Keverne hebben gesloten om jullie kind te dragen.'

'Deal?' zei Nicholas Fairclough. 'Er is geen deal. Wat is dit, verdomme?'

Zed voelde hoe hij genoot van dit moment, terwijl er tegelijkertijd in zijn hoofd *bingo* beierde. Hij had zijn verhaal.

'Laten we even een stukje gaan lopen,' zei hij.

Bryanbarrow

Cumbria

Terwijl Manette de trap opklom nadat ze Kavehs ouders en zijn verloofde in de stookkamer had neergezet, probeerde ze nog steeds de informatie tot zich door te laten dringen. Ze had thee en koekjes voor ze gehaald en die neergezet op een dienblad dat ze uit een keukenkast had gegrist. Joost mocht weten waarom ze thee had aangeboden, maar uiteindelijk bedacht ze dat goede manieren, in combinatie met gewoonte, altijd goed van pas kwamen.

Ze hadden de verwarring opgehelderd over de rol die Ian Cresswell precies in Kavehs leven had gespeeld, althans voor zover zijn ouders ervan hadden geweten. Een kort gesprekje onthulde dat hij volgens Kavehs ouders alleen maar kuis bij een farmeigenaar een kamer had gehuurd, terwijl de naam van de eigenaar nooit in telefoontjes, briefjes, kaartjes of brieven van hun zoon was genoemd. Wonder boven wonder had de farmeigenaar kennelijk de farm bij testament aan Kaveh nagelaten nadat die zelf, zoals zij het uitdrukten, onverwacht de farm had gekocht. Een nog groter wonder was het dat Kaveh nu vrij was om te trouwen omdat hij een huis had waarin hij zijn bruid kon verwelkomen. Uiteraard had hij geen huis nódig gehad, zoals ma en pa hem steeds maar weer, jaar na jaar, hadden uitgelegd, omdat hij met zijn vrouw bij zijn ouders had kunnen wonen. Dat was traditioneel de gewoonte in Iran, waar grote families generatieslang bij elkaar in woonden. Maar Kaveh was een moderne jongeman met de ideeën van een moderne Brítse jongeman, en Britse jongemannen woonden niet met hun vrouw bij hun ouders. Dat deed je niet. Hoewel, eerlijk gezegd ging nu het tegenovergestelde gebeuren: Kaveh stond erop dat zijn ouders introkken bij hem en zijn aanstaande vrouw op de farm. Het was, zo zeiden ze, een geslaagde afsluiting van een decennium waarin ze hem aan zijn hoofd hadden gezeurd om voor kleinkinderen te zorgen.

Het was verbijsterend dat deze brave mensen zo weinig van hun zoon wisten en Manette besloot meteen dat zij niet degene zou zijn om ze uit de droom te helpen. Ze voelde even een steek van schuldgevoel tegenover de arme Iman en de toekomst die voor haar lag, omdat ze een man trouwde die hoogstwaarschijnlijk hetzelfde dubbele leven zou gaan leiden als Ian vroeger had geleid. Maar wat kon ze doen? En als ze al iets deed – door te zeggen: 'Sorry, maar weet u dan niet dat Kaveh het al jaren met kerels aanlegt?' – waar zou dat dan toe leiden, behalve tot een opschudding die haar niet aanging? Kaveh mocht doen wat hij wilde, besloot ze. Zijn familie zou uiteindelijk de waarheid toch wel te weten komen. Of ze zouden bewust gelukzalig onwetend gehouden worden. Op dat moment was het haar taak om Tim Cresswell te vinden. Maar nu wist ze tenminste waarom Tim was weggelopen. Ongetwijfeld had Kaveh hem ingelicht over zijn aanstaande huwelijksfeest. Dat was het laatste zetje dat het arme jong nodig had gehad.

Maar waar was hij naartoe? Dat was de vraag. Ze liep terug naar Tims slaapkamer om te zien of Freddie daar iets wijzer was geworden.

Dat was kennelijk het geval. Hij zat nog altijd aan Tims laptop, maar had hem een stukje gedraaid, zodat iemand die de kamer binnenkwam het scherm niet kon zien. En die iemand was zij, bedacht Manette. Zijn gezicht stond ernstig.

Ze zei: 'Wat is er?'

'Pornografie. En het is al een tijdje aan de gang.'

'Over wat voor soort porno hebben we het dan?' Ze wilde om zijn stoel heen lopen, die hij ook had verschoven zodat hij haar de kamer in zou zien komen. Hij stak zijn hand op. 'Dit wil je niet zien, liefje.'

'Freddie, wat ís het?'

'Het begint kalm, niet veel meer dan wat je ziet als een jongen de hand weet te leggen op zo'n tijdschrift dat ze onder de toonbank verkopen. Je weet wel wat ik bedoel. Naakte vrouwen die hun intieme delen meer gedetailleerd laten zien dan fotografisch eigenlijk aantrekkelijk is. Jongens doen die dingen aan de lopende band.'

'Heb jij dat gedaan?'

'Nou... Eh, ja en nee. Ik was meer een borstenman, eerlijk gezegd. Artistieke plaatjes en zo. Maar tijden veranderen, hè?'

'En verder?'

'Nou, ik had mijn eerste vriendinnetje toen ik jong genoeg was om te...'

'Freddie, lieverd, ik heb het over de computer. Is er nog meer? Je zei dat het kalm begint.'

'O. Ja. Maar dan verschuift het naar mannen en vrouwen die aan het... Nou, je weet wel.'

'Nog altijd normale nieuwsgierigheid, misschien?'

'Zou ik wel zeggen. Maar daarna schakelt het over naar mannen met mannen.'

'Vanwege Ian en Kaveh? Misschien omdat hij zelf twijfelt?'
'Dat kan altijd. Dat is zelfs waarschijnlijk. Tim wilde het misschien begrijpen. Zichzelf, zijn vader, wie dan ook...'
Maar Freddie zei dit alles op zo'n ernstige toon dat Manette wist dat er meer was.
Ze zei: 'En dan, Freddie?'
'Nou, dan gaat het van foto's naar film. Live action. En de acteurs – wie dat dan ook mogen zijn – veranderen ook.' Hij wreef over zijn kin en ze hoorde zijn handpalm over zijn stoppels schrapen, wat haar nu troostend in de oren klonk, hoewel ze geen idee had waarom.
Ze zei: 'Wil ik weten in welke zin de acteurs veranderen?'
'Mannen met jongens,' zei hij. 'Jonge jongens, Manette. Zo te zien zijn ze tien tot twaalf jaar. En de films zelf...' Freddie aarzelde even, maar keek haar toen recht aan en in zijn donkere ogen was te lezen hoe ernstig zorgen hij zich maakte. 'Jonge jongens die oudere mannen "bewerken", soms in hun eentje maar vaker in groepen. Ik bedoel, het gaat altijd om één jonge jongen, maar soms met meer dan één man. Er is zelfs een... nou ja, een karikatuur van het Laatste Avondmaal bij, alleen wordt "Jezus" niet de voeten gewassen en ziet "Hij" eruit als een jaar of negen.'
'Lieve god.' Manette probeerde zich een beeld te vormen: waarom Tims belangstelling was verschoven van naakte vrouwen die hun geslachtsdelen laten zien via man/vrouw-seks via man/man-seks en uiteindelijk naar man/jongen-seks. Ze wist te weinig van adolescente jongens om te begrijpen of dit normale nieuwsgierigheid was of iets meer sinisters. Ze vreesde dat het dat laatste was. Wie zou dat niet denken. Ze zei: 'Wat moeten we volgens jou...?' maar ze kon de vraag niet afmaken, want ze wist niet wat de volgende stap was, behalve dat ze het aan de politie en een kinderpsychiater moesten overlaten en er verder maar het beste van moesten hopen. Ze zei: 'Ik bedoel, het feit dat hij dit gedoe opzoekt... We moeten het in elk geval aan Niamh vertellen. Maar ja, wat hebben we daaraan?'
Freddie schudde zijn hoofd. 'Hij is er niet naar op zoek geweest, Manette.'
'Ik begrijp het niet. Je zei net...'
'Los van de foto's van vrouwen en mannen, en de seks tussen mannen, wat wellicht toegeschreven kan worden aan zijn verwarring over zijn vader en Kaveh, heeft hij het helemaal niet gezocht.'
'Dan...?' Ze snapte het opeens. 'Is dat spul dan naar hem gestúúrd?'
'Er is een spoor e-mails van iemand die zich Toy4You noemt. Dat gaat helemaal terug naar een chatroom voor fotografie. Ik vermoed dat via

die chatroom een aantal routes leiden naar verschillende soorten fotografie, fotomodellen, merkwaardige fotografie, naaktfotografie, of wat voor soorten dan ook van waaruit gebruikers naar meer besloten chatrooms kunnen komen waar ze privégesprekken kunnen voeren. De site heet niet voor niets *het web*. Er lopen overal draden naartoe. Je moet ze alleen volgen.'

'Wat heeft deze Toy4You te vertellen?'

'Wat je kunt verwachten bij een langzame gestage verleidingspoging. "Een beetje onschuldige pret", "genegenheid tonen", "uiteraard op vrijwillige basis onder volwassenen", "moet volwassen zijn", en dan de switch naar: "Ga eens kijken en vertel me wat je ervan vindt", "Heb jíj er ooit aan gedacht", et cetera.'

'Freddie, wat is Tims antwoord?'

Freddie tikte met zijn vingers op het bureau. Hij leek moeite te hebben een antwoord te formuleren. Of hij probeerde de stukjes in elkaar te passen. Ten slotte zei hij: 'Tim lijkt uiteindelijk daadwerkelijk een afspraak met deze man te hebben gemaakt.'

'Met Toy4You?'

'Hmm. Ja. De man – ik neem aan dat het een man is – zegt in de laatste mail: "Als jij dit wilt doen, dan doe ik wat je maar wilt."'

'En wat is "dit"?' vroeg Manette, hoewel ze niet zeker wist of ze het wel wilde weten.

'Hij verwijst naar een bijgevoegde video.'

'Wil ik dat weten?'

'De tuin van Getsemane,' zei Freddie. 'Maar de arrestatie wordt niet verricht.'

Manette zei: 'Mijn god.' En toen met grote ogen en een hand over haar mond geslagen: '"Dan doe ik wat je maar wilt?" Freddie, o mijn god, denk je dat Tim iets heeft geregeld om Ian door die man te laten vermoorden?'

Freddie stond snel op, de stoel schraapte over de vloer. Hij liep naar haar toe en zei: 'Nee, néé,' en hij raakte vluchtig haar wang aan. 'Die laatste... Die is van nadat Ian is verdronken. Wat Tim ook gedaan wil krijgen, het staat los van zijn vaders dood. En volgens mij krijgt hij dat in ruil voor een rol in een pornografische film.'

'Maar wat wil hij dan? En waar ís hij? Freddie, we moeten hem vinden.'

'Inderdaad.'

'Maar hoe...?' En toen herinnerde ze zich de plattegrond die ze had gezien, en ze rommelde opnieuw tussen de spullen op Tims bureau. Ze zei: 'Wacht, wacht,' en toen vond ze hem. Maar ze zag in een oogopslag dat ze helemaal niets aan de plattegrond hadden. Want het was een uitvergroting van een niet nader genoemde stad, en tenzij Freddie wist waar Lake, Oldfield, Alexandra, Woodland en Holly Roads lagen, zouden ze kostbare tijd verspillen doordat ze naar een stratenplattegrond moesten zoeken, moesten uitzoeken hoe ze die informatie op internet konden gebruiken, of een of ander magisch kunststukje moesten uitvoeren om te achterhalen in welke stad in Cumbria deze plekken zich bevonden.

Ze zei: 'Hier hebben we niets aan, niéts. Alleen maar straten, Freddie,' en ze schoof de kaart naar hem toe. Ze zei: 'Wat nu? We moeten hem zien te vinden. Het moet.'

Hij wierp een blik op de kaart en vouwde hem snel op. Hij trok de stekker van de laptop uit het stopcontact en zei: 'Kom mee.'

'Waar naartoe?' vroeg ze. 'Waar in hemelsnaam... Weet je het dan?' God, dacht ze, waarom ben ik ooit van die man gescheiden?

'Geen idee,' zei hij. 'Maar ik heb zo'n idee wie dat wel weet.'

Arnside

Cumbria

Lynley had het razendsnel gedaan. De Healey Elliot was oorspronkelijk als racewagen ontworpen en ondanks zijn jaren stelde hij niet teleur. Hij had geen zwaailichten, maar in deze tijd van het jaar waren ze ook niet nodig. Hij was binnen een uur van de snelweg af, waar hij door de glibberige straten en de dichte mist werd gedwongen voorzichtig en niet al te hard te rijden.

Het lastige gedeelte was van de snelweg naar Milnthorpe en van Milnthorpe naar Arnside. De landwegen waren smal, geen ervan was recht en er waren maar een paar wegverbredingen waar langzaam rijdend verkeer kon uitwijken zodat hij kon passeren, en het leek alsof elke boer in Cumbria uitgerekend vandaag had besloten om zich met zijn tractor als een trage pad van de ene naar de andere plek te verplaatsen.

Lynley voelde zijn onrust toenemen. Dat had met Deborah te maken. Joost mocht weten waar ze nu weer in verzeild was geraakt, want ze was eigenzinnig genoeg om iets krankzinnigs te doen waardoor ze regelrecht het gevaar in de armen liep. Hij vroeg zich af hoe Simon het voor elkaar kreeg haar niet de nek om te draaien.

Pas langs de weg van Milnthorpe naar Arnside zag hij de mist. In tegenstelling tot de kattenpootjes uit Wordsworths gedicht, bewoog deze grijze mistbank zich met schrikbarende snelheid over de bij eb verlaten vlakte van Morecambe Bay, alsof hij werd voortgetrokken door onzichtbare paarden die een sluier van kolenrook achter zich aan sleepten.

In Arnside Village minderde hij vaart. Hij was nog nooit in Arnside House geweest, maar uit de beschrijving van Deborah wist hij waar het was. Hij passeerde de pier die uit het brede, lege kanaal van de riviermonding van de Kent naar voren stak en trapte op de rem om een vrouw met kinderwagen te laten oversteken, een kind hing aan haar broek, een hand in een want gestoken en verder ook helemaal ingepakt tegen de kou. Ze namen er verdomme wel de tijd voor, dacht hij. Hoe kwam het toch dat als je haast had, alles tegen je leek samen te spannen? Terwijl ze overstaken las hij het bord waarop alle gevaren van die plek vermeld stonden. SNEL OPKOMENDE VLOED! schreeuwde het, DRIJF-

ZAND! VERBORGEN GEULEN! GEVAAR! LET OP! Waarom, vroeg hij zich vergeefs af, zou iemand in godsnaam zijn kinderen hier mee naartoe nemen als één misstap op één verkeerd moment ze op een dag naar een waterig einde kon weggrissen?

De vrouw en het kind waren veilig op de stoep aan de andere kant van de weg aangekomen. Hij reed verder, het dorp door, over de boulevard met zijn victoriaanse herenhuizen, die hoog naast elkaar over het water uitkeken. En toen eindigde de boulevard en was hij op de oprit van Arnside House. Het gebouw was in zo'n hoek gebouwd dat het een groots uitzicht bood over een groot grasveld dat zich naar het water uitstrekte. Deze dag werd het uitzicht echter belemmerd, doordat de mist steeds meer leek te veranderen in natte, door vuur verschroeide watten.

Arnside House leek verlaten, ondanks de sombere dag brandden er achter de ramen geen lampen. Hij wist niet of dat een goed of een slecht teken was. Er stonden geen auto's, wat betekende dat er een kans was dat Deborah nog niet in een akelige situatie verzeild was geraakt. Het beste scenario was dat er niemand thuis was, maar daar kon hij niet zeker van zijn.

Boven aan de oprit was een kleine parkeerplaats, en daar trapte hij op de rem van de Healey Elliot. Toen hij uit de auto stapte, merkte hij dat de lucht in de paar uur dat hij onderweg was geweest, was veranderd. Aan zijn longen voelde het bijna tuberculeus aan. Alsof hij door een gordijn waadde, liep hij erdoorheen, over het pad naar de zware voordeur.

Hij hoorde binnen ergens de bel rinkelen. Hij verwachtte niet dat er zou worden opengedaan, maar dat gebeurde wel. Hij hoorde voetstappen in een stenen hal en de deur zwaaide open. Hij stond oog in oog met de mooiste vrouw die hij ooit had gezien.

Hij was niet voorbereid op de schok die hij voelde toen hij Alatea Fairclough zag: een lichtbruine huid, weelderig wild krullend haar dat in laagjes was geknipt, grote donkere ogen en een sensuele mond, en met welvingen die bewezen dat ze op en top vrouw was. Alleen haar handen verraadden haar, maar alleen doordat ze zo groot waren.

Hij begreep volkomen hoe Alatea en Nicholas Fairclough iedereen om hen heen om de tuin hadden weten te leiden. Als Barbara Havers niet had gezworen dat deze vrouw eigenlijk Santiago Vásquez y del Torres was, dan zou Lynley het niet hebben geloofd. Eigenlijk kon hij het nog steeds niet geloven. Dus hij koos zijn woorden zorgvuldig.

'Mevrouw Fairclough?' zei hij. Toen ze knikte, haalde hij zijn badge tevoorschijn. Hij zei: 'Inspecteur Thomas Lynley, New Scotland Yard.

Ik wil graag met u praten over Santiago Vásquez y del Torres.'

Ze trok zo snel zo wit weg, dat Lynley dacht dat ze zou flauwvallen. Ze deed een stap naar achteren.

Hij herhaalde de naam. 'Santiago Vásquez y del Torres. Zo te zien klinkt de naam u bekend in de oren.'

Ze wankelde naar achteren in de richting van een eikenhouten bank die over de hele lengte langs een van de gelambriseerde muren van de hal liep. Daar liet ze zich op neerzakken.

Lynley sloot de deur achter zich. Er was niet veel licht. Het enige licht kwam door vier kleine glas-in-loodramen in de hal, in een stijlvol patroon van door groen omgeven rode tulpen, die allemaal een subtiele gloed wierpen op de huid van de vrouw – of wat ze ook was – die onderuitgezakt op de bank zat.

Hij was nog altijd niet zeker van de feiten, maar hij koos voor de directe benadering en zou dan wel zien wat ervan kwam. Dus zei hij: 'We moeten praten. Ik heb reden om aan te nemen dat u Santiago Vásquez y del Torres uit Santa María de la Cruz, del los Ángeles, y de los Santos uit Argentinië bent.'

'Noem me alstublieft niet zo.'

'Is dat uw ware naam?'

'Niet sinds Mexico City.'

'Raul Montenegro?'

Ze ging met een ruk rechtop zitten, met haar rug tegen de muur. 'Heeft hij u gestuurd. Is hij hier?'

'Ik ben door niemand gestuurd.'

'Ik geloof u niet.' Ze stond op. Ze haastte zich langs hem heen, struikelde bijna over een tree die toegang gaf tot de deur naar een donkere gang met dezelfde eikenhouten lambrisering.

Hij liep achter haar aan. Een stukje verder in de gang schoof ze twee schuifdeuren open, met daarin glas-in-loodramen met varens en lelies. Ze liep erdoorheen naar een ander vertrek. De ene helft was gerestaureerd en de andere lag half in puin, een merkwaardige mengeling van middeleeuwse bloei en Arts & Crafts. Toen liep ze naar een haard, waar ze in de meest beschutte hoek ging zitten en haar knieën tot haar gezicht optrok.

'Laat me alstublieft met rust,' zei ze, hoewel ze meer tegen zichzelf sprak dan tegen hem. 'Ga alstublieft weg.'

'Ik vrees dat dat niet gaat.'

'U moet vertrekken. Begrijpt u het dan niet? Niemand weet het hier. U moet onmiddellijk weggaan.'

Lynley vond het onwaarschijnlijk dat niemand het wist. Sterker nog, hij vond het zelfs onaannemelijk. Hij zei: 'Ik durf te beweren dat Ian Cresswell het wist.'

Daarom tilde ze haar hoofd op. Haar ogen stonden helder, maar op haar gezicht veranderde de wanhoop in verwarring. 'Ian?' zei ze. 'Onmogelijk. Hoe kon hij het nou weten?'

'Als homoseksuele man die daar nog niet voor uitkwam leidde hij een dubbelleven. Hij is vast vaker mensen zoals u tegengekomen. Hij zou het gemakkelijker herkennen dan andere mensen...'

'Denkt u dat ik dat ben?' vroeg ze. 'Een homoseksuele man? Een travestiet? Een man in vrouwenkleren?' Aan haar gezicht te zien begon het haar te dagen. Ze voegde eraan toe: 'U denkt dat ik Ian heb vermoord, hè? Omdat hij... wat? Hij iets had ontdekt? Omdat hij me dreigde te verraden als ik niet... wat? Hem geld zou geven dat ik niet heb? O, mijn god, als dat waar was.'

Lynley had het gevoel alsof hij evenals Alice in het konijnenhol was beland. Haar aanvankelijke reactie op de naam Santiago Vásquez y del Torres had erop geduid dat ze inderdaad de puberjongen was die langgeleden uit zijn geboorteplaats was weggelopen en op de een of andere manier aan de arm van ene Raul Montenegro terecht was gekomen. Maar door de manier waarop ze reageerde op het idee dat Ian Cresswell had ontdekt wie en wat ze was, moest Lynley zijn mening bijstellen.

Ze zei: 'Ian wist het niet. Niemand hier wist het. Helemaal niemand.'

'Vertelt u me soms dat Nicholas het ook niet weet?' Lynley staarde haar aan. Hij probeerde haar in te schatten. Hij wilde wijs worden uit wat ze hem vertelde, waardoor hij een sprong moest wagen naar een voor hem volslagen onbekend terrein. Hij was als een blinde die een verborgen deuropening moest vinden in een kamer vol meubels, waarvan hij in de war raakte, omdat ze vreemde vormen hadden. Hij zei: 'Als dat zo is, dan begrijp ik het niet. Hoe kan Nicholas het niet hebben geweten?'

'Omdat,' zei ze, 'ik het hem nooit heb verteld.'

'Maar je zou toch zeggen dat hij met eigen ogen...' En toen begon Lynley te begrijpen wat ze feitelijk over zichzelf onthulde. Als ze Nicholas Fairclough nooit had verteld over Santiago Vásquez y del Torres, en als Nicholas Fairclough het niet met eigen ogen had gezien, was er maar één verklaring mogelijk.

'Ja,' zei ze, toen ze zag dat het langzaam tot hem doordrong. 'Alleen mijn directe familie in Argentinië weet het, evenals een nicht, Elena María. Elena María heeft het altijd geweten. Vanaf het allereerste begin, toen we nog kinderen waren.' Alatea streek haar haar uit haar gezicht, een typisch vrouwelijk gebaar dat Lynley hinderde. Hij raakte erdoor uit zijn evenwicht, misschien deed ze het wel met opzet. 'Als kind mocht ik met haar poppen spelen, en toen we ouder werden haar kleren en make-up dragen.' Alatea keek even een andere kant op, toen weer rechtstreeks naar hem en zei met een oprechte uitdrukking op haar gezicht: 'Kunt u dat begrijpen? Alleen zo kon ik leven. Voor mij was het de énige manier om te bestaan, en Elena María begreep dat. Ik weet niet hoe of waarom, maar ze begreep het gewoon. Voordat iemand het wist, wist zij wie en wat ik was.'

'Een vrouw.' Lynley sprak het eindelijk uit. 'Gevangen in het lichaam van een man. Maar evengoed een vrouw.'

'Ja,' beaamde Alatea.

Lynley liet dat even bezinken. Hij zag dat ze hem gadesloeg. Hij zag ook dat ze wachtte op zijn reactie, dat ze zich misschien schrap zette tegen wat die reactie zou zijn: afkeer, verwarring, nieuwsgierigheid, walging, medelijden, interesse, acceptatie. Ze was een van vijf broers geweest in een wereld waarin je als man privileges kreeg toebedeeld waar vrouwen voor moesten vechten en waarvoor ze nog steeds moesten vechten. Zij zou weten dat de meeste mannen nooit zouden kunnen bevatten waarom een man uit die wereld het geslacht waarmee hij geboren was zou willen laten veranderen. Maar dat had zij kennelijk toch gedaan, en ze legde uit: 'Als Santiago was ik al een vrouw. Ik had het lichaam van een man. Maar ik was geen man. Om zo te leven... nergens bij te horen... een lichaam te hebben dat niet van jou is... zodat je er met walging naar keek en alles zou willen doen om het te veranderen zodat je kon zijn wie je was...'

'Dus u werd een vrouw,' zei Lynley.

'Ik ben van geslacht veranderd,' zei ze. 'Zo noemen ze dat. Ik ben uit Santa María vertrokken omdat ik als vrouw wilde leven en dat kon daar niet. Vanwege mijn vader, vanwege zijn positie, onze familie. Zoveel dingen. En toen kwam Raul. Hij had het geld dat ik nodig had om vrouw te worden en hij had zo zijn eigen behoeften. Dus hij en ik sloten een deal. Er was verder niemand bij betrokken en niemand wist het.' Ze keek hem aan. Door de jaren heen had hij allerlei uitdrukkingen over het gezicht zien schieten van wanhopige, doortrapte of sluwe mensen wanneer ze om de waarheid heen wilden draaien. Ze dachten altijd dat ze konden verbergen wie ze waren, maar alleen de psychopaten slaagden daar in. Want de ogen waren inderdaad de spiegels van de ziel, en alleen de psychopaat was zielloos.

Tegenover de plek waar Alatea in de hoek naast de haard zat, stond een bank. Lynley liep erheen en ging erop zitten. Hij zei: 'De dood van Ian Cresswell...'

'Daar had ik niets mee te maken. Als ik al iemand zou doden, dan is het Raul Montenegro, maar dat wil ik helemaal niet. Ik heb hem nooit willen vermoorden. Ik wilde alleen van hem wegvluchten en zelfs toen was dat niet omdat Raul me wilde verraden om wie ik ben. Dat zou hij nooit gedaan hebben, want hij had een vrouw aan zijn arm nodig. Geen echte vrouw, ziet u, maar een man die voor een vrouw kon doorgaan, om zijn reputatie in zijn wereld te waarborgen. Wat hij niet begreep en wat ik hem niet heb verteld, was dat ik niet wilde dóén alsof ik een vrouw was, maar dat ik er al een was. Ik had alleen nog een operatie nodig.'

'En hij heeft die betaald?'

'Hij zag het als een ruil, voor de volmaakte relatie tussen twee mannen van wie één voor het oog van de wereld op een vrouw leek.'

'Een homoseksuele relatie.'

'Een vorm daarvan. Die feitelijk niet kan bestaan wanneer een van de partners niet van dezelfde sekse is, begrijpt u. Ons probleem, dat van Raul en mij, was dat we elkaar niet helemaal goed begrepen voordat we aan dit avontuur begonnen... Of misschien heb ik met opzet verkeerd begrepen wat hij wilde, omdat ik zo wanhopig was en hij mijn enige uitweg was.'

'Waarom denkt u dat hij nog achter u aan zit?'

Ze zei het zonder enige ironie of zelfgenoegzaamheid: 'Zou u dat niet ook doen, Thomas Lynley? Hij heeft heel veel geld aan me besteed en maar weinig van zijn investering teruggezien.'

'Wat weet Nicholas daarvan?'

'Niets.'

'Hoe kan dat nou?'

'Jaren geleden heb ik de laatste operatie in Mexico City ondergaan. Toen ik wist dat ik niet kon zijn wat Raul van me wilde, heb ik hem vaarwel gezegd. En Mexico ook. Ik zwierf wat rond, bleef nooit erg lang op dezelfde plek. Ten slotte belandde ik in Utah, en daar was Nicky ook.'

'Maar u moet het hem toch verteld hebben...'

'Waarom denkt u dat?'

'Omdat...' Nou ja, dat lag toch voor de hand. Bepaalde delen van haar lichaam zouden nooit goed genoeg kunnen zijn.

Ze zei: 'Ik dacht dat ik zonder dat Nicky het wist voor altijd als vrouw kon doorgaan. Maar toen wilde hij dat ik met hem meeging naar Engeland, en hij wilde nog meer, zodat zijn vader trots op hem zou zijn. Daartoe zag hij maar één manier, de garantie dat hij zijn vader gelukkig kon maken. We zouden een kind krijgen en Bernard een kleinkind geven, en dat zou voor eeuwig de wonden helen die Nicky aan zijn relatie met zijn vader – en zijn moeder – had toegebracht gedurende al die jaren waarin hij verslaafd was geweest.'

'Dus nu moet u het hem vertellen.'

Ze schudde haar hoofd. 'Hoe kan ik hem zo'n verraad opbiechten? Zou u dat kunnen?'

'Dat weet ik niet.'

'Ik kan van hem houden. Ik kan een minnares voor hem zijn. Ik kan een thuis voor hem creëren en alles doen wat een vrouw voor haar man doet. Behalve dit ene. En om me te onderwerpen aan een medisch onderzoek om te achterhalen waarom ik nog niet zwanger ben...? Ik heb vanaf het begin tegen Nicky gelogen omdat ik dat nu eenmaal gewend was, omdat we dat nu eenmaal doen, omdat we dat wel moeten doen om ons in de wereld staande te houden. In het geniep, en zo leven we ook. Het enige verschil tussen mij en de rest van de mannen die vrouw geworden zijn, is dat ik het verborgen heb gehouden voor de man van wie ik hou, omdat ik dacht dat als hij het wist hij niet met me wilde trouwen en me niet zou meenemen naar een plek waar Raul Montenegro me nooit zou vinden. Dat was mijn zonde.'

'U wéét dat u het hem moet vertellen.'

'Ik moet inderdaad iets doen,' zei ze.

Arnside

Cumbria

Hij haalde net zijn autosleutels uit zijn zak toen Deborah met haar huurauto de oprit van Arnside House op reed. Hij bleef waar hij was. Ze parkeerde naast de Healey Elliot, stapte uit en bleef hem daar even staan aankijken. Ze had tenminste het fatsoen om er berouwvol uit te zien, dacht hij.

Ze zei: 'Het spijt me zo, Tommy.'

'Aha,' zei hij. 'Nou ja.'

'Heb je al die tijd gewacht?'

'Nee, ik was een uur geleden nog op weg naar Londen. Barbara belde me. Er waren een paar losse eindjes. Ik dacht dat ik die maar beter kon wegwerken.'

'Welke losse eindjes?'

'Geen ervan heeft feitelijk iets te maken met Ian Cresswells dood, zo is gebleken. Waar was jij? Ben je weer naar Lancaster geweest?'

'Je kent me te goed.'

'Ja. Dat zal altijd tussen ons in staan, denk je niet?' Hij keek langs haar heen en zag dat in de tijd dat hij in Arnside House was geweest, de mist de zeewering had bereikt. Die begon er nu overheen te dwarrelen en strekte zijn lange, koude vingers uit naar het grasveld. Hij moest onmiddellijk vertrekken om bij de snelweg te zijn voordat de mist ondoordringbaar werd. Maar het was nu in heel Cumbria gevaarlijk om hard te rijden en hij zag niet hoe hij met een gerust hart zonder Deborah kon vertrekken.

Deborah zei: 'Ik moest nog één keer met haar praten, met Lucy Keverne, maar ik wist dat je dat niet zou toestaan.'

Lynley trok een wenkbrauw op. 'Ik sta niet wel of niet iets toe. Je bent een vrij mens, Deborah. Ik heb je via de telefoon al gezegd dat ik gewoon je gezelschap op de terugreis naar de stad op prijs stelde.'

Ze boog haar hoofd. Dat rode haar van haar, dat altijd haar mooiste kenmerk was geweest, viel van haar schouders omlaag en hij zag hoe snel de mist er greep op kreeg. De krullen weken uiteen en vormden nieuwe krullen. Medusa, dacht hij. Nou ja, dat effect had ze altijd al op hem gehad, nietwaar?

'Het bleek dat ik gelijk had,' zei ze. 'Ik bedoel, er zat meer achter het verhaal dan Lucy Keverne me had verteld. Ik weet alleen niet of het als motief voor de moord op Ian Cresswell geldt.'

'Waar gaat het dan om?'

'Dat Alatea haar inderdaad zou betalen om een baby te dragen, meer dan haar onkosten. Dus... Nou ja, ik neem aan dat het verhaal niet zo sensationeel is als ik had gedacht. Ik kan me niet echt voorstellen dat iemand er een moord voor zou plegen.'

Daar maakte Lynley uit op dat Lucy Keverne, wie dat ook mocht zijn, niet de volledige waarheid over Alatea Fairclough kende of dat ze Deborah niet de volle waarheid had verteld. Want het werkelijke verhaal was wel degelijk sensationeel. Met de drie kenmerken die het menselijk gedrag domineerden: seks, macht en geld, zou het verhaal iemand een reden geven zo ver te gaan als ze konden. Maar om er ook voor te moorden? Daar had Deborah waarschijnlijk gelijk in. Het enige deel van het verhaal waar Ian Cresswell wellicht om was vermoord, was het gedeelte dat Lucy Keverne niet had geweten, tenminste als hij Alatea Fairclough mocht geloven. En dat deed hij.

'En nu?' zei hij tegen Deborah.

'Eigenlijk kom ik Alatea mijn excuses aanbieden. In de afgelopen dagen heb ik haar leven tot een hel gemaakt en ik denk dat ik bovendien haar plannen met Lucy heb doorkruist. Dat was mijn bedoeling niet, maar die helse verslaggever van *The Source* onderbrak ons gesprek en kondigde aan dat ik de Scotland Yard-rechercheur was die naar Cumbria was gekomen om de dood van Ian Cresswell te onderzoeken en...' ze zuchtte. Ze schudde haar haar van haar schouders en streek het naar achteren, net zoals Alatea dat had gedaan. Ze zei: 'Ik heb Lucy afgeschrikt om deze baby voor Alatea te dragen, Tommy, ik heb haar heel erg gekwetst. Ze is weer terug bij af en moet een nieuwe draagmoeder zien te vinden. Ik dacht... Nou ja, we hadden iets met elkaar gemeen, zij en ik, toch? Die toestand met zwanger worden. Dat wilde ik haar tenminste vertellen. En me verontschuldigen. En haar vertellen wie ik werkelijk ben.'

Ze bedoelde het goed, dacht Lynley, maar hij vroeg zich toch even af of ze de zaken er voor Alatea niet erger op zou maken. Hij dacht van niet. Deborah kende niet het hele verhaal en hij was niet van plan dat haar te vertellen. Dat was op dit moment niet nodig. Hij was hier klaar, Ian Cresswell was gestorven, en wie Alatea Fairclough was en wat ze aan haar echtgenoot wilde opbiechten, liet hij aan hogere machten over en daar was hij er niet een van.

Deborah zei: 'Wil je op me wachten? Het duurt niet lang. Misschien in het hotel?'

Hij dacht erover na. Het leek de beste oplossing. Maar hij zei toch: 'Mocht je van gedachten veranderen, bel me deze keer dan, oké?'
'Beloofd,' zei ze. 'En ik verander niet van gedachten.'

Milnthorpe

Cumbria

Zed ging niet naar zijn B&B in Windermere terug. Alles bij elkaar genomen was het te ver rijden met wat er achter in zijn hoofd op een laag pitje sudderde. Hij had een stop-de-persen-verhaal dat hij moest schrijven om die persen zo snel mogelijk tegen te houden. Hij had het gevoel dat er meer leven in hem zat dan in maanden het geval was geweest.

Nick Fairclough had alles voor hem verborgen willen houden, maar daar was hij ongeveer even goed in geslaagd als een olifant die zich wil verstoppen achter een grasspriet. Van begin tot eind had de arme drommel volledig in het duister getast over wat zijn vrouw met Lucy Keverne aan het bekokstoven was. Zoals Zed het bekeek, waren de twee vrouwen van plan als een lesbisch stel het proces in te gaan en de arme Nick pas met de situatie te confronteren als Lucy al veel te ver heen was. Dan kon hij hoog of laag springen maar dan was het te laat geweest om er nog iets aan te doen. Zed wist het fijne niet van het verhaal want tot dusverre was Nick zo gesloten geweest als een oester over zijn zaad en wat Alatea ermee had gedaan, zelfs of ze er wel de hand op had weten te leggen, maar in zijn ogen was dat slechts een onbelangrijk detail. De crux van het verhaal was dat een echtgenoot door twee vrouwen werd belazerd, en de verrukkelijke reden waarom zou binnenkort worden gepubliceerd bij de verschijning van het eerste deel van het voorpaginaverhaal van *The Source*. Binnen vierentwintig uur nadat dat was gebeurd, zouden de gebruikelijke verdachten vanuit hun spelonken tevoorschijn kruipen en omstandig over het onderwerp Nick, Lucy en Alatea uit de school klappen. Niet te veel metaforen gebruiken, dacht Zed, maar bij dit soort journalistiek was het nu eenmaal zo dat het ene verhaal altijd tot het volgende leidde, zoals de dag altijd weer overging in de nacht. Maar eerst moest hij het verhaal dat hij nu had op de voorpagina van de krant zien te krijgen. En o, wat was het een mooi verhaal: Scotland Yard in Cumbria die een moord onderzoekt om slechts te stuiten op een snood complot waarin een dubbelhartige echtgenote een sluwe jonge toneelschrijfster ontmoet, die haar baarmoeder aanbiedt alsof het om kamerverhuur gaat. Er was ook sprake van enige hoererij, bedacht Zed. Want als Lucy Keverne een deel van haar lichaam verkocht, leek het dan niet heel redelijk om aan te nemen dat ze ooit ook andere lichaamsdelen had verkocht? Zed kwam onderweg langs de Crow & Eagle en reed de parkeerplaats op. Ze hadden hier vast internet, want het was niet erg waarschijnlijk dat een hotel vandaag de dag nog zonder internetverbinding kon meedoen. Daar durfde hij zijn geld wel om te verwedden.

Hij had geen laptop bij zich, maar dat gaf niet. Hij was van plan wat geld te lappen zodat hij de computer van het hotel kon gebruiken. In deze tijd van het jaar mailden er vast geen hordes potentiële toeristen met allerlei vragen over de plek, die een prompt antwoord wilden. Hij had maar twintig minuten online nodig. Hij zou het stuk wat bijschaven nadat Rod het had gelezen. En Rod zóú het lezen. Want zodra Zed zijn verhaal klaar had, zou hij het naar zijn hoofdredacteur sturen en hem meteen bellen.

Zed parkeerde de auto en pakte zijn aantekeningen bij elkaar. Die had hij altijd bij zich. Die waren zijn handelswaar, zijn juwelen, zijn schat. Waar hij ook ging, zij gingen met hem mee, om de eenvoudige reden dat je nooit wist waar een verhaal zou opduiken.

In de herberg liep hij naar de receptiebalie met portefeuille en geld in de aanslag. Hij telde honderd pond uit. Dat zou hij later wel op zijn onkostennota zetten. Maar nu lag er een verhaal te wachten.

Hij boog zich over de balie en legde het geld op het toetsenbord van de computer van de jonge vrouw. Het scherm stond aan, maar ze was er niet mee aan het werk. In plaats daarvan had ze aan de telefoon zitten kleppen met iemand die kennelijk informatie vroeg over de precieze afmetingen van elke slaapkamer in het hotel. Ze keek naar Zed, toen naar het geld en toen weer naar Zed. Ze zei in de telefoon: 'Een ogenblik, alstublieft,' en legde de hoorn tegen haar knokige schouder terwijl ze wachtte op Zeds verklaring.

Die had hij al paraat. En zij had niet veel tijd nodig om te beslissen. Ze beëindigde haar telefoongesprek, griste het geld weg en zei: 'Mochten er telefoontjes binnenkomen, laat die dan maar op de voicemail overgaan. U zegt toch niets...?' en ze gebaarde vaag.

'Je bent voor me naar een kamer aan het kijken,' verzekerde hij haar. 'Ik heb net ingecheckt en ik mag deze computer even gebruiken om te kijken of ik belangrijke berichten heb. Twintig minuten?'

Ze knikte. Ze stopte de biljetten van tien en twintig pond weg en liep naar de trap om haar rol te gaan spelen. Hij wachtte tot ze de trap op liep en om de hoek van de overloop was verdwenen alvorens te gaan schrijven.

Het verhaal had heel veel invalshoeken. De onderdelen waren als zijrivieren die in de Amazone stroomden, en het enige wat hij hoefde te doen was erop peddelen. En dat deed hij.

Hij begon met Scotland Yard en de ironie die erachter stak: er werd een rechercheur naar Cumbria gestuurd om de verdrinkingsdood van Ian Cresswell te onderzoeken, dat ermee eindigde dat zij struikelde over een illegale draagmoederschapdeal die – en daar kon je vergif op innemen – naar een complete illegale draagmoederschaporganisatie leidde die misbruik maakte van wanhopige echtparen die wanhopig graag een kind wilden. Daarna verdiepte hij zich in de artistieke invalshoek: de worstelende toneelschrijfster die zo'n moeite heeft om de eindjes aan elkaar te knopen dat ze bereid is haar lichaam te verkopen om de hogere roeping in de kunst na te kunnen jagen. Van daaruit stapte hij rechtstreeks over naar het bedrog en ratelde hij door over het feit dat Nick Fairclough niets wist van wat zijn vrouw bekokstoofde toen zijn telefoon ging.

Yaffa! dacht hij. Hij moest haar vertellen dat alles in orde was. Ze maakte zich zeker zorgen om hem. Ze wilde hem vast een hart onder de riem steken. Ze zou hem verstandig toespreken en hij wilde haar woorden horen, en nog meer wilde hij haar kunnen onderbreken met het nieuws van zijn naderende triomf.

'Ik heb 't,' zei hij. 'Lieveling, het is hot.'

'Ik wist niet dat jij en ik zo dik met elkaar waren,' zei Rodney Aronson. 'Waar ben je verdomme? Waarom ben je nog niet terug in Londen?'

Zed stopte met typen. 'Ik ben niet in Londen,' zei hij, 'omdat ik het verhaal heb. Alles erop en eraan. Van de verdomde alfa tot de ellendige omega. Hou pagina één maar vrij want dit wil je groots brengen.'

'Wat is het dan?' Rodney klonk niet als een man die op een goddelijke openbaring wachtte.

Zed somde het allemaal razendsnel op: de draagmoederschapdeal, de hongerige kunstenaar, de onwetende man. Hij bewaarde het beste voor het laatst: de nederige verslaggever – dat ben ik, legde hij uit – die een op een met de rechercheur van Scotland Yard had samengewerkt.

'Zij en ik hebben de vrouw in Lancaster in het nauw gedreven,' kondigde Zed aan. 'En toen we haar daar eenmaal hadden...'

'Wacht even,' zei Rodney. 'Zij en ik?'

'Ja. De Scotland Yard-rechercheur en ik. Ze heet Cotter. Brigadier Cotter. Zij onderzoekt de dood van Cresswell. Het bleek alleen dat ze op Nick Fairclough en zijn vrouw stuitte, en dat was een knallende afslag. Niet voor haar, natuurlijk, maar wel voor mij.'

Aan de andere kant bleef het stil. Zed wachtte tot de loftuitingen hem om de oren zouden vliegen. Hij wachtte tevergeefs. Even dacht hij dat de verbinding verbroken was. Hij zei: 'Rod? Ben je daar nog?'

Rodney zei ten slotte: 'Je bent een fucking loser, Zedekiah. Dat weet je wel, hè? Een fucking, eersteklas loser.'

'Sorry?'

'Er bestaat geen brigadier Cotter, idioot.'

'Maar...'

'Inspecteur Lýnley is daar, die kerel wiens vrouw vorig jaar door een kogel van een twaalfjarig jong om het leven is gekomen. Dat was twee weken voorpaginanieuws.' Hij wachtte niet tot Zed reageerde. In plaats daarvan zei hij: 'Jezus, wat ben je een zielig geval. Kom je loon halen. Je bent klaar bij *The Source*.'

Arnside

Cumbria
Alatea zag ze op de oprit staan. Hun lichaamstaal was overduidelijk. Dit was geen gesprek tussen vreemden die elkaar toevallig tegenkwamen. Dit waren collega's, vrienden of kennissen. En er werd informatie uitgewisseld. Dat maakte ze op uit het feit dat de vrouw haar hoofd schuin hield in de richting van Arnside House, zoals iemand doet die het daarover heeft. Of, waarschijnlijker, die het over iemand heeft die daar woont. Of, nóg waarschijnlijker, over haar. Over Alatea, voorheen Santiago. Over haar verleden en wat haar toekomst nu zou worden.

Alatea wachtte niet om te zien wat er verder nog tussen de vrouw en de man van Scotland Yard werd uitgewisseld. Haar wereld stortte zo snel om haar heen in dat ze alleen nog maar kon denken aan vluchten. Ze zou het op een lopen zetten, als een leeuwin op jacht naar een prooi. Als ze maar een plek had waar ze heen kon. Maar haar mogelijkheden waren beperkt, dus moest ze zich tot kalmte manen en nadenken, gewoon nadenken.

De vrouw wilde de identiteit van Alatea bevestigd zien. De rechercheur zou haar die natuurlijk geven, met dank aan Alatea zelf, die het had kunnen ontkennen, die het had móéten ontkennen, maar die niet snel genoeg had nagedacht om dat te doen. Zoveel was nu wel duidelijk, want waar praatten ze anders over? De enige vragen die mogelijk nog overbleven, waren de vragen die Alatea zelf stelde. Had de vrouw die met de Scotland Yard-rechercheur buiten stond te praten al foto's van Alatea naar Raul Montenegro gestuurd? Zo niet, zou ze dan om te kopen zijn, zou ze zich voor haar stilzwijgen laten betalen? Dat ze Raul zou melden dat Santiago Vásquez y del Torres, alias Alatea Vásquez y del Torres, die met Nicholas Fairclough was getrouwd om te ontsnappen aan een verleden dat haar verbond met een man die ze had leren haten, niet in Cumbria, niet in Engeland, en nergens in het Verenigd Koninkrijk te vinden was? Als ze om te kopen viel, was Alatea veilig. Voorlopig althans. Maar voorlopig was dat het enige wat ze had.

Ze rende naar de trap. Ze vloog naar de slaapkamer die ze met Nicholas deelde en haalde vanonder het bed een kluisje tevoorschijn. Met een sleutel van haar kaptafel maakte ze die open, want in het kistje zat geld. Niet veel, geen fortuin, zeker niet zoveel als Raul betaalde om haar op te sporen. Maar misschien was het samen met haar sieraden genoeg om deze vrouw, die haar nu klem zette, in verleiding te brengen. De vrouw die de waarheid van de rechercheur hoorde terwijl Alatea alles verzamelde wat ervoor zou kunnen zorgen dat die waarheid niet uit de verborgen hoeken van haar leven zou uitlekken.

Ze was op de trap naar beneden toen de verwachte klop op de voordeur klonk. De vrouw zou niet weten dat Alatea haar gesprek met inspecteur Lynley had gezien. Daarmee zou Alatea even in het voordeel zijn en dat zou ze gebruiken.

Ze drukte haar vochtige handen tegen haar broekspijpen. Ze sloot haar ogen even, mompelde: '*Dios mío por favor*,' en opende de deur met zoveel zelfvertrouwen als ze kon opbrengen.

De roodharige vrouw sprak als eerste en zei: 'Mevrouw Fairclough, ik ben niet eerlijk tegen u geweest. Mag ik binnenkomen en het uitleggen?'

'Wat wilt u van me?' Alatea's houding was stijfjes en formeel. Ze hoefde zich nergens voor te schamen, zei ze tegen zichzelf. Ze had de prijs al betaald voor Rauls hulp bij haar lichaamsverandering. Meer betaalde ze niet.

'Ik heb u gevolgd en in de gaten gehouden,' zei de vrouw. 'U moeten weten dat...'

'Wat betaalt hij u?' vroeg Alatea.

'Er is geen geld in het spel.'

'Er is altijd geld in het spel. Ik heb niet zoveel geld als hij, maar ik vraag u... Nee, ik smeek u...' Alatea wendde zich van de vrouw af naar het tafeltje waar ze het geldkistje en haar juwelen had neergezet. 'Ik heb dit,' zei ze terwijl ze die spullen oppakte. 'Ik kan u dit geven.'

De vrouw deed een stap naar achteren. Ze zei: 'Dat wil ik helemaal niet. Ik ben hier alleen maar om...'

'U moet dit aannemen. En dan moet u vertrekken. U kent hem niet. U weet niet waar mensen als hij toe in staat zijn.'

De vrouw dacht na, haar wenkbrauwen gefronst en haar ogen op Alatea gericht terwijl ze deze woorden woog. Alatea wilde het geld en de sieraden nogmaals aanbieden maar de vrouw knikte en zei: 'Aha. Ik begrijp het. Ik ben bang dat het te laat is, mevrouw Fairclough. Sommige dingen zijn niet meer tegen te houden en ik denk dat hij er een van is. Hij is wanhopig... Hij zegt het niet met zoveel woorden, maar ik krijg de indruk dat er op dit moment veel op het spel staat.'

'Dat wil hij u doen geloven. Zo zit hij in elkaar. Het was slim van hem om een vrouw te gebruiken. Dat is geruststellender, denkt hij. Omdat ik dan minder bang ben. Terwijl hij er al die tijd op uit was om me te vernietigen. Hij heeft die macht en hij is van plan die te gebruiken.'

'Maar er is geen verhaal. Geen echt verhaal. Geen verhaal waar een krant als *The Source* op zit te wachten.'

'En dat moet mij geruststellen?' vroeg Alatea heftig. 'Wat heeft een verhaal in *The Source* ermee te maken! Wat heeft dat te maken met wat hij van u vraagt? U hebt me toch gefotografeerd? U hebt me gevolgd en me gefotografeerd en dat is het bewijs dat hij nodig heeft.'

'U begrijpt het niet,' zei de andere vrouw. 'Hij heeft geen bewijs nodig. Dat gaat zo bij dit soort mensen. Bewijs doet hen niets. Ze beginnen met hun zaakjes aan deze kant van de wet en als ze die overtreden, staat er een hele rits advocaten klaar om het probleem op te lossen.'

'Laat mij dan uw foto's kopen,' zei Alatea. 'Als hij ze ziet, als hij mij erin ziet...' Ze haalde haar trouwringen van haar vinger: de diamanten en de gouden ring. Ze deed een grote smaragd af die Valerie Fairclough haar als trouwcadeau had geschonken. Ze zei: 'Hier, alstublieft. Neem die ook. In ruil voor uw foto's.'

'Maar foto's zijn niets. Zonder woorden betekenen ze niets. De woorden, die tellen. Wat er wordt opgeschreven, dat telt. En hoe dan ook, ik wil uw geld niet en ik wil uw sieraden niet. Ik wil me alleen maar verontschuldigen voor... nou ja, voor alles, maar vooral voor het feit dat ik de zaak voor u heb verprutst. We lijken nogal op elkaar u en ik. Niet helemaal natuurlijk, maar evengoed lijken we op elkaar.'

Alatea klampte zich vast aan wat een verontschuldiging van deze vrouw wellicht betekende. 'Dus u vertelt het hem niet?'

De vrouw keek spijtig. 'Ik vrees dat hij het al weet. Dat is het punt juist. Daarom ben ik gekomen. Ik wil dat u voorbereid bent voor wat er nu komen gaat, en het is mijn schuld, en u moet weten hoe erg ik dat vind. Ik heb geprobeerd zaken voor hem verborgen te houden, maar deze mensen weten manieren te vinden om achter dingen te komen, en toen hij eenmaal in Cumbria was... Het spijt me zo, mevrouw Fairclough.'

Alatea liet dat volledig tot zich doordringen en besefte wat dat betekende, niet alleen voor haar maar ook voor Nicky en hun leven samen. Ze zei: 'Is hij dan híér, in Cumbria?'

'Hij is hier al dagen. Ik dacht dat u dat wel wist. Heeft hij niet...'

'Waar is hij nu? Zeg het me.'

'Windermere, denk ik. Anders zou ik het niet weten.'

Er viel verder niets meer te zeggen, maar des te meer te doen. Alatea nam afscheid van de vrouw en als in een droom verzamelde ze alles wat ze uit haar slaapkamer had meegenomen in de hoop haar te kunnen omkopen. Eigenlijk maar beter, dacht ze, dat de vrouw had geweigerd. Nu haar mogelijkheden uitgeput waren, zou ze het de komende dagen zelf nodig hebben.

Ze liep de trap weer op naar de slaapkamer en gooide de sieraden en het geld op het bed. Uit de zijkamer aan het eind van de gang haalde ze een klein koffertje. Dat was groot genoeg om alles in te doen wat ze nodig had.

Terug in de slaapkamer liep ze naar de ladekast die tussen twee ramen stond en het geluid van een dichtslaande autoportier trok haar aandacht opnieuw naar de voorkant van het huis. Ze zag dat Nicky vroeg was thuisgekomen van het burchttorenproject, een slechter moment had hij niet kunnen kiezen. Hij sprak nu met de roodharige vrouw. Zijn gezicht stond woedend. Hij verhief zijn stem, hoewel Alatea door het glas van het raam de woorden niet kon verstaan.

Maar ze hoefde zijn woorden niet te horen. Alleen het feit dat ze met elkaar praatten deed ertoe. En in combinatie met Nicky's gezichtsuitdrukking werd duidelijk waar ze het over hadden. Toen ze dat zag, werd het Alatea ook duidelijk dat ze zelfs niet meer kon vluchten. Ze kon niet met de auto vertrekken, want Nicky en de vrouw stonden op het stukje grind dat ze zou moeten oversteken. Te voet was ook geen optie, want het treinstation bevond zich aan de andere kant van het dorp Arnside, en de enige weg daar naartoe was pal langs haar man die daar met de vrouw stond te praten. Dus bad ze om een antwoord en terwijl ze door de kamer ijsbeerde, zag ze het opeens. Ze zag het door het raam, net zoals ze Nicky en de roodharige vrouw had gezien. Maar dit raam bevond zich in een muur die haaks stond op het raam dat op de oprit uitkeek. Dit raam bood uitzicht op het grasveld en daarachter vormde de zeewering een rotsachtige markering tussen het grasveld en de boulevard langs de baai, en daarachter lag de baai zelf.

Vandaag was het zo'n dag waarop de zee zich tijdens eb mijlenver had teruggetrokken. Dat betekende dat de zandvlakten haar toebehoorden. Ze kon ze oversteken en naar Grange-over-Sands lopen, een paar kilometer verderop. Daar was een ander station. Het enige wat ze hoefde te doen was er zien te komen.

Een paar kilometer maar. Meer had ze niet nodig en dan was ze vrij.

Windermere

Cumbria

Tim had de nacht onder een caravan in Fallbarrow Park doorgebracht, aan de rand van het meer. Onderweg vanuit Shots! had hij bij de brandweer in Windermere een deken gejat. Een stapel naar rook ruikende dekens, die vlak binnen de deuropening lag, seinde als het ware naar hem waar hij de tijd moest doden voordat Toy4You klaar voor hem was. Hij was wel klaar voor Toy4You. Hij móést zien te ontsnappen en dat gewicht drukte op zijn borst. Binnenkort, zei hij tegen zichzelf, had hij het enige antwoord dat hij wilde op de vraag die zijn leven had beheerst sinds Kaveh Mehran dat was binnengewandeld.

De caravan bood hem beschutting tegen de nachtelijke regen, en nadat hij zich in de deken tegen een wiel aan had genesteld, ontsnapte hij ook aan de ergste kou. Hij sliep slecht en toen hij aan het eind van de middag naar het businesscentrum terugkeerde, nadat hij zich de rest van de dag buiten de stad had schuilgehouden, zag hij er even slecht uit als hij zich voelde. Bijna al zijn botten deden pijn en elke centimeter van zijn lijf schreeuwde het uit.

Toy4You wierp een blik op hem, snoof een paar keer en zei kortaf: 'Ammenooitniet.' Hij wees naar de wc en zei tegen hem dat hij zich moest opknappen omdat hij stonk, en toen Tim weer tevoorschijn kwam gaf hij hem drie briefjes van twintig pond. 'Ga de stad in en koop een paar fatsoenlijke kleren,' zei hij tegen hem. 'Als je mocht denken dat je zo met je medeacteurs kunt kennismaken, dan vergis je je. Zo willen ze niks met je te maken hebben.'

Tim zei: 'Wat maakt dat nou uit? Ik heb toch helemaal geen kleren aan?'

Toy4You's lippen vertrokken tot een streep. Hij trok zijn neus op. 'En ga ook wat eten. Ik wil niet dat je halverwege gaat klagen dat je honger hebt.'

'Ik ga niet klagen.'

'Dat zeggen ze allemaal.'

'Fuck,' zei Tim terwijl hij het geld aanpakte. 'Wat jij wilt.'

'Zo is het precies,' zei Toy4You sardonisch. 'Zo mag ik 't horen, vriend. Fuck wat dan ook.'

Tim vertrok en ging op weg naar de winkels. Gek genoeg merkte hij dat hij inderdaad honger had. Hij had het niet voor mogelijk gehouden dat hij ooit nog iets zou eten, maar hij kreeg trek toen hij nogmaals langs de brandweer liep en de geur van gebakken spek naar hem toe dreef. Onverwacht liep het water hem in de mond. Daardoor moest hij denken aan wat hij in zijn jeugd allemaal had gegeten: warme baconbroodjes en roerei. Zijn maag knorde mee. Oké, dacht hij, dus ik moet op zoek naar iets te eten. Maar eerst zou hij kleren moeten kopen. Hij wist dat er in het stadscentrum een kringloopwinkel was, als hij daar een broek en een soort trui zou vinden, was dat genoeg. Hij zou verdomme niet ergens anders nieuwe kleren gaan kopen. Zonde van het geld. Na vandaag zou hij geen nieuwe kleren meer nodig hebben.

In de kringloopwinkel vond hij een oude corduroybroek, die op de billen versleten was, maar het was zijn maat en voor Tim goed genoeg. Hij deed er nog een coltrui bij, en omdat hij al schoenen, sokken en een anorak had, had hij verder niets nodig. Daarna had hij meer dan genoeg geld over om ergens wat te gaan eten, maar hij bedacht dat hij net zo goed bij de kruidenier een sandwich kon halen, en misschien nog een zak chips en wat te drinken. De rest zou hij naar Gracie sturen, met een ansichtkaart in een envelop. Hij zou erop schrijven dat ze eerst voor zichzelf moest zorgen en zich daarna pas om de rest van de wereld moest bekommeren, want niemand, zo zou hij haar schrijven, zou voor haar zorgen, hoe aardig ze ook voor hen zou proberen te zijn. Daarna zou hij zeggen dat het hem van Bella speet. Hij voelde zich nog altijd beroerd omdat hij Bella kapot had gemaakt. Hij hoopte dat de vrouw van de elektriciteitszaak haar mooi zou weten op te lappen.

Maar het was wel merkwaardig, dacht Tim toen hij met zijn inkopen de kringloopwinkel verliet en naar de kruidenier liep, dat hij zich werkelijk wat lichter voelde. Hij had een besluit genomen en was daar opgelucht over. Het was zo raar dat hij zich al die tijd zo beroerd had gevoeld terwijl hij alleen maar een eenvoudige beslissing hoefde te nemen.

Windermere

Cumbria

Freddie was naar het politiebureau van Windermere gereden en daar moesten ze bijna een halfuur wachten. Ze hadden Tims laptop bij zich, evenals de plattegrond die de jongen had uitgeprint. Ze hadden allebei gedacht dat ze gewoon het politiebureau binnen konden lopen met de aankondiging dat ze informatie hadden over een kinderpornocircuit en dat ze daarmee een raket onder iemands kantoorstoel zouden afvuren, maar niets was minder waar. Net als tijdens het doktersspreekuur moesten ze op hun beurt wachten en met het verstrijken van de tijd rees Manettes ongerustheid ten top.

'Het komt wel goed, meissie,' mompelde Freddie meer dan eens. Hij had ook haar hand vastgepakt en draaide er met een vinger teder rondjes op, zoals hij dat tijdens het begin van hun huwelijk ook altijd had gedaan. 'We redden het heus wel op tijd.'

'Wat hét dan ook mag zijn,' zei Manette. 'Freddie, jij en ik weten dat het al gebeurd kan zijn. Misschien is het aan de gang terwijl wij hier zitten te wachten. Hij kan wel... zij kunnen wel... Het is allemaal Niamhs schuld.'

'Iemand de schuld geven heeft geen zin,' zei Freddie rustig. 'Daarmee hebben we de jongen niet terug.'

Toen ze eindelijk een kantoor in werden geleid, logde Freddie snel op Tims e-mailaccount in en haalde de berichten tussen de jongen en Toy4You naar voren, evenals de foto's en video's die naar hem gestuurd waren. En als de op en top gentleman die hij was, zorgde Freddie er opnieuw voor dat Manette de films niet kon zien, maar ze zag aan de gezichtsuitdrukking van de politieagent dat ze inderdaad zo erg waren als Freddie had aangegeven.

De agent pakte een telefoon en toetste drie nummers in. Hij zei tegen degene die opnam: 'Connie, je wilt vast wel even kijken naar een laptop waar ik de hand op heb gelegd... Oké.' Hij verbrak de verbinding en zei tegen Freddie en Manette: 'Vijf minuten.'

'Wie is Connie?' vroeg Manette.

'Hoofdinspecteur Connie Calva,' zei hij. 'Hoofd zedenmisdrijven. Hebt u nog meer?'

Manette dacht aan de plattegrond. Ze viste die uit haar tas en gaf hem die. Ze zei: 'Dit lag onder andere op Tims bureau. Freddie vond het 't beste om hem mee te nemen. Ik weet niet of we er iets aan hebben... Ik bedoel, we kennen de straten niet. Ze kunnen overal zijn.'

Freddie zei: 'Ik dacht dat er hier misschien iemand was die de kaart kan terugvinden waaruit Tim deze selectie heeft gemaakt. Hij heeft een uitvergroting uitgeprint. De volledige kaart moet gemakkelijk te vinden zijn voor iemand die beter bekend is met internetplattegronden.'

De agent nam hem van Freddie aan en haalde tegelijkertijd een vergrootglas uit zijn bureau. Manette vond het maar heel merkwaardig dat hij zoiets had, ze moest meteen aan Sherlock Holmes denken. Maar het was heel logisch, hij keek erdoor naar de plattegrond om de straatnamen beter te kunnen lezen. Toen zei hij: 'Dit soort dingen wordt meestal in Barrow gedaan, op het hoofdbureau. Daar hebben we een forensische computerspecialist en... Ah. Wacht eens even. Dit is simpel.'

Hij keek op toen een vrouw in spijkerbroek, leren knielaarzen en een geruit wollen vest de kamer binnenkwam, waarschijnlijk hoofdinspecteur Calva. Ze zei: 'Wat hebben we hier, Ewan?' en ze knikte naar Manette en Freddie.

Ewan gaf haar de laptop en gebaarde ook naar de plattegrond. 'Genoeg narigheid waarvoor je Gods toorn moet vrezen,' zei hij, waarmee hij de computer bedoelde. 'En dit is een uitdraai van een plattegrond van het gebied rondom het businesscentrum.'

'Weet u dan waar die straten zijn?' vroeg Manette. Het leek haar te mooi om waar te zijn.

'O, ja,' zei Ewan. 'Ze zijn hier in de stad. Nog geen tien minuten hiervandaan.'

Manette greep Freddie bij de arm maar zei tegen de agent: 'We moeten er onmiddellijk naartoe. Ze gaan hem filmen. Dat doen ze vast daar. We moeten ze tegenhouden.'

De agent stak zijn hand op. 'We zitten alleen met een probleempje,' zei hij.

Connie Calva was naar een bureau gelopen dat iets verder weg stond en bestudeerde de laptop terwijl ze een stuk kauwgum uit het zilveren folietje haalde en in haar mond stopte. Ze had de vermoeide gezichtsuitdrukking van iemand die het allemaal al had gezien, maar die veranderde toen ze beeld na beeld bekeek. Manette zag het aan haar toen ze bij de video's was aangeland. Ze stopte met kauwen. Ze trok haar gezicht zorgvuldig in een neutrale plooi.

'Welk probleempje?' vroeg Freddie.

'Daar staan allemaal privéhuizen en B&B's. Er is ook een brandweerkazerne en, zoals ik al zei, een businesscentrum. We kunnen daar niet lukraak mensen lastigvallen zonder dat er iets aan de hand is. De laptop zit er inderdaad vol mee, dat klopt, maar hoe wilt u het verband leggen tussen de laptop en de plattegrond, behalve dan dat de gebruiker de map online heeft gevonden? Begrijpt u wat ik bedoel? Nou, u hebt ons schitterende informatie geleverd en hoofdinspecteur Calva gaat er meteen mee aan de slag. En als we meer weten...'

'Maar de jongen wordt vermist,' riep Manette uit. 'Hij is al vierentwintig uur weg. En met dit op zijn computer en een schaamteloze uitnodiging om aan een film mee te doen waarin god mag weten wat gebeurt... Hij is veertien jaar.'

De agent zei: 'Dat snap ik wel. Maar we moeten ons aan de wet houden...'

'De wet kan me de rug op!' riep Manette. 'Dóé iets!'

Toen voelde ze de arm van Freddie om zich heen. 'Oké,' zei hij. 'We begrijpen het.'

Ze schreeuwde: 'Ben je gek geworden?'

'Ze moeten hun procedure volgen, meissie.'

'Maar Freddie...'

'Manette...' Hij keek naar de deur en trok zijn wenkbrauwen op. 'We laten ze hun gang maar gewoon gaan, hè?'

Ze wist dat hij wilde dat ze hem vertrouwde, maar op dat moment vertrouwde ze niemand. En toch kon ze haar ogen niet van Freddie afhouden, die in alles aan haar kant stond. Ze stamelde: 'Ja, ja, oké,' en nadat ze elk mogelijk stukje informatie dat ze maar hadden aan de agent en hoofdinspecteur Calva hadden verstrekt, liepen ze de straat weer op.

'Wat,' zei Manette gekweld tegen Freddie. 'Wát?'

'We hebben een stadsplattegrond nodig,' zei Freddie tegen haar, 'en die kunnen we gewoon in een boekwinkel krijgen.'

'En dan?' vroeg ze.

'We moeten een plan hebben,' zei hij. 'Of onwaarschijnlijke mazzel.'

Windermere

Cumbria

En dat laatste hadden ze. Het politiebureau bevond zich in de buitenwijk van de stad die zich naar Bowness-on-Windermere uitstrekte, en naar Windermere zelf. Nadat ze het bureau hadden verlaten, reed Freddie via Lake Road en New Road naar Windermere door toen Manette Tim in het oog kreeg. Hij kwam uit een kleine kruidenierswinkel, met een blauw-wit gestreepte plastic tas in zijn handen. Hij inspecteerde de inhoud, rommelde erin en viste er een zak chips uit, die hij met zijn tanden openscheurde.

Manette riep uit: 'Daar is hij! Rij naar hem toe, Freddie.'

'Wacht even, meissie.' Freddie reed door.

Ze schreeuwde: 'Wat doe je nou...' en ze schoof heen en weer op haar stoel. 'Zo raken we hem kwijt!'

Toen Tim veilig achter hen was en in tegengestelde richting wegliep, reed Freddie een stukje verderop naar de stoeprand. Hij zei tegen Manette: 'Heb je je telefoon?'

'Natuurlijk. Maar Freddie...'

'Luister, liefje. Er zit hier meer aan vast dan alleen maar het oppikken van Tim.'

'Maar hij loopt gevaar.'

'Net als heel veel andere kinderen. Je hebt je telefoon. Zet hem op de trilfunctie en ga achter hem aan. Ik zet de auto weg en bel je op. Oké? Hij leidt ons naar de plek waar ze gaan filmen, als hij tenminste om die reden hier is.'

Ze zag hier de logica wel van in, de koele en verstandige Freddie-logica. Ze zei: 'Ja, ja, natuurlijk. Je hebt gelijk,' en ze greep haar tas en paste haar mobiele telefoon aan. Ze wilde net uit de auto stappen toen ze zich opeens naar hem toe draaide.

'Wat?' zei hij.

'Je bent een fantastische man, Freddie McGhie,' zei ze tegen hem. 'Niets van wat er vóór dit moment is voorgevallen doet er zoveel toe.'

'Zoveel als wat?'

'Dat ik van je hou.' En ze gooide het portier dicht voordat hij kon antwoorden.

Arnside

Cumbria

Nicholas Fairclough liet Deborah onmiddellijk weten hoe woedend hij was. Hij zette zijn auto met een ruk op de oprit stil en sprong op het grind. Hij beende naar haar toe en zei: 'Wie bén je verdomme eigenlijk? Wat doe je hier?' In vergelijking met de vorige ontmoetingen met haar, die zo gemoedelijk waren geweest, was Fairclough als een blad aan een boom veranderd. Als blikken konden doden, was ze er geweest. 'Waar is hij? Hoeveel tijd hebben we nog?'

Deborah voelde zich overrompeld doordat hij de vraag zo fel stelde en ze wist geen woord uit te brengen. Ze stamelde: 'Ik weet niet... Hoe lang duren die dingen? Ik weet het niet. Ik heb geprobeerd... Zie je, ik heb hem verteld dat er geen verhaal was omdat dat ook zo is. Er is geen verhaal.'

Daarmee bond Fairclough in, alsof Deborah een hand op zijn borst had gelegd om hem tegen te houden. Hij zei: 'Verhaal? Wat? Wie ben je verdomme? Christus, werk jij ook voor *The Source*? Heeft Montenegro je niet gestuurd?'

Deborah fronste haar wenkbrauwen. '*The Source?* Nee. Dat is iets heel... Wie is Montenegro in godsnaam?'

Nicholas keek naar Arnside House en weer naar haar. 'Wie bén je verdomme?' vroeg hij dwingend.

'Deborah St. James, ben ik altijd geweest. En dat heb ik ook steeds gezegd.'

'Maar er is geen film. Er is geen documentaire. Daar zijn we achter gekomen. Je hebt ons verdomme niets dan leugens verteld. Dus wat wil je? Wat weet je? Je bent met die kerel van *The Source* naar Lancaster geweest. Dat heeft hij me verteld. Of kan ik hem soms ook niet geloven?'

Deborah likte langs haar lippen. Het was koud, vochtig en ellendig buiten, en terwijl ze daar stonden te praten, werd de mist steeds dichter. Ze wilde bij een kolenvuur zitten en iets warms drinken, al was het maar om de kop in haar handen te houden. Maar Fairclough versperde haar de weg en er zat niets anders op dan hem de waarheid te vertellen.

Ze was hier om de Scotland Yard-rechercheur te helpen, zo vertelde ze aan Nicholas Fairclough. Ze was hier met haar echtgenoot, een forensisch specialist die tijdens politieonderzoeken bewijzen natrok. De journalist van *The Source* had om de een of andere reden aangenomen dat zij de rechercheur van de Met was en ze had hem in die waan gelaten zodat de echte rechercheur en haar man de tijd kregen hun werk te doen in verband met Ian Cresswells dood, zonder dat een roddelblad hen op de vingers keek.

'Ik ken niemand die Montenegro heet,' besloot ze. 'Ik heb nog nooit van hem gehoord. Als het tenminste een hij is, en dat mag ik wel aannemen, hè? Wie is hij?'

'Raul Montenegro. Iemand die op zoek is naar mijn vrouw.'

'Dus dat bedoelde ze,' mompelde Deborah.

'Heb je haar dan gesproken?'

'Ik vermoed dat we elkaar verkeerd begrepen hebben,' zei Deborah. 'Zij heeft vast gedacht dat ik het over die Raul Montenegro had, terwijl ik dacht dat we het over de verslaggever van *The Source* hadden. Ik ben bang dat ik haar heb verteld dat hij in Windermere is, maar ik bedoelde de verslaggever.'

'O, mijn god.' Fairclough liep naar het huis en zei over zijn schouder: 'Waar is ze nu?'

'Binnen,' en terwijl hij naar de deur begon te rennen: 'Nicholas? Nog één ding?'

Hij bleef staan en draaide zich om. Ze zei: 'Ik heb haar dit geprobeerd te vertellen. Geprobeerd mijn verontschuldigingen aan te bieden. Ik bedoel... Die draagmoedertoestand? Daar heb je absoluut niets van te vrezen. Ik heb meneer Benjamin gezegd dat er geen verhaal in zit en dat is ook zo. Bovendien begrijp ik het volkomen. We zijn nogal... je vrouw en ik... In deze kwestie zijn we eerder zusters.'

Hij staarde haar aan. Zijn gezicht was al lijkbleek, maar Deborah zag nu dat ook uit zijn lippen alle kleur was weggetrokken, zodat hij eruitzag als een geest, wat nog versterkt werd door de mist die om zijn voeten kronkelde. 'Zusters,' zei hij.

'Ja. Ik wil ook zo graag een baby en ik ben ook niet in staat om...'

Maar voordat ze haar zin kon afmaken, was hij al weg.

Windermere

Cumbria
Toen Tim naar Shots! terugkeerde, stond Toy4You achter de toonbank met een anglicaanse priester te babbelen. Ze draaiden zich beiden om toen Tim de winkel binnen kwam en de priester nam hem keurend van top tot teen op. Tim concludeerde dat hij daar moest zijn als medeacteur van Toy4You's film en die wetenschap veroorzaakte een knoop in zijn maag, die zich razendsnel tot een withete bal van woede samenbalde. Een priester verdomme, dacht hij. Gewoon de zoveelste hypocriet, net als de rest van de wereld. Deze armzalige priester verkondigde elke zondag ten overstaan van een gemeente zijn versie van het Woord van God, deelde hosties uit en hield zich tegelijkertijd, waar niemand iets van afwist, bezig met het smerige gedoe van...

'Papa, papa!' Er stoven twee kinderen de winkel binnen, een jongen en een meisje, in een net schooluniform, terwijl achter hen een nogal gekweld ogende vrouw op haar horloge keek en zei: 'Liefje, het spijt me zó. Zijn we te laat?' Ze liep naar de priester, kuste hem op de wang en stak haar arm door de zijne.

De priester zei: 'Mags, anderhalf uur. Kom op,' en hij zuchtte. 'Nou ja, William en ik hebben Abraham en Isaac besproken, evenals Esau en Jakob, Ruth en Naomi, en vanuit elke invalshoek de broers van Jozef, en dat is heel verhelderend en – ik denk dat William het daarmee eens is – ook onderhoudend geweest. Maar inderdaad, je bent helaas te laat. We zullen een nieuwe afspraak moeten maken. William heeft nu iets anders en ik heb ook een afspraak.'

De vrouw putte zich uit in verontschuldigingen. De priester had aan elke kant van hem een kind aan de hand. Ze maakten een nieuwe afspraak voor de jaarlijkse gezinsfoto voor de kerstkaart die ze aan alle bekenden zouden sturen, en weg waren ze.

Tim hield zich op de achtergrond, hing in een hoek van de winkel rond terwijl hij deed alsof hij de digitale camera's bekeek die allemaal op hun plek waren vastgeketend en nodig afgestoft moesten worden. Toen de priester en zijn gezin vrolijk en luidruchtig waren vertrokken, liep Tim naar voren. Op het naamplaatje van Toy4You stond WILLIAM

CONCORD. Tim vroeg zich af wat het betekende dat hij het niet weghaalde toen hij dichterbij kwam. Hij was het vast niet vergeten. Toy4-You was geen vergeetachtige man.

Hij kwam achter de toonbank vandaan en deed de deur van de winkel op slot. Hij draaide het OPEN-bordje op GESLOTEN. Hij deed de buitenlichten uit en maakte een beweging met zijn hoofd om Tim aan te geven dat hij met hem mee naar achteren moest lopen.

Tim zag dat de ruimte achter de winkel veranderd was, het was dan ook geen wonder dat Toy4You de priester en zijn gezin niet van dienst had kunnen zijn met hun jaarlijkse foto. Een man en een vrouw waren bezig de studio heel anders in te richten dan eerder het geval was geweest, en nu stond er een grove replica van een victoriaans kindertehuis op de plaats van de theatrale pilaren en achtergrondhemel. Tim zag dat ze drie bedden naar binnen droegen. Op een ervan lag een kinderetalagepop uit een warenhuis met een Shrek-pyjama aan en, vreemd genoeg, een schooljongenspet op. De andere twee bedden waren leeg en aan het voeteneind van een ervan lag een reusachtige knuffel van een hond, zo te zien een sint-bernard. De man reed een nepraam naar binnen dat als achtergrond moest dienen en naar een nachtelijke sterrenhemel opende, en in de verte glansde een ruwe afbeelding van de Big Ben waarvan de klok op middernacht stond.

Tim wist niet wat hij daarvan moest denken, en hij zag toen nog iemand uit de voorraadruimte tevoorschijn komen.

Net als Tim was hij nog heel jong. Maar in tegenstelling tot Tim was hij heel zeker van zichzelf en bewoog hij zich doelbewust over de set, waar hij tegen het nepraam leunde en een sigaret opstak. Hij was van top tot teen in het groen, met slippers die bij de tenen opkrulden en met een zwierig puntmutsje met een veer op zijn hoofd. Bij wijze van groet stak hij zijn kin naar Toy4You en de andere twee personen verdwenen naar de voorraadruimte, waar Tim ze zacht hoorde praten en hij hoorde hoe er kleren en schoenen op de vloer neerkwamen. Terwijl Toy4-You zich bezighield met een rijdend statief en een behoorlijk indrukwekkende videocamera, keerden de man en de vrouw naar de set terug. Zij was nu gekleed in een witte nachtpon met ruches langs de hoge kraag. Hij was uitgedost als een piratenkapitein. In tegenstelling tot de andere twee was hij de enige met een masker, hoewel de haak die uit zijn rechtermouw stak zelfs voor de grootste sukkels duidelijk genoeg liet zien wie de man moest voorstellen. Natuurlijk zouden de grootste sukkels ook niet begrijpen wat hij in het victoriaanse Londen deed in plaats van waar hij uiteraard hoorde te zijn, op een zeilschip in Never Never Land.

Tim keek van die personages naar Toy4You. Hij voelde dat hij misselijk werd toen hij zich afvroeg welke rol voor hem was weggelegd. Toen kreeg hij een nachthemd in het oog dat op het voeteneind van een van de bedden lag, waarop een opgevouwen bril met rond montuur lag. Daaruit maakte hij op dat hij de oudere van de twee broers was en dat het waarschijnlijk de bedoeling was dat hij dat kostuum aan zou trekken.

Tim vond het allemaal maar verschrikkelijk stom, maar op een bepaalde manier was hij ook opgelucht over de set. Toen hij de film over het Laatste Avondmaal en Jezus in Getsmane had gezien, was hij bang geweest dat hij in net zo'n godslasterlijk stuk zou moeten optreden, hoewel hij er niet aan had moeten denken wat dat dan zou zijn geweest. En hoewel het hem op dit moment werkelijk niet veel kon schelen of de film wel of niet godslasterlijk was, was hij toch bang dat zijn opvoeding hem op het laatste moment in de weg zou zitten en dat hij niet in staat zou zijn de regieaanwijzingen op te volgen.

Maar het bleek dat hij zich geen zorgen had hoeven maken. Terwijl Wendy zich door de kinderkamer bewoog en kapitein Haak zich naast de camera opstelde, kwam Toy4You naar Tim toe en hij gaf hem een glas water. Uit zijn zak haalde hij een flesje en uit dat flesje schudde hij twee verschillende pillen. Hij gaf ze aan Tim en gebaarde dat hij ze moest doorslikken.

'Wat zijn...?'

'Ze helpen je bij de authentieke close-ups,' zei Toy4You. 'Onder andere.'

'Wat doen ze?'

Er flitste een glimlachje om zijn mondhoeken. Daar groeiden snorharen. Hij had zich vandaag niet best geschoren. 'Ze helpen, zodat je optreden verloopt zoals we dat voor ogen hebben. Toe maar. Neem ze maar. Je merkt gauw genoeg wat ze doen, en volgens mij zul je er wel van genieten.'

'Maar...'

Toy4You's stem veranderde. Hij fluisterde fel: 'Neem ze, godverdomme. Dit wilde je toch zo graag, dus dóé het dan ook. We hebben niet de hele avond.'

Tim slikte ze door. Hij voelde niets en vroeg zich af of hij ervan zou ontspannen of bewusteloos zou raken. Waren ze die verkrachtingsdrug? Was dat eigenlijk wel een pil? Hij wist het niet zeker. Hij zei: 'Moet ik dat nachthemd aan? Ik ben toch John Darling?'

'Je bent dus niet zo stom als ik dacht,' zei Toy4You. 'Ga bij de camera staan en wacht tot je je aanwijzing krijgt.'

'Welke aanwijzing?'

'Christus. Hou je kop dan zul je het wel zien.' En tegen Peter Pan en Wendy zei hij: 'Zijn jullie klaar?' En zonder op een antwoord te wachten, ging hij achter de camera staan, terwijl de andere jonge jongen en de vrouw in nachtpon hun positie innamen: de jongen aan de rand van de vensterbank en de vrouw rechtop knielend op bed.

Tim zag door de verlichting dat haar nachtpon zo doorzichtig was dat je alles kon zien. Hij slikte en wilde de andere kant opkijken, maar hij merkte dat dat niet lukte, want ze trok haar nachtpon langzaam en sensueel over haar hoofd terwijl Peter Pan naar haar toe liep. Ze bood hem haar borsten aan en Toy4You zei tegen Tim: 'Nu.'

'Maar wat moet ik dan dóén?' vroeg hij wanhopig, terwijl alles binnen in hem in rep en roer was en al zijn organen deden wat ze van nature behoorden te doen.

'Je gaat een beetje laat naar bed, begrijp je,' mompelde Toy4You terwijl hij de actie op Wendy's bed filmde, waar ze Peters maillot omlaag trok en Peter zich aan de camera presenteerde. Ze begon hem te bewerken. 'Je hebt tot in de kleine uurtjes in de bibliotheek zitten lezen. Je gaat de kinderkamer binnen, maar daar tref je je zus en Peter Pan aan, die druk in de weer zijn. Maar als je ziet wat Peter in de aanbieding heeft, val je zelf op hem, zo is 't.'

'Dus...? Wat doe ik dan?'

'Fuck, man, ga de set nou maar op. Gehoorzaam in godsnaam nou maar aan je natuurlijke neigingen. Ik weet dat je die hebt. We weten allebei dat je die hebt.'

En het ergste van alles was dat hij die neigingen nog had ook. Hij had ze echt. Want terwijl ze met elkaar zaten te fluisteren, kon Tim zijn blik niet van de opnames afhouden. En toen Peter zijn harde stijve onthulde, wist Tim niet waarom hij moest blijven kijken terwijl zijn lichaam er steeds meer op reageerde, en hij wílde blijven kijken en hij wilde nog iets anders, alleen wist hij niet wat dat was.

'Ga nou. Verdomme, ga,' zei Toy4You. 'Peter en Wendy laten je wel zien wat je moet doen.' Hij wendde zijn hoofd even van de camera en wierp een blik op Tims kruis. Hij glimlachte. 'Aha. De wonderen van de moderne drugs. Maak je maar nergens zorgen over.'

'En hoe zit het hem?' vroeg Tim toen Toy4You weer in de camera keek.

'Wie?'

'De... kapitein... Je weet wel...'

'Maak je daar ook maar geen zorgen over. Hij valt op Peter. Altijd al gedaan. Hij duikt op en maakt korte metten met je omdat je het met Peter doet nadat Wendy van het toneel is verdwenen, oké. Oké? Gesnopen? Maak nou als de donder dat je daar komt want we verspillen tijd.'

'Hoe gaat hij korte metten met me maken?'

Toy4You keek hem even aan. 'Precies zoals je dat al vanaf het begin wilde. Goed? Gesnapt?'

'Maar je zei dat je...'

'Fuck 't, idioot. Wat had je dan verwacht? De dood op een presenteerblaadje? Ga nou maar. Schiet op.'

Milnthorpe

Cumbria

Deborah reed terug naar de Crow & Eagle in Milnthorpe toen de mist in een grote, grijze massa over de weg wolkte als de uitstoot van duizend schoorstenen ergens in de baai. De spoorbrug naar het station in Arnside was slechts een schimmige omtrek waar ze onderdoor moest om het dorp uit te rijden. De Milnthorpe Sands waren onzichtbaar, alleen de waadvogels die het dichtst bij de oever groepten, waren als een duistere vlek te zien door het grijs heen en zaten in een dichte massa schuifelend bij elkaar, alsof de grond zelf aan het zuchten was.

Autokoplampen drongen amper tot de schemering door, en kaatsten het licht eerder naar de bestuurder terug. Zo nu en dan dook er zonder waarschuwing een roekeloze voetganger op die als een Halloweenmonster uit de grond omhoog leek te schieten. Het was zenuwslopend op de weg. Deborah was opgelucht toen ze zonder kleerscheuren op de parkeerplaats van de herberg aankwam.

Tommy zat zoals beloofd op haar te wachten. Hij zat in de bar met een kopje en een koffiekannetje voor zijn neus en met zijn telefoon tegen zijn oor. Hij hield zijn hoofd gebogen en zag haar niet, maar ze ving het laatste deel van zijn gesprek op.

'Behoorlijk laat,' zei hij. 'Zal ik toch naar je toekomen? Ik heb geen idee hoe laat het wordt en misschien wil je liever... Ja. Goed... Ik wil het ook graag. Isabelle, het spijt me verschrikkelijk hoe dit... Juist. Uitstekend. Tot later dan. Oké...' Hij luisterde nog even en voelde kennelijk dat Deborah er stond, want hij draaide zich in zijn stoel om en zag haar naar zich toe komen. Hij zei, terwijl hij een wenkbrauw naar Deborah optrok: 'Ze komt net binnen en we vertrekken over niet al te lange tijd, denk ik,' waarop zij knikte. 'Heel goed,' zei hij. 'Ja. Ik heb de sleutel bij me.'

Hij hing op. Deborah wist niet zo goed wat ze moest zeggen. Twee maanden eerder was ze al tot de conclusie gekomen dat Tommy met zijn baas naar bed ging. Maar ze was er nog niet achter wat ze daar zelf van vond. Ze kon er niet omheen dat Tommy verder moest met zijn leven, maar door de manier waarop hij dat deed, wist ze niet goed wat ze van hem moest denken.

Ze hield het bij: 'Mag ik eerst een kop koffie voordat we vertrekken, Tommy? Ik beloof dat ik die achterover zal slaan als een priester de altaarwijn.'

'Je hoeft hem niet achterover te slaan,' antwoordde hij. 'Ik neem er ook nog een. We moeten allebei klaarwakker zijn voor de rit. Het wordt een lange zit.'

Zij ging zitten en hij bestelde koffie. Ze zag dat hij tijdens zijn gesprek met Isabelle Ardery in Londen op een papieren servet had zitten krabbelen. Hij had grofweg een cottage geschetst, ergens op een uitgestrekte grasvlakte, met twee kleinere gebouwen en een stroompje vlakbij met aan weerskanten oprijzende heuvelruggen. Zag er niet slecht uit, dacht ze. Ze had Tommy nooit als een kunstenaar beschouwd.

Toen hij weer bij de tafel terug was, zei ze: 'Een tweede roeping,' terwijl ze naar de schets wees.

'Een van de talloze soortgelijke plekken in Cornwall.'

'Denk je erover om naar huis te gaan?'

'Nu nog niet.' Hij ging zitten, glimlachte liefdevol naar haar en zei: 'Een keer wel, vermoed ik.' Hij pakte het servet, vouwde het op en stopte het in het borstzakje van zijn colbert. 'Ik heb Simon gebeld,' zei hij tegen haar. 'Hij weet dat we naar huis komen.'

'En?'

'Nou ja, hij wordt natuurlijk hoorndol van je, maar worden we dat niet allemaal?'

Ze zuchtte en zei: 'Ja. Nou ja. Ik geloof dat ik de zaken er erger op heb gemaakt, Tommy.'

'Tussen jou en Simon?'

'Nee, nee. Dat komt wel in orde. Het helpt echt als je getrouwd bent met de tolerantste man ter wereld. Maar ik heb het over Nicholas Fairclough en zijn vrouw. Ik had een heel bizar gesprek met haar, en daarna een heel vreemd gesprek met haar man.'

Ze vertelde hem over beide gesprekken, schetste alle details zoals ze zich die herinnerde, met inbegrip van zowel de reacties van Alatea als die van haar man. Ze vertelde dat Alatea haar sieraden en geld had aangeboden, en dat ze Montenegro had genoemd. Tommy luisterde, zoals hij dat altijd had gedaan, terwijl hij zijn bruine ogen op die van haar gericht hield. Terwijl ze zaten te praten werd de koffie gebracht. Hij schonk voor hen beiden een kopje in en zij beëindigde haar verhaal met de woorden: 'Dus Alatea dacht kennelijk de hele tijd dat ik het over die Raul Montenegro had, terwijl ik dacht dat we het over de verslaggever van *The Source* hadden. Ik denk dat het niet zoveel uitgemaakt had, behalve dan het feit dat ik tegen haar heb gezegd dat hij in Windermere was – althans, ik denk dat hij daarheen is gegaan toen hij me na Lancaster had afgezet – en toen ik dat tegen haar zei, raakte ze helemaal in paniek, duidelijk in de veronderstelling dat ik Montenegro bedoelde. En Nicholas raakte ook in paniek.'

Lynley deed de inhoud van een suikerzakje in zijn koffie. Hij roerde erin en bleef intussen bedachtzaam kijken. Hij keek zelfs zo bedachtzaam dat Deborah iets begon te begrijpen wat ze eerder had moeten weten.

Ze zei tegen hem: 'Jij weet wat er werkelijk met deze mensen aan de hand is, hè, Tommy? Ik vermoed dat je dat vanaf het begin hebt geweten. Wat het ook is, ik wou maar dat je me het had verteld. Dan had ik tenminste niet zo gestunteld en had ik ze dit niet hoeven aandoen.'

Lynley schudde zijn hoofd. 'Zo ligt het niet. Volgens mij wist ik nog minder dan jij, aangezien ik Alatea vóór vandaag niet eerder heb ontmoet.'

'Ze is beeldschoon, vind je niet?'

'Ze is heel...' Hij leek naar een woord te zoeken dat het beter omschreef. Hij stak zijn vingers op alsof hij wilde zeggen dat wat hij er ook van zei, haar dat geen recht zou doen. Hij hield het bij: 'Verbazingwekkend, eigenlijk. Als ik het niet had geweten voordat ik haar ging opzoeken, had ik nooit geloofd dat ze als man geboren is.'

Deborahs mond viel open van opperste verbazing. Ze zei: 'Wat?'

'Santiago Vásquez y del Torres. Zo heette ze vroeger.'

'Wat bedoel je met vróéger? Is ze de personificatie...?'

'Nee. Ze is geopereerd, betaald door die Montenegro. Het was kennelijk zijn bedoeling dat ze in het openbaar als zijn minnares optrad om zijn reputatie en maatschappelijke positie te handhaven, maar privé wilde hij een homoseksuele liefde met haar hebben.'

Deborah slikte. 'Lieve god.' Ze dacht aan Lancaster, aan Lucy Keverne, aan wat zij en Alatea Fairclough feitelijk al hadden gepland. Ze zei: 'Maar Nicholas... Die weet het toch zeker wel?'

'Ze heeft het hem niet verteld.'

'O, Tommy, maar hij zou het toch ontdekt moeten hebben. Ik bedoel... Hemeltjelief... Er moeten toch sporen zijn? Littekens van snijwonden, wat dan ook...'

'Na een behandeling door een chirurg van wereldklasse? Die alle middelen ter beschikking heeft? Die met lasers mogelijke littekens kan wegpoetsen? Deborah, alles kan worden veranderd. Zelfs de adamsappel wordt verwijderd. Als de man om te beginnen al een vrouwelijk voorkomen had omdat hij misschien een extra X-chromosoom heeft, dan wordt het nog eenvoudiger om hem tot vrouw te transformeren.'

'Maar om het niet aan Nicholas te vertellen? Waarom heeft ze het hem niet verteld?'

'Wanhoop? Bezorgdheid? Angst voor zijn reactie? Angst voor zijn afwijzing? Montenegro was naar haar op zoek en kennelijk heeft die de financiële middelen om tot in het oneindige naspeuringen naar haar te doen, dus had ze een veilige plek nodig. Om daarvoor te zorgen, liet ze Nicholas geloven wat hij over haar wilde geloven. Ze trouwde, waardoor ze zodra ze hier kwam, in Engeland mocht blijven.'

Deborah zag hoe het binnen het onderzoek kon passen dat Tommy en Simon in Cumbria hadden gedaan. Ze zei: 'Ian Cresswell? Heeft ze hem vermoord? Wist hij het?'

Lynley schudde zijn hoofd. 'Denk eens over haar na, Deborah. Ze is een soort meesterwerk. Niemand zou het weten, tenzij er een reden was om in haar verleden te gaan graven, en er was geen reden. Hoe je het ook wendt of keert, ze is de vrouw van Nicholas Fairclough. Als iemand in verband met Ians dood moest worden nagetrokken, dan was het Nicholas wel. Uiteindelijk bleek dat we niet zover hoefden te gaan omdat Simon vanaf het begin gelijk had, en de lijkschouwer ook. Niets wijst erop dat Ian Cresswell anders dan door een ongeluk om het leven is gekomen. Misschien wílde iemand hem wel dood. Zijn dood zou zelfs meer dan één persoon best goed uitkomen. Maar niemand heeft het daadwerkelijk gedaan.'

Deborah zei: 'En nu gaat die verschrikkelijke verslaggever een verhaal schrijven over dat draagmoederschap en Alatea's foto komt in de krant en ík ben daar verantwoordelijk voor. Wat kan ik doen?'

'Een beroep doen op zijn betere ik?'

'Hij werkt voor *The Source*, Tommy.'

'Dan is het gebeurd,' gaf hij toe.

Haar telefoon ging. Deborah hoopte dat het Zed Benjamin was met de melding dat hij van gedachten was veranderd. Of misschien Simon, om haar te vertellen dat hij wel begreep dat ze zo overenthousiast was geraakt en dat ze er daardoor in Arnside House zo'n puinhoop van had weten te maken. Maar het bleek Nicholas Fairclough te zijn en hij was in paniek. 'Wat heb je met haar gedáán?'

Deborah dacht eerst vol afgrijzen dat Alatea Fairclough de hand aan zichzelf had geslagen. Ze zei: 'Wat is er gebeurd, Nicholas?' en ze keek naar Tommy.

'Ze is weg. Ik heb het huis en het omliggende terrein doorzocht. Haar auto staat er nog en ze kon niet ongezien langs ons de oprit af. Ik ben ook de hele zeewering af gelopen. Ze is weg.'

'Ze komt wel terug. Ze is vast niet ver weg. Dat kan niet anders met dit slechte weer.'

'Ze is de zandvlakte op gegaan.'

'Vast niet.'

'Ik zeg je dat ze de zandvlakte op is gegaan. Dat kan niet anders. Het is de enige plek.'

'Dan is ze een stuk gaan lopen. Om na te denken. Ze komt vast gauw terug en als ze er weer is, kun je haar vertellen dat ik het over de verslaggever van *The Source* had en niet over Raul Montenegro.'

'Je begrijpt het niet!' riep hij uit. 'Mijn god, je begrijpt het niet. Ze komt niet terug. Ze kan niet terug.'

'Waarom niet?'

'Vanwege de mist. Vanwege het drijfzand.'

'Maar we kunnen toch...'

'Dat kunnen we niet! Begrijp je niet wat je hebt gedaan?'

'Alsjeblieft Nicholas. We vinden haar wel. We kunnen bellen... Er moet iemand zijn...'

'Er is niemand. Niet hiervoor, niet híérvoor.'

'Hiervoor? Wat is dat dan?'

'Het is springtij, stom mens. De vloedgolven komen. De sirene is net gegaan. Vandaag is het springtij.'

Windermere

Cumbria

Manette was op van de zenuwen. Ze verschool zich op de parkeerplaats van het businesscentrum, vlak bij een vuilcontainer. Tim was een zaak binnengegaan die Shots! heette. Aan de etalage te zien was het een fotozaak, want er hing een enorme uitvergroting van het dorp Ambleside in de herfst. Even later liep er ook een gekweld uitziende vrouw met twee kinderen naar binnen. Zij was een paar ogenblikken later aan de arm van een anglicaanse priester weer vertrokken. Ze waren allemaal in een Saab-stationwagen gestapt en weggereden, waarna iemand binnen in de winkel het OPEN-bordje naar GESLOTEN had omgedraaid. Manette had niet meer op Freddie gewacht en de politie gebeld.

Haar gesprek met hoofdinspecteur Connie Calva was even vruchteloos als kort, en Manette was bijna geneigd haar mobieltje op het asfalt van de parkeerplaats te smijten. Ze vertelde het hoofd van de afdeling Zedenmisdrijven over het businesscentrum, wat er gaande was en dat de winkel inmiddels gesloten was. En ze wisten beiden wat dat betekende, nietwaar, want Tim Cresswell, veertien jaar oud, zou nu worden gefilmd voor zo'n afschuwelijk, walgelijk stuk vuiligheid en de politie moest komen en wel nú.

Maar Connie Calva had gezegd dat ze Tims laptop naar Barrow moesten brengen, waar de forensisch computerspecialist hem zou onderzoeken om de precieze locatie te ontdekken van waaruit Toy4You zijn e-mails had gestuurd, waarna ze een huiszoekingsbevel zouden aanvragen en...

'Dat is toch verdomme een aanfluiting!' fluisterde Manette woedend. 'Ik vertel u precies waar hij is, waar dat Toy4You-monster precies is, en waar ze precies gaan filmen en u hebt godverdomme de plicht om hierheen te komen en ermee af te rekenen. Nú.'

Daarop had hoofdinspecteur Calva zo vriendelijk mogelijk geantwoord, wat erop wees dat ze wel was gewend aan mensen die op het randje balanceerden, dat leerden ze waarschijnlijk op de politieacademie. In de trant van: 'Mevrouw McGhie, ik weet dat u van streek bent en ongerust, maar de enige manier om dit aan te pakken, ook opdat de hele zaak niet door de rechter zal worden teruggefloten, is te werken binnen de grenzen van de wet. Ik weet dat u dat niet aanstaat, en mij staat het zeer zeker niet aan. Maar we hebben geen keus.'

Manette zei: 'Naar de hel met de grenzen van die klotewet!' en ze hing op.

Toen belde ze Freddie, want Joost mocht weten waar die was. Hij nam meteen op en zei: 'Verdomme, Manette. Ik heb je gebeld. Je zou...'

'Ik was met de politie in gesprek,' onderbrak ze hem. 'Ik moest wel. Freddie, hij is in een fotostudio. Waar zít je?'

'Ik loop terug van het station. Waar ben jij?'

'Het businesscentrum.' Ze vertelde hem hoe hij er moest komen en keek ervan op hoe goed ze dat nog wist.

Hij herhaalde het en ze zei: 'Schiet op. Schiet alsjeblieft op, Freddie, de politie komt niet. Toen ik ze belde, zeiden ze dat ze een huiszoekingsbevel nodig hebben, ze moeten die computer naar Barrow brengen, ze moeten... God, ik weet het niet meer. En hij is daarbinnen en ze gaan hem filmen. Ik weet het gewoon, maar ik kon het haar niet duidelijk maken.'

'Lieverd, ik kom eraan,' zei hij.

'Ik ga proberen de winkel binnen te komen,' zei ze tegen hem. 'Ik ga op de deur beuken. Dan houden ze wel op met waar ze mee bezig zijn, toch? Ja toch?'

'Manette, doe niets. Begrijp het nou. Dit zijn gevaarlijke lui. Ik ben er zo. Wacht.'

Manette wist niet hoe ze dat voor elkaar moest krijgen. Maar ze hing op nadat ze hem had beloofd te wachten tot hij er was... Dat kon ze absoluut niet, maar ze deed haar best. Na drie minuten hield ze het niet meer.

Ze rende naar de voordeur. Die was op slot, zoals ze al verwachtte, maar dat maakte niet uit. Ze sloeg op de deur. Ze rammelde eraan. Hij bestond grotendeels uit glas, maar dat was dik en de deur gaf geen millimeter mee, zelfs niet bij de deurpost. En ze zag ook wel in dat ze met al dat lawaai de actie in Shots! – wat die actie ook was – waarschijnlijk niet zou verstoren. Want een deur achter de toonbank was ook dicht en als ze in het gebouw aan het filmen waren, zou daar vast ook geluid bij gemaakt worden.

Ze beet op haar nagels en keek om zich heen. Ze dacht aan de mogelijkheden aan de achterkant van het businesscentrum. Want de winkels op het terrein zouden toch zeker wel meer dan één deur hebben? Als er brand uitbrak was het toch illegaal als een zaak maar één uitgang had?

Ze vloog naar de achterkant, maar stuitte daar op een rij deuren waar niets op stond. Ze had er niet aan gedacht om de winkels aan de voorkant te tellen, zodat ze dat ook aan de achterkant kon doen, dus rende ze weer naar de voorkant, waar op dat moment Freddie de parkeerplaats op rende.

Ze stortte zich op hem. Hij hijgde als een bergbeklimmer zonder zuurstof. Hij flapte eruit: 'Loopband. Ik begin morgen,' en toen: 'Welke? Waar?' terwijl ze zich aan zijn arm vastklemde.

Ze zei tegen hem dat de deur op slot was, dat er een binnendeur was, dat er aan de achterkant ook deuren waren. Zij zou op de achterdeur beuken en Freddie kon bij de voordeur wachten tot ze allemaal naar buiten zouden komen en het op een lopen zouden zetten. Wanneer ze dat deden...

'Zeer zeker niet,' zei hij. 'We gaan die mensen er niet mee laten wegkomen. Ze hebben een hoop moeite gedaan om niet gepakt te worden. We hebben de politie nodig.'

'Maar die komt niet!' jammerde ze. 'Dat heb ik je al gezegd. Ze komen niet tenzij ze zo'n klote huiszoekingsbevel hebben.'

Freddie keek het parkeerterrein over. Zijn oog viel op de zware vuilcontainer. Hij zei tegen Manette: 'O, volgens mij kunnen we ze wel een reden geven om te komen.'

Hij liep naar de container en zette zijn schouder ertegen. Ze zag wat hij van plan was en ging hem helpen. Ze rolden de container naar de winkels en meerderden vaart op een glooiing op de parkeerplaats. Toen ze dichter bij de gevel van Shots! kwamen, mompelde Freddie: 'Zet 'm op, liefje. En nu maar hopen dat het inbrekersalarm afgaat.'

Het lukte. Dat ontdekten ze toen de rolcontainer door de voordeur van de fotowinkel raasde en het alarm begon te gillen.

Freddie knipoogde naar Manette en zette zijn handen op zijn dijen om op adem te komen. 'Voilà,' zei hij.

'Kat in 't bakkie,' antwoordde ze.

Morecambe Bay

Cumbria

Alatea stond roerloos, een standbeeld op ruim drie kilometer vanaf het punt waar ze van de zeewering op de lege bedding van de Kent-rivier was gesprongen. Toen ze vanuit Arnside haastig op pad was gegaan, had ze de mist wel gezien, maar op dat moment kon ze nog altijd het schiereiland Holme Island in de verte zien liggen, en ze wist dat voorbij die punt Grange-over-Sands lag, en de ontsnapping.

Terwijl Nicky en de roodharige vrouw op de oprit stonden te praten, had ze eraan gedacht om haar wandelschoenen aan te trekken, in de hoop dat ze daar nog tijd voor had, en bovendien had ze een anorak gepakt. Ze had haar tas gepakt en was via de zitkamerdeuren het huis uit gegaan in de richting van de zeewering. Ze was eroverheen gesprongen, de zandvlakten op, waar ze zo hard mogelijk was gaan rennen.

Er stond nagenoeg geen water in het kanaal en de baai. De Kent-rivier was op dat moment een kreek waar je overheen kon springen. Ze had genoeg tijd om hem over te steken, dacht ze, zolang ze maar voorzichtig was. Ze wist hoe dat moest. Ze had een wandelstok en ook al zou ze op drijfzand stuiten, waar de baai en omgeving berucht om waren, wist ze wat ze moest doen mocht ze erin terechtkomen.

Ze had alleen niet op de mist gerekend. Hoewel ze die ver ten noordwesten van Arnside had zien opkomen, en wist dat die zich hoogstwaarschijnlijk naar de oevers zou uitbreiden, had ze niet geweten hoe snel hij dichterbij rolde. En rollen deed hij, een reusachtig, doorschijnend vat dat geruisloos en onverbiddelijk voortgleed en alles op zijn pad verzwolg. Toen de mist bij haar was, begreep Alatea onmiddellijk dat dit geen gewone mist was maar een dodelijke moerasdamp, want ze wist dat deze substantie levensgevaar met zich meebracht. Wat begon als een nevel – weinig meer dan een grijze, koude en vochtige sluier, waar je echter nog wel doorheen kon manoeuvreren – werd binnen een oogwenk zo'n dik, grijs gordijn dat het Alatea toescheen dat haar ogen een spelletje met haar speelden, omdat ze gewoon niets meer kon zien. Dat was onmogelijk want het was klaarlichte dag, maar hoewel de zon daar ergens moest zijn omdat de kleuren van haar laarzen, de anorak en de mist zelf te zien waren, zag ze verder helemaal niets. Er zat geen diepte in haar blikveld. Geen breedte. Geen hoogte. Er was alleen mist.

Ze had geen andere keus dan naar Arnside terug te keren, dat kilometers dichterbij was dan Grange-over-Sands. Maar binnen vijf minuten was ze blijven staan, want ze wist niet langer of ze wel in de goede richting liep.

Er klonken geluiden die haar hadden moeten helpen bij haar terugweg naar huis, maar ze wist niet waar ze vandaan kwamen. Eerst hoorde ze de trein op de spoorbrug, die vanuit Arnside over het Kent-kanaal liep en uiteindelijk de passagiers naar Grange-over-Sands bracht. Maar ze kon niet uitmaken of de trein van Grange-over-Sands kwam of ernaartoe ging. Sterker nog, ze kon niet eens bepalen aan welke kant de spoorlijn lag. Als ze op de terugweg naar Arnside was, zou het spoor volgens haar berekening links van haar moeten zijn, maar het klonk alsof hij van achter haar kwam, en in dat geval zou ze naar zee lopen.

Ze draaide zich om en liep weer verder. Ze kwam in een plas terecht, zonk er tot haar kuit in weg, en trok snel haar voet terug. Ergens in de verte riep iemand. Ze wist niet waar de kreet vandaan kwam, maar hij leek van dichtbij te komen, en dat was goed. Ze draaide zich ernaartoe en liep door.

Een tractor brulde, althans iets wat klonk als een tractor. Maar die was pal achter haar, dat leek in elk geval zo, dus dát was de beste weg naar de oever. Ze draaide zich ernaartoe. Ze riep: 'Hallo? Hallo? Ik ben hier. Hier,' maar ze hoorde geen antwoord, alleen de tractormotor, en die leek te kreunen en te steunen alsof de machine een onmogelijk zware last voorttrok.

Toen ergens het geluid van een claxon. Ja, dacht ze, de weg was die kant op. Alleen leek de weg te zijn op de plek waar de zee hoorde te zijn en als ze die kant op ging, zou ze zeker verdwalen. Ze zou tussen de kleine zandheuveltjes en door de poelen ronddolen, en uiteindelijk zou ze in een geul struikelen, want dat deed het water van de baai feitelijk: het sleet het zand uit tot een goot, waar zich nieuw zand vormde, waarin zo veel vocht zat dat het niet meer kon dragen dan het kleinste vogeltje. En dan zou ze erin wegzakken.

Ze bleef opnieuw staan. Ze draaide zich om. Ze luisterde. Ze riep. Een zeemeeuw antwoordde met een kreet. Even later leek de lucht even uiteen te wijken, tegelijk met het geluid van een geweerschot of de uitlaat van een auto. Toen was het stil, volslagen en totaal stil.

Op dat moment wist Alatea dat er geen ontsnapping mogelijk was. Op dat moment wist Alatea dat er nooit echt een ontsnapping mogelijk was geweest. Misschíén was er op dit moment, hier in het verre oostelijke deel van Morecambe Bay, nog een kleine kans op redding. Maar niet uit haar leven en de leugens die ze had geconstrueerd zodat ze zich daar veilig in kon bewegen. Het was tijd om dat onder ogen te zien, besloot ze. Want elke gebeurtenis in haar leven had haar geleid naar het moment van een openbaring waarvan ze dwaas genoeg had gedacht die voor altijd te kunnen vermijden. Maar ze kon er gewoon niet langer omheen. Dat was de enige waarheid die overbleef.

Oké. Dan was dat zo. Ze zou die nemen zoals het kwam, want dat verdiende ze dubbel en dwars. Ze opende haar tas. Pas toen ze wel haar portemonnee, haar chequeboek en haar make-uptasje, maar niet haar mobiele telefoon vond, zag ze voor haar geestesoog waar ze die had laten liggen, op het aanrecht in de oplader. Ze staarde verstomd in haar tas en begreep dat het voor haar zelfs niet was weggelegd om de laatste uitdaging aan te gaan en Nicholas de waarheid te vertellen.

Ze kon niet anders dan de ijzige omhelzing van het onvermijdelijke aanvaarden. Hoe had ze kunnen denken dat het ooit anders zou zijn, vroeg ze zich af. Want had niet elke stap die ze had gedaan sinds ze van huis was weggelopen haar naar deze enkele plek op aarde gebracht, op dit ene hachelijke moment in de tijd?

Er was nooit sprake geweest van ontsnappen, alleen van uitstel, en eindelijk begreep ze dat. Wetenschap en chirurgie hadden ervoor gezorgd dat ze het verschrikkelijke pantser waarin ze gevangen zat kon afschudden, waardoor ze bij de vreemdste vreemdeling in een heel vreemd land was beland. Maar ze kon niet vluchten voor wat zich met haar herschepping in haar had postgevat, en dat waren haar herinneringen, die ze niet van zich af kon schudden, al deed ze nog zo haar best.

Het ergste, dacht ze, waren de bokslessen geweest. Haar broers hadden verklaard dat van hen niet verwacht kon worden dat ze eeuwig en altijd voor Santiago Vásquez y del Torres in de bres zouden blijven springen. Het werd tijd dat Santiago zichzelf tegen de pestkoppen leerde verdedigen, zijn vader stond erop. Maar de angst scheen zo helder als een zilveren munt in zijn vaders ogen terwijl hij dat zei, en hij fronste nog bezorgder en met nog meer ongenoegen zijn wenkbrauwen toen Santiago niet met zijn broers wilde ravotten, Santiago niet geïnteresseerd was in forten bouwen of soldaatje spelen, in worstelen, of net zo ver te kunnen plassen als Carlos. En die angst was glashelder te lezen in zijn moeders ogen toen ze ontdekte dat Santiago zich verkleedde, met poppen speelde en teaparty's plande met nicht Elena María.

De gezichten van zijn ouders spraken boekdelen, woorden waren niet nodig: wat hebben we op deze wereld gezet? Het was logisch dat zijn vader zich zorgen maakte, met zijn cultuur, zijn leeftijd, zijn geloof en zijn opvoeding. Hij was bang dat hij een zoveelste verderfelijke homoseksueel op de wereld had gezet. Zijn moeders zorgen waren subtieler en hadden meer te maken met haar algemene verzorgende rol. Hoe moest haar Santiago het redden in een wereld die er niet op was ingericht hem te begrijpen?

In die tijd was Elena María zijn toevluchtsoord. Santiago had het haar allemaal verteld. Ze had zijn uitleg aangehoord, dat hij een ziel was die in een lichaam woonde dat hij niet eens herkende als zijn eigen. Hij keek uit zijn lichaam naar buiten, zo zei hij tegen haar. Hij keek omlaag en zág dat het een mannenlijf was en wíst dat het een mannenlijf was, maar het werkte niet als een mannenlichaam en hij wilde ook niet dat het zo werkte. Hij kon zelfs niet verdragen het aan te raken, zei hij. Het was alsof hij dan iemand anders aanraakte.

Ik weet niet wat het is, zei hij tegen haar, ik weet niet wat het betekent, maar ik wil het gewoon niet. Ik kan er niet mee leven, ik moet ervan af en als ik er niet vanaf kom, ga ik dood, dan zweer ik dat ik dood ga.

Bij Elena María kon hij zichzelf zijn. Een paar uurtjes, een dagje uit naar een grotere stad, een keer een weekend als twee pubermeisjes op een strand... Daardoor kon de jonge Santiago zien wat hij werkelijk wilde, wat hij moest zijn. Maar dat kon niet in een wereld waarin zijn vader geloofde dat het alleen maar goed kwam als hij maar hard genoeg werd. Om het leven te leiden waarvoor hij was geboren, moest Santiago vluchten, en hij bleef vluchten tot hij in de armen van Raul Montenegro landde.

Dus waren de bokslessen echt het allerergste geweest? vroeg Alatea zich nu af. Of was dat de belofte geweest die Raul Montenegro haar had voorgehouden en hoe ze in werkelijkheid van plan was geweest zich aan de afspraak te houden die ze samen hadden gemaakt. Ze wist het niet meer. Maar wat ze wel wist was dat Raul Montenegro een vastbesloten man was. Net zoals hij geen duimbreed was afgeweken van zijn belofte om de vrouwendromen van zijn jonge minnaar Santiago Vásquez y del Torres waar te maken, zo zou hij ook geen krimp geven als het ging om zijn beslissing Alatea Vásquez y del Torres te vinden, zodat ze hem met de klinkende munt die hij lang geleden had betaald zou kunnen terugbetalen.

En nu was ze daar, verloren als altijd, met als enige keuze: te bewegen of te sterven. Dus ze bewoog zich in de richting waarvan ze tegen beter weten in hoopte dat het Arnside was, hoewel ze het niet meer wist. Binnen tien meter stuitte ze op drijfzand, een geul waar ze zo bang voor was geweest. In een ogenblik stond ze er tot haar dijen in. En het was koud, koud. Zo verschrikkelijk koud.

Paniek was niet nodig, zei ze tegen zichzelf. Ze wist wat ze moest doen. Dat had Nicholas haar verteld. Een wandeling lang geleden over de uitgestrekte, lege baai en ze herinnerde zich wat hij had gezegd. Het gaat compleet tegen je intuïtie in, liefje, maar je moet het doen, dat waren zijn woorden geweest.

Dat wist ze en ze bereidde zich voor.

En toen begon de sirene te loeien.

Arnside

Cumbria

'Weet u het zeker, sir?' vroeg de stem aan Lynley. De man van de kustwacht op Walney Island sprak met het soort rustige gezag om iedereen gerust te stellen die melding maakte van het soort noodgeval waar Lynley nu mee kwam. Hij sprak met koelbloedige kalmte, wat tot een besluit zou kunnen leiden, want hij en hij alleen had de autoriteit om de raderen in beweging te zetten. 'Ik stuur alleen een boot de baai in als we zeker weten dat zich daar een vrouw bevindt,' vervolgde hij. 'De omstandigheden zijn dodelijk. Heeft ze met haar mobiele telefoon gebeld? Was er een briefje?'

'Geen van beide. Maar we zijn er zeker van.' Lynley beschreef de kustwachter waar het huis lag, dat er geen vluchtroute was en, wat ze hadden gedaan in hun poging om Alatea Vásquez y del Torres te vinden. Afgezien van de baai was de enige mogelijkheid een wandeling langs de zeewering geweest: een openbaar voetpad dat zich in een stuk of zes andere openbare voetpaden vertakte die naar Arnside Knot leidden, naar Silverdale en uiteindelijk naar de Lancaster kustweg. Maar Alatea kende alleen het voetpad naar Arnside Knot en ze had geen reden om de Knot in de mist te beklimmen, terwijl ze er wel alle reden toe had om over de baai weg te vluchten.

'En wat mag die reden dan wel zijn, sir?' had de kustwachter niet onredelijk gevraagd.

Lynley vertelde hem dat hij midden in een onderzoek naar een verdrinkingsdood zat, die heel goed een moord zou kunnen zijn, en alle et cetera's die erbij hoorden. Hij rekte de waarheid niet alleen een beetje op voor de man, maar loog vierkant tegen hem. Maar er leek geen andere keus te zijn dan zelf naar Arnside Knot te gaan om haar daar te gaan zoeken, waartoe hij Nicholas Fairclough had weten over te halen, hoe hopeloos de onderneming ook was.

Fairclough had ermee ingestemd, hoewel hij eerst een groot vuur op het pad langs de zeewering had aangestoken. Deborah zorgde ervoor dat het flink bleef branden, gooide alles erop wat maar brandbaar was: houtblokken, takken, kranten, tijdschriften, oude meubels. De brandweer was ook op het vuur afgekomen, evenals de brave burgers van Arnside, die meehielpen om van al dat brandbare materiaal een baken te creëren dat door de mist heen zou boren en Alatea de weg zou wijzen zodat ze kon terugkeren.

Het was meer om iets te doen te hebben dan dat het iets hielp, en dat wist Lynley. Want als Alatea inderdaad tijdens de opkomende vloed ergens in Morecambe Bay was, was het hoogst onwaarschijnlijk dat ze die vóór kon zijn. Dat was de reden waarom hij de kustwacht had gebeld.

De kustwachter van Walney Island zei tegen hem: 'Sir, ik kan er een boot op uitsturen, maar laten we er geen doekjes om winden. Het zicht is nu minder dan twintig meter. De baai is ruim honderdvijftig vierkante kilometer groot. In combinatie met mist en de springvloed... Ik stuur er geen bemanning op uit als dit een of andere bevlieging is.'

'Ik verzeker u dat dit geen bevlieging is,' zei Lynley tegen hem. 'Als u koers zet naar Arnside...'

'Goed dan, we wagen het erop,' onderbrak de kustwacht hem. 'Maar dit overleeft ze niet, sir, en dat weten we allebei. Bel intussen de reddingsbrigade om te kijken of zij iets kunnen doen. En misschien kunt u ook de waddengids bellen om te vragen wat hij ervan vindt.'

De waddengids woonde aan de overkant van het water, ten zuiden van Grange-over-Sands, vlak bij een kleine enclave die Berry Bank heette. Toen Lynley hem belde, klonk hij als een goedaardige ziel. Maar gedurende de vijftig jaar dat hij met nieuwsgierige dagjesmensen over Morecambe Bay had gelopen en nadat hij een levenlang vanuit het vissersdorpje Flookburgh met een sloep had gevist en met een sleepnet garnalen had gevangen in de Leven-rivier, wist hij verdomd goed hoe hij de wadden moest lezen, sir, en als daar om de een of andere reden een dame in de mist op Gods mooie aarde ronddwaalde – en de reden hoefde hij niet te weten – dan was ze een eind op weg om een lijk te worden en 'dat is helaas de waarheid, het spijt me u dat te moeten vertellen'.

Kon er dan niets gedaan worden? vroeg Lynley. Want de kustwacht ging er vanuit Walney Island op uit en hij stond op het punt om ook de reddingsbrigade te bellen.

Hangt ervan af naar hoeveel lijken u wilt zoeken als de mist optrekt, zo formuleerde de waddengids het. Maar één ding maakte hij wel duidelijk: na al die jaren dat hij de wadden had bestudeerd en de veilige routes van de gevaarlijke kon onderscheiden, was hij niet van plan samen met de overmoedigen naar iemand op zoek te gaan.

En dat deed de reddingsbrigade evenmin, zo bleek. Tenslotte waren het vrijwilligers. Ze waren getraind om te helpen en ze wilden ook helpen. Maar wilden ze kunnen uitvaren, dan was er wel water nodig, sir, en momenteel was de baai leeg. En het was inderdaad zo dat dat niet lang meer zou duren, en wanneer het water zou binnenstromen, zou de vrouw daar snel mee te maken krijgen, want als ze niet verdronk, zou ze wel onderkoeld raken. Zodra het kon, zouden ze met het tij uitvaren, maar het was zinloos. Het spijt ons heel erg, sir.

Dus het vuur brulde en iemand kwam op het idee om een megafoon te halen waarmee ze aanhoudend Alatea's naam scandeerden. Intussen naderde ergens in de verte het fenomeen dat springvloed werd genoemd. Ontzagwekkend om te zien, hoorde Lynley iemand mompelen. Maar dodelijk als je erop stuitte.

Windermere

Cumbria

Het inbrekersalarm was zo hard dat de skeletten erdoor uit hun graven zouden opstaan. Ze moesten naar elkaar schreeuwen om zich verstaanbaar te kunnen maken. Om zichzelf toegang te verschaffen, duwden ze uit alle macht de container de winkel in. Toen ze eenmaal binnen waren, riep Freddie tegen Manette: 'Jij wacht hier!' wat ze uiteraard niet van plan was.

Hij liep naar de binnendeur en rammelde aan de deurkruk. Die was op slot en hoewel hij schreeuwde: 'Doe open! Politie!' en toen 'Tim! Tim Cresswell!' werd het ze snel duidelijk dat wie er ook in de andere kamer waren, ze niet van plan waren mee te werken.

'Ik moet hem forceren.'

Manette las het eerder van zijn lippen dan dat ze hem hoorde. Ze zei: 'Hoe dan?' want Freddie mocht dan van alles zijn, hij was bepaald geen mannetjesputter die even een deur kon intrappen. En dit was geen tv- of filmdeur: die zag er stevig uit, maar was in werkelijkheid zo dun dat hij kon worden ingetrapt met een enkele schop van een mannenvoet waar ook nog eens een nog mannelijker dij aan vastzat. Dit was een deur met bedoelingen en die bedoelingen bestonden uit het buiten de deur houden van onbevoegden.

Niettemin ging Freddie ervoor. Eerst met zijn voet. Toen met zijn schouder. Daarna probeerden ze het om de beurt en al die tijd bleef het alarm jammeren. Het duurde ruim vijf minuten, misschien langer, toen ze eindelijk het slot bij de deurpost kapot hadden. Freddie struikelde de achterkamer binnen en riep over zijn schouder: 'Manette, blijf daar wachten.'

Opnieuw negeerde ze hem. Als hij het gevaar tegemoet ging, was ze niet van plan hem dat alleen te laten doen.

Ze kwamen in een digitale printkamer die toegang gaf tot een voorraadruimte. Daar waren twee gangpaden, waar aan het eind krachtige lampen brandden, hoewel de rest van de plek in duisternis gehuld was. Het harde alarm ging onverminderd door, dus ze keken of ze beweging in de schaduwen zagen. Maar er waaide een koude bries naar ze toe, waardoor ze tot de conclusie kwamen dat ze door de achterdeur waren ontsnapt. Ze konden alleen maar hopen dat ze iemand hadden achtergelaten. Ze konden alleen maar hopen dat die iemand Tim was.

Helemaal aan het eind van het vertrek, waar het licht het felst was, zagen ze de in elkaar geflanste filmset. Manette nam het allemaal in een oogopslag in zich op – bedden, raam, Big Ben in de verte, hond aan voeteneind van een bed – voordat ze hem zag. Een figuurtje gekleed in wat eruitzag als een nachthemd. Maar het nachthemd was tot boven zijn hoofd omhooggetrokken en met een groene maillot als een zak vastgeknoopt, en de jongen zelf lag op zijn zij, zijn handen waren voor zijn buik vastgebonden en zijn genitaliën waren open en bloot zichtbaar. Hij had een volledige erectie. Niet ver van het bed waarop hij lag was een X op de vloer getekend om aan te geven waar de camera had gestaan en waar die op gefocust was geweest.

Manette zei: 'O god.'

Freddie draaide zich naar haar toe. Ze las zijn lippen, want ze kon hem met geen mogelijkheid horen, niet met dat alarm dat aanhoudend gilde als een gillende keukenmeid. 'Je blijft hier. Jij blijft híér.'

Omdat ze nu doodsbang was, bleef ze waar ze was. Als Tim dood was, dan kon ze het niet aan om dat te zien.

Freddie liep naar het bed. Manette zag aan zijn lippen dat hij zei: hij bloedt en toen: Tim, ouwe jongen, o god, ouwe jongen, toen hij zijn hand uitstak naar de maillot die het nachthemd boven Tims hoofd dichthield.

Tims lichaam stuiptrekte. Freddies lippen mimeden: rustig maar. Het is Freddie, m'n jongen, laat me je hieruit halen, het komt allemaal goed, kerel, en toen had hij het nachthemd los en trok dat voorzichtig omlaag om Tims lichaam te bedekken. En Manette zag op dat moment aan de ogen en het gezicht van de jongen dat hij gedrogeerd was en ze dankte God, want als hij gedrogeerd was, bestond er een kleine kans dat hij zich niet zou herinneren wat hem hier was overkomen.

'Bel de politie,' zei Freddie.

Maar ze wist toen al dat dat niet meer nodig was. Toen ze naar het bed liep waar Ians zoon lag, en toen ze zijn handen losmaakte, hield het alarm op met gillen en hoorde ze stemmen.

'Wat een puinhoop, verdomme,' hoorde ze iemand vanuit de winkel roepen.

Wat je zegt, dacht ze.

Morecambe Bay

Cumbria

Alles wat je in drijfzand doet, gaat tegen je instinct in, had Nicky tegen haar gezegd. Als het je overkomt, ben je geneigd ter plekke te verstijven omdat je het gevoel hebt dat je sneller wegzakt als je worstelt, en dat elke mogelijke beweging je dichter bij het einde brengt. Maar je moet aan een paar dingen denken, lieveling. Om te beginnen heb je geen idee hoe diep het zand werkelijk is. Je zit in een geul die misschien zo diep kán zijn dat die een paard, tractor of complete touringcar kan verzwelgen, maar het is aannemelijker dat je in een ondiepere kuil bent beland die je maar tot je knieën of in het ergste geval tot je dijen omlaag zuigt, terwijl je met de rest erboven blijft tot de redding nabij is. Maar dat wil je niet meemaken, zeker niet als je er tot aan je borst inzakt, want als je zo ver zinkt kom je er nooit meer uit vanwege de zuigende werking. In dat geval kun je alleen loskomen als er meer water bij komt, door middel van een brandslang die in het zand spuit om je te bevrijden of het vloedwater dat het drijfzand weer uit de kuil wegspoelt. Dus als je eenmaal in het zand zit moet je snel zijn. Als je heel veel geluk hebt is het niet diep en kun je eroverheen lopen en maken dat je uit de buurt komt voordat je laarzen worden weggezogen en je vast komt te zitten. Als dat niet lukt, dan moet je zo snel mogelijk gaan liggen. Je merkt dat je dan niet dieper zinkt en dat je in staat zult zijn ervandaan te rollen.

Maar ondanks de woorden van haar echtgenoot, die zijn hele leven in deze merkwaardige uithoek van de wereld had gewoond, vond Alatea het een krankzinnige gedachte. Ze zat tot haar dijen in het zand, dus ze kon niet snel uit de geul komen. Dat betekende dat ze plat op het zand moest gaan liggen. Ze kon zich daar niet toe brengen. Ze zei tegen zichzelf dat ze het wel moest doen. Ze zei hardop: 'Je moet, je móét,' maar het enige waar ze aan kon denken, terwijl ze langzaam omlaag zakte, was dat het verraderlijke zand langs haar lethargische lichaam omhoog schoof, in haar oren kroop, haar wangen raakte, als een vleesgeworden dreiging naar haar neus gleed.

Ze wilde bidden, maar haar geest kon niet op de juiste woorden komen die een wonder konden bewerkstelligen. In plaats daarvan zag ze alleen maar beelden en daarin stond Santiago Vásquez y del Torres centraal, dertien jaar, een wegloper die het slechts haalde tot de dichtstbijzijnde stad van Santa María de la Cruz, de los Ángeles, y de los Santos. Daar had hij zich in een kerk verstopt, hij droeg kleren van Elena María, had zijn gezicht opgemaakt met make-up van Elena María, had een schoudertas met een beetje geld, een schoon stel kleren en drie lipsticks, en een sjaal om zijn haar te bedekken dat te lang was voor een jongen en te kort voor een meisje.

Toen de priester haar vond, had hij haar 'mijn kind' genoemd en 'dochter van onze hemelse Vader' en hij had haar gevraagd of ze kwam biechten. En biechten leek haar de juiste weg. 'Ga maar Santiago. Ga waar God je brengt,' had Elena María gefluisterd. Dus Santiago Vásquez y del Torres had gebiecht. Geen zonden, maar hij biechtte op dat hij hulp nodig had omdat hij, als hij niet kon zijn wie hij moest zijn, wist dat hij een einde aan zijn leven zou maken.

De priester luisterde. Hij sprak vriendelijk van de ernstige zonde die wanhoop is. Hij zei dat God geen fouten schiep. Toen zei hij: 'Kom mee, kind,' en samen liepen ze naar de pastorie waar Santiago absolutie kreeg voor elke zonde die hij had begaan door van huis weg te lopen; hij kreeg een maaltijd met vlees en gekookte aardappels, die hij langzaam opat terwijl hij in de eenvoudige keuken rondkeek waar de huishoudster van de priester hem gadesloeg, de dikke zwarte wenkbrauwen samengetrokken in een gerimpeld voorhoofd. Toen hij klaar was met zijn maal, werd hij naar een zitkamer gebracht, om uit te rusten, lieve kind, want je reis is lang en moeilijk geweest, nietwaar? Ja, zo was het ook, zo was het ook. Dus lag hij op een ribfluwelen bank en was in slaap gevallen.

Zijn vader maakte hem wakker. Met een gezicht als een stenen masker had hij gezegd: 'Dank u, vader,' en hij had zijn zoon aan de arm weggevoerd. 'Dank u voor alles,' en hij had een fors bedrag gedoneerd, aan de kerk of misschien aan de verraderlijke priester zelf, en ze waren naar huis gegaan.

Door een pak slaag zou hij wel veranderen, besloot zijn vader. Dus hij werd in een kamer opgesloten tot hij duidelijk inzag welke misdaad hij had gepleegd, niet alleen tegen Gods wetten, maar ook tegen zijn familie en hun goede naam. En aan die situatie zou niets veranderen – 'Begrijp je me, Santiago?' – tot hij dat inzag en ophield met dat krankzinnige gedrag.

Dus Santiago had zijn best gedaan een man te zijn, ook al paste dat kostuum hem niet. Maar de foto's van naakte vrouwen die heimelijk onder zijn broers rouleerden, zorgden er alleen maar des te meer voor dat hij die vrouwen wilde *zijn* in plaats van ze te bezitten, en wanneer zijn broers bij de aanblik van die vrouwen zichzelf in schuldig genot betastten, werd hij misselijk bij de gedachte om zichzelf zo aan te raken en viel bijna flauw.

Hij ontwikkelde zich niet als een jongen: hij kreeg geen haren op zijn armen, benen en borst en hij hoefde zich niet te scheren. Het was overduidelijk dat er iets aan hem mankeerde, maar het enige antwoord leek te zijn dat hij harder moest worden met vechtsporten, met de jacht, met bergbeklimmen, met roekeloos skiën, kortom, met alles wat zijn vader maar kon bedenken om van hem de man te maken die hij volgens God moest zijn.

Gedurende twee lange jaren deed Santiago zijn best. Gedurende twee lange jaren spaarde Santiago elke cent. En op zijn vijftiende vluchtte hij voor de laatste keer en haalde hij het per trein tot Buenos Aires, waar niemand wist dat hij géén vrouw was, tenzij hij dat zelf kenbaar wilde maken.

Alatea herinnerde zich de treinreis nog: het geluid van de motor en het voorbijglijdende landschap. Ze wist nog dat ze met haar hoofd tegen het koele glas van het raam leunde. Ze herinnerde zich dat ze met haar voeten op haar koffer had gezeten. Ze wist nog dat haar kaartje werd geknipt en dat de man zei: '*Gracias señorita*' en dat ze vanaf dat moment señorita was gebleven, terwijl de trein haar van huis wegvoerde.

Op dat moment kon ze de trein bijna horen, zo levendig was de herinnering aan die plek en die tijd. Hij dreunde en brulde. Hij gutste en donderde. Hij nam haar meedogenloos mee de toekomst in, en ook nu was ze aan boord, ook nu ontsnapte ze aan haar verleden.

Toen de eerste golf water haar raakte, begreep ze dat ze het opkomend getij had gehoord. Toen besefte ze wat de sirene had betekend. De vloedgolf kwam op, zo snel als een galopperend paard. En hoewel ze wist dat ze door het water weldra uit de geul die haar vasthield zou vrijkomen, wist ze ook dat er dingen waren waar ze nooit van bevrijd zou worden.

Ze bedacht hoe dankbaar ze was dat ze niet in het zand zou stikken, zoals ze had gevreesd. Toen het eerste water tegen haar lichaam sloeg, begreep ze ook dat ze niet zou verdrinken. Want in zulk water verdronk niemand. Je ging gewoon achteroverliggen en viel in slaap.

11 november

Arnside

Cumbria

Ze hadden werkelijk niets kunnen doen. Ze hadden het allemaal geweten. En ze hadden allemaal gedaan alsof dat niet zo was. De kustwacht voer door de mist, nam de route van Walney Island naar Lancaster Sound. Maar van daar was Morecambe Bay nog mijlenver weg en was het nog verder naar het kanaal van de Kent-rivier. Ze kon overal zijn geweest, en ook dat had iedereen geweten. Als ze alleen met springvloed te maken hadden gehad was er misschien nog een kans geweest, hoe klein ook, dat ze gevonden kon worden. Maar met de combinatie van springvloed en mist was de situatie vanaf het eerste begin hopeloos geweest. Ze vonden haar niet.

Toen er eenmaal voldoende water stond om uit te kunnen varen, had de reddingsbrigade ook geprobeerd te helpen. Maar ze waren nog niet erg ver toen ze wisten dat ze naar een lijk zouden zoeken. En nu dat het geval was, en als ze in de mist bleven rondvaren terwijl ze het risico liepen dat er uiteindelijk meer lijken gevonden zouden worden, had het geen zin om het drama in stand te houden. Alleen de waddengids kon helpen. Nadat ze weer aan land waren, meldde die zich bij Lynley, want in zo'n situatie was het de taak van de gids om in te schatten waar een lichaam waarschijnlijk zou aanspoelen. Het was zijn taak om het lichaam zo snel mogelijk te helpen vinden, want als ze het niet vonden wanneer de mist optrok, was de kans heel groot dat ze het helemaal niet meer vonden. Het water zou het meevoeren en het zand zou het begraven. Sommige dingen werden nooit gevonden in Morecambe Bay en andere dingen lagen er honderd jaar begraven. Dat lag in de aard van de plek, zei de waddengids tegen hen. Vurig in zijn schoonheid, harteloos in zijn bestraffing.

Ten slotte waren Lynley en Deborah naar Arnside House gegaan, maar niet nadat ze urenlang het vuur hadden opgestookt, zelfs nadat het springtij naar binnen was gekolkt en het kanaal had gevuld, en ze allemaal wisten dat er geen hoop meer was. Maar Nicholas wilde niet bij het vuur weg, dus ze bleven het samen met hem opstoken, terwijl ze bezorgde blikken wierpen op zijn wanhopige gezicht. Pas 's avonds kon hij ermee ophouden, toen hij door uitputting, in combinatie met het besef en het dagende verdriet, er niet meer toe in staat was. Daarna was hij naar het huis gewankeld en Lynley en Deborah waren achter hem aan gegaan. De mensen uit het dorp Arnside weken uiteen om ze door te laten, en uit hun meelevende woorden sprak hetzelfde als uit hun verdrietige gezichten.

In het huis had Lynley Bernard Fairclough gebeld. Hij gaf alleen de naakte feiten door: dat de vrouw van zijn zoon werd vermist en waarschijnlijk in Morecambe Bay was verdronken. Kennelijk was ze gaan wandelen, zei Lynley tegen hem, en was ze overvallen door de springvloed.

'We komen er meteen aan,' had Bernard Fairclough gezegd. 'Zeg tegen Nicholas dat we onderweg zijn.'

'Ze willen vast weten of ik nu weer ga gebruiken,' zei Nicholas als verdoofd toen Lynley hem zijn vaders boodschap overbracht. 'Nou, wie zou zich daar met mijn verleden geen zorgen over maken, hè?' Daarna zei hij dat hij ze niet wilde zien. Dat hij niemand wilde zien.

Dus Lynley had gewacht tot Nicholas' ouders waren gekomen en had ze de boodschap overgebracht. Hij besloot dat hij Alatea niet zou verraden, dat was zijn aandeel in dit alles. Ze mocht haar geheimen meenemen in haar graf. Hij wist dat Deborah hetzelfde zou doen.

Tegen die tijd was het te laat om naar Londen terug te keren, dus Deborah en hij waren naar de Crow & Eagle teruggegaan, hadden twee kamers genomen, in stilzwijgen gegeten en waren naar bed gegaan. 's Ochtends, toen hij het kon opbrengen om te praten, belde hij New Scotland Yard. Hij had zeven berichten op zijn mobiele telefoon, zag hij. Hij luisterde er niet een af. In plaats daarvan belde hij Barbara Havers.

Hij vertelde haar in het kort wat er was gebeurd. Ze zweeg, behalve zo nu en dan een: 'o, verdomme' en 'o klote, sir'. Hij vertelde dat ze Alatea's familie in Argentinië op de hoogte moesten stellen. Kon Barbara de doctoraalstudente weer weten te vinden om het telefoontje te plegen? Ja, dat kon ze, zei ze tegen hem. Maar ze vond het ook verschrikkelijk dat de zaken uiteindelijk zo waren uitgepakt.

Havers zei: 'Hoe gaat het met u, sir? U klinkt niet best. Kan ik van hieruit nog iets anders voor u doen?'

'Zeg tegen de hoofdinspecteur dat ik in Cumbria werd opgehouden,' zei hij. 'Ik ga hier over een uur of twee weg.'

'Moet ik haar nog meer vertellen?' vroeg Havers. 'Haar laten weten wat er is gebeurd?'

Lynley dacht hier heel even over na voor hij een besluit nam. 'Maar beter als we de zaken zo laten als ze zijn,' zei hij.

Ze zei: 'Prima,' en hing op.

Lynley wist dat hij haar kon vertrouwen en dat ze zou doen wat hij haar had gevraagd, en het viel hem opeens op dat hij er niet aan had gedacht om Isabelle te bellen. Hij had niet aan haar gedacht, de vorige avond niet en vanochtend ook niet nadat hij na een slechte nacht wakker was geworden.

Deborah zat op hem te wachten toen hij de trap af liep naar de receptie van de Crow & Eagle. Ze zag er ellendig uit. Haar ogen werden vochtig van de tranen toen ze hem zag en ze schraapte haar keel in een poging ze binnen te houden.

Ze zat op een houten bank tegenover de receptiebalie. Hij ging naast haar zitten en sloeg een arm om haar heen. Ze leunde tegen hem aan en hij kuste haar op haar slaap. Ze reikte naar zijn andere hand en hield die vast, en hij voelde de verandering in zijn en haar lichaam toen hun ademhaling synchroon liep.

Hij zei: 'Daar moet je niet aan denken.'

'Hoe kan ik anders?'

'Dat weet ik niet. Maar ik weet wel dat je het niet moet doen.'

'Tommy, ze was nooit dat zand op gegaan als ik die hele toestand over dat draagmoederschap niet had doorgedrukt. En dat had niets te maken met de dood van Ian Cresswell, wat jij en Simon allang wisten. Het is mijn schuld.'

'Deb, lieverd, dit alles is veroorzaakt door geheimen en stilzwijgen. Niet door jou.'

'Je bent lief.'

'Ik ben eerlijk. Alatea werd naar de wadden gedreven omdat ze het hem niet kon vertellen. Daardoor was ze om te beginnen naar Lancaster gegaan. Je kunt jezelf niet haar geheimen en haar dood aanrekenen, want dat is niet terecht, en daarmee basta.'

Deborah zweeg een poosje. Ze hield haar hoofd gebogen en leek de punten van haar zwartleren schoenen te bestuderen. Ten slotte mompelde ze: 'Maar over sommige dingen moet je wel zwijgen, toch?'

Daar dacht hij over na, over alles wat tussen hen onuitgesproken bleef en dat altijd zo zou blijven. Hij antwoordde: 'En wie weet dat nou beter dan wij tweeën?' Toen hij zijn arm van haar schouders haalde keek ze hem aan. Hij glimlachte vol genegenheid naar haar. 'Londen?' zei hij.

'Londen,' antwoordde ze.

Arnside

Cumbria

Het maakte niet uit dat Nicholas liever alleen was, Valerie wilde per se dat haar man en zij de rest van de nacht in Arnside House zouden blijven. Ze had Manette gebeld om haar het nieuws te vertellen en gezegd dat ze niet hoefde te komen. Ze had Mignon ook gebeld, maar was niet bang geweest dat Mignon helemaal naar Arnside zou komen. Zij had zich in haar toren schuilgehouden toen eenmaal tot haar was doorgedrongen dat haar ouders niet langer van plan waren haar op haar financiële, emotionele en fysieke wenken te bedienen. Maar eigenlijk deed Mignon er op dit moment weinig toe voor Valerie. Ze maakte zich zorgen om Nicholas. Ze maakte zich zorgen over wat hij in de nasleep van deze ramp zou gaan doen.

De boodschap die hij via de rechercheur van New Scotland Yard had laten weten, was beknopt maar glashelder geweest. Hij wilde niemand zien. Dat was alles.

Valerie had tegen Lynley gezegd: 'Ze heeft familie in Argentinië. Die moet op de hoogte gebracht worden. Er moeten dingen geregeld worden...'

Lynley had haar verteld dat de Met ervoor zou zorgen dat Alatea's familie op de hoogte werd gebracht, want een van zijn agenten had die opgespoord. En wat de regelingen betrof, misschien moesten ze daar maar mee wachten totdat er een lichaam gevonden was.

Daar had ze niet aan gedacht: misschien was er geen lichaam. Maar er was een dode, dus er móést wel een lichaam zijn, wilde ze benadrukken. Tenslotte was een lichaam iets definitiefs. Als dat er niet was, waar moesten ze dan met hun verdriet naartoe?

Toen Lynley was vertrokken met de vrouw die hij aan haar had voorgesteld als Deborah St. James – een onbekende voor Valerie en op dit moment van weinig belang, afgezien van het feit dat ze tijdens Alatea's verdwijning daar aanwezig was geweest – was Valerie naar boven gegaan en had zich een weg gezocht naar Nicholas' kamer. Ze had tegen de deurpanelen gezegd: 'We zijn er, lieverd. Je vader en ik. We zijn beneden,' en toen had ze hem alleen gelaten.

De hele lange nacht hadden zij en Bernard in de zitkamer gezeten, waar in de open haard een vuur brandde. Tegen een uur of drie dacht ze dat ze op de eerste verdieping van het huis beweging hoorde, maar dat bleek slechts de wind. De wind blies de mist weg en voerde regen mee. De regen sloeg in gestage vlagen tegen de ramen en Valerie dacht zonder enige reden aan de vreugde van de ochtend die volgde op een zwaar doorleefde nacht. Iets uit de anglicaanse liturgie, herinnerde ze zich. Maar die woorden waren niet van toepassing op deze verschrikkelijke gebeurtenis.

Zij en Bernard spraken niet met elkaar. Hij probeerde vier keer een gesprek met haar te beginnen, maar ze schudde haar hoofd en stak haar hand op om hem het zwijgen op te leggen. Toen hij ten slotte zei: 'In godsnaam, Valerie, je zult een keer met me moeten praten,' begreep ze dat Bernard, ondanks alles wat er in de afgelopen twaalf of meer uren was gebeurd, werkelijk over hén wilde praten. Wat mankeerde de man, vroeg ze zich vermoeid af. Maar had ze daar eigenlijk niet altijd het antwoord al op geweten?

Nicholas kwam pas na zonsopgang de zitkamer binnen. Hij bewoog zich zo geruisloos dat ze hem niet had gehoord en hij stond al voor haar neus voordat ze besefte dat het niet Bernard was die de kamer binnen was gekomen. Want Bernard was de kamer niet uit geweest, hoewel haar ook dat niet was opgevallen.

Ze wilde opstaan. Nicholas zei: 'Blijf maar zitten.'

Ze zei: 'Lieverd,' maar zweeg toen hij zijn hoofd schudde. Hij kneep één oog dicht, alsof de lichten in de kamer te pijnlijk voor hem waren, en hield zijn hoofd schuin alsof hij haar daardoor scherper kon zien.

Hij zei: 'Ik zeg alleen dit. Ik ben het niet van plan.'

Bernard zei: 'Wat? Nick, joh...'

'Ik ben niet van plan weer te gaan gebruiken,' zei hij.

'Daarom zijn we niet hier,' zei Valerie.

'Dus jullie zijn gebleven omdat...?' Zijn lippen waren zo droog dat ze aan elkaar bleven kleven. Er lagen wallen onder zijn ogen. Zijn engelachtige haar zat plat en was dof. Zijn bril was vies.

'We zijn hier omdat we je ouders zijn,' zei Bernard. 'In godsnaam, Nick...'

'Het is mijn schuld,' zei Valerie. 'Als ik die mensen van Scotland Yard niet voor een onderzoek hierheen had gehaald, waardoor jij zo van streek raakte, zij zo van streek raakte...'

'Als iemand al schuldig is, dan ben ik dat wel,' zei Bernard. 'Je moeder valt niets te verwijten. Als ik haar geen reden had gegeven om zo'n onderzoek te willen, wat die verdomde reden ook is...'

'Hou op.' Nicholas stak een hand op en liet hem weer met een uitgeput gebaar zakken. Hij zei: 'Ja. Het is jouw schuld. Het is jullie schuld. Maar dat maakt nu weinig meer uit.'

Hij draaide zich om en liet ze in de zitkamer achter. Ze hoorden hem door de gang schuifelen. Even later sjokte hij de trap op.

Zwijgend reden ze naar huis. Alsof ze wist dat ze over de lange oprijlaan aan kwamen rijden – misschien had ze vanaf het torendak op de uitkijk gestaan waar ze, zoals Valerie nu wist, jarenlang de trap op was geglipt om iedereen te bespioneren – stond Mignon hen op te wachten. Ze had zich in een wollen jas tegen de kou ingepakt en was zo verstandig geweest het looprekje thuis te laten, want ze begreep ongetwijfeld dat haar spel uit was. Het was een mooie ochtend, zoals wel vaker na hevige regenval. De zon scheen helder alsof die een ongebreidelde hoop wilde verspreiden en wierp een goudkleurig herfstlicht op de weilanden en de in de verte grazende herten.

Mignon liep naar de auto terwijl Valerie uitstapte. Ze zei: 'Moeder, wat is er gebeurd? Waarom zijn jullie gisteravond niet thuisgekomen? Ik was ziek van ongerustheid. Ik kon niet slapen. Ik heb bijna de politie gebeld.'

Valerie zei: 'Alatea...'

'Ja, natuurlijk, Alatea,' verklaarde Mignon. 'Maar waarom zijn jij en pa niet thuisgekomen?'

Valerie staarde haar dochter aan en begreep helemaal niets van haar. Maar was dat niet altijd zo geweest? Mignon was een vreemdelinge die in een onbekend land over de wegen van haar geest dwaalde.

'Ik ben veel te moe om met je te praten,' zei Valerie tegen haar en ze liep naar de deur.

'Moeder!'

'Mignon, zo is het genoeg,' zei haar vader.

Valerie hoorde dat Bernard achter haar aan kwam. Ze hoorde Mignons jammerende protest. Ze bleef even staan en draaide zich toen naar haar om. 'Je hebt je vader gehoord,' zei ze. 'Genoeg.'

Ze liep het huis in, volkomen uitgeput. Bernard riep haar toen ze op weg was naar de trap. Hij klonk aarzelend, onzeker, zoals Bernard Fairclough nooit was geweest.

Ze zei: 'Ik ga naar bed, Bernard,' en ze liep naar boven om dat inderdaad te gaan doen.

Ze was zich er zeer van bewust dat ze een beslissing moest nemen. Het leven zoals zij het had gekend lag nu compleet overhoop en ze moest zien uit te zoeken hoe ze dat weer kon repareren: welke stukken ze wilde houden en welke vervangen moesten worden, en wat ze bij de vuilnis zou zetten. Ze was zich ook bewust van de zware verantwoordelijkheid die op haar schouders rustte. Want al die tijd had ze het geweten van Bernard en zijn Londense leven, en die kennis, en wat ze ermee had gedaan, zou tot het einde der dagen op haar geweten drukken.

Ian had het haar natuurlijk verteld. Hij had aan haar gerapporteerd dat zijn oom geld van het bedrijf gebruikte, want Ian had altijd geweten waar de werkelijke macht van Fairclough Industries lag. O, Bernard had de dagelijkse leiding en nam inderdaad veel beslissingen. Bernard, Manette, Freddie en Ian zorgden samen voor het reilen en zeilen van het bedrijf, moderniseerden het zoals Valerie nooit zou hebben kunnen bedenken. Maar tijdens de tweejaarlijkse bijeenkomsten van de raad van bestuur was het Valerie die aan het hoofd van de tafel plaatsnam en geen van hen trok dat ooit in twijfel, want zo was het altijd geweest. Je kon de ladder beklimmen, maar er was een plafond. En als je dat wilde doorbreken, ging het om je afkomst en niet om je kracht.

'Merkwaardig en heel verontrustend,' zo had Ian het haar gebracht. 'Eerlijk gezegd, tante Val, heb ik erover gedacht je het maar helemaal niet te vertellen, want... Nou ja, je bent goed voor me geweest, en oom Bernie ook, natuurlijk, en even dacht ik dat ik met fondsen kon schuiven en de uitgaven kon verdoezelen, maar ik zit nu op een punt waarop me dat niet meer gaat lukken.'

Toen Ian Cresswell na de dood van zijn moeder uit Kenia bij hen was komen wonen om in Engeland naar school te gaan, was hij een leuke jongen geweest. En Ian Cresswell was een fijne vent geworden. Het was jammer dat hij zijn vrouw en kinderen zo verschrikkelijk had gekwetst toen hij had besloten om het leven te leiden waarvoor hij vanaf zijn geboorte voorbestemd was geweest. Maar soms gebeurde dat met mensen en wanneer dat zo was, zat er niets anders op dan doormodderen. Valerie had gemerkt hoe bezorgd hij was, ze had gerespecteerd dat hij worstelde met waar zijn loyaliteiten lagen, en was dankbaar dat hij met de papieren bij haar was gekomen waarop stond waar het geld naartoe ging.

Na zijn dood had ze zich verschrikkelijk gevoeld. Ook al was het een ongeluk geweest, onwillekeurig dacht ze dat ze hem er niet genoeg op had gewezen hoe slecht die kade er in het botenhuis aan toe was. Maar zijn dood had ook de opening geboden waarnaar ze op zoek was geweest. Ze kon maar op één passende manier met Bernard afrekenen, zo had ze besloten, en dat was door hem ten overstaan van zijn hele familie te vernederen. Zijn kinderen moesten precies weten wat voor soort man hun vader was. Dan zouden ze hem naar Londen verbannen, naar zijn minnares en bastaardkind, en zich geheel en al aan hun moeder wijden, en zo zou Bernard voor zijn zonden moeten boeten. Want de kinderen waren alle drie bloedverwanten van de Faircloughs en zouden het smerige dubbelleven van hun vader nooit tolereren. En dan, als er voldoende tijd was verstreken, zou ze het hem vergeven. Tja, wat anders kon Valerie na bijna drieënveertig jaar doen?

Ze liep naar haar slaapkamerraam, dat over Lake Windermere uitkeek. Goddank, dacht ze, keek het niet uit over de kindertuin die er nu waarschijnlijk niet zou komen. Ze staarde naar de uitgestrekte vlakte van het meer, nog altijd als een spiegel die op aarde was geworpen, die de sparren langs de oever reflecteerde – dat deed een spiegel nu eenmaal – de hoogvlakten die tegenover het landgoed van Ireleth Hall oprezen en de grote cumuluswolken, altijd aanwezig na een stormachtige nacht. Het was een volmaakte herfstdag, puur en glanzend. Valerie keek ernaar en wist dat zij er niet in thuishoorde. Ze was oud en versleten. Haar geest was vervuild.

Ze hoorde Bernard de kamer in komen. Ze draaide zich niet om. Ze hoorde dat hij dichterbij kwam en zag uit haar ooghoek dat hij een dienblad bij zich had dat hij op het kleine tafeltje neerzette tussen de twee op het meer uitkijkende ramen. Boven die tafel hing een grote spiegel en in de reflectie daarvan zag Valerie dat er op het dienblad thee, toast en gekookte eieren stonden. Ze zag daar ook het gezicht van haar man.

Hij sprak als eerste. 'Ik heb het gedaan omdat het kon. Zo zat mijn leven in elkaar. Alles wat ik heb gedaan, heb ik gedaan omdat het kon. Ik vermoed dat het een uitdaging was, net zoals ik jou voor me moest zien te winnen. Net zoals ik meer van het bedrijf wilde maken dan waartoe je vader en grootvader in staat waren. Ik begrijp de impact niet eens van wat ik heb gedaan, dat is nog het ergste, want daardoor denk ik dat ik het zomaar nog eens zou kunnen doen.'

'Wat een geruststellende gedachte,' zei ze droogjes.

'Ik probeer eerlijk tegen je te zijn.'

'Ook al zo'n geruststellende gedachte.'

'Luister naar me. Het akelige is dat ik niet kan beweren dat het niets voor me heeft betekend, want het heeft wel iets betekend. Maar ik weet gewoon niet wat.'

'Seks,' zei ze. 'Mannelijkheid, Bernard. Dat je uiteindelijk toch niet zo'n klein ventje bent.'

'Daarmee kwets je me,' zei hij.

'En dat is ook de bedoeling.' Ze keek weer naar het uitzicht. Ze moest eerst bepaalde dingen weten voordat ze tot een besluit kwam, en dat moest dan nu maar gebeuren ook, zei ze tegen zichzelf. 'Is het altijd zo gegaan?'

Hij was nog wel zo beleefd om haar niet verkeerd te begrijpen. 'Ja,' zei hij. 'Niet steeds. Zo nu en dan. Oké, regelmatig. Meestal wanneer ik voor zaken weg moest. Manchester misschien. Birmingham. Edinburgh. Londen. Maar nooit met een werkneemster, tot Vivienne verscheen. En zelfs met haar was het in het begin net als met de rest. Omdat ik het kón doen. Maar toen begonnen we meer voor elkaar te voelen en ik dacht een manier te zien waarop ik twee levens kon leiden.'

'Slim van je,' zei ze.

'Slim van me,' antwoordde hij.

Toen keek ze hem aan. Wat was hij eigenlijk een klein kereltje. Hij was zeker twaalf centimeter korter dan zij, en toch dacht ze er nooit aan dat hij klein was, hoewel dat wel zo was. Klein, een beetje tenger, ondeugend ogend, vrijpostig, grijnzend... Mijn god, dacht ze, het enige wat er nog aan ontbrak was een wambuis en een maillot. Ze was net zo gemakkelijk te verleiden geweest als lady Anne. Ze zei tegen hem: 'Waarom, Bernard?' en toen hij zijn ogen tot spleetjes kneep, voegde ze eraan toe: 'Waarom twee levens? Voor de meeste mensen is eentje wel genoeg.'

'Dat weet ik wel,' zei hij. 'Dat is de vloek waarmee ik moet leven. Voor mij is één leven nooit genoeg geweest. Eén leven was nooit... Ik wéét het gewoon niet.'

Maar zij wist het wel en misschien had ze het altijd wel geweten. 'Je kon in één leven niet bewijzen dat je meer was dan Bernie Dexter uit Blake Street in Barrow-in-Furness. Dat zou je in één leven nooit redden.'

Hij zweeg. Buiten kwaakten eenden en Valeries aandacht werd weer naar het raam getrokken. Ze zag een vlucht eenden in V-vorm in de richting van Fell Foot Park vliegen, en ze bedacht wat een mal, onbeholpen gezicht het was als eenden opstegen en landdden, maar vliegende eenden waren net zo elegant als welke andere vogel dan ook en gelijk aan alle andere vogels. Alleen er te komen was vreemd en anders.

Bernard zei: 'Ja. Dat zal het wel zijn. Blake Street was de put waar ik uit ben geklommen, maar de zijkanten waren glibberig. Bij elke verkeerde beweging zou ik weer terugglijden. Dat wist ik.'

Ze liep bij het raam vandaan naar het dienblad en zag dat hij alleen voor haar een ontbijt had meegenomen. Eén kop en schotel, twee gekookte eieren maar slechts één eierdop, bestek voor één, een enkel wit servet. Hij was dus toch niet zo zelfverzekerd. Daar putte ze een beetje troost uit.

'Wie ben je nu?' vroeg ze aan hem. 'Wie wil je zijn?'

Hij zuchtte. 'Valerie, ik wil je echtgenoot zijn. Ik kan niet beloven dat dit, wij tweeën, jij en ik en wat we hebben opgebouwd, over een halfjaar uiteindelijk niet in de Fairplee terechtkomt. Maar dat is wat ik wil. Je echtgenoot zijn.'

'En dat is het enige wat je me te bieden hebt? Na bijna drieënveertig jaar?'

'Dat is het enige,' zei hij.

'Waarom zou ik dat in godsnaam accepteren? Jij als mijn echtgenoot, zonder enige belofte, zoals trouw, eerlijkheid, zoals...' Ze haalde haar schouders op. 'Ik weet het gewoon niet meer, Bernard.'

'Wat niet?'

'Wat ik van je wil. Ik weet het niet meer.' Ze schonk zichzelf een kop thee in. Hij had citroen en suiker meegenomen, geen melk, precies zoals ze haar thee altijd dronk. Er was toast zonder boter, zoals ze die altijd at. Een gekookt eitje, met peper maar zonder zout.

Hij zei: 'Valerie, we hebben samen een geschiedenis. Ik heb jou, en onze kinderen, verschrikkelijk behandeld en ik weet waarom ik dat heb gedaan, net als jij. Omdat ik Bernie Dexter uit Blake Street ben en van begin af aan is dat het enige wat ik te bieden had.'

'Alles wat ik voor jou heb gedaan,' zei ze kalm. 'Met en voor jou heb gedaan. Om je te plezieren... om je te bevredigen.'

'En dat is ook gelukt,' zei hij.

'Wat me dat heeft gekost... Dat kun je niet bevatten, Bernard. Dat zul je nooit kunnen bevatten. De balans moet worden opgemaakt. Begrijp je dat? Kún je dat begrijpen?'

'Ja,' zei hij. 'Valerie, dat kan ik.'

Ze hield haar kop thee tegen haar lippen, maar hij nam het kopje uit haar handen. Hij zette het voorzichtig op het schoteltje terug.

'Geef me alsjeblieft de kans om er een begin mee te maken,' zei hij.

Great Urswick

Cumbria
De politie had Tim rechtstreeks naar het ziekenhuis in Keswick gebracht. Ja, ze hadden via de radio zelfs een ambulance opgeroepen. Manette wilde per se met de jongen in de wagen meerijden, want ze wist niet hoe Tim er verder aan toe was en hoe de prognose voor zijn genezing was, maar ze wist wel dat hij iemand dicht bij zich in de buurt nodig had, iemand die dicht bij zijn eigen gezin stond. En dat was zij.

Het alarm had gejankt alsof het voor een naderende apocalyps waarschuwde tot de politie binnenstormde. Manette had op het geïmproviseerde bed gezeten met Tims hoofd in haar schoot en zijn lichaam gewikkeld in het nachthemd. En Freddie had rondgestruind op zoek naar de schuldigen, die allang gevlucht waren, evenals naar bewijs van wat er op die plek was gebeurd. De camera was weg, er was geen enkel spoor van een computer, maar in hun haast hadden de acteurs en andere leden van de filmploeg die het spektakel hadden gefilmd een aantal dingen over het hoofd gezien, zoals een jasje waarin een portefeuille en creditcards van een man zaten, een vrouwentas met een paspoort, en een heel zware kluis. Wie wist wat daarin zat? dacht Manette. Daar was de politie gauw genoeg achter.

Tim had bijna niets gezegd, alleen twee als verdoofd uitgesproken zinnen. De eerste was: ‘Hij heeft het beloofd’, en de tweede: ‘Zeg het alsjeblieft tegen niemand’. Hij maakte niet duidelijk wie wat aan wie had beloofd. Wat hij bedoelde met ‘Zeg het alsjeblieft tegen niemand’ was glashelder. Manette legde haar hand op zijn hoofd – zijn haar te lang, te vet, al zo lang door niemand naar omgekeken – en herhaalde: ‘Het komt goed, Tim. Heus, het komt goed.’

De politie had geüniformeerde agenten opgetrommeld, maar toen ze zagen waar ze mee te maken hadden, hadden ze via hun schouderradio verzocht om versterking van agenten en rechercheurs van Zedendelicten. En zo stonden Manette en Freddie opnieuw oog in oog met hoofdinspecteur Connie Calva. Toen ze de kamer in liep en in de victoriaanse slaapkamer rondkeek, een blik wierp op het open raam, de Big Ben in de verte, de hond aan het voeteneind van het bed, de weggesmeten kostuums en Tim die met zijn hoofd in Manettes schoot lag, had ze aan de agenten gevraagd: 'Heb je een ambulance gebeld?' en die hadden geknikt. Daarna zei ze tegen Manette: 'Ik vind het zo erg. Ik kon niets doen. Zo zit de wet nu eenmaal in elkaar,' en Manette had zich afgewend. Freddie had gezegd: 'Kom verdomme niet aanzetten met die wet van je.' En hij had het zo fel gezegd, dat Manette overspoelt werd door een golf van tederheid, en ze kon wel janken omdat ze tot dit moment te stom was geweest om Freddie McGhie echt te zien.

De hoofdinspecteur nam het hem niet kwalijk. Ze keek naar Manette en zei: 'U hebt dit waarschijnlijk zo aangetroffen? U hoorde het inbrekersalarm, zag de puinhoop buiten en dacht: wat is daar aan de hand? Dat is er toch gebeurd?'

Manette keek omlaag naar Tim, die nu lag te trillen, en ze nam een beslissing. Ze schraapte haar keel en zei dat ze de toestand niet zo hadden aangetroffen, maar evengoed bedankt, hoofdinspecteur, dat u veronderstelt dat het zo is gegaan. Zij en haar man – ze liet achterwege Freddie te benoemen als haar ex-man of voormalige echtgenoot of wat hij ooit van haar was geweest toen ze haar verstand nog had – hadden ingebroken. Ze hadden de wet in eigen hand genomen en zouden de gevolgen ervan moeten dragen. Ze waren niet snel genoeg ter plaatse geweest om te voorkomen dat die ellendelingen een veertienjarige jongen verkrachtten, wat ter meerdere eer en genot van de perverselingen ter wereld ook nog was gefilmd. Maar dat gedeelte zouden zij en Freddie aan de politie overlaten, evenals wat de politie wenste te doen aan het gegeven dat zij – zij en haar man, zoals ze hem nogmaals noemde – hadden ingebroken, of hoe de politie het ook wenste te betitelen.

'Een ongeluk, denk ik,' had hoofdinspecteur Calva gezegd. 'Misschien boze opzet van onbekende personen? Hoe dan ook, die containers moeten een beter remsysteem krijgen, zou ik willen zeggen, zodat ze blokkeren en niet vanzelf aan de rol gaan en door winkelpuien rijden.' Ze had om zich heen gekeken en haar agenten aan het werk gezet om bewijs te verzamelen. Ze was geëindigd met: 'We hebben een verklaring van de jongen nodig.'

'Maar nu niet,' zei Manette tegen haar.

Toen hadden ze hem meegenomen. Tim was liefdevol bij de Spoedeisende Hulp van het ziekenhuis in Keswick behandeld en ten slotte aan zijn nicht Manette overgedragen. Zij en Freddie hadden hem mee naar huis genomen, in een warm bad gedaan, warme soep en broodjes met boter voor hem gemaakt, hadden bij hem gezeten toen hij alles opat en hem daarna in bed gestopt. Vervolgens hadden ze zich ieder in hun eigen slaapkamer teruggetrokken. Manette had die nacht niet kunnen slapen.

's Ochtends vroeg, terwijl de duisternis nog tegen de ramen duwde, zette ze koffie. Ze zat aan de keukentafel en staarde zonder iets te zien naar haar reflectie in het glas, met op de achtergrond de nacht, en ergens in die nacht het meertje en daarop weer de zwanen die dicht opeen in het riet zaten.

Ze dacht na over de volgende stap, en dat was Niamh bellen. Ze had Kaveh al gebeld, alleen maar om hem te vertellen dat Tim op dat moment veilig bij haar thuis was en of hij het Gracie wilde doorgeven zodat ze zich geen zorgen over haar broer hoefde te maken.

Nu moest ze iets aan Niamh gaan doen. Ze was Tims moeder en dus had ze er recht op om te weten wat er was gebeurd, maar Manette vroeg zich af of Niamh het eigenlijk wel wílde weten. Als ze op de hoogte werd gesteld en Tim hoorde dat ze op de hoogte was gesteld en ze deed vervolgens niets, dan zou de jongen nog meer in de war raken, toch? Dat zou juist averechts werken. Aan de andere kant moest Niamh op een bepaald moment wel iets te horen krijgen, want ze wist dat haar zoon vermist werd.

Manette zat dat aan de keukentafel allemaal te overdenken en probeerde tot een besluit te komen. Er was geen sprake van dat ze Tim zou verraden. Aan de andere kant had hij hulp nodig. Als hij meewerkte, kon hij die op de Margaret Fox-school krijgen. Maar wanneer had Tim ooit geleerd samen te werken? En zou hij ooit nog kunnen meewerken na alles wat er was gebeurd? Waarom zou hij, in godsnaam? Wie kon hij nog vertrouwen?

God, wat was het een puinhoop, dacht Manette. Ze wist niet waar ze moest beginnen om de jongen te helpen.

Ze zat nog altijd aan de keukentafel toen Freddie binnenkwam. Ze besefte dat ze in de stoel had zitten dommelen, want buiten was het inmiddels helemaal licht. Freddie was aangekleed en schonk zichzelf een kop koffie in toen ze wakker schrok.

'Aha, ze leeft nog.' Freddie liep met zijn kop koffie naar de tafel, pakte die van haar en gooide de koude inhoud in de gootsteen. Hij gaf haar een verse kop en legde even zijn hand op haar schouder. 'Kop op, meissie,' zei hij vriendelijk. 'Ik durf te wedden dat je je beter voelt als je lekker op die verrekte loopband van je hebt gezwoegd.'

Hij ging tegenover haar zitten en Manette zag dat hij zijn beste pak aanhad, dat hij nooit droeg als hij naar zijn werk ging. Hij droeg wat hij noemde zijn trouw-doop-en-begrafenis-plunje, met een gesteven wit overhemd met dubbele manchetten en een gevouwen, linnen zakdoek in het borstzakje van zijn colbert. Hij was op en top Freddie McGhie, op zijn gemak en stralend van zijn kruin tot de neuzen van zijn gepoetste schoenen, alsof de vorige dag niet één grote nachtmerrie was geweest.

Hij knikte naar de handset van de telefoon, die Manette voor zich op tafel had laten staan terwijl ze aan het doezelen was geweest. Hij wees ernaar en zei: 'Hmm?' Manette zei tegen hem dat ze Kaveh had gebeld. Hij zei: 'En Niamh?' waarop ze antwoordde met: 'Dat is de hamvraag, hè?' Ze zei dat Tim haar had gesmeekt niets tegen zijn moeder te zeggen. Dat had hij nog eens benadrukt met: 'Alsjeblieft, vertel het niet,' toen ze in zijn slaapkamer was gaan kijken om er zeker van te zijn dat hij alles had wat hij voor de nacht nodig had.

'Ik zal haar toch echt moeten bellen,' besloot Manette, 'al is het maar om haar te laten weten dat hij bij ons is, maar zelfs dat doe ik niet graag.'

'Hoezo?'

'Dat ligt voor de hand,' zei ze. 'Om dezelfde reden waarom Tim me niet alles van gisteren wil vertellen: soms is het gewoon gemakkelijker om te gissen naar wat er is gebeurd dan de waarheid over mensen te weten. Tim kan denken: oké, ík denk dat het haar niets kan schelen, of dat ze toch niets zal doen of dat ze het maar lastig vindt om te weten en dat is het dan. Maar hij – en ik ook – weet dat niet zeker, wel? Dus hij – en ik – kan ook denken: als ze het weet komt ze misschien in actie, schudt ze die onverschilligheid die ze zich heeft aangemeten van zich af... Ik weet het niet, Freddie. Maar als ik haar bel, kan ik er niet omheen dat ik de hele waarheid over Niamh Cresswell zal ontdekken. En ik weet niet of ik die nu wel wil ontdekken, en Tim wil dat zeer zeker niet.'

Freddie hoorde dit alles op zijn eigen manier aan. Uiteindelijk zei hij: 'Aha. Ik begrijp het. Nou, daar is niets aan te doen, hè,' en hij pakte de telefoon. Hij keek op zijn horloge, toetste het nummer in en zei: 'Beetje vroeg, maar op een vroeg uur is goed nieuws altijd welkom.' En na een kort ogenblik: 'Sorry, Niamh. Met Fred. Heb ik je wakker gemaakt? O. We hebben hier een beetje een rusteloze nacht gehad... Echt? Wat fijn... Moet je horen, Niamh, Tim is bij ons... O, beetje kou geleden. Hij sliep buiten. We kwamen hem in Windermere tegen, heel toevallig. Manette zorgt dat hij weer wat opknapt... Ja, ja, inderdaad. Kun je de school bellen en ze laten weten... O. Nou, natuurlijk. Zeker... Je hebt Manette ook op zijn kaart gezet, hè? Heel goed van je Niamh. En nog iets, Manette en ik zouden Tim en Gracie heel graag een tijdje bij ons in huis nemen. Wat denk je daarvan...? Hmm, ja. O, geweldig, Niamh... Manette zal dolblij zijn. Ze is verschrikkelijk dol op ze.'

Dat was alles. Freddie verbrak de verbinding, zette de telefoon terug en pakte zijn koffiekopje.

Manette staarde hem aan. 'Wat ben je in godsnaam aan het doen?'

'Ik neem de nodige maatregelen.'

'Dat zie ik, ja. Maar ben je gek geworden? We kunnen de kinderen hier niet hebben.'

'Waarom niet?'

'Freddie, ons leven is een verschrikkelijke warboel. Het laatste wat Tim en Gracie kunnen gebruiken is dat ze in de zoveelste verwarrende toestand belanden.'

'O ja. Een warboel. Daar weet ik alles van.'

'Tim dacht dat die man hem ging vermoorden, Freddie. Hij heeft hulp nodig.'

'Nou, dat is heel begrijpelijk? Dat moordgedeelte. Hij moet doodsbang zijn geweest. Hij zat midden in iets wat hij niet begreep en...'

'Nee. Jíj begrijpt het niet. Hij dacht dat die man hem ging vermoorden omdat hij dat met hem had afgesproken. Dat heeft hij me gisteravond verteld. Hij zei dat hij met de film had ingestemd als die Toy4You hem na afloop zou doden. Want, zei hij, hij had niet de moed om het zelf te doen. Hij wilde het wel, maar kon het niet. En bovendien wilde hij niet dat Gracie zou denken dat het zelfmoord was geweest.'

Freddie luisterde in alle ernst, met zijn duim onder zijn kin en zijn wijsvinger tegen zijn lippen. Hij zei: 'Ik begrijp het.'

'Mooi. Want die jongen is zo gekwetst en in de war en geëmotioneerd en vol woede en... god, ik weet het niet meer. Dus als we hem in huis nemen, in deze situatie, misschien voor altijd... Dat kunnen we hem toch niet aandoen?'

'Om te beginnen,' antwoordde Freddie na even te hebben nagedacht, 'zit hij op een heel goede school waar hij met zichzelf aan de gang kan als hij zijn best maar doet. Wij moeten ervoor zorgen dat hij dat ook doet, dat is onze taak. Hij wil een mam en een pap die achter hem staan, in hem geloven en ervan overtuigd zijn dat iemand werkelijk de brokken van zijn leven weer kan oprapen en verder kan gaan.'

'O, allemaal goed en wel, maar hoe lang kunnen we hem dat geven als we hem nu in huis nemen?'

'Wat bedoel je?'

'Kom nou toch, Freddie,' zei Manette geduldig, 'wees niet zo traag van begrip. Je bent een geweldige vangst en ooit zal een van die vrouwen met wie je uitgaat je een keer binnenhalen. Dan worden Tim en Gracie opnieuw met een gebroken gezin geconfronteerd en we kunnen toch niet van die kinderen vergen dat ze daar opnieuw doorheen moeten?'

Freddie keek haar met een vaste blik aan en zei: 'O. Nou. Dan heb ik me misschien vergist?'

'Waarin?'

'In ons. Want als dat zo is, maak ik dat ik weer naar boven kom om dit trouwpak uit te trekken.'

Ze keek hem aan totdat ze hem niet langer kon zien omdat haar ogen troebel werden. Ze zei: 'Freddie... O, Freddie... Nee. Je hebt je niet vergist.'

'Dan hebben we vandaag een bruiloft, nietwaar? Dichtstbijzijnde burgerlijke stand, zou ik zo zeggen. Ik heb een bruidsjonker nodig en jij een bruidsmeisje. Zal ik Tim wakker maken?'

'Doe maar,' zei Manette. 'Ik bel Gracie.'

St. John's Wood

Londen

Zed Benjamin zat op de parkeerplaats voor zijn moeders appartementengebouw en staarde naar de route waarlangs hij naar binnen moest. Hij wist wat hem daar te wachten stond en stond bepaald niet te popelen. Zijn moeder zou gauw genoeg ontdekken dat hij zijn baan kwijt was, en het zou een hele kluif worden om daarmee om te gaan. Bovendien moest hij Yaffa onder ogen komen, en hij wilde echt haar gezicht niet zien als ze naar zijn relaas luisterde, dat erop neerkwam dat hij tijdens zijn jacht op het verhaal-van-de-eeuw in Cumbria in alle opzichten had gefaald.

Erger nog, hij voelde zich hondsberoerd. Hij was die ochtend in een derderangshotel langs de snelweg wakker geworden. De vorige dag was hij onmiddellijk uit Cumbria vertrokken, meteen na zijn gesprek met Rodney Aronson en nadat hij zijn spullen in Windermere had opgehaald. Hij was zo ver mogelijk in de richting van Londen gereden totdat hij niet meer kon. De nacht had hij doorgebracht in een groezelige kamer die deed denken aan die Japanse capsuleslaapkamers waar hij eens over had gelezen. Het voelde alsof hij in een lijkkist probeerde te slapen. Maar dan een lijkkist met plee, dacht hij.

Die ochtend was hij opgestaan, zo uitgerust als een man maar kon zijn nadat er om drie uur 's nachts in zijn hotelgang een vechtpartij was uitgebroken waar de politie bij geroepen was. Hij was om halfvier weer in slaap gevallen, maar om vijf uur druppelde het personeel op het parkeerterrein binnen, voor de dagdienst in de verschillende winkels en afhaalstalletjes die zich op het serviceterrein bevonden, wat gepaard ging met dichtslaande autoportieren en luidruchtige begroetingen. Dus om halfzes had Zed het opgegeven om de slaap nog te vatten en had zichzelf in de verticale krat gewurmd die in de badkamer voor doucheruimte moest doorgaan.

De rest van zijn ochtend had hij domweg zijn ochtendritueel afgewerkt: scheren, tandenpoetsen, aankleden. Hij had geen zin in eten gehad, maar wel in een kop koffie en zat in het cafetaria van het servicestation toen de kranten van die dag binnenkwamen.

Zed kon er niets aan doen. Macht der gewoonte. Hij had een exemplaar van *The Source* gepakt en die mee terug genomen naar zijn tafel om te zien wat de krant te melden had: het vervolg op het wereldschokkende verhaal van Corsico over het kind van gemengd ras van het onbeduidende lid van de koninklijke familie. De krant bracht het als Belangrijk Nieuws, deze keer luidde de kop: HIJ VERKLAART ZIJN LIEFDE, waar passende foto's bij geplaatst waren. Kennelijk was het onbeduidende lid van de koninklijke familie in kwestie – die met de minuut onbeduidender werd – van plan om met de moeder van zijn bastaardkind te trouwen, na de onthulling van zijn relatie met de vrouw die onlangs haar carrière als derderangs Bollywoodster aan de wilgen had gehangen. Blader naar bladzijde drie om te zien wie de moeder van het bastaardkind dan wel mag zijn...? Dat deed Zed. Hij keek naar een sensuele vrouw met een weelderige boezem, die met haar koninklijke vrijer annex verloofde poseerde, terwijl hun kind op de koninklijke knie balanceerde. Hij grijnsde al zijn tanden bloot, en op zijn gezicht lag een zelfgenoegzame uitdrukking die tegen de mannen van zijn land wilde zeggen: 'Kijk eens wat ik in de wacht heb gesleept, rukkers die jullie zijn.' En zo was het ook. De idioot had een titel in de aanbieding. Of hij ook de hersens voor die titel had, was een heel andere kwestie.

Zed had de krant opzij gegooid. Wat een gelul allemaal, dacht hij. Maar hij wist wat dit artikel en het eerder gepubliceerde stuk bij *The Source* zou losmaken. Het was de triomf van Mitchell Corsico's onfeilbare neus voor een verhaal, en dat hij dat tot een publiek debat wist te kneden en een lid van de koninklijke familie – hoe onbeduidend ook – zo te manipuleren dat die iets deed wat het roddelblad hem had ingegeven. Hij, Zedekiah Benjamin, worstelend dichter, was beter af nu hij een eind van die plek vandaan was.

Hij schoof de auto uit. Hij kon het onvermijdelijke niet meer uitstellen, dacht hij, maar als hij het goed kon formuleren, kon hij het net zo goed afschilderen als een positieve verandering in zijn leven.

Hij was bijna bij de deur toen Yaffa het gebouw uit kwam. Ze worstelde met haar rugzak, dus hij vermoedde dat ze op weg was naar de universiteit. Ze zag hem niet en hij dacht erover om in de bosjes weg te duiken en zich voor haar te verstoppen, maar toen keek ze op en zag hem. Ze bleef staan.

Ze stamelde: 'Zed. Wat een... nou, wat een... enige verrassing. Je had niet gezegd dat je vandaag thuis zou komen.'

'Het is minder enig als ik je vertel waarom ik hier ben.'

'Wat is er aan de hand?' Ze klonk bezorgd. Ze deed een stap naar hem toe en legde een hand op zijn arm. 'Wat is er gebeurd, Zed?'

'Ik lig eruit.'

Haar mond viel open. Wat zag ze er toch zacht uit, dacht hij. Ze zei: 'Zed, ben je je baan kwijt? Maar je deed het zo goed! Hoe zit het dan met je verhaal? De mensen in Cumbria? Al die raadsels en wat ze te verbergen hadden? Wat hádden ze eigenlijk te verbergen?'

'Het hoe en waarom en Joost-mag-weten-wat-en-wanneer ging over zwanger worden,' zei hij tegen haar. 'Meer niet.'

Ze fronste haar wenkbrauwen. 'En Scotland Yard? Zed, die heeft vast geen onderzoek gedaan naar het krijgen van baby's.'

'Nou, dat is nog het ergste van alles, Yaff,' gaf hij toe. 'Als daar al iemand van Scotland Yard was, dan hem ik hem nooit gezien.'

'Maar wie was die vrouw dan? De vrouw van Scotland Yard?'

'Zij was niet van Scotland Yard. Ik heb geen flauw benul wie ze dan wel was en nu ik ontslagen ben doet dat er niet meer zoveel toe, wel?' Hij had zijn laptop bij zich en die verplaatste hij van de ene naar de andere hand terwijl hij vervolgde: 'Het punt is,' zei hij, 'dat ik erg genoten heb van onze kleine poppenkast, Yaff. De telefoontjes en zo.'

Ze glimlachte. 'Ik ook.'

Hij pakte de laptop weer over in zijn andere hand. Plotseling leek hij niet te weten wat hij met zijn handen en voeten moest doen. Hij zei: 'Oké. Nou ja. Wanneer zullen we plannen om uit elkaar te gaan? Liever vroeg dan laat, als je 't mij vraagt. Als we dat niet in de komende paar dagen regelen, gaat mam met de rabbi praten en de *challe* bakken.'

Yaffa lachte. Ze zei plagerig: 'En is dat nou zo erg, Zedekiah Benjamin?'

'Welk gedeelte?' vroeg hij. 'De rabbi of de challe?'

'Maakt niet uit. Allebei. Is dat nou zo erg?'

De voordeur ging open. Een oudere vrouw schuifelde met een minipoedel aan de lijn naar buiten. Zed deed een stap opzij en liet haar passeren. Ze keek van hem naar Yaffa en weer naar hem. Ze grijnsde. Hij schudde zijn hoofd. Joodse moeders. Ze hoefden niet eens iemands moeder te zijn om iemands moeder te zijn, dacht hij gelaten. Hij zei tegen Yaffa: 'Ik denk niet dat Micah dat erg leuk zou vinden, denk je wel?'

'Ah, Micah.' Yaffa keek naar de oude dame en haar poedel. De poedel tilde zijn krullerige poot op en plaste tegen een bosje. 'Zed. Ik ben bang dat er geen Micah is.'

Hij gluurde haar ernstig aan. 'Wat? Verdomme. Is het uit met die kerel?'

'Hij is nooit die kerel geweest,' zei ze. 'Hij was... Eigenlijk, Zed, bestaat hij helemaal niet.'

Daar moest hij even over nadenken. En toen was het alsof hij de dageraad zag aanbreken, hoewel het al ochtend was en hij op klaarlichte dag voor zijn moeders appartementengebouw in St. John's Wood stond. Hij zei: 'Bedoel je soms te zeggen...'

Ze onderbrak hem met: 'Ja, dat bedoel ik te zeggen.'

Hij begon te glimlachen. 'Wat ben je toch een slimme meid, Yaffa Shaw,' zei hij.

'Inderdaad,' zei ze instemmend. 'Maar dat ben ik altijd geweest. En ja, trouwens.'

'Ja tegen wat?'

'Ik wil met je trouwen. Als je me tenminste wilt hebben terwijl ik je met behulp van je eigen moeder in mijn netten heb verstrikt.'

'Maar waarom wil je mij nu nog steeds?' vroeg hij. 'Ik heb geen werk. Ik heb geen geld. Ik woon bij mijn moeder en...'

'Dat zijn de mysteriën van de liefde,' verklaarde ze.

Bryanbarrow

Cumbria

Zodra de auto bij het hek stopte, stoof Gracie naar buiten. Ze stortte zich op Tim, klampte zich aan hem vast en Tim kon haar woorden amper verstaan, zo snel was ze tegen hem aan het ratelen. Ook met de rest had hij het een beetje moeilijk. Nicht Manette had de Margaret Foxschool gebeld om ze op de hoogte te brengen van hoe het hem was vergaan; ze had gevraagd of Tim nog één schooldag mocht missen; ze beloofde dat ze hem de volgende dag weer zou brengen. Ze droeg een pauwkleurige, zijden rok, een melkachtige, kasjmier pullover en een grijs tweedjasje met een sjaal die alle kleuren mooi bij elkaar deed passen; en ze had gezegd dat ze allemaal naar een bruiloft gingen waar Tim bruidsjonker zou zijn. Tenminste, als Tim dat wilde.

Tim zag aan haar gezicht dat het haar bruiloft was. Hij zag aan Freddies gezicht dat hij de bruidegom was. Hij zei: 'Oké,' maar hij keek snel de andere kant op vanwege het geluk dat van zijn nicht en haar aanstaande echtgenoot afstraalde. Hij bedacht dat hij daar niet in thuishoorde, en dat als hij die wereld maar een ogenblik zou betreden, de sombere werkelijkheid aankondigde dat hij die ook weer achter zich moest laten. En hij was het moe om voortdurend de blije kanten van zijn leven achter zich te moeten laten. Hij voegde eraan toe: 'Wat moet ik aan?' want het was wel duidelijk dat hij in Great Urswick geen fatsoenlijke kleren had.

'We vinden vast iets prachtigs voor je,' had Manette geantwoord, met haar arm door die van Freddie. 'Maar eerst Gracie. Kaveh heeft haar van school thuisgehouden omdat ik natuurlijk een bruidsmeisje nodig heb.'

En in Gracies hoofd draaide het alleen nog maar daarom, terwijl ze aan Tims middel hing. 'Een bruiloft, een bruiloft, een bruiloft!' zong ze. 'We gaan naar een bruiloft, Timmy! Mag ik dan een nieuwe jurk, Manette? Zal ik een witte maillot aandoen? Zijn er ook bloemen? O, er móéten bloemen bij!'

Gracie hoefde geen antwoord op al die vragen, want ze had het alweer over andere dingen, die allemaal te maken hadden met Tim en Bella. 'Je mag nooit meer weglopen,' zei ze tegen hem. 'Ik was doodsbang en ongerust, Tim. Ik weet dat ik boos op je was maar dat was omdat je Bella pijn hebt gedaan, maar Bella is maar een pop en dat weet ik best. Het is alleen, zie je, dat ik haar van pap heb gekregen en dat ik haar van hem zelf mocht uitkiezen, en daarom was ze bijzonder, maar ik ben zó blij dat je weer terug bent, en wat trek jij aan?' En toen tegen Manette en Freddie: 'Zijn er ook gasten? Is er taart? Manette, waar ga je de bloemen halen? Zijn jouw papa en mama er ook? En je zus? O, voor haar zal het wel te ver lopen zijn.'

Tim moest glimlachen, en dat was raar, want daar had hij al ruim een jaar geen zin in gehad. Gracie was als een bloem die openging en zo wilde hij het houden.

Ze gingen allemaal het huis binnen zodat Tim iets kon uitzoeken om op de bruiloft aan te trekken. Hij beklom de trappen naar zijn kamer terwijl Gracie beneden met Manette en Freddie bleef babbelen, maar eenmaal binnen zag de plek er anders uit. Hij zag alle dingen en wist dat die van hem waren, maar op de een of andere manier was dat niet echt zo. Hij had daar gewoond, maar ook weer niet. Hij wist niet goed wat dat betekende of hoe zich erbij moest voelen.

Hij had niets om op een bruiloft aan te trekken. Het enige wat hij had was zijn schooluniform en dat zou hij zeker niet aantrekken.

Hij dacht er even over na wat het zou betekenen als hij de volgende stap zette. Die leek levensgroot, die kon hem overspoelen en hij kon eraan onderdoorgaan op een manier die hij misschien nooit meer te boven zou komen. Maar er was een trouwerij, van Manette en Freddie, en dus er leek niets anders op te zitten dan zijn vaders slaapkamer binnen te gaan en daar iets uit te zoeken, uiteindelijk de zwarte vuilniszakken vanonder het bed te halen waarin Kaveh zijn vaders kleren had gestopt, die hij allemaal naar de kringloopwinkel zou brengen voordat hij zijn bruid naar de farm zou halen.

Ians broeken waren te groot voor Tim, maar met een riem ging het wel en over een jaar zou hij ze waarschijnlijk wel passen. Hij zocht door de rest van de kleren: nog meer broeken en overhemden, stropdassen en vesten, truien en sweaters, en hij bedacht dat zijn vader zulke mooie kleren had en wat dat zei over wie zijn vader was geweest. Gewoon een kerel, dacht Tim, een doodgewone kerel.

Snel griste hij er een overhemd, een stropdas en een colbert tussenuit. Hij ging terug naar de anderen die in de oude keuken van het landhuis op hem zaten te wachten, waar Gracie een briefje voor Kaveh op de keukenkast plakte waarin hij zijn thee bewaarde. *Gracie en Timmy zijn naar een bruiloft!* had ze op het briefje geschreven. *Dikke pret!*

Daarna ging het hele spul naar Windermere. Op weg naar de auto zagen ze dat George Cowley bezig was zijn laatste bezittingen uit de cottage te halen. Daniel was er ook en die hing een beetje rond en Tim vroeg zich af waarom Dan niet op school was. Hun ogen ontmoetten elkaar en daarna wendden ze allebei hun blik af. Gracie riep: 'Dag, Dan. Dag, Dan! We gaan naar een bruiloft en we weten niet of we óóit nog terugkomen!'

Pas toen ze vanuit het dorp Bryanbarrow naar de hoofdweg door Lyth Valley teruggingen, draaide Manette zich in haar stoel om. Ze zei: 'Stel dat jullie inderdaad hier nooit meer terug zouden komen, Gracie? Stel dat jij en Tim bij Freddie en mij in Great Urswick komen wonen?'

Gracie keek naar Tim. Toen keek ze weer naar Manette. Haar ogen waren groot van verwachting, maar ze wendde haar blik naar het raam en de voorbijtrekkende natuur. Ze zei: 'Mag ik mijn trampoline meenemen?'

Manette zei: 'O, daar vinden we vast wel een plekje voor.'

Gracie zuchtte. Ze schoof op haar stoel dichter naar Tim toe. Ze legde haar wang op zijn arm. 'Heerlijk,' zei ze.

En zo werden tijdens de rit naar Windermere allemaal verschillende plannen gesmeed. Tim sloot zijn ogen en liet de stemmen langs hem heen glijden. Freddie minderde vaart toen ze in de stad kwamen en Manette zei iets over de burgerlijke stand, waarop Tim zijn ogen weer opende.

Hij zei: 'Mag ik eerst even iets doen? Ik bedoel, vóór de trouwerij?'

Manette draaide zich naar hem om en zei dat dat natuurlijk mocht, dus hij wees Freddie de weg naar de elektriciteitswinkel waar hij Bella had achtergelaten. De pop was weer in elkaar gezet. Haar armen en benen zaten weer vast. Ze was schoongemaakt. Ze was niet meer wat ze was voordat Tim haar had toegetakeld, maar het was onmiskenbaar Bella.

'Ik dacht dat je wilde dat we hem opstuurden,' zei de vrouw achter de toonbank tegen hem.

'De plannen zijn veranderd,' zei Tim toen hij de pop in ontvangst nam.

'Gaat het zo niet altijd?' zei de vrouw.

In de auto overhandigde hij Bella aan zijn zus. Ze klemde de pop tegen haar ontluikende kleine boezem en zei: 'Je hebt haar gemaakt, je hebt haar gemáákt,' en ze kirde tegen het ding alsof het een levende baby was en niet een natuurgetrouwe versie daarvan.

Hij zei: 'Sorry. Ze is niet meer zo goed als nieuw.'

'Ach,' zei Freddie terwijl hij van de stoeprand wegreed, 'wie van ons is dat wel?'

12 november

Chelsea

Londen

Het was na middernacht toen Lynley en Deborah in Londen terugkeerden. Ze hadden het grootste deel van de rit weinig gezegd, hoewel Lynley haar had gevraagd of ze wilde praten. Ze wist dat hij begreep dat ze de zwaarste last van hen beiden meetorste vanwege haar rol in Alatea's vlucht en dood, en hij wilde ten minste een deel van die last van haar wegnemen. Maar dat kon ze niet toestaan. 'Kunnen we niet gewoon stilletjes bij elkaar zitten?' had ze hem gevraagd. En dat hadden ze dus gedaan, hoewel hij zo nu en dan zijn hand had uitgestoken en die op de hare had gelegd.

Bij knooppunt Liverpool en Manchester kwamen ze in een file terecht. In de buurt van Birmingham stuitten ze op wegwerkzaamheden en een verkeersopstopping door een ongeluk bij de afslag naar de A45 naar Northampton. Daar gingen ze van de snelweg af om te gaan eten en hoopten anderhalf uur lang dat de weg na het eten minder verstopt zou zitten. Ze waren pas om middernacht bij de rotonde van Cricklewood en een halfuur later in Chelsea.

Deborah wist dat haar man nog op was, ook al was het nog zo laat. Ze wist ook dat hij in zijn werkkamer op de benedenverdieping van het huis op haar zou wachten, want voordat ze het stoeptrapje naar de voordeur op liep, zag ze daar licht branden.

Hij zat te lezen. Hij had de haard aangemaakt en Peach lag ervoor te doezelen op een kussen dat hij daar voor haar had neergelegd. De teckel stond heel langzaam op toen Deborah binnenkwam, strekte haar voorpoten, daarna haar achterpoten en waggelde vervolgens naar haar toe om haar op een late-avondbegroeting te trakteren.

Simon legde zijn boek weg. Deborah zag dat het een roman was, en dat was niks voor hem. Simon was een verstokte non-fictielezer, met een voorliefde voor biografieën en beschrijvingen van bovenmenselijke survivalavonturen in het wild. Shackleton was zijn grootste held.

Hij kwam overeind, altijd een lastige aangelegenheid voor hem. Hij zei: 'Ik wist niet hoe laat.'

Ze zei: 'Op sommige plekken was het verkeer een ramp.' En toen: 'Heeft Tommy het je verteld?'

Hij knikte, met zijn grijze ogen nam hij haar gezicht in zich op, peilde als altijd haar gezichtsuitdrukking en wat die hem over haar gemoedstoestand vertelde. 'Hij heeft me gebeld toen jullie gingen tanken. Ik vind het verschrikkelijk, lieveling.'

Ze bukte zich om de teckel op te tillen die in haar armen wurmde en naar haar gezicht probeerde te klimmen. 'Jullie hadden in alle opzichten gelijk,' zei Deborah tegen haar man, terwijl ze met haar wang langs de zijden hondenkop streek. 'Maar ja, dat is meestal zo.'

'Het geeft me geen voldoening.'

'Welk gedeelte? Altijd gelijk hebben of juist nu gelijk hebben?'

'Geen ervan geeft me voldoening. En ik heb niet altijd gelijk. Als het gaat om wetenschap, ben ik er vrij zeker van dat ik stevig in mijn schoenen sta. Maar als het gaat om hartsaangelegenheden, zaken die jou en mij aangaan... Geloof me, Deborah, daar heb ik geen benul van. Dan tast ik in het duister.'

'Het kwam door *Conceptie*. Ik raakte erdoor geobsedeerd. Ik had het idee dat er vanwege dat tijdschrift een soort band tussen ons gesmeed kon worden en ik liet die gedachte – de gedachte dat iemand die net als ik zo vastbesloten was... zo léég was – over alles domineren. Dus het is mijn schuld dat ze dood is. Als ik haar niet zo'n kwetsbaar gevoel had gegeven. Als ik haar niet zo had afgeschrikt. Als ik niet zo had doorgedramd. Ik dacht dat ze het over die krankzinnige journalist van *The Source* had, terwijl zij al die tijd dacht dat ik de man bedoelde die naar haar op zoek was geweest.'

'De man van wie ze dácht dat die naar haar op zoek was geweest,' wees Simon haar vriendelijk terecht. 'Als je je eigen waarheden zo verborgen houdt als zij heeft gedaan, dan kunnen die waarheden je leven gaan ondermijnen. Dan ga je de wereld wantrouwen. Je was daar op Tommy's verzoek, Deborah. De rest heeft zijzelf veroorzaakt.'

'Maar we weten allebei dat dat niet helemaal waar is,' zei Deborah. 'Ik heb in Arnside House meer gezien dan er feitelijk was, omdat ik dat zo graag wilde. En we weten allebei precies, Simon, waarom ik dat heb gedaan.' Ze liep naar een van de fauteuils en ging zitten. Peach nestelde zich op haar schoot. Deborah aaide de hond en zei tegen haar man: 'Waarom slaapt ze niet bij pa?'

'Ik had haar nodig. Ik wilde niet in mijn eentje op je wachten.'

Deborah liet dat tot zich doordringen. 'Wat merkwaardig,' zei ze ten slotte. 'Ik had niet gedacht dat je het vervelend vond om alleen te zijn. Je bent altijd zo vol zelfvertrouwen, zo zeker van jezelf.'

'Kom ik zo op je over?'

'Altijd. Hoe kun je nou anders overkomen? Zo koelbloedig, zo rationeel, zo zelfverzekerd. Soms zou ik willen dat je ontplofte, Simon, maar dat gebeurt nooit. En zelfs hiermee... Daar sta je dan. Je verwacht iets van me, dat voel ik heus wel, maar ik weet gewoon niet wat dat dan is...'

'O nee?'

'... of hoe ik het aan je moet geven.'

Simon ging weer zitten, niet in de stoel waar hij eerder had gezeten toen ze de kamer binnen was gekomen, maar op haar stoelleuning. Ze kon zijn gezicht niet zien, en hij kon het hare niet zien. Ze zei: 'Ik moet hier zelf overheen zien te komen. Dat begrijp ik wel. Maar ik weet niet hoe dat moet. Waarom kan ik hier niet overheen komen, Simon? Hoe kan ik nou níét geobsedeerd zijn door iets wat ik zo graag wil?'

'Door het misschien minder graag te willen,' zei hij.

'Hoe doe je dat?'

'Door erin te berusten.'

'Maar dat betekent dat ik het opgeef, dat wíj het opgeven. Wat blijft er voor mij dan nog over?'

'Ronddolen,' zei hij.

'Honger,' zei ze. 'Daar is het mee te vergelijken. Binnen in me, altijd. Deze... deze onverzadigbare honger. Het is verschrikkelijk. Daarom voel ik me altijd... nou ja, leeg. Ik weet dat ik zo niet kan doorleven, maar ik weet niet hoe ik een eind moet maken aan die honger.'

'Misschien hoeft dat ook niet,' zei hij. 'Misschien moet je ermee leren omgaan. Of je moet tot het besef komen dat honger en het verzadigen van die honger twee compleet verschillende dingen zijn. Dat ze niets met elkaar te maken hebben. De een zal de ander nooit kunnen onderdrukken.'

Deborah dacht daarover na. Ze bedacht dat zo'n groot deel van haarzelf, en de manier waarop ze zo lang had geleefd, volkomen was overheerst door een enkel onvervuld verlangen. Ten slotte zei ze: 'Zo wil ik niet zijn, lieveling.'

'Wees dan iemand anders.'

'Hoe moet ik daar in hemelsnaam mee beginnen?'

Hij raakte haar haar aan. 'Met een nacht goed slapen,' zei hij.

Wandsworth

Londen

Lynley had erover gedacht om vanuit Chelsea rechtstreeks naar huis te gaan. Zijn herenhuis in Belgravia bevond zich op nog geen vijf minuten rijden van het huis van Deborah en Simon. Maar het leek alsof de Healey Elliot hem op eigen houtje naar Isabelles huis had gereden. Hij stak zijn sleutel in het slot en ging naar binnen zonder er werkelijk over na te denken waarom hij dat deed.

Het was donker in de flat, wat op dit nachtelijke uur normaal was. Hij liep naar de keuken en deed het zwakke lichtje boven de gootsteen aan. Hij inspecteerde de inhoud van de koelkast en daarna, hij haatte zichzelf erom maar deed het toch, keek hij in de vuilnisbak, opende en sloot zachtjes de keukenkasten en keek in de oven om er zeker van te zijn dat die leeg was.

Hij wilde net de oven dichtdoen toen Isabelle de keuken in kwam. Hij had haar niet gehoord. Ze deed het plafondlicht aan voordat hij zich van haar aanwezigheid bewust was, dus hij had geen idee hoe lang ze hem had gadegeslagen bij zijn zoektocht door de keuken.

Ze zei niets. Hij evenmin. Ze keek alleen maar van hem naar de open oven. Toen draaide ze zich om en liep terug naar de slaapkamer.

Hij volgde haar, maar in de slaapkamer kon hij alleen maar hetzelfde doen. Hij liet zijn blik van het nachtkastje naar de vloer naast het bed gaan, en naar de bovenkant van de ladekast. Het was alsof hij ergens door was bevangen.

Ze sloeg hem gade. Het was duidelijk dat hij haar wakker had gemaakt. Maar uit wat voor sóórt slaap, hoe die was veroorzaakt, óf die ergens door was veroorzaakt... Dat waren plotseling zaken die hij moest zien uit te zoeken. Dat dacht hij althans tot hij haar gezichtsuitdrukking zag: in haar ogen was acceptatie te lezen, evenals berusting.

Hij zei: ‘Het spijt me, in alle opzichten.’

‘Mij ook,’ antwoordde ze.

Hij liep naar haar toe. Ze droeg alleen een dunne nachtpon en die trok ze uit. Hij legde zijn hand in haar nek – die nog warm was van de slaap – en kuste haar. Hij proefde onderbroken slaap en niets anders.

Hij maakte zich van haar los, keek haar aan en kuste haar opnieuw. Ze begon hem uit te kleden en hij ging bij haar in bed liggen, trok de dekens weg en gooide ze op de grond, zodat er niets tussen kon komen.

Maar het was er wel. Ook al kwamen hun lichamen bij elkaar, ook al rees ze boven hem uit en volgde hij met zijn handen de welvingen van haar borsten, naar haar middel, naar haar heupen, terwijl ze in één ritme samensmolten en hij haar kuste. Het was er allemaal nog steeds. Onvermijdelijk, dacht hij, geen wegvluchten, geen ontsnappen. Het genot van hun samenzijn was een feest. Het was echter ook een brandstapel die de vonk van een toorts in zich had en vervolgens deed wat brandstapels altijd doen.

Na afloop, hun lichamen glanzend en voldaan, zei hij: 'Dit was de laatste keer, hè?'

Ze zei: 'Ja. Maar dat wisten we allebei.' En even later: 'Het kan gewoon niet, Tommy. Maar ik moet zeggen dat ik het wel graag had gewild.'

Hij zocht haar hand, die met de handpalm omlaag op het matras lag. Hij legde zijn hand eroverheen en ze spreidde haar vingers. Hij vlocht zijn vingers door de hare. 'Dit gaat niet om Helen,' zei hij tegen haar. 'Dat moet je wel weten.'

'Dat weet ik ook.' Ze draaide haar hoofd en haar haar viel even over haar wang. Tijdens het vrijen was het in de war geraakt en hij streek het weer glad, duwde de haarlok weer achter haar oor. 'Tommy, ik wil dat je iemand tegenkomt,' zei ze. 'Niet om haar plaats in te nemen, want niemand kan haar vervangen. Maar iemand met wie je verder kunt met je leven. Want daar gaat het om, hè? Doorgaan, verder leven.'

'Dat wil ik ook,' zei hij. 'Eerst wist ik dat niet zeker en er zullen ongetwijfeld momenten komen dat ik opnieuw een stap terug doe en tegen mezelf zeg dat er zonder Helen geen echt leven is. Maar die momenten duren maar even. Ik kom er wel doorheen en overheen. Ik ga door.'

Ze stak haar hand uit en streek met de rug ervan over zijn wang. Ze keek hem vol genegenheid aan en zei: 'Ik kan niet zeggen dat ik van je hou. Niet met mijn demonen. En niet met die van jou.'

'Dat is duidelijk,' zei hij.

'Maar ik wens je alle goeds toe. Dat moet je weten. Het maakt niet uit wat er gebeurt. Ik wens je alle goeds.'

Belgravia

Londen

Lynley keerde ten slotte pas om halfvier in zijn huis aan Eaton Terrace terug. Hij betrad het stille huis, tastte naar de lichtschakelaar rechts van de zware eiken deur en draaide die om. Zijn blik viel op een paar vrouwenhandschoenen die de laatste negen maanden tegen de trapstijl onder aan de trap had gelegen. Hij bestudeerde ze even en liep toen de hal door om ze op te rapen. Hij hield ze even tegen zijn neus om een laatste keer haar geur op te snuiven, vluchtig maar aanwezig, de geur van citroen. Hij voelde even de zachte handschoenen tegen zijn wang, waarna hij ze in een kleine la van de kapstok naast de deur legde.

Hij merkte dat hij honger had. Een merkwaardig gevoel. Hij had vele maanden lang geen echte, eerlijke honger gevoeld. Hij had voornamelijk gegeten om zijn lichaam in leven te houden.

Hij liep naar de keuken. Hij opende de koelkast en zag dat die als altijd goed gevuld was. Hij was een erbarmelijke kok, maar hij bedacht dat roerei en toast nog wel kon lukken zonder het huis in vlammen te laten opgaan.

Hij pakte alle ingrediënten die hij voor zijn geïmproviseerde maaltijd nodig had en ging op zoek naar een pan. Hij was daar nog mee bezig toen Charlie Denton in zijn kamerjas en slippers de keuken in struikelde terwijl hij zijn bril met zijn ceintuur schoonveegde.

Denton zei: 'Wat doet u in mijn keuken, m'lord,' waarop Lynley als altijd geduldig antwoordde: 'Denton...'

'Sorry,' zei Denton. 'Ik slaap nog half. Wat bent u verdomme aan het doen, sír?'

'Nou, ik ben iets te eten aan het maken,' zei Lynley tegen hem.

Denton liep naar het aanrecht en bekeek wat Lynley had klaargezet: eieren, olijfolie, marmite, jam, suiker. 'En wat had u in gedachten?' informeerde hij.

'Roerei met toast. Waar staat de koekenpan in hemelsnaam? En waar ligt het brood? Dat zou toch niet zo'n zoektocht moeten zijn, wel?'

Denton zuchtte. 'Hier. Laat mij maar. U maakt alleen maar overal een verdomde puinhoop van en dan kan ik het weer schoonmaken. Wat was u met de olijfolie van plan?'

'Heb je dat dan niet nodig... Zodat de eieren niet aankoeken?'

'Ga zitten, ga zitten.' Denton gebaarde naar de keukentafel. 'Ga de krant van gisteren lezen. Neem de post door. Die heb ik nog niet op uw bureau gelegd. Of doe iets nuttigs, zoals tafeldekken.'

'Waar ligt het bestek?'

'O, in hemelsnaam. Ga nou maar zitten.'

Dat deed Lynley. Hij begon de post door te nemen. Rekeningen, zoals gewoonlijk. Er was ook een brief van zijn moeder en eentje van zijn tante Augusta, beiden wilden niets met e-mail te maken hebben. Sterker nog, zijn tante had nog maar onlangs een mobiele telefoon aangeschaft om van grote hoogten haar aankondigingen te kunnen doen.

Lynley legde de brieven opzij en haalde een elastiekje van een opgerolde affiche. 'Wat is dit?' Denton keek op.

'Dat weet ik niet. Het hing aan de deurknop,' antwoordde hij. 'Ze waren ze gisteren in de straat aan het bezorgen. Ik heb er nog niet naar gekeken.'

Dat deed Lynley wel. Hij zag dat het een aankondiging was voor een evenement in Earl's Court. Hij zag dat het niet om een normaal evenement ging, maar om een soort sportmanifestatie. Het was een rolschaatsderby en hij zag dat Boudica's Broads uit Bristol – wat een prachtige alliteratie, dacht hij – de Londense Electric Magic zouden ontmoeten tijdens een promotiewedstrijd die met grote letters werd omschreven als DE SPILLS! DE CHILLS! DE THRILLS! KOMT DAT ZIEN: DE SPECTACULAIRE KUNST EN HET SKATE-TO-KILL-DRAMA VAN DE VROUWEN DIE LEVEN OP HET SCHERP VAN DE SNEDE!

Daaronder stonden de namen van de zwaardvrouwen, en Lynley las onwillekeurig de hele lijst door, op zoek naar één naam in het bijzonder, een naam die hij nooit meer had gedacht tegen te komen. Maar daar stond hij: Kickarse Electra, pseudoniem van een lange dierenarts uit de dierentuin in Bristol: ene Daidre Trahair, een vrouw die zo nu en dan een weekendje op het platteland in Cornwall doorbracht, waar hij haar had ontmoet.

Lynley glimlachte en begon toen te grinniken. Denton keek van de roereieren op en zei: 'Wat is er?'

'Wat weet jij van een rolschaatsderby?'

'Wat is dat in hemelsnaam, als ik vragen mag?' vroeg Denton.

'Volgens mij gaan jij en ik dat uitzoeken. Zal ik kaartjes voor ons kopen, Charlie?'

'Kaartjes?' Denton keek naar Lynley alsof hij gek was geworden. Maar toen liet hij zich tegen het fornuis vallen en bracht in een dramatisch gebaar een arm naar zijn voorhoofd. Hij zei: 'Mijn god. Is het al zóver met ons gekomen? Vraagt u me soms – hoe zal ik het zeggen – mee uit?'

Ondanks zichzelf moest Lynley lachen. 'Daar lijkt het wel op.'

'Wat ís er van ons geworden?' verzuchtte Denton.

'Ik heb absoluut geen idee,' antwoordde Lynley.

Chalk Farm

Londen

Barbara Havers had geen gemakkelijke dag gehad. Dat was vooral te wijten aan het feit dat ze twee talenten had moeten gebruiken die ze helaas in minimale hoeveelheden bezat. Het eerste was de kunst om het voor de hand liggende te negeren. Het tweede was compassie te voelen voor mensen die ze niet kende.

Als ze het voor de hand liggende wilde negeren, mocht ze geen opmerkingen maken tegen inspecteur Lynley over wat er tussen hem en hoofdinspecteur Ardery was gebeurd. Voor zover Barbara dat kon beoordelen, was er een einde gekomen aan hun persoonlijke relatie. Er heerste een treurigheid tussen hen die ze beiden probeerden te maskeren met hoffelijkheid en vriendelijkheid, en daaruit maakte Barbara op dat ze met wederzijds goedvinden uit elkaar waren gegaan, en dat was maar goed ook. Het zou voor de werkplek letterlijk een nachtmerrie zijn geweest als een van hen de affaire wilde beëindigen terwijl de ander zich er als een hardnekkige zeester aan vastklampte. Op deze manier konden ze tenminste verder ploeteren zonder de beschuldigende blikken en betekenisvolle opmerkingen die de gekwetste partij in het komende halfjaar zou rondstrooien. Maar ze voelde dat er een einde aan was gekomen. Er hing zoveel melancholie om hen beiden dat Barbara besloot dat ze in deze situatie hen maar het beste kon mijden.

Haar gebrek aan compassie had echter niets te maken met Lynley en hoofdinspecteur Ardery. Geen van beiden was van plan hun hart bij haar uit te storten, dus daar was ze wel zo opgelucht over. Ze was minder opgelucht toen ze een tweede keer Engracia in de wijnbar vlak bij Gower Street ontmoette en ze de Spaanse studente vroeg opnieuw met Argentinië te bellen.

Terwijl Engracia met Carlos, de broer van Alatea Vásquez y del Torres, praatte, gaf Barbara haar de informatie. Hij was toevallig in het huis van zijn ouders, was bij zijn moeder op bezoek en zijn nicht Elena María was er ook, met wie Engracia ook praatte. De studente manoeuvreerde tussen wat Barbara haar vertelde en wat de Argentijnen haar op hun beurt antwoordden, en op die manier bewogen ze zich over de wateren van een familiedrama.

Vertel ze alsjeblieft dat Alatea is verdronken... vertel dat haar lichaam nog niet is gevonden... want de omstandigheden in Morecambe Bay waar ze vermist raakte... de wadden zijn door het getij verschoven... het heeft met verschillende elementen te maken... er stromen rivieren in, wat ze springvloed noemen, moddervlakten, drijfzand... we geloven echt dat het lichaam zal aanspoelen en we hebben wel enig idee waar dat zal zijn... ze zal door haar man begraven worden... ja, ze was getrouwd... ja, ze was heel gelukkig... ze was alleen maar gaan wandelen... we vinden het zo erg... ik zal kijken of er foto's zijn, ja... ik begrijp zo goed dat u het wilt weten... absoluut een ongeluk... zeer zeker een ongeluk... er is geen enkele twijfel over dat het een verschrikkelijk en tragisch ongeluk was.

Het deed er niet toe of het wel of geen ongeluk was, dacht Barbara. Het uiteindelijke resultaat was dat ze dood was.

Zij en Engracia waren buiten de wijnbar uiteengegaan, ze vonden het allebei verschrikkelijk dat ze het nieuws van Alatea's dood hadden moeten overbrengen. Engracia had gehuild toen ze met Carlos en daarna met Elena María had gesproken, en Barbara had zich daarover verwonderd: over het hele idee dat je kon huilen over de dood van iemand die je nooit had ontmoet, alsof je met mensen meevoelde die zich op kilometers afstand bevonden en die ze ook nooit zou ontmoeten. Waardoor werd zo'n uitbarsting van compassie veroorzaakt, vroeg ze zich af. Wat mankeerde haar dat zij dat niet voelde? Of was het feit dat ze zich afsloot het gevolg van de carrière die ze had gekozen?

Ze wilde er niet meer aan hoeven denken: Lynleys zwaarmoedigheid, Isabelle Ardery's melancholie, het verdriet van een Argentijnse familie. Dus toen ze onderweg was naar huis, dacht ze in plaats daarvan aan vrolijker dingen, en dat was aan wat ze die avond zou eten. Steak en een nierpasteitje uit de magnetron, een karafje rode wijn, karamelkwarktaart en daarna een kop opgewarmde ochtendkoffie. En de rest van de avond op de slaapbank met *Passion's Sweet Promise* op haar schoot, om er na een uur of twee achter te komen of Grey Mannington eindelijk zijn liefde voor Ebony Sinclair zou bekennen, zo typisch voor die romannetjes waarin het wemelde van de hijgende boezems, gespierde dijen, kronkelende tongen en hartverscheurend genot. Ze zou bovendien de elektrische kachel op de piepkleine haardplek aandoen, dacht ze. Want het was de hele dag bitterkoud geweest en de bevroren ramen beloofden haar elke ochtend een strenge winter. Die zou vinnig en lang worden, dacht ze. Ze kon maar beter de wolletjes tevoorschijn halen en 's nachts tussen dikke katoenen lakens gaan slapen.

Thuis zag ze Azhars auto op de oprit staan, maar in het appartement van de familie brandde geen licht. Waarschijnlijk waren ze uit eten, bedacht ze, hadden ze het korte stukje naar Chalk Farm Road of Haverstock Hill gelopen. Misschien was alles toch nog goed gekomen. Misschien zaten Azhars andere kinderen en zijn nooit-gescheiden vrouw op dit moment met Azhar, Hadiyyah en Angelina *en famille* bij de chinees te eten. Misschien hadden ze het allemaal op een geweldige manier bijgelegd en zouden ze in elkaars leven blijven; de vrouw die het de echtgenoot vergeeft dat hij haar verliet voor een studente die hij zwanger had gemaakt; de echtgenoot die ruiterlijk toegeeft dat hij dat inderdaad heeft gedaan, de vroegere studente die tegenover alle kinderen haar waarde als moeder bewijst, en dat iedereen leert leven met die merkwaardige gezinssituatie die in hun maatschappij zo normaal is geworden... Het zou zomaar kunnen, dacht Barbara. Zoals alle varkens in Engeland vandaag ook zomaar het luchtruim gekozen zouden kunnen hebben.

Intussen was het buiten zo kil als het hart van een seriemoordenaar en ze haastte zich over het pad langs het edwardiaanse huis. Daar brandde heel zwak licht, alsof twee van de vijf tuinlichten waren doorgebrand en niemand ze had vervangen. Aan de voorkant van haar bungalow was het nog donkerder, omdat ze die ochtend was vergeten het portieklicht aan te doen.

Maar er was wel zoveel licht dat ze zag dat er iemand op de enkele tree voor haar voordeur zat. Het was een ineengedoken figuur, het voorhoofd op de knieën, de vuisten tegen de slapen. De figuur wiegde zachtjes heen en weer en toen hij bij haar nadering zijn hoofd hief, zag Barbara dat het Taymullah Azhar was.

Ze riep vragend zijn naam, maar hij zei niets. Toen ze dichterbij kwam, zag ze dat hij alleen zijn dagelijkse pak droeg, geen jas of handschoenen, en hij rilde zo erg dat hij hevig met zijn tanden klapperde.

Barbara riep uit: 'Azhar! Wat is er gebeurd?'

In een reflex schudde hij zijn hoofd. Toen ze op hem af stoof om hem overeind te helpen, wist hij slechts drie woorden uit te brengen: 'Ze zijn weg.'

Barbara wist meteen wat hij bedoelde. Ze zei: 'Kom mee naar binnen,' en met een arm om zijn middel deed ze de deur open. Ze bracht hem naar een stoel en hielp hem te gaan zitten. Hij was ijskoud. Zelfs zijn kleren voelden stijf aan, alsof ze vastvroren tegen zijn huid. Ze rende naar de slaapbank en trok de sprei eraf. Die wikkelde ze om hem heen, zette water op en ging weer terug naar de tafel om zijn handen met die van haar warm te wrijven. Ze herhaalde zijn naam, omdat ze niets anders kon bedenken. Om nog een keer 'wat is er gebeurd' te vragen, betekende dat ze het te horen zou krijgen, en ze geloofde niet dat ze dat wilde.

Hij keek naar haar, maar ze wist dat hij haar niet zag. Dit waren de ogen van een man die in een leegte staarde. De waterkoker sloeg af en Barbara liep erheen, gooide een theezakje in een mok en goot het kokende water eroverheen. Ze nam de thee met een lepel, suiker en een pak melk mee naar de tafel. Ze deed melk en suiker in de mok en zei tegen hem dat hij moest drinken. Ze zei dat hij warm moest worden.

Hij kon de mok niet vasthouden, dus dat deed zij voor hem, ze bracht hem naar zijn lippen terwijl ze hem tegelijkertijd met een hand op zijn schouder in evenwicht hield. Hij nam een slok, hoestte en nam er nog een. Hij zei: 'Ze heeft Hadiyyah meegenomen.'

Barbara dacht dat hij zich vergist moest hebben. Angelina had Hadiyyah toch zeker alleen maar meegenomen naar Azhars andere kinderen. Ook al had Angelina roekeloze plannen gehad, zij en Hadiyyah zouden toch zeker over een uurtje of zo het pad op komen lopen met die kinderen in hun kielzog en dan zou de Grote Verrassing zich ontvouwen. Maar Barbara wist – ze wist gewoon – dat ze zichzelf voor de gek hield. Net zoals Angelina haar voor de gek had gehouden.

Barbara zag over Azhars schouder dat haar antwoordapparaat knipperde om aan te geven dat er berichten waren. Misschien, dacht ze, misschien, misschien...

Ze legde Azhars hand om de theemok en liep naar het apparaat. Er waren twee berichten en de eerste stem was die van Angelina. 'Hari zal vanavond erg van streek zijn, Barbara,' zei de aangename stem van de vrouw. 'Wil je zo nu en dan bij hem gaan kijken? Ik zou je zeer dankbaar zijn.' Er viel een stilte en toen vervolgde Angelina: 'Zeg tegen hem dat het niets persoonlijks is, Barbara... Nou ja, dat is het wel en niet, hè? Wil je dat tegen hem zeggen?' En na dat onsamenhangende bericht was het tweede van Azhar, die met gebroken stem zei: 'Barbara... Barbara... Hun paspoorten... haar geboortebewijs...' en een hevig snikken voordat de verbinding werd verbroken.

Ze wendde zich weer naar hem. Hij zat over de tafel gebogen. Ze zei: 'O, mijn god, Azhar. Wat heeft ze gedáán?' Maar het ergste van alles was dat ze wist wat Angelina Upman had gedaan en ze besefte dat als ze het maar had gezegd, als ze hem maar over de 'verrassing' had verteld die Hadiyyah haar had opgebiecht, hij misschien had begrepen wat er stond te gebeuren en het misschien had kunnen voorkomen.

Barbara ging zitten. Ze wilde hem aanraken, maar ze was bang dat hij door een bezorgd gebaar misschien als glas zou breken. Ze zei: 'Azhar, Hadiyyah vertelde me dat ze een verrassing hadden. Ze zei dat zij en haar moeder van plan waren om je andere kinderen op te halen, de kinderen... de kinderen uit je huwelijk, Azhar. Azhar, ik wist niet wat ik tegen je moest zeggen. Ik wilde haar vertrouwen niet beschamen... en... Verdomme, wat mankéért me? Ik had iets moeten zeggen. Ik had iets moeten doen. Ik had niet gedacht...'

Hij zei als verdoofd: 'Ze weet niet waar die zijn.'

'Daar moet ze dan achter zijn gekomen.'

'Hoe dan? Ze weet niet hoe ze heten. De kinderen. Mijn vrouw. Het kan gewoon niet... Maar Hadiyyah heeft vast gedacht... Zelfs nu denkt ze waarschijnlijk nog...' Hij zei niets meer.

'We moeten de politie bellen,' zei Barbara, ook al wist ze dat dat geen zin had. Want Hadiyyah was niet met een vreemde meegegaan. Ze was met haar eigen moeder, en er was geen echtscheiding met ingewikkelde voogdijregels, want ze waren niet eens getrouwd. Er waren slechts een man, een vrouw en een dochter geweest, die korte tijd relatief vreedzaam hadden samengewoond. Maar toen was de moeder weggelopen en hoewel ze was teruggekeerd, was het Barbara nu wel duidelijk dat Angelina vanaf het begin van plan was geweest haar kind op te halen: eerst had ze Azhar in de waan gelaten dat alles in orde was en daarna had ze Hadiyyah bij haar vader weggehaald om vervolgens spoorloos te verdwijnen.

Wat waren ze allemaal bedrogen en gebruikt, dacht Barbara. En wat, wat, wát moest Hadiyyah wel niet denken en voelen wanneer het haar begon te dagen dat ze was weggerukt van de vader die ze zo aanbad en uit het enige leven dat ze ooit had gekend? Dat ze was meegenomen...? Waarheen, dacht Barbara, waarhéén?

Niemand verdween spoorloos. Barbara was een smeris en ze wist heel goed dat niemand ooit kon vluchten zonder ook maar een enkele aanwijzing achter te laten. Ze zei tegen Azhar: 'We gaan naar je appartement.'

'Ik kan daar niet meer naar binnen.'

'Je moet, Azhar, het is de route naar Hadiyyah.'

Langzaam kwam hij overeind. Barbara pakte hem bij de arm en begeleidde hem over het pad naar de voorkant van het huis. Op de tuintegels voor de deur bleef hij staan, maar ze duwde hem naar voren. Ze deed de deur open, vond het lichtknopje en knipte het aan.

De zitkamer, die naar Angelina Upmans onberispelijk goede smaak was veranderd, baadde in het licht. Barbara zag nu waar die verandering voor bedoeld was geweest, een zoveelste manier om hen zand in de ogen te strooien. Niet alleen Azhar, maar als het erop aankwam ook Hadiyyah en Barbara. Wat zullen we daar een plezier aan beleven, lieve Hadiyyah, en wat zal je vader verrast zijn!

Azhar bleef roerloos en asgrauw tussen de zitkamer en keuken staan. Barbara dacht dat de kans groot was dat de man ter plekke zou flauwvallen, dus nam ze hem mee naar de keuken, die Angelina als laatste had opgeknapt. Daar zette ze hem aan de kleine tafel. Ze zei: 'Wacht hier.' En toen: 'Azhar, het komt allemaal in orde. We zullen haar vinden. We vinden ze allebei.' Hij reageerde niet.

Barbara zag in hun slaapkamer dat al Angelina's spullen weg waren. Ze had niet alles in één koffer kunnen krijgen, dus ze moest zonder dat iemand het wist al spullen vooruitgestuurd hebben. Dat betekende dat ze wist waar ze naartoe ging en mogelijk ook naar wie. Een belangrijk detail.

Op het bed lag een kluisje. Het was open en de inhoud lag ernaast. Barbara bekeek die: ze zag verzekeringspapieren, Azhars paspoort, een kopie van zijn geboortebewijs, een verzegelde envelop waarop in zijn nette, schuine handschrift *Testament* stond geschreven. Zoals hij al had gezegd, was alles wat met Hadiyyah te maken had weg, en die situatie werd nog eens onderstreept door de slaapkamer van het kleine meisje.

Haar kleren waren weg, met uitzondering van haar schooluniform, dat uitgespreid op het bed lag, alsof het spottend wilde zeggen dat Hadiyyah er de volgende ochtend niet zou zijn om het aan te trekken. Ook haar rugzak lag er nog, met haar schoolwerk netjes in een aantekenboek met ringband. Op haar kleine bureau stond onder een raam haar laptop met daarop een kleine girafknuffel, die, zo wist Barbara, Hadiyyah vorig jaar had gekregen van een heel aardig meisje in Essex, op de pier van Balford-le-Nez. Barbara wist dat Hadiyyah die giraf zou willen hebben. Dat ze haar laptop zou willen hebben. Ze zou haar schoolspulletjes willen. Maar bovenal wilde ze haar vader.

Ze keerde naar de keuken terug waar Azhar in het niets zat te staren. Ze zei tegen hem: 'Azhar, je bent haar vader. Je hebt rechten. Ze heeft sinds haar geboorte bij jou gewoond. Er is hier een gebouw vol mensen die daarvan kunnen getuigen. De politie zal het ze vragen en ze zullen antwoorden dat jij de officiële ouder bent. De school van Hadiyyah zal dat ook zeggen. Iedereen...'

'Mijn naam staat niet op haar geboorteakte, Barbara. Dat is nooit zo geweest. Angelina wilde dat niet. Dat was de prijs die ik heb betaald omdat ik niet van mijn vrouw ben gescheiden.'

Barbara slikte. Ze zweeg even. Toen vervolgde ze: 'Oké. Dan moeten we het daarmee doen. Het maakt niet uit. Er zijn DNA-tests. Ze is voor de helft van jou, Azhar, en dat kunnen we bewijzen.'

'Hoe moeten we dat doen nu ze er niet is? En wat maakt het uit nu ze bij haar moeder is? Angelina overtreedt de wet niet. Ze negeert geen gerechtelijk bevel. Ze is niet op de vlucht voor een omgangsregeling die door een rechter is vastgesteld. Ze is weg. Ze heeft mijn dochter meegenomen en ze komen niet terug.'

Hij keek naar Barbara en in zijn ogen was zo veel pijn te lezen dat Barbara haar blik moest afwenden. Ze zei overbodig: 'Nee, nee. Dat is niet zo.'

Maar hij legde zijn voorhoofd nogmaals tegen zijn omhooggestoken vuisten en sloeg zichzelf. Eén keer, twee keer en Barbara greep hem bij de arm. Ze zei: 'Niet doen. We vinden haar wel. Ik zweer dat we haar zullen vinden. Ik ga nu rondvragen. Ik ga wat mensen bellen. Er zijn manieren. Er zijn middelen. Je bent haar niet kwijt en dat moet je geloven. Zúl je dat geloven? Zul je volhouden?'

'Ik heb niets om het voor vol te houden,' zei hij tegen haar.

Chalk Farm

Londen

Wie kon ze de schuld geven? vroeg Barbara zich af. Wie kon ze verdomme in godsnaam de schuld geven? Ze moest iemand de schuld geven, want als ze niemand verantwoordelijk kon stellen, moest ze het zichzelf aanrekenen. Dat ze om de tuin geleid was, dat ze bedonderd was, dat ze zo stom was geweest, zo...

Het kwam allemaal door Isabelle Ardery, besloot ze. Als die kuthoofdinspecteur niet krachtig had geadviseerd, er niet op had gestaan, haar niet had bevólen haar uiterlijk te veranderen, was dit allemaal niet gebeurd, want dan had Barbara om te beginnen Angelina Upman niet leren kennen. Dan had ze afstand bewaard en dan had ze haar misschien beter in de smiezen gehad en begrepen dat... Maar wat er werkelijk toe deed was dat Angelina vanaf het allereerste begin van plan was geweest haar dochter mee te nemen, en dáárover was de ruzie gegaan die Barbara die dag tussen Angelina en Azhar had gehoord. Zij had daarmee gedreigd en hij had daarop gereageerd. Azhar was boos geworden, zoals een vader dat nu eenmaal wordt wanneer hij te horen krijgt dat ze zijn kind willen meenemen. Maar toen Angelina Barbara uitlegde waar ze ruzie over hadden gehad, had Barbara zich laten misleiden, haar leugens voor zoete koek aangenomen, stuk voor stuk.

Ze wilde Azhar niet alleen laten, maar ze had geen keus toen ze eenmaal had besloten haar telefoontje te plegen. Ze wilde dat niet in zijn bijzijn doen, want ze wist niet zeker wat dat zou opleveren, ondanks haar geruststellende woorden tegen de man. Ze zei: 'Ik wil dat je even gaat liggen, Azhar. Je moet even wat rusten. Ik ben zo terug. Dat beloof ik. Wacht hier. Ik ben eventjes weg omdat ik een paar telefoontjes moet plegen en als ik weer terug ben, heb ik een plan. Maar in de tussentijd moet ik... Azhar, luister je wel? Hóór je me?' Ze wilde iemand bellen die naar hem toe kon komen om hem op de een of andere manier te troosten, maar ze wist dat er niemand anders was dan zij. Het enige wat ze kon doen was hem naar zijn slaapkamer brengen, een deken over hem heen leggen en hem beloven dat ze zo snel mogelijk terug zou zijn.

Ze haastte zich naar huis om te bellen. Ze kon maar één persoon bedenken die haar misschien kon helpen, die in staat zou zijn in deze situatie helder te denken, en ze belde zijn mobieltje.

Boven een hels lawaai op de achtergrond zei Lynley: 'Ja? Barbara? Ben jij dat?' Er ging een golf van dankbaarheid door Barbara heen en ze zei: 'Sir, sir, ja. Ik moet...'

Hij zei: 'Barbara, ik hoor je amper. Ik moet...'

Zijn stem werd overstemd door een juichende menigte. Waar wás hij in godsnaam, vroeg ze zich af. Bij een voetbalwedstrijd?

Hij verklaarde: 'Ik ben in Earl's Court...' Nog meer gejuich en gebrul en Lynley zei tegen iemand: 'Charlie, is ze over de schreef gegaan? Mijn god, wat is die vrouw agressief. Kun je zien wat er is gebeurd?' Iemand antwoordde iets en daarop moest Lynley lachen. Lynley lachte, besefte Barbara, zoals ze hem dat sinds februari van dat jaar niet meer had horen doen, toen het erop had geleken dat zijn lach voor eeuwig was verdwenen. Hij zei in zijn mobieltje: 'Rolschaatsderby, Barbara,' en ze kon hem amper boven het achtergrondgeluid uit horen, hoewel ze wel 'die vrouw uit Cornwall' wist op te vangen. En ze dacht: heeft hij een afspraakje of zo? Met een vrouw uit Cornwall? Welke vrouw uit Cornwall? En wat was een rolschaatsderby? En wie was Charlie? Iemand die eigenlijk Charlotte heette? Hij bedoelde Charlie Denton toch niet? Waarom zou Lynley in hemelsnaam met Charlie Denton uitgaan?

Ze zei: 'Sir, sir...' maar het was hopeloos.

Opnieuw gejuich van de menigte en hij zei tegen iemand: 'Is er gescoord?' en daarna tegen haar: 'Barbara, kan ik je terugbellen? Ik hoor helemaal niks.'

Ze zei: 'Ja,' en overwoog hem te sms'en. Maar hij was gelukkig en hij had plezier, en hoe kon ze hem daar in godsnaam van wegrukken terwijl hij, als ze eerlijk was – zoals ze verdomd goed wist, ondanks wat ze tegen Azhar had gezegd – niets kon uitrichten. Officieel kon niemand iets uitrichten. Wat er nu ook zou gebeuren, het zou op een uitermate onofficiële manier moeten worden aangepakt.

Ze verbrak de verbinding. Ze staarde naar de telefoon. Ze dacht aan Hadiyyah. Barbara had haar nog maar twee jaar daarvoor ontmoet, maar het leek alsof ze het meisje haar hele korte leventje al had gekend: een dartelend meisje met dansende vlechtjes. Het schoot door Barbara heen dat Hadiyyahs haar de laatste paar keer dat ze haar had gezien anders had gezeten en ze vroeg zich af hoe anders ze er de komende dagen uit zou komen te zien.

Hoe zal zij je eruit laten zien? vroeg Barbara zich af. Wat zal ze jou over je vermomming wijsmaken? Sterker nog, wat zal ze je vertellen over waar jullie naartoe gaan als het eenmaal duidelijk is dat je aan het einde van je reis geen halfzusje en -broertje zult ontmoeten? En waar zal die reis je brengen? In wiens armen vlucht je moeder?

Want dat was wat er aan de hand was. Hoe hadden ze dat kunnen voorkomen? Angelina Upman was een moeder die alleen maar was teruggekomen om haar kind te halen. Ze was uit 'Canada' teruggekeerd, of waar ze ook met wie was geweest, natuurlijk bij dezelfde persoon naar wie ze nu terug vluchtte, een of andere kerel die ze had verleid, net als Azhar, net als zij allemaal, verleid om te wachten in plaats van te geloven... Wát had Angelina gedaan en waar was ze naartoe gegaan?

Ze moest weer terug naar Azhar, maar Barbara begon te ijsberen. Elke zwarte taxi in Londen, dacht ze. Elke minitaxi en daar waren er duizenden van. Elke bus en daarna de bewakingscamera's vanaf het metrostation van Chalk Farm. Daarna de treinstations. De Eurostar. Vervolgens de luchthavens. Luton, Stansted, Gatwick, Heathrow. Elk hotel. Elke B&B. Elke flat en elk onderduikadres vanaf het centrum van Londen naar de stadsgrenzen toe en nog verder. De Kanaaleilanden. Het eiland Man. De Hebriden. Het vasteland van Europa. Frankrijk, Spanje, Italië, Portugal...

Hoe lang zou het duren om een beeldschone blonde vrouw en haar donkerharige kleine meisje te vinden, een meisje dat al snel naar haar vader zou willen, dat bij een telefoon zou weten te komen – God in de hemel, dat zou haar toch zeker wel lukken? – en haar vader zou bellen zodat ze kon zeggen: 'Papa, papa, mammie weet niet dat ik bel en ik wil naar húís...'

Moeten we dan maar op het telefoontje wachten, vroeg Barbara zich af. Moeten we eropuit gaan om haar te zoeken? Moeten we gewoon maar bidden? Moeten we liegen tegen onszelf en ons ervan overtuigen dat ze geen kwaad in de zin heeft en dat ook niet zal hebben omdat dit tenslotte om een moeder gaat die van haar kind houdt en die wéét dat Hadiyyah bij haar vader thuishoort, omdat hij alles heeft opgegeven om bij haar te blijven en daarom zonder haar helemaal niemand heeft?

God, wat wilde ze dat Lynley er was. Hij zou weten wat er gedaan moest worden. Hij zou weten wat er gezegd moest worden. Hij zou naar het hele hartverscheurende verhaal luisteren en de juiste woorden weten te vinden en Azhar hoop geven, woorden die ze zelf niet kon zeggen omdat ze die nu eenmaal niet had. Ze had de moed niet. Maar ze moest toch iets doen, iets zeggen, iets zien te bedenken, want als ze dat niet deed, wat was ze dan voor vriendin voor een man in nood? En als ze de woorden niet kon vinden of geen plan kon verzinnen, was ze dan eigenlijk wel een echte vriendin?

Het was bijna tien uur toen Barbara eindelijk haar kleine badkamer binnenliep. Lynley had haar nog niet teruggebeld, maar ze wist dat hij dat zou doen. Hij zou haar niet vergeten, want inspecteur Lynley vergat geen mensen. Zo zat hij niet in elkaar. Dus hij zou haar bellen zodra hij kon en Barbara geloofde dat – hield zich daaraan vast – want ze moest iets geloven, er viel verder niets meer te geloven en ze geloofde zeker niet in zichzelf.

In de badkamer deed ze de douche aan en wachtte tot het water warm werd. Ze huiverde, niet van de kou want de elektrische kachel had de bungalow eindelijk warm gekregen, maar meer door iets verraderlijkers, wat dieper ging dan de kou op iemands huid. Ze bekeek zichzelf in de spiegel terwijl de stoom in de douche begon op te stijgen. Ze bestudeerde de persoon die ze op aandringen van anderen was geworden. Ze dacht aan de stappen die ze moest ondernemen om Hadiyyah te vinden en het meisje bij haar vader terug te brengen. Dat waren vele stappen, maar Barbara wist de eerste al.

Ze liep naar de keuken om een schaar te halen, een fijne, scherpe schaar, die met gemak door een kippenbot sneed, hoewel ze hem daar nooit voor gebruikte en ook niet voor iets anders, trouwens. Maar hij was perfect waarvoor ze hem nu nodig had.

Ze liep terug naar de badkamer, waar ze haar kleren van zich af schudde.

Ze regelde de watertemperatuur.

Ze stapte in de douche.

En daar begon ze haar haren af te knippen.

6 september 2010
Whidbey Island, Washington

Dankwoord

Omdat ik een Amerikaanse ben en een serie schrijf die zich in het Verenigd Koninkrijk afspeelt, sta ik voortdurend in het krijt bij mensen in Engeland die bereid zijn me tijdens de beginfasen van mijn onderzoek te helpen. Voor deze roman ben ik het personeel en de eigenaars van Gilpin Lodge in Cumbria oneindig veel dank verschuldigd. Zij hebben me een heerlijke veilige haven geboden van waaruit ik het landschap kon verkennen dat de achtergrond vormde voor dit boek. De *Queens' Guide to the Sands* – Cedric Robinson – was een ruimhartige en onschatbare informatiebron over Morecambe Bay. Hij heeft zijn hele leven aan de baai gewoond en een groot deel van zijn leven bij eb mensen over zijn gevaarlijke uitgestrekte vlakte rondgeleid. Zijn vrouw, Olive Robinson, heeft me hoffelijk welkom geheten in hun achthonderd jaar oude cottage en zij en haar man hebben me tijdens mijn verblijf in Cumbria alles verteld wat ze wisten. De als altijd vindingrijke Swati Gamble, van Hodder and Stoughton, heeft me opnieuw bewezen dat voor haar – gewapend met internet en een telefoon – niets onmogelijk is.

In de Verenigde Staten hebben Bill Solberg en Stan Harris me geholpen te ontdekken hoe het is om aan de oevers van een meer te wonen, en door een toevallige ontmoeting met Joanne Herman in de groene kamer van een zondagochtendtalkshow in San Francisco kwam ik in het bezit van haar boek *Transgender Explained*. Caroline Cosseys boek *My story* heeft me meer dan wat ook de pijn en verwarring duidelijk gemaakt die gepaard gaan met genderdysforie en de vooroordelen waarop iemand stuit die het besluit eenmaal heeft genomen er iets aan te doen.

Ik ben mijn echtgenoot Thomas McCabe dankbaar voor zijn steun, en ook mijn persoonlijk assistente Charlene Coe met haar altijd opgewekte aanwezigheid, en ook dank ik mijn jarenlange *cold readers* Susan Berner en Debbie Cavenaugh, die de eerste concepten van deze roman hebben gelezen. Mijn werkzame leven wordt in goede banen geleid door mijn literair agent Robert Gottlieb van Trident Media Group, evenals mijn Britse uitgeversteam, bestaande uit Sue Fletcher, Martin

Nield en Karen Geary van Hodder and Stoughton. Voor deze roman ben ik in zee gegaan met een nieuw Amerikaans uitgeversteam van Dutton, en ik ben dankbaar voor het vertrouwen dat mijn redacteur en uitgever Brian Tart me heeft getoond.

Ten slotte voor mijn lezers die in Cumbria geïnteresseerd zijn, evenals in zijn kroonjuweel, het Lake District: alle plekken in dit boek bestaan echt, zoals dat voor al mijn boeken geldt. Ik heb ze alleen waar nodig weggeplukt en verhuisd. Ireleth Hall staat voor Levens Hall, het huis van Hal en Susan Bagot; het botenhuis van Fairclough is daadwerkelijk te vinden in Fell Foot Park; Arnside House staat voor Blackwell, de Arts & Crafts-schoonheid aan de oever van Lake Windermere; Bryan Beckfarm is ontstaan uit een elizabethaans landhuis dat Townend heet; en het dorpje Bassenthwaite is Bryanbarrow geworden, met eenden en al. Een deel van het genoegen om fictie te schrijven is dat je met dit soort plekken voor God mag spelen.

Elizabeth George
Whidbey Island, Washington